ATLAS
historique

*De l'apparition de l'homme sur la terre
à l'ère atomique*

Werner HILGEMANN

Hermann KINDER

*Traduit de l'allemand
par
Raymond Albeck*

Librairie Académique Perrin
76, rue Boneparte
Paris

Édition originale : D.T.V. Atlas zur Weltgeschichte.

© 1964 et 1966 Deutscher Taschenbuch Verlag. G.M.B.H. et Co, K.G. Munich, par Hermann Kinder et Werner Hilgemann, avec la collaboration pour la cartographie de Harald et Ruth Bukor.

Édition française : © 1968, Editions Stock.

               © 1987 et 1992, Librairie Académique Perrin, pour la présente édition revue et augmentée.

               L'adaptation française du texte a été dirigée par Pierre Mougenot.

Les cartes des pages 92, 156, 186, 188, 190, 214 A, 252, 258, 284 A, 294, 302, 322, 334, 344, 352, 424, 460 B, 468, 474 B, 478 B, 524, 532, 552, ont été spécialement réalisées par le service cartographique Hachette.

Les cartes des pages 592, 593, 596, 603 ont été spécialement réalisées par le service cartographique Perrin.

ISBN 2-262-01359-4

AVERTISSEMENT

Toute l'histoire de l'humanité, depuis la fin des temps géologiques jusqu'à la plus récente actualité, est présentée pour la première fois en France sous une forme originale, simple et moderne.

Classés chronologiquement, les événements se lisent à la fois dans le texte et sur la carte qui lui fait face. L'œil et la pensée sont ainsi étroitement associés, rendant l'histoire extrêmement vivante. Aucune idéologie ne préside dans le choix des faits, c'est une vision aussi complète qu'objective qui est donnée.

Le texte est divisé selon les périodes historiques fondamentales, analysées dans la perspective des grands ensembles géographiques et politiques.

Des aperçus sur la culture, l'art, la religion, les institutions de chaque pays, à toutes les époques, enrichissent le cadre événementiel.

Un index de 6 000 noms permet de se reporter immédiatement au fait recherché.

L'*Atlas historique* est un ouvrage de consultation exceptionnel et nécessaire à l'honnête homme. Pour les enseignants et les étudiants, il est l'outil de travail indispensable qui leur manquait jusqu'alors.

Symboles et abréviations

● Localité, Ville

■ Grande ville ou centre culturel

■ Capitale

⌖ Archevêché

† Evêché

⌖ Ancien évêché

⌖ Monastère, abbaye

♪ Château, palais

✦ Fortification

☀ Siège

✚ Siège de conférence

◉ Siège d'un traité

◯ Localité détruite

✕ Col, défilé

▲▲▲ Barrage, blocus

〜〜 Mur, muraille

🔥 Révolte, révolution

⚡ Siège d'un conflit, théâtre d'opérations

✕ Bataille

♛ Monarque (empereur, roi, prince)

▲ Chef d'Etat, président

⑤ Législation

◖ Institution parlementaire

GB Puissance politique

⨀ Alliance

Ⓕ Allié

⊢⊣ Union personnelle

◯◯ Mariage

administr.	administration	cath.	catholique
Aff. étrang.	Affaires étrangères	chr.	chrétien
Alb.	Albanie, Albanais	christ.	christianisme
All.	Allemagne, allemand	colon.	colonial
Am.	Amérique, américain	commerc.	commercial
Angl.	Angleterre, anglais	conserv.	conservateur
à p. de	à partir de	crét.-myc.	crétois-mycénien
arch.	archevêché, archevê-	cult.	culture
	que	Dan.	Danemark, Danois
astr.	astronome	danub.	danubien
Ath.	Athènes, Athénien	diplom.	diplomatique
atom.	atomique	départ.	département
Babyl.	Babylone	doct.	doctrine
Brand.	Brandebourg	domin.	domination
Brit.	Britannique	dor.	dorien
Bulg.	Bulgarie, Bulgare	dyn.	dynastie
Byz.	Byzance, byzantin	écon.	économique, économie
c.-à-d.	c'est-à-dire	Egypt.	Egypte, Egyptien
cap.	capétien	emp.	empereur
card.	cardinal	encycl.	encyclique
carol.	carolingien	env.	environ
Carth.	Carthage, Carthagi-	Eur., europ.	Europe, européen
	nois	év.	évêché, évêque

évang.	évangélisme	mill.	millénaire
Esp.	Espagne, Espagnol	min.	ministre
export.	exportation	myst.	mysticisme, mystique
extrêm.	extrémiste		
fasc.	fascisme, fasciste	myth.	mythologie
féd.	fédération, fédéré	nat.	nation, national
fisc.	fiscalité, fiscal	Néerl.	Néerlandais
flam.	flamand	néol.	néolithique
fl.	fleuve	Norv.	Norvège, Norvégien
fort.	fortification	nucl.	nucléaire
Franç.	Français	occ.	occidental
Gén.	Génois	orient.	oriental
géogr.	géographie	orth.	orthodoxe
Germ.	Germanie, Germain	ott.	ottoman
gouv.	gouvernement	patr.	patriciat
Gr.	Grec	p. e.	par exemple
hellén.	hellénisme, hellénistique	panafric.	panafricain
		partic.	particulier
Habsb.	Habsbourgs	Phén.	Phénicie, Phénicien
héréd.	héréditaire	phil.	philosophe
hist.	histoire	polit.	politiquement
Holl.	Hollande, Hollandais	Pol.	Pologne, Polonais
Hongr.	Hongrie, Hongrois	Port.	Portugal, Portugais
ibér.	ibérique	prés.	président
illyr.	illyrien	popul.	population, populaire
imp.	impérial	prim.	primitif
import.	importation	princip.	principauté
indép.	indépendant	priv.	privilège
ind.	indien	propr.	propriétaire
indo-europ.	indo-européen	prot.	protestant
indust.	industrie	provis.	provisoire
internat.	international	Pruss.	Prussien
intér.	intérieur	relig.	religion, religieux
interv.	intervention	rép.	république, républicain
Ital.	Italien		
ion.	ionien	resp.	responsabilité, responsable
Isl.	Islam, islamique		
jud.	judiciaire	révolut.	révolutionnaire
jur.	juridiction	rév.	révolution, révolte
lat.	latin	rom.	romain
lib.	libéral, libéralisme	s.	siècle
littér.	littérature	sept.	septentrional
Lit.	Lituanie, lituanien	social.	socialisme, socialiste
Liv.	Livonie, livonien	soc.-démocr.	social-démocratie, social-démocrate
luth.	luthérien		
mand.	mandchou	soul.	soulèvement
math.	mathématique	soviét.	soviétique
méd.	médecine	Suéd.	Suédois
médiév.	médiéval	sum.	sumérien
médit.	Méditerranée, méditerranéen	suz.	suzerain, suzeraineté
		syn.	synode
mérid.	méridional	syr.	syrien
Mésop.	Mésopotamie, mésopotamien	théb.	thébain
		Tosc.	Toscane, toscan
Mess.	Messénie, Messénien	trib.	tribut, tributaire
milit.	militaire	Var.	Varègue

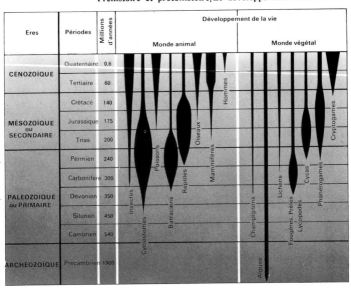

Eres	Périodes	Millions d'années	Développement de la vie	
			Monde animal	Monde végétal
CÉNOZOÏQUE	Quaternaire	0,6		
	Tertiaire	60		
MÉSOZOÏQUE ou SECONDAIRE	Crétacé	140		
	Jurassique	175		
	Trias	200		
PALÉOZOÏQUE ou PRIMAIRE	Permien	240		
	Carbonifère	300		
	Dévonien	350		
	Silurien	450		
	Cambrien	540		
ARCHÉOZOÏQUE	Précambrien	1900		

Histoire de la terre et de la vie

Eres	Australanthropes (Pré-hominiens)	Pithécanthropes (Archantropiens)	Néanderthaliens (Paléantropes)	Classement incertain	Pré-sapiens (Néanthropes)
PLÉISTOCÈNE SUPÉRIEUR		Ngandong	Monte Circeo Gibraltar Engis-Spy La Chapelle La Ferrassie Lac Eyassie Taboun Krapina Saccopastore Ehringsdorf	Broken Hill Saldanha	M' Carmel Fontéchevade
PLÉISTOCÈNE MOYEN		Chou Kou Tien Trinil Casablanca Ternifine Rabat Montmaurin Mauer Modjokerto Oldoway	Néanderthal	Swanscombe Steinheim	
PLÉISTOCÈNE INFÉRIEUR	Chine Afrique du Sud			Remarque: Les dimensions des deux tableaux ne sont pas proportionnelles et ne donnent que des indications.	

Découvertes importantes d'hominidés dans le pléistocène

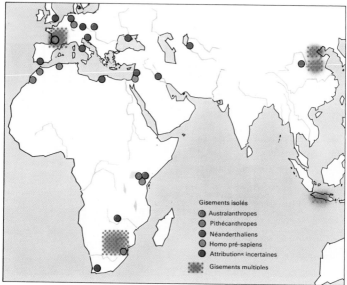

Gisements humains au pléistocène

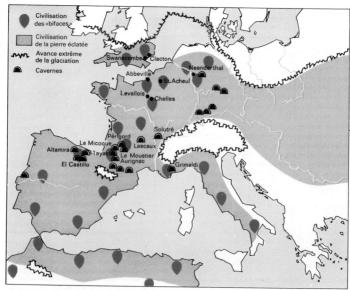

Civilisations paléolithiques

L'Homme du Paléolithique

Fin Tertiaire, c.-à-d. au Pléistocène inférieur, premières apparitions connues de l'Homme : **Australopithécidés** ou Préhominiens (nommés ainsi par DARTS en 1924, après la découverte de Taungs, Transvaal). La naissance de l'intelligence humaine (fabrication d'outils) situe les Préhominiens entre l'animal et l'homme. Les Préhominiens connaissent la taille des galets (Pebble culture). Développement graduel de l'homme pendant le Pléistocène : les **Pithécanthropiens** sont les représentants des premières civilisations humaines. Ils connaissent le feu (premiers travaux à l'aide du feu en Chine).

Au Pléistocène moyen, apparition des **Néanderthaliens** (civilisation du Moustier), puis du groupe **Présapiens** (Néanthropiens). Lors de la dernière période glaciaire, l'**Homo sapiens** succède au Présapiens (Cro-Magnon, Grimaldi).

Fin du Pléistocène, formation des **grandes races** humaines : Mongoloïde (Asie), Négroïde (Afrique centrale), Europoïde, et Australoïde.

Le Pléistocène (âge glaciaire) est une succession de périodes glaciaires et interglaciaires (ci-dessous en milliers d'années) :

600-540 1re période glaciaire (Günz)
540-480 1re période interglaciaire (Günz Mindel)
480-430 2e période glaciaire (Mindel)
430-240 2e période interglaciaire (Mindel-Riss)
240-180 3e période glaciaire (Riss)
180-120 3e période interglaciaire (Riss-Würm)
120-10 4e période glaciaire (Würm).

Vient ensuite l'époque postglaciaire. Historiquement et anthropologiquement, cet âge postglaciaire se divise en trois périodes :

600-100 le Paléolithique inférieur
100-50 le Paléolithique moyen
50-10 le Paléolithique supérieur

Les civilisations

Les noms de ces époques historiques proviennent de la matière première la plus importante, la **pierre fissile**, à laquelle on donnait au moyen de chocs des formes appropriées pour travailler le bois ou l'os (outils) ou pour l'utiliser comme arme (massue, hache, pointe).

Le travail de la pierre a donné quatre sortes différentes d'outils.

1. Outils en pierre non travaillée. **Civilisation des galets** (Pebble culture) : Afrique du Sud et de l'Est, Siam, Birmanie, Malaisie, Java, Chine. En heurtant un galet sur l'autre, on obtenait des outils à trancher (chopping tools), des grattoirs (choppers).

2. Outils travaillés le plus souvent sur les deux faces à partir d'un nucléus obtenu préalablement à

force de heurts (**coups-de-poing**). **Abbevillien** (Abbeville-sur-Somme) (anciennement appelé Chelléen, Chelles-sur-Marne) : Afrique, Inde, Java, Europe occidentale.

Acheuléen (Saint-Acheul près d'Amiens) : Afrique, Inde, Europe occidentale et centrale.

Micoquien (La Micoque, Dordogne) : Afrique, Inde, Europe occidentale et centrale, Palestine, Syrie.

3. Outils obtenus en frappant le nucléus avec outils à trancher (**éclats travaillés** sur une face).

Clactonien (Clacton, Essex) : Europe occid. et centr., Afrique, Inde.

Levalloisien (Levallois-Perret) : Afrique, Europe, Inde du Nord.

Tayacien (Tayac, Dordogne) : Palestine, Syrie, Afrique du Nord, Europe occidentale.

Fusion des techniques du coup-de-poing et du travail des éclats dans le **Moustérien** (Le Moustier, Dordogne) : pointes manuelles, grattoirs retouchés avec soin. Ensevelissement des morts avec présents funéraires, peut-être **monothéisme primitif**. Dans les civilisations précédentes, la fabrication des outils est certaine, mais on ne connaît pas de création artistique.

4. Outils obtenus par façonnage des éclats : **lames** (pointes, forets, grattoirs, burins).

Périgordien (Périgord) : pointes de Chatelperron, suivies des pointes de Gravette.

Aurignacien (Aurignac) : outils en os, pointes d'armes, massues et grattoirs en forme de faucilles. L'art naît de la magie cynégétique : idoles féminines (Vénus de Willendorf); gravures sur pierre, os et ivoire (style linéaire, dessins géométriques); **peinture et dessin** aux grottes d'Altamira, El Castillo, etc. L'Homo sapiens émigre du Proche-Orient vers le nord.

Solutréen (Solutré) : outils à surface retouchée, pointes en feuille de laurier; aucun art.

Magdalénien (Abri La Madeleine par Tursac) : outils en os, lances à propulseur, harpons, longues lames.

Apogée de l'art des cavernes (environ 120 fouilles) à Altamira (1879) et Lascaux (1940).

Petits objets artistiques en os, bois de cerf, ivoire et pierre (gravures et sculptures). A la fin du Magdalénien, déclin de l'art.

Chasse de bêtes sauvages, à l'aide de trappes et de pièges. Mode d'habitat : cavernes, huttes, tentes ou abris sous roche.

Religion. Sorcellerie cynégétique, magie, croyance en une déesse de la Fécondité (Magna Mater). Enterrement des morts avec ornements funéraires. Importance du sorcier.

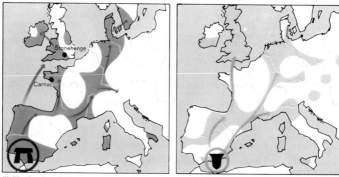

Civilisation des mégalithes

Civilisation des gobelets caliciformes

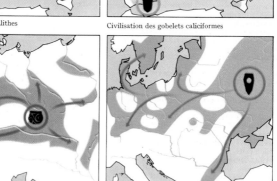

Civilisation de la poterie à bandeaux

Poteries à impressions de cordes

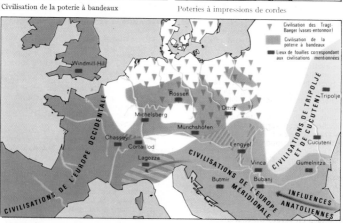

Le Néolithique en Europe

Le Mésolithique

Début vers 10000 av. J.-C. en Mésopotamie, Egypte et Europe méridionale, vers 8000 en Europe du Nord; il s'achève approximativement en 5000 et 4000 env. L'économie des groupes mésolithiques (chasse, pêche, cueillette) est encore celle du Paléolithique. Avec le climat plus favorable, amélioration des conditions de vie (extension des forêts : bouleaux, saules, chênes). La nourriture essentielle est fournie par la chasse et la pêche. En Europe, peuplement surtout des côtes et des rives des fleuves, des ruisseaux et des lacs (découvertes d'énormes tas de coquilles). Le manque de nourriture ne permet que la formation de petits groupes (nomadisme, établissements dans des grottes et sous des huttes de branchages). La caractéristique du Mésolithique est le façonnage du silex : microlithes (petites pointes et lames). Nouveautés techniques : haches et pioches (pierre non polie au début). La localisation des matières premières dans certaines régions donne naissance au commerce et au trafic. L'ornementation est abstraite. Début de la domestication des animaux (chien); vers la fin du Mésolithique, début de l'agriculture et de la poterie. Ces civilisations s'étendent sur l'Europe, l'Afrique du Nord (Capsie, Oranie, Sébilie) et la Palestine (civilisations de Natouf et de Jéricho).

Civilisations primitives : azilienne, puis **sauveterrienne** (outils de silex).

Civilisation maglémosienne. Centre de gravité : les rives des lacs intérieurs (pêche sur les lacs et les fleuves avec hameçons recourbés et nasses cannées, ou sur des barques en peau et à rames).

Civilisation d'Ertebölle. S'étend le long des côtes scandinaves (pêche en haute mer, avec troc). Passage du gros au petit gibier comme base alimentaire.

Division du travail : La femme recherche les plantes comestibles (céréales sauvages, plantes aquatiques). Animaux domestiques : le chien.

Les Tardenoisiens. Petits établissements. Origine : sans doute la mer Egée. Petits outils trapézoïdaux.

Civilisation natoufienne (El-Natouf). Outils de silex, microlithes. Faucilles (pour les céréales) en silex. Plus tard, la civilisation de Jéricho connaîtra les maisons de brique. A Qualat Jarmo (Irak oriental), économie paysanne.

Le Néolithique en Europe

Europe occidentale. La **civilisation mégalithique** comprend l'Espagne, la France, l'Angleterre, l'Irlande, la Suisse, une partie de l'Italie. Grosse influence de l'Afrique du Nord. Caractéristiques : dolmens, chambres funéraires de pierres assemblées en forme de table, tombescouloirs et plus tardivement tombeaux en coupole (fausse voûte de pierres en surplomb). Centre : **Bretagne,** où l'on trouve également des menhirs (caractère anthropomorphe confirmé par gravures) disposés en rangées (de 200 à 1 500 m de long, Carnac) ou en cercle (Stonehenge, Angleterre). Plus tard, expansion de la **civilisation des gobelets** en forme de cloche renversée, venant d'Espagne, puis s'étendant vers l'Europe occidentale et centrale. Petits groupements à majorité de chasseurs (arc).

Balkans. Habitations sur collines, poterie de couleur, idoles féminines. Apparition de constructions à angle droit (du type **mégaron** avec pièce principale et vestibule). Cheval et hache de combat.

Civilisation de Tripoljé (entre les Carpates et le Dniepr en Ukraine). Longues maisons à angle droit ordonnées en cercle autour d'un espace central libre. Plus à l'est, **civilisation du Pont et de l'Aral,** connue grâce à ses tombeaux : aucun accessoire funéraire, emploi de l'ocre.

Civilisation de la poterie à bandeaux. Bandeaux gravés (spirales, méandres et chevrons) sur les récipients. Haches en forme de semelle en schiste amphibolique. Foyer : Bohême, Moravie, Allemagne centrale, et de là expansion vers l'est (Tisza et Vistule), vers l'ouest (Rhin), vers le sud (Drave) et vers le nord (ligne Cologne-Hanovre-Magdebourg). Habitat : villages protégés par mur et fossé, grandes constructions (30 à 40 m de long, 5 à 7 de large).

Europe du Nord (Pologne, Allemagne centrale, Danemark, Suède du Sud). Deux groupes : 1) **Civilisation des tragt-baeger** (vases en entonnoir). Origine inconnue, vraisemblablement de l'Est, longues maisons divisées en pièces; 2) **Civilisation de la poterie cordée.** Récipients ornés d'impressions de cordelettes (Saxe, Thuringe, Slesvig-Holstein, embouchure de l'Oder). Arme principale : la **hache de guerre.** Elevage du cheval. Ce peuple n'est sans doute pas indo-européen, mais il a été indoeuropéanisé. **Résumé.** Relations étroites entre différentes civilisations grâce à un commerce actif et étendu (meules, ambre jaune, silex) : chariots à roues pleines tirés par des bœufs, des rennes, plus tard par des chevaux. **Religion :** croyance à une survie. Peur du retour des morts (crémation des cadavres); culte des ancêtres, culte de la fécondité; croyance à un dieu céleste, souvent identique au dieu du tonnerre et de l'éclair, ainsi qu'aux démons et à la magie. Au début, toujours la chasse, puis l'élevage (petit bétail) et l'agriculture. L'économie rurale extensive provoque un nomadisme constant, avec retour au point de départ quand le sol a repris de la force.

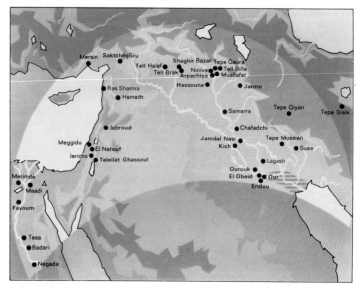

Centres de civilisation primitive dans le « Croissant fertile »

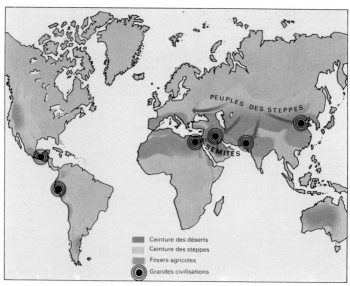

Centres de grande civilisation

Le Néolithique

La caractéristique de ces civilisations est leur emplacement sur des plateaux étagés riches en alluvions. Nouveautés importantes : constructions en briques, pierre polie, tour de potier. Transformation économique : **évolution vers le paysannat** et par conséquent vers une économie de production grâce à l'union de l'élevage (pâtres) et de l'agriculture (« révolution néolithique » de G. CHILDE) à la fin du Néolithique lui-même. Culture de céréales sauvages (blé, orge, millet), domestication de moutons, de chèvres, de cochons et d'équidés. Les grandes familles qui en résultent s'établissent dans des villages et plus tard dans des villes entourées de murailles. Jéricho (entre 8000 et 6000) peut être considéré comme le précurseur d'une grande civilisation urbaine. En plus des habitations rondes, extension des maisons à angle droit, d'abord en roseaux recouverts d'argile, puis en pisé, et enfin en **brique séchée.**
Art : Au début, décoration de coquilles et de pierres, plus tard de métaux précieux et de pierres de valeur. Poteries artistiques en couleurs, faites au tour, ornées de motifs géométriques et de représentations abstraites et naturalistes d'hommes et d'animaux (apogée : Suse). Petite sculpture : idoles féminines. Apparition des sceaux à empreinte. Emploi considérable du cuivre, d'abord martelé, ensuite fondu. Construction des premiers bâtiments sacrés à Eridou, Tepe Gaura et Ourouk : les temples deviennent nombreux (murs extérieurs avec décrochements). Premières tablettes d'argile écrites (comptabilité des temples) à Ourouk. D'abord écriture figurative, puis caractères représentant des mots et des sons. Culte des morts dans toutes les civilisations.
Dans la première période, les civilisations importantes sont celles d'Hassouna, de Jarmo (Irak oriental), Sialk I (Iran oriental), Jéricho et Saktchégözu (Syrie). Plus tard, civilisations de Tell Halaf, Samarra, Sialk II, Arpachiya, Tepe Gaura, Hissar, Taza, Badari, Merimdé et Fayoum. A la fin du Néolithique, civilisations d'el-Obeid, de Suse (Elam), Teleilat-Ghassoul, Sialk III Hissar (I B-C), Amrah et Gerzeh.
Vers 3000, le Déluge. (Hypothèse de plusieurs inondations et éruptions catastrophiques.) Construction de digues et de canaux en Egypte (Nil) et en Mésopotamie (Euphrate et Tigre). Le récit de la Bible correspond à l'Epopée de Gilgamesh.

L'apparition des grandes civilisations

A la suite de la « révolution néolithique », les grandes civilisations urbaines apparaissent (généralement concentrées autour de grands fleuves), et l'ère historique commence. Civilisation égyptienne sur le Nil, de la Mésopotamie sur le Tigre et l'Euphrate, de l'Inde sur l'Indus et de la Chine sur le Houangho. (Anciennes civilisations américaines, voir page 219.) L'élément décisif est la modification climatique amorcée dès le Mésolithique : dessèchement d'immenses régions (ceinture désertique de l'ouest à l'est : du Sahara à la steppe kirghize). La population augmente, le sol s'épuise, la sécheresse se prolonge, et les habitants des régions désolées émigrent vers les oasis fluviales. Pour y vivre, il faut résoudre collectivement les problèmes qui s'y posent. Comme une partie de la population est libérée de la production de nourriture, elle est libre pour d'autres tâches (artisanat, défense, culte, administration, technique). Naissance d'une **société différenciée** par division du travail, émancipation des différents métiers et complication des processus de production.
Centre de production, d'échange, de commerce et de trafic, voici la **ville,** caractéristique des grandes civilisations. En Mésopotamie, un prêtre-roi, représentant le dieu auquel appartient la ville, exerce le pouvoir. En Égypte, le pharaon est fils de dieu et dieu lui-même ; une religion d'État est à la base de sa puissance et la soutient. Grâce à la centralisation de l'État, à une société hiérarchiquement organisée (chefs, prêtres, guerriers, fonctionnaires, artisans, commerçants, paysans, esclaves) et à une administration en ordre (donc écriture pour les besoins comptables et les règlements), on résout les problèmes que pose la vie dans les oasis fluviales : organisation de l'économie par division urbaine du travail (approvisionnement de la population, imposition de corvées, impôts), économie agricole planifiée sur le territoire appartenant à la ville. Les tâches les plus importantes sont les travaux d'irrigation et la protection contre les inondations : construction de digues, de tranchées et de canaux ainsi que d'aqueducs pour l'eau potable. Toutes ces grandes civilisations éprouvent le besoin de s'étendre : les cités deviennent de grands empires.
Langage, culture et religion font naître une communauté de sentiments et de pensées. L'expansion des relations commerciales conduit à une multiplicité d'influences et à une plus grande largeur de conceptions.
Techniques communes à toutes les grandes civilisations : brique, pierre de taille (élément de base de l'architecture), construction de murs à appareil polygonal, travail des métaux précieux et des pierres rares, production de poterie à parois minces, écriture, grande sculpture, pierre polie.

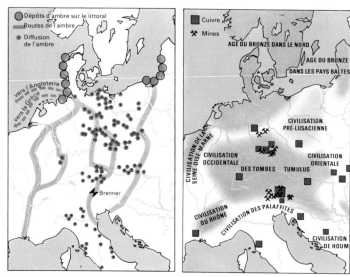

Commerce et dépôts

Apogée de l'âge du bronze

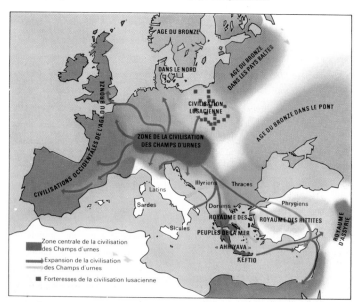

Civilisation des Champs d'Urnes

L'âge du bronze (env. 1700-800)

Le traitement du minerai apparaît au Proche-Orient (cuivre au IVe mil., bronze à partir de 2500), où se sont formées les plus anciennes civilisations du bronze. De là, cette technique gagne le nord (Caucase et Anatolie), l'Égypte, l'archipel égéen et la Crète qui devient un centre de rayonnement important pour l'Europe occidentale. Dans la 2e moitié du IIe millénaire, Mycènes remplace la Crète. La Hongrie tombe très tôt sous l'influence mycénienne, puis les territoires germaniques. Des découvertes d'objets d'or en Irlande prouvent l'existence d'étroites relations avec Mycènes.

L'influence des grandes civilisations orientales sur l'Europe se fait par trois routes différentes :

1. Par l'Anatolie, le Sud-Est de l'Europe (Balkans) : en Europe centrale, époque du bronze ancien (poterie monochrome); civilisations les plus importantes : de Bade (Hongrie, Bohême, Moravie, Autriche, Silésie), de Laibach (Carniole) et de Vucedol. Ces civilisations primitives danubiennes du bronze rayonnent jusqu'à la péninsule apennine (Remedello et Rinaldone);

2. A partir de la péninsule Ibérique (Almeria avec sa richesse en argent et en cuivre, et Algar), la civilisation de la poterie campaniforme gagne l'Europe et marque le début de l'âge du bronze;

3. La civilisation caucasienne du Kouban influence celle, transcarpatique, des « tumulus » (sacrifices cultuels à la mort du prince, haches de parade). Il s'y adjoint des éléments de la civilisation anatolienne (Alaca hüyük). Le Peuple des Haches de Bataille, influencé par ces civilisations, introduit le bronze en Europe centrale et occidentale.

A partir de 1700, âge du bronze en Europe, ce qui provoque la différenciation des civilisations. Les centres de rayonnement sont des territoires montagneux : Transylvanie, Erzgebirge en Slovaquie, zone alpine du schiste (Salzbourg, Tyrol), Allemagne centrale, Espagne, Angleterre et Irlande. Naissance de civilisations étendues et à société fortement hiérarchisée (à l'agriculture et à l'élevage s'ajoutent l'industrie, l'artisanat et le commerce). L'ambre du Jutland et de Sambie sert de troc. Des voies commerciales conduisent du Danube à la Saale, au Main et à l'Elbe (vers le Jutland) et à l'Oder (vers la Baltique). Le sens de l'expansion étant sud-nord, le commerce suit : on trouve de l'ambre dans les tombeaux mycéniens et des perles de faïence égyptiennes en Angleterre. Modes de sépulture : au début, tombeaux à squelettes accroupis, jambes repliées. A partir du bronze moyen, crémation.

Principales civilisations

1. **Civilisation unetice** (bronze ancien primitif). Allemagne centrale, Bohême, basse Autriche. Célèbres « tombeaux princiers » de l'Allemagne centrale (tombeau-tumulus de Leubingen aux riches objets d'or). Relations commerciales fort étendues, car c'est un lieu de passage entre la Méditerranée et le nord. Les civilisations proches sont influencées fortement par la civilisation de la poterie campaniforme : Straubing en Bavière (riche en minerais) et Adlerberg sur le Rhin moyen.

2. **Civilisation des tombes-tumulus** (bronze moyen). Domaine limité par la Meuse, la Seine, les Alpes, l'Oder, la basse Saxe. Ensevelissement des morts de la classe dominante sous des tumulus, avec accessoires funéraires, armes, bijoux. Base économique : l'élevage.

3. **Civilisation des Champs d'Urnes.** A partir de 1300 (crémation des morts, dépôt des cendres dans de grands cimetières = champs d'urnes). Expansion à partir du moyen Danube vers le sud, le long du fleuve vers la Bohême, la Pologne (civilisation lusacienne), l'Allemagne centrale et la France occidentale ainsi que l'Italie centrale, l'Espagne du Nord. Vénètes et Illyriens sont touchés par cette civilisation. La poussée vers le sud de la civilisation des Champs d'Urnes a pour conséquences :

a) La fin des centres mycéniens et de la dernière civilisation minoenne en Crète;
b) Son établissement en Asie Mineure [fin de l'empire des Hittites (p. 31)];
c) Son établissement en Italie du Nord et au Latium;
d) L'incursion des Peuples de la Mer en Égypte (p. 21) et des Philistins en Palestine (p. 33).

4. **Europe du Nord.** En Allemagne du Nord et Scandinavie, les populations habitent des maisons à angle droit avec vestibule (en grec : mégaron); ce sont principalement des Germains primitifs (page 105). **Art du bronze** : relations avec la Grèce par la civilisation des Champs d'Urnes. Au début de l'âge du bronze, imitation en métal des objets en pierre, puis industrie indépendante. Les hommes de l'Europe du Nord connaissent les chars de combat attelés de chevaux. On ensevelit les morts sous de gros tumulus (riches découvertes d'Upsal et de Seddin), puis, plus tard, crémation. **Religion** : culte solaire (char solaire de Trundholm, barques solaires en or et tableaux rupestres : bateaux, disques solaires; figures de dieux avec lance ou hache). Peu à peu, expansion vers le sud.

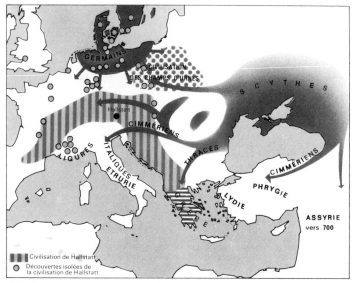

Civilisations de Hallstatt

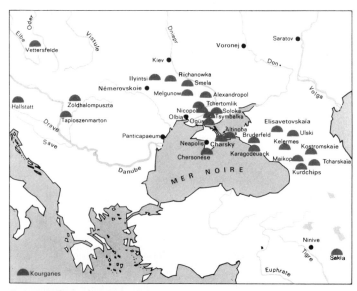

Kourganes scythes dans la région de la mer Noire

L'âge du fer (à partir de 800)

En Europe, on le nomme également l'âge de Hallstatt d'après la nécropole de Hallstatt dans le Salzkammergut, près de Salzbourg (foyer : civilisation des Champs d'Urnes). On suppose que la richesse des gisements a provoqué l'apparition des fonderies et la naissance de l'industrie. Autre industrie importante : mines de sel (Hallstatt, Dürnberg près d'Hallein). Dans ces centres économiques au développement rapide, organisation sociale de plus en plus poussée : paysans, artisans, commerçants.

Aire d'expansion de la civilisation de Hallstatt. Croatie, Bosnie, Allemagne occidentale et du Sud, territoires alpins, Suisse, France de l'Est et du Sud, Espagne du Nord. Civilisation aristocratique et urbaine la plus importante : Este et Adriatique supérieur (fortes influences étrusques et corinthiennes). Dans les autres régions, formes attardées de la civilisation des Champs d'Urnes. Particularité de la civilisation de Hallstatt : longues épées en bronze, puis en fer. Au lieu des grandes aiguilles trouvées dans les Champs d'Urnes, fibules (épingles de sûreté).

Rites funéraires. D'abord crémation, surtout dans les derniers temps de la civilisation des Champs d'Urnes, puis évolution vers l'enterrement des cadavres. Sous un tumulus, le mort est enseveli avec son char; plus tard, on sacrifiera femmes et serviteurs à la mort de l'époux ou du maître, et on les enterrera avec lui, sans doute sous l'influence scythe. **Les tombeaux princiers** jouxtent les résidences seigneuriales fortifiées (Heunebourg, Mont-Lassoix, Vix). Parfois, urnes en forme de maisons ou de greniers à blé, avec gravure de scènes de chasse, de cavaliers et de chars attelés.

A partir de 450, civilisation de La Tène (2e âge du fer). C'est l'apogée de l'âge du fer. Les Scythes influencent la civilisation de Hallstatt, les Grecs également par Massilia et le Rhône, ainsi que les Étrusques (« Route des Argonautes » = le long du Pô par les cols des Alpes jusqu'au Rhône et au Rhin). Dans les régions attardées (Bohême, Iles Britanniques et péninsule Ibérique), les hommes de la civilisation de La Tène, d'origine celtique, apportent une civilisation urbaine (expansion des Celtes, p. 73). Sur tous ces territoires, forte celtisation de la population indigène.

Les Cimmériens et les Scythes

A l'âge du bronze, deux peuples de cavaliers indo-européens sortent des steppes orientales et progressent vers l'ouest et le sud :

1. Cimmériens. Vers 750, venant de Crimée, ils franchissent le Caucase, et menacent l'Asie Mineure et l'Assyrie. Alliés aux Assyriens, ils anéantissent le royaume d'Ourartou (p. 31), mais sont repoussés vers l'ouest, en Asie Mineure (victoires sur le royaume phrygien et GYGÈS DE LYDIE qui meurt au cours d'un combat défensif en 652).

2. Scythes du Turkestan. Ils chassent les Cimmériens et les asservissent. En les poursuivant, ils provoquent les Assyriens et les Mèdes et sont repoussés par CYAXARE en 628. Campagnes de CYRUS, et de DARIUS (514-512) contre les Scythes au nord de la mer Noire. Les Scythes pénètrent dans les Balkans en franchissant le Dniestr, puis parviennent sur le cours moyen du Danube, dans les plaines de Pannonie et au sud des Carpates. Une deuxième poussée les amène au Brandebourg (Vettersfelde).

En plus de leur progression vers le sud et les pays de grande civilisation, Scythes et Cimmériens atteignent l'Allemagne de l'Est, la Bavière, et, avec les Thraces, l'Italie du Nord (découverte de brides).

Leur supériorité repose sur la **technique guerrière des steppes.** Cavaliers à l'armement léger (arc en corne à double courbure avec tendon et flèches à pointes triangulaires en pierre, os, bronze et fer), ils traversent l'Asie en provoquant partout la formation d'armées de cavaliers (conséquences sur l'art de la guerre).

Economie. Élevage (production de lait), commerce de peaux préparées (marchés en Bactriane, Assyrie, Grèce); viande, céréales, esclaves (marchés dans les territoires du Pont).

Religion. Culte de TABITI (la Grande Déesse), de PAPEUS (dieu du ciel), d'APIA (déesse de la terre), d'OETOSYRUS (dieu du soleil) et d'ARTIMPAASA (déesse de la lune). Chamanisme (magie, sorcellerie, charmes et amulettes : hochets et crécelles). Divination au moyen de bâtonnets et par déchirement de fibres d'écorce. Ni temples ni autels.

Culte des morts. Enterrements des chefs sous tumulus **(kourganes)**, dont les plus importants se trouvent en Russie méridionale (vers l'Occident : Bessarabie, Valachie, Dobroudja, Hongrie, Allemagne de l'Est). Massacre et enterrement des femmes, des membres de la maison seigneuriale et des chevaux; très riches accessoires funéraires en métaux précieux.

Les Cimmériens sont des intermédiaires qui transmettent les éléments des civilisations du Proche-Orient. Les Scythes influencent la seconde civilisation de Hallstatt et celle de La Tène.

Les Vénètes, les Illyriens et les Scythes occupent déjà leurs territoires historiques.

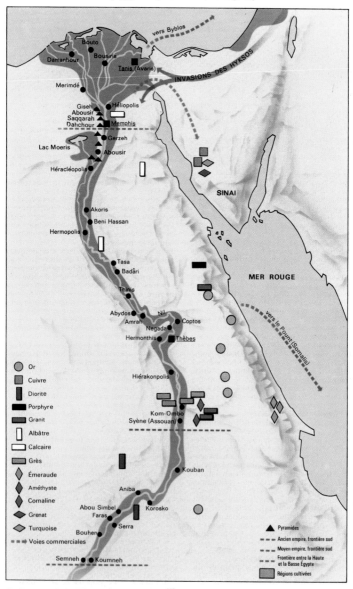

vers Byblos

Bouto
Bousiris
Damanhour
Tanis (Avaris)
INVASIONS DES HYKSOS
Merimdé

Giseh
Abousir   Héliopolis
Saqqarah
Dahchour   Memphis

Gerzeh
Lac Moeris
Abousir

Héracléopolis

Akoris
Beni Hassan
Hermopolis

SINAI

Tasa
Badâri
Thinis

MER ROUGE

Abydos   Nil
Amrah
Negada   Coptos
Hermonthis Thèbes

vers le Pount (Somalie)

Hiérakonpolis

Or
Cuivre
Diorite
Porphyre
Granit
Albâtre
Calcaire
Grès
Émeraude   Kom-Ombo
Améthyste   Syène (Assouan)
Cornaline
Grenat
Turquoise
Voies commerciales

Kouban

Aniba
Abou Simbel   Korosko
Faras
Serra
Bouhen

▲ Pyramides
— — — Ancien empire, frontière sud
— — — Moyen empire, frontière sud
— — — Frontière entre la Haute
        et la Basse Égypte
   Régions cultivées

Semneh   Koumneh

Ancien et moyen Empires

L'Égypte (d'après HÉRODOTE : « don du Nil ») est située dans une vallée fertile (terre noire), profondément découpée dans le plateau désertique du Nord de l'Afrique, longue d'environ 1 000 km et large de 10 à 20. A l'Est et à l'Ouest, c'est le désert (terre rouge). La fertilité du sol est assurée par l'inondation périodique du Nil, entre juillet et octobre, qui apporte une boue fertilisante. Sur les civilisations préhistoriques de **Badâri, Merimdé** et **Negada**, s'édifient vers 3000 deux royaumes, la Haute et la Basse-Égypte. Ces deux royaumes se réunissent sous NARMER (MÉNÈS, pour les Grecs) et AHA. Fondation d'une capitale, Memphis (« les murs blancs »).

Ancien Empire (2850-2052)
2850-2650 Époque thinite (Ire et IIe dynasties). L'Égypte s'isole. Les influences étrangères sont combattues. On lutte contre les Bédouins de la péninsule du Sinaï (conquête des mines de cuivre). Navigation vers Byblos (bois de cèdre); poussées vers la Nubie. Construction de tombeaux royaux (mastaba = banc).
2650-2190 Époque des pyramides (IIIe à VIe dynastie). Centre politique : Memphis sous DJOSER, enterré dans la pyramide à degrés construite par IMHOTEP, médecin et architecte; cette pyramide de Saqqarah se compose de six mastabas superposés. IVe dynastie : les **constructeurs de pyramides** : SNÉFROU (pyramides de Dahchour et de Meidoum), KHÉOPS, KHÉPHREN, MYCÉRINUS. (Pyramides de Giseh, à l'ouest du Caire.) V^e dynastie : la religion solaire (RÊ d'Héliopolis) devient religion d'État (sanctuaires solaires avec obélisque). VIe dynastie : impuissance du pharaon et pouvoir croissant des nobles féodaux.
2190-2052 Première période intermédiaire (VIIe à X^e dynastie. Époque d'Héracléopolis).
État. Le pharaon(« La grande maison ») est souverain héréditaire absolu, incarnation du dieu-faucon HORUS (« le grand dieu »). A partir de la IVe dynastie, adoration du pharaon, en tant que fils de Rê, le dieu-soleil.
Administration centralisée : Les fonctionnaires (scribes) sont placés sous l'autorité d'un ministre; tous proviennent de la vieille noblesse dépourvue de pouvoir. En plus des impôts (en blé et en bétail), obligation pour les sujets d'accomplir des corvées. Garantie des droits par les tribunaux. Relations avec la Syrie et le Pount (Somalie). Expéditions en Libye et en Palestine.
Religion. Au début, pluralité des cultes (divinités représentées avec corps et tête d'animal). Dans les temps historiques, grande importance de la **religion**

solaire. Apparition d'importants sanctuaires : ATON-RÊ d'Héliopolis, PTAH de Memphis, THOT d'Hermopolis. OSIRIS, dieu de la végétation, devient le dieu des morts. On croit à un jugement après la mort, à une seconde vie (institution des sacrifices).
Écriture hiéroglyphique imagée, où les signes représentent des mots, puis des groupes de consonnes et des consonnes seules, sans voyelles. Après l'écriture **hiératique** viendra l'écriture **démotique** (vers 700), qui sera l'écriture usuelle. Le calendrier comprend 365 jours (12 × 30 plus 5) et l'année commence au milieu de juillet avec l'inondation du Nil. Les années bissextiles sont inconnues (différence avec l'année solaire). Puis, l'année se basera sur Sirius (Sothis) : une année-Sothis = 365 jours 1/4.

Moyen Empire (2052-1570 environ)
Après de longues querelles guerrières, réunification de l'Égypte par MENTOU-HOTEP II, à partir de Thèbes.
1991-1786 XIIe dynastie. Renouveau centralisateur et impuissance des princes provinciaux. Sécurité de l'Égypte assurée par des fortifications dans le delta oriental et à la 2e cataracte. Grands temples à Karnak, siège du dieu nouveau, AMON. Apogée sous le règne de
Sésostris III (1878-1841). Influence égyptienne en Nubie inférieure (mines d'or); voies commerciales vers la mer Rouge, le Sinaï, le Pount, la Crète et Byblos. Sous AMMÉNÉMÈS III, mise en valeur du Fayoum par le lac Moeris, et construction de la pyramide et du temple mortuaire de Haouara (« le Labyrinthe »). Sculpture : statues de SÉSOSTRIS III et d'AMMÉNÉMÈS III âgés. Sphinx royaux. Nouveau type de statues cubiformes : figures aux genoux remontés avec vêtement retombant jusqu'aux pieds. Littérature : « Instructions d'Amménémès Ier », « Histoire de Sinouhé ».
1778-vers 1610 Deuxième période intermédiaire (XIIIe et XIVe dynasties). Troubles internes qui favorisent **l'invasion des Hyksos vers 1650.** Ces peuplades proviennent de tribus hourrites et sémitiques (en égyptien, heka-khesout = chefs des étrangers, ce qui s'applique seulement à la classe supérieure des envahisseurs). L'invasion est la conséquence des migrations déclenchées vers 2000 par la poussée des Indo-Européens. Les Hyksos dominent la Haute-Égypte. Ils constituent une caste supérieure et, de leur résidence d'Avaris (delta oriental), dominent l'Égypte grâce à leur **technique de guerre (cheval et char de combat),** tout en adoptant sa civilisation supérieure.

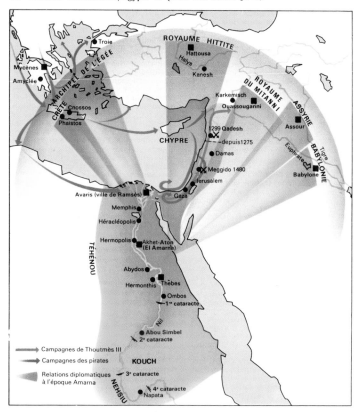

Le nouvel Empire.

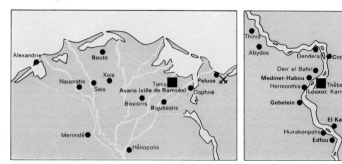

Le delta durant la basse époque.

Égypte centrale.

Nouvel Empire (1570-715)

AMÔSIS chasse les Hyksos d'Avaris, les poursuit en Palestine et fonde le Nouvel Empire (XVIIIᵉ dynastie). Sous ses successeurs AMÉNOPHIS Iᵉʳ et THOUTMÔSIS Iᵉʳ, l'Égypte devient la puissance prépondérante : campagnes vers l'Asie (Euphrate) et la Nubie (jusqu'à la 3ᵉ cataracte). L'apogée a lieu sous la reine

Hatchepsout (1501-1480), qui adopte une politique pacifique. Grandes expéditions vers le Pount, nombreuses constructions (temple en terrasses de Deir el-Bahri), sous la direction de son favori et ministre SENENMOUT. A sa mort (peut-être violente) lui succède son époux.

1480-1448 Thouthmôsis III. L'Empire égyptien atteint sa plus grande extension de l'Euphrate à la 4ᵉ cataracte.

1480 Il bat la coalition syro-palestinienne à Mégiddo et conquiert la Phénicie et la Palestine avec son armée de mercenaires et de chars attelés. Le Mitanni devient son voisin (p. 31). Ses successeurs continuent avec succès sa politique extérieure.

1413-1377 Aménophis III épouse TIY, qui n'était pas de sang royal. Époque de prospérité. Malgré une habile politique de mariages, beaucoup de diplomatie et un commerce intense avec le Mitanni, Babylone, la Crète, l'Assyrie, le royaume hittite et l'archipel égéen (tablettes d'argile d'el-Amarna rédigées en akkadien, langue diplomatique), c'est le début du déclin.

1377-1358 Aménophis IV, « le roi hérétique », épouse NÉFERTITI. Il introduit le culte d'ATON, le disque solaire (monothéisme solaire) : « Hymne au Soleil ». La capitale se déplace à Akhet-Aton (« Lumière d'Aton » : el-Amarna) et AMÉNOPHIS prend le nom d'AKHÉNATON. Il délaisse la politique extérieure : déclin de la domination égyptienne en Asie. A sa mort, une réaction religieuse fait disparaître ses réformes. Ses gendres — dont TOUTANKHAMON, célèbre par la découverte, faite en 1922, de son riche tombeau — retournent à Thèbes. HOREMHEB, général d'AKHÉNATON, devient roi. Il triomphe des Hittites en Syrie et rétablit l'ordre intérieur par des lois sévères. Il complète la restauration religieuse, en rétablissant les cultes antiques et en proscrivant tout ce qui vient de l'époque d'el-Amarna.

1345-1200 XIXᵉ dynastie. SÉTHI Iᵉʳ et RAMSÈS II combattent les Hittites et reconquièrent la Syrie.

Vers 1275, traité d'amitié entre RAMSÈS II et HATTOUSIL III, roi des Hittites. Nouvel équilibre en Syrie :

la frontière est sur l'Oronte. Nouvelle capitale égyptienne dans le delta : Avaris (ville de Ramsès).

1234-vers 1220 MÉNEPTAH guerroie en Palestine (première mention sur une stèle du nom d'Israël) et lutte contre les Peuples de la Mer (entre autres Grecs et Philistins), alliés aux Libyens.

1197-1165 Ramsès III. Attaques renouvelées des Peuples de la Mer et des Libyens, qu'il repousse. Il installe les prisonniers dans le delta. Sous ses successeurs, **concentration du pouvoir économique dans les grands temples.**

Art. Construction d'énormes temples : temple d'Amon à Karnak, Louxor, Médinet-Habou. Art d'Amarna (têtes d'AKHÉNATON et de NÉFERTITI, bustes de famille). Sous les Ramessides, construction de la grande salle hypostyle de Karnak, temples rupestres d'Abou Simbel, statues colossales et temple mortuaire de Médinet-Habou.

Après les luttes contre les prêtres d'AMON à Thèbes et contre les chefs mercenaires libyens,

950 Chéchonq Iᵉʳ, le Sisak de la Bible, chef mercenaire libyen, étend son pouvoir autour de Boubastis. Une partie des prêtres émigrent en Nubie où leurs successeurs fondent un État théocratique avec Napata pour capitale (vers 750).

Vers 920, campagne de **Chéchonq** en Palestine et pillage de Jérusalem.

La Basse-Époque (715-332)

715-663 Domination éthiopienne. Les invasions assyriennes y mettent fin. ASSARHADDON atteint Thèbes en 671, mais les Éthiopiens le repoussent.

662 ASSOURBANIPAL conquiert l'Égypte qui devient province assyrienne (p. 27). Les chefs de nomes sont ses gouverneurs. L'un d'eux,

Psammétique Iᵉʳ (663-609) libère l'Égypte et soumet le clergé d'Amon comme les mercenaires libyens. **Établissement de mercenaires ioniens** dans le delta et fondation de comptoirs commerciaux ioniens **(Naucratis).**

569-525 Amasis. Dernier essor de l'Égypte, qui s'assure l'hégémonie en Méditerranée orientale et établit des relations avec les îles grecques et les colonies grecques de Cyrénaïque. Alliance défensive avec CRÉSUS DE LYDIE et POLYCRATE DE SAMOS contre les Perses.

525 PSAMMÉTIQUE III. Son fils est battu par CAMBYSE à Peluse. **L'Égypte devient province perse** (p. 41).

332 Alexandre le Grand conquiert l'Égypte (p. 61). A partir de 304, domination des Ptolémées (p. 63). En 30 av. J.-C., début de la domination romaine.

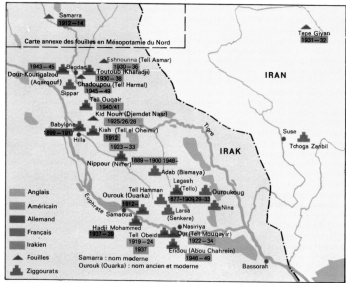

Carte annexe des fouilles en Mésopotamie du Nord

Samarra
1912—14

Tepe Giyan
1931—32

IRAN

Eshnounna (Tell Asmar)
1930—36
1943—45 Begdad Toutoub (Khafadji)
Dour-Kourigalzou 1930—38
(Aqarqouf) Chadoupou (Tell Harmal)
Sippar 1945—49
Tell Ouqair
1940/41
Kid Noun (Djemdet Nasr)
1925/26/28
Babylone Kish (Tell el Oheimir)
1899—1917 1912
Hilla 1923—33
1889—1900 1948—
Nippour (Niffer)
Adab (Bismaya)
Lagash
(Tello) Ouroukoug
Tell Hamman
Ourouk (Ouarka) 1877—1909,29—33
1912— Nina
Samaoua Larsa
(Senkere)
Hadji Mohammed Nasiriya
1937—39 Tell Obeid Our (Tell Mouqayir)
1919—24 1922—34
1937 Eridou (Abou Chahrein)
1946—49
Bassorah

IRAK

Suse
Tchoga Zanbil

Tigre
Euphrate

Anglais
Américain
Allemand
Français
Irakien
▲ Fouilles
Ziggourats

Samarra : nom moderne
Ourouk (Ouarka) : nom ancien et moderne

Fouilles en Mésopotamie

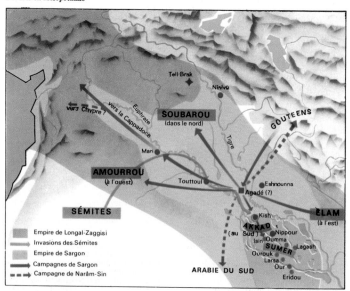

Tell-Brak
Ninive

vers Chypre ? vers la Cappadoce Euphrate SOUBAROU
(dans le nord) GOUTEENS

Tigre

Mari

AMOURROU Touttoul Eshnounna
(à l'ouest) Agadé (?) ELAM
(à l'est)

SÉMITES Kish AKKAD
(au Sud) Nippour
SUMER
Isin Oumma
Ourouk Lagash
Larsa
ARABIE DU SUD Our Eridou

Empire de Longal-Zaggisi
Invasions des Sémites
Empire de Sargon
Campagnes de Sargon
Campagne de Narâm-Sin

Empire d'Akkad sous Sargon

Sumer
Vers 3200-2800, les **Sumériens** s'établissent dans le Sud de la Mésopotamie (« la terre entre les 2 fleuves »). D'origine inconnue, ils viennent peut-être de l'Est, où ils auraient fondé la civilisation de l'Indus. Formation d'États urbains.
Au centre des villes, temples monumentaux sur hautes terrasses, en brique; les murs sont recouverts de mosaïques de carreaux d'argile colorés. Les temples sont placés au milieu d'un espace réservé au dieu de la ville, à qui appartient tout le pays. A la tête des prêtres et de la ville se trouve le **prince** (lougal = grand homme), qui détient le pouvoir et est le prêtre le plus élevé en rang. Le temple est le centre religieux, politique et économique. **Invention de l'écriture** pour le service administratif du temple (d'abord écriture imagée, puis signes abstraits gravés au stylet dans l'argile = écriture cunéiforme). **Art** : Utilisation des cylindres-sceaux (sceaux administratifs pour sceller les amphores contenant les vivres de réserve du temple). Petite sculpture en argile, en pierre et en métal. **Début de la grande sculpture** (Dame de Varka). **Religion** : Trinité primitive sumérienne = ENLIL, AN et ENKI, puis le dieu solaire OUTOU, INANNA, déesse de la fécondité, et NANNA, le dieu de la lune. Système sexagésimal de la division du jour (24 h 60 mn 60 s) et du cercle (360°).
2800-2500 Époque des dynasties primitives. Lente immigration des Sémites. MÉSILIM DE KISH devient le premier roi suprême, Nippour, centre religieux. Construction de murailles (à Ourouk par GILGAMESH). Le temple à terrasses se transforme en ziggourat (plusieurs étages en retrait superposés et reliés par des escaliers avec sanctuaire placé au sommet).
A partir de 2500 Ire dyn. d'Our, fondée par MESANNI-PADDA. Célèbre depuis la découverte des tombes royales (1922) : 16 tombeaux de rois et de princesses, avec de riches accessoires funéraires, et d'autres personnes qui se donnaient volontairement la mort, sans doute par imitation des « Noces mystiques » entre INANNA, représentée par la grande prêtresse, et le roi du monde souterrain DOUMOUZI, représenté par le roi.
Vers 2500-2360 Ire dyn. de Lagash, dont le fondateur, OUR-NANSHÉ, se délivre de l'hégémonie de Kish. Le premier monument historique, la **stèle des Vautours,** évoque les hauts faits de son fils EANNATOUM. Son successeur ENTÉMÉNA combat l'influence du clergé, qui aide le 4e roi LOUGAL-ANDA à accéder au trône. Réaction avec l'usurpateur OUROUKAGINA, qui accomplit des réformes sociales. A

l'aide de prêtres mécontents, LOUGAL-ZAGGISI D'OUMMA conquiert Lagash, puis Our, Ourouk, Kish et Nippour, et atteint la Méditerranée. LOUGAL-ZAGGISI, le dernier souverain sumérien, est vaincu par l'Empire d'Akkad.

Akkad
2350-2300 Sargon Ier d'Agadé (Akkad), « souverain des 4 parties du monde », conquiert la Mésopotamie, une partie de la Syrie et de l'Asie Mineure ainsi que l'Élam. Sa supériorité se fonde sur une nouvelle tactique de guerre de mouvement, avec javelot, arc et flèches (tactique des combattants du désert) contre la lente et lourde phalange sumérienne aux longues lances et aux grands boucliers. Création d'un grand État centralisé, inscriptions administratives en akkadien, nouvelle capitale : Agadé. **Le souverain est un roi-dieu.** Nouvelles divinités akkadiennes : ISHTAR et SHAMASH, dieu-soleil. A la mort de SARGON, révoltes.
NARÂM-SIN, son petit-fils (2270-2230), restaure l'Empire. Combats en Arabie mérid. et dans les montagnes du Zagros, représentés sur la « stèle des Combats ». A sa mort et en
2150-2050 domination étrangère des Goutéens, qui viennent d'Iran et que repoussera OUTOU-HÉGAL d'Ourouk. Restauration de l'Empire sumérien.
2050-1950 IIe dyn. d'Our (souverains : OUR-NAMMOU, SHOULGI, SHOU-SIN, IBBI-SIN). Restauration de l'Empire de Sumer et d'Agadé, et des temples. Par la cérémonie des « Noces mystiques » (v. plus haut) avec la déesse INANNA, SHOULGI devient dieu. Construction d'un mausolée pour lui et ses descendants au cimetière d'Our. Sous SHOU-SIN, invasion des Sémites occ. et construction de fortifications sur le moyen Euphrate. Relations commerciales avec l'Inde. A la suite de guerres contre les Élamites et le roi de Mari, effondrement du royaume. **Sculpture** : aucun motif nouveau. Apogée de la **littérature** sum. Le pouvoir s'appuie sur une économie très développée (temple et État) avec un immense appareil de fonctionnaires.
Au début de la IIIe dyn. d'Our, **Goudéa de Lagash** rétablit le royaume sum. classique. Construction de grands sanctuaires rendue possible par les richesses du commerce.
A partir de 2000, invasion des Cananéens sémites. Forte sémitisation. Création d'États à Isin, Larsa et Babylone (Bab-ili = portes de Dieu). Mais le sumérien demeure langue de culture. Dernier essor sum. avec RÎM-SIN DE LARSA (1758-1698).

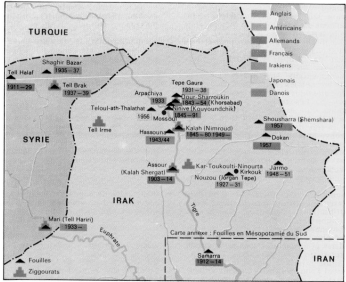

Fouilles en Mésopotamie du nord

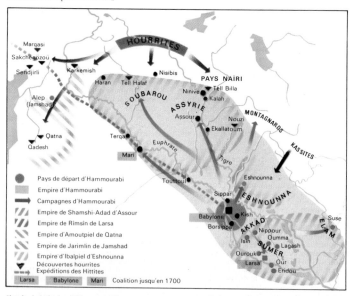

Empire babylonien d'Hammourabi

Ancien Empire assyrien (1800-1375)

Vers 2500, les Assyriens s'installent sur le Tigre supérieur et le grand Zab. Peuple tenace, guerrier, provenant du mélange d'indigènes non sumériens (Tell Halaf et Samarra) et d'envahisseurs sémites. Leur civilisation provient du sud. ASSOUR, dieu suprême, donne son nom à la ville et au pays. Après la chute de la IIIe dyn. d'Our, ASSOUR l'emporte et conquiert la Babylonie du Nord (vers 1800). Une agression hittite interrompt les relations commerciales avec le Nord et le Nord-Ouest : diminution des revenus et affaiblissement de l'Empire assyrien. Après la domin. étrangère de NARÂM-SIN D'ESHNOUNNA (célèbre par son code), **Shamshi-Adad Ier** (1749-1717) s'empare du trône (« Roi de la Totalité »). Son royaume comprend des régions montagneuses, des parties de la Mésopotamie et du royaume de Mari. Système d'alliances étendu. Absolutisme patriarcal. Son fils ISHMÉ-DAGAN Ier est vaincu par RÎM-SIN DE LARSA et sera plus tard vassal d'HAMMOURABI. Jusqu'en 1450, l'histoire de l'ancien Empire assyrien est peu connue. Ensuite, l'Assyrie devient État vassal du Mitanni.

Babylone

1728-1686 Hammourabi de Babylone.

Lorsqu'il arrive au pouvoir, 6 États rivaux se disputent l'hégémonie : Larsa, Eshnounna, Babylone, Qatna, Jamshad (Alep), et Assour. Pendant quinze ans, Larsa, Mari et Babylone s'allient pour combattre Eshnounna, Elam, les peuples des montagnes et Assour.

Après avoir triomphé de ses voisins, HAMMOURABI vainc ses alliés RÎM-SIN DE LARSA et ZIMRILIM DE MARI, qui a élevé le célèbre palais de Mari où l'on a trouvé 20 000 tablettes d'argile (récit de l'intervention des prophètes dans les sanctuaires).

Le **Code d'Hammourabi** témoigne du souci du roi pour la vie et la propriété de ses sujets. Ses lois sont fondées sur le principe du talion. Punitions : fouet, arrachage de la langue, exécution (pal, bûcher, noyade). L'akkadien est la langue administrative et culturelle. Transposition des œuvres principales de la vieille littérature mésopotamienne : épopées de la création du monde et de Gilgamesh, hymnes, psaumes, prières. Dieux principaux : MARDOUK de Babylone, le dieu-soleil SHAMASH, la déesse de l'amour ISHTAR.

Les successeurs d'HAMMOURABI perdent le Sud, se battent avec les Kassites et les Hourrites.

1531 Pillage et incendie de Babylone par le roi hittite MOURSIL Ier (p. 31).

1530-1160 Epoque des Kassites, peuple iranien.

1160 Pillage de Babylone et chute de la puissance kassite dont triomphent les Élamites.

A partir de 1137, regain de puissance provisoire de Babylone grâce à NABUCHODONOSOR Ier (IVe dyn. babyl.). Il crée un royaume national et délivre le pays de la domination élamite. Ensuite, Babylone tombe sous l'influence assyrienne.

Les Hourrites

Au IIe mill., invasion des Hourrites venant du lac de Van en Mésopotamie du Nord. De là, campagnes vers l'Assyrie, la Mésopotamie, l'Asie Mineure, la Syrie et la Palestine. Partout ils créent une **caste supérieure** (les Marjanni = chevaliers; en indien : marja = jeune héros). La propriété foncière est héréditaire et inaliénable. Cependant ces dispositions peuvent être tournées par l'adoption avec donation. Leur supériorité guerrière provient de leurs chars attelés.

Religion. Les dieux principaux sont TESHOUB (dieu de l'Atmosphère), CHEPAT (déesse du Soleil) et KOUMARBI (père des dieux). Mais la caste supérieure aryenne vénère les dieux indiens INDRA, MITRA et VAROUNA.

Art. Plaques de pierres (orthostates) disposées en rangées et ornées de bas-reliefs. Longues maisons rectangulaires.

Moyen Empire assyrien (1375-1047)

1390-1364 ÉRIBA-ADAD, allié aux Hittites, secoue le joug du Mitanni (p. 31). Son fils, ASSOUR-OUBALLIT Ier (1364-1328), se nomme « Frère du pharaon ». Sous SALMANASAR Ier (1273-1244) et TOUKOULTI-NINOURTA Ier (1243-1207), poursuite de la politique de conquête. **Conduite brutale de la guerre.** Avec l'invasion des Araméens et l'effondrement de l'Empire hittite, la puissance assyrienne recule.

1112-1074 Téglathphalasar Ier restaure la puissance assyrienne. Combats dans le Nord contre les Naïri jusque vers la mer Noire. Les rois syriens paient tribut. Sous ses successeurs, guerres contre les Araméens, qui ne laissent à l'Assyrie que son territoire national.

Guerre. Au milieu, les chars de combat; sur les ailes, l'infanterie et les pionniers avec le casque, la cuirasse et le bouclier. Apparition du fer vers 1200 par déplacement de forgerons hittites (possesseurs du minerai en Asie Mineure).

Droit. Barbarie des châtiments : oreilles coupées ou percées, lèvres inférieures et doigts coupés, castration, défiguration par application d'asphalte bouillant.

Économie. Le pays se trouve partagé entre le temple, la couronne et la noblesse. Apogée de l'agriculture (amélioration technique de la charrue).

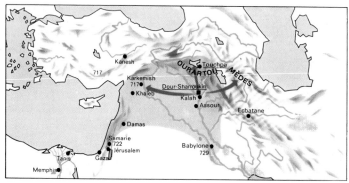

Empire de Sargon II

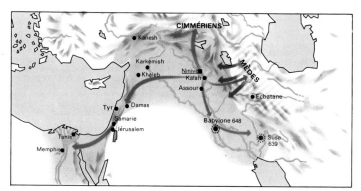

Empire d'Assourbanipal

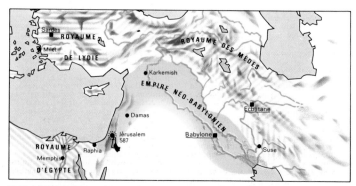

Empire néo-babylonien

Nouvel Empire assyrien (883-612)

Après les combats d'ADAD-NIRÂRI II (909-889), son petit-fils, ASSOURNA-ZIRPAL II (883-859), **le plus cruel de tous les rois assyriens,** fonde en Mésopotamie du Nord un empire aussi étendu que celui de TÉGLATHPHALASAR Ier. Il brise les résistances des peuples voisins par une série de campagnes annuelles où il emploie pour la première fois dans l'histoire une arme décisive : **la cavalerie.** Méthodes cruelles de soumission : empalements, écorchements, exécutions massives. Nouvelle capitale : Kalah, où se trouve son palais et qu'il peuple de déportés. Son fils, SALMANASAR III (858-824), affermit l'hégémonie assyrienne en Syrie et en Palestine pour contrôler les routes commerciales du Tigre et de l'Euphrate vers la Méditerranée. Il attaque sans succès Damas, capitale des Araméens. On mentionne pour la première fois les Mèdes et les Perses (835). A la fin de son règne, son fils SHAMSI-ADAD V se révolte contre lui et ne peut être vaincu qu'avec l'aide de Babylone. Grâce à cet appui, Assour parvient à résister aux Mèdes qui s'établissent sur le lac d'Ourmia (p. 41).

810-806 SÉMIRAMIS (Shammouramat) règne pour le prince héritier et remporte des succès intérieurs et extérieurs. Son fils ADAD-NIRÂRI III et ses successeurs combattent les Babyloniens, les Mèdes, et surtout le royaume d'Ourartou (p. 31).

745-727 Téglathphalasar III, fondateur du grand Empire assyrien, triomphe de l'indépendance des gouverneurs et met fin à la faiblesse du royaume. Il vainc SARDOUR II D'OURARTOU et conquiert la Syrie du Nord, Damas et Gaza. Il devient roi de Babylone sous le nom de POULOU. Conflit avec le clergé sous son successeur SALMANASAR V, assassiné au siège de Samarie.

722-705 SARGON II (Sharroukin = le souverain juste) rétablit les privilèges sacerdotaux et aristocratiques, soumet les derniers États hittites, triomphe définitivement d'Ourartou, combat les Mèdes et confirme son pouvoir sur Babylone. Il triomphe des Égyptiens à Raphia. Il se bâtit une capitale à Dour-Sharroukin (Khorsabad). Son fils, SENNACHÉRIB (704-681) est un despote sans mesure. En 701, il soumet Juda (siège de Jérusalem) et détruit Babylone. Agrandissement de Ninive, première ville de l'État, avec afflux d'immenses armées de travailleurs forcés (doubles murs de 25 m de haut avec 15 tours). Approvisionnement en eau par une canalisation de 50 km, avec un aqueduc de 280 m de long et

de 22 m de large. Dur, prodigue, il est assassiné. Son plus jeune fils, ASSARHADDON (680-669), réprime un soulèvement de son frère et reconstruit Babylone. Allié aux Scythes, il repousse les Cimmériens et conquiert l'Égypte jusqu'à la Nubie. **Apogée de l'expansion de l'Empire assyrien.** 668-626 ASSOURBANIPAL détruit Thèbes, mais à la longue ne peut garder l'Égypte trop lointaine, car son frère SHAMASHSHOUM-OUKIN de Babylone se révolte, appuyé par tous les ennemis d'Assour. 648 : prise de Babylone. 639 : destruction de Suse (Élam). Fondation de la grande bibliothèque de Ninive (plus de 22 000 tablettes d'argile : poésie, littér., hist., philos., méd., astr., documents économiques). Troubles intérieurs et invasion des Scythes. Affaiblissement de l'État. CYAXARE DE MÉDIE et NABOPOLASSAR DE BABYLONE **prennent et détruisent toutes les villes assyriennes** (Assour 614, Ninive 612, Harran 608). Extermination des habitants. **Art.** Immenses palais avec sculpture ornementale proportionnée aux dimensions de l'architecture, à Ninive, Kalah, Dour-Sharroukin et Assour (scènes de chasse, de guerre et religieuses). Tableaux d'histoire en bas relief.

Nouvel Empire babylonien (625-539)

Les Chaldéens s'efforcent de conquérir Babylone, et y parviennent après la mort d'ASSOURBANIPAL.

625-605 NABOPOLASSAR est roi de Babylone, d'Élam, de la Mésopotamie occ., de la Syrie et de la Palestine.

604-562 Nabuchodonosor II, habile diplomate. Apogée du royaume. Agrandissement de Babylone : rues processionnelles, porte d'Ishtar; sanctuaire central : Esagil, « le palais suprême », tour à étages **Etemenanki** (Maison du fondement du Ciel et de la Terre = célèbre Tour de Babel, hauteur totale : 90 m). Équilibre entre grandes puissances.

598 Occupation de Jérusalem à la suite du traité d'alliance entre Juda et l'Égypte (1re déportation). 587 : destruction de Jérusalem (p. 33). Puis désagrégation, conflits avec le clergé de Mardouk qui choisit pour roi le parvenu NABONIDE (553-539), « l'archéologue sur le trône ». Mesures maladroites contre le clergé : le roi quitte Babylone pour l'oasis de Teima. Le régent des dix dernières années est BALTHASAR.

539 Prise de Babylone par les Perses de CYRUS II. **Babylone devient province perse** (p. 41).

Alexandre le Grand prend Babylone (p. 61) **en 331.**

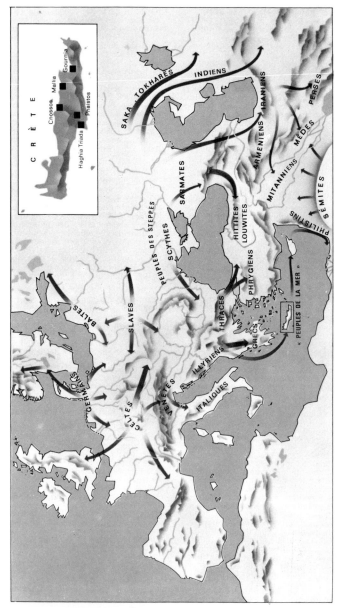

CRÈTE

Knossos — Mallia — Gournia — Phaistos — Haghia Triada

SAKA - TOKHARES — INDIENS — ARMÉNIENS — IRANIENS — PERSES — MÈDES — MITANNIENS — SÉMITES — PHILISTINS — HITTITES — LOUWITES — PHRYGIENS — SARMATES — SCYTHES — PEUPLES DES STEPPES — THRACES — GRECS — « PEUPLES DE LA MER » — ILLYRIENS — VÉNÈTES — ITALIQUES — CELTES — GERMAINS — BALTES — SLAVES

Les Indo-Européens

Les Indo-Européens sont une famille de peuples qu'on ne peut définir par leurs établissements, mais par leurs langages. A l'exception des Basques et des Finno-Ougriens, tous les Européens parlent des langues apparentées : langues celtiques, germaniques, italiques, baltes et slaves. D'autres sont mortes : l'illyrien, le vénète, le thrace, le phrygien, le hittite, le louwite, le tokharien et l'ancien indien. Le grec, l'arménien et les langues iraniennes existent encore. **On divise ces langues en deux groupes :** Satem et **Centum** (groupes oriental et occidental). La différence est la reproduction de la palatale K, devenue S dans certaines langues (ex. : le chiffre 100 = sata en vieil indien, satem en avesta, hekaton en grec, centum (kentum) en latin).

Lieu d'origine : probablement entre l'Europe centrale et la Russie du Sud (et auparavant sans doute dans la steppe kirghize, dans le Kazakhstan, où ils voisinaient avec les peuples ouralo-altaïques). Il est impossible de le fixer avec plus d'exactitude. Il est erroné de parler d'une langue originelle ou d'une patrie originelle indo-européenne. On peut toutefois distinguer un groupe occidental et un groupe oriental. Ces langues ne sont peut-être pas nées par séparation, mais par mélange avec celles d'autres peuples. Il y a pourtant eu une communauté indo-européenne à la fin de l'âge du bronze, mais elle s'est divisée en peuples distincts vers 2000.

Économie. Une étude comparative de ces peuples montre que, dès une époque primitive, ils connaissaient l'or, l'argent, et le cuivre (lat. aes). Ils possédaient des animaux domestiques : chevaux, bœufs, moutons, chiens, chèvres et porcs. L'élevage aurait donc été l'élément économique dominant. En pénétrant dans des régions de civilisation supérieure, ils adopteront l'agriculture. Ils savent également tourner la poterie et tisser.

Société. Grandes familles patriarcales. Au-dessus de la grande masse, les chefs et leur suite s'occupent principalement de guerre et de chasse. Armes : hache, arc et flèches.

Religion. Dieux hiérarchisés avec un roi des dieux.

Aire d'expansion. L'expansion de la **civilisation de la poterie cordée** (ou des « Haches de combat ») est certainement en rapport avec celle des Indo-Européens en Allemagne centrale, où l'on trouve les premiers signes de leur civilisation.

Vers 2000, migrations qui amènent la formation des premiers grands empires indo-européens au Proche-Orient et en Inde (société aristocratique avec chars de combat attelés).

La Crète

Sᴵʀ Aʀᴛʜᴜʀ Evᴀɴs, qui a révélé cette civilisation, l'a divisée en trois périodes : le Minoen ancien, le Minoen moyen et le Minoen récent. Chacune de ces périodes se divise en trois sous-périodes.

Après l'époque néolithique et sub-néolithique, nous avons, entre

2600 et 2000, le Minoen ancien, connu par les ports orientaux et les tombes circulaires de Platanos (tombes à Tholos). On y a trouvé des sceaux, des monnaies de cuivre et des poignards en bronze. Vers 2200, apogée du MA. A la même époque, destruction de Troie II.

2000-1570 Époque des premiers palais non fortifiés comme à Cnossos, Phaistos et Mallia. Ces palais sont des **centres économiques** (énormes greniers à huile, à céréales et à vin). Commerce avec le continent grec et les ports égypt. et syr. Écriture pictographique sous l'influence égypt. Aucune conquête. **Artisanat :** apogée de la **poterie de Camarès.** Récipients en pierre et en faïence. Destruction des premiers palais lors de l'invasion hyksos en Égypte (p. 19). **Religion :** culte non représentatif, extatique, dans les sanctuaires naturels et des grottes sacrées. Adoration d'une Déesse Mère (déesse de la terre) qui domine les animaux, déesse aux serpents ou au bouclier, et de divinités masculines.

1570-1425 Apogée des nouveaux palais à Cnossos (Labyrinthe), Phaistos et Haghia Triada (gigantesques établissements disposés autour d'une cour centrale). Fondation d'un État : création et développement d'une administration et d'une économie centralisées sur le modèle égypt. **Hégémonie maritime** (thalassocratie). L'écriture linéaire A remplace l'écriture pictographique (langue prégrecque). Les femmes ont une situation sociale prédominante. Au xvɪᵉ siècle, deux tremblements de terre endommagent le palais de Cnossos, qu'on reconstruit chaque fois. Au xvᵉ siècle, les Achéens du continent commencent à s'établir dans l'île, et leur influence s'accroît rapidement. Les indigènes abandonnent les palais de Mallia, Haghia Triada et Phaistos. Les conquérants emploient l'écriture linéaire B, déjà utilisée sur le continent pour la transcription du grec. **Art :** Transformation des formes décoratives. Dernier éclat de Cnossos : céramique et peintures murales.

Vers 1425, destruction du palais de Cnossos par incendie au cours d'une révolte impuissante des Crétois contre les nouveaux seigneurs de Mycènes, dont la domination devient définitive (p. 43).

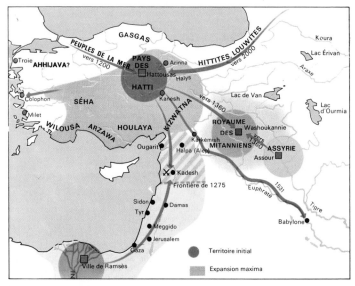

Le royaume des Hittites

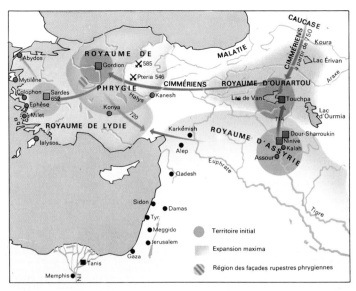

Les royaumes d'Ourartou, de Lydie et de Phrygie

Les Hittites

Vers 2000, apparition des Hittites, le plus ancien peuple indo-européen civilisé, et des Louwites, en Asie Mineure centrale occupée par des Proto-Hattiens (langues : hattili pour les Hatti, peuple asianide; louwili pour les Louwites, et hasili pour les Hittites). Le nom « Hittite » n'est pas indo-européen mais nous est connu par la Bible et les chroniques historiques assyriennes. Les débuts nationaux sont obscurs. Après de durs conflits guerriers avec une population indigène, fondation d'un État en Anatolie.

1640-1380 Ancien Empire hittite fondé par LABARNA, dont le nom devient le titre des rois qui suivent. Sous son successeur HATTOUSIL Ier, transfert de la capitale et du centre politique à Hattousa. Campagne en Syrie. MOURSIL Ier petit-fils et successeur d'HATTOUSIL (env. 1610-1580) détruit Alep et prend Babylone. Après son assassinat, troubles intérieurs (assassinats de rois), faiblesse de l'État, que s'efforce de rétablir TÉLÉPINOU par ses réformes (vers 1460) : réglementation du droit de succession et des droits de la noblesse. Sous ses successeurs, affermissement du pouvoir.

1380-1200 Nouvel Empire hittite

1380-1346 SOUPPILOULIOUMA. Les Hittites deviennent une grande puissance. Soumission d'une partie de l'Asie Mineure et destruction du **Mitanni**, dont l'apogée a duré de 1450 à 1350, et de la capitale Washoukannie. Un des rois les plus importants du Mitanni ont été SHAUSHATAR, dont la domination s'étendait des monts Zagros à la Méditerranée et du lac de Van à Assour. Sous DOUSHRATTA, Hittites et Assyriens attaquent le Mitanni. En Syrie, les Hittites conquièrent Ougarit, Alep, Karkemish. MOURSIL II (env. 1345-1315) remporte des succès à l'ouest et à l'est. MOUWATALLI (1345-1290) bat les Égyptiens à Qadesh. Vers 1200, effondrement du royaume sous l'assaut des Peuples de la Mer. Avec SOUPPILOULIOUMA, relations avec les **Ahhijava** (gr. Achéens).

Religion. Divinités hourrites et proto-hittites (déesse solaire d'Arinna). Culte, présages et magie viennent de Babylone.

Société. État féodal. En haut, le roi (labarna), parfois intronisé par le précédent et divinisé après sa mort. Il est juge suprême, chef des prêtres et des guerriers.

Ourartou, Phrygie, Lydie

Vers le XIIIe siècle, formation d'un royaume primitif d'Ourartou en Anatolie orient. avec population à prédomi-

nance hourrite. Échec des Assyriens qui veulent s'assurer une influence politique. Lors du déclin de l'Assyrie,

Sardour Ier (env. 835-825) fonde le royaume d'Ourartou (l'Ararat bibl.) sur les lacs d'Ourmia et de Van. Richesses : production de cuivre et de fer, commerce important. Capitale : Toushpa. Territoires limites par l'Euphrate, le lac d'Ourmia, Alep et le lac d'Érivan. Sous SARDOUR II, progression sur le Tigre et l'Euphrate, mais TÉGLATHPHALASAR III triomphe de lui. A partir de 750, luttes sur le Caucase contre les Cimmériens.

714 Victoire assyrienne. Dès 620, invasion scythe venant de la Russie du Sud. Après 600, invasion des Arméniens indo-européens. **A partir de 610, Ourartou appartient aux Mèdes** (p. 41).

Au sommet de l'État qu'administrent des fonctionnaires, le roi sert le dieu national HALDI. Cultures irriguées.

800 Formation d'un royaume phrygien en Anatolie, capitale : Gordion. Le plus grand souverain est MIDAS (assyr. MITA), dont les Grecs ont vanté la richesse légendaire. Guerres contre l'Assyrie. 709 : traité de paix et patiement d'un tribut à SARGON II. Au VIIe siècle, les Cimmériens soumettent la Phrygie. Suicide de MIDAS (676).

Religion. Culte orgiaque de la Grande Mère (CYBÈLE) et de son bien-aimé ATIS. Adoration du dieu de la vigne SABAZIOS (vraisemblablement DIONYSOS).

Après l'effondrement phrygien, les **Lydiens** prennent de l'importance sous la dynastie des **Mermnades.**

680-652 Gygès renverse CANDAULE et soumet l'Asie Mineure, combat sans succès les cités grecques (prise de Colophon seulement) et meurt en luttant contre les Cimmériens. Sous son fils ARDYS, restauration du pouvoir lydien et guerre contre les cités grecques (chute de Priène).

605-560 Alyatte, fondateur de l'hégémonie lydienne, étend son empire jusqu'à l'Halys (585). En 575, destruction de Smyrne. Équilibre des forces entre la Médie, Babylone, la Lydie et l'Égypte entre 585 et 546. Son fils

Crésus (560-546) soumet toutes les cités grecques sauf Milet. Riches donations aux temples grecs. Une ligue avec Sparte, l'Égypte et Babylone mène une guerre préventive contre les Perses : elle échoue.

546 Défaite de Ptéria. **La Lydie devient province perse** (p. 41).

Apport important des Lydiens à la civilisation : invention de la monnaie (VIIe siècle).

Tribus vers 1200 avant J.-C.

Royaume de David

Royaumes d'Israël et de Juda

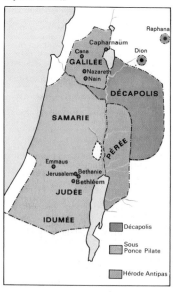

Palestine à l'époque de Jésus

A partir de 1500, immigration des tribus israélites en relation avec l'immigration araméenne. Vers 1250, exode d'une partie des tribus hors d'Égypte sous Moïse (révélation divine au Sinaï; alliance entre Dieu et les Israélites élus : IAHVÉ, Dieu unique; centre du culte : l'Arche d'Alliance). Relations avec les tribus résidant déjà en Palestine.

Vers 1200, union des douze tribus (accord politico-religieux pour protéger un sanctuaire central) en raison d'une origine commune et de l'adoration du même Dieu. Les Juges sont les gardiens du culte et des droits de Dieu (1200 à 1000).

Depuis 1200, les **Philistins** (Peuples de la Mer) occupent les côtes palestiniennes et créent une confédération (Asdod, Ascalon, Égron, Gaza, Gath). Au XIe siècle, forte pression des Philistins et Ammonites (Jordanie orientale). Nomination d'un **roi** pour se défendre.

1010 Saül, chef de la lutte contre les Ammonites, devient roi. Les Philistins triomphent de lui à Jezréel où il meurt. Dans le Nord, courte domination de son fils ESBAAL. Dans le Sud,

David (1006-966) est sacré roi à Hébron. Réunion de Juda et d'Israël. Combats victorieux contre les Philistins et prise de Jérusalem qui devient capitale politique et sanctuaire (siège de l'Arche d'Alliance et d'une administration rigide). Avec l'aide de mercenaires, DAVID triomphe des Moabites, Ammonites et Edomites. Il conquiert le reste des villes cananéennes et fonde un grand État palestinien. De sa femme BETHSABÉE, il a un fils, son successeur,

Salomon (996-926). Grand diplomate, gendre d'un pharaon, il perd malgré ses capacités les provinces araméennes. Sa grande richesse provient de son commerce avec l'Arabie par l'intermédiaire d'HIRAM DE TYR. Il s'en sert pour construire le temple de Jérusalem (temple et palais de IAHVÉ). Jérusalem eut le monopole du véritable culte : obligation du pèlerinage périodique vers le temple. État centralisé avec impôts et corvées. Division du pays en douze provinces dont chacune subvient un mois de l'année à l'entretien de la cour. Groupe de chars de combat. Après sa mort,

déclin du royaume en 926. Division : au Sud, Juda, capitale Jérusalem avec ROBOAM : au Nord, Israël, capitale Sichem, puis Tirsah, puis Samarie, avec JÉROBOAM, qui reprend pour le culte les anciens sanctuaires Dan et Béthel.

926-722 Royaume d'Israël. Après des troubles internes et des guerres contre l'Égypte, Damas l'araméenne et les Philistins, l'armée confie le pouvoir suprême à son chef

OMRI (881-871), qui consolide le pouvoir royal, construit Samarie, ville fortifiée, capitale politique et religieuse, annexe de nouveau Moab.

871-852 ACHAB, fils d'OMRI, épouse JÉZABEL, princesse phénicienne; introduction de divinités phéniciennes. Luttes du prophète ÉLIE, réaction contre la maison d'Omri.

844-818 JÉHU est sacré roi par un émissaire du prophète ÉLISÉE. Extermination des Omrides. Répression du culte de BAAL. Tribut aux Assyriens. Pendant ces troubles, **Amos et Osée** représentent la religion de IAHVÉ et annoncent l'effondrement d'Israël (révolte contre l'exploitation des pauvres). « Les veaux engraissés que vous sacrifiez en action de grâces, je ne les regarde pas... Mais que la droiture soit comme un courant d'eau et la justice comme un torrent qui jamais ne tarit. » (AMOS).

722 Destruction de Samarie (après trois ans de siège) par SARGON II (p. 27). Déportation de nombreux Israélites vers la Médie et la Mésopotamie. Israël devient province assyrienne. La population restante se mélange avec les nouveaux venus (des Samaritains).

925-587 Royaume de Juda. Sous les premiers souverains, rapports tendus avec Israël. Liaison étroite sous JORAM (852-845). Après la disparition des Omrides, ATHALIE (845-839) établit un gouvernement tyrannique et extermine la maison de David. Introduction du culte de BAAL. Elle est assassinée en 839. Son successeur est JOAS, dont le fils AMATSIA paie tribut à Damas. Les Israélites infligent des défaites à Juda et prennent le trésor du temple. ISAÏE, prophète, donne aussi des conseils politiques.

725-697 EZÉCHIAS s'appuie sur l'Égypte pour se détacher de l'Assyrie. SENNACHÉRIB (p. 27) bat les Égyptiens, soumet Juda et menace Jérusalem (701). Son fils MANASSÉ est de nouveau soumis à l'Assyrie. Son arrière-petit-fils JOSIAS (639-609) révolutionne la vie religieuse après la découverte d'un antique Livre de lois. Purification du temple et destruction de tous les autres sanctuaires.

Apparition du prophète JÉRÉMIE dont on refuse d'écouter le message sur les malheurs qui s'approchent. Conflits internes et, à l'extérieur, guerre entre l'Égypte et Babylone. Après un siège d'un an et demi par NABUCHODONOSOR II, en

587 prise et destruction de Jérusalem 568-538 « Captivité de Babylone » (p. 27). Dispersion (gr. diaspora) des **Juifs** (désignation d'ensemble pour les populations de Juda et d'Israël).

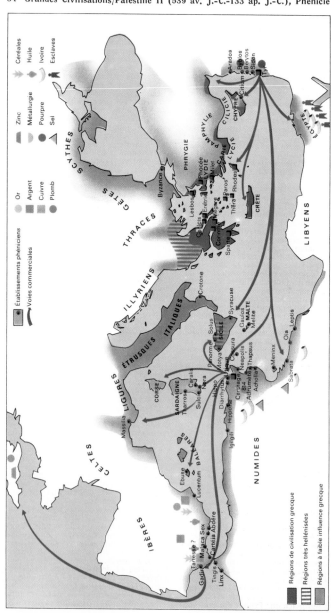

Colonisation phénicienne

Israël

539 Après la conquête du Nouvel Empire babylonien par CYRUS II, **la Palestine fait partie du Grand Empire perse.**

Reconstruction du temple (achevée en 515). Retour partiel des exilés.

Sous NÉHÉMIE et ESDRAS, nouvel ordre politique et religieux (construction des murailles, transplantation de compatriotes, annulation des dettes, interdiction de mariages entre Juifs et étrangers). Une loi promulguée par ESDRAS en 430 (loi sacrée, « loi des prêtres » ou Pentateuque) fonde la religion formaliste (« La Loi est un don de Dieu »). Toute la vie est réglée par la Loi. Il est nécessaire de la connaître, de l'interpréter et de l'expliquer : importance des lettrés dans les synagogues. C'est la base politique et religieuse d'un judaïsme actif. Un grand prêtre est à la tête de la communauté religieuse de Jérusalem.

A partir de 332, la Palestine est sous la domination d'Alexandre le Grand. Les Samaritains se séparent des Juifs et élèvent leur propre sanctuaire sur le mont Garizim : « schisme de Samarie ». Le Pentateuque devient leur Écriture sainte.

En 200, traduction de l'Ancien Testament en grec (Septante). A Alexandrie (Égypte), formation d'un nouveau centre du judaïsme. L'introduction de l'hellénisme provoque une scission entre le parti helléniste et le parti fidèle à la Loi.

168 Révolte des Asmonéens (MATTATHIAS et ses fils, surtout JUDAS MACCHABÉE) contre les Séleucides pour exiger la liberté politique et religieuse (Guerre sainte). En 142, reconnaissance de la souveraineté séleucide contre une large indépendance politique.

140-37 Royaume des Asmonéens. **Formation de groupes religieux :** Pharisiens, « les Séparés », fidèles à la Loi. Sadducéens, groupe conservateur où l'on croit à une survie après la mort. Esséniens : préparation d'un royaume messianique par l'ascèse et des rites purificateurs ainsi que par une existence monacale communautaire. (Découvertes à partir de 1947 dans le Ouadi Qoumran.)

63 Incorporation de la Palestine dans l'Empire romain par Pompée. Prise de Jérusalem, et paiement d'un tribut.

39-4 av. J.-C. Hérode le Grand, nommé roi des Juifs par le Sénat romain, extermine les Asmonéens avec la tolérance des Romains. Prise de Jérusalem (37). Partage du royaume entre ses fils : la Judée, la Samarie et l'Idumée à ARCHÉLAÜS (banni en 6 ap. J.-C. et remplacé par PONCE PILATE, gouverneur romain); la Galilée et la Pérée à HÉRODE ANTIPAS; sous le gouvernement de ce dernier, meurtre de SAINT JEAN BAPTISTE.

Apparition de Jésus. Il annonce l'avènement du règne de Dieu. Crucifié en 33 après condamnation pour blasphème.

66-70 ap. J.-C. Révolte des Juifs (cause : introduction du culte de l'empereur et construction d'un sanctuaire impérial à Jérusalem).

70 Prise et destruction de Jérusalem par TITUS, fils de VESPASIEN (p. 93).

133 HADRIEN réprime une révolte juive. Les Juifs doivent quitter Jérusalem. Nouveau centre religieux : Jamnia.

La Phénicie

Entre le mont Casios au nord, le Carmel au sud et le Liban à l'est, s'allonge la Phénicie, composée d'États urbains indépendants, chaque ville ayant son roi qui gouverne avec sa famille : Arados, Byblos, Berytos, Sidon et **Tyr**, qui détient l'hégémonie entre 1000 et 774.

969-936 HIRAM Iᵉʳ. Richesse obtenue par un commerce important en mer Rouge et en Méditerranée (associé : SALOMON).

Au VIIIᵉ siècle, les villes phéniciennes tombent sous la dépendance des Assyriens.

701 SENNACHÉRIB conquiert la Phénicie, sauf Tyr.

A partir de 586, suzeraineté de Babylone. Seul Tyr subsiste après un siège de 13 ans (585-573). Constitution de principautés et de royaumes vassaux qui se soumettent sans combat à ALEXANDRE LE GRAND.

322 Prise de Tyr après un siège de 7 mois.

Commerce. Après l'effondrement de l'hégémonie créto-mycénienne (vers 1200), les Phéniciens contrôlent le commerce méditerranéen. Exportation : verreries, tissus teints en pourpre, objets de métal fabriqués en série avec motifs mésopot., égypt. et d'Asie Mineure (amalgame de civilisations). **Vers 1000, écriture phénicienne,** adoptée par les Grecs qui la transmettront aux Romains, et qui est à l'origine de notre alphabet.

814 Fondation de Carthage (« la Nouvelle Ville ») par Tyr. Essor politique en Méditerranée occ. après la soumission de la Phénicie aux Assyriens. Dès 650, flotte et armée particulières, plus tard mercenaires. Soutien prodigué aux colonies phéniciennes à l'Ouest. Constitution aristocratique, opposition entre le Conseil et les chefs militaires. Dieux suprêmes : BAAL HAMMON et TANIT (Astarté). Sacrifices humains.

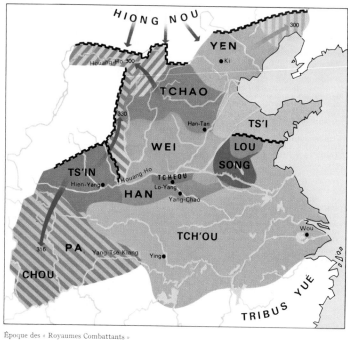

Époque des « Royaumes Combattants »

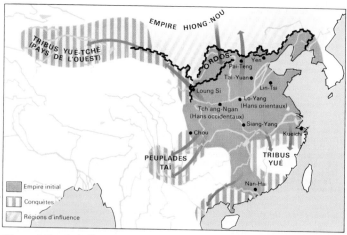

Chine sous la dynastie des Han

Aux civilisations néolithiques du Kansou, Ho-nan occ. (Yang-Chao), Loung-Chan, et Ho-pei du Nord, succède la dynastie légendaire des HIA (env. 1800-1500), puis

1500-1000 Dynastie Chang, dans l'actuel Chen-si : État féodal sous un roi aux fonctions sacerdotales. Les villes, où se trouvent des temples, sont entourées de murailles. Écriture évoluée, employée par les devins. Emploi du char de combat. Plusieurs dépositions de rois et combats avec les tribus voisines.

Religion. Au centre, le **Tao** (la Voie), principe dont les lois dirigent l'univers qu'il ordonne. Vénération du « Suprême Ciel ». Esprits de la nature et des ancêtres. Sacrifices et oracles.

1000-770 Dynastie occ. Tcheou. Pur État féodal : la terre royale est au centre, entourée des domaines des vassaux que limitent d'autres États plus petits, vassaux eux-mêmes. Transfert de la capitale à Lo-yang en 770.

770-256 Dynastie orient. Tcheou. Affaiblissement du pouvoir royal, les vassaux deviennent indépendants. Apparition de grandes principautés qui ne s'allient que pour repousser les nomades. Désorganisation, guerres incessantes qui appauvrissent la noblesse. Les paysans prennent de l'importance, car ils deviennent le facteur décisif dans les hostilités (ce n'est plus la noblesse sur ses chars, mais l'infanterie paysanne qui gagne les batailles). Les commerçants font vivre l'État sur le plan financier : ils encaissent les impôts en nature des féodaux pour assurer l'alimentation des villes.

551-479 Koung'Tsé (Confucius). Profonde morale religieuse. Foi dans la volonté de l'homme orientée vers la moralité et l'humanité.

Au VIe siècle, Lao-Tseu. Le Tao est au centre de sa doctrine, il est l'origine de tous les êtres et de toute vérité. Les sages doivent diriger la société humaine.

Au Ve siècle, Mo-ti prêche « l'amour universel ».

403-221 Période des « Royaumes combattants ». Division de la Chine en royaumes particuliers. Administration des royaumes par des fonctionnaires. Importance grandissante des villes, centres administratifs. Naissance d'une bourgeoisie.

221 Tcheng, fondateur de la dynastie Ts'in, annexe les six États qui subsistaient encore : Han, Tchao, Wei, Tch'ou, Yen et Ts'i. Création d'une cavalerie imitée des nomades de l'Ouest. Emploi d'armes de fer au lieu d'armes de bronze. L'État frontière de Ts'in est fortement organisé et s'impose peu à peu à tous.

221-206 Dynastie Ts'in. Titre du souverain : « Premier souverain suprême de Ts'in ». État unitaire centralisé dirigé par des fonctionnaires. Division en commanderies et préfectures. Réforme unificatrice des poids, mesures, monnaies et écriture. Suppression des différences régionales et développement du commerce. Le chancelier LI-SSEU procède à « l'incinération des livres » (213) pour détruire la tradition féodale. Campagnes au Nord contre les Huns (construction de la Grande Muraille : surtout rempart de terre). Campagnes également vers le Sud. La centralisation provoque des résistances qui amènent la fondation de la

Dynastie occ. Han (206 av. J.-C.-9 ap. J.-C.), qui adopte le système administratif des Ts'in mais avec l'organisation féodale des Tcheou. Démocratisation de l'administration et de la constitution, fondation d'un État de fonctionnaires pour le prélèvement des impôts, la protection des frontières, la direction du commerce et du trafic. A l'extérieur, guerres défensives contre les Huns, dont les tribus s'unissent au IIIe siècle. Apogée du pouvoir Han sous

Wou-ti, empereur (140-87), vainqueur des Huns. L'empire atteint sa plus grande expansion. Le pouvoir des féodaux est supprimé, et le trafic transcontinental fleurit grâce à la route de la soie. Les successeurs de WOU-TI écrasent les Huns qui émigrent vers l'ouest. Les grandes familles nobles luttent entre elles. Le représentant de l'une d'elles,

Wang Mang (9-23), usurpe le pouvoir, devient empereur, mais échoue dans son programme de réformes politiques. Des catastrophes naturelles et la perte des possessions d'Asie centrale provoquent de nombreuses révoltes, dont celle des « Sourcils rouges ».

25-220 Dyn. orient. Han. Fondée par LIEOU SIEOU, descendant des empereurs Han, qui devient empereur sous le nom de KOUANG WOU-TI. Nouvel essor de l'empire : commerce maritime à partir de Canton. Exportation de la soie jusqu'à Rome. A la fin du Ier siècle, la Chine a recouvré sa puissance comme au temps de l'empereur WOU-TI. Conquête du Turkestan, débouché sur le golfe Persique. Découverte du papier vers 100. Au Ier siècle, apparition du bouddhisme. Par la suite, luttes intestines à la cour impériale (successions, pouvoir des impératrices et de leurs coteries, influence politique des eunuques) qui provoquent la révolte populaire des « Turbans jaunes »(184).

220 Tsao Peï (dyn. Wei) dépose le dernier empereur Han.

Les temps primitifs

Empire d'Açoka

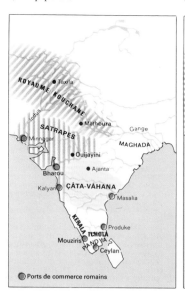

Inde vers 150 après J.-C.

Empire Goupta vers 400 après J.-C.

Vers 3000, civilisation de l'Indus dans le Nord-Ouest (Amri, Nal, Quetta, Koulli, Noundara). La civilisation la plus importante est celle de

Harappa (2500-1800). Radjas (rois) et Maharadjas (grands rois). Villes en damier (citadelle qui surplombe la ville), construites en brique. Canalisations d'eau. Commerce fluvial. Sceaux à gravures animales (sur l'un d'eux, figure humaine dans une posture yoga et entourée d'animaux : ÇIVA). Relations possibles avec Sumer (p. 23).

Vers 1500 invasion aryenne, rameau indo-européen qui, du Nord-Ouest, arrive dans les plaines du Gange.

1500-1000 Première époque védique. Les Aryens avec leurs chars de combat attelés s'imposent aux indigènes (Dravidiens). Civilisation paysanne : troupeaux de bestiaux, peu de céréales.

1000-600 Dernière époque védique. Conquête progressive des territoires du Gange jusqu'à l'actuelle Delhi. Les tribus aryennes se battent entre elles.

Religion. Les Védas (cf. le latin vidi = j'ai vu, je sais, et l'allemand Wissen = savoir) sont les plus vieux écrits humains. Le sanscrit est une langue indo-europ. Vers 1000, le **Rig-Véda** (plus tard, les Yajour-Véda, Sama-Véda, Athar-Véda). Sous une puissance impersonnelle RITA (= Vérité), se trouvent les dieux VAROUNA (le dieu du serment) et MITRA (dieu des traités), puis des divinités représentant les forces naturelles : OUSHAS (l'Aurore), AGNI (le Feu), SOURYA (le Soleil); le dieu national est INDRA. Le sacrifice le plus important est le **soma** (fête où l'on boit). Croyance à une survie. Dans les « textes Brahmana » du VIIIe siècle, les interprétations des prêtres apparaissent comme une « science préscientifique » ainsi que dans les « Oupanichads », composés par des prêtres et des laïques. Les « Oupanichads » (écrits mystiques), qui sont liés aux « Brahmana », conduiront plus tard à la technique du Yoga : l'essentiel est l'exigence d'une fusion, avec la réalité la plus haute.

Formation d'une société de castes (disposition divine) : guerriers (kchatriyas), prêtres (brahmanes), paysans (vaiçyas), sujets et métis de classes (choudras). Hors classe : les parias.

Env. 560-483 Gautama le Bouddha (« l'Illuminé ») prêche la libération de toute réincarnation par le perfectionnement de soi-même le long du « sentier à huit voies », grâce auquel le croyant, purifié par sa conduite morale, accède finalement au Nirvana.

Env. 540-468 Vardhamâna, Mahavira (« grand héros ») et Djina (« vainqueur »). Doctrine : la souffrance est la conséquence des liens qui unissent l'esprit et la matière. La délivrance s'obtient par ascèse, mortifications, refus des aliments jusqu'à la mort. Ses disciples sont les « djaïnistes ».

512 Le Gandhâra et le Sind font partie de l'Empire perse (DARIUS Ier).

327-325 Campagne d'Alexandre le Grand. Conquête du Gandhâra, victoire de l'Hydaspe sur POROS, et retraite (p. 61). Par la suite, influence grecque par l'intermédiaire du royaume de Bactriane (art du Gandhâra).

321-185 Dyn. Maurya, fondée par **Tchandragoupta 321-297,** qui vainc le dernier roi de la dyn. Nanda (royaume de Maghada), agrandit son royaume et repousse SÉLEUCOS NICATOR (312 à 282).

272-231 Açoka, son petit-fils, est le fondateur du premier grand empire indien (capitale : Patalipoutra). Sous l'influence de la prise de Kalinga (cruauté effroyable : 100 000 morts, 150 000 déportés), il se convertit au bouddhisme. Souverain pacifique, il tolère les autres religions.

A partir de 170, petites principautés grecques au Panjab, que conquièrent les Saka (75 av. J.-C.), à leur tour vaincus par les Parthes. Dans le Sud de l'Inde, trois royaumes : Kerala, Tchola, Pandya.

Vers 50 ap. J.-C., après l'invasion des Yué-Tché qui viennent de Bactriane, union des 5 tribus du **royaume kouchane** dans le Nord de l'Inde. Le royaume atteint son apogée sous KANICHKA qui favorise le bouddhisme et se sert de ses missions pour favoriser le commerce du pays. En 240, le royaume passe sous la domination des Sassanides.

Vers 50 ap. J.-C. début de la domination de la dyn. Çâtavahâna sur le royaume Andhra, au Nord-Ouest du Dekkan. Elle s'effondre en 195. Les nobles Saka qui reculent devant les Parthes fondent l'État **Kachtrapa,** qui durera jusqu'en 405.

320-535 Royaume Goupta. Sous les trois premiers souverains, le royaume (capitale Patalipoutra) devient une puissance prépondérante, et s'étend au Nord et au Sud. Apogée culturelle (KÂLIDÂSA, le plus grand poète indien, créateur d'épopées et de pièces de théâtre).

A partir de 430, invasion des Huns blancs (Hephtalites).

Vers 527 effondrement de la domination des Huns blancs. Par la suite, à côté du royaume Goupta de Malava au Nord de l'Inde, empire de **Kanyakoubia,** dont le souverain est HARCHA, et qui s'émiettera sous les Rajpouts.

A partir de 700 le bouddhisme est éliminé par l'hindouisme.

A partir de 711, invasion arabe.

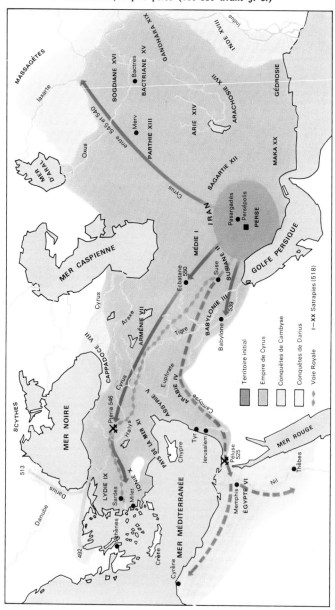

Naissance de l'empire perse

Iran « Pays des Aryens » : Haut plateau entre les deux civilisations anciennes de l'Irak et du Panjab. A partir de 1500, invasion des Iraniens en deux vagues : 1) Bactriens et Sogdiens; 2) Mèdes et Perses.

Les Mèdes

835 Le roi assyrien SALMANASAR III mentionne la Perse (Parsua) et la Médie (Mada) situées près du lac d'Ourmia. Dans des combats incessants avec les Assyriens, les Mèdes parviennent à conserver leur territoire.

715 Le roi DAIAKOS, fondateur de l'Empire mède d'après HÉRODOTE, est fait prisonnier.

Vers 700 les Achéménides commencent à régner en Perse, mais reconnaissent l'hégémonie mède.

647-625 PHRAORTE. Il meurt au cours des guerres contre les Scythes et les Cimmériens qui attaquent la Médie.

625-585 CYAXARE. **Fondateur de la puissance mède**, il chasse les Cimmériens et les Scythes. Avec l'aide de Babylone (p. 27), il anéantit l'Assyrie (614 chute d'Assour, 612 chute de Ninive). En Asie Mineure, sur la frontière de l'Halys, une éclipse de soleil lui fait rompre le combat qu'il livrait à ALYATTE DE LYDIE (28.5.585). Le roi **Cyrus II**, son vassal perse, se soulève contre son fils ASTYAGE (585-550). Cyrus est fils de CAMBYSE, un Achéménide.

L'Empire perse

559-529 CYRUS conquiert l'Empire mède (550) et affermit sa domination sur l'Iran.

546 Il triomphe de CRÉSUS, roi de Lydie, soumet les cités grecques d'Asie Mineure et fait campagne en Iran oriental.

539 Conquête de Babylone. Les Juifs retournent en Palestine (p. 35).

529 Mort de CYRUS II en combattant les Massagètes de l'Iran oriental.

529-522 CAMBYSE II fait tuer son frère BARDIYA en prenant le pouvoir. En 525, il conquiert l'Égypte et avance jusqu'en Nubie et en Libye. Pendant son absence, le mage GAUMATA se soulève contre lui en prétendant être BARDIYA.

522 Mort de CAMBYSE en Syrie. -

521-486 Darius Ier, d'une branche collatérale des Achéménides, gendre de CYRUS II (sa femme : ATOSSA), tue GAUMATA et réprime les révoltes. Il est le créateur du grand Empire perse. En 518, campagne contre l'Égypte. En 513, soumission des territoires de l'Indus. En 512, campagne sans succès contre les Scythes au-delà du Bosphore et sur le Danube inférieur, mais soumission de la Thrace et de la Macédoine.

500-494 Répression d'une révolte, d'abord victorieuse, des villes grecques d'Asie Mineure. En 494, destruction de Milet. En 490, expédition contre les Grecs, qui échoue à Marathon (p. 53). DARIUS meurt en préparant une seconde campagne en Grèce.

486-465 XERXÈS Ier réprime les révoltes de Babylone et de l'Égypte.

480-479 Expédition contre les Grecs, qui échoue. Puis révoltes des territoires soumis et soulèvement des satrapes. Avec le déclin grandissant de la puissance perse, les eunuques acquièrent peu à peu de l'influence.

387 A la paix d'Antalcidas, l'Asie Mineure occidentale fait retour à la Perse (p. 59).

330 Après l'assassinat de DARIUS III par le satrape BESSOS, l'empire revient à ALEXANDRE LE GRAND (p. 61).

Politique extérieure perse. Défense de la frontière nord-est contre les peuples des steppes qui habitent sur la rive opposée de l'Iaxarte. Possession des rives de la mer Noire (Scythes) et de la mer Égée. Ces buts sont excessifs : les Perses manquent d'hommes et de moyens.

Supériorité de l'armée perse sur les peuples du Proche-Orient : leur tactique, celle des peuples de la steppe, consiste en un assaut d'archers à cheval. Le noyau de l'armée est formé de Perses, parmi lesquels la fameuse garde des 10 000 « Immortels ».

État et administration. Partage du territoire en 20 satrapies. Impôts fixes. La darique d'or est l'unité monétaire. Tâches des satrapes : mise sur pied d'une armée fixe, levée des populations pour les travaux publics. Le trafic entre les provinces et l'administration centrale se fait sur des routes royales, dont la plus célèbre est celle de Sardes à Suse. Réfection du canal du Nil à la mer Rouge pour faciliter les communications entre l'Égypte et la Perse.

Religion. Au VIe siècle, apparition de **Zarathoustra** (Zoroastre) qui prêche une religion révélée. **Ahoura Mazda** est le créateur et le maître du monde. Les hommes peuvent se décider pour le bien ou le mal, pour la vérité ou le mensonge. A la fin du monde, le jour du Jugement. La doctrine tient dans 16 « Gathas » (hymnes). Par la suite, la distinction entre le bien et le mal devient plus grossière. La loi morale devient politique (sous DARIUS : les adversaires sont des menteurs, lui-même représente la vérité). Tolérance des Perses à l'égard des religions des peuples soumis. L'Empire perse est le premier grand empire indo-européen, mais il se transforme rapidement avec XERXÈS en un **despotisme oriental.** Dans le cérémonial de cour, proskynèse (prosternation).

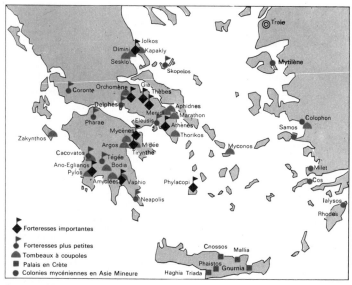

Epoque mycénienne

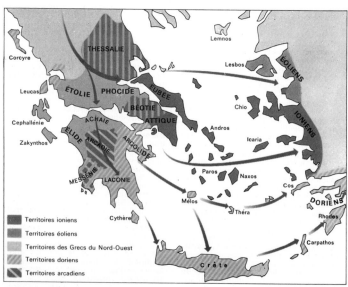

Migrations grecques

Grèce préhellénique (2500-1600)
2500-1850 Époque primitive préhellénique. Formation des différentes civilisations dans la mer Égée. En Grèce, **civilisation paysanne** en Thrace, Phocide, Béotie, Attique, Argolide et à Corinthe (caractéristiques : poterie vernissée). On retrouve dans certains noms les traces du langage de ces peuples : les terminaisons en -nthos et -ssos ne sont pas indo-européennes. (Les Grecs fourniront le vocabulaire des plantes, des métaux, de la navigation et de la pêche.)
1850-1600 Deuxième époque préhellénique. **Invasion de tribus indo-européennes** (Protogrecs) : Ioniens et Éoliens (Achéens). Ils ne constituent pas de grandes armées, mais la pénétration se fait lentement par petits groupes (coexistence pacifique coupée de conflits). Mélange avec la population primitive méditerranéenne, ce qui prépare la transition : Vers
1600-1150 Époque mycénienne : La société est dirigée par des nobles (aristoi), qui combattent sur des chars. Palais monumentaux, avec le mégaron au milieu (Murs cyclopéens). Conflits féodaux entre seigneurs mais également paix sous un seul souverain (roi de « Mycènes riche en or », en Argolide). Pour construire les palais, nécessité d'un grand nombre d'esclaves. La vie aristocratique se passe en guerres, en chasses et en festivités.
Au xve siècle, extension de puissance sur l'Asie Mineure (Milet), Milo et la Crète (expéditions de rapine). Adoption de la céramique minoenne et des tombeaux à coupole pour le culte des ancêtres et de la classe supérieure. Destruction des derniers palais crétois (p. 29). Établissement en Crète, à Rhodes, à Chypre.
1400-1150 **Dernière époque mycénienne.** Construction de **tombeaux à coupole** et de fortifications gigantesques (Mycènes, Tirynthe, Pylos, Athènes). Célèbre « Porte des Lionnes » et « Trésor d'Atrée » (diamètre de la coupole : 14,5 m) à Mycènes.
xiiie siècle : agrandissements monumentaux des palais contre les tribus qui viennent des Balkans.
Vers 1250 **Nouvelle vague d'envahisseurs (migration égéenne). Conséquences :** essor du moyen empire assyrien et des cités phéniciennes. Apparition des Étrusques en Italie. Destruction de Troie VIIa.
Vers 1150 **destruction des palais mycéniens.**

Migration des peuples grecs (1200-1000). Invasion dorienne. Ces mouvements cessent quand les Illyriens progressent vers la Méditerranée. Les Grecs du Nord-Ouest occupent l'Épire, l'Étolie et l'Acarnanie. Les Doriens atteignent par mer la Crète et l'Asie Mineure du Sud-Ouest, et par terre le Péloponnèse. Les Achéens doivent fuir vers les îles ioniennes. L'Attique, l'Eubée et les Cyclades, que les invasions ne touchent pas, demeurent entre les mains des Ioniens. Dialectes des tribus grecques : ionien, achéen (éolien) et dorien. Les envahisseurs ont la supériorité d'une nouvelle tactique guerrière : **ce sont des cavaliers aux armes de fer, contre des conducteurs de chars aux armes de bronze. Peu à peu, organisation d'un nouvel ordre politique :**
1. Création de la **polis,** État urbain, là où il y avait un palais mycénien.
2. Sur les territoires conquis, l'établissement des vainqueurs provoque la création de villages où l'on abandonne les vieilles coutumes (assemblée composée du roi et des guerriers) et où se forme une classe noble de propriétaires fonciers.
3. La royauté subsiste dans les zones frontières : Épire et Macédoine.
Les Grecs ont en commun : l'écriture qu'ils ont prise aux Phéniciens et dont ils ont fait leur propre **alphabet** (reproduction des voyelles par les signes consonantiques disponibles : d'abord écriture purement syllabique); les **mythes** qui proviennent de l'époque mycénienne (les Atrides, Persée, Œdipe, les Sept contre Thèbes, Hélène, Ménélas), et qui donneront naissance aux poèmes homériques; la **religion** aux sanctuaires communs (Delphes, Délos, Samos, Olympie), et les **jeux cultuels** devenus institutions panhellènes* (combat, gr. = agon) : les **Jeux Olympiques** en l'honneur de ZEUS, **récompenses aux vainqueurs depuis 776 av. J.-C.;** la Pythie à Delphes en l'honneur d'Apollon; les JEUX ISTHMIQUES sur l'Isthme de Corinthe en l'honneur de POSÉIDON et les JEUX NÉMÉENS à Némée en l'honneur de ZEUS. Opposition des concepts d'**Hellènes** (qui participent à la culture hellène) et de **Barbares.**
Art. Deux arts passés influencent l'**époque géométrique** : l'art créto-mycénien (début du IIIe mill. jusqu'à 1400 env.) et l'art mycénien (env. 1600-1200). Vers les xiie et xie siècles, **appauvrissement et abâtardissement des formes mycéniennes.** En 1050-950, nouvel appauvrissement de la tradition, mais également renaissance (géométrisation). À l'époque géométrique (950-700), **naissance d'un monde décoratif** à partir de simples ornements géométriques (lignes, méandres, demi-cercles) sur les amphores.

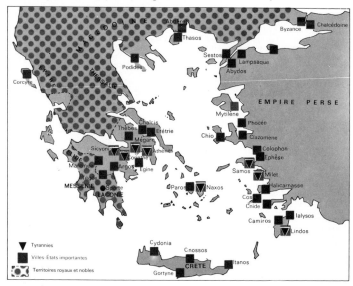

Villes et états grecs

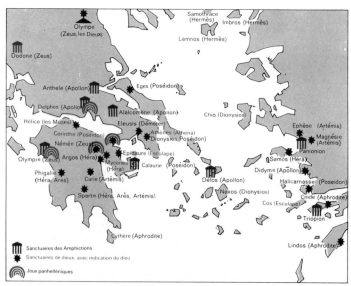

Sanctuaires grecs

Les États

La **polis**, groupant les citoyens de la cité, est constituée par la ville et le territoire qui l'entourent. Elle est caractérisée par son indépendance intérieure et extérieure (autonomie) et sa politique d'autarcie économique et ses cultes locaux (rôle des divinités poliades). Les relations réciproques des États-cités se règlent au moyen de traités de paix et d'alliances. La ville prend le nom de ses habitants tiré de l'endroit où elle est située. La polis est placée sous la protection de la divinité et des lois que la divinité a instituées. Superficie des États-cités : Attique 2 550 km², Corinthe 880, Argos 1 400. 22 États-cités de Phocide ont ensemble une superficie de 1 650 km². Au début, les Grecs adoptent la forme gouvernementale des peuples soumis, la **royauté** (basileus = le roi, est un mot d'origine non grecque). Le roi n'a pas le pouvoir absolu, c'est un pouvoir que Zeus lui a confié (symbole : le berger et son troupeau). Une fois les Grecs en possession complète du territoire, la royauté et l'unité de gouvernement sont superflues. En Laconie, Argos, Arcadie, Élide et Macédoine, la royauté subsiste, mais son pouvoir diminue. Partout ailleurs, la **noblesse** remplace le roi. C'est une **aristocratie de gros propriétaires** terriens qui s'appuie sur sa richesse et ses sujets (caste de guerriers). Style de vie noble : jeux, courses de chars, chasse, loisirs. Caractéristique : l'élevage du cheval. Apparition de l'**pligarchie** (gouvernement d'un petit nombre) qui domine la plus grande partie du peuple (libres, semi-libres, esclaves et pauvres). Aux VIIe et VIe siècles, des usurpateurs issus de la noblesse établissent un pouvoir personnel, profitant du mécontentement de la petite bourgeoisie et des paysans **(tyrannie)**. Les tyrans combattent les grands propriétaires fonciers et la grande bourgeoisie au profit des artisans et des paysans. Cette évolution se termine par la **démocratie** (gouvernement du peuple), dans laquelle le droit de citoyenneté appartient à une couche de plus en plus nombreuse de citoyens (esquisse du système censitaire). Elle n'est possible que grâce au développement de l'esclavage, qui permet aux citoyens libres d'avoir des loisirs pour la politique.

La religion grecque

Deux cultures anciennes ont contribué à former les conceptions religieuses des Grecs :
1. Le **vieux fonds méditerranéen**, (rural) : Déesse de la fécondité, Déesse Mère (qui gouvernent la terre et le monde souterrain), et dieu du printemps qui meurt périodiquement. Il y a aussi des divinités rurales.

2. **La culture indo-européenne** (vagues d'invasion successives entre 2000 et 1100). Zeus, dieu de l'orage et de la lumière, protecteur du Droit et créateur des dieux; peut-être Hestia, déesse des troupeaux (lat. Vesta). À partir de 1600, ces conceptions fusionnent dans le monde aristocratique créto-mycénien sous une forte influence minoenne. Dès lors, les dieux sont : Zeus, Héra, Poséidon, Athéna, Hermès, Artémis, Paion (= Apollon), Ilythie, peut-être Dionysos. Cette religion féodale qui correspond à la société hiérarchisée mycénienne, se transforme en une **religion aristocratique** dont **Homère** se fait l'écho (dieux olympiens). Zeus, dieu du ciel, Héra son épouse, déesse des troupeaux et du mariage; Déméter, la Terre Mère; Poséidon, dieu des mers; Héphaistos, dieu des forgerons; Arès, dieu de la guerre; Apollon, dieu de la clarté, de la pureté et de la science, sa sœur Artémis, déesse de la chasse; Aphrodite, déesse de l'amour; Hermès, dieu des voleurs et des commerçants; Athéna, protectrice des artisans, des arts et des sciences. Il existe en outre une **religion populaire** : dieux locaux sous forme de vieux fétiches, personnification des forces naturelles, des corps célestes (soleil, lune), des concepts abstraits (lutte, espérance). Il n'existe ni dogmes, ni magie, ni prêtres, ni superstition. Chez Hésiode (« Théogonie »), forte tendance traditionnelle et croyance naïve à la justice (Zeus est le justicier divin). De nouvelles conceptions religieuses apparaissent avec les **Orphiques** et les **Pythagoriciens** (sanctions dans l'au-delà). Les **mystères** (Eleusis) donnent aux initiés l'assurance de survivre après la mort.

Au VIIe siècle, Dionysos, dieu de la vigne, arrive de Thrace. Apollon le reçoit à Delphes : il sera le dernier dieu à entrer dans l'Olympe.

Au IVe siècle, apparition du culte d'Asclépios, dieu de la médecine.

L'époque hellénistique se caractérisera par son syncrétisme religieux (rôle croissant de l'Orient après les conquêtes d'Alexanre). On exprime des doutes sur l'existence des divinités de l'Olympe et des dieux locaux, mais l'athéisme ne se répand pas. À côté des cultes anciens (Déméter et Dionysos), nouveaux cultes mystérieux d'Isis, de Baal, de Cybèle, considérés comme de nouvelles incarnations de dieux anciens et déjà connus (« Interpretatio Graeca »).

Création artificielle d'un culte : Sérapis (combinaison d'Osiris et d'Apis), dieu guérisseur, devient dieu de l'État en Égypte.

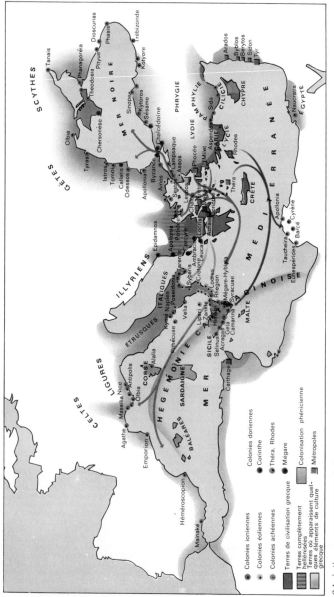

Colonisation grecque 750-550 avant J.-C.

La colonisation grecque (750-550)

Elle crée les bases nécessaires à la naissance d'un sentiment de communauté hellénique. Elle a pour causes le développement du commerce maritime et de l'artisanat, un surplus de population (HÉSIODE conseille de n'avoir qu'un enfant et d'exposer les nouveau-nés). Jouent également un rôle l'émigration politique, les conflits sociaux (Mégare, Corinthe, Athènes). La fondation d'une colonie a lieu lorsque la métropole, souvent à la suite d'un oracle, désigne un fondateur (oikistès), ou encore lorsqu'un port ouvre des comptoirs. Absence d'un lien commun. **Il y a deux sortes de colonies : commerciales et agricoles.** Elles sont liées à la métropole par une identité de culte et de coutumes. **Hellénisation des territoires voisins.** L'expansion se fait d'abord à l'Ouest : Campanie, Sicile, Italie méridionale, Gaule méridionale. La Méditerranée occidentale est domaine carthaginois. Cyrène et Naucratis (p. 21), sur la côte africaine, sont des centres commerciaux importants.

Ionie

Milet devient la cité prédominante au point de vue polit. et cult. Elle est la métropole de 90 établissements sur les côtes de la mer Noire et le grand centre de trafic pour l'Orient.

Vers 750 **Homère.** Transformation des vieilles épopées héroïques : **Iliade** et **Odyssée**, qui ont pour sujet la guerre de Troie. Ce sont les livres d'école de la jeunesse grecque.

A partir de 700, relations avec les royaumes lydien et phrygien. **Les Ioniens répandent partout l'économie monétaire** (talent, mine). Conflits guerriers avec GYGES et ALYATTE DE LYDIE (p. 31).

A partir de 650, **troubles sociaux et politiques des villes ioniennes.** La noblesse héréditaire est remplacée par des familles de grands commerçants. Influence grandissante du peuple, souvent sous le gouvernement des tyrans.

560 CRÉSUS DE LYDIE (p. 31) soumet l'Ionie. Les villes demeurent autonomes, les relations commerciales s'étendent jusque dans l'arrière-pays lydien.

546 **Début de la domination perse.** Sardes devient la capitale de la satrapie ionienne (517). Les philosophes ioniens émigrent en Italie méridionale.

537-522 **Tyrannie de Polycrate de Samos,** avec l'aide de LYGDAMIS DE NAXOS. Apogée culturel et politique de Samos. Hégémonie maritime en mer Égée (thalassocratie). Alliance avec le roi AMASIS d'Égypte (p. 21).

Art. 700-600 Époque orientalisante

Introduction d'éléments naturalistes (êtres fabuleux, plantes, animaux), venant de l'Orient. **Corinthe** joue un rôle intermédiaire important dans le commerce avec l'Ionie. Autres centres artistiques : l'Attique, la Chalcidique, Rhodes. Sous l'influence orientale, monuments énormes (Héraion de Samos, temple de Zeus à Athènes). Début de l'**artisanat** : métaux travaillés en relief, statuettes et armes. **Premières sculptures** : Statuette d'Auxerre, kouros de POLYMÈDE D'ARGOS. On attribue au Crétois DÉDALE l'invention de la grande sculpture. La grande sculpture est le symbole de l'homme, l'architecture monumentale (temples de pierre avec péristyle), celui de la polis grecque.

Lyrique ionienne. 1) Iambes, accompagnés d'instruments à cordes : ARCHILOQUE DE PAROS, HIPPONAX D'ÉPHÈSE; 2) Élégie, accompagnée de la flûte (chants funèbres) : CALLINOS D'ÉPHÈSE, TYRTÉE, MIMNERME DE COLOPHON; 3) Le chant lesbien : TERPANDRE DE LESBOS (inventeur de la lyre à sept cordes), ALCÉE et SAPHO DE LESBOS, ANACRÉON DE TÉOS; 4) Chœur lyrique : ALCMAN DE SARDES, STÉSICHORE D'HIMÈRE.

Philosophie. Apparition de la **philosophie de la nature** à Milet, et déclin des explications mythiques traditionnelles. On recherche les causes premières et les éléments premiers (archè = élément premier). Pour THALÈS (624-546), l'archè est l'eau; pour ANAXIMANDRE (611-546), c'est l'Apeiron, c'est-à-dire l'infini et l'illimité. Pour ANAXIMÈNE (585-525), l'air (Aer, pneuma), un élément unique, infini, indestructible. A Élée, en Italie méridionale, XÉNOPHANE DE COLOPHON crée une école philosophique (570-480) : unité et sphéricité du Tout, critique des dieux. Pour PARMÉNIDE D'ÉLÉE (540-470), c'est l'Etre qui est au centre de la pensée. PYTHAGORE DE SAMOS (580-500) fonde une école à Crotone : connaissance de l'harmonie et de l'ordonnance du monde grâce aux mathématiques, à la physique, à l'acoustique et à l'astronomie. Arithmétique, musique, théorie de l'État. Doctrine de la métempsycose. Chez HÉRACLITE D'ÉPHÈSE (535-470), le principe du monde n'est pas l'Etre, mais le Devenir (changement continuel) dans un rythme donné qui est l'ordre et la raison du monde.

Économie. Le commerce ionien s'étend en Asie Mineure. Grâce à la frappe des monnaies, le troc est remplacé par le commerce véritable, basé sur l'argent. Naissance d'une classe de commerçants.

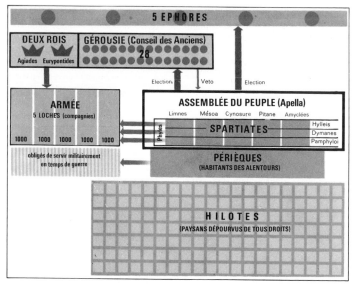

La Constitution spartiate

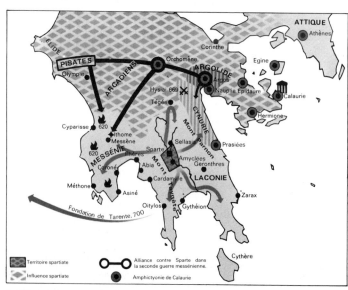

Le Péloponnèse jusqu'en 500 avant J.-C.

Sparte

Vers 900 fondation de Sparte par la réunion de quatre villages (Limnes, Mésoa, Cynosure, Pitane) dans la vallée de l'Eurotas.

740-720 1re guerre messénienne. Le roi THÉOPOMPOS enlève le mont fortifié de l'Ithôme et conquiert la Messénie.

706 Fondation de Tarente. Après des combats contre Tégée et Sparte, **hégémonie d'Argos** en Péloponnèse du Nord sous

PHÉDON, roi de 680 à 650. Instauration de poids et mesures normalisés (le pied phédonien; l'obole et la drachme). La création de l'amphictionie de Calaurie consolide la puissance de PHÉDON.

660-640 2e guerre messénienne. Révolte des Messéniens, soutenus par l'Achaïe, l'Elide et Argos. Tensions dangereuses à Sparte, tant intérieures qu'extérieures, à la suite de la perte des terres messéniennes appartenant aux Spartiates.

640 Soumission des Messéniens grâce à l'**introduction d'une nouvelle tactique : hoplites rassemblés en phalange** (fantassins cuirassés armés de la lance, de l'épée, du bouclier rond, d'une armure et de jambières). Naissance d'un Etat militaire à Sparte, et d'une « politique des hoplites » dans de nombreuses villes grecques.

Conséquences de la guerre. Oppression illimitée des hilotes. Isolement du peuple spartiate (barres de fer en guise de monnaie), dépérissement culturel, domination d'une minorité : 9 000 Spartiates seulement ont tous les droits de citoyenneté.

550 Ligue péloponnésienne sous l'hégémonie de Sparte. Tous les États du Péloponnèse participent à l'effort militaire, sauf l'Achaïe et Argos, mais ils gardent leur autonomie. Par la suite, Sparte, la plus grande puissance militaire de la Grèce, lutte partout contre la tyrannie (interventions à Samos, Athènes et Sicyone) et contre la démocratie.

Constitution et État

Vers 700 constitution de Sparte (« la grande Rhêtra »), rédigée par LYCURGUE d'après la légende, en réalité le résultat d'une évolution séculaire : double royauté, conseil des Anciens (Gérousia) et assemblée de l'armée. L'incorporation d'Amyclées dans le système spartiate donne naissance à l'**État lacédémonien.** Plus tard, réforme avec la création de l'éphorat (les rois n'ont plus d'autorité que sur l'armée). Au cours de la 2e moitié du VIe siècle, les éphores dirigent la politique extérieure et intérieure.

Les Spartiates constituent trois « phylai » (tribus) et vivent en communauté. De 14 à 20 ans, les jeunes sont élevés par l'État. De 20 à 30 ans, ils vivent dans la communauté des guerriers, les plus âgés prennent leurs repas en commun (syssities). La base du système économique est la division de la terre en lots héréditaires et inaliénables (kléroi), où travaillent les hilotes (serfs) qui ont l'obligation de livrer la moitié des récoltes. Chaque année, on déclare la guerre aux hilotes qui sont surveillés en secret (Cryptéia). Les périèques (voisins) sont également des citoyens de Lacédémone et de la Messénie (dans une centaine de villes), mais ils ont des droits inférieurs.

Civilisation. Forte influence de la culture ionienne par les lyriques de l'Asie Mineure : TERPANDRE DE LESBOS, ALCMAN DE SARDES, TYRTÉE (chants, hymnes, chœurs).

Évolution dans le reste de la Grèce

Vers 700 Hésiode d'Ascra, en Béotie. « Théogonie » (mythes divins dominés par la toute-puissance de ZEUS), « Les Travaux et les Jours » (déclin de l'humanité au cours des cinq âges, règles pour les paysans et les marins).

Du VIIe au VIe siècle, **transcription des lois jusqu'alors orales.** Développement de la législation et de la jurisprudence. Les lois règlent la vie de l'État et des citoyens malgré les résistances fréquentes de la noblesse.

VIIe siècle. Avènement de la tyrannie à la suite des luttes intestines des nobles. Beaucoup de villes sont touchées, d'abord Corinthe, Mégare, Sicyone, puis l'Ionie.

657-580 Tyrannie à Corinthe. CYPSÉLOS, PÉRIANDRE et PSAMMÉTIQUE. Apogée de Corinthe, première puissance maritime de la Grèce. On favorise les paysans au détriment de la noblesse (gros propriétaires fonciers). Expansion du commerce. En politique étrangère, rapports avec Milet, la Lydie et l'Égypte.

600-570 Tyrannie de Clisthène à Sicyone. Après réorganisation politique, soutien de l'amphictionie de Delphes contre les Phocéens. **Delphes** devient le **plus grand sanctuaire grec.**

582 Réorganisation des jeux de Delphes (pythiques).

Art. 600-500 : Époque archaïque. D'abord chez les Doriens (Corinthe), puis les Ioniens (Athènes). **Statues d'adolescents nus** (kouroi) et de **jeunes filles habillées** (korai) : statues votives. Peintures sur vases à figures noires; après 530, figures rouges. Sculptures sur les temples (frontons, métopes, frises). **Perfection et fin de l'art archaïque à Athènes.**

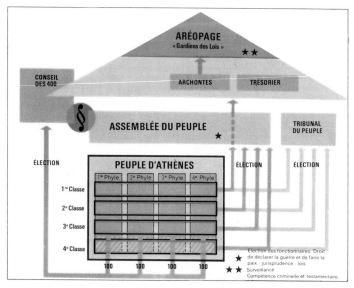

La Constitution de Solon

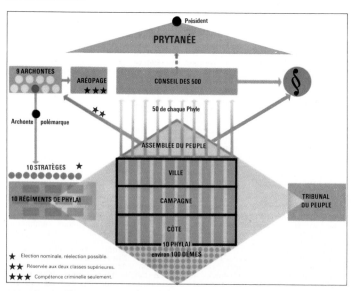

La Constitution de Clisthène

Au début, royaume auquel se soumettent les seigneurs des terres attiques. Après leur installation à Athènes la royauté s'affaiblit progressivement.

683 L'archontat remplace la royauté. Les archontes sont des magistrats élus pour un an : archonte-roi pour le culte de DIONYSOS; archonte-éponyme (ancien gouverneur d'Athènes). Crise dans l'État due à l'endettement des paysans.

624 Code de Dracon, aux châtiments rigoureux. 6 thesmothètes deviennent archontes, suppression de la « vendetta ». La situation devient plus dangereuse à la suite des **conflits sociaux** : esclavage des paysans pour dettes, importance croissante de la classe moyenne grâce au commerce maritime, revendications politiques contre la noblesse.

594 Solon, archonte avec pouvoirs dictatoriaux, fait office de « réconciliateur » :

1. **Libération des paysans.** Annulation des hypothèques et du servage pour dettes; aucune répartition nouvelle du sol, mais fixation d'une superficie maximale pour les gros propriétaires fonciers.

2. **Diminution du pouvoir de la noblesse** par la répartition des propriétaires terriens en quatre classes : a) Possesseurs de cinq cents médimnes de revenu; b) Chevaliers (de 500 à 300 médimnes); c) Zeugites (paysans avec attelage), qui servent comme hoplites; d) Thètes (qui ne possèdent rien). Timocratie : domination des possédants.

3. **Réforme monétaire.** Abandon des devises frappées à Égine pour celles d'Eubée et de Milet.

4. **Consignation écrite des règles juridiques.** Tout citoyen peut déposer une plainte officielle.

Principes de base des lois de Solon.

1. Émancipation de l'individu qui n'est plus emprisonné dans sa famille, mais fait partie de l'État.

2. Encouragement au commerce et au travail.

Constitution. L'assemblée du peuple (ecclèsia) élit les archontes et les trésoriers parmi les membres de la 1re classe, ainsi que le Conseil des Quatre-Cents (qui correspond aux quatre anciennes phylai) parmi les membres des trois classes inférieures. Les thètes se retrouvent dans l'assemblée du peuple et dans le tribunal populaire (Héliée). Le peuple se divise en deux groupes : la noblesse de l'intérieur du pays et les habitants de la côte sous la direction des Alcméonides. Les petits paysans de la montagne soutiennent en

560 l'établissement de la tyrannie de Pisistrate. Essor culturel et économique d'Athènes. Encouragement à la paysannerie. Diminution du

pouvoir de la noblesse. Garde du corps pour le souverain. Maintien des lois de Solon. Monnaie nationale à l'effigie d'ATHÉNA et de la chouette. Réorganisation des **Panathénées** (fondées en 566). **Essor du culte de Dionysos.**

527-514 HIPPIAS et HIPPARQUE sont tyrans.

519 Alliance de Platées et d'Athènes contre Thèbes.

514 Assassinat d'HIPPARQUE par les tyrannicides HARMODIOS et ARISTOGITON (vengeance particulière). Avec l'appui de l'oracle de Delphes et d'une armée spartiate menée par CLÉOMÈNE,

en 510 suppression de la tyrannie par Clisthène, un Alcméonide.

509-507 Réforme de Clisthène. Création d'une démocratie basée sur l'isonomie (droits égaux pour tous les citoyens), et réorganisation des phylai. Les citoyens sont divisés en dix phylai qui se rassemblent par tiers (trittyes) représentant chacun un secteur : la ville, la campagne et la côte. Chaque phyle envoie 50 représentants au Conseil des Cinq-Cents qui, en tant que prytanes, dirigent les affaires de l'État pour 36 jours, sous un président élu qui change quotidiennement. Chaque trittye se compose de dèmes, unités administratives autonomes qui tiennent à jour la liste des citoyens et forment les bases locales de la constitution. Tous les citoyens font partie de l'assemblée du peuple. Peine de mort par empoisonnement. Suppression de la torture pour les hommes libres. **Ostracisme** : les citoyens dangereux sont exilés sans qu'on porte atteinte à leur honneur ou à leur fortune.

508 Exil de CLISTHÈNE sur l'intervention de Sparte.

507 Siège de CLÉOMÈNE et d'ISAGORAS, chefs de la noblesse, que le peuple bloque dans l'Acropole. Retour de CLISTHÈNE.

506 Défaite des Spartiates, Béotiens et Chalcidiens. 4 000 colons athéniens s'établissent en Chalcidie. CLÉOMÈNE échoue également contre Argos où s'établit la démocratie.

Poésie. Apogée de la poésie lyrique archaïque. THÉAGÈNE DE MÉGARE : Élégies (plaintes aristocratiques sur le bouleversement social), chansons de banquets; ANACRÉON DE TÉOS (570-488) : chansons d'amour et à boire. SIMONIDE (556-468) et BACCHYLIDE (505-450), compositeurs de chœurs, rencontrent à la cour de Syracuse, à la fin de leur vie, PINDARE DE THÈBES (518-446), le plus grand poète lyrique grec : hymnes cultuels (péans, dithyrambes, hymnes divers), chants de victoire.

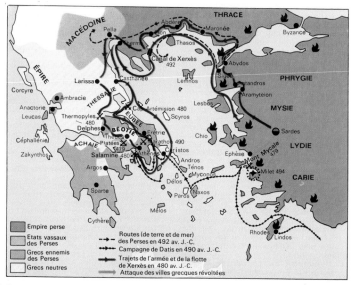

Guerres médiques.

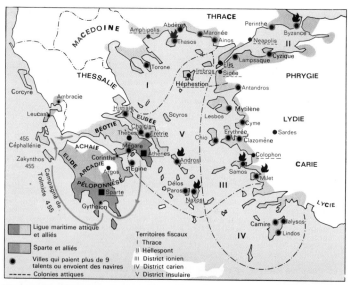

Ligue maritime athénienne.

Les guerres médiques (500-479)
500-494 Révolte de l'Ionie, dirigée par
Aristagoras de Milet que soutiennent seulement Athènes et Érétrie. Après quelques succès, répression par les Perses (défaite d'Ephèse),
qui poursuivent leur avantage et
réoccupent Chypre (497). Anéantissement de la flotte ionienne à
Ladè et en
494 destruction de Milet. Déportation des habitants en Mésopotamie.
493 Thémistocle devient archonte.
492 Les Perses conquièrent la Thrace
et la Macédoine (général : Mardo-
nios). Miltiade le Jeune, tyran
de Chersonèse, s'enfuit à Athènes
où il devient l'un des dix stratèges.
Anéantissement de la flotte perse
par une tempête au large du mont
Athos. Sparte et Athènes refusent
d'obéir à l'ordre, envoyé à toutes
les villes grecques, de se soumettre.
**490 1ʳᵉ guerre médique dirigée par
Datis et Artapherne,** et qu'accompagne Hippias. Destruction d'Érétrie et déportation de ses habitants.
Sept. 490 Bataille de Marathon. Victoire de l'armée athénienne (annoncée par le coureur de Marathon)
sous la direction de Miltiade, grâce
à la tactique supérieure des Athéniens. Retraite de la flotte perse
vers l'Asie Mineure. Cette victoire
sur les Perses, jusqu'alors invinci-
bles, fait d'Athènes la grande puissance et le guide de toute l'Hellas.
Miltiade meurt en captivité après une
campagne malheureuse contre Paros.
**487 Choix des archontes par tirage
au sort** entre 500 candidats des 1ʳᵉ
et 2ᵉ classes; influence croissante des
stratèges par réélection et remise
des pleins pouvoirs : ils obtiennent
les charges administratives et financières.
487-483 L'ostracisme est appliqué envers Hipparque (487), Mégaclès
(486), Xanthippe (484), Aristide
(483), ce qui permet à Thémistocle
d'exécuter son **programme de construction de trières** (180 trières ter-
minées en 481) : l'État construit
les navires (financement par les
mines d'argent du Laurion). L'équipement est payé par de riches citoyens
(liturgie). Pouvoir croissant des
thètes (rameurs).
480 2ᵉ guerre médique. Xerxès part
de Sardes avec une armée de plus
de 100 000 hommes. Carthage reçoit
de sa métropole, Tyr, l'ordre d'**attaquer les Grecs de Sicile.**
480 Bataille d'Himère. Le tyran Gélon
de Syracuse vainc les Carthaginois. Son frère, Hiéron, bat les
Étrusques à Cumes en 474 (p. 69),
ce qui permet l'essor de Rome.
**481 Conclusion d'une alliance mili-
taire** (symmachie hellène), sous le

commandement de Sparte. Après
une bataille navale indécise au **cap
Artémision,** sacrifice de Léonidas,
de ses 300 Spartiates et de 5 600
autres guerriers pour assurer la
retraite de l'armée grecque aux
Thermopyles.
En août 480 les Perses dévastent
la Béotie et l'Attique et brûlent
Athènes (évacuation des Athéniens
sur les îles voisines).
Sept. 480 Victoire des Grecs à Salamine,
sous la direction du Spartiate Eury-
biade, selon le plan de Thémistocle :
dans le détroit, la flotte perse ne peut
se développer complètement contre
les 310 navires grecs. Deuxième destruction d'Athènes : au printemps de
479 bataille de Platées et victoire
navale des Grecs près de Milet, **au cap
Mycale.** Sur le conseil de Thémistocle, aucune vengeance n'est
exercée sur les villes grecques amies
des Perses. Vingt ans de paix.
Importance des guerres médiques. Fin
des conquêtes perses. La liberté polit.
et spirituelle est sauve, la culture
grecque se développe à nouveau.
479 Construction des murailles d'A-
thènes malgré l'opposition de Sparte.
478 Libération des villes ioniennes par
une flotte grecque commandée par
le Spartiate Pausanias, Sparte
conseille aux Ioniens de venir s'établir en Grèce même, et se retire de
la guerre. Les Ioniens s'adressent à
Athènes qui devient leur protectrice.

1ʳᵉ Ligue maritime athénienne

477 1ʳᵉ Ligue maritime créée contre
le danger perse par Athènes et les
villes ioniennes. Contribution des
alliés fixée à 460 talents par Aristide (« le Juste »). Délos devient le
siège de la Ligue. Tous les alliés
ont un droit de vote égal dans le
conseil commun. Athènes devient la
première puissance économique de
la Grèce. Dissentiments avec Sparte.
470 Exil de Thémistocle qui mourra
vassal des Perses à Magnésie sur le
Méandre. Cimon, fils de Miltiade,
poursuit la guerre comme chef de la
flotte confédérée.
**465 Double victoire de Cimon à l'Eury-
médon** en Asie Mineure, sur l'armée
et la flotte perses. L'attitude mal-
veillante de Sparte à l'égard d'Athènes s'accuse. La population de Sparte
diminue fortement dans un tremblement de terre (464) et au cours d la
3ᵉ guerre messénienne (464-455). Le
triomphe des tendances démocratiques à Athènes lui fait retirer l'armée de secours demandée par les
Spartiates pour mettre fin au siège
d'Ithôme.
461 Exil de Cimon, à cause de son
amitié pour Sparte.

Art classique

Apogée : temples de ZEUS à Olympie et d'ATHÉNA (Parthénon) sur l'Acropole (ICTINOS et CALLICRATE). Les principaux sculpteurs sont le Dorien POLYCLÈTE (le Doryphore = Porteur de lance) : proportion et rythme (découverte de l'opposition entre le repos et le mouvement du corps humain (jambe portante et jambe en mouvement). PHIDIAS crée les statues du Parthénon et les statues chryséléphantines de ZEUS et d'ATHÉNA. Rien n'a été conservé des gigantesques peintures murales de POLYGNOTE DE THASOS. Les descriptions de PAUSANIAS et les peintures contemporaines sur vases en donnent une idée. Conditions préalables à l'art du IVe siècle : dissolution de la polis et du particularisme de chaque cité. Découverte de la vie intérieure (buste d'après nature). Les grands artistes sont PRAXITÈLE (Aphrodite de Cnide, Hermès) : les dieux s'humanisent; SCOPAS (Ménade) : approfondissement du sentiment; LYSIPPE (l'Apoxyomène) crée le style hellénistique avec un type d'homme nouveau. Tous trois marquent une préférence pour l'expression de l'instant.

Littérature

La tragédie naît du culte de Dionysos. THESPIS est considéré comme son inventeur (chœur et 1er répondant). ESCHYLE (525-456) introduit le 2e répondant. Le rôle du chœur diminue au bénéfice du dialogue. Ses tragédies sont profondément religieuses et d'un héroïsme archaïque : « Les Perses » (472), « Les Sept contre Thèbes » (467), « L'Orestie » (458). SOPHOCLE (497-406) donne à la tragédie sa forme classique en introduisant un troisième acteur et en renforçant le chœur. L'action dramatique s'accompagne d'une spiritualisation des caractères (tragédie de caractère) : « Antigone » (442), « Œdipe » (427), « Electre » et « Philoctète ». EURIPIDE (480-406) interprète les mythes et prête à ses héros des sentiments humains. Il prépare le drame bourgeois, d'où sa forte influence sur la littérature mondiale : « Médée » (431), « Hippolyte » (428), « Les Troyennes » (415). Apogée de la comédie attique avec CRATINOS (520-423), EUPOLIS (446-411), et **Aristophane** (445-385), son représentant principal. Il s'intéresse aux questions sociales, critique la politique d'Athènes et s'attaque aux sophistes : « Les Nuées » (423), « Les Guêpes » (422), « Les Oiseaux » (414), « Les Grenouilles » (405). Représentant principal de la Comédie Nouvelle, psychologique : MÉNANDRE (343-290). Pièces amusantes, familières, où l'on critique la société : « L'Arbitrage », « Le Misanthrope ».

Histoire

Hérodote d'Halicarnasse (484-425), le « père de l'Histoire » d'après CICÉRON, décrit dans son œuvre principale, « Histoires », les conflits entre l'Europe et l'Asie (Hellènes et Barbares). Sa conception historique est religieuse plus que nationale (le cours de l'histoire s'explique par la foi profonde dans la prédestination voulue par les dieux). **Thucydide** (460-396) crée l'histoire objective dans la « Guerre du Péloponnèse » qu'il présente comme une leçon pour l'action. Ce ne sont plus les dieux, mais les causes politiques qui déterminent les événements. **Xénophon** (430-354) écrit « L'Anabase » (campagne de Cyrus et retraite des Grecs), ainsi qu'une histoire de son temps (« Hellenika »).

Philosophie

Les **sophistes** (maîtres de sagesse) veulent créer un enseignement général pour apprendre aux jeunes gens la rhétorique, la dialectique et leurs devoirs civiques dans un sens utilitaire. La science est communiquée comme une « marchandise ». Représentants principaux : PROTAGORAS D'ABDÈRE : subjectivisme et relativisme (« L'homme est la mesure de toutes choses »), remise en question de la science (il n'y a que des opinions), la force prime le droit. GORGIAS DE LÉONTINOI professe une rhétorique dont le but est de « faire triompher les causes perdues ». PRODICOS DE COS : morale du citoyen. HIPPIAS D'ÉLIDE : indépendance de l'homme à l'égard de son milieu. SOCRATE (469-399), fondateur de la philosophie humaniste, par une méthode intuitive (ironie, maïeutique = accouchement des esprits), cherche à définir un concept admis par tous (la Vertu) pour que l'homme parvienne à penser et agir justement (la Vertu est une science qui peut s'apprendre). Une voix intérieure (daimon) vous indique le chemin du bien. **Platon** (427-347), fondateur de l'Académie d'Athènes (387), part des idées socratiques (le Bien, la Vertu) pour établir une doctrine fondée sur les Idées (Formes essentielles), monde réel transcendant le monde des apparences qui n'est qu'un dérivé des Idées mères. (Mythe de la caverne dans la République.) L'importance historique de Platon provient également de ses œuvres politiques, où il cite comme vertus essentielles du citoyen la Sagesse, la Bravoure, le Sang-Froid, la Justice. Œuvres : « Apologie de Socrate », « Criton », « Le Banquet », « Phédon », « le Parménide », etc. **Aristote de Stagire** (384-322), fondateur du Lycée d'Athènes, embrasse tout le savoir de son temps. Œuvres « Politique », « Logique ».

L'apogée de la démocratie

462 Sur la proposition de PÉRICLÈS et d'ÉPHIALTÈS, le Conseil (Boulè) décide désormais de tout ce qui est politique avec l'assemblée du peuple (Ecclésia). L'Aréopage est ainsi éliminé sauf pour le jugement des crimes. Après l'assassinat d'ÉPHIALTÈS (461), poursuite de la réforme par PÉRICLÈS.

461 Création d'indemnités quotidiennes pour les membres du Conseil et les jurés des tribunaux (ressources provenant des versements des alliés).

458 La démocratie se complète par l'**accès à l'archontat des citoyens de la 3e classe (zeugites)**. La direction de l'État est assurée par le président du Conseil (prytanes). La noblesse perd tout pouvoir au profit des citoyens.

451 Loi de citoyenneté : les deux parents doivent être nés en Attique. Égoïsme : les avantages sociaux — allocations et distributions de céréales — sont réservés à quelques-uns. Danger d'un repliement de la cité sur elle-même.

Lutte contre Sparte et la Perse

461 Athènes dénonce son alliance avec Sparte et s'allie à Argos, l'ennemie héréditaire de Sparte.

460-457 Construction des « Longs murs » d'Athènes, qui deviennent les plus grandes fortifications de Grèce.

460 Après le transfert à Naupacte des hilotes messéniens avec l'aide d'Athènes, et l'alliance d'Athènes avec Mégare, influence croissante de Sparte à Corinthe qui, ainsi qu'Égine, s'allie à elle.

457 L'alliance de Sparte et de Thèbes menace Athènes dans le Nord. Victoire des Spartiates et des Thébains à Tanagra, mais victoire des Athéniens à Œnophytes. Avec l'annexion de la Béotie, de la Locride et de la Phocide, **hégémonie d'Athènes en Grèce centrale**.

456 Égine doit entrer dans la Ligue maritime en livrant sa flotte. Conséquences : suppression d'un concurrent commercial, Le Pirée devient le plus grand port de la Grèce. Pour des raisons de politique commerciale, Athènes soutient les soulèvements contre les Perses.

454 Transfert du trésor de la Ligue à Athènes (un sixième du tribut va à la déesse ATHÉNA). Peu à peu Athènes s'épuise dans sa guerre contre Sparte et la Perse.

451 Armistice avec Sparte (5 ans), grâce à l'entremise de CIMON, retour d'exil, qui meurt peu avant la **double victoire des Athéniens à Salamine sur les Perses de Chypre en 449**.

448 **Paix entre la Perse et Athènes**

(paix de Callias). Les Grecs d'Asie Mineure demeurent dans l'Empire perse mais gardent leur autonomie. Non-immixtion réciproque. La mer Égée est mer intérieure grecque.

448 Fondation de l'**empire d'Athènes** par transformation de la Ligue maritime (devenue inutile à la suite de la paix). Introduction graduelle du système monétaire et des poids et mesures de l'Attique. Les anciens membres continuent à payer le tribut.

447 PÉRICLÈS convoque à Athènes un **Congrès de la Paix** (programme : paix, sécurité des mers, reconstruction des sanctuaires détruits par les Perses). Échec à cause de la résistance de Sparte. Ensuite, soulèvements contre Athènes (447 : oligarchie en Béotie) et invasion d'une armée spartiate en Attique.

445 Athènes est obligée de conclure un **traité de paix de 30 ans avec Sparte** qui reconnaît l'empire athénien, mais étend son hégémonie sur le Péloponnèse. **Avec la Perse et Carthage, Athènes est la 3e grande puissance méditerranéenne.** Approfondissement de l'opposition entre Sparte et Athènes.

443-429 **Époque de Périclès**, qui, après avoir écarté l'opposition (443 : ostracisme de THUCYDIDE), est constamment réélu « démagogue » (chef du peuple). C'est comme stratège qu'il assure juridiquement sa domination. Il s'impose aux autres stratèges grâce à son autorité sur le peuple athénien. Athènes est « une démocratie de nom, mais en réalité la monarchie du premier citoyen » (THUCYDIDE). Fondation de colonies et établissement de clérouques pour pourvoir aux besoins de la population dénuée de moyens d'existence. Dangers pour l'État athénien : excès d'allocations et de subventions. Unité de la politique intérieure et extérieure. Combinaison de l'hégémonie politique et de la mission culturelle. Emploi des fonds de la Ligue pour construire les monuments de l'Acropole, ce qui assure pendant des années du travail et des ressources à un grand nombre de personnes, mais grève considérablement les finances. PÉRICLÈS et ASPASIE réunissent autour d'eux : HÉRODOTE d'HALICARNASSE, ANAXAGORE DE CLAZOMÈNES, HIPPODAMOS DE MILET, SOPHOCLE et PHIDIAS. Réorganisation de la Ligue maritime par répartition des cités en 5 classes (selon l'impôt) et établissement de la démocratie dans les villes de la Ligue. Résistance des cités sujettes opprimées et soumises à ces tributs (440 : révolte de Samos, reprise par PÉRICLÈS). En 425, plus de 400 cités sont membres de la Ligue.

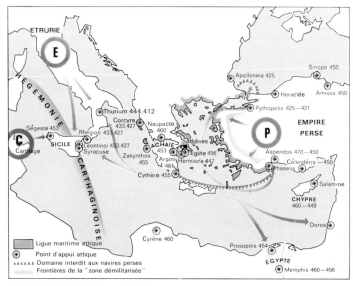

Politique d'expansion d'Athènes au 5e siècle

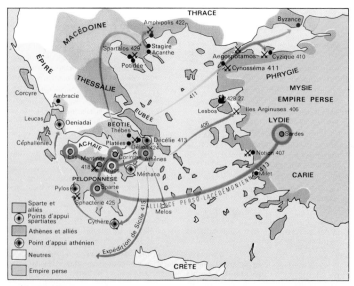

Guerre du Péloponnèse

Guerre du Péloponnèse (431-404)
Motif : alliance de Corcyre avec Athènes contre Sparte. Athènes attaque Potidée. Blocus commercial de Mégare par Athènes : Sparte réclame l'autonomie pour toutes les villes de la Ligue.

432 Sparte et les Péloponnésiens se déclarent pour la guerre mais sans enthousiasme (diminution de la population, crainte de nouvelles révoltes d'hilotes, manque de finances). **Plan de guerre de Périclès :** Évacuation des populations de l'Attique qui se réfugient dans le camp retranché d'Athènes-Le Pirée. Intervention maritime contre le Péloponnèse. Trésor de guerre d'Athènes : 6 000 talents, accumulés depuis le décret financier de CALLIAS (434).

431-421 Guerre d'Archidamos.
431-430 Deux invasions d'ARCHIDAMOS en Attique. Opérations de la flotte sur les côtes du Péloponnèse.

429 Capitulation de Potidée après une défense de deux ans, mais défaite de l'armée de siège athénienne par les Spartiates. **Début de la peste à Athènes** (mort d'un tiers de la population de l'Attique en quatre ans, PÉRICLÈS lui-même meurt). CLÉON devient chef du peuple. Adversaire de la guerre du vivant de PÉRICLÈS, il devient son ardent partisan.

429-427 Lesbos abandonne la Ligue maritime et est châtiée. Deux nouvelles invasions d'ARCHIDAMOS en Attique. Les Spartiates prennent Platées et mettent ses défenseurs à mort.

425 Défaite spartiate à Sphactérie (120 Spartiates prisonniers). CLÉON refuse une offre de paix spartiate et veut passer à l'offensive. Après des succès athéniens, en

424 réforme de l'armée spartiate par Brasidas et campagne en Thrace (les villes de la côte sortent de la Ligue). CLÉON et la flotte athénienne viennent à leur secours.

422 Défaite des Athéniens à Amphipolis. Mort de CLÉON et de BRASIDAS.

421 Paix entre Sparte et Athènes, conclue par NICIAS, pour 50 ans. Rétablissement du statu quo. Alliance de Sparte et d'Athènes contre les Péloponnésiens et Argos. La politique d'ALCIBIADE, adversaire de NICIAS, porte atteinte aux relations d'Athènes et de Sparte. Athènes s'allie à Argos, l'Élide et Mantinée, et obtient par force l'alliance de Mélos (416).

415-413 Expédition de Sicile inspirée par ALCIBIADE. Athènes aide Ségeste contre Syracuse et Sélinonte. NICIAS y est opposé. ALCIBIADE est accusé d'outrage aux dieux et rappelé : il s'enfuit à Sparte.

413 Anéantissement de la flotte athén. dans le port de Syracuse et de son armée sur l'Assinaros. NICIAS est mis à mort et les prisonniers condamnés aux travaux forcés dans les carrières de pierre.

413-404 Guerre de Décélie. Sur le conseil d'ALCIBIADE, les Spartiates occupent Décélie, forteresse d'où ils dévastent l'Attique : Athènes, abandonnée par ses alliés, voit grandir le mécontentement du peuple.

412 La Perse intervient financièrement pour aider Sparte, qui donne en échange les villes ioniennes.

411 L'oligarchie triomphe à Athènes (Conseil des Quatre-Cents, Assemblée du peuple composée de 5 000 propriétaires). Levée d'une armée athénienne à Samos, qu'ALCIBIADE retient dans l'alliance. Chute de l'oligarchie et élargissement de la démocratie.

410 Victoire d'ALCIBIADE, élu stratège, à Cyzique. Refus d'une offre de paix spartiate.

407 Retour d'ALCIBIADE à Athènes. Après la défaite de la flotte athénienne à Notion, déposition d'ALCIBIADE.

406 Victoire des Athéniens aux îles Arginuses, mais les chefs de la flotte sont condamnés à mort malgré l'opposition de SOCRATE pour n'avoir pas enseveli leurs morts à cause de la tempête.

405 Victoire d'Aigos Potamos remportée par le Spartiate LYSANDRE.

404 Siège d'Athènes et capitulation. Conditions de paix : destruction des « Longs murs », dissolution de la Ligue maritime attique et collaboration militaire obligatoire avec Sparte. Hégémonie de Sparte. Oligarchie (« Trente Tyrans ») à Athènes.

Sicile. Après la défaite athénienne de Syracuse, les Carthaginois envahissent de nouveau l'île.

409 Destruction de Sélinonte et d'Himère par les Carthaginois. Après la prise d'Agrigente (405), les Carthaginois progressent vers Syracuse, mais l'union des villes grecques sous

Denys Ier (405-365) renouvelle la résistance. Après la mort de DENYS, dissensions entre son fils DENYS II et son cousin DION, élève de PLATON.

344 Chute de DENYS II par les soins de TIMOLÉON, un Corinthien. Défense victorieuse contre les Carthaginois et introduction du régime démocratique (337). Nouvel apogée sous

Agathocle (307-288), tyran avec l'aide des Carthaginois, et roi de Sicile, à l'exemple des diadoques, à partir de 304.

PYRRHUS défend Syracuse contre une attaque carthaginoise (278).

274-215 HIÉRON II. Après la guerre de Tarente, l'Italie méridionale devient romaine.

201 Syracuse fait partie de la province romaine de Sicile.

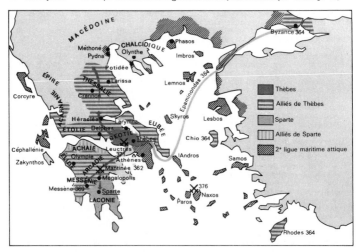

L'hégémonie thébaine

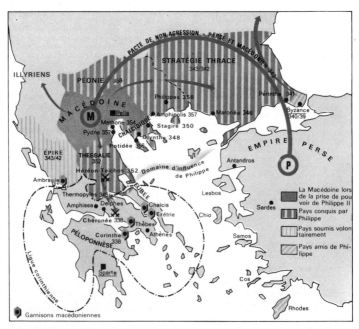

Macédoine sous Philippe II

Athènes, Sparte, Thèbes
Sparte contrôle les oligarchies installées en Grèce par des garnisons sous commandement spartiate. Avec l'aide de Sparte, **brève domination des** «**Trente Tyrans** », puis en
403 rétablissement de la démocratie à Athènes par THRASYBULE (indemnités au peuple pour sa présence à l'assemblée et représentations théâtrales à partir de 392).
399 Condamnation à mort de Socrate, par absorption de ciguë. (Accusation : « A perverti la jeunesse et introduit de nouveaux dieux. »)
401 Bataille de Cunaxa. Mort du prince perse CYRUS et fin de la révolte contre son frère, le roi des Perses, ARTAXERXÈS II. Retraite des Dix Mille, contée par l'Athénien XÉNOPHON (Anabase.)
399-394 Guerre des Spartiates contre la Perse. Sous AGÉSILAS, Sparte veut libérer les villes ioniennes.
395-387 Guerre de Corinthe. Soutenues par la Perse, Athènes, Thèbes, Corinthe et Argos combattent Sparte. La flotte perse réorganisée par l'Athénien CONON, vainc les Spartiates en
394 à Cnide. La même année, Athéniens et Thébains sont vaincus à Coronée par les Spartiates. Athènes tente de reformer une ligue maritime et de relever les fortifications du Pirée, ce qui provoque un rapprochement des Perses et des Spartiates : le Bosphore est barré par une flotte perse et spartiate qui interdit l'envoi à Athènes des céréales de la Russie du Sud.
387 Paix d'Antalcidas, dite « du Roi », entre Athènes et Sparte, sur l'intervention du roi des Perses. Les cités grecques d'Asie Mineure tombent sous la domination perse, les autres conservent leur autonomie sous la surveillance de Sparte.
377 Fondation d'une 2e **Ligue maritime attique** dirigée contre les Spartiates qui ont occupé Cadmée, citadelle de Thèbes, en 382.
371 Paix entre Athènes et Sparte. Thèbes refuse de renoncer à l'unification de la Béotie (réalisée en 379). Les Spartiates l'attaquent.
371 Bataille de Leuctres. EPAMINONDAS défait les Spartiates (invention de l'ordre oblique). C'est la première défaite d'une armée spartiate sur le champ de bataille : déclin de Sparte. Les Thébains avancent en Laconie et libèrent les Messéniens.
369 Alliance de Sparte et d'Athènes contre Thèbes, qui construit sa propre flotte.
362 Bataille de Mantinée : Les Thébains y battent Sparte et Athènes, mais EPAMINONDAS est blessé à

mort. Fin de l'hégémonie thébaine.

Macédoine
359-336 Philippe II de Macédoine.
L'État s'appuie sur **trois forces** : la royauté, la noblesse (hétairoi) et l'assemblée de l'armée. Supériorité de l'armée : la cavalerie est divisée en régiments (ilè = troupe). L'arme essentielle est la lance. Création de la phalange macédonienne (hétairoi à pied, armés d'une longue lance, la sarisse, et d'un petit bouclier rond). Les villes sont prises avec des machines de siège. Les moyens financiers proviennent de la conquête des mines d'or du mont Pangée à l'est du Strymon.
Après l'**unification de la Macédoine** (358), PHILIPPE veut s'ouvrir un accès à la mer en conquérant Amphipolis et la Chalcidique (357). Chio, Rhodes, Cos et Byzance abandonnent la 2e Ligue maritime attique, qui se dissout au cours de la **guerre des Confédérés (357-355).**
356-346 2e **guerre sacrée contre les Phocidiens**, soutenus par Athènes et Sparte, pour avoir dévasté le sanctuaire de Delphes. PHILIPPE intervient contre les Phocidiens. Il enlève Potidée, Méthoné, Stagire et Olynthe, alliée d'Athènes. En vain, DÉMOSTHÈNE réclame énergiquement l'envoi de secours.
352 Conquête de la Thessalie.
348 L'Eubée se sépare d'Athènes sur la demande de PHILIPPE.
346 Paix de Philocrate entre la Macédoine et Athènes sur la base du statu quo. (Athènes demeure la plus forte puissance navale : 350 trières.) Puis victoire de PHILIPPE sur les Phocidiens. Il devient membre de l'amphictionie de Delphes.
343-342 Conquête de la Thrace. A Athènes, ISOCRATE (union de la Grèce sous PHILIPPE et lutte commune contre la Perse) s'oppose à DÉMOSTHÈNE (lutte contre le « barbare » PHILIPPE).
340 Création de la Ligue hellénique contre PHILIPPE qui menace le trafic de la mer Noire.
338 Bataille de Chéronée, victoire de PHILIPPE sur les Grecs. La décision est due à son fils ALEXANDRE à la tête de la cavalerie. Dur châtiment de Thèbes, mais paix généreuse avec Athènes (amitié et alliance).
337 Ligue corinthienne formée par toutes les cités grecques, sauf Sparte, sous le patronage de PHILIPPE. **Organisation de la paix** : le Conseil confédéral de Corinthe confie au roi de Macédoine le titre d'hégémon (chef) et de général de l'armée confédérée. Autonomie reconnue pour tous ses membres. **Décision : guerre commune contre la Perse.**
336 Assassinat de PHILIPPE.

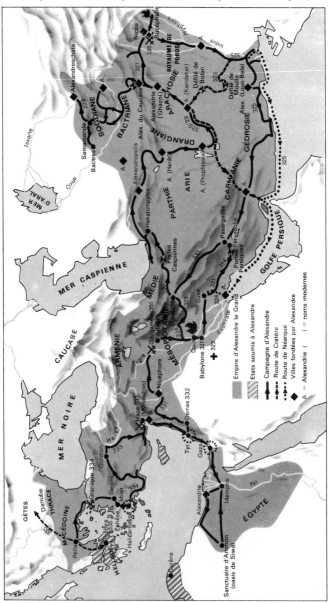

Les campagnes d'Alexandre

Alexandre le Grand (336-323)

Après avoir assuré la domination macédonienne sur les Thraces et les Illyriens, il écrase la révolte grecque (Thèbes, Athènes, Péloponnèse).

335 Destruction de Thèbes, dont les habitants deviennent esclaves.

334 Début de la campagne perse, « guerre de vengeance » grecque et macédonienne (30 000 fantassins, 5 000 cavaliers). Passage de l'Hellespont.

Mai 334 Victoire du Granique sur les satrapes perses d'Asie Mineure. Après les villes côtières grecques, occupation de la Carie, de la Phrygie (à Gordion, il tranche le « nœud gordien » avec son épée), et de la Cilicie. Ses officiers deviennent satrapes des territoires occupés.

Été 333 Revers pour avoir licencié trop tôt la flotte ionienne. Les Perses prennent Chio et Mytilène.

Novembre 333 Bataille d'Issos (ordre oblique). Victoire d'ALEXANDRE sur DARIUS III CODOMAN. Il refuse une offre de paix.

332-331 Soumission de la Syrie (332, prise de Tyr après un siège de sept mois), de l'Égypte (fondation d'Alexandrie, expédition à l'oasis de Siwa au sanctuaire de Zeus-Ammon, où les prêtres saluent ALEXANDRE comme le fils de dieu), et de la Mésopotamie.

331 Répression par ANTIPATER d'une révolte spartiate à Mégalopolis. Sparte devient membre de la Ligue corinthienne. ALEXANDRE passe le Tigre et l'Euphrate.

1er octobre 331 Bataille de Gaugamèles (ou Arbèles). Ordre oblique comme au Granique et à Issos. Fuite de DARIUS. ALEXANDRE est proclamé roi de l'Asie. Entrée à Babylone et à Suse. Prise du trésor de guerre perse (50 000 talents).

330 Incendie de Persépolis pour venger la destruction de l'Acropole (480). Occupation de Pasargadès et d'Ecbatane. **Renvoi des Grecs, la campagne de la Ligue panhellénique ayant pris fin.**

L'Empire d'Alexandre

Après l'assassinat de DARIUS par le satrape BESSOS, qui prend le titre de roi, ALEXANDRE se proclame successeur des Achéménides (il revêt les vêtements royaux), malgré l'opposition macédonienne. Exécution de PHILOTAS et meurtre de PARMÉNION, son père. Conquête des satrapies orientales : Arie, Drangiane, Arachosie.

329 Soumission de l'Iran oriental. BESSOS, prisonnier, est exécuté.

328 Combats en Sogdiane. ALEXANDRE épouse la princesse ROXANE (début de la politique de réconciliation).

Introduction du cérémonial perse : proskynèse (prosternation), malgré la résistance de sa suite macédonienne et grecque. Mise en jugement de CALLISTÈNE, neveu d'ARISTOTE, après la « conjuration des pages ». ALEXANDRE, dans un accès de rage, tue son ami d'enfance, CLITOS.

327-325 Campagne de l'Inde pour atteindre les extrémités sud et est du monde habité dans un but de domination mondiale.

326 POROS devient vassal d'ALEXANDRE. Une mutinerie des troupes sur l'Hyphasis oblige ALEXANDRE à battre en retraite. Construction d'une flotte qui redescend l'Indus jusqu'à la mer. Retraite sous les ordres d'ALEXANDRE et de CRATÈRE par la Gédrosie et la Carmanie jusqu'à Persépolis; par mer, NÉARQUE suit les côtes de l'océan Indien et du golfe Persique jusqu'à l'embouchure de l'Euphrate et du Tigre.

324 Plan de fusion entre Macédoniens et Perses pour en faire une nouvelle couche dirigeante. C'est une condition préalable à son grand projet : conquête de l'Ouest et fusion de tous les peuples par transferts et mélanges. Unions massives entre Macédoniens et Iraniens. ALEXANDRE épouse des princesses persanes. Amnistie en Grèce pour les exilés politiques. Après mutinerie à Opis des vétérans licenciés, **réorganisation de l'Empire à Babylone.** Égalité des droits entre Perses et Macédoniens (Homonoia = concorde, union; koinonoia = communauté). Des Perses entrent dans l'armée. Réunion de trois fonctions en la personne d'ALEXANDRE : roi des Perses en Asie, hégémon de la Ligue corinthienne en Grèce et roi de Macédoine.

Séparation des pouvoirs civils et militaires dans les satrapies, mais administration financière pour l'ensemble de l'Empire. **Création d'une monnaie unique (devise attique).** La monnaie de l'Empire est fondée sur l'argent. Tout est prêt pour créer un immense et unique domaine économique. Le grec devient langue véhiculaire (koinè). Développement des connaissances géographiques : recherche des sources du Nil, traversée de NÉARQUE et d'ONÉSICRITOS du delta de l'Indus à celui de l'Euphrate et du Tigre. Fondation d'environ 70 villes, non pas comme garnisons mais comme centres d'expansion de la civilisation grecque. Préparation de nouvelles campagnes contre Carthage et la Méditerranée occidentale.

13 juin 323 Alexandre meurt de fièvre à Babylone, à 33 ans.

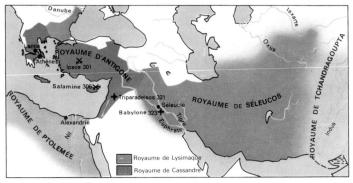

Royaumes des diadoques 303 avant J.-C.

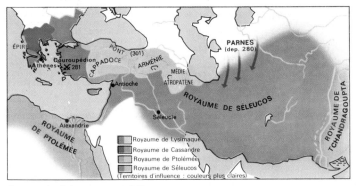

Royaumes des diadoques 301 avant J.-C.

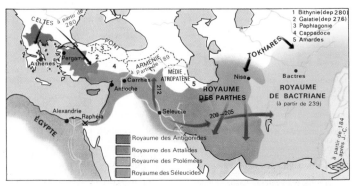

Royaumes des diadoques vers 180 avant J.-C.

Guerres des diadoques (323-280)
Après la mort d'ALEXANDRE (p. 61), luttes pour le trône entre ses successeurs (diadoques).
323 Le pouvoir royal est confié aux grands de Macédoine (régence pour le fils mineur d'Alexandre et son demi-frère). Division des pouvoirs : PERDICCAS devient régent, ANTIPATER gouverneur de Macédoine et de Grèce, ANTIGONE gouverneur de Phrygie et Lycie, PTOLÉMÉE gouverneur d'Égypte et LYSIMAQUE gouverneur de Thrace.
Jusqu'en 281 les diadoques luttent entre eux. Après le meurtre de PERDICCAS lors de son attaque sur l'Égypte, en
321 nouvelle répartition des fonctions à Triparadeisos : ANTIPATER devient régent, ANTIGONE et CASSANDRE, généraux de l'Empire.
316 Assassinat d'OLYMPIAS, mère d'ALEXANDRE, par CASSANDRE qui devient le maître de la Macédoine (310 : assassinat de ROXANE et de son fils).
316 Mort d'EUMÈNE, général nommé par POLYPERCHON, successeur d'ANTIPATER, au cours de sa lutte contre ANTIGONE (le Borgne), qui tend au pouvoir unique.
315-301 3e guerre des diadoques. Après l'invasion de la Grèce par PTOLÉMÉE, prise d'Athènes par DÉMÉTRIOS POLIORCÈTE (le preneur de villes), fils d'ANTIGONE.
306 Victoire navale de DÉMÉTRIOS sur PTOLÉMÉE à Salamine : ANTIGONE et DÉMÉTRIOS prennent le titre de roi, imités plus tard par PTOLÉMÉE, SÉLEUCOS, LYSIMAQUE et CASSANDRE. Fin de l'unité de l'Empire.
301 Bataille décisive d'Ipsos. Victoire de SÉLEUCOS et de LYSIMAQUE sur ANTIGONE, dernier représentant du pouvoir central et âgé de 81 ans. Apparition de 4 royaumes : Thrace et Asie Mineure sous LYSIMAQUE, Macédoine sous CASSANDRE, Égypte sous PTOLÉMÉE, le centre de l'Empire perse sous SÉLEUCOS.
295-285 DÉMÉTRIOS, fils d'ANTIGONE, après une vie aventureuse de pirate, profite de la mort de CASSANDRE pour s'approprier la Macédoine. SÉLEUCOS le fait prisonnier. Il meurt en 283.
281 Bataille de Couroupédion. Mort de LYSIMAQUE devant SÉLEUCOS.
C'est la fin des guerres des diadoques. Trois grandes monarchies subsistent : la **Macédoine** sous les Antigonides, l'**Asie Mineure** sous les Séleucides, l'**Égypte** sous les Ptolémées.

Le monde politique hellénistique
1re phase : 304-220. Équilibre des grandes puissances. Essor et universalité de la civilisation grecque.

2e phase : 220-30. Déclin du monde politique hellénistique. Les Romains interviennent.

Égypte
304-30 Domination des Ptolémées. PTOLÉMÉE Ier, historien et général d'ALEXANDRE, donne son nom à tous ses successeurs. Fondation du Musée d'Alexandrie. Ses successeurs luttent contre les Séleucides pour la possession de la Syrie et de la Palestine (routes du commerce mondial), mais à la longue ils ne conservent que l'Égypte. Des troubles de succession et l'influence grandissante de Rome provoquent, le
3 août 30, la prise d'Alexandrie. L'Égypte devient province romaine (p. 89).
État. Alexandrie (« le grand carrefour du monde ») est le centre d'un État fortement organisé. Le pays est propriété privée du roi. Bureaucratie de fonctionnaires suivant le modèle égyptien. Économie grands monopoles royaux (mines, céréales, huile, brasseries, constructions), monopole de l'exportation (papyrus, verre).

Macédoine
279-168 Domination des Antigonides. Fondateur : ANTIGONE GONATAS fils de DÉMÉTRIOS, après sa victoire à Lysimachéia sur les Galates (277, p. 65).
215 Alliance de la Macédoine avec Carthage sous PHILIPPE V (221-179).
215-205 1re guerre macédonienne (p. 77) que termine la paix de Phoeniké (rétablissement du statu quo).
202 Alliance avec ANTIOCHOS III contre l'Égypte. Sur la demande de Pergame, d'Athènes et de Rhodes, Rome intervient.
200-197 2e guerre macédonienne. Après la défaite de Cynoscéphales (197), perte de toutes les possessions extérieures.
196 Proclamation de l'autonomie de toutes les cités grecques par FLAMININUS, lors des Jeux isthmiques.
179-168 PERSÉE. Reconstruction de la puissance macédonienne. Conflit avec EUMÈNE II de PERGAME. Rome intervient.
171-168 3e guerre macédonienne. Défaite de PERSÉE à Pydna par les Romains que commande PAUL-ÉMILE (168). Fin du royaume des Antigonides. Division de la Macédoine en 4 districts autonomes. Persécution des Grecs ennemis des Romains (exécution et déportation de 1 000 otages d'Achaïe).
148 Après une révolte, les 4 districts autonomes constituent **la province romaine de Macédoine** (p. 81).

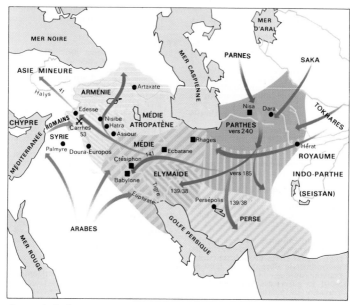

Royaume des Parthes

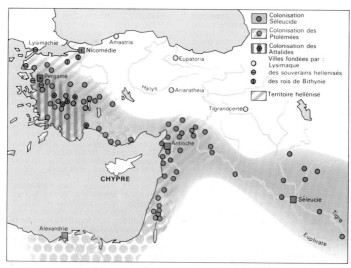

Villes fondées à l'époque hellénistique

Grèce

323-322 Guerre lamiaque. ANTIPATER triomphe de la tentative de révolte des Grecs. Introduction de la timocratie et suicide de DÉMOSTHÈNE. La Grèce est occupée par des garnisons macédoniennes.

266-261 Guerre chrémonidienne. Athènes échoue dans sa tentative de libération, mais la garnison macédonienne se retire malgré tout (262). **Athènes demeure libre, sans importance politique, mais reste la capitale spirituelle de la Grèce** (écoles de philosophie). Création de **ligues** qui remplacent les vieux États urbains :

1. **Ligue étolienne.** Après avoir repoussé les Gaulois aux Thermopyles et à Delphes (279), grande expansion, mais affaiblie par l'intervention de la Macédoine contre les pirates étoliens au cours de la « guerre des alliés » (220-217).

2. **Ligue achéenne** (vers 280 : Sicyone, Corinthe, Argos, Égine) dirigée contre la Ligue étolienne et Sparte dont le roi CLÉOMÈNE III entreprend une réforme sociale : suppression de l'éphorat, les périèques deviennent citoyens « à part entière », libération des hilotes.

222 Défaite de Sparte à Sellasia par la Ligue achéenne et la Macédoine (suppression de la royauté). Les luttes intestines des deux ligues et la politique habile de Rome provoqueront la décadence politique de la Grèce. La ligue achéenne se soulève contre Rome et est écrasée à Isthmos.

146 Dissolution de la Ligue achéenne et **destruction de Corinthe.** Autonomie de Sparte, Athènes et Delphes.

145 Les cités grecques feront partie de la province de Macédoine.

Mésopotamie, Perse, Asie Mineure

304-64 Domination des Séleucides. Fondateur : SÉLEUCOS NICATOR. Aucune frontière naturelle, et principautés indépendantes en Asie Mineure et à l'Est : administration plus lâche (fédérative). Maintien des divisions territoriales perses (satrapies) sous des gouverneurs grécomacédoniens (stratèges). Capitale : Séleucie, et non plus Babylone, et nombreuses fondations de villes en Asie Mineure et en Syrie. Les Grecs (adoption de la monnaie attique et de la langue grecque véhiculaire), les Macédoniens (garnisons militaires), et les indigènes (langue véhiculaire : l'araméen, en plus du grec), vivent en coexistence. TCHANDRAGOUPTA (p. 39) reprend les provinces indiennes contre la livraison à SÉLEUCOS Ier de 500 éléphants de guerre en vue de sa lutte contre ANTIGONE et DÉMÉTRIOS. Sous son successeur, ANTIOCHOS Ier SOTER

(le Juste), indépendance de petits territoires en Asie Mineure.

Vers 280 fondation du royaume du Pont, sur la mer Noire, par MITHRIDATE Ier. Hellénisation progressive au cours du IIe siècle. Après les trois guerres de Mithridate contre Rome, diminution des territoires (royaume du Bosphore), dont le roi PHARNACE est vaincu à Zéla par CÉSAR en 47 av. J.-C.

279 Invasion des Celtes (Galates) en Asie Mineure. NICOMÈDE les a appelés à son aide et fonde, grâce à eux, **le royaume de Bithynie,** capitale Nicomédie. En 74, la Bithynie devient romaine, à la suite d'un legs.

275 ANTIOCHOS Ier repousse les Galates dans la région qu'on nommera désormais Galatie.

263-133 Royaume de Pergame, fondé par EUMÈNE Ier. En 230, victoire de son neveu ATTALE Ier à Pergame sur les Galates (groupe statuaire dit « le Gaulois »). **Fondation de la Bibliothèque.** Sous ses successeurs EUMÈNE II et ATTALE II, construction du monumental autel de ZEUS à Pergame (Berlin-Est). En 133, ATTALE III lègue son royaume aux Romains.

247 av. J.-C.-227 ap. J.-C. Royaume des Parthes, fondé par ARSACE Ier après l'invasion de la tribu scythe des Parnes (= Parthes). **État féodal qui se rattache à la tradition des Achéménides.** Sous MITHRIDATE Ier (171-138), « roi des rois » à partir de 140, expansion sur tout l'Iran. Rétablissement de la puissance parthe avec MITHRIDATE II (124-87). Sous ses successeurs, troubles intérieurs et guerres contre Rome.

53 Bataille de Carrhes. Les Parthes écrasent CRASSUS grâce à la supériorité de leurs archers montés. Ensuite, conflits constants avec Rome au sujet de l'Arménie.

227 ap. J.-C. Ardachir, de la maison de Sasan (Sassanides), vainc le roi parthe ARTABAN V.

239-130 État gréco-bactrien. Combat contre les Yué-Tché repoussés par les Huns, et contre les Tokhariens à la frontière du nord. En 130, effondrement à la suite d'une attaque des Parthes et des Sakas.

223-187 Antiochos III le Grand, le plus important des Séleucides. Après des succès en Syrie, Palestine et dans l'Est (acquisition de territoires indiens), conflits avec les Romains.

190 Batailles de Magnésie. Défaite d'ANTIOCHOS. Par la paix d'Apamée, perte de l'Asie Mineure. Début de la dissolution de l'empire séleucide. Guerres contre les Parthes et conflits de succession.

64 Pompée met fin à la domination séleucide (p. 87).

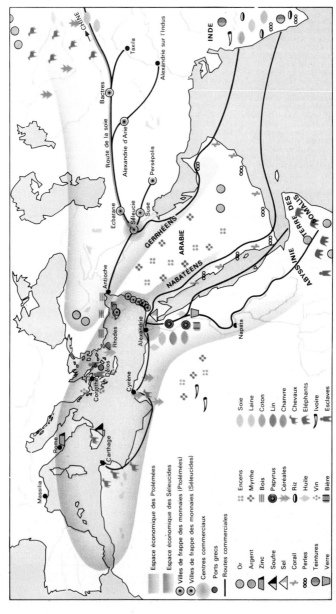

Économie à l'époque hellénistique

Légende:

Espace économique des Ptolémées
Espace économique des Séleucides
Villes de frappe des monnaies (Ptolémées)
Villes de frappe des monnaies (Séleucides)
Centres commerciaux
Ports grecs
Routes commerciales

Or
Argent
Zinc
Soufre
Sel
Corail
Perles
Teintures
Verre

Encens
Myrrhe
Bois
Papyrus
Céréales
Riz
Huile
Vin
Bière

Soie
Laine
Coton
Lin
Chanvre
Chevaux
Éléphants
Ivoire
Esclaves

Lieux mentionnés: CHINE, Taxila, Alexandrie sur l'Indus, INDE, Bactres, Route de la soie, Alexandrie d'Arie, Persépolis, Ecbatane, Séleucie, Suse, GERRHÉENS, ARABIE, NABATÉENS, Antioche, Rhodes, Délos, Corinthe, Alexandrie, Cyrène, Napata, ABYSSINIE, TERRE DES SOMALIS, Rome, Carthage, Massilia

L'expansion de la civilisation grecque.
Causes de cette expansion en Orient :
victoires d'ALEXANDRE LE GRAND et
royaumes des diadoques.
Les artisans en sont les commerçants,
ouvriers et mercenaires grecs qui immigrent
dans les villes nouvellement fondées
(naissance d'une civilisation hellénistique,
urbaine et unifiée, à la place
de la civilisation antique de la polis).
État. Les diadoques s'appuient sur :
a) les fonctionnaires, b) l'administration
des finances, c) l'armée (mercenaires).
En Macédoine, subsiste la royauté patriarcale.
Les États qui naissent sur le
sol asiatique sont fort étendus et se
composent de plusieurs nationalités,
avec une couche supérieure de Macédoniens
et de Grecs face aux indigènes.
Ces royaumes sont la propriété du souverain :
« Pays gagnés à la pointe de
la lance. »
Caractéristiques de ces dynasties.
1. Assemblée de l'armée;
2. Légitimité du souverain fondée
   sur ses victoires militaires et
   politiques;
3. Relations dynastiques (politique
   matrimoniale);
4. Introduction du culte royal en
   Égypte et chez les Séleucides.

Centre culturel au IIIe siècle : **le Musée
d'Alexandrie** avec sa bibliothèque
de plusieurs centaines de milliers
de rouleaux de papyrus. Plus tard :
bibliothèque de Pergame. Caractéristiques
de la science hellénistique :
spécialisation croissante. ERATOSTHÈNE
DE CYRÈNE (280-200) :
mesure de la terre, qu'il sait être
un globe, géographie, chronographie
(1184 = expédition de Troie, 844
= LYCURGUE, 776 = 1re Olympiade).
Mathématiques. EUCLIDE (vers 300) :
« Éléments ». ARCHIMÈDE DE SYRACUSE
(280-212), découvertes mathématiques
et physiques : calcul
intégral, détermination du poids
spécifique des corps, machines de
jet pour défendre Syracuse contre
les Romains.
Astronomie. ARISTARQUE DE SAMOS
(320-250), partisan de l'héliocentrisme:
la terre tourne sur son axe et autour
du soleil. HIPPARQUE DE NICÉE (190-120)
: catalogue stellaire, table d'éclipses,
découverte et description de
la précession des équinoxes. **Astrologie** :
le sort des hommes est lié aux
étoiles.
Philologie. ARISTOPHANE DE BYZANCE
(257-180) édite les classiques avec
une introduction. CRATÈS DE MALLOS
(roy. de Pergame) (vers 170) :
explication allégorique d'Homère.
ARISTARQUE DE SAMOTHRACE (217-145)
: « Commentaires ». DENYS DE
THRACE (170-90) : Grammaire
grecque élémentaire.

Poésie. Poésie savante destinée à la
cour formée de connaisseurs et « gens
de goût ». CALLIMAQUE DE CYRÈNE,
bibliothécaire à Alexandrie (310-240)
: Élégies, épigrammes, poèmes
courtisans (« Les Boucles de Bérénice
»). Histoires de la formation
des usages et des fêtes (« Aitia »).
THÉOCRITE DE SYRACUSE (vers 270) :
Poèmes bucoliques et Idylles. APOLLONIOS
DE RHODES (295-215) :
« Épopée des Argonautes ».
Médecine. HÉROPHILE découvre que
les nerfs et le cerveau sont au
centre du système nerveux. ÉRASISTRATE
s'occupe de la circulation
du sang (doctrine du « pneuma »).
Tous deux font de la dissection.
Philosophie. Athènes reste le grand
centre. En plus des vieilles écoles
de l'Académie et du Lycée, nouvelles
doctrines : ÉPICURE DE SAMOS (342-271)
: Retrait de la vie publique
(« Vivons cachés »), sérénité devant
la mort et les dieux, endurance
devant la douleur, le sage doit
dominer ses passions. ZÉNON DE
CITIUM (336-263) est le fondateur
du stoïcisme : la morale est au centre
de la philosophie. Le monde (oikuménè)
est la patrie de l'homme
(cosmopolitisme). Le sage doit
dominer la douleur. POSIDONIOS
D'APAMÉE (130-50), fondateur d'une
école à Rhodes : combinaison du
stoïcisme, du mysticisme et du prophétisme.
Historien.
Économie. L'Orient et le monde
méditerranéen forment un seul domaine
commercial dont les centres
sont Alexandrie et Séleucie, avec
unité des prix. Commerce avec l'Inde,
la Chine, l'Arabie et l'intérieur de
l'Afrique. A partir de 200, augmentation
des prix et troubles sociaux.
Art. Des centres artistiques se forment
à la périphérie du monde grec
(Rhodes, Alexandrie, Pergame). **Art
réaliste** (statue de Démosthène) et
nouvel **idéalisme** de l'art de Pergame
(autel de ZEUS). **Réalisations grandioses**
(d'après HIPPODAMOS) : villes
nouvelles à rues en damier et fortifications
contre les nouvelles machines
de siège. L'agora est au centre
de la ville; gymnase, théâtre, hôtel
de ville, halles et bains.
Sculpture. « Faune Barberini », « Le
Gaulois blessé », « Victoire de Samothrace
», « Pugiliste ». Apparition
d'un art de cour : bustes
d'Alexandre et des souverains.
Architecture. Construction de vastes
ensembles : théâtre de Pergame,
Portique de l'Agora d'Athènes.
A partir du IIe siècle, réaction des
populations indigènes contre l'hellénisation.
Retour aux civilisations et
aux langues nationales.

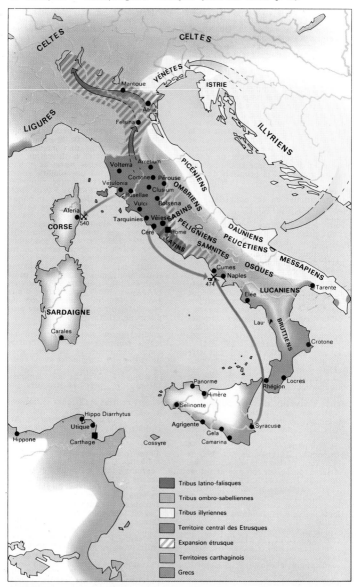

Italie antique

CELTES

CELTES

VÉNÈTES

Mantoue

ISTRIE

Atria

Felsina

ILLYRIENS

LIGURES

Volterra

Arretium

PICÉNIENS

Cortone

Pérouse

OMBRIENS

Vetulonia

Clusium

Rusellae

Vulci

Bolsena

Aleria

SABINS

PÉLIGNIENS

Véies

CORSE

×× 540

Tarquinies

Céré

Rome

DAUNIENS

PEUCÉTIENS

MESSAPIENS

LATINS

SAMNITES

SARDAIGNE

Cumes

OSQUES

Naples

×↗ 474

Carales

Élée

LUCANIENS

Tarente

Lau'

BRUTTIENS

Crotone

Panorme

Locres

Himère

Rhégion

Selinonte

Hippo Diarrhytus

Utique

Agrigente

Gela

Syracuse

Hippone

Carthage

Cossyre

Camarina

Tribus latino-falisques

Tribus ombro-sabelliennes

Tribus illyriennes

Territoire central des Etrusques

Expansion étrusque

Territoires carthaginois

Grecs

L'Italie primitive

Aux civilisations néolithiques de **Molfetta**, de **Stentinello** et de **Remedello**, au début de l'âge du bronze, succède dans le Nord la civilisation des **Terramare** (Terra mara = terre sombre) avec des villages fortifiés sur palafittes.

Vers 1000 av. J.-C., début de l'âge du fer : civilisation de **Villanova**, représentée par les peuples qui font partie de la « grande migration » :

1. **Groupe latino-falisque** du Latium, dans la vallée du Tibre et autour de Falérie [incinération et enterrement des urnes dans des trous (pozzi)];

2. **Groupe ombro-sabellien**, en Ombrie, Campanie, en Italie du Sud et dans le pays sabin [enterrement dans des tombeaux (fosse)];

3. **Tribus illyriennes** provenant du Danube, qui, grâce au contact avec les Thraces, introduisent la tactique des cavaliers aux armes de fer.

En Sardaigne, les « nuraghe » sont les monuments de la civilisation proto-étrusque. En Sicile, nécropole préhistorique de Pantalica.

À partir de 900, immigration des **Étrusques** (Tyrrhènes, peuple des Rasenna), vraisemblablement d'Asie Mineure. Ils conquièrent peu à peu le territoire entre le Tibre et l'Arno.

Vers 600 fondation d'une « confédération des 12 villes ».

VIᵉ siècle. Expansion des Étrusques vers le Nord dans les plaines du Pô et vers le Sud au-delà de Rome vers le Latium et la Campanie. Commerce terrestre à partir de Felsina (Bologne) vers l'Europe centrale.

En 540, victoire navale d'Aléria des Étrusques alliés à Carthage sur les Grecs. Hégémonie maritime des Étrusques sur la Méditerranée du Nord-Ouest (commerce maritime).

Vᵉ siècle. Déclin de la puissance étrusque après la chute des Tarquins à Rome et, en

474, bataille navale de Cumes : victoire de la flotte grecque, commandée par HIÉRON de Syracuse, sur les Étrusques.

396 Rome conquiert Véies. Invasion des Celtes dans la plaine du Pô.

État et administration. Aucun État, mais confédération de villes qui assurent aux Étrusques une puissance prépondérante en Italie. Les rois se soumettent peu à peu à l'influence croissante de la noblesse. Leurs insignes sont : bande pourpre sur leur vêtement (toga praetexta), siège en ivoire (sella curulis), suite de serviteurs spéciaux (lictores) porteurs d'une hache entourée de faisceaux (fasces).

Solennité exceptionnelle du culte funéraire. Ensevelissement du cadavre, avec sacrifices et jeux religieux (gladiateurs), dans des tombes solides et plus tard sous des tumulus organisés en nécropoles. Situation importante du clergé qui recherche la volonté des dieux dans les entrailles des bêtes et l'observation du vol des oiseaux. Un calendrier lunaire règle les actes royaux. Sous l'influence grecque, peintures murales et très beau travail du métal. Art national : canopes (urnes mortuaires avec couvercle en forme de tête humaine) et portraits réalistes (d'abord en argile). Tombes de Tarquinia, Caere et Cervetri.

750-550 Établissement des colonies grecques en Italie méridionale (Grande Grèce) et en Sicile orientale.

800 Établissement de points d'appui phéniciens en Méditerranée occidentale (Sicile occidentale et Afrique du Nord) pour contrôler et assurer leur commerce maritime. Après la prise de Tyr par les Assyriens, **Carthage devient le soutien des colonies phéniciennes** de la Méditerranée occidentale. Occupation des îles Pityuses, de la Sardaigne et de la Sicile occidentale. Après la bataille navale d'Aléria, destruction de Tartessos en Espagne; les Carthaginois bloquent le détroit de Gibraltar (monopole du commerce de l'étain avec la Bretagne). Les Baléares, la Corse et la Sardaigne défendent l'accès des côtes de la Gaule méridionale et de l'Italie.

Vers 750 fondation de Rome par une coalition de Latins (Roma quadrata sur le Palatin) et de Sabins (l'Esquilin, le Viminal et le Quirinal), mais avec influence étrusque (le nom vient d'une gens étrusque : Ruma). Date choisie plus tard pour la fondation de la ville et le début de l'ère : 21 avril 753 (ab urbe condita). Légendes sur la fondation : la louve allaitant les jumeaux ROMULUS et RÉMUS, ENÉE, l'enlèvement des Sabines par les Latins commandés par ROMULUS, et accord avec le roi sabin TITUS TATIUS.

750-510 Tradition légendaire des 7 rois de Rome : ROMULUS, NUMA POMPILIUS, TULLUS HOSTILIUS, ANCUS MARTIUS, TARQUIN L'ANCIEN, SERVIUS TULLIUS, TARQUIN LE SUPERBE. Sous les Tarquins, Rome devient maîtresse du Latium à la place d'Albe-la-Longue. Construction du port d'Ostie, et exploitation de salines à l'embouchure du Tibre (Via Salaria) vers l'intérieur.

Le bétail sert de moyen de troc (bétail = pecus, d'où pecunia = monnaie). Adoption de l'alphabet grec de l'Italie méridionale, d'origine chalcidique.

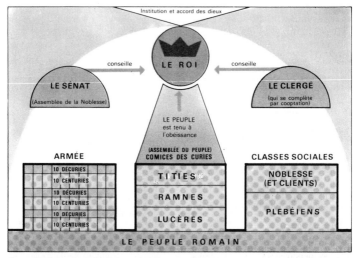

La constitution au temps des Rois

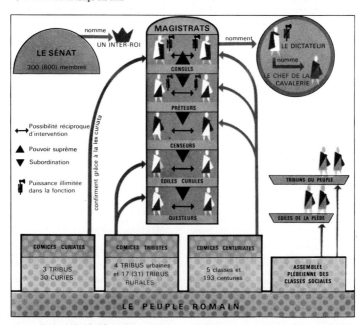

La constitution de la République (Senatus populusque romanus)

Constitution de la royauté et de la République

La fondation de Rome est considérée comme un acte politique conscient qui entraîne un relâchement des liens tribaux et l'autonomie des familles. Sur les familles (gentes), le peuple l'emporte (populus = ban et arrière-ban de l'armée, d'où magister populi = chef de l'armée). Plus tard, populus désigne la totalité des citoyens (cives).

A l'époque royale, le roi (rex) est intronisé avec l'accord des dieux. Il est chef suprême, grand prêtre et grand juge. La royauté s'appuie sur l'imperium (commandement suprême) et l'auspicium (connaissance de la volonté divine). Le roi est assisté de conseils, l'assemblée des Anciens (Senatus : de senes = Ancien), composée des chefs de familles (patres gentium), et du clergé. L'assemblée du peuple se fait en trente curies (Curia = Coviria = communauté des hommes) et s'appelle donc comitia curiata. Les citoyens sont divisés en trois districts (= tribus) : Tities, Ramnes et Lucères, de 10 curies chacun. Chaque tribu fournit 100 cavaliers (celeres = les rapides) et 10 centuries de fantassins.

Servius réforme l'armée et la constitution (fin de la royauté) : citoyens et territoires sont répartis par districts administratifs territoriaux (tribus), 4 pour la ville et 17 (puis 31) pour la campagne, et qui sont à la base de l'imposition et du service militaire. Le principe de la gens est donc supprimé. Il s'ensuit la création des comices centuriates (comitia centuriata), base de l'armée (timocratie : l'important est la propriété foncière, donc la fortune, et non plus la naissance). Cette assemblée d'hommes armés sera l'assemblée populaire la plus importante également à l'époque de la République (« Toute constitution de l'État est constitution de l'armée »). La convocation se fait sur l'ordre des consuls, et tous se rendent au champ de Mars quand on hisse le drapeau rouge de la guerre sur le Capitole. L'assemblée de l'armée (patriciens et plébéiens) est organisée en **5 classes**, d'après la fortune, et en **193 centuries** : 18 de chevaliers, 80 d'hoplites armés lourdement, 90 de soldats légers, 4 de techniciens et musiciens, 1 de non-possédants (Capite censi). La moitié des centuries se compose des hommes de moins de 45 ans (juniores), qui forment l'armée, l'autre moitié des hommes de 45 à 60 ans (seniores) qui gardent la ville. L'assemblée décide de la guerre ou de la paix, élit les hauts magistrats (consuls, préteurs, censeurs), vote les lois et les châtiments des citoyens de la ville. Le vote a lieu par ordre de classes. Les centuries de chevaliers et de la 1re classe (18 plus 80) ont la majorité (préférence donnée aux propriétaires fonciers qui servent comme hoplites).

Après la royauté, c'est d'abord le **magistrat annuel suprême** (praetor maximus) qui a l'imperium. Les piliers de la République sont le **Sénat,** les **magistrats** et l'**assemblée du peuple** : entre eux, tension constante, mais équilibre des forces.

1. **Le Sénat** (300 membres) se compose des chefs de familles (patres) et des anciens consuls (consulares). Il sera plus tard complété par des plébéiens (conscripti). Pouvoirs : leurs délibérations (senatus consultum) auront plus tard force de lois ; ils confirment les décisions du peuple (auctoritas patrum). En cas de vacance du consulat, élection pour 5 jours d'un interroi (interrex) qui expédie les affaires courantes.

2. **L'assemblée du peuple** : comices curiates, comices tributes, comices centuriates (v. plus haut).

3. **Les magistratures** : limitation à un an de leur exercice et égalité des deux magistrats nommés pour éviter tout abus de pouvoir.

   a) **Consuls** (consul = conseiller) : conduite de la guerre, finances, justice. En cas de nécessité (guerre), un consul est nommé dictateur (au début : magister populi); il exerce les pleins pouvoirs (imperium) sans collègues et sans avoir de comptes à rendre pour une durée maximale de 6 mois, et nomme lui-même son adjoint, le maître de la cavalerie (magister equitum). Les autres fonctions (honor = fonction) naîtront au fur et à mesure du développement des tâches de l'État.

   b) Les **préteurs** rendent la justice. Un **praetor urbanus,** collègue inférieur des consuls, rend la justice entre citoyens romains à p. de 366. En 247, le **praetor peregrinus** rend la justice entre citoyens romains et étrangers, ou entre étrangers.

   c) **Censeurs** (anciens consuls : consulares, choisis tous les cinq ans en dehors du cursus honorum), à p. de 443 : ils surveillent les mœurs et les impôts.

   d) **Édiles curules,** à p. de 366 : police, surveillance des marchés.

   e) **Questeurs** à p. de 447 : administration du trésor de l'État.

Les dictateurs, consuls et préteurs ont dans leurs fonctions un pouvoir absolu (magistratus cum imperio). Les autres magistrats ont des pouvoirs limités (magistratus cum potestate). Mais tous sont soumis à la loi et au droit d'intercession (opposition d'un magistrat à un acte de son collègue : jus intercedendi).

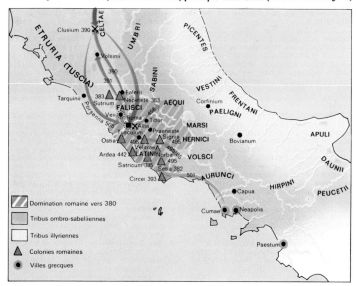

Rome et l'Italie centrale vers 380 avant J.-C.

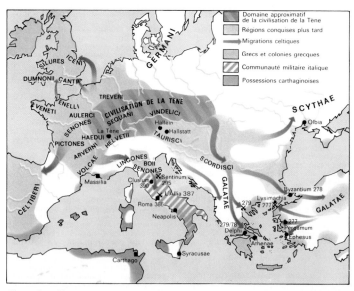

L'expansion celtique

La montée de la plèbe
Opposition croissante du patriciat privilégié polit. et relig. de la plèbe (plébéiens = terrae filii = fils de la terre). Endettement des plébéiens et violation constante du patriciat de la promesse d'améliorer la situation économique et juridique.

494 Une troupe armée de plébéiens, liés par serment (Lex sacrata) se retire sur le Mont sacré (mons sacer), ou Aventin. Ils ne reviennent qu'après concessions des patriciens : **création des concilia plebis tributa** (assemblée des plébéiens par tribus), sous la présidence des tribuns du peuple. L'assemblée du peuple élit les tribuns, d'abord 2, puis 4 (5) en 471 d'après les districts urbains (Lex Publilia), puis 10 et s'exprime par plébiscites (décisions du peuple). Les décisions de l'assemblée du peuple deviennent obligatoires pour tous en 287 : **(Lex Hortensia). Les tribuns sont inviolables** : protection des plébéiens contre l'arbitraire des magistrats (jus auxilii), droit de s'opposer au châtiment ou à l'accusation d'un citoyen (jus intercedendi) ainsi qu'aux actes des magistrats sans décisions du Sénat (veto), sauf en cas de guerre. **Les édiles de la plèbe sont leurs adjoints** : ils gardent le temple élevé en 493 sur l'Aventin aux trois divinités CÉRÈS, LIBER et LIBÉRA, centre sacré de la plèbe.
Réaction patricienne. En 485, clôture du nombre des gentes. La lutte continue : le patriciat se sert de sa « clientèle » rurale contre la plèbe, dont les tribuns menacent de traduire des patriciens devant les comices tributes.

450 Loi des Douze Tables. Une commission de 10 membres est chargée de fixer par écrit le droit coutumier. L'ensemble comprend les droits privé, pénal, juridique, gouvernemental et sacré (forte influence du droit grec : lois de SOLON). Interdiction des mariages mixtes entre patriciens et plébéiens (levée par la Lex Canuleia en 445). Érection sur le forum des 12 tables de bronze. **Triomphe de l'idée d'État.**

367-366 Lois Licinia et Sextia. 1) Remise des dettes (les intérêts payés sont ôtés du montant des dettes); 2) Fixation d'une limite aux propriétés particulières (500 arpents = 125 ha); 3) Suppression du tribunat consulaire (à p. de 445, élection de tribuns militaires avec pouvoir consulaire), d'où accès des plébéiens au consulat. **Naissance d'une noblesse de fonctionnaires** (Optimates, nobles) faite de patriciens et de plébéiens. Toutes les fonctions s'ouvrent à la couche supérieure de la plèbe (dictateur en 556, censeur en 351, préteur en 337).

300 Accès aux fonctions sacerdotales. Dès lors la lutte des classes est terminée avec l'**égalité des droits dans l'intérêt de l'État.**

Politique extérieure

510 Traité entre la Rép. rom. et Carthage (1er traité de Rome avec un autre État). Rome reconnaît le monopole commercial carthaginois en Méditerranée occ., Carthage ne nuira à aucun allié de Rome.

498-493 La guerre latine se termine avec la reconnaissance par Rome de l'autonomie des cités latines. En temps de guerre, Rome exercera le commandement. Commerce et mariages communs. 486 : annexion des Herniques. Les Eques (Aequi) et les Volsques (Volsci), des montagnards, attaquent Rome (légende de CORIOLAN et de CINCINNATUS).

406-396 Dix ans de guerre avec Véies (Veii), qui se terminent par la prise et la destruction de la ville. Les progrès de Rome vers le Nord sont bloqués par l'intervention de deux peuples, les **Gaulois** et les **Samnites.**

1. Les Gaulois (Celtes) avancent lentement à partir de leur territoire danubien et rhénan vers la France, l'Espagne, les îles Britanniques et le Sud du Danube (époque de La Tène). Leurs armes de fer leur assurent la supériorité. Une aristocratie guerrière gouverne ces tribus. Grande influence des druides.
Vers 400 les Celtes pénètrent en Italie et s'installent dans la plaine du Pô. Premier choc avec les Romains à **Clusium** (390), puis en

387 « Catastrophe gauloise » : Les Gaulois écrasent les Romains sur l'Allia (18 juillet) sous la direction de leur chef (BRENNUS). Prise et incendie de la « ville hellène » de Rome. Siège du Capitole. Après versement d'une indemnité, les vainqueurs s'en vont chargés de butin (« Vae victis » = malheur aux vaincus).
Après 380 reconstruction de la ville. Puissante enceinte fortifiée autour des 7 collines (mur de Servius).

358 Renouvellement du traité entre Romains, Latins et Herniques contre le danger gaulois.

2. Les Samnites avancent dans quatre directions : Corfinium, Picenum, l'Apulie et la côte occ. de l'Italie. Prise de Capoue, de Cumes et de Paestum. Création d'une confédération samnite.

354 Alliance de Rome et des Samnites contre les Gaulois et leurs voisins communs (Volsques, Aurunces, Campaniens).

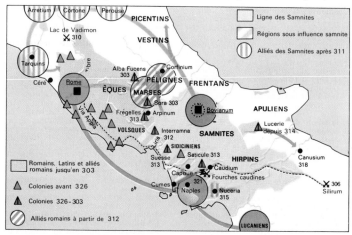

La 2ᵉ guerre Samnite 326-304 avant J.-C.

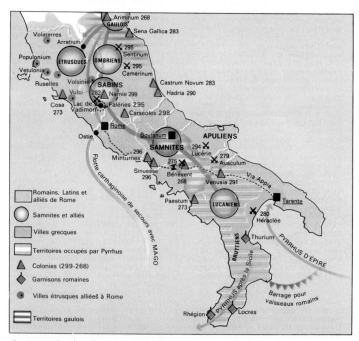

La 3ᵉ guerre Samnite 298-290 avant J.-C.; la guerre de Tarente 282-272 avant J.-C.

348 2ᵉ traité de Rome et Carthage, interdiction du commerce de Rome en Médit. occ., mais commerce libre avec la Sicile et Carthage. Protection des villes alliées de Rome contre les attaques de Carthage.

345 Soumission des Aurunces. Les Sidiciniens s'allient aux Samnites. A la suite du traité d'alliance (foedus aequum) avec Capoue (343),

343-341 1ʳᵉ guerre samnite, qui s'achève par un compromis : les Samnites admettent l'annexion de Capoue, Rome, celle des Sidiçiniens.

340-338 Guerre latine. Révolte des Latins qui recréent leur Ligue. Rome et les Samnites les écrasent en 340, à Sinuesse. Dissolution de la Ligue latine. Ses membres se lient à Rome par divers traités. Les proues (rostres) des bateaux pris dans la bataille navale de 338 ornent la tribune des orateurs sur le forum.

338 Capoue est à égalité de droits civils avec Rome : elle a ses troupes, sa monnaie et son administration.

329 Soumission complète des Volsques.

326-304 2ᵉ guerre samnite, déclenchée par l'aide portée à Naples que menacent les Samnites et par l'occupation de Frégelles, que les Romains fortifient contre les Samnites.

321 L'armée romaine est encerclée aux **Fourches caudines**; les Romains se retirent après avoir souscrit à des conditions humiliantes (otages, passage sous le joug). Construction de la Via Appia vers Capoue. Victoire en 310 au lac Vadimon sur les Étrusques alliés des Samnites depuis 311. Un dispositif de colonies encercle les Samnites. Gains de terrain en Apulie et au Samnium (prise de Bovianum).

304 Paix : la Campanie revient à Rome, la confédération samnite demeure sans changements.

306 3ᵉ traité avec Carthage.

298-290 3ᵉ guerre samnite (coalition : Samnites, Étrusques, Celtes, Sabins, Lucaniens, Ombriens). Rome triomphe séparément de ses adversaires. Occupation de Bovianum (298). Percée des Samnites vers le nord : ils rejoignent les Celtes et les Étrusques en Ombrie.

295 Victoire des Romains à Sentinum. Paix avec les Étrusques, puis fondation de la colonie Venusia (20 000 citoyens romains) en Apulie.

290 Paix avec les Samnites, qui entrent dans la Ligue militaire romaine.

285-282 Combats contre les Gaulois. Occupation du territoire de la tribu celte des Senones. Désormais, Rome est maîtresse de l'Italie centrale.

282-272 Guerre contre Tarente. L'aide apportée par Rome à Thurium

(contre les Lucaniens), à Locres et à Rhégion, gêne Tarente. Attaque d'une flotte romaine dans le port de Tarente où elle ne devait pas se trouver d'après le traité de 303. Guerre ouverte. Tarente s'allie au roi PYRRHUS D'ÉPIRE, qui débarque avec 20 000 mercenaires, 3 000 cavaliers thessaliens, 26 éléphants et prend le commandement suprême.

280 Victoire de Pyrrhus à Héraclée. Bruttiens, Lucaniens et Samnites s'allient à lui.

279 Victoire de Pyrrhus à Ausculum, mais avec grosses pertes (« victoire à la PYRRHUS »). Le Sénat rejette ses propositions de paix et exige qu'il évacue l'Italie. Alliance de Rome et de Carthage qui envoie à Ostie une flotte de secours.

278-275 Victoires de PYRRHUS en Sicile contre les Carthaginois. Appelé par les Grecs, il conquiert presque toute l'île, sauf Lilybée. Mais la défection des villes grecques le fait échouer quand il veut se tailler un royaume en Italie du Sud et en Sicile. Les Grecs s'allient contre lui aux Carthaginois. Il repasse en Italie avec des pertes importantes.

275 Défaite de Pyrrhus à Bénévent, devant les Romains.

272 Conclusion de la paix après reddition de Tarente : cession de territoires à Rome. Toutes les villes grecques de l'Italie méridionale entrent dans la confédération romaine. **La domination de Rome en Italie mérid. est assurée.**

État et administration

L'organisation romaine affermit ses succès militaires. Partout, des colonies peuplées par des citoyens romains maintiennent les vaincus dans la confédération romaine (liaison entre l'État urbain et l'Italie). La **communauté militaire italique** se compose : a) De **citoyens de la ville de Rome** et des territoires romains, ainsi que citoyens romains des colonies et des groupes tribaux qui ont reçu les droits de citoyenneté; b) De **communes qui ont droit de citoyenneté**, mais ne peuvent voter (civitates sine suffragio = municipia); c) D'**alliés** (socii, civitates foederatae) autonomes et qui reconnaissent l'hégémonie de Rome. Le territoire de Rome s'étend sur 130 000 km², avec 292 000 citoyens capables de porter les armes. **Finances** : imposition de tributs et d'impôts indirects (portoria = douanes). **Monnaie** : au début, lingots et plaques de cuivre (aes rude), puis barres de cuivre (aes signatum) avec gravure ou inscription. Après 300, monnaies de cuivre (aes grave) à tête de Janus au droit et proue de navire au revers.

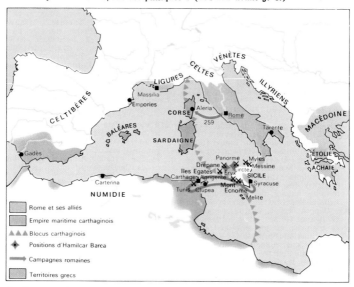

La 1re guerre punique

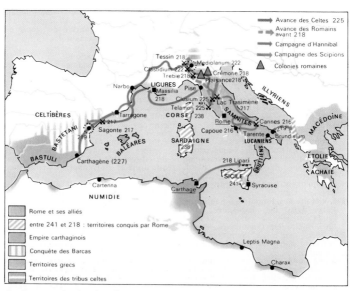

La 2e guerre punique jusqu'en 216 avant J.-C.

1ʳᵉ guerre punique (264-241)
Les Mamertins (fils de Mars, mercenaires campaniens) adressent à Rome et à Carthage une demande d'aide contre HIÉRON DE SYRACUSE. Après le débarquement d'une armée romaine, alliance de Syracuse et de Carthage, mais, après sa défaite, HIÉRON devient l'allié de Rome, qui conquiert la Sicile occ. jusqu'à Agrigente (261).

260 Bataille navale de Myles, où les Romains triomphent grâce aux bateaux qu'ils ont construits sur le modèle d'une quinquérème carthaginoise échouée à terre. Invention des ponts d'abordage.

256 Victoire navale d'Ecnome, qui permet aux Romains de débarquer en Afrique. Ils avancent jusqu'à Carthage qui demande la paix, mais repousse les conditions trop dures de RÉGULUS.

255 Défaite de Regulus. Victoire des Carthaginois commandés par un mercenaire spartiate, XANTHIPPE, grâce à ses cavaliers et ses éléphants. Une tempête anéantit les restes de l'armée romaine avec sa flotte. Les Romains renoncent à la guerre navale, mais conquièrent la Sicile sauf Lilybée, Drepane et Eryx. En 250, une nouvelle flotte romaine triomphe à Panorme mais succombe à Drepane en 249. Après des années d'une guérilla épuisante menée par HAMILCAR BARCA, les Romains construisent une nouvelle flotte financée par des moyens privés.

241 Victoire des Romains aux îles Égates. Paix : Carthage renonce à la **Sicile (1ʳᵉ province romaine)** et doit payer un tribut de 3 200 talents en 10 ans.

Après le soulèvement des mercenaires et des Libyens contre Carthage, les mercenaires sardes demandent l'aide des Romains, qui déclarent de nouveau la guerre (238). Carthage cède la Sardaigne et la Corse (227) et paie 1 200 talents de supplément.

229-228 La flotte romaine combat les pirates illyriens. Fin de la piraterie, le roi TEUTA devient tributaire. Après 219, la côte illyrienne est au pouvoir des Romains. Après une attaque gauloise, en

222 victoire romaine à Clastidium et prise de Mediolanum (Milan) capitale des Insubriens celtes. Établissement de colonies (Plaisance, Crémone, Modène) et construction de la Via Flaminia.

A partir de 237 nouvelle orientation politique à Carthage. Les Barcas conquièrent l'Espagne pour remplacer la Sardaigne et la Sicile (en 236, les mines de la Sierra Morena), ce qui permet de payer les dernières indemnités dues à Rome (231).

Fondation de Carthago Nova (Carthagène (227).

226 Traité de l'Ebre. HASDRUBAL renonce à franchir l'Ebre, les Romains reconnaissent la domination carth. au sud du fleuve. Après l'assassinat d'HASDRUBAL (221), le fils aîné d'HAMILCAR, HANNIBAL, devient chef suprême des Carthaginois d'Espagne.

219 Conflit pour Sagonte. Malgré l'intervention romaine, HANNIBAL assiège et prend Sagonte. Les Romains exigent son évacuation et la livraison d'HANNIBAL. Refus de Carthage.

2ᵉ guerre punique (218-201)
Le plan de guerre romain, attaquer l'Espagne et l'Afrique à partir de la Sicile, échoue à cause de l'offensive surprenante d'HANNIBAL, qui franchit les Pyrénées et les Alpes avec 50 000 hommes, 9 000 cavaliers et 37 éléphants de guerre. Des combats acharnés réduisent son armée, et 26 000 hommes seulement parviennent en Italie du Nord. HASDRUBAL, frère d'HANNIBAL, protège entre-temps l'Espagne. Le consul P. CORNELIUS SCIPIO envoie son frère CN. CORNELIUS SCIPIO en Espagne, revient de la région du Rhône en Italie et **se fait battre sur le Tessin en automne 218** par HANNIBAL. Le consul TIB. SEMPRONIUS LONGUS arrive de Sicile, et est battu avec SCIPION en

déc. 218 à La Trébie. Les Gaulois se joignent aux Carthaginois. HANNIBAL passe les Apennins.

217 Défaite du consul C. FLAMINIUS au lac Trasimène. Nomination d'un **dictateur Q. Fabius Maximus** (dit Cunctator = temporisateur), qui mène prudemment la guerre.

bataille de Cannes le 2 août 216. Les Romains tournés par la cavalerie carth. perdent 50 000 hommes, dont le consul PAUL-EMILE, sur 80 000. Défection de Capoue, des Samnites, des Lucaniens et des Bruttiens. HANNIBAL prend ses quartiers d'hiver en Campanie, mais doit abandonner l'offensive à cause de l'insuffisance des renforts qu'il reçoit de Carthage.

215 **Alliance d'Hannibal et de Philippe V** de Macédoine (1ʳᵉ guerre macédonienne jusqu'en 205), dont l'offensive échoue en Illyrie.

Espagne. Après la première victoire navale des frères P. et CN. CORNELIUS SCIPION à l'embouchure de l'Ebre (217) et la reprise de Sagonte, victoire sur HASDRUBAL (216) qui ne peut rejoindre son frère en Italie. Les Romains parviennent au Guadalquivir et concluent une alliance avec SYPHAX, prince des Numides occidentaux, contre Carthage (212).

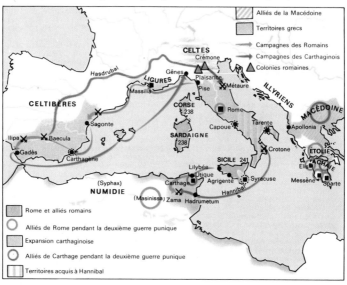

La 2e guerre punique jusqu'en 202 avant J.-C.

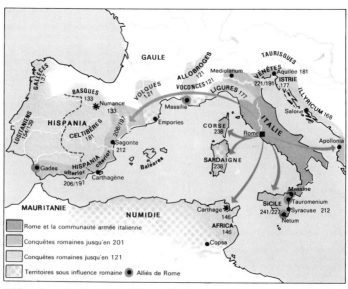

Méditerranée occidentale aux 3e et 2e siècles avant J.-C.

Sicile. Apres la mort de HIÉRON DE SYRACUSE (215), son successeur s'allie à Carthage. Après deux ans de siège (machines défensives d'ARCHIMÈDE), une armée romaine commandée par MARCELLUS **prend et pille Syracuse en 212.** La Sicile entière tombe aux mains des Romains (210).

212 Prise de Tarente par Hannibal. Défection des cités grecques du Sud de l'Italie et victoire d'HANNIBAL à Capoue.

212 Alliance de Rome et de la Ligue étolienne contre PHILIPPE V DE MACÉDOINE (l'Élide, la Messénie et Sparte s'y joindront en 211). Les territoires conquis vont à la Ligue, le butin aux Romains. ATTALE Ier DE PERGAME se joint à l'alliance en 209.

211 Les Romains prennent Capoue. HANNIBAL avance en vain sur Rome pour la dégager (« Hannibal ante porta »). Capoue est déclarée ager publicus, propriété de l'État romain.

Espagne. Après la défaite et la mort des deux SCIPIONS en 211 et la retraite romaine au-delà de l'Ebre sous la pression carthaginoise et numide (prince MASINISSA), Rome envoie PUBLIUS CORNELIUS SCIPION (Scipion l'Africain) en Espagne (210). Il prend Carthago Nova en 209. HASDRUBAL, avec de fortes pertes, perce à Bæculd (208) pour se diriger sur l'Italie. Rome se voit obligée de retirer des troupes de Grèce. PHILIPPE V conclut la paix avec la Ligue étolienne (206).

207 Bataille du Métaure près de Sena Gallica. Triomphe des Romains qui emploient la tactique carthaginoise de débordement par les ailes avec autonomie des légions (consuls : M. LIVIUS SALINATOR et C. CLAUDIUS NERO). Mort d'HASDRUBAL.

Après la victoire de SCIPION à Ilipa (206) sur MAGON et MASINISSA, les Romains pénètrent en Espagne du Sud (prise de Gadès). La flotte carthaginoise de MAGON s'enfuit aux Baléares, puis gagne Gênes pour soulever les Ligures et les Gaulois contre Rome. **Fin de la domination carth. en Espagne.** Retour de SCIPION à Rome.

204 Scipion passe en Afrique (MASINISSA allié des Romains). Après la victoire des Romains à Tunis en 203 et de vains pourparlers de paix, Carthage rappelle HANNIBAL d'Italie (203 mort de MAGON en Italie du Nord).

202 Bataille décisive de Zama. Anéantissement de l'armée carthaginoise. HANNIBAL s'enfuit à Adrumète et conseille la paix. Conditions : renonciation à l'Espagne, cession de la Numidie à MASINISSA, règlement d'une indemnité de 10 000 talents sur 50 ans, livraison des navires de guerre à l'exception de 10 trirèmes,

défense de faire la guerre en dehors de l'Afrique, et nécessité de l'autorisation romaine pour des hostilités en Afrique. Le territoire de Syracuse est annexé à la province de Sicile. SCIPION reçoit le surnom d'AFRICAIN et triomphe à Rome. Par la suite, révoltes en Espagne, dont la première (191-189) est précédée par la division de l'Espagne en deux provinces : Hispania citerior et Hispania ulterior (197). Nouvelle résistance des Lusitaniens à partir de 154. Leur chef VIRIATHE se bat de 147 à son assassinat (139). Les Celtibères eux aussi se soulèvent. Après bien des défaites romaines, P. CORNELIUS SCIPIO AEMILIANUS (Scipion Émilien) **prend en 133 la ville de Numance,** et reçoit le surnom de NUMANTINUS.

Conséquences des guerres puniques Formation d'une noblesse (optimates) sous la direction de gentes célèbres, et d'un parti du peuple (populares). On prolonge la durée des fonctions à cause de l'importance des tâches à achever. Après l'extension de la puissance romaine sur toute l'Italie, les territoires conquis forment des provinces, propriété du peuple romain. Le sol demeure aux mains des anciens propriétaires contre le règlement d'un impôt (stipendium). Leur administration est assurée par des préteurs, qui gouvernent au nom du peuple romain. Exploitation des provinces par l'affermage des redevances à des fermiers généraux (publicani) qui proviennent de la classe des chevaliers (ordre équestre), dont la puissance est devenue grande au IIe siècle. Beaucoup de princes perdent leur indépendance en devenant clients de Rome (MASINISSA de Numidie, PRUSIAS de Bithynie, etc.). Ils reconnaissent l'hégémonie romaine et supportent diplomatiquement la surveillance de leur politique extérieure. L'intervention de Rome en Méditerranée orientale n'a pas d'abord pour but la soumission des États hellènes. Mais HANNIBAL s'était réfugié chez le roi de Macédoine, PHILIPPE V et ensuite chez le roi de Syrie, ANTIOCHOS III. **Économie.** Naissance d'une industrie de guerre au cours de la 2e guerre punique avec l'emploi des esclaves. Au IIe siècle, commerce d'esclaves utilisés dans les grandes propriétés (latifundia). La dévastation des terres dans le Sud de l'Italie les transforme finalement en désert, et les paysans émigrent à Rome. Fin de l'ancien État agraire romain et disparition du paysan lui-même. En 180, frappe du denier d'argent (poids : 4,55 g). **Civilisation.** Adoption de l'idéal culturel grec, surtout dans le **Cercle des Scipions,** auquel appartiennent PANÉTIUS (morale), POLYBE (histoire), etc.

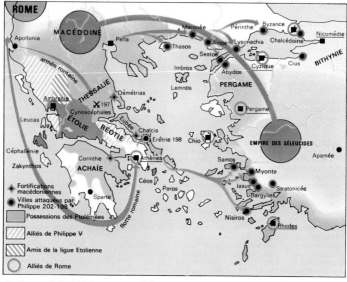

La 2e guerre de Macédoine 200-197 avant J.-C.

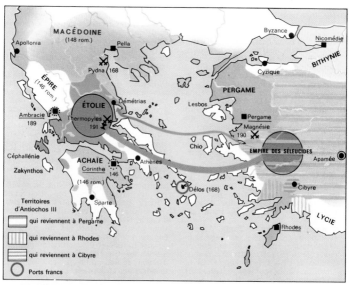

La guerre contre Antiochos III 192-188 avant J.-C.

200-190 Guerre contre les Gaulois en Italie du Nord. Rome réprime le soulèvement des Boïens et des Insubriens, soutenus par des isolés carthaginois. Construction de la Via Aemilia qui continue la Via Flaminia jusqu'à Plaisance (187). Établissement de la colonie Aquileia comme métropole commerciale pour le Nord de l'Europe.

200-197 guerre macédonienne. Pergame, Rhodes et Athènes réclament l'aide de Rome contre les empiètements de PHILIPPE V DE MACÉDOINE, qui a conclu, contre l'Égypte une alliance avec ANTIOCHOS III DE SYRIE. Une flotte romaine protège Le Pirée et menace Érétrie, qu'occupent les Romains (198). Après l'avance de T. QUINCTIUS FLAMININUS en Thessalie, en

197 victoire romaine à Cynoscéphales. Paix : PHILIPPE V renonce à l'hégémonie sur la Grèce et paie 1 000 talents comme indemnité de guerre. Il livre toute sa flotte sauf 6 navires.

196 Déclaration de la liberté des villes grecques par FLAMININUS aux Jeux isthmiques de Corinthe. Les Romains évacuent la Grèce (194).

192-188 Guerre contre Antiochos III qui a rétabli la domination séleucide en Orient (campagne de Bactriane) et chasse les Égyptiens de Syrie et de Palestine. Allié à la Ligue étolienne, il veut chasser les Égyptiens de la mer Égée. Il débarque en Thessalie, mais est défait aux Thermopyles (191).

190 Bataille de Magnésie sur le Sipyle : Victoire des Romains commandés par L. CORNELIUS SCIPION et son frère SCIPION L'AFRICAIN.

189 Prise d'Ambracie, défaite de la Ligue étolienne.

188 Paix d'Apamée. ANTIOCHOS III doit payer 1 500 talents d'indemnité de guerre en 12 ans, et livrer tous ses navires sauf 10. Ses possessions en Asie Mineure reviennent à Rhodes et Pergame, qui équilibrent désormais la puissance séleucide. **Rome est maîtresse de la Méditerranée orientale.**

171-168 3e guerre macédonienne. PERSÉE, fils de PHILIPPE V, cherche à rétablir en Grèce l'hégémonie macédonienne. EUMÈNE DE PERGAME l'accuse à Rome. Au début, échecs romains et attitude hésitante de Rhodes et de Pergame.

22 juin 168 Bataille de Pydna : victoire romaine grâce au fils du consul tombé à Cannes et qui porte le même nom : L. PAUL ÉMILE. PERSÉE est fait prisonnier à Samothrace. Paix : la Macédoine est divisée en 4 territoires indépendants. 1 000 otages de la Ligue achéenne sont envoyés à Rome (entre autres POLYBE).

Délos devient **port libre** et fait ainsi concurrence à Rhodes (revient à Athènes en 166). Le butin est tel que les Romains sont dispensés d'imposition de guerre (tributum). La Macédoine devient province romaine après un soulèvement (p. 63). ANTIOCHOS IV doit évacuer l'Égypte après la bataille de Pydna, à la demande de Rome. Une révolte de la Ligue achéenne est réprimée et en

146 destruction de Corinthe. Les villes de la Ligue achéenne font partie de la province de Macédoine. Construction de la Via Egnatia, qui mène de Dyrrachium à Thessalonique.

136-132 1re guerre des esclaves. Le Syrien EUNUS réunit les esclaves des grandes propriétés (latifundia) en Sicile et les mène au combat contre Rome (200 000 révoltés à un moment). Il prend le titre de roi suivant le modèle hellénistique. Après la prise d'Enna et de Tauromenium, EUNUS est fait prisonnier. 20 000 esclaves sont crucifiés.

133 Attale III de Pergame lègue son royaume à Rome, qui le transforme en 129 en « province d'Asie ».

La fin de Carthage

HANNIBAL, devenu suffète de Carthage (196), est réclamé par les Romains et s'enfuit (195) chez ANTIOCHOS III qui rejette son plan : transporter la guerre en Italie. Après la paix d'Apamée, HANNIBAL s'enfuit chez PRUSIAS de Bithynie; les Romains exigent qu'il leur soit livré. **Suicide d'Hannibal (183).** Son grand adversaire, SCIPION L'AFRICAIN, est accusé à Rome de haute trahison, son frère, L. SCIPION, qui a reçu le surnom d'ASIATIQUE après sa victoire sur ANTIOCHOS III, est accusé de détournement de fonds. CATON, censeur depuis 184, lutte contre la corruption de la noblesse et est le chef du parti ennemi des Scipions. SCIPION L'AFRICAIN meurt dans un exil volontaire (183).

149-146 3e guerre punique. MASINISSA, protégé par Rome, agrandit constamment son royaume aux dépens de Carthage qui se voit entraînée dans un conflit sans l'autorisation de Rome (150). Rome déclare la guerre (Caton : « Ceterum censeo Carthaginem esse delendam »). Les Carthaginois capitulent au débarquement de deux armées romaines, mais refusent d'abandonner leur ville et reprennent le combat. P. CORNELIUS SCIPION ÉMILIEN (147) réussit en

146 à prendre Carthage qui est détruite malgré ses promesses. Les survivants sont vendus comme esclaves. Triomphe de SCIPION ÉMILIEN (surnom : AFRICANUS MINOR).

La famille romaine : le père (pater familias), tout-puissant, dispose sans limitation aucune et sans partage de sa femme (mater familias), des enfants (liberi), des esclaves (servi), des troupeaux, et de tout bien meuble et immeuble. Avec sa mort cesse ce pouvoir (patria potestas), et les fils deviennent maîtres d'eux-mêmes et de leur fortune. Pour sauvegarder la discipline, le père a recours à l'autorité (auctoritas) qui se fonde sur l'expérience (sapientia), à son jugement réfléchi (consilium) et à sa probité. Son sérieux, sa sévérité et sa maîtrise de soi (continentia, temperentia) imprègnent sa personne de solennité (gravitas) dans tous ses actes. Par son travail (industria) et sa constance, il atteint son but. La jeune génération est élevée sur le modèle de l'ancienne (mos majorum), et elle se caractérise par sa modestie et son respect (reverentia) envers les hommes âgés qui exigent l'obéissance, le sens de la vérité et la pureté (pudicitia, integritas morum). Ce comportement domestique (disciplina domestica) est le fondement de la discipline militaire, de la puissance et de la grandeur romaines.

Citoyens. Le courage (virtus), le goût de la gloire, le respect des dieux, (pietas), la loyauté et fidélité (fides) et une situation publique (dignitas), sont les critères par lesquels on juge le citoyen romain au service de la communauté (res publica), voué à la puissance et à la grandeur de son peuple (majestas romana). Le bien du peuple est la loi suprême (salus populi suprema lex). La vie du Romain pour qui l'État est la chose la plus importante se divise en deux sphères : res publica (l'État) et res privata (les affaires privées). Dans cet État, la Loi (Lex) occupe la place du roi. La joie individuelle s'exprime librement en deux occasions seulement :
1. Lors d'un triomphe au retour d'une campagne victorieuse;
2. Lors de l'enterrement d'un noble. Il n'y a aucune constitution écrite. Importance de la coutume (mos majorum) pour l'éducation.

Droit. C'est le grand apport du peuple romain (« ce fier législateur de toutes les nations » a dit HERDER). En plus du jus civile (droit civil) qui provient de la coutume et de la loi, la conquête de l'Italie fait naître un jus gentium (droit étranger), extension du droit civil à tous les non-Romains. Droit civil et droit étranger font partie du jus publicum, le droit public, qu'on oppose ainsi au jus privatum, qui règle les rapports entre les familles, comme plus tard entre les citoyens. Sous les derniers empereurs, le jus publicum permet d'imposer des mesures arbitraires. En exerçant leurs fonctions, les préteurs créent peu à peu un jus praetorianum, formé par les édits que les préteurs promulguent lors de leur prise de charge et où ils exposent aux juges les principes qui les inspireront (juris dictio). Cet édit est valable pour le temps de la fonction, mais peut être adopté par son successeur (à la fin de la République, « edictum perpetuum »). **L'application du droit** est d'abord confiée au clergé, le droit étant d'ordre divin. Il en est de même après la rédaction de la **Loi des Douze Tables.** Sur la demande du censeur APPIUS CLAUDIUS CAECUS, le scribe CN. FLAVIUS publie le formulaire des plaintes et la liste des jours fastes et néfastes et tout citoyen pourra désormais s'informer du droit en vigueur (les plébéiens accèdent dès lors au clergé). A côté de la Loi et de la jurisprudence (droit écrit), subsiste la coutume (mores) ou droit non écrit. Sous la République, les magistrats proposent les lois qui sont approuvées par l'assemblée du peuple. Début de l'**activité des juristes,** d'abord pratique. Plus tard, fondation de la science juridique qui atteindra son apogée sous l'empire avec l'apparition des écoles de droit (sectae) : Sabiniens et Proculiens. Sur la base d'un privilège impérial, les meilleurs juristes peuvent rédiger des consultations (responsa prudentium) qui lient les juges. Recueil de toutes les lois (corpus juris). Les peuples européens ont adopté le droit romain, ce qui lui a conservé de l'importance même de nos jours.

Religion religio = respect de la volonté des dieux qui indiquent la « direction à suivre » — le fatum. Neglegentia = indifférence à l'égard de la volonté divine. Trinité suprême : 1) JUPITER (Optimus Maximus) d'abord « père rayonnant du ciel », puis dieu de la pluie, du vent, de la tempête et de l'orage; 2) MARS, d'abord dieu de l'agriculture, puis dieu de la guerre et seigneur de la vie et de la mort; 3) QUIRINUS (mêmes fonctions que Mars). Puis nouvelle trinité à p. de 506 : JUPITER, JUNON et MINERVE. C'est une nouvelle époque : la République. Autres dieux importants : JANUS, le dieu du « franchissement du seuil » et du commencement (janvier); LIBER (Dionysos); VULCAIN (Héphaistos), dieu du feu; MERCURE (Hermès), dieu du commerce. Déesses importantes : VESTA, déesse des troupeaux, CÉRÈS (Déméter), déesse de la croissance. Nombreuses divinités des sources, des bois et des cavernes. Manifestation dans certaines circonstances historiques (prodigia) de forces impersonnelles (numina). On accepte de nouveaux dieux en les

« appelant » (evocatio = prière adressée aux dieux d'une autre ville d'abandonner leur siège et de venir à Rome) et on adopte leur culte (interpretatio romana). Il en est ainsi du culte de CYBÈLE de Phrygie (205), que les Romains adoptent sous le nom de MAGNA MATER, la Grande Mère.

A l'époque impériale, adoration du souverain en qui l'État se matérialise et diffusion du culte des Mystères (p. e. ATTIS et MITHRA).

La religion romaine est religion d'État (surveillée par les magistrats et célébrée rituellement par les prêtres représentants de l'État). Distinction des cultes nationaux (Sacra publica pro populo romano) et des cultes privés (Sacra privata) particuliers aux familles et célébrés par le pater familias. Divinités privées : pénates (protecteurs des provisions), le Génie (force procréatrice de l'homme), lares (protecteurs des champs et de la maison), Di parentes (ancêtres), Di manes (divinités des morts). Collèges des prêtres : pontifes dirigés par le Pontifex maximus, vestales et augures qui interprètent la volonté des dieux suivant le vol des oiseaux, puis aruspices (observateurs des entrailles, surtout du foie). Les duumvirs veillent sur les Livres Sibyllins, et un flamine sur chaque divinité.

Art. L'art romain a deux sources :

1. L'art grec arrive à Rome par la Sicile, l'Italie méridionale (Magna Graecia) et par les Étrusques (les premiers sanctuaires et représentations de dieux sont « toscans »). Par les Étrusques, les Romains apprennent les formes orientalisantes de la nature, mais en les imitant, ils les soumettent à leurs propres lois.

2. Les vieilles civilisations italiques (des terramare et de Villanova). **Les conceptions esthétiques romaines s'expriment dans :**

a) La symétrie et l'axialité (l'axe principal est toujours accusé), que l'on observe déjà dans les colonies des terramares qui ont dû être établies suivant un plan mesuré, et que l'on retrouve dans le dispositif du camp romain avec ses deux artères perpendiculaires (cardo et decumanus);

b) Le sens des ensembles. A la différence des Grecs qui insistaient sur la décoration plastique de l'édifice, les Romains ont conçu le temple comme un jeu de volumes et de surfaces. Le grand art romain s'exprime par **l'architecture** : contrairement aux Grecs pour qui le temple est la construction essentielle, les Romains entreprennent de satisfaire également des besoins pratiques. **Techniques nouvelles** : Emploi du ciment et de la brique; usage de l'arc et de la voûte. Les constructions les plus importantes sont celles des ingénieurs (approvisionnement d'eau, aqueducs comme le pont du Gard en France), maisons à étages (faute de place) avec architecture de façades (balcons et portiques), construction de palais qui dérivent de la villa italique et où l'art du bâtiment se combine avec celui des jardins. Les forums impériaux frappent par leur monumentalité et leur composition d'ensemble : les temples sont surélevés sur un podium, avec un escalier de façade qui met en valeur l'entrée et le portique. La fusion de plusieurs volumes à l'intérieur du même bâtiment donne naissance à tout un système architectural (thermes impériaux avec voûtes d'arête, voûtes en berceau, coupoles, demi-coupoles). La basilique, halle à plusieurs nefs voûtées en berceau, destinée originairement aux marchés et salle de tribunal, deviendra le modèle des églises chrétiennes mais avec des toits plats, des absides et une nef centrale surélevée. A côté des bâtiments rectangulaires, survit la vieille tradition italique de la construction centrale surmontée d'une coupole (Panthéon), style qui annonce les constructions à plan central. (Sainte-Sophie à Constantinople).

Art figuratif

1. Les bustes d'après nature, (têtes qui représentent exactement les traits d'un visage, contrairement à l'idéalisation et à l'héroïsation de l'art grec), commence avec les représentations en cire des ancêtres (imagines majorum), que l'on place dans l'atrium de la maison romaine. Au contact de l'art hellénistique l'exécution de ces portraits rituels s'affine : plus tard, usage du trompe-l'œil. Collection des bustes d'empereurs des Ier et IIe siècles de la Ny Carlsberg Glyptothek de Copenhague.

2. Le bas-relief historique succède aux peintures que l'on portait lors des triomphes et que l'on gardait ensuite dans les temples ou dans la maison du triomphateur. Le premier exemple de bas-relief représentatif est l'Ara Pacis, l'autel de la Paix, dressé par AUGUSTE le 9 janvier 9 av. J.-C. Plus tard, arcs de triomphe. Apogée de cet art : colonnes de TRAJAN et de MARC AURÈLE.

Les **peintures murales** décoratives de Pompéi (conservées au Musée de Naples) évoquent des paysages imaginaires et utilisent les motifs de l'art alexandrin : guirlandes, amours végétaux. Les thèmes sont souvent inspirés par la tradition grecque (« Les Noces aldobrandines »). En Égypte hellénisée, les portraits à l'encaustique du Fayoum (IIe siècle ap. J.-C.) illustrent l'art réaliste. A la fin de la civilisation romaine, triomphe de la mosaïque (Ravenne).

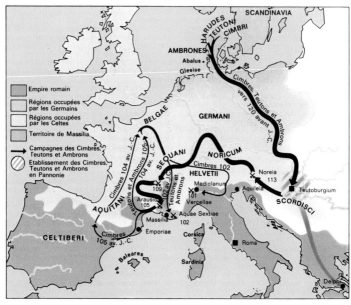

Campagnes des Cimbres, Teutons et Ambrons

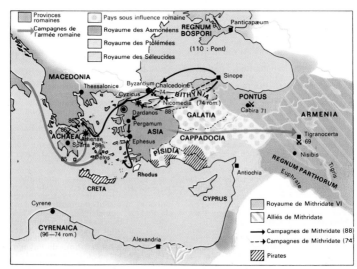

Les guerres contre Mithridate 86-64 avant J.-C.

Mouvement réformateur des Gracques (133-121)

133 TIB. SEMPRONIUS GRACCHUS, tribun du peuple, tente de faire attribuer aux prolétaires des terres appartenant à la communauté (ager publicus), en réduisant le droit de propriété à 1 000 arpents (250 ha), et en distribuant aux nouveaux colons le trésor du royaume de Pergame comme capital d'exploitation. Son collègue, M. OCTAVIUS, s'y oppose et est déposé, contrairement à la loi, par les comices tributes. TIBERIUS GRACCHUS est assassiné (129) en voulant se faire réélire malgré les dispositions contraires.

123 C. SEMPRONIUS GRACCHUS reprend le dessein de son frère. **Remise en vigueur de la loi agraire,** et octroi de certaines fonctions judiciaires à des chevaliers (Lex Judicaria), pour gagner cette classe à ses projets. Il ne peut faire accepter sa proposition d'accorder la pleine citoyenneté romaine à tous les Latins, et la citoyenneté limitée (sauf droit de vote) à tous les peuples de la confédération italique (résistance du parti du Sénat et de la plèbe). GRACCHUS occupe l'Aventin, le Sénat proclame l'état de siège. C. GRACCHUS se fait tuer par un esclave (121).

111-105 Guerre de Jugurtha. Une commission du Sénat divise la Numidie; JUGURTHA devient seul souverain en attaquant l'autre roi, ADHERBAL, et en prenant Cirta (112). La guerre s'éternise, échecs des Romains, que JUGURTHA soudoie. MARIUS triomphe enfin (106), et JUGURTHA est livré à SYLLA (105). La Numidie devient province romaine.

113-101 Guerre contre les Cimbres et les Teutons qui, alliés aux Ambrons, viennent du Jutland, et triomphent des Romains en

113 à la bataille de Noréia (en Carinthie). En Gaule, deux autres armées romaines sont défaites, entre autres à Arausio (Orange) en 105. Panique à Rome (2ᵉ tumulte gaulois). MARIUS élu consul (104) réforme l'armée : formation d'une armée professionnelle de prolétaires avec pension après 16 ans de service, d'où attachement des soldats à leur chef. Division de la légion (env. 6 000 hommes) en dix cohortes de 6 centuries ou 3 manipules chaque. Les confédérés fournissent la cavalerie.

102 Victoire de Marius à Aquae Sextiae (102) sur les Teutons, et en 101, sur les Cimbres à Vercellae (Verceil).

100 Opposition des optimates à l'exécution d'un programme d'établissement de colonies proposé par le tribun L. APULEIUS SATURNINUS, appuyé par MARIUS, élu consul pour la 6ᵉ fois.

91 Proposition du tribun M. LIVIUS DRUSUS : remise en vigueur des lois agraires des Gracques, accès des chevaliers aux fonctions judiciaires et attribution de la citoyenneté romaine aux alliés italiens. DRUSUS est assassiné, et en

91-89 guerre Sociale. Les Alliés (socii) font choix d'une capitale nouvelle, Corfinium (qui devient Italica), et élisent un Sénat italien de 500 membres. La guerre Sociale se termine par des concessions romaines : attribution de la citoyenneté aux alliés italiens.

88-84 1ʳᵉ guerre contre Mithridate et début des guerres civiles. MITHRIDATE VI, roi du Pont, attaque les territoires romains et appelle les Grecs au soulèvement.

88 « Vêpres d'Ephèse ». Massacre de 80 000 Romains en Asie Mineure. Le Sénat confie la direction de la guerre à SYLLA, mais le peuple la révoque pour la confier à MARIUS. SYLLA entre à Rome et rétablit le pouvoir du Sénat (le plébiscite n'aura plus force de loi qu'avec l'accord du Sénat). Après son départ pour l'Orient, retour à Rome de MARIUS et de ses partisans. Régime de terreur de MARIUS et de CINNA contre les optimates. MARIUS meurt en 86 pendant son 7ᵉ consulat. Après la prise d'Athènes, SYLLA bat les troupes de MITHRIDATE (Chéronée en 86, Orchomène en 85).

84 Paix de Dardanos. Restitution des territoires conquis et livraison de la flotte. Paiement de 3 000 talents. Le propréteur L. LICINIUS MURENA doit forcer MITHRIDATE à observer ces conditions de paix par la 2ᵉ guerre contre Mithridate (83-81). En 83, SYLLA revient à Rome et anéantit les partisans de MARIUS avec leurs alliés Samnites et Lucaniens en

82 à la bataille de la Porte Colline. SYLLA prend le surnom de Felix (le Chanceux), puis POMPÉE conquiert les provinces de Sicile et d'Afrique.

82-79 Dictature de Sylla. Publication de listes de proscriptions : exécution de 90 sénateurs et de 2 600 chevaliers. **Rétablissement du pouvoir du Sénat;** le Sénat est porté à 600 membres, dont font partie les questeurs. A la fin de leurs fonctions, consuls et préteurs deviennent gouverneurs de provinces (pro consule, pro praetore). Affaiblissement du tribunat : accord du Sénat nécessaire pour confirmer les propositions de lois de l'assemblée du peuple; un tribun ne peut assumer par la suite une autre fonction publique.

79 SYLLA abdique volontairement et meurt un an plus tard.

La répartition des provinces entre César, Pompée et Crassus

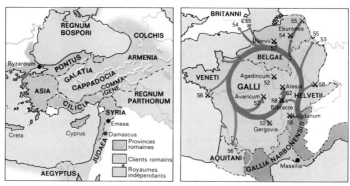

La réorganisation de l'Orient

Conquête de la Gaule par César

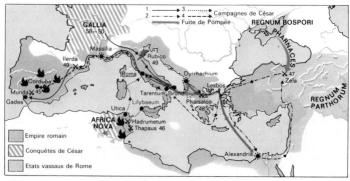

La guerre civile

77-71 POMPÉE lutte en Espagne contre les derniers partisans de MARIUS, commandés par SERTORIUS, finalement assassiné.

74-64 3ᵉ guerre contre Mithridate. L. LICINIUS LUCULLUS remporte quelques succès au début, mais son armée se révolte.

73-71 Révolte des esclaves commandés par Spartacus, qui meurt en luttant contre M. LICINIUS CRASSUS en Apulie. Les survivants de l'armée des esclaves sont écrasés par POMPÉE.

70 Consulat de Pompée et de Crassus. Abrogation des lois de SYLLA, rétablissement du pouvoir des tribuns, répartition égale des sièges des juges entre sénateurs, chevaliers et riches plébéiens. Le plébiscite a de nouveau force de loi.

67 POMPÉE se voit confier les pleins pouvoirs extraordinaires (imperium extraordinarium) contre les pirates et reçoit en

66 le commandement suprême contre MITHRIDATE. Il soumet le Pont.

64 Réorganisation de l'Orient par Pompée. Le Pont, la Syrie et la Cilicie deviennent provinces romaines; l'Arménie, la Cappadoce, la Galatie, la Colchide et la Judée des États vassaux (clients).

63-62 Conjuration de Catilina. CICÉRON, élu consul comme homme nouveau (homo novus), découvre la conjuration et l'écrase. Il devient père patriae (père de la patrie). Mort de CATILINA et de 3 000 conjurés à Pistoïa (62).
A son retour, POMPÉE licencie son armée et reçoit le triomphe. Le Sénat refuse de confirmer la réorganisation de l'Orient et la répartition des terres entre les vétérans de POMPÉE.

60 1ᵉʳ triumvirat de Pompée, Crassus et César. Accord de soutien mutuel.

59 Consulat de César. Exécution des exigences de POMPÉE, fixation des impôts pour la population des provinces. CÉSAR obtient pour 5 ans le commandement de la Gaule cisalpine, de l'Illyrie et de la Gaule narbonnaise.

56 Conférence de Luca. Renouvellement du triumvirat.

55 Consulat de Pompée et de Crassus. Répartition des provinces : CÉSAR reçoit la Gaule pour 5 ans de plus, POMPÉE l'Espagne, et CRASSUS la Syrie.

53 Défaite et mort de CRASSUS à Carrhae contre les Parthes.

58-51 Conquête des Gaules par César. Victoires sur les Helvètes à Bibracte, sur ARIOVISTE en Alsace à Mulhouse (58), sur les tribus belges (Nerviens) (57) en Bretagne et en Aquitaine (56). Il poursuit les Germains (Usipètes et Tenctères) en Germanie (passage du Rhin), puis passe dans

les îles Britanniques (Bretagne) (55). Au 2ᵉ passage il défait CASSIVELAUNUS et son armée. AMBIORIX et les Éburons se révoltent avec les Nerviens et les Trévires (54). Répression et 2ᵉ passage du Rhin (53). Soulèvement gaulois de VERCINGÉTORIX, prise de Genabum, d'Avaricum et de Lutèce, échec devant Gergovie, mais siège et reddition d'Alésia (52).

52 Anarchie à Rome, combats de rues entre bandes. POMPÉE s'adresse au Sénat, est nommé consul unique (sine collega) pour rétablir l'ordre. Après avoir repoussé l'offre de CÉSAR de licencier simultanément toutes les troupes, le Sénat exige qu'il licencie les siennes, abandonne ses charges, et émet le

7 janvier 49 un sénatus-consulte ultime où il confie à POMPÉE la défense de la République contre CÉSAR.

49-46 Guerre civile entre CÉSAR et POMPÉE. CÉSAR passe le Rubicon et se rend maître de Rome et de l'Italie. POMPÉE et une partie du Sénat s'enfuient en Grèce. CÉSAR conquiert l'Espagne (victoire d'Ilerda) et passe en Épire.

9 août 49 Défaite de Pompée à Pharsale. 20 000 pompéiens se rendent. POMPÉE s'enfuit en Égypte où il est assassiné.

48-47 Guerre d'Alexandrie. CÉSAR est encerclé à Alexandrie, la Bibliothèque brûle. Après une victoire sur le Nil, il nomme CLÉOPÂTRE reine d'Égypte.

Victoire à Zéla sur Pharnace (47). (Veni, vidi, vici = je suis venu, j'ai vu, j'ai vaincu.) Retour à Rome, puis départ pour l'Afrique.

46 Victoire à Thapsus sur les pompéiens (suicide de CATON à Utique). CÉSAR triomphe à Rome, devient dictateur pour 10 ans.

Réorganisation de l'État. Recensement des citoyens, réduction du nombre des bénéficiaires des distributions de blé (150 000 seulement), statut municipal des villes italiennes (Lex Julia municipalis).

45 Victoire à Munda en Espagne sur les fils de POMPÉE. CÉSAR est dictateur à vie (dictator perpetuus), consul pour dix ans, chef suprême de l'armée, Pontifex maximus, investi du pouvoir tribunitien et Imperator. Il propose et nomme les magistrats, partage les terres entre ses soldats, s'occupe des approvisionnements provinciaux, porte le Sénat à 900 membres, réforme le calendrier, bâtit la basilique Julia, agrandit le forum Julium.

15 février 44 ANTOINE offre à CÉSAR le diadème de roi. CÉSAR le refuse. Conjuration des sénateurs dirigée par C. CASSIUS et M. JUNIUS BRUTUS.

15 mars 44 Ides de mars : assassinat de César.

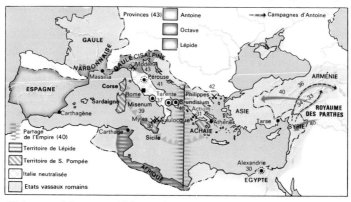

Fin des guerres civiles 44-30 avant J.-C.

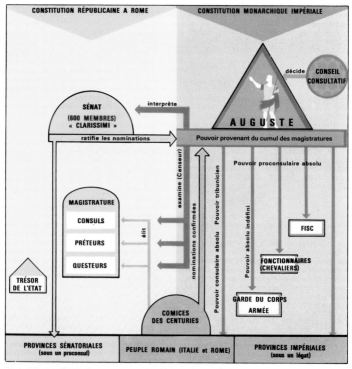

La constitution du Principat

Fin des guerres civiles

A la mort de CÉSAR, le Sénat assume le gouvernement. Il poursuit la réorganisation commencée par CÉSAR, amnistie ses meurtriers. Bien que C. OCTAVIUS (OCTAVE), neveu de César et adopté par lui, soit son héritier, ANTOINE tire l'heritage à lui. Après les funérailles et la publication du testament de CÉSAR, ses meurtriers doivent s'enfuir. Suppression de la dictature.

44-43 Guerre de Modène. M. BRUTUS se sauve en Macédoine. CASSIUS en Syrie et DÉC. BRUTUS ALBINUS en Gaule cisalpine, où il est assiégé par ANTOINE dans Modène. OCTAVE, à la tête de son armée, vainc ANTOINE à Modène, se fait élire consul pour 43 et engage des poursuites contre les meurtriers de CÉSAR.

11 nov. 43 Triumvirat (Antoine, Lépide, Octave) confirmé par la Lex Titia : « triumviri rei publicae constituendi » = élection de trois hommes pour réorganiser l'État. Durée projetée : 5 ans. Les provinces de Sicile et d'Afrique vont à OCTAVE, la Gaule cisalpine à ANTOINE, la Gaule narbonnaise et l'Espagne à LÉPIDE. Terreur à Rome à la suite des proscriptions (130 sénateurs, 2 000 chevaliers, dont CICÉRON).

Double bataille de Philippes. ANTOINE triomphe d'abord de CASSIUS, puis, 20 jours plus tard, de BRUTUS. ANTOINE se dirige vers l'Orient (Égypte, Syrie, Asie). Après la guerre de Pérouse (41-40) provoquée par les imprudences d'OCTAVE dans l'établissement des vétérans et son conflit avec le frère d'ANTOINE, MÉCÈNE s'interpose et c'est en

40 l'accord de Brindes. Division de l'Empire : ANTOINE a l'Orient, LÉPIDE l'Afrique, OCTAVE, l'Occident, et l'Italie est neutralisée.

39 Accord de Misène. SEXTUS POMPÉE obtient la Sicile, la Sardaigne, la Corse et l'Achaïe contre des livraisons de céréales à Rome.

38 Renouvellement du triumvirat pour 5 ans.

37 Traité de Tarente. ANTOINE prête à OCTAVE sa flotte pour combattre SEXTUS POMPÉE.

36 Victoires de VIPSANIUS AGRIPPA sur SEXTUS POMPÉE à Myles et à Nauloque. Une élection fait de LÉPIDE le Pontifex maximus et le neutralise. Après sa séparation d'OCTAVIE, sœur d'OCTAVE, en

36 Antoine épouse Cléopâtre VII. Expédition sans succès contre les Parthes, mais occupation de l'Arménie (34). Il veut créer un sultanat mi-oriental, mi-hellène, et offre des territoires romains à CLÉOPÂTRE, régente pour CÉSARION. OCTAVE publie le testament qu'ANTOINE avait confié aux Vestales et c'est le début de la guerre.

2 sept. 31 Bataille d'Actium. Victoire navale d'AGRIPPA sur la flotte de CLÉOPÂTRE. 19 légions d'ANTOINE se rendent sans combattre.

3 août 30 Prise d'Alexandrie (suicide d'ANTOINE et de CLÉOPÂTRE). **L'Égypte devient province romaine.** Réorganisation de l'Orient, triomphe à Rome et établissement de 120 000 vétérans, OCTAVE abandonne peu à peu les pouvoirs extraordinaires (potestas omnium rerum) qui lui avaient été confiés.

13 janv. 27 Rétablissement de la République, le Sénat reprend le pouvoir.

16 janv. 27 le Sénat décerne à Octave le nom honorifique d'Auguste.

Le Principat

(de princeps = le premier entre ses pairs). Le principat repose sur l'accord unanime (consensus universorum), c'est un équilibre d'éléments monarchiques et républicains : pouvoir de faire exécuter les décisions (auctoritas) et respect des traditions (mos majorum). Dans l'Italie romaine, AUGUSTE obtient le consulat. Sur le reste de l'Empire, il exerce, sans titre particulier, l'imperium : commandement suprême de l'armée, direction de la politique extérieure, droit de conclure des traités internationaux, avec en plus un imperium pro consulare dans les provinces administrées par des légats (legati Augusti pro praetore provinciae) nommés par lui.

1er juillet 23 Puissance tribunitienne à vie (après son refus d'être réélu consul), et cela sans être tribun. Aussi l'intervention d'un tribun contre une loi d'AUGUSTE est-elle désormais impossible.

22 AUGUSTE abandonne le consulat et les fonctions afférentes, mais garde sa compétence sur certains domaines : approvisionnement en céréales (Cura annonae), réseau routier (Cura viarum).

19 AUGUSTE se voit conférer le pouvoir consulaire à vie et la surveillance des mœurs (cura morum) pour 5 ans. C'est le cumul des magistratures. A partir de 12 av. J.-C. AUGUSTE est Pontifex maximus; en 2, on lui décerne le titre de Pater patriae (père de la patrie).

Le Sénat administre les provinces pacifiées de l'intérieur et le trésor de l'État (Aerarium populi romani), mais le prince a l'administration des finances (Fiscus). La classe des chevaliers devient une noblesse de fonctionnaires (commandement de la garde des prétoriens, préfets, fonctionnaires divers). Des amis (amici Caesaris) conseillent le prince. La distinction entre provinces impériales et provinces sénatoriales correspond au souci d'éviter les coups d'Etat dans les régions frontières.

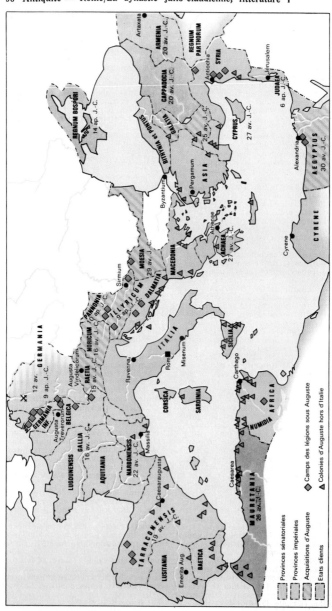

Provinces sénatoriales
Provinces impériales
Acquisitions d'Auguste
États clients

◆ Camps des légions sous Auguste
▲ Colonies d'Auguste hors d'Italie

Empire d'Auguste

Auguste et ses successeurs

27-25 AUGUSTE réforme les provinces de Gaule et d'Espagne. Le roi de Galatie AMYNTAS lègue à Rome la Galatie qui devient province.

20 PHRAATES IV roi des Parthes rend à AUGUSTE les aigles de CRASSUS et d'ANTOINE à la suite d'un accord où AUGUSTE renonce à toute expansion.

13-9 Agrippa et Tibère soumettent les Pannoniens. Mort d'AGRIPPA en 12.

12-9 Guerre de Drusus en Germanie.

30 janv. 9 Consécration de l'autel de la Paix sur le champ de Mars (Ara pacis Augustae).

Succession d'Auguste. Les successeurs que s'est choisis AUGUSTE meurent l'un après l'autre. AUGUSTE adopte TIBÈRE (26 juin 4 ap. J.-C.), qui devient TIBERIUS JULIUS CAESAR.

4-6 Expédition de Tibère en Germanie.

9 Bataille de la Forêt de Teutobourg.

19 août 14 Mort d'Auguste à Nola (76 ans).

Littérature. Livius Andronicus fonde la littérature latine (traduction de l'« Odyssée » et de tragédies grecques). Cnaeus Naevius écrit des comédies latines (critique son époque) et des drames historiques nationaux (« Praetexta »). Il a écrit une épopée sur la 1re guerre punique (235). **Titus Maccius Plautus (Plaute)** : comédies pleines de tableaux burlesques, populaires et obscènes. **Ennius (239-169)** : épopée sur l'histoire romaine en hexamètres (« Annales »). **Fabius Pictor** est le créateur de l'histoire, et son œuvre s'appelle, elle aussi, « Annales »; elle paraît en grec vers 200. **Lucilius** (180-102), poète satirique, appartient au Cercle des Scipions. Son contemporain **P. Terentius Afer (Térence)** écrit des comédies inspirées par le style de la Comédie Nouvelle. **Caton** (234-149) nous a laissé une histoire de Rome et de l'Italie (« Origines ») et le traité le plus ancien qu'on ait sur l'agriculture. **Polybe** arrive à Rome comme otage (168), écrit son « Histoire universelle ». **M. Terentius Varro (Varron),** bibliothécaire de César, rédige un traité d'économie rurale. **Cicéron (106-43).** Plaidoyers, comme le « Pro Milone », écrits philosophiques et rhétoriques (« De republica », « De legibus » etc.). Nombreuses lettres à ses amis, à son frère QUINTUS et à son éditeur T. POMPONIUS ATTICUS (109-32). **Cornélius Nepos** (100-27) auteur de biographies, **C. Sallustius Crispus (Salluste 86-35)** nous a laissé « la Conjuration de Catilina » et la « Guerre de Jugurtha ». **T. Lucretius Carus (Lucrèce 98-55),** disciple d'ÉPICURE, est l'auteur d'un poème didactique « De natura rerum ». L'influence hellénistique apparaît avec **C. Valerius Catullus (Catulle 87-54)** : Epigrammes

et poèmes d'amour; **Quintus Horatius Flaccus (Horace 65-8)** : Odes, Satires et Épîtres, et **P. Vergilius Maro (Virgile 70-19)** : « Bucoliques », « Géorgiques » etc. **César (100-44)** a écrit des commentaires sur la guerre des Gaules (« De bello gallico »), et sur la guerre civile. En harmonie avec la réorganisation de l'État, AUGUSTE, MÉCÈNE, ASINIUS POLLIO et MESSALA favorisent la littérature. **Virgile** écrit alors l'« Enéide », épopée où il justifie la puissance de Rome, en rattachant ses origines à la chute de Troie.

La dynastie julio-claudienne (jusqu'à 68 ap. J.-C.)

14-37 Tibère. Le choix des fonctionnaires passe du peuple au Sénat. Mutinerie des légions de Pannonie et du Rhin, écrasée par GERMANICUS.

14-16 Campagne de Germanicus contre les Germains, interrompue à cause des frais qu'elle entraîne. Guerres intestines des Germains.

22-31 Influence de SÉJAN, chef des prétoriens.

31 Chute et exécution de SÉJAN.

37 Mort de Tibère à Misène.

37-41 Caligula. Fin des procès de lèse-majesté, le peuple réélit ses magistrats. **Le principat augustéen devient une royauté divine hellénistico-orientale (César et dieu).** Introduction du cérémonial de cour oriental et adoration de l'empereur **(Caligula se sent Alexandre, César et dieu).**

41 Assassinat de CALIGULA par le préfet des prétoriens CASSIUS CHAEREA.

41-54 Claude. Retour à la tradition d'AUGUSTE (bonne administration), mais création de fonctions à la cour que remplissent des affranchis impériaux (NARCISSE). Grande influence féminine.

43 Conquête du Sud de la Bretagne.

46 Création de la province de Thrace.

54 Assassinat de CLAUDE par AGRIPPINE, dont le fils monte sur le trône.

54-68 Néron (Nero Claudius Caesar). Premières années de règne heureuses grâce à l'influence du philosophe SÉNÈQUE et du préfet des prétoriens BURRUS.

58-63 Reconquête de l'Arménie par CORBULON et paix de compromis avec les Parthes.

60-61 Répression d'un soulèvement en Bretagne par C. SUET. PAULINUS. L'assassinat de BRITANNICUS, de sa mère AGRIPPINE, de sa femme OCTAVIE et de BURRUS, ainsi que de nouveaux procès de lèse-majesté (62) et l'incendie de Rome (64), font du règne de NÉRON celui de l'arbitraire. La conspiration de Pison échoue (65), SÉNÈQUE y perd la vie. Révolte de C. JULIUS VINDEX, gouverneur des Gaules.

68 Suicide de NÉRON.

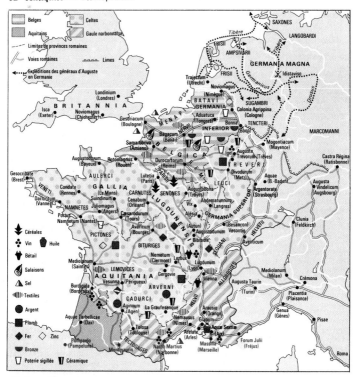

Gaule romaine

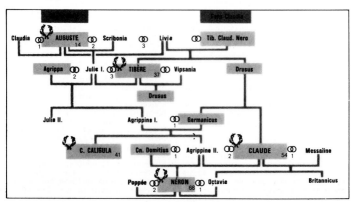

Dynastie Julio-Claudienne

68-69 Année des quatre empereurs : Galba, Vitellius (commandant de l'Armée du Rhin), **Othon** et Vespasien.

La dynastie flavienne (69-96)
69-79 T. Flavius Vespasianus (Vespasien) réprime les soulèvements des Bataves et des Juifs révoltés en Palestine depuis 66.
70 Prise de Jérusalem (Arc de Titus à Rome). Renforcement des frontières.
74 Conquête du district du Neckar (Agri decumates).
Construction de l'amphithéâtre flavien (Colisée). Sous son fils,
Titus (79-81), éruption du Vésuve : Pompéi, Stabiae, Herculanum sont détruites. Mort du naturaliste C. Plinius Secundus (Pline l'Ancien).
81-96 Domitien. La province de Bretagne, reconquise en 78, est protégée par une muraille élevée en Écosse.
83 Campagne contre les Chattes.
96 Assassinat de Domitien.

Littérature. A. Tibulle (55-19) et S. Properce (50-15) donnent avec **P. Ovidius Naso (Ovide)** les grands chefs-d'œuvre de la poésie élégiaque. Ovide écrit en plus les « Amours », les « Métamorphoses », et « L'Art d'aimer ».
Tite-Live (59 av. J.-C.-17 ap. J.-C.), grand historien patriote, fier de l'unité italienne, écrit l'histoire de Rome en 142 volumes (ab urbe condita = à partir de la fondation de la ville), telle qu'elle s'est déroulée grâce à la protection divine et à la « virtus romana ». A l'époque julio-claudienne, L. **Aennaeus Seneca** (Sénèque) (4 av. J.-C.-65 ap. J.-C.), précepteur de Néron, stoïcien (Dialogues et tragédies) et **Pétrone** (« Satiricon »). Sous Domitien, le satiriste **Juvénal** (58?-140?) et **Martial** (40-102), classique de l'épigramme. Le plus grand historien de l'époque, **Cornelius Tacitus (Tacite)** (55?-117?), dont le précurseur est **Salluste**, fait de la personnalité des individus, avec un grand art et une profonde psychologie, le moteur de l'histoire : « Historiae », « Annales », « Germania ». **Suétone** (70-146) écrit la vie des empereurs. L. **Apulée** est le conteur des « Métamorphoses » (« L'Ane d'or »).

Gaule (civilisation)
Économie. La Gaule se caractérise par sa richesse agricole (introduction du vignoble vers le Nord en Bourgogne). De nombreuses inventions favorisèrent l'exploitation du pays : moissonneuse mécanique pour les grandes cultures du Nord, tonneau pour la bière et le vin. La villa groupait,

autour de la maison du propriétaire, les bâtiments d'exploitation et les logements des artisans (ex. à Montmaurin, près de Saint-Bertrand-de-Comminges).
La Gaule avait un très riche artisanat (ex. bas-reliefs du monument d'Igel près de Trèves). Elle produisait de la poterie sigillée, ainsi nommée parce qu'elle portait le signe d'un poinçon (sigillum = sceau). La Graufesenque (près de Millau), Lezoux (près de Vichy) ont exporté de tels produits très loin dans tout le monde romain. L'art du verre soufflé, venu de Syrie, fut introduit, par les Romains au 1er siècle ap. J.-C. Par la vallée du Rhône, cette technique atteignit la Moselle et la Rhénanie (voir musée de Cologne).
Religion. Les Gaulois honoraient de nombreuses divinités animales, comme le taureau à trois cornes. Ils avaient des dieux particuliers comme **Sucellus**, le dieu du maillet, et **Cernunnos**, dieu de la terre et de la fécondité. Si les Romains se méfièrent des cérémonies présidées par les druides qui pouvaient entretenir le sentiment national celtique, ils virent volontiers l'association des dieux gaulois avec **Mercure**. Grâce au commerce et aux soldats, les cultes orientaux de **Cybèle** et de la **Terre Mère** pénétrèrent en Gaule et parvinrent jusqu'au Rhin.
Art. L'art gallo-romain a laissé de très nombreuses stèles funéraires. Aux sources de la Seine, dans les environs de Châtillon-sur-Seine, on a découvert des ex-voto représentant des têtes en bois sculpté. Près d'Aix, à Entremont, on avait trouvé des têtes en pierre qui représenteraient des suppliciés.
Les principaux monuments sont l'**arc d'Orange** (fin de la République), la **Maison Carrée de Nîmes** (16 av. J.-C.). De riches familles firent élever des mausolées, comme les Julii à Saint-Rémy et les Secundinii à Igel. **Vaison,** près d'Orange, est un excellent exemple de petite ville de province romanisée. Dans le Nord de la Gaule, on a retrouvé de grandes villas (Grand, près de Neufchâteau). Elles comprenaient parfois de riches mosaïques (musée de Laon).
État. Après la conquête (58-51), la **Gaule Chevelue** devint **province romaine,** en 50 av. J.-C., alors que la France du Midi, appelée la **Narbonnaise,** était romaine depuis 125 av. J.-C.
Lyon devint la métropole des trois provinces de la Gaule chevelue : **Aquitaine, Lyonnaise, Belgique.** Dominant le confluent de la Saône et du Rhône, un sanctuaire fédéral et l'autel de Rome et d'Auguste s'élevaient sur une terrasse de la colline de la Croix-Rousse.

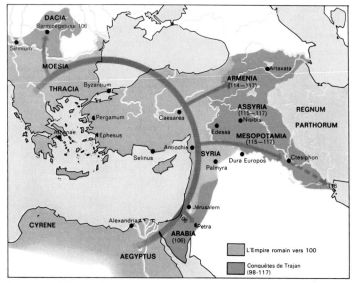

Les conquêtes de Trajan en Orient

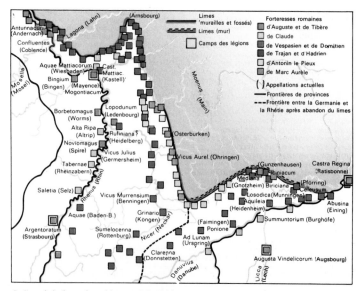

Le limes de la Germanie supérieure et de la Rhétie

Les Antonins (96-192)

Les empereurs qui suivent montent sur le trône par adoption. **Le principe dynastique est devenu l'adoption (choix du meilleur).**

96-98 M. Cocceius Nerva, nommé prince par le Sénat, adopte, après une mutinerie des prétoriens, l'Espagnol **Trajan (98-117),** le premier empereur d'origine provinciale. En 114, le Sénat lui décerne le titre d'Optimus (le meilleur). Nombreuses campagnes : il soumet les Daces (101-102, 105), crée la province de Dacie, conquiert en 106 le royaume des Nabatéens en Arabie du Nord, mène une guerre victorieuse contre les Parthes (114-117) et fonde les provinces d'Arménie, d'Assyrie et de Mésopotamie : **c'est la plus grande extension territoriale de l'Empire romain vers l'Est.**

117-138 Hadrien, gouverneur de Syrie depuis 116, renonce aux territoires conquis pour signer la paix avec les Parthes. De nouveau, frontière sur l'Euphrate, construction de fortifications de frontières (limes) en Bretagne, sur le Rhin, sur le Danube et sur l'Euphrate. Il organise le bureau de la Chancellerie et voyage ensuite pour surveiller l'administration de l'Empire (121-125, 126-129). A la suite de la reconstruction de Jérusalem sous le nom de « colonie Aelia Capitolina », **révolte des Juifs commandés par Bar Kochéba (132-135)** ; Hadrien y met fin en reprenant Jérusalem.

138 Mort d'Hadrien, enseveli dans un somptueux mausolée, aujourd'hui le château Saint-Ange .

138-161 Antonin le Pieux poursuit la politique pacifique d'Hadrien. Renforcement du limes et de l'armée par des troupes auxiliaires indigènes. En Bretagne, la frontière est repoussée jusqu'à la ligne Clyde-Forth (mur d'Antonin).

161-180 Marc Aurèle, le « philosophe sur le trône », règne d'abord avec son frère adoptif L. Verus (jusqu'en 169) : **Double principat.**

162-165 Guerre contre les Parthes qui occupent l'Arménie, la Cappadoce et la Syrie. Victoire des Romains à Doura-Europos (163) et occupation de la Mésopotamie. Les Marcomans, Quades et Sarmates franchissent le Danube :

167-175 1re guerre des Marcomans. Offensive de Marc Aurèle sur le Danube (171) et conclusion de la paix : Quades et Marcomans évacuent une bande de terrain à gauche du Danube. Pendant sa campagne, Marc Aurèle rédige son œuvre principale : « Les Pensées », dont le titre grec est : « A soi-même ».

176 Érection d'une colonne d'honneur (colonne de Marc Aurèle) avec bas-reliefs représentant la guerre des Marcomans. Commode est associé au pouvoir : **abandon du principe de l'adoption pour revenir au système dynastique.**

178-180 2e guerre des Marcomans. Les Romains fondent Castra Regina en 179. Après la mort de Marc Aurèle (180) à Vindobona (Vienne), paix défavorable qui signifie la fin de toute offensive. Décision prise par Commode (180-192), qui croit être une réincarnation d'Hercule et de Mithra (folie césarienne). Après une conjuration qui échoue (182), une guerre de bandes en Italie (186), et des révoltes en Afrique et en Bretagne, Commode est tué au cours d'une conjuration de palais.

193 2e année des quatre empereurs. Didius Julianus à Rome, P. Niger en Syrie, Albinus en Bretagne et Septime Sévère en Pannonie.

La dynastie des Sévères (193-235)

193-211 Septime Sévère triomphe de ses adversaires et cherche à légitimer son pouvoir par une adoption fictive (fils du divin Marc Aurèle). Après une guerre heureuse contre les Parthes (197-199), récupération des provinces orientales. Il favorise la Syrie (essor de Palmyre) et l'Afrique (importance croissante de Carthage). L'armée des frontières s'installe sur le limes à proximité des familles de soldats. **Décadence du Sénat.** Disparition des privilèges de Rome et de l'Italie.

208-211 Guerre en Bretagne. Septime Sévère est accompagné de Julia Domna (« Mère du camp ») et de ses fils Caracalla (coempereur depuis 198) et Géta (2e coempereur depuis 209). Il meurt à Eburacum (York).

211-217 Caracalla fait assassiner son frère Géta et la plupart de ses partisans en 212.

212 Constitution antonine. Attribution de la pleine citoyenneté romaine à tous les provinciaux libres : **unité de l'Empire.** Après des combats sur le Rhin (Alamans) et sur l'Euphrate (Parthes), assassinat de l'empereur. Après un règne très bref de Macrinus, le neveu de Caracalla, prêtre du dieu syrien Mithra, **Élagabal d'Emèse,** devient empereur.

218-222 Élagabal est sous l'influence de sa grand-mère Julia Maesa. Après l'assassinat d'Élagabal et de sa mère Soaemias par la garde, son cousin monte sur le trône.

222-235 Alexandre Sévère, dominé par sa mère Julia Mammaea. Après des combats contre les Parthes (231) et l'invasion des Marcomans (232), l'armée se mutine à Mayence sous la direction de Maximin : meurtre de l'empereur et de sa mère.

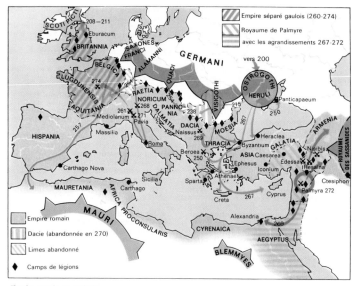

Empire romain au 3ᵉ siècle

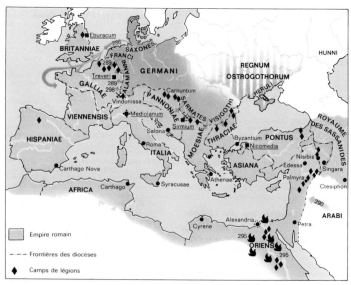

Empire romain sous Dioclétien

La menace extérieure

La « crise du vieux monde » commence avec l'assaut que donnent aux frontières les peuples de cavaliers (Germains, Sarmates, Perses, Berbères, Maures). Les États jadis clients ont disparu et il faut abandonner les provinces pour en faire des royaumes distincts. L'adversaire le plus puissant est **le nouvel Empire perse des Sassanides.**

227-241 Ardachir Ier. Il veut être le successeur des Achéménides (p. 41). Renouveau de la doctrine de ZARATHOUSTRA qui devient religion d'État mais essor de la doctrine syncrétique et gnostique de MANI (217-277). Aux IIIe et IVe siècles, combats constants contre les Romains en Mésopotamie, Syrie et Arménie qui fait l'objet d'un partage en 384. À partir du IVe siècle, combats contre les Hephtalites (Huns blancs). Opposition entre le royaume centralisé et la noblesse féodale. Réforme de MAZDAK sous KAWADH Ier (488-531). Elle est dirigée contre la noblesse : communauté des biens et des femmes. Écrasement des mazdakites et réforme de l'État sous CHOSROÈS Ier (531-579) : réforme fiscale d'après le modèle romain (création d'une noblesse de fonctionnariat, nouveau cadastrage des terres). Par la suite, victoire sur les Hephtalites. Expansion sous CHOSROÈS II PARWEZ (590-628). En 614, l'Égypte est atteinte. Prise des reliques de la Sainte-Croix à Jérusalem.

628 Traité de paix avec l'empereur byzantin HÉRACLIUS. (Restitution des reliques p. 135.)

637 Les Arabes détruisent l'empire sassanide (p. 131).

Les empereurs-soldats

Ce sont des généraux expérimentés, provinciaux, nommés par l'armée.

235-238 Maximin le Thrace triomphe des Alamans. Les Perses envahissent la Mésopotamie (237).

238-244 Gordien III vainc en Mésopotamie les Perses de SAPOR Ier (241-272) avec l'aide de troupes auxiliaires formées de Goths (**bataille de Resaina 242**) et les force à évacuer la Mésopotamie.

244-249 Philippe l'Arabe, fils d'un cheik, célèbre le millième anniversaire de la fondation de Rome.

249-251 Dèce (d'origine illyrienne) veut réformer l'Empire et la religion. Ses mesures déclenchent la première persécution générale des chrétiens (p. 103). Il est tué au cours des combats contre les Goths.

251-253 Trebonius Gallus conclut la paix avec les Goths.

253-260 Valérien se voue à la défense de l'Orient en nommant son fils **Gallien** coempereur pour l'Occident.

Les frontières de l'Empire sont menacées : attaques des Goths, Quades, Sarmates (254) et des Parthes (256). Francs et Alamans franchissent le limes rhétien. Des tribus maures pressent les frontières de l'Afrique du Nord. SAPOR Ier fait prisonnier VALÉRIEN à Edesse (260). VALÉRIEN meurt en captivité.

260-268 Gallien réforme l'armée : création de réserves et de cavaliers pour intervenir rapidement sur les points menacés.

268-270 Claude II vainc les Alamans (268) et les Goths (269) à Naissus.

270-275 Aurélien bat les Alamans à Pavie (271), soumet **le royaume de Palmyre de** ZÉNOBIE (272) et en 274 un royaume gaulois qui s'était formé en 260 (« les 30 tyrans ») : reconstruction de l'unité impériale.

274 Il prend le titre « Dominus et Deus » (Seigneur et Dieu) et introduit le culte du Soleil d'Emèse (Sol invictus) qui se confond avec celui de l'empereur comme religion d'État. Après **Tacite (275-276),**

Probus (276-282) consolide les frontières du Rhin et du Danube.

283-284 Carus vainc les Perses, mais est assassiné avec ses fils CARINUS et NUMÉRIEN.

284-305 Dioclétien réforme l'Empire qu'il décentralise pour alléger l'administration (293). **Dioclétien et Maximien,** qu'il prend comme coempereur, adoptent leurs préfets de la garde **Galère et Constance Chlore,** dont ils font leurs successeurs (Césars). **C'est la tétrarchie.** DIOCLÉTIEN s'occupe de l'Orient (Nicomédie), MAXIMIEN de l'Italie et de l'Afrique (Mediolanum-Milan), CONSTANCE de l'Espagne, de la Gaule et de la Bretagne (Trèves et York), et GALÈRE de l'Illyrie, de la Macédoine et de la Grèce (Sirmium). Après un règne de 20 ans, les deux Augustes doivent se retirer au bénéfice des deux Césars, qui reprendront eux-mêmes des Césars pour les aider (apparitores).

297 Division de l'Empire en douze districts administratifs (diocèses) gouvernés par des vicaires (vicarii), et en **101 provinces.** Le pouvoir impérial devient absolu (**Dominat** = empereur-dieu avec costume d'apparat et conseil de couronne). Les bourgeois deviennent des sujets (subjecti). Les paysans sont liés à la glèbe (**colonat**) et les artisans sont inscrits obligatoirement dans des **corporations** pour approvisionner l'armée.

301 Prix imposés pour lutter contre la vie chère. Les soulèvements intérieurs sont réprimés, les frontières consolidées et la domination romaine s'étend en Orient.

305 Abdication de Dioclétien et de Maximien.

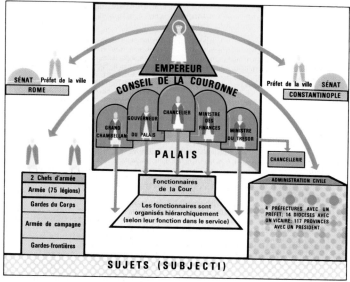

La constitution de Dioclétien et Constantin

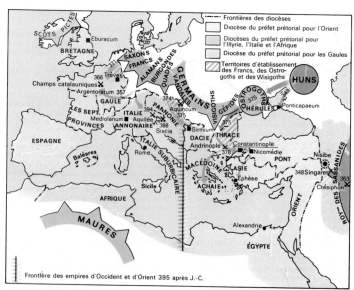

Empire romain au 4e siècle

La fin de la tétrarchie

A la fin de la 1ʳᵉ tétrarchie, les nouveaux Augustes GALÈRE et CONSTANCE choisissent deux nouveaux Césars : SÉVÈRE et MAXIMIN DAIA. Mais le système échoue à cause du désir de domination des fils des Augustes : **Constantin**, fils de CONSTANCE, à York, et MAXENCE, fils de MAXIMIEN, à Rome.

308 Conférence impériale de Carnuntum. LICINIUS devient Auguste à l'Ouest. DIOCLÉTIEN refuse la dignité impériale.

312 Défaite de Maxence sous les murs de Rome, au pont Milvius. **Constantin est maître de l'Occident.**

313 Victoire de LICINIUS sur MAXIMIN DAIA à Andrinople.

324-337 Constantin le Grand.

324 Victoires de Constantin sur Licinius à Andrinople et à Chrysopolis. **Constantin est seul monarque** (totius orbis imperator).

11 mai 330 Byzance devient la capitale chrétienne de l'Empire sous le nom de Constantinople (2ᵉ Rome).

Apogée de l'absolutisme grâce à la réalisation complète de la réforme de Dioclétien. Cérémonial rigide de cour, où l'empereur est traité comme un dieu (vêtements d'or, diadème, proscynèse). L'empereur commande les maîtres de la milice (magistri militum), les préfets des 4 parties de l'Empire, le conseil de la couronne (sacrum consistorium), et les préfets (praefecti urbis) de Rome et de Constantinople.

1. L'armée est portée à 75 légions (900 000 hommes) et se compose de corps de campagne (comitatenses), de troupes de frontières (Limitanei), et de la garde impériale (candidati). Des paysans armés (foederati) protègent la frontière.

2. Division de l'Empire en 4 préfectures : Oriens (Constantinople), Illyricum (Sirmium), Italia (Milan), Gallia (Trèves), avec 14 diocèses et 117 provinces.

3. Le Conseil de la couronne se compose des ministres (comites) suivants : chancelier (Magister officiorum), ministre de la justice (Quaestor sacri palatii), chambellan (Praepositus sacri cubiculi), ministre des Finances (Comes sacrarum largitionum), et ministre du Trésor (Comes rerum privatarum). Les fonctionnaires de la cour obéissent au Conseil de la couronne, lui-même placé sous les ordres de la chancellerie. Deux commandants en chef de la garde palatiale (à pied et à cheval) protègent l'empereur.

4. Les Sénats de Rome et de Constantinople deviennent conseils municipaux.

Un fait important est la séparation des pouvoirs civils et militaires (fin d'une tradition romaine millénaire). Succession héréditaire des emplois.

337 Mort de Constantin le Grand baptisé sur son lit de mort. Après la mort de ses frères, CONSTANTIN II, son fils, demeure le seul monarque.

Les successeurs de Constantin

337-361 Constantin II. L'arianisme devient obligatoire (p. 103).

357 Bataille d'Argentoratum (Strasbourg). Rétablissement de la frontière du Rhin. A l'Est, combats contre les Perses au cours desquels meurt son neveu JULIEN, connu sous le nom de JULIEN L'APOSTAT à cause de son abjuration et de son retour au paganisme. JOVIEN met fin à la guerre. Rome perd l'Arménie.

364-375 Valentinien Iᵉʳ, élu empereur par la cour, élève son frère VALENCE à la dignité d'Auguste pour l'Orient. VALENCE guerroie contre les Goths et VALENTINIEN triomphe des Alamans. Travaux à la frontière du Rhin et au mur d'Hadrien en Bretagne.

375 Destruction du royaume des Ostrogoths en Russie du Sud par l'invasion des Huns. **Début des grandes invasions.** A la mort de VALENTINIEN Iᵉʳ, règnes en

375-378 de Valence, et jusqu'en 383 de Gratien. Les Wisigoths établis par traité dans l'Empire en 376 se soulèvent. VALENCE est battu et meurt en

378 à la bataille d'Andrinople.

379 Théodose Iᵉʳ est nommé coempereur pour l'Orient par GRATIEN. Il établit les Ostrogoths en Pannonie et les Wisigoths en Macédoine.

380 Édit de Thessalonique. L'arianisme est interdit en Orient. Sous l'influence d'ATHANASE, le catholicisme devient religion d'État.

382 Nouveau traité d'établissement et de paix avec les Goths (p. 111).

384 Traité de paix et d'amitié avec SAPOR III (384-388). Division de l'Arménie. En 383 GRATIEN tombe dans sa lutte contre l'usurpateur MAGNUS MAXIMUS. THÉODOSE reconnaît temporairement l'usurpateur. VALENTINIEN II, frère de GRATIEN, se réfugie auprès de lui.

388 Victoire de THÉODOSE sur MAXIMUS à Aquilée.

391 Le christianisme devient religion d'État. Prohibition de tous les cultes païens.

394-395 Théodose le Grand seul souverain. Après sa mort, l'Empire est divisé entre ses fils : ARCADIUS devient empereur d'Orient, HONORIUS, d'Occident. **Fin de l'unité impériale.** L'Empire d'Orient suivra désormais sa propre route, tandis que celui d'Occident (capitale Ravenne à partir de 404), vivra encore 80 ans.

476 Odoacre dépose Romulus Augustulus, dernier empereur romain d'Occident.

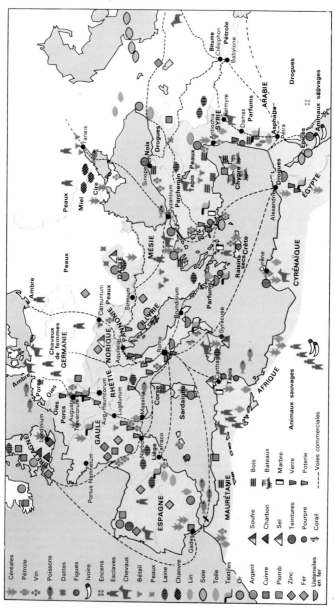

Économie de l'empire romain

L'économie de l'Empire romain

Monnaie. Depuis César, à côté des pièces d'argent républicaines, frappe de monnaies d'or (1 aureus = 15 deniers d'argent). Bimétallisme, système stable jusqu'à la fin du IIᵉ siècle malgré des indices de défaillance. L'aureus devient la principale monnaie d'échange surtout dans les territoires non romains. Avec le déclin de sa valeur au IIIᵉ siècle (les prix ont augmenté de trois fois), l'inflation du denier provoque la disparition de l'antique monnaie d'argent. DIOCLÉTIEN tente une stabilisation. (1 aureus = 20 argentei ou pièces d'argent.) CONSTANTIN LE GRAND crée une monnaie gagée sur l'or (1 solidus-or = 24 siliquae d'argent).

Régions économiques. Au Iᵉʳ siècle, formation de grandes régions économiques : Italie avec Sardaigne, Corse et pays au sud des Alpes; Gaule, Bretagne, Irlande, Écosse et Germanie occ.; Afrique de Tripoli au Maroc; territoires des Balkans et des Alpes; Grèce, Asie Mineure, Crète, Cyrénaïque, Russie du Sud et territoires de la mer Noire; Palestine, Syrie et Mésopotamie; Égypte et Nubie. Tous ces secteurs, encore soumis à l'Italie au Iᵉʳ siècle, deviennent indépendants au IIᵉ. La valeur du sol diminue, les terres sont désertées en Italie à cause de la concurrence des provinces. Au IIIᵉ siècle, développement autonome de chaque secteur, l'Italie perd ses marchés extérieurs.

Commerce. La paix d'Auguste dans le « monde civilisé » (oikouménè) favorise le commerce. Rome, résidence impériale, devient le centre d'un réseau important de routes. L'État organise les voies terrestres et maritimes par la création d'un système de stations postales et de relais, pour assurer la cohésion politique et stratégique de l'Empire. Le long des côtes, construction de phares et aménagement de ports. A l'intérieur des terres, des canaux complètent le réseau fluvial. L'État garantit ainsi la cohésion économique du monde méditerranéen. Depuis le début de l'Empire, expansion du commerce qui embrasse l'Irlande, l'Écosse, la Germanie, le Nord et le Sud de l'Europe. L'Afrique romaine communique avec le Centre et l'Ouest de l'Afrique, l'Égypte avec l'Abyssinie et l'Afrique orientale. Des caravanes vont jusqu'en Inde, en Chine; des flottes jusqu'à Ceylan. Ces commerçants disposent d'un bureau, d'une comptabilité et d'agents. L'un des comptoirs les plus importants de l'Orient est **Palmyre** qui utilisera sa richesse pour tenter de créer son propre empire (p. 97). L'aide et la protection de l'État sont indispensables à ce commerce lointain. A partir du IIIᵉ siècle, le commerce interne est gêné par des bandes armées et les attaques des tribus barbares.

Industrie. Le petit artisanat est remplacé par de grandes entreprises qui se développent sur des terres privées ou d'État. Pour les besoins de l'armée, de la flotte et de la bureaucratie, l'État dispose de fabriques (fabricae) car, au IIᵉ siècle, l'artisanat libre perd de plus en plus de terrain dans les villes. Au début, les artisans se sont rassemblés volontairement dans des **corporations**, puis, au IIᵉ siècle, l'État les oblige à travailler pour lui. Plus tard, il liera les hommes à leur métier, jusqu'à ce que DIOCLÉTIEN, en 297, fasse de la corporation une obligation. **Économie dirigée pour les besoins de l'armée.**

Agriculture. Une technique unique (plantes cultivées, machines agricoles et emploi du fumier), se répand dans l'Empire. A partir de la fin du IIᵉ siècle, concurrence dangereuse pour l'agriculture romaine. Certes, les villes grandissent (Carthage, Milan, Lyon), mais la différence de civilisation entre ville et campagne disparaît de plus en plus. La grande ferme (villa) de la classe supérieure devient un centre important de civilisation. L'esclavage recule sans cesse, de même que la paysannerie libre qui ne se sent pas assez protégée contre les bandes armées. Apparition en Afrique des « circoncellions » paysans révoltés dans les campagnes. Les paysans libres abandonnent leurs terres aux gros propriétaires qui peuvent leur assurer une protection dans leurs domaines entourés de murailles et les aident contre l'arbitraire des fonctionnaires du fisc. Création par VALENTINIEN dans chaque cité du « défenseur de la plèbe », chargé de faire rendre la justice aux pauvres pour les détourner de recourir au patronage d'un puissant (interdit par une loi de 360). Les paysans deviennent **colons**, libres d'abord de leur personne, mais DIOCLÉTIEN les lie à la terre. A partir du IVᵉ siècle, les prolétaires urbains retournent en partie à la campagne pour s'y établir comme colons, car la ville ne peut assurer leur subsistance. L'insécurité du trafic, donc du commerce, favorise le retour à l'**économie naturelle** (notamment grâce au troc et au paiement en nature).

A la fin de l'Empire, le centre de gravité de l'économie passe des villes, où le bien-être diminue et où règne l'anarchie, à la campagne. La **décentralisation** devient de plus en plus importante pour aboutir à la tétrarchie avec DIOCLÉTIEN, qui divise l'Empire en grands ensembles, et CONSTANTIN (création de 4 préfectures, qui confirment politiquement la division économique).

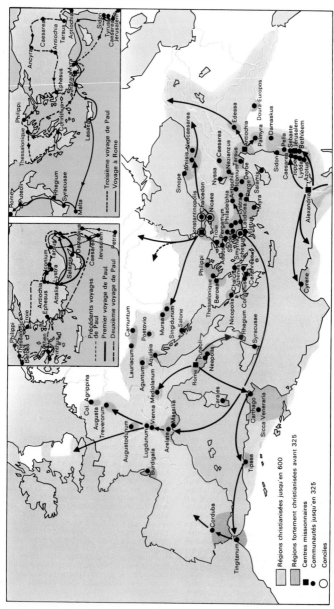

Expansion du Christianisme (cartes annexes : les voyages de St Paul)

L'essor du christianisme

50 jours après la résurrection de JÉSUS (Pentecôte), formation de la première communauté (baptême et repas du soir en commun). JACQUES (exécuté en 44) dirige les premières communautés judéo-chrétiennes; JACQUES, le frère du seigneur (crucifié en 62), lui succède. Le premier martyr d'une communauté pagano-chrétienne est ÉTIENNE.

SAÜL, envoyé par le sanhédrin à Damas pour combattre les chrétiens, se convertit en cours de route, évangélise l'Arabie sans succès, puis, revenant à Tarse, repart pour Antioche accompagné de BARNABÉ.

45-48 1er voyage missionnaire de Paul et de Barnabé. Baptême des païens, refus de la circoncision et maintien des interdictions judaïques en ce qui concerne la nourriture.

48 Concile des Apôtres à Jérusalem. Reconnaissance de l'Église de Jérusalem en tant que guide. Répartition des territoires de mission (PIERRE et les premiers apôtres convertiront les Juifs, PAUL et BARNABÉ, les païens). Adoption de la doctrine de SAINT PAUL : libération de la loi judaïque et proclamation de la « grâce de Dieu ».

49-52 2e voyage de Paul, long séjour à Corinthe (1re et 2e épîtres aux Thessaloniciens).

54-58 3e voyage de Paul à Éphèse (Épître aux Galates, 1re et 2e épîtres aux Corinthiens, Épître aux Romains) et à Corinthe. En apportant les fonds des collectes à Jérusalem, PAUL est arrêté et détenu à Césarée (58-60). Il en appelle au jugement de l'empereur.

60-61 Voyage à Rome (Épîtres aux Philippiens, Colossiens et Éphésiens).

64 Décapitation de Paul sur la route d'Ostie et **crucifixion de Pierre** sur le mont Vatican.

Le christianisme s'étend d'**Antioche** en Syrie et à Edesse, d'**Éphèse** en Asie Mineure et en Gaule, d'**Alexandrie** dans le Sud et le Sud-Est de l'Empire romain, et de **Rome** lentement en Italie, en Afrique et de là en Espagne. **Constantinople** est le centre de la christianisation des Balkans (Goths et Slaves). **Crises internes du christianisme au IIe siècle :**

1. La Gnose : tentative de transformer la doctrine chrétienne en une cosmologie mystique et une doctrine de rédemption.

2. Marcion : mélange des idées de SAINT PAUL et du dualisme iranien.

3. Montanus : ascèse et retour aux extases du christianisme primitif grâce à de nouvelles révélations.

Consolidation du christianisme

La crise causée par la Gnose est vaincue. **Unification des Églises primitives catholiques** (création de conciles et accord sur certaines normes définitives). Règles de la foi (regula fidei), profession de foi du baptême; en 180, canon des Écritures (adoption de l'Ancien Testament); création de l'épiscopat monarchique par application de la théorie de la consécration des apôtres et de leurs successeurs. Constitution hiérarchisée : évêques et prêtres (clergé) sont supérieurs aux fidèles. Entre l'État romain et l'Église chrétienne, le choc se produit sur la contradiction entre le royaume de Dieu et celui de ce monde : refus de sacrifier au culte de l'empereur et de sa divinisation. Après des premières persécutions sous NÉRON (64), DOMITIEN (81-96), et TRAJAN (98-117),

1re persécution générale de 249 à 251 sous Dèce (restauration de la Rome antique) : peu de suppliciés, mais beaucoup d'abjurations (lapsi).

257-258 Persécution de Valérien (mort de CYPRIEN DE CARTHAGE, primat d'Afrique depuis 250).

260 Édit de tolérance de GALLIEN, et répit de 40 ans.

303-311 Persécution de Dioclétien que termine en

313 l'édit de tolérance de Milan. Complète liberté religieuse et égalité des droits; restitution des biens de l'Église.

Aux apologistes chrétiens (JUSTIN LE MARTYR) de la 1re moitié du IIe siècle, succèdent les **Pères de l'Église** IRÉNÉE, TERTULLIEN, HIPPOLYTE, CYPRIEN, CLÉMENT D'ALEXANDRIE, et ORIGÈNE (Christologues du Logos) : rattachement aux idées grecques de la doctrine orientale du Logos. Les **monistes** s'opposent aux partisans du Logos : pour les uns, le Christ est homme, pour d'autres, une manifestation de Dieu.

318-381 Hérésie arienne. Arius, prêtre à Alexandrie, enseigne que le Christ a été créé et n'est pas éternel. Il diffère donc du Père.

325 Le concile de Nicée, convoqué par CONSTANTIN LE GRAND, formule une confession de foi d'après les enseignements d'ATHANASE : Le Fils est Dieu (homoiousie = identique à Dieu).

381 Le 2e concile œcuménique de Constantinople confirme celui de Nicée.

SAINT AMBROISE (env. 340-397), évêque de Milan, écrit sur le modèle de CICÉRON une étude sur les devoirs des chrétiens : « De officiis ministrorum ». SAINT AUGUSTIN (354-430) devient après sa conversion (386) évêque d'Hippone (395) : « Les Confessions », « La Cité de Dieu ».

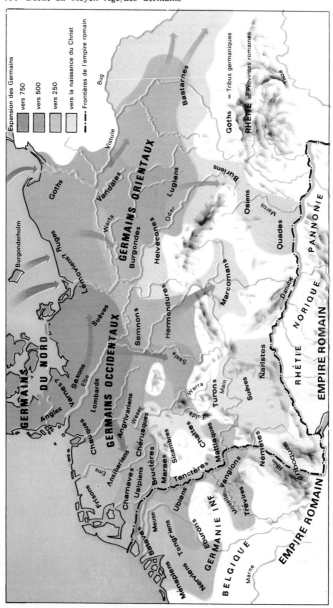

Lieux d'origine et territoires des Germains en Europe Centrale

Les **Germains** appartiennent à la famille linguistique indo-européenne. Ils apparaissent à la fin du Néolithique parmi les peuplades qui viennent de l'Est et qui relèvent de la civilisation des mégalithes, des gobelets à zones et à cordes et des haches de combat. Ils habitent le Sud de la Scandinavie, le Danemark et le Slesvig. Le nom de Germains est employé pour la première fois par POSIDONIOS (vers 90 av. J.-C.), puis introduit par CÉSAR dans la littérature romaine. PLINE L'ANCIEN (mort en 79 ap. J.-C.) a fourni sur eux des renseignements précieux dans son « Historia naturalis », ainsi que TACITE dans sa « Germania » (98 ap. J.-C.) et PTOLÉMÉE dans sa « Géographie ». On distingue trois groupes :
1. Les **Germains du Nord**, tribus demeurées en Scandinavie;
2. Les **Germains de l'Est**, proches des précédents, émigrent de Scandinavie dans la région à l'est de l'Elbe (Vandales, Burgondes, Goths, Ruges, etc.);
3. Les **Germains de l'Ouest** (Rhin, Weser et Elbe), répartis par PLINE en trois groupes, non pas ethniques, mais de civilisation : **Ingaevones** (mer du Nord), **Istaevones** (Rhin), **Hermiones** (à l'intérieur des terres), qui tireraient leur nom des trois fils de MANNUS. C'est à ces groupes qu'appartiennent les Chérusques, les Ubiens, les Bataves, les Chattes, les Francs (nés d'un mélange d'Usipiens, de Tenctères, de Sicambres et de Bructères), les Chauques, les Frisons, les Saxons, les Suèves, les Semnons, les Hermondures, les Lombards, les Marcomans, les Quades, etc.

Habitat et économie. Ils vivent dans des fermes isolées ou de petits villages. A l'âge du fer, maisons en rondins équarris qui renferment le foyer et l'étable. D'abord **agriculture** (blé, orge, avoine, seigle, lin, mil, légumes) et **élevage** (tous animaux domestiques connus). Plus tard, grâce aux Romains, **viticulture** et **arboriculture.** Identité du clan et de la communauté villageoise. La terre arable est partagée en champs rectangulaires avec certaines cultures obligatoires et droit de passage. Biens communaux ouverts à tous : forêts, landes, eau, etc. La propriété privée, entourée d'une clôture (maison et dépendances) est sacrée; c'est le siège des dieux familiaux et des sépultures des ancêtres.

Commerce. Depuis l'âge du bronze, les Germains commercent avec les pays méditerranéens.

Société. Trois classes : 1) La **noblesse,** familles issues des dieux; 2) Les **hommes libres,** masse de la population en état de porter les armes et qui a des droits politiques; 3) Les **demi-libres,** qui se divisent en **affranchis** (liberti) ou en **lites** (laeti, lassi), souvent les sujets d'une tribu apparentée. Les esclaves sont prisonniers de guerre, ou nés esclaves, ou le sont devenus pour dettes.

La **tribu germanique,** séparée des tribus voisines par des territoires non cultivés et fort étendus, est divisée en **gau** (auj. expression géographique) et en centaines. Le lien le plus important est le clan (Sippe), l'origine commune. C'est lui qui assure à ses membres la paix, la protection, la justice. Le maintien de l'honneur est le devoir sacré de cette famille étendue (défi, vendetta ou faide). Plus tard, institution du « prix du sang »; le particulier n'aura plus le droit de se faire justice.

Armée. Tous les hommes issus du même sang et capables de porter les armes constituent une troupe qui adopte une formation en coin.

Justice. Aucun droit écrit, mais droit coutumier à tradition orale et reposant sur les décisions raisonnables.

Constitution. L'organisme suprême est l'assemblée populaire (Thing, Ding) qui s'assemble à intervalles réguliers **(assemblée de l'armée).** Les princes font des propositions que le peuple accepte ou refuse. On décide en votant de la guerre, de la paix, ou de l'acquittement d'un homme. L'assemblée agit comme tribunal pour les cas de sacrilège, de trahison, les crimes de guerre et les actes déshonorants. Elle peut expulser le coupable (mise hors la loi), le condamner à mort en décidant du mode d'exécution. En l'absence d'un roi, la tribu élit en cas de guerre un « duc » pris dans l'aristocratie. L'élément déterminant n'est pas son origine, mais sa capacité de chef. Rois, ducs et nobles ont une suite composée d'abord de jeunes gens qui apprennent avec eux le métier des armes, puis de guerriers expérimentés qu'ils s'attachent par un serment de fidélité à vie et à mort.

Religion. En plus des dieux de la fécondité, NJÖRD (ou NERTHUS, mère des dieux), FREY et FREYA, on trouve les ASES. Habituellement, on cite trois dieux : WOTAN (ODIN), guide des morts et seigneur de la magie, plus tard, dieu de la guerre, dont le culte extatique est originaire de l'Est (dieu cavalier). THOR (DONAR) protège les paysans contre les Géants, et TIWAZ (ZIU, TYR), dieu de la guerre, fait concurrence à THOR dans le Nord. Fêtes cultuelles périodiques, ou après des guerres victorieuses, dans certains endroits consacrés : sacrifices d'animaux et repas cultuels avec chants et danses. Ces endroits sont des bois sacrés, des montagnes, les alentours de certains arbres, sources et pierres. Il y aura plus tard des temples.

L'expansion slave

Lieu d'origine des Slaves (Slovo = le mot). C'est l'une des branches principales de la famille des peuples indo-européens, originaire sans doute des marais du Pripet. Plus tard, partie de la Pologne, de la Russie blanche et de l'Ukraine. Au cours des premiers siècles, l'histoire des Slaves est liée à celle des Germains (Goths), des Huns, des Alains et des peuplades turques, avec lesquels ils constituent souvent des communautés profitables à tous (symbiose). PLINE L'ANCIEN, TACITE et PTOLÉMÉE le géographe les appellent Venedi, Veneti (cf. l'appellation allemande : les Wendes). Au VIe siècle, les écrivains PROCOPE et JORDANÈS parlent des « Sklavenoi » établis sur le Danube inférieur, puis dans les Alpes orientales. A partir de 600, à l'est de l'Elbe et dans les territoires abandonnés par les Germains, différentes tribus slaves : Obodrites, Sorbes, Vénètes et Poméraniens. Ils n'entrent dans l'histoire, comme les Tchèques, qu'à l'époque carolingienne. (805 : Charlemagne édifie le limes sorbicus, ligne frontière des marches des Francs orientaux.)

Répartition des tribus slaves. Slaves orientaux (Russes, qui se divisent plus tard en Ukrainiens, Grands-Russes et Russes blancs); Slaves occidentaux (Polanes, Poméraniens, Obodrites, Sorbes, Tchèques et Slovaques); Slaves méridionaux (Slovènes, Serbes, Croates et Bulgares).

Séparation des Slaves occidentaux au Nord et des Slaves du Sud à la suite de la colonisation allemande de la vallée du Danube et des Alpes orientales après la destruction du royaume des Avars, ainsi que par l'invasion des Hongrois vers 900.

Société. Les Slaves primitifs vivent en clans (respect des ancêtres) qui viennent des « grandes familles ». Plusieurs clans forment une union des clans, conduite par les plus anciens. De l'union des clans, vient la tribu avec son organisation militaire (la centaine est l'unité militaire de base, ensuite il y aura des groupes de mille guerriers) et son culte. Les chefs de clan forment progressivement une couche supérieure aristocratique. Le particularisme tribal empêche la formation d'une grande puissance.

Économie. Dans l'immensité dont ils disposent, les Slaves sont agriculteurs, chasseurs, pêcheurs, éleveurs de troupeaux et d'abeilles. Dans les villes, ils sont artisans spécialisés : charpentiers, tisserands, potiers, tanneurs, pelletiers. Commerce actif le long des fleuves. Troc de matières premières (miel, cire, peaux) contre tissus, armes, outils, parures, or et argent. Juifs, Germains et Grecs ont d'abord le monopole du négoce; plus tard, les Slaves deviennent eux aussi commerçants. Les centres commerciaux des Slaves orientaux forment les villes.

Religion. Les sources nous parlent des noms de dieux, de leurs images et de leurs temples (temple d'Arkona sur l'île de Rügen, sanctuaire du dieu TRIGLAV à Stettin, du dieu SVAROCIC à Réthra). Culte des arbres et des oracles. L'emploi d'amulettes et d'emblèmes provient de leurs relations avec les Iraniens et les Turcs. On connaît le dieu du tonnerre et de l'éclair PÉROUN (chez les Slaves orientaux). La plus haute divinité des anciens Slaves est SVAROG, l'antique dieu du ciel et du tonnerre. Sur le territoire de la Havel, les Slaves ont adoré DAZBAG (dieu du soleil) et JAROVIT (dieu du printemps). Les familles adoraient ROD et ROTSANICY (dieux de la fécondité). Dans toutes les tribus, culte de la nature.

Christianisation. Elle commence par la progression de la civilisation romaine et byzantine en Europe centrale et orientale : au VIe siècle, mission chez les Croates d'Aquilée, au VIIIe siècle chez les Slovènes de Salzbourg. Sous CHARLEMAGNE, missions chez les Wendes, les Tchèques (en partant de Ratisbonne), chez les Obodrites et les Slaves de l'Elbe (de Verden à l'Aller). Vers 850, les Serbes font partie de l'Église orientale. A partir de 863, les apôtres des Slaves CONSTANTIN (CYRILLE) et MÉTHODE évangélisent la Grande-Moravie. Ils se tourneront plus tard vers Rome.

864-865 Conversion des Bulgares (1re Église orientale autocéphale).

866 Christianisation d'un groupe de Russes.

948 Fondation des diocèses de Havelberg, Brandebourg et Oldenbourg.

966 Baptême du duc MIESZKO DE POLOGNE.

968 OTTON Ier fonde l'archevêché de Magdebourg avec évêques suffragants à Meissen, Mersebourg et Zeitz (déplacé à Naumbourg en 1032) pour convertir les Slaves de l'Elbe.

973 Fondation de l'évêché de Prague.

983 Révolte des Slaves (Havelberg, Brandebourg).

988 Baptême du grand-prince russe VLADIMIR.

1000 Fondation de l'archevêché de Gnesen et de celui de Gran en 1001, ce qui soustrait les Églises polonaise et hongroise à l'influence allemande. Tous les États slaves cherchent à avoir une Église indépendante (autocéphale, patriarchat). Le slavon, dérivé d'un dialecte macédonien, devient langue ecclésiastique et langue écrite des Slaves balkaniques et orientaux. Le christianisme amène avec lui un niveau plus élevé de civilisation; la nouvelle foi favorise la fusion d'éléments ethniques et culturels assez hétérogènes.

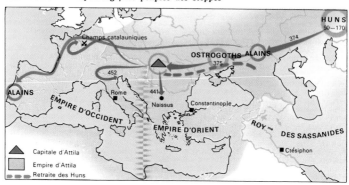

Les Huns

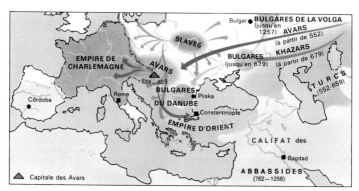

Bulgares et Avars

Khazars, Petchénègues, Koumans et Hongrois (Magyars)

Les peuples de cavaliers de l'Eurasie septentrionale

De l'Europe de l'Est (Pologne) à l'Asie orientale (mer Jaune), les steppes herbeuses sont l'habitat de peuples de cavaliers dont l'économie est dominée par la propriété collective des troupeaux. Ce ne sont ni le sang ni le sol, mais les intérêts communs qui transforment ces familles, dont le centre est le pater familias, en communautés, puis en tribus et en hordes. Ces cavaliers nomades ont tous même civilisation et même conception de la vie. Leurs caractéristiques sont d'être des peuples dominants, bons organisateurs, capables de dresser des plans à échéance lointaine et de former des États mondiaux sur une base fédérative. Tout ennemi vaincu devient un ami (aucun préjugé racial) dès qu'il s'identifie aux intérêts de la horde.

Religion. Grâce aux sacrifices des chamans, liaison avec les dieux. Par l'extase, le chaman conduit l'âme des morts dans l'au-delà. Ce chamanisme évince sans cesse les grandes religions qui pénètrent dans la steppe, ou les imprègne.

Société. A la tête de guerriers libres et égaux qui composent la horde, se trouve le prince, le **khagan** du monde nomade. La profession de forgeron (qui fabrique les armes) est souvent le point de départ de cette élévation. Le forgeron communique avec les dieux qui lui enseignent son art, et il est souvent leur élu (**les forgerons-rois**). L'idée de la royauté se confond avec celle de la représentation de la divinité : ainsi GENGIS KHAN « envoyé du destin » devient après sa mort « le puissant du ciel ».

Conception de l'empire universel. La seule possibilité d'orientation dans l'étendue infinie de la steppe est le ciel. Tout tourne autour de l'Étoile polaire, « l'axe du monde » sous lequel siège le dominateur mondial mongol (« nombril du monde »), d'où la confusion d'un « centre géographique et humain ». La tâche est dès lors claire : soumettre et pacifier tous les peuples des « quatre coins » (quatre régions du ciel).

Les Huns, chassés de Chine après la destruction du 2e empire hun du Turkestan et de Djoungarie (36-35 av. J.-C.), pénètrent dans la steppe de la Russie du Sud.

375 Destruction de l'empire des Ostrogoths en Russie du Sud. Les peuples germaniques et germano-sarmates se soumettent à eux.

441-453 ATTILA devient seul monarque après avoir écarté son frère BLÉDA. Il attaque Byzance, qui lui accorde l'égalité des droits. Puis il se dirige vers l'Ouest.

451 Bataille des Champs catalauniques. Vaincu, il se retire, après une incursion dans la plaine du Pô, jusqu'au centre de son empire (plaine de la Tisza). Il meurt sans avoir donné aux Huns l'organisation qui correspond aux rapports avec l'Occident (fonctionnaires, noblesse, officiers). Les Germains commandés par ARDARIC, chef des Gépides, écrasent l'empire hun.

Les Bulgares, issus de tribus hunniques, se retirent dans les steppes de la Russie méridionale et, mêlés aux Ouïghours, y fondent un empire bulgare qui atteint son apogée sous KOUFRAT (mort en 679). Les Khazars détruisent ce royaume : une partie des Bulgares fonde un État sur le Danube, une autre, l'État bulgare de la Volga, que les Mongols feront disparaître au XIIIe siècle. Le reste demeure soumis aux Khazars.

Les Avars, après destruction de leur empire est-asiatique par des tribus turques (552), parviennent dans les plaines de la Tisza, renforcés de Huns et de Bulgares. Communautés avec les « Sklavenoi » (p. 107). Après une période de prospérité sous le khagan BAYAN (565-602), le royaume succombe sous les attaques de Charlemagne entre 791 et 796.

Les Khazars sont demi-nomades (agriculture, commerce). Ils fondent un royaume au nord du Caucase. Leur État, qui entretient des relations étroites avec Byzance, vit de ses droits de passage et possède une armée permanente. Les Varègues mettent fin à leur puissance.

965 Sviatoslav de Kiev conquiert Sarkel, leur fortification frontière à l'embouchure du Don.

969 Chute d'Itil, capital khazare à l'embouchure de la Volga.

Les Petchénègues avancent dans les Balkans à partir du Xe siècle, jusqu'à ce qu'ALEXIS COMNÈNE les écrase à la bataille de Lévunion en 1091 (p. 171).

Les Koumanes fondent en Russie méridionale un État qui durera de 1154 à 1222 et qui sera anéanti par les Mongols après avoir entretenu de bons rapports avec l'État de Kiev.

Les Magyars arrivent en Occident au IXe siècle. Contrairement aux Huns et aux Avars, ils n'occupent pas la zone méridionale des steppes (deserta Avarorum), mais la boucle des Carpates. Après la destruction de l'État khazar, ils perdent toute liaison avec les nomades des steppes. Nouvelles relations à l'Ouest (adoption de la civilisation et de la religion occidentales p. 165).

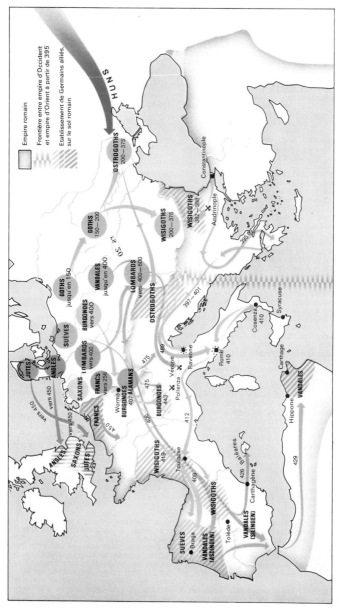

Empire romain

Frontière entre empire d'Occident
et empire d'Orient à partir de 395

Établissement de Germains alliés,
sur le sol romain

HUNS

OSTROGOTHS
200—375

WISIGOTHS
382—388
Andrinople
Constantinople

GOTHS
150—200

WISIGOTHS
200—375

GOTHS
jusqu'en 150

VANDALES
jusqu'en 400

LOMBARDS
vers 400—500

BURGONDES
vers 400

OSTROGOTHS

SUÈVES

LOMBARDS
vers 400

ANGLES

JUTES

SAXONS

FRANCS
vers 250

407 ALAMANS

BURGONDES
Worms

BURGONDES
443

Pollenza

Vérone
Ravenne

Rome
410

Cosenza
410

Syracuse

Carthage

VANDALES
Hippone

WISIGOTHS
419
Toulouse

Baléares

Carthagène

VANDALES
429

ANGLES
SAXONS
JUTES

WISIGOTHS
409

SUÈVES
Braga

VANDALES
(ASDINGEN)
Tolède

VANDALES
(SILINGEN)

Campagnes et nouveaux établissements des Germains aux 4e et 5e siècles

Les grandes invasions (375-568)
Premières migrations. Entre 230 et 200 av. J.-C., les Bastarnes et les Skires marchent vers la mer Noire. Puis les Cimbres et les Teutons seront écrasés par MARIUS (p. 85) CÉSAR vainc les Suèves d'ARIOVISTE (58). Les succès des Romains sous AUGUSTE seront ruinés par la défaite de VARUS (9 ap. J.-C.), mais la frontière Rhin-Danube sera conservée. Plus tard même, conquête des territoires entre le Danube et le haut Rhin (Agri Decumates) et consolidation du limes. Après les premiers assauts des Marcomans (166-180), attaques des Chattes (171), des Alamans (à partir de 213), des Goths (236) et des Francs (à partir de 257). Abandon du limes rhétien et du haut Rhin (260), progrès des Alamans sur le Rhin. Après abandon de la province de Dacie (270), les Goths attaquent la frontière danubienne. Au IVᵉ siècle, les Germains s'installent comme « alliés » sur les frontières, et, recevant une solde annuelle (annonae foederatae), ils se chargent de les défendre.
Au Vᵉ siècle, établissement des Germains sur le sol romain.
Ce sont les Germains orientaux qui seront les acteurs de ces grandes migrations : elles dureront de 375 (pression des Huns) à 568 (établissement des Lombards en Italie).
Conséquences. L'Empire d'Occident disparaît et est remplacé par des royaumes germaniques. Conversion des Germains au christianisme sous sa forme arienne par le Goth ULFILA (310-380), qui traduit la Bible en gothique (« Codex argenteus », d'Upsal). Les Germains abandonnent la rive orientale de l'Elbe, où s'installent les Slaves.

Les Wisigoths s'installent dans l'Empire romain avec l'autorisation de l'empereur VALENCE (376).
378 Bataille d'Andrinople. Les Goths écrasent les Romains. THÉODOSE les installe en Mésie et en Thrace (382). Sous ALARIC, qui prend le titre de roi, les Wisigoths cherchent de nouveaux territoires. Après une expédition de pillage à travers les Balkans et le Péloponnèse, ALARIC devient magister militum per Illyricum (maître de la milice pour l'Illyrie). De là,
401-403 Expédition en Italie. Battu par STILICON à Pollenza (402) et Vérone (403), il assiège Rome après la mort de son vainqueur (408). Les Goths se retirent après paiement d'une énorme contribution. ALARIC assiège HONORIUS en vain à Ravenne.
410 Prise et pillage de Rome. Avant de passer en Afrique, ALARIC meurt, à Cosenza (Italie du Sud).
410-415 ATHAULF, beau-frère et suc-

cesseur d'ALARIC épouse la demi-sœur d'HONORIUS, GALLA PLACIDIA, sa prisonnière. Après sa mort, son frère WALLIA fonde le **royaume toulousain des Wisigoths.**

Les Vandales, sous la pression des Goths, abandonnent leur pays et s'établissent en Slovaquie et en Transylvanie. Avec les Quades, les Suèves et les Alains, ils franchissent en 406 la frontière du Rhin que STILICON a dégarnie de légions, traversent la Gaule et atteignent l'Espagne (409) où ils s'établissent comme fédérés. En 429, commandés par GENSÉRIC (428-477), les Vandales passent en Afrique et y fondent leur royaume.

Les Burgondes font irruption dans la région du Rhin et du Main et fondent un royaume dont la capitale légendaire est Worms. Roi : GUNDAHAR (GUNTHER). Ce royaume sera anéanti par les troupes auxiliaires hunniques appelées par le général romain AETIUS (436).
443 Les Burgondes s'établissent sur le Rhône et la Saône pour protéger les défilés des Alpes. **Fondation du royaume des Burgondes.**

Les Ostrogoths. A la naissance du Christ, les Goths sont installés à l'embouchure de la Vistule. Au IIᵉ siècle, ils émigrent vers le Sud-Est et se divisent en Wisigoths (Goths de l'Ouest) et en Ostrogoths (Goths de l'Est). Les Huns détruisent le royaume ostrogoth de la mer Noire. Après la mort d'ATTILA (p. 109), les Ostrogoths s'installent en Pannonie. THÉODORIC, élevé comme otage à la cour de l'Empire d'Orient et appartenant à la grande famille des Amales, dirige une expédition de pillage dans les Balkans. Après avoir été nommé maître de la milice et patrice d'Italie (488), THÉODORIC entre en Italie, triomphe d'ODOACRE que les mercenaires germains avaient proclamé roi (476) et qui avait conquis la Dalmatie et la Sicile tout en détruisant le royaume des Ruges sur le Danube. Après avoir pris Ravenne au terme d'un siège de trois ans (« bataille des corbeaux »), THÉODORIC fait tuer ODOACRE. Fondation du royaume ostrogoth.

Jutes, Angles et Saxons (p. 125), Francs (p. 117), Lombards (p. 115).

Les Germains du Nord n'abandonnent pas la Scandinavie et le Jutland. Entre le Rhin et l'Elbe, se forment des peuplades germaniques par mélange et accord de différentes tribus et fragments de tribus : **Alamans, Saxons, Francs** (Saliens, Ripuaires, de la Moselle et du Main, Chattes). Plus tard : **Thuringiens et Bavarois.**

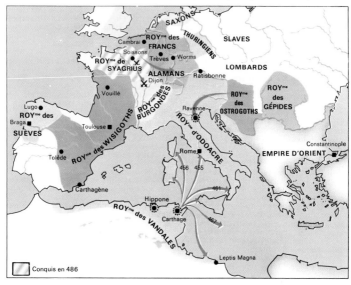

Conquis en 486

Les états germaniques jusqu'en 486

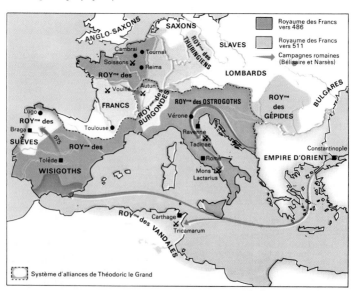

Royaume des Francs vers 486

Royaume des Francs vers 511

Campagnes romaines (Bélisaire et Narsès)

Système d'alliances de Théodoric le Grand

Les états germaniques vers 526

Les Germains, agréés comme alliés, s'installent dans l'Empire romain dans des régions récemment colonisées. Les territoires qui leur sont concédés sont placés à l'intérieur des régions romanisées, si bien qu'une fusion se produit entre Germains et peuples romanisés (d'où peuples romans). Mais les Germains passent outre au statut de fédéré et fondent des royaumes souverains sur le sol de l'Empire.

Il y a opposition religieuse : les Germains sont ariens et fondent des Églises nationales dont le chef est le roi, tandis que les populations conquises sont catholiques romaines.

Royaume vandale en Afrique (429-534)
Après la prise d'Hippone (mort d'Augustin pendant le siège en 430), les Vandales s'installent en Tunisie et sont reconnus comme fédérés par Rome (435). Après la prise de Carthage (439), les Romains reconnaissent comme souverain l'État vandale (442) : **c'est le premier royaume germanique en Empire d'Occident.** Les propriétaires romains sont chassés. Après Genséric, la succession se règle d'après le principe de l'agnatisme et non d'après la filiation comme d'habitude chez les Germains (le trône va au parent le plus âgé pour éviter les minorités). La flotte vandale domine la Méditerranée occidentale : elle exerce une pression sur Rome qui a besoin du blé d'Afrique. En 474, l'empereur d'Orient Zénon reconnaît la conquête de la province romaine d'Afrique.

455 Prise de Rome par les Vandales. Aucune destruction des œuvres d'art (vandalisme), mais pillage systématique. A la mort de Genséric, le royaume est affaibli par des conflits entre la noblesse et le roi et des persécutions religieuses contre les catholiques.

534-535 Bélisaire (p. 135) détruit le royaume des Vandales. Réoccupation précaire de l'Afrique du Nord (populations indigènes hostiles).

Le royaume wisigoth de Toulouse (419-507)
Les Wisigoths reçoivent en Aquitaine (capitale Toulouse), les 2/3 de la propriété foncière libre de tout impôt, à charge de protéger le pays avec leur armée, leur roi devenant gouverneur impérial. Apogée sous Euric (466-484) qui fonde la domination des Wisigoths en Espagne. C'est lui qui fait rédiger le plus ancien recueil de lois existant en langue germanique (« Codex Euricianus », vers 470).

484-507 Alaric II tombe devant les Francs de Clovis à Vouillé (p. 177). Avance franque jusqu'aux Pyrénées.

Royaume espagnol des Wisigoths (507-711)
Conflits entre le roi et la noblesse.
551 Les Byzantins, appelés, conquièrent le Sud du pays.
568-586 Léovigild fait de Tolède sa capitale, repousse les Byzantins et conquiert en 575 le royaume des Suèves qui s'étaient installés en Espagne en 409.
586-601 Récarède Ier devient catholique. Grande influence de l'Église qui s'allie à la haute noblesse germanique. Les **conciles de Tolède** sont des assemblées politiques aux décisions desquelles le roi est lié sous peine d'excommunication.
633 Établissement de la monarchie élective.
649-672 Receswinthe fait rédiger un code commun aux Germains et aux Romains (« Lex Visigothorum », en 654).
711 Victoire des Arabes sur Rodrigue (Roderic) (p. 131).

Le royaume des Burgondes (443-534)
Les Burgondes installés par Aetius près du lac de Genève agrandissent leur royaume vers le Rhône et la Saône. Apogée sous Gondebaud (480-516), qui fait rédiger un code burgonde. Après des essais infructueux, les Francs parviennent enfin, après la mort de Théodoric, **à conquérir le royaume burgonde grâce à la victoire d'Autun (534).**

Le royaume ostrogoth en Italie (493-553)
493-526 Théodoric le Grand sépare les Goths et les Romains (interdiction des mariages mixtes). Les Goths reçoivent un tiers de la propriété foncière en règlement de leurs services guerriers. Les Romains gardent l'administration civile et l'économie. Les oppositions religieuses empêchent tout rapprochement.

But politique de Théodoric : ériger une confédération germanique contre l'Empire d'Orient, et la renforcer par des alliances matrimoniales. Échec de cette politique : les querelles de succession, et les tensions entre ariens goths et catholiques romains assombrissent la fin du règne. Boèce écrit en prison « Consolation de la philosophie »; il est exécuté avec son beau-père Symmaque à cause de l'opposition du Sénat.
526 Mort de Théodoric à Ravenne
535-553 Guerre des Goths et de Justinien. Vitigès (536-540) est fait prisonnier à Ravenne.
542-552 Totila reconquiert toute l'Italie sauf Ravenne. Il lutte de 544 à 549 contre Bélisaire, mais tombe à Tadinae devant Narsès.

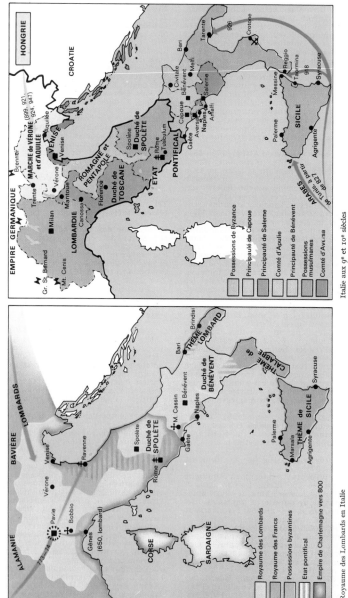

Royaume des Lombards en Italie

Italie aux 9e et 10e siècles

Royaume des Lombards (568-774)

Les Lombards, venus de Scandinavie jusque sur le cours inférieur de l'Elbe, passent en Moravie et fondent un premier royaume en Pannonie. Après avoir anéanti celui des Gépides en s'alliant aux Avars sous le commandement de leur roi ALBOIN, les Lombards et quelques Gépides envahissent l'Italie et fondent un 2e royaume (568). Ils prennent Pavie, s'établissent surtout dans la plaine du Pô, mais aussi en Toscane du Nord, en Ombrie, à Spolète et à Bénévent. La conquête finit en 650. En plus du royaume (capitale Pavie), on compte plusieurs duchés : Trente, le Frioul, la Toscane, Spolète, Bénévent. Les Byzantins conservent l'exarchat de Ravenne, l'Istrie, le duché de Rome, le duché de Naples, le Sud de l'Italie et la Sicile. L'Italie est donc divisée en deux parties, l'une lombarde, l'autre byzantine (plus tard normande et papale). La restauration de la royauté met fin aux duchés (584).

584-590 AUTHARI se marie avec THÉO-DELINDE, fille du duc de Bavière, et inaugure d'excellentes relations avec la Bavière. Il est vassal du royaume franc, auquel il paie tribut.

590-615 AGILULF rétablit la paix avec les Francs, et signe un armistice avec les Byzantins.

636-652 ROTHARI codifie les lois lombardes (Édictus Rothari, en 643). Depuis 600, les Lombards adoptent peu à peu le catholicisme.

Grimoald Ier (661-671), absorbe le duché de Bénévent. Combats victorieux contre les Francs, les Byzantins, les Avars et les Slaves. A la mort de GRIMOALD, désordres (pouvoir de l'aristocratie).

712-744 LIUTPRAND cherche à unifier l'Italie en soumettant les ducs de Spolète et de Bénévent et en attaquant Ravenne et Rome.

751 Astolf prend Ravenne. Fin de l'exarchat de Ravenne et de la domination byzantine en Italie centrale.

756-774 DIDIER, duc de Toscane, devient roi.

773-774 Charlemagne conquiert le royaume des Lombards et prend Pavie (p. 119). DIDIER doit abdiquer. Le royaume est uni à celui des Francs, mais le duché de Bénévent demeure indépendant.

L'Italie sous les Carolingiens (774-887)

En plus de Bénévent, création d'autres duchés lombards (Naples, Salerne, ͡apoue). Les Arabes pénètrent en ·alie du Sud (827). Pour la 1ʳᵉ fois, ·s Hongrois envahissent la plaine ɑ·ı Pô. Les marquis du Frioul, de la ͡ ͡ane et de Spolète deviennent indépendants.

Les rois nationaux italiens (888-962)

888-924 BÉRENGER, marquis de Frioul est couronné roi d'Italie à la mort de CHARLES III (p. 121), mais les ducs de Spolète, GUY (891-894) et LAMBERT (892-898), qui se considèrent comme les héritiers des Lombards, le repoussent et obligent le pape à les couronner empereurs.

894 ARNULF DE CARINTHIE devient roi et est couronné empereur (896), mais il retourne en Bavière. Après la mort de LAMBERT, en

900 LOUIS DE PROVENCE est couronné roi à Pavie, et en 901 empereur à Rome (LOUIS III). BÉRENGER le vainc à Vérone et le rend aveugle, et LOUIS retourne en Provence où il meurt (928).

915 BÉRENGER est couronné empereur. Les Hongrois ont triomphé de lui sur la Brenta (899). Expéditions de pillage des Hongrois auxquels BÉRENGER doit payer tribut. Les Arabes attaquent Reggio, Oria et Tarente.

922-926 Le roi RODOLPHE II de Bourgogne est appelé en Italie et dépose BÉRENGER qui est assassiné (924). Après la mort de son beau-père BURCHARD II de Souabe, RODOLPHE abandonne la domination de l'Italie.

926-947 HUGHES d'ARLES se maintient au pouvoir malgré les efforts d'ÉBERHARD DE BAVIÈRE, élu par le parti adverse. Après la mort d'HUGHES, son fils LOTHAIRE, associé au pouvoir depuis 931, devient roi. Il épouse ADÉLAIDE de Bourgogne, fille de RODOLPHE II. A sa mort, en

950 BÉRENGER II D'IVRÉE, couronné, garde prisonnière la veuve de LOTHAIRE.

951 Otton le Grand, qu'ADÉLAIDE appelle à l'aide, s'assure le pouvoir en Haute-Italie. Il rétablit BÉRENGER comme vassal, mais ce dernier et son fils ADALBERT entrent en conflit avec l'Église. JEAN XII est secouru par OTTON LE GRAND qui consolide son pouvoir en Haute-Italie au cours d'une 2e expédition (961-965). BÉRENGER est fait prisonnier. ADALBERT meurt en exil. Après leur couronnement, les rois d'Allemagne se considèrent comme les souverains du royaume de Lombardie, qui fait partie de l'Empire chrétien. Après la mort d'OTTON III, les grands de Lombardie élèvent au trône

ARDOUIN D'IVRÉE (1002-1015) que soumet cependant HENRI II. Deux partis se formeront en Italie : les **Gibelins** (d'après WAIBLINGEN, le château des STAUFEN), qui soutiennent les empereurs venus d'Allemagne, et les **Guelfes** (WELFEN) partisans du pape, qui s'opposent à la domination des Allemands. Cette opposition domine tout le Moyen Age italien, notamment à Florence.

Pays d'origine des Francs vers 260

Les Francs comme alliés dans le Brabant du Nord

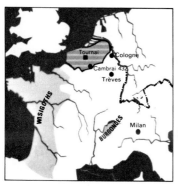

Territoire des Francs vers 460

Royaumes des Francs et de Syagrius vers 480

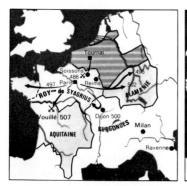

Royaume de Clovis

Royaumes des fils de Clovis

Le royaume des Francs sous les Mérovingiens

Les Francs (Saliens, Ripuaires) s'étendent lentement vers le Sud-Ouest à partir de la frontière du Rhin, mais demeurent en liaison avec leur pays d'origine. Au Vᵉ siècle, ils atteignent la Somme. Leurs nombreux roitelets sont réduits de force à l'unité par

Clovis (482-511), qui acquiert tous les territoires tenus encore par Rome en battant SYAGRIUS en 486, c.-à-d. tout le pays entre Somme et Loire.

496 Victoire de Tolbiac sur les Alamans, que THÉODORIC protège. L'épouse catholique de CLOVIS, CLOTILDE, l'aurait converti au cours de la bataille. A Noël 497 ou 498, CLOVIS est baptisé à Reims par SAINT RÉMI. Contrairement à THÉODORIC qui sépare Romains et Germains, CLOVIS et ses successeurs parviennent à créer un État commun aux deux peuples.

Vers 500, victoire à Dijon sur les Burgondes. Aidé par les Wisigoths, le roi burgonde GONDEBAUD garde son trône.

507 Bataille de Vouillé. Avec l'aide des Burgondes, CLOVIS conquiert le royaume wisigoth jusqu'aux Pyrénées (p. 113). L'intervention de THÉODORIC l'empêche d'atteindre la Méditerranée, la Septimanie demeurant sous le contrôle des Wisigoths. Après la mort de CLOVIS à Paris, ses fils se partagent le royaume.

531 Conquête du royaume de Thuringe (roi : HERMANFRIED), avec l'aide des Saxons.

532-534 Conquête du royaume des Burgondes (bataille d'Autun, p. 113) par CLOTAIRE Iᵉʳ, CHILDEBERT Iᵉʳ et THÉODEBERT Iᵉʳ, neveu de CLOVIS (534-548).

535-537 Les Francs se font payer leur neutralité par le reste de l'Alamanie et la Provence que leur abandonnent les Ostrogoths. En possession de l'embouchure du Rhône, ils atteignent la Méditerranée.

539 Victoire de THÉODEBERT sur les Ostrogoths et les Byzantins, mais il ne réussit pas à conquérir la Haute-Italie. La Bavière dépend du royaume des Francs.

558-561 Clotaire Iᵉʳ réunifie le royaume franc, mais à sa mort, nouvelle division. Début des conflits internes entre le roi et l'aristocratie locale. Enfin, division du royaume en trois parties : l'Austrasie (Champagne, pays de la Meuse et de la Moselle, capitale Reims), la Neustrie (tout l'Ouest entre l'Escaut et la Loire, capitale Paris), la Bourgogne (pays de la Loire et du Rhône, capitale Orléans).

613-629 Clotaire II unifie tout le royaume après que l'aristocratie de la Bourgogne et de la Neustrie, dirigée par ARNULF DE METZ (614-629) et PÉPIN Iᵉʳ DE LANDEN (mort en 640) ont pris son parti. Mais il a dû la payer par

l'Édit de Clotaire (614). Le roi s'engage à choisir les comtes (fonctionnaires royaux) parmi les propriétaires terriens des comtés (suppression du fonctionnariat dépendant du souverain et abandon du pouvoir à la noblesse terrienne). Les trois pays, Austrasie, Neustrie et Bourgogne, conservent une certaine indépendance sous un maire du palais qui est à la tête de l'administration royale et est ainsi le chef de la noblesse.

629-639 DAGOBERT Iᵉʳ unifie encore une fois le royaume. A sa mort, nouvelles divisions : déclin du pouvoir mérovingien. C'est le début de l'élévation des maires du palais.

L'essor des Carolingiens

679-714 PÉPIN D'HÉRISTAL devient maire du palais d'Austrasie et règne après la

victoire de Tertry (687), remportée sur le maire du palais de Neustrie-Bourgogne. Conséquences : unité du royaume, déplacement du centre de gravité politique sur la Moselle, la Meuse et le Rhin inférieur.

689 Victoire sur RADBOD et les Frisons. Annexion de la Frise occ. Fondation de l'évêché d'Utrecht et du couvent d'Echternach pour la conversion des Frisons (vers 690, par SAINT WILLIBRORD). L'Alamanie demeure indépendante (709-712). Après l'Aquitaine (672), la Bavière, la Thuringe, l'Alamanie et la Bretagne deviennent pratiquement indépendantes.

714-741 Charles Martel, fils naturel de PÉPIN D'HÉRISTAL, lutte pour devenir maire du palais et consolide le royaume après des luttes contre la Neustrie et l'Aquitaine. Soumission des Alamans et des Thuringiens. Lutte contre les Saxons. La Bavière redevient vassale.

732 Bataille de Poitiers. Victoire des fantassins francs de CHARLES MARTEL contre les Arabes d'ABD ER-RHAMĀN. Depuis 737, CHARLES MARTEL règne. Il n'y a plus de souverain mérovingien effectif.

741 Il divise le royaume entre ses fils élevés au monastère de Saint-Denis : CARLOMAN reçoit l'Est (Austrasie, Souabe et Thuringe), et PÉPIN LE BREF l'Ouest (Neustrie, Bourgogne, Provence). En plusieurs campagnes Aquitains, Bavarois, Saxons et Souabes sont soumis.

743 Couronnement du dernier Mérovingien (CHILDÉRIC III). CARLOMAN se fait moine en 747, et PÉPIN demeure seul souverain du royaume des Francs (p. 119).

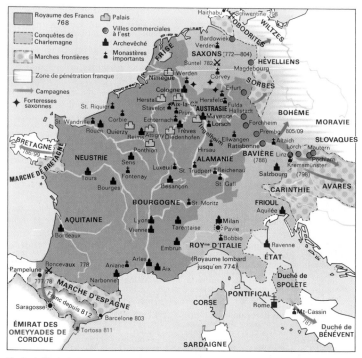

Légende:
- Royaume des Francs 768
- Conquêtes de Charlemagne
- Marches frontières
- Zone de pénétration franque
- Campagnes
- ✦ Forteresses saxonnes
- ⌂ Palais
- ● Villes commerciales à l'est
- ▲ Archevêché
- ✚ Monastères importants

Haithabu · Schwentine 798
OBODRITES · WILTZES
Bardowick · Verden
FRISE · SAXONS (772—804) · HÉVELLIENS
Süntel 782 · Magdebourg
Nimègue · Werden · Corvey · SORBES
Cologne · Erfurt
Herstal · Aix-la-Ch. · Hersfeld · BOHÊME
St. Riquier · Stavelot · Prüm · Fulda · Hallstadt
St. Wandrille · Echternach · Mayence · Lorsch · Forchheim · MORAVIE
Corbie · Trèves · Premb.. 805/09
Rouen · Quierzy · Reims · Attigny · Diedenhofen · Ellwangen · Altaich · SLOVAQUES
BRETAGNE · Ponthion · Hirsau · Ratisbonne · Lorch · Mautern
786-99 · NEUSTRIE · Sens · Luxeuil · ALAMANIE · BAVIÈRE · Linz · Pöchlarn
MARCHE DE BRETAGNE · Tours · Fontenay · St. Trudpert · Reichenau · (788) · Kremsmünster
Bourges · Besançon · St. Gall · Salzbourg · (798) · AVARES
BOURGOGNE · St.Moritz · CARINTHIE
AQUITAINE · Lyon · FRIOUL
Bordeaux · Vienne · Tarentaise · Aquilée
Embrun · Milan · Pavie
Roncevaux 778 · Arles · Aniane · Aix · Bobbio · Ravenne
Pampelune · ROY^me D'ITALIE · ÉTAT
777/78 · MARCHE D'ESPAGNE · Narbonne · (Royaume lombard jusqu'en 774) · Duché de SPOLÈTE
Saragosse · Franc depuis 812 · PONTIFICAL
ÉMIRAT DES OMEYYADES DE CORDOUE · Barcelone 803 · CORSE · Rome · Mt-Cassin
Tortosa 811 · Duché de BÉNÉVENT
SARDAIGNE

Empire de Charlemagne

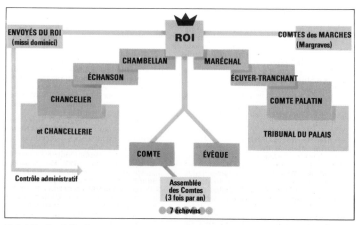

ENVOYÉS DU ROI (missi dominici)		**ROI**		COMTES des MARCHES (Margraves)
	CHAMBELLAN		MARÉCHAL	
ÉCHANSON				ÉCUYER-TRANCHANT
CHANCELIER				COMTE PALATIN
et CHANCELLERIE				TRIBUNAL DU PALAIS
		COMTE · ÉVÊQUE		

Contrôle administratif

Assemblée des Comtes (3 fois par an)
7 échevins

L'administration de Charlemagne

Les Carolingiens (751-814)

751-768 Pépin. Le pape ZACHARIE (741-752) donne son accord à la déposition du dernier Mérovingien qu'on envoie dans un monastère.

751 PÉPIN est proclamé à Soissons roi de tous les Francs, et le légat du pape, l'arch. BONIFACE, le sacre roi en l'oignant d'huile sainte, chose nouvelle chez les Francs.

754 Accords de Ponthion et de Quierzy-sur-Oise. Le pape ÉTIENNE II réclame l'aide de PÉPIN contre le roi des Lombards ASTOLF (p. 115). Il place Rome sous la protection du roi des Francs et sacre une seconde fois PÉPIN à Saint-Denis. PÉPIN et ses fils reçoivent le titre de « patrice des Romains ». Après deux campagnes victorieuses, PÉPIN oblige ASTOLF à rendre les territoires conquis (exarchat de Ravenne, Pentapole), que PÉPIN redonne au pape. Avec le duché de Rome, ces territoires constitueront l'État temporel de l'Église. Soumission des Sarrasins à Narbonne.

760-768 Conquête du duché d'Aquitaine après plusieurs campagnes.

768 Division du royaume entre ses fils Charles et Carloman. Ce dernier meurt avant l'ouverture des hostilités (771).

Charlemagne (768-814)

772-804 Guerre contre les Saxons. Elle commence avec la prise d'Eresbourg et la destruction de l'arbre sacré Irminsul. Baptême en masse de la noblesse qui favorise cette annexion au royaume des Francs et qui s'oppose ainsi à WIDUKIND (WITIKIND) et aux paysans. Répression de la révolte de WIDUKIND (779-780). Après l'anéantissement d'une armée franque dans le Sündtal, en

782 « **Journée** » **de Verden.** Massacre de 4 500 Saxons livrés par la noblesse saxonne. Nouveau soulèvement (783-785) : CHARLES avance jusqu'à l'Elbe.

785 Paix entre WIDUKIND et CHARLES. Baptême du Saxon à Attigny. Nouveaux soulèvements paysans (792-799) pour protester contre la dîme ecclésiastique. Des Saxons sont déportés en France et des Francs s'installent en Saxe. Dernière campagne en 804 : soumission finale des Saxons. Réconciliation par la Lex Saxonum (Loi saxonne, 802), qui s'inspire du code franc (Lex Ripuaria), mais aussi du vieux droit populaire saxon. La christianisation triomphe dans les évêchés de Brême, Verden, Minden, Munster, Paderborn et Osnabrück, qui sont suffragants des provinces ecclésiastiques de Mayence et de Cologne, fondées par CHARLE-

MAGNE. LOUIS LE PIEUX fonde Hildesheim et Halberstadt. Le monastère saxon le plus important est celui de Corvey sur la Weser, fondé en 822 par le monastère de Corbie en France.

773-774 Conquête du royaume des Lombards. Après la reddition de Pavie (p. 115), Charlemagne se nomme « roi des Francs et des Lombards », renouvelle le don fait par PÉPIN au pape des provinces italiennes, et assure les États de l'Église de la protection franque.

788 TASSILON, duc de Bavière, est déposé par CHARLEMAGNE et enfermé dans un monastère : **c'est le dernier duc national qui disparaît.**

791-796 Soumission des Avars (p. 109). Après la défaite d'une armée franque par les Basques à Roncevaux (778 : mort de ROLAND ; au XIᵉ s. « Chanson de Roland ») et après l'attaque des Arabes sur Narbonne (793), en

795 établissement d'une marche d'Espagne au sud des Pyrénées. Annexion des Baléares (799). Prise de Barcelone (803).

25 déc. 800 Couronnement de Charlemagne par le pape Léon III (795-816). Le patrice des Romains devient Imperator Romanorum.

812 Traité d'Aix-la-Chapelle. CHARLEMAGNE est reconnu empereur d'Occident par l'empereur d'Orient MICHEL Iᵉʳ (p. 135), contre la cession de la Vénétie, de l'Istrie et de la Dalmatie. Son fils LOUIS imite les Byzantins et, sans consulter le pape, se couronne lui-même.

28 janv. 814 CHARLEMAGNE meurt à Aix-la-Chapelle et est enterré à Munster.

L'empire carolingien

Le gouvernement royal est fondé sur **la cour royale, le tribunal du palais et la chancellerie,** dirigée par un **chancelier** (clerc cultivé) qui joue le rôle de chapelain dans les questions ecclésiastiques. L'office de maire du Palais a disparu. A la tête de la Maison, il y a le chambrier, suivi du sénéchal, de l'échanson et du maréchal. A côté du comte, qui n'est plus fonctionnaire, mais qui est un grand seigneur, prend place le **seigneur immuniste** (qui n'a pas le droit de haute justice). L'intendant pour le temporel du seigneur immuniste ecclésiastique est l'avoué. **Les envoyés du roi** (missi dominici) sont munis de pleins pouvoirs spéciaux. Groupés par deux (un clerc et un laïc), ils contrôlent les comtes, les clercs et l'administration. Tous les ans, il y a trois plaids généraux où la présence est obligatoire pour la communauté des hommes libres du comté. Le jugement est rendu par des échevins, au nombre de sept à douze.

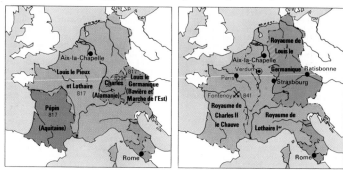

Empire franc en 829

Traité de Verdun 843

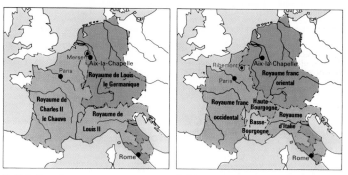

Traité de Mersen 870

Traité de Ribemont 880

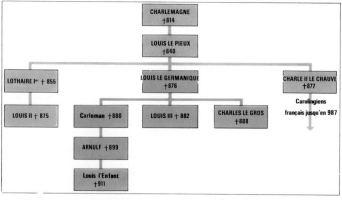

Les Carolingiens

L'empire franc (814-843)
814-840 Louis le Pieux.
816 Couronnement de Louis par le pape Étienne IV (816-817), à Reims. La dignité impériale est donc concédée par la papauté.
817 **Ordinatio imperii.** D'après la constitution de l'empire, la dignité impériale devait revenir au fils aîné Lothaire, les deux autres fils recevant des parties de territoires, Pépin l'Aquitaine, Louis le Germanique la Bavière. Aucune autre région ne devait être cédée. Lothaire devient coempereur. Mais Louis le Pieux contrevient à ces dispositions en attribuant une 3e partie (l'Alamanie, en 829), à Charles le Chauve, fils de sa seconde épouse Judith.
830 **Révolte de ses fils** Pépin, Louis et Lothaire. Lothaire se fait couronner régent en Italie par le pape Pascal Ier (817-824) et reçoit les droits impériaux dans l'État pontifical par la **Constitutio romana** (824). (Surveillance des tribunaux, prestation de serment de fidélité du pape avant sa consécration.)
833 2e soulèvement des fils lorsque Louis le Pieux retire l'Aquitaine à son fils Pépin. **A Colmar, au « Champ du Mensonge »,** l'armée de Louis passe à ses fils. Déposition de l'empereur, rétabli par Louis et Pépin, qui veulent restreindre le pouvoir de Lothaire.
838 A la mort de Pépin, Charles le Chauve reçoit l'Aquitaine.
840 Guerre de Louis le Germanique et de Charles le Chauve contre Lothaire qui est battu en
841 **à la bataille de Fontenoy** près d'Auxerre. Louis et Charles confirment leur alliance par le
Serment de Strasbourg (842), premier texte en vieil haut-allemand et vieux français. Division de l'empire en
843 **et traité de Verdun.** Trois royaumes : Ouest, Centre et Est. L'empereur Lothaire Ier reçoit celui du Centre qui va de la mer du Nord au golfe de Gaète en passant par la Bourgogne : villes impériales d'Aix-la-Chapelle et Rome. Louis reçoit la partie Est de l'empire franc et Charles II, la partie Ouest. L'unité théorique de l'empire est respectée.

La Lotharingie (843-875)
843-855 Lothaire Ier. Après sa mort, ses fils se partagent son royaume : Louis II (mort en 875) reçoit l'Italie et la couronne impériale, Lothaire II (mort en 869), le territoire de la mer du Nord aux sources de la Meuse et de la Moselle (Lotharii regnum = Lorraine), Charles (mort en 863), la Bourgogne et la Provence. A la mort de Charles, ses frères se divisent ses provinces.

870 **Traité de Meesen.** A la mort de Lothaire II, Louis le Germanique reçoit la moitié Est de la Lorraine avec Aix-la-Chapelle. A la mort de Louis II, Charles le Chauve acquiert l'Italie et est couronné empereur par le pape Jean VIII (872-882).

Le royaume franc oriental (843-911)
843-876 Louis le Germanique. Attaques des Normands (p. 127; 845 : destruction de Hambourg) et des Hongrois (862, p. 109).
876 Bataille d'Andernach. Charles II le Chauve est vaincu par Louis III en essayant, après la mort de Louis le Germanique, de conquérir la partie orientale de la Lorraine.
880 **Traité de Ribemont.** Louis III reçoit la partie occ. de la Lorraine que lui cèdent les petits-fils de Charles le Chauve. Cette frontière demeurera à peu de chose près celle de tout le Moyen Age entre l'Allemagne et la France.
881-887 L'empereur Charles III le Gros s'assure de l'Italie, est couronné empereur par le pape Jean VIII et demeure seul souverain après la mort de son frère (882). Il se voit confier le royaume occidental (sauf la basse Bourgogne) par les Grands de France, mais s'enfuit devant les Normands.
887 Charles III est obligé d'abdiquer.
887-899 Arnulf de Carinthie, fils de Carloman, est élu roi par toutes les tribus germaniques. Le pape Formose le couronne empereur en 896.
900-911 Louis III l'Enfant. Des troubles intérieurs déchirent le royaume oriental. Invasions durables des Hongrois (p. 165). La défaillance du pouvoir central devant les ennemis extérieurs (Hongrois, Normands) provoque la **création de duchés nationaux** : Saxe, Bavière, Souabe, Lorraine et Franconie.

Le royaume franc occidental (843-987)
843-877 Charles II le Chauve est couronné empereur en 875. Mort prématurée de son fils Louis le Bègue et des deux fils de ce dernier. Le royaume se dissout.
877 La basse Bourgogne devient indépendante sous Boson de Vienne (royaume d'Arles).
888 La haute Bourgogne devient royaume sous Rodolphe Ier (888-912). Les fils de ces deux rois seront rois en Italie (p. 115). Après la déposition de Charles III, Eudes, comte de Paris, est élu roi (888-898). Les Carolingiens se maintiendront encore cent ans, mais le pouvoir réel se trouve entre les mains des successeurs d'Eudes.

Constitution de l'État. A la tête de l'État franc, le **roi**, dont la domination repose sur la consécration royale, la puissance économique de ses possessions (propriétés foncières, biens de l'Église, etc.) et sa suite. Il gouverne grâce au **ban royal** (ban = droit de commandement) : A l'extérieur, cette domination s'applique à l'armée et à l'intérieur à l'exercice de la justice. La succession se fait par **hérédité** : choix à l'intérieur de la famille consacrée. La **noblesse** s'interpose peu à peu entre le roi et le peuple et s'oppose au souverain. Le **peuple** (paysans libres ayant les droits politiques) s'assemble au Champ de Mars (réunion annuelle de l'armée en présence du roi). Après la bataille de Poitiers, l'importance des nobles qui servent à cheval s'accroît alors que le rôle des paysans qui combattent à pied diminue.

Administration. Le centre administratif est la **cour royale** avec les **fonctionnaires de la cour** : écuyer tranchant, chambellan, maréchal et échanson. Son chef est le **maire du palais** (majordomus). Les districts administratifs sont des **comtés**, avec des **comtes** qui dirigent la politique, les finances, le droit, l'armée, etc. Les comtés se composent de 3 à 4 **centaines**. Au début, les **duchés** ne sont créés que pour régler les questions militaires, mais ils deviendront peu à peu indépendants.

Justice. Le **tribunal suprême** est le **tribunal royal** qui siège sous la présidence du roi ou de ses représentants (maire du palais, comte palatin). Les **tribunaux populaires** des centaines, d'abord indépendants, tombent bientôt sous la coupe de la noblesse.

Église. Sous CLOVIS, fondation d'une Église nationale franque. Du fait de son sacre, le roi en est le chef : il décide des lois de l'Église (capitularia ecclesiastica), nomme les évêques et exerce une forte influence sur les conciles nationaux. Le comportement de CHARLES MARTEL envers l'Église est commandé par les intérêts nationaux : il distribue en fiefs à ses hommes les biens de l'Église, et nomme des laïques de confiance évêques et abbés. Il soutient les missions dans les territoires de l'Est pour renforcer l'influence franque. Sous CARLOMAN et PÉPIN, **Boniface** réorganise l'Église franque (742-747) : ordre dans les biens de l'Église, discipline du clergé, nouveaux archevêchés (Reims, Sens, Rouen). Les évêques reconnaissent l'autorité de Rome et se soumettent au pape (747).

Commerce. Au début des Mérovingiens, le commerce avec l'Orient continue, mais l'intervention des Arabes l'interrompt. Simultanément, disparition de l'économie monétaire. Le pays entre Rhin et Loire devient le nouveau foyer commercial. En plus des Juifs et des Syriens, les Frisons se chargent du commerce avec l'Angleterre et la Scandinavie : leur centre commercial est Dürstede.

Agriculture. Avec le recul du commerce et de l'artisanat et la raréfaction de l'argent, la propriété foncière et l'économie naturelle gagnent beaucoup en importance. Un **nouveau système rural et agricole** naît entre la Seine et la Loire et se répand au Nord et à l'Est. Le **système du manse** (unité formée de la maison, des terres cultivables, avec droits d'usage sur la forêt et les prairies). Il est en relation avec la répartition égalitaire du sol, le système des communaux (« marca communis »), et l'assolement triennal. La vieille économie herbagère avec prédominance de l'élevage s'efface au profit des céréales, ce qui permet la croissance de la population.

Le grand domaine. Le grand domaine foncier se trouve entre les mains du roi (propriétés du fisc romain, forêts sans propriétaires privés). Il en distribue une partie aux grands personnages (potentes) laïcs et ecclésiastiques. La caractéristique du grand domaine foncier, c'est sa dispersion dans l'espace. Autour de la résidence du grand propriétaire (curtis dominica) et de ses terres, on trouve dans les environs proches ou lointains les manses dépendants. Ce grand domaine (qui peut appartenir à une église, ou à un monastère) utilise les techniques romaines (culture des fruits, des légumes et de la vigne, construction en pierre) et réalise son autarcie économique grâce à l'artisanat (forges, moulin, etc.).

La seigneurie foncière. La seigneurie foncière porte la trace de deux influences : l'influence germanique et celle du Bas-Empire. Le grand seigneur foncier romain avait en effet la haute main sur la clientèle de ses colons, moyennant le versement des impôts et la fourniture de soldats. La « villa » est un îlot de paix à l'intérieur duquel le seigneur exerce sa domination toute-puissante. Pouvoir personnel sur les personnes (Munt) : libres, non-libres et guerriers de la suite, et sur les choses (Gewere) : Villae, manses, et églises des paroisses privées.

Les seigneuries ont des privilèges d'immunité (du lat. immunitas = exemption de charges publiques déterminées). L'exemple est donné au Bas-Empire par le fisc impérial, les biens d'Église et certaines propriétés privées de la noblesse sénatoriale. L'immunité franque s'est développée : Elle interdit au comte l'introitus (le droit d'entrée), les exactiones, et la districtio (droit d'entrée, de faire des levées, et d'exercer la contrainte). Les droits de justice du seigneur immuniste se sont progressivement étendus.

Au début, ils ne s'exerçaient que sur les inférieurs, les non-libres. Ensuite ils touchèrent aussi les paysans et les sujets libres qui se mirent sous la protection personnelle du seigneur (défense devant les tribunaux et l'armée, règlement des charges publiques par le seigneur foncier). En se plaçant sous la juridiction de ce dernier, les sujets et paysans libres sont devenus dépendants. Ce processus a été accéléré par l'utilisation intensive des corvées, et la disparition progressive du travail libre.

Ville. Elle perd son importance politique et économique. Les résidences des Mérovingiens se trouvent encore dans les villes, mais les résidences des Carolingiens s'élèvent en pleine campagne (villae).

Église, civilisation, gouvernement

Église. Après la rupture entre Rome et Byzance à cause de la querelle des Images (p. 135), la papauté se lie étroitement à la dynastie franque (protection contre les Lombards). Au couronnement de PÉPIN (p. 119), le caractère sacré de la royauté ne provient plus du sang (origine divine des familles royales païennes), mais de l'onction (autorité religieuse : « par la grâce de Dieu »). La conception impériale de CHARLEMAGNE ne se relie pas à la tradition césarienne, mais à une combinaison du paganisme et du christianisme (le prêtre-roi des Germains, et le chef de la « cité de Dieu » de SAINT AUGUSTIN). Le pape décerne la dignité impériale en tant que « translator imperii ». En tant que tuteur de l'Église, CHARLEMAGNE revendique la direction suprême de l'État et de l'Église (Théocratie). Il a le devoir de veiller sur l'Église à cause de la fonction royale dont il est investi. Les conciles nationaux, roi et assemblée du peuple traitent des questions religieuses. CHARLEMAGNE intervient dans les conflits intérieurs de l'Église (vénération des images, querelle du « Filioque »). Le souverain nomme les évêques.

Civilisation (« **Renaissance carolingienne** »). L'« Académie du palais » formée par des savants venus d'Angleterre, d'Irlande, d'Espagne, de Lombardie et d'Italie, constitue le centre intellectuel. **Alcuin** (730-804) vient d'York en 801 pour être directeur de l'Académie du palais. A partir de 796, il est abbé de Saint-Denis. **Paul Diacre** (env. 720-795) écrit l'histoire des Lombards. **Éginhard** (env. 770-840) est le biographe de CHARLEMAGNE (Vita Caroli). L'École palatine est le modèle de toutes les « écoles » de l'empire. Les règlements de CHARLEMAGNE obligent le monachisme ascétique à créer des instituts où l'on honore les sciences et qui transmettront le classicisme et la tradition littéraire chrétienne de l'Antiquité. La formation culturelle est assurée par les arts libéraux : la grammaire, la rhétorique, la dialectique (**trivium**); l'arithmétique, la géométrie, l'astronomie et la musique (**quadrivium**) (p. 152 sur l'art).

La naissance de la féodalité

La condition de l'avènement de la féodalité, c'est la création d'une chevalerie (formée de guerriers équipés de cuirasses). Dans la 2e moitié du VIIIe siècle, ils apparaissent de plus en plus au premier plan. Grâce à une **concession de terre** le guerrier acquiert son indépendance économique qui lui permet de se procurer un cheval et des armes. La **commendatio** (recours à la protection d'un puissant) du Bas-Empire, par laquelle un homme entre au service d'un seigneur en tant que vassal (du celte gwas = valet), est en relation avec la suite armée germanique (Gefolgschaft, comitatus) qui repose sur la fidélité. C'est grâce à cette dernière que le service domestique devient honorable. L'aspect personnel de la féodalité est caractérisé par la réciprocité des rapports de fidélité entre le concédant et le concessionnaire du fief. De plus, le vassal doit l'obéissance à son supérieur. (Hominium = hommage féodal; Fidelitas = serment de fidélité.) L'aspect réel est caractérisé par le **fief** : c'est la terre concédée par le seigneur (beneficium, feudum) qui est la condition du service. Service et fidélité justifient juridiquement l'octroi du fief qui entraîne des obligations personnelles. Au début, alors que vassalité et beneficium étaient conçus de façon strictement personnelle, le fief « tombait » (en attendant d'être relevé) à la mort du seigneur ou du vassal. Puis, peu après, les fiefs devinrent héréditaires. En 877, par le capitulaire de Quierzy, il sera établi que le fief du père passera au fils s'il en est digne.

La féodalité ne se limite pas à la classe de ceux qui combattent à cheval. Les grands (potentes) tiennent aussi en fief leurs offices (duchés, comtés) et les seigneuries qui ne sont pas allodiales (alleu = propriété libre de tout bien). Ainsi, les rapports personnels entre le roi et le titulaire de l'office sont renforcés par la fidélité (subordination politique). L'hérédité jouait d'abord de facto pour les fiefs et les offices inféodés, ensuite elle devenait la règle. La conséquence, ce fut le relâchement des liens qui rapprochaient la noblesse de son souverain. Les achats, ventes et divisions de fiefs sont à l'origine de la formation des principautés territoriales.

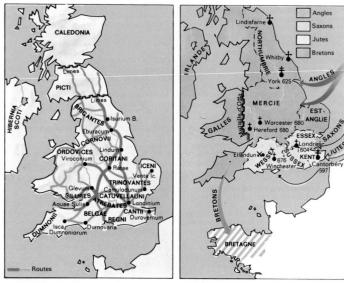

Angleterre romaine

Établissement des Jutes, des Angles et des Saxons

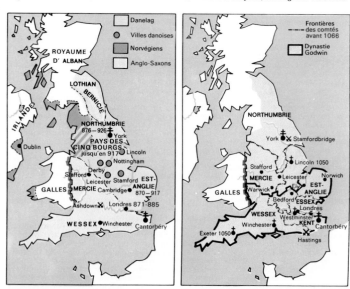

Lutte des Anglo-saxons contre les Danois
et Norvégiens au 9ᵉ siècle

Angleterre en 1066

Établissement des Jutes, Angles, Saxons et Danois

Vers 450, les **Jutes, Angles** et **Saxons** débarquent en Bretagne, que les Romains ont abandonnée. Ils repoussent les Bretons dans le Pays de Galles (légende du roi ARTHUR), en Cornouailles, en Ecosse et en Armorique (Bretagne), en fondant 7 États : Kent (Jutes), Northumbrie, Mercie, Estanglie (Angles), Essex, Sussex, Wessex (Saxons). Au VII⁰ siècle, hégémonie de la Northumbrie que remplace au VIII⁰ siècle la Mercie qui s'étend jusqu'en Cornouailles.

793 Pillage de l'abbaye de Lindisfarne (p. 127) par les Vikings.

802-839 ÉCBERT DE WESSEX, élevé à la cour de CHARLEMAGNE, domine tous les royaumes anglo-saxons.

866 Les Danois conquièrent peu à peu l'Angleterre à partir de Londres et de l'île de Thanet à l'embouchure de la Tamise. Au nord de ce fleuve, le pays est soumis à la loi danoise (Danelag). Les Danois gouvernent le pays à partir des « Cinq Bourgs » (Estanglie et pays des « Cinq Bourgs » 870-917, Northumbrie de 876 à 926).

Angleterre (871-1066)

871-899 **Alfred le Grand**, roi du Wessex, triomphe des Danois après de durs combats.

878 Bataille d'Edington contre les Danois et prise de Londres (885) qu'il fortifie, puis division du pays (ligne frontière : Londres-Chester). Importance d'ALFRED LE GRAND du fait de son activité de législateur (il recueille et répertorie les lois existantes) et de traducteur d'écrits historiques et moraux (BÈDE, BOÈCE, OROSE).

937 Victoire d'ATHELSTAN sur les Danois (de Dublin), les Écossais et les Gallois à Brunanbuhr (emplacement inconnu). ATHELSTAN entretient des relations diplomatiques avec l'Allemagne et la France, organise une administration de cour et une chancellerie, mais sans le poste dangereux pour le régime de maire du palais comme chez les Francs.

959-975 **Edgar**, souverain de toute l'Angleterre, se fait couronner et sacrer par SAINT DUNSTAN, archevêque de Cantorbéry, selon le cérémonial des Francs occidentaux (973). Réforme religieuse sous l'influence des idées de Gorze et de Cluny (p. 137).

978-1016 ETHELRED tente vainement d'arrêter les invasions des Danois en leur payant des tributs élevés, qu'il lève sur ses sujets en instituant le premier impôt généralisé (**Danegeld**). Les Danois conquièrent toute l'Angleterre (1013).

1016-1035 **Cnut le Grand** est élu roi par les Anglais et fait de l'Angleterre sa base de départ pour son empire maritime nordique (p. 159). Il épouse la veuve d'ÉTHELRED et devient chrétien. Il divise le pays entre ses compagnons, mais sans déposséder les Saxons. En dehors de sa garde, il renvoie toute l'armée et met fin à l'unité gouvernementale en instituant de nouveaux duchés qu'il confie à ses compatriotes, mais aussi à des Saxons. Après sa mort, ses fils régneront jusqu'en 1042.

1042-1066 ÉDOUARD LE CONFESSEUR, fils d'ETHELRED, organise une administration centralisée à l'aide de Normands et se heurte au parti national anglo-saxon dirigé par le comte GODWIN D'ESSEX. Après la mort d'ÉDOUARD, HAROLD, fils de GODWIN, est élu roi. Il vainc les Norvégiens à Stamfordbridge (p. 159), mais est vaincu par GUILLAUME DE NORMANDIE le **14 oct. 1066, à la bataille de Hastings,** où il meurt.

Organisation politique. La population anglo-saxonne se divise en **thegns** (aristocratie locale), en **ceorls** (guerriers libres), et en non-libres. L'administration et la justice du village sont entre les mains du **thegn** et des 4 « meilleurs ». Au X⁰ siècle, **nouvelle répartition du territoire en centaines,** mais maintien de grandes unités territoriales. Plus tard viendront les **shires,** petits comtés avec, au centre, le château fort; apparus au Sussex, ils se retrouveront partout. De grandes circonscriptions ou **earldoms,** se forment. De la concentration de plusieurs seigneuries dans une seule main résulte un **danger** pour la monarchie. Le **sherif** (shiregerêfa = comte du shire) sera le fonctionnaire royal chargé de contrôler l'**earl.** Il acquiert peu à peu de l'influence dans les centaines au cours de tournées parmi les justices locales (« turn » du sherif).

Christianisation. En 660, il y a trois Églises en Angleterre : la bretonne en Pays de Galles, l'irlando-écossaise et l'anglo-saxonne, qui est en relations étroites avec Rome. La conversion des Anglo-Saxons a lieu grâce à l'abbé AUGUSTIN, premier archevêque de Cantorbéry, envoyé par le pape GRÉGOIRE LE GRAND (p. 136). THÉODORE DE TARSE, archevêque de Cantorbéry, (669-690) organise l'Église anglosaxonne (métropoles : York et Cantorbéry). Au VII⁰ siècle, union avec l'Église irlando-écossaise, et au VIII⁰ avec la vieille Église bretonne. BÈDE LE VÉNÉRABLE est le grand historien des Anglo-Saxons (« Historia ecclesiastica gentis Anglorum »); le poète de « Beowulf » est un ecclésiastique.

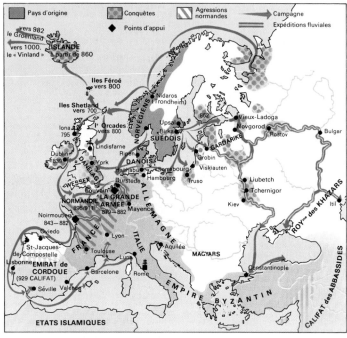

Les campagnes des Normands aux 8e, 9e et 10e siècles

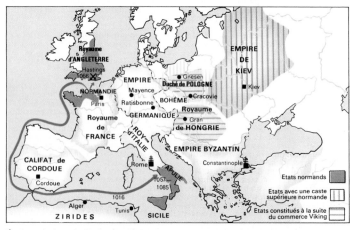

États constitués par les Normands en Europe

Les **Normands** (hommes du Nord), appelés **Vikings** à l'Ouest et **Varègues** en Russie, sont Danois, Norvégiens et Suédois. Leur **expansion** est due à la surpopulation, à l'amour de la guerre, à la soif de renommée, au goût de l'aventure, et également au mécontentement ressenti devant les conditions politiques de leur pays (la formation d'une classe de souverains supérieurs aux petits rois locaux incite les guerriers épris de liberté à émigrer). Une nouveauté technique, le bateau à quille, le leur permet (Gokstad, Öseberg) : grâce à son fond renforcé et à des voiles, il remplace l'ancien bateau à rames (Nydam, Kvalsund).

Les débuts

Vers 500, les Danois peuplent les îles danoises et la Scanie. Ils arriveront plus tard au Jutland.

En 600, les rois d'Upsal, de la dynastie des Ynglings, dominent la Suède, puis, à partir de 650, toute la Baltique (Finlande, Courlande, Prusse orientale). Au VIIIᵉ siècle, tout le commerce balte est aux mains des Suédois.

790-840 Pillages et invasions des côtes, surtout dans les territoires celtiques : Lindisfarne (793), Jarrow, Monkwearmouth (794), Rechru, Skye et Iona (795). CHARLEMAGNE institue une garde côtière sur la Frise. Au début, les Vikings partent pour leurs expéditions au printemps et rentrent en hiver.

A partir de 840 (mort de LOUIS LE PIEUX), ces expéditions deviennent des campagnes auxquelles participent de grandes armées qui installent des camps aux embouchures des fleuves pour y hiverner.

1. Les Vikings danois (la grande armée) entreprennent des expéditions de pillage aux Asturies et au Portugal (844), aux Baléares, en Provence et en Toscane (859-862), et à leur retour conquièrent en Angleterre le Northumberland et l'Estanglie (Danelaw : territoire où règne la loi danoise). Seul ALFRED LE GRAND (p. 125), roi du Wessex, parvient à se maintenir en créant une flotte. Sous CNUT (p. 159), l'Angleterre est unie au Danemark.

2. Les Vikings norvégiens occupent au VIIIᵉ siècle les îles Shetland et Orkney, puis les Féroé, les Hébrides et l'Irlande. En 872, unification de toute la Norvège par HARALD AUX BEAUX CHEVEUX (860-933) : beaucoup de Norvégiens quittent leur pays et s'installent à partir de 874 en Islande, découverte en 860. En 930, la prise de possession de l'Islande est consacrée juridiquement par une assemblée. Découverte du Groenland en 982, et du Vinland (Amérique) vers 1000 (p. 221).

3. Les Varègues suédois entreprennent des expéditions en Europe orientale. Appelés par les tribus finnoises et slaves, ils s'installent dans la région de Novgorod sous RURIK (p. 129). Vers l'an 1000, christianisation et sédentarisation des Vikings.

Créations d'États (IXᵉ-XIIᵉ siècle)

Normandie :

896 Des Vikings s'installent à l'embouchure de la Seine.

911 **Traité de Saint-Clair-sur-Epte** entre les Vikings de la Seine et le roi franc CHARLES LE SIMPLE (898-923) : ROLLON reçoit la Normandie en fief et doit par conséquent la défendre.

Italie du Sud :

1059 Au concile de Melfi, les Normands reconnaissent la suzeraineté du pape. ROBERT GUISCARD devient duc d'Apulie et de Calabre. Les Normands mettent fin à la domination byzantine en Italie mérid. et à celle des Arabes en Sicile : prise de Messine (1061) et de Palerme (1072).

1130 **Roger II** (1105-1154) réunit la Sicile, la Calabre et l'Apulie (rex Siciliae, Calabriae et Apuliae) avec Palerme comme capitale. Prise d'Amalfi (1137), de Naples (1139) et de Gaète.

1186 **Henri VI** épouse l'héritière normande CONSTANCE, fille de ROGER II et hérite du royaume normand (1194).

Angleterre : (p. 125).

Russie :

Entre 800 et 850, les Varègues suédois fondent dans la région du lac Ladoga des colonies guerrières et commerciales **(royaume de Novgorod).**

Commerce. Le réseau commercial créé aux VIIIᵉ et IXᵉ siècles par les Juifs et les Frisons est remplacé par celui, bien plus étendu, des Vikings. Le troc des marchandises s'effectue par mer et le long des fleuves (ils tirent leurs barques sur terre entre deux fleuves). Ils dominent les voies commerciales russes (le Dniepr jusqu'à Byzance, la Volga jusqu'au monde arabe), si bien que le commerce mondial atteint la Suède (Birka) et Haithabu (Hedeby) à partir de 900. Haithabu, situé dans le Slesvig, assure le transit entre l'Ouest et le Sud-Est. Le commerce avec les Arabes est plus important : découverte de 40 000 pièces d'argent arabes sur l'île de Gottland. Les Vikings vendent des fourrures, des esclaves (baltes, slaves et finnois) et des bijoux en métaux précieux. Ce commerce s'achève vers 1050. L'argent des mines du Harz remplace celui des Arabes (épuisement des mines du califat oriental). Les Slaves se chargent du commerce de la Baltique.

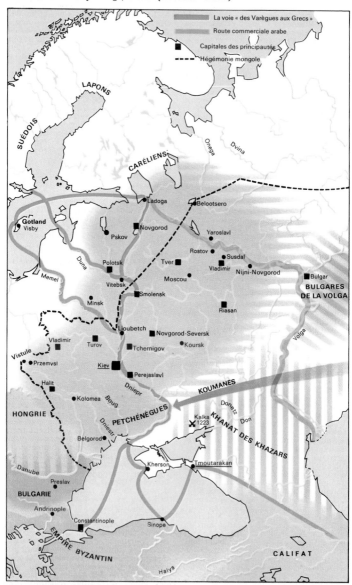

La voie « des Varègues aux Grecs »

Route commerciale arabe

Capitales des principautés

Hégémonie mongole

LAPONS

SUÉDOIS

Onega

Dvina

CARÉLIENS

Ladoga

Belootsero

Gotland
Visby

Novgorod

Pskov

Yaroslavl

Rostov

Susdal

Polotsk

Tver

Duna

Vladimir

Nijni-Novgorod

Memel

Vitebsk

Moscou

Bulgar

BULGARES
DE LA VOLGA

Minsk

Smolensk

Riasan

Volga

Lioubetch

Novgorod-Seversk

Vladimir

Turov

Tchernigov

Koursk

Vistule

Przemysl

Kiev

Dniepr

KOUMANES

Halit

Perejaslavl

Kolomea

Boug

Doneiz

Don

HONGRIE

PETCHÉNÈGUES

Kalka
1223

KHANAT DES KHAZARS

Dniestr

Belgorod

Danube

Preslav

Kherson

Tmoutarakan

BULGARIE

Andrinople

Constantinople

Sinope

EMPIRE BYZANTIN

CALIFAT

Halys

Empire de Kiev vers 1000

L'époque des Varègues

L'empire russe est la **création des Vikings suédois ou Varègues**, que les tribus finnoises et slaves ont appelés et qui deviennent les maîtres du pays. Sous RURIK, union de toute la Russie du Nord à partir de Novgorod. Deux compagnons de RURIK, ASKOLD et DIR (860), attaquent pour la 1re fois Constantinople par la route « des Grecs » qu'ils ont ouverte en 858. Ils sont repoussés.

882 Oleg le Sage (879-912) unit le Nord (Novgorod) au Sud (Kiev). Kiev devient la capitale de l'État russe menacé par les incursions des nomades des steppes du Sud-Est.

Le royaume de Kiev

944 IGOR (912-945) après une attaque manquée sur Constantinople, conclut un traité de commerce avec Byzance et ouvre son royaume aux influences chrétiennes.

957 Baptême de sa veuve, OLGA.

961 ?-972 Sviatoslav domine les routes du commerce international. Il anéantit le royaume khazar (966), et entre ainsi en conflit avec Byzance dont les alliés, les Petchénègues, le battent (972) lors de sa retraite. Ses successeurs demeurent à la tête des princes russes (dynast. de RURIK). Parmi eux,

978-1015 VLADIMIR Ier (« Soleil clair ») devient seul souverain avec l'aide des Varègues (980). Après son mariage avec la princesse byzantine ANNE, sœur de BASILE II, et son baptême (988), Kiev devient centre religieux (siège du métropolite).

1019-1054 Iaroslav le Sage, triomphe avec l'aide des Varègues. En lutte contre la Pologne, il conquiert les forteresses de Czerwin, mais soutient CASIMIR Ier lors de la restauration de la dyn. Piast (1039), aux côtés de l'empereur HENRI III (p. 143). En 1036, il vainc les Petchénègues; en 1043, il échoue devant Constantinople.

VLADIMIR et IAROSLAV LE SAGE créent l'unité russe en écartant leurs rois associés; la couche supérieure varègue s'est slavisée au Xe siècle. Après un conflit avec le royaume des Bulgares de la Volga (965 et 985), dont la richesse repose sur le commerce entre le Nord et l'Est de la Russie, les relations s'améliorent entre les deux États. Kiev devient le centre artistique et religieux de la Russie. Sous IAROSLAV LE SAGE, compilation de la 1re rédaction du droit russe, amalgame de lois byzantines et de droit coutumier slave.

Les principautés

Après 1054, la Russie se divise en principautés. Chaque nouvelle division du pouvoir à la mort d'un prince affaiblit l'État. Les réconciliations des princes à Lioubetch en 1097 (nouvelle répartition du pouvoir), et certains chefs puissants tels VLADIMIR MONOMAQUE (1113-1125) et MSTISLAV LE GRAND (1125-1132) ne parviennent pas à enrayer la décadence. Les princes régnants sont en proie à des rivalités qu'exploite Byzance. Après la fondation des royaumes latins d'Orient (1204), le commerce de la mer Noire à Venise est interrompu.

Aux XIIe et XIIIe siècles, le déclin politique, écon. et culturel de Kiev s'accélère. Colonisation du cours supérieur de la Volga, apparition d'un « royaume des villages » dont le gouvernement est absolu. Le pays se divise en territoires indépendants.

Conception de l'État. Au sommet, le prince dont le pouvoir est limité et qui est plutôt que suprême. Il assume la défense de la ville et du pays. Il est assisté par l'assemblée des boyards (noblesse terrienne) et l'assemblée des bourgeois des villes (combinaison d'éléments monarchiques, aristocratiques et démocratiques).

Apport du royaume de Kiev. Fusion des Slaves et des Varègues grâce à la culture byzantine et au christianisme.

Domination mongole

1223 Victoire des Mongols à la bataille de La Kalka. Victoire sans suite à cause de la mort de GENGIS KHAN (1227).

A partir de 1245, domination des Mongols sur toute la Russie. Karakoroum devient le siège du Grand Khan OEGEDEI (p. 175), et son neveu BATOU fonde la « Horde d'Or » (1251), qui se détache en 1260 du gouvernement central.

Administration. Recensement et enregistrement de la population soumise à l'impôt, qui est recouvré par des particuliers auxquels on loue cette charge. Levée de recrues russes et déportations de travailleurs. Les princes russes demeurent sur place, mais il y a à leur cour des gouverneurs mongols. Ils doivent donc reconnaître la suzeraineté de la « Horde d'Or » et obtiennent ainsi un « yarlik » ou lettre de grâce. Position privilégiée de l'Église russe à cause de la tolérance religieuse des Mongols : le clergé ne paie pas d'impôts, aucun domaine religieux n'est confisqué. Aussi l'Église accepte-t-elle volontiers cette domination.

Conséquences de la domination mongole. Atteinte à la dignité personnelle de l'individu (prosternation et baiser sur l'ourlet de la robe); infériorité sociale de la femme. Châtiments cruels : torture. **Interruption des relations avec l'Occident et isolement de la Russie orthodoxe.**

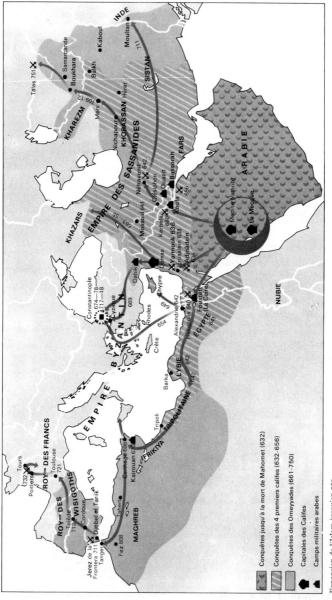

Expansion de l'Islam jusqu'en 750

Conquêtes jusqu'à la mort de Mahomet (632)
Conquêtes des 4 premiers califes (632-656)
Conquêtes des Omeyyades (661-750)
Capitales des Califes
Camps militaires arabes

La doctrine de l'Islam (soumission à la volonté de Dieu) a été prêchée par **Mahomet** auquel elle a été révélée (610) : le jugement universel est proche (punition et récompense des actes humains), et **Allah,** créateur et juge, détermine le sort des hommes. Les **cinq devoirs principaux du musulman** sont : la profession de foi (« Il n'y a de Dieu que Dieu, et Mahomet est son prophète »), la prière (cinq fois par jour), l'aumône obligatoire (impôt), le jeûne pendant le mois du Ramadan, et le pèlerinage à La Mecque. Les **trois fondements de la foi** sont le **Coran** (fixé par écrit sous OTHMAN), qui se compose de 114 sourates; la sunna (recueil de pratiques et de préceptes), et l'idjma (unanimité des croyants). Sous ALI, scission entre les sunnites et les chiites, qui rejettent la sunna. Les chiites voient dans ALI le successeur légitime du Prophète (parti légitimiste), contrairement aux kharidjites, selon lesquels tout croyant peut être choisi comme chef de la communauté.

Le prophète
570-632 Mahomet. Il doit d'abord fuir La Mecque à cause de sa prédication.
15 juin 622 Hégire (Hedjra = exil à Médine-Yathrib, «vol du prophète ») et début de l'Islam.
1er janv. 630 Retour de MAHOMET à La Mecque. Il épure la ville et la Kaaba, ancien sanctuaire religieux des Arabes, en supprimant les idoles. La nouvelle doctrine triomphe en Arabie.
632 Mort de MAHOMET à Médine.

Les califes élus (632-661)
632-634 Le calife (successeur) ABOU BEKR soumet les tribus arabes révoltées et progresse vers la Syrie et la Perse.
634-644 Omar, commandeur des Croyants, transforme l'État national arabe en un empire théocratique mondial et établit une administration militaire : le commandant en chef des troupes d'occupation devient à la fois gouverneur civil, chef religieux et juge temporel. OMAR conquiert la Syrie et la Palestine (Damas 635, Jérusalem 638), la Perse (Ctésiphon 636, bataille de Néhavend 642). Son général AMR IBN AL-AS s'empare de l'Égypte. (Les Byzantins évacuent Alexandrie en 642.)
644-656 L'Omeyyade OTHMAN est élu calife et continue la politique de conquête. Les Arabes avancent sur Barka (642-645). Le gouverneur de Damas, MOAWIA, lutte contre Byzance. Une flotte byzantine menace Alexandrie, ce qui provoque la création d'une flotte arabe, qui devient une puissance. OTHMAN favorise les **Omeyyades** et est assassiné.

656-661 ALI, cousin et gendre du Prophète, s'établit à Koufa après sa lutte contre la veuve de MAHOMET, AÏCHA, et sa victoire à la « bataille du Chameau » (près de Bassorah, en 656). **Médine perd toute importance politique.** MOAWIA, gouverneur de Syrie, veut venger la mort de son cousin OTHMAN. Après la bataille indécise de Siffin (657), et l'arbitrage d'ADHROUCH (658) dont les conséquences sont désastreuses pour lui (une partie de ses partisans l'abandonne = **kharidjites**), ALI est tué.

La dynastie des Omeyyades (661-750)
661-680 Moawia évince les fils incapables d'ALI. Damas devient capitale. Réorganisation de l'administration et des impôts. Échec des attaques contre Byzance (à partir de 667). A l'est, Kaboul, Boukhara et Samarcande sont conquises.
680-683 YAZID Ier triomphe du fils d'ALI, HOUSSAÏN, à la bataille de **Kerbela** (10 oct. 680 **journée de deuil pour les chiites**), lieu de pèlerinage chiite.
685-705 ABD EL-MALIK réprime les soulèvements chiites et kharidjites et écarte les prétendants califes. Il rétablit l'unité de l'État à La Mecque. Il s'assure la domination de l'Afrique du Nord (prise de Carthage, 698). **Création d'une monnaie arabe.**
705-715 Walid Ier. Apogée des Omeyyades : conquête de la Transoxiane, de la région de l'Indus (711) et de l'Espagne : TARIK passe le détroit de Gibraltar (Djebel al Tarik) et anéantit le royaume wisigoth de RODRIGUE (p. 113).
718 Échec du siège de Constantinople.
732 Bataille entre Tours et Poitiers. Arrêt des conquêtes arabes à l'ouest. Crise écon. et sociale qui provient de l'institution de l'égalité fiscale entre Arabes et non-Arabes. Révoltes chiites et kharidjites, dissensions entre Omeyyades et Abbassides. Déclin de la dyn. omeyyade.
750 Défaite du dernier Omeyyade (MERWAN II) sur le Grand Zab. Dans le massacre qui suivra, tous les Omeyyades périront, sauf ABD ER-RHAMAN, qui fondera en Espagne l'**émirat omeyyade de Cordoue** (756).

État, Société
La domination arabe réunit des peuples d'origine et de religion différentes. Malgré ces particularités, naissance d'une **civilisation arabe unifiée,** grâce à la religion (Islam) et à la langue arabe qui devient partout prédominante, car le Coran ne doit pas être traduit. Les peuples soumis qui ne se convertissent pas (et ils n'y sont pas forcés) doivent l'impôt. Une certaine discrimination fait naître des conflits.

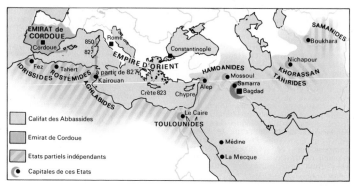

Expansion de l'Islam aux 8ᵉ, 9ᵉ et 10ᵉ siècles

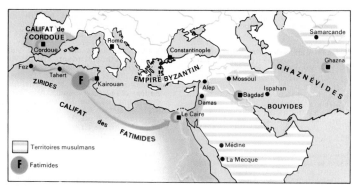

États musulmans vers 1000

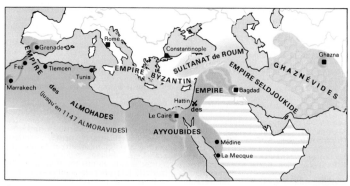

États musulmans vers 1180

La dynastie des Abbassides (750-1258) est fondée par ABOUL-ABBAS, qui meurt en 754.

754-775 Al-Mansour (le Vainqueur) est le véritable fondateur de la dynastie. Il se sert de troupes auxiliaires et, en 762, établit sa capitale à Bagdad. L'hégémonie passe des Arabes aux **Perses** : introduction du cérémonial de cour perse, gouvernement par vizirs, organisation de l'administration d'après les modèles perse et byzantin. Le calife, entouré par l'appareil de l'État et la cour, devient inaccessible. Apogée sous **Haroun al-Rashid (786-809)** (connu par les « Mille et une Nuits »). Malgré des combats victorieux contre Byzance, le **déclin politique de l'empire commence.** Au Maroc, la dyn. des **Idrissides** (788) prend le pouvoir; à Kairouan, celle des **Aghlabides** devient indépendante.

Au IXe siècle, troubles, révoltes chiites, qui sont à l'origine de nouvelles dynasties locales **(Tahirides** du Khorassan) et de **l'impuissance du calife,** qui devient le supérieur spirituel de tous les croyants, tandis que le gouvernement est exercé à partir de 936 par l'émir al-Oumara (« émir des émirs »). Les princes des dynasties indépendantes prendront bientôt le titre de calife.

940-1256 Le califat des Abbassides n'a aucune importance politique. **1258** Les Mongols prennent et détruisent Bagdad (p. 175).

Évolution interne
Malgré de gros succès de politique extérieure (hégémonie médit. jusqu'au XIe siècle, conquête de l'Inde au XIe), développement de **régions autonomes** à partir du IXe siècle à cause des particularismes religieux (sectes). Fait important : **l'infiltration des Turcs** qui constituent au IXe siècle la **garde** de toutes les cours musulmanes. Leurs chefs deviennent gouverneurs et exercent le pouvoir. Les Ghaznévides d'Afghanistan sont la première dyn. turque (962-1186). L'Islam essuie des revers en Espagne avec la Reconquista (p. 183) et la perte de la Sicile.
Civilisation. Dans les centres culturels islamiques (Bagdad, Damas, Le Caire, La Mecque, Samarcande), les héritages scientifiques orientaux et hellénistiques sont à l'origine d'une science islamique qui atteint son apogée aux IXe et Xe siècles et influence l'Occident chrétien, surtout en Espagne.

Le morcellement des États musulmans
L'Espagne, sous la dyn. des Omeyyades (755-1031), connaît une période d'épanouissement. Le souverain le plus important est ABD ER-RHAMAN III (912-961) qui rétablit la puissance centrale de l'émirat aux dépens de la noblesse et revendique le califat (929). Après le rétablissement de la domination arabe sur toute l'Espagne par ALMANZOR (977-1002), des troubles intérieurs ont lieu (1008-1031) au sujet de la succession, et l'Andalousie se divise en territoires indépendants (période des rois de Taïfas 1031-1086). Contre ALPHONSE VII DE CASTILLE (p. 183), qui relance l'offensive chrét., les musulmans d'Espagne appellent les Almoravides berbères (1086-1147), qui cèdent la place aux Almohades (1150-1250). Le dernier royaume musulman, l'émirat de Grenade, est conquis par les Castillans (p. 183).

Afrique du Nord. Vers 800, 3 petites dyn. : les Rostémides berbères de Tiaret, les Idrissides de Fez (808-930), et les Aghlabides de Kairouan (801-909), qui conquièrent rapidement l'Égypte (969) et revendiquent le commandement des Croyants en tant que descendants de FATIMA, fille du prophète. En Algérie les Zirides (972-1167) sont d'abord gouverneurs des Fatimides, puis deviennent indépendants (1041). Au XIe siècle, les Almoravides (1061-1163) prennent le pouvoir sur toute l'Afrique du Nord, puis les Almohades (1147-1269) sous ABD AL-MUMIN, le souverain le plus important de toute l'Afrique du Nord. Le royaume des Almohades sera anéanti par les attaques des chrétiens et des Arabes.

Égypte. Aux Toulounides (868-905) et aux Ikshidides (935-969) succèdent les **Fatimides** (969-1171) qui ne reconnaissent plus l'autorité des califes abbassides et se proclament califes. La dynastie des Ayyoubides, dont le fondateur est SALADIN (SALAH AD-DIN) prend leur place. SALADIN vainc le roi de Jérusalem à Tibériade (1187). La garde turque des mamelouks prendra de plus en plus d'importance et repoussera l'attaque des Mongols sur l'Égypte (1260).

L'Est. Les Hamdanides de Mossoul et d'Alep (890-1003) gouvernent la Mésopotamie, tandis que les Samanides (819-999), d'abord vassaux en Transoxiane des Tahirides, sont indépendants à partir de 875 (formation d'une littérature nationale perse). Les Bouyides (932-1055) créent le plus grand empire, et voient renaître la conscience nationale de l'Iran. A partir de 945, les Bouyides portent le titre du plus haut fonctionnaire (émir al-Oumara). En réalité ils exercent le pouvoir. Les Turcs assumeront le gouvernement du monde islamique (l'empire des Grands Seldjoukides).

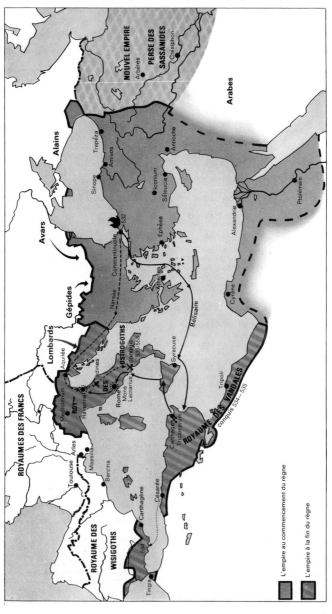

NOUVEL EMPIRE

PERSE DES SASSANIDES

Ctésiphon

Arbélès

Arabes

Alains

Trapéza

Antioche

Amisos

Sinope

Iconium

Séleucie

Ptolémaïs

Avars

532

Ephèse

Alexandrie

Gépides

Constantinople

Narsès

Athènes

Cyrène

Bélissaire

Lombards

Aquilée

OSTROGOTHS

Syracuse

Sardines

conquis 535/555

Tripoli

DES

ROYAUME DES VANDALES

ROY.

Ravenne

Rome

Mediolanum

Mons Lactarius

conquis 534–535

Carthagène
Tricamarum

ROYAUME DES FRANCS

Arles

Toulouse

Massilia

Barcina

Césarée

Carthagène

556

ROYAUME DES WISIGOTHS

Tingis

L'empire au commencement du règne

L'empire à la fin du règne

Empire de Justinien

Débuts de l'empire d'Orient

L'empire byzantin a pour **fondements** le droit et l'administration de Rome, la langue et la civilisation grecques, la foi et les mœurs chrétiennes; l'Église se couronne l'empereur à partir de 479.

431 2ᵉ concile œcuménique d'Ephèse. Condamnation de la doctrine de NESTOR (nature humaine du Christ). Approbation de celle de CYRILLE D'ALEXANDRIE (nature divine du Christ).

451 4ᵉ concile œcuménique de Chalcédoine. La doctrine monophysite est condamnée comme hérétique. La doctrine du pape LÉON Iᵉʳ sur la double nature divine et humaine (duae naturae, una persona), est reconnue pour juste, telle qu'elle a été formulée par SAINT AUGUSTIN. L'influence des Germains à la cour grandit dans la Iʳᵉ moitié du vᵉ siècle. Elle disparaît avec l'empereur LÉON Iᵉʳ.

476 ODOACRE est nommé patrice de Rome.

527-565 Justinien, marié avec THÉODORA (morte en 548), met fin à la guerre contre les Perses par une « paix éternelle » (532) afin de pouvoir reconquérir l'empire d'Occident. En 535, conquête de l'Afrique du Nord, en 553 de l'Italie, en 554 de l'Espagne mérid., par BÉLISAIRE et NARSÈS. Les surcharges économiques et financières provoquent l'affaiblissement de l'empire. La position autocratique de l'empereur se confirme après la répression de la **sédition Nika** (532). **Césaropapisme.**

528-535 Codification du droit romain (Corpus juris civilis) : Institutes, Digestes ou Pandectes, Codex justinianus (Constitution de 534).

568 Les Lombards prennent l'Italie, perdue pour Byzance.

582-602 Maurice, après les attaques des Avars et des Slaves sur les Balkans, crée des exarchats pour la défense de l'empire. En 591, MAURICE conquiert l'Arménie.

Naissance du moyen empire byzantin

610-641 Héraclius prend le titre de basileus au lieu d'imperator. Le grec devient la langue officielle. **Avec la création des thèmes,** HÉRACLIUS complète l'œuvre de MAURICE : Division de l'Asie Mineure en districts militaires (thèmes) que commande un stratège pourvu du pouvoir civil et militaire. Des soldats-colons forment une milice paysanne (stratiotes). Chaque stratiote est assujetti au service militaire : il reçoit un domaine héréditaire dont il doit tirer sa subsistance et ses frais d'équipement.

628 Victoire sur les Perses et effondrement de l'empire sassanide sous la double attaque des Avars et des Slaves au moment où les Perses avancent sur Constantinople (626). Les Arabes succèdent aux Perses : obligation d'abandonner aux Slaves la péninsule balkanique, mais ils reconnaissent la suzeraineté de l'empire sous CONSTANCE II POGONATOS (641-668). Les Arabes attaquent Constantinople, et sont repoussés (674-678, 717-718).

717-802 Dyn. syrienne (Isaurienne). Querelle des images, qui naît de l'influence des sectes orientales iconoclastes, des Juifs et des Arabes. Résistance violente des partisans des images, soutenus par le pape GRÉGOIRE III, et pour qui l'image est un symbole et un moyen de vénération.

740 Victoire d'Acroïnon sur les Arabes. Les campagnes de CONSTANTIN V (741-775) transforment la lutte pour la vie de l'empire byzantin en une guerre de frontières. L'effort arabe se porte vers l'ouest : Afrique du Nord et Espagne.

751 Chute de Ravenne : effondrement de la domination byzantine en Italie.

800 Couronnement de CHARLEMAGNE, que ne peut empêcher l'impératrice IRÈNE : **liens étroits entre la papauté et les Francs.**

812 MICHEL Iᵉʳ accorde à CHARLEMAGNE le titre de basileus.

820-867 Dynastie phrygienne. Les Arabes occupent la Crète.

842-867 Michel III. Christianisation des peuples slaves par les missions byzantines : CONSTANTIN et MÉTHODE s'en vont en Moravie. Le khan BORIS de Bulgarie (852-889) se fait baptiser (865). Suprématie reconnue du patriarche byzantin (870).

863 Victoire sur l'émir de Mélitène.

867 Le patriarche PHOTIUS inaugure le schisme avec Rome.

Armée, constitution, économie. L'organisation des thèmes renforce la puissance militaire. L'armée se compose des recrues des thèmes et des régiments de la Garde (Tagmata) stationnés à Constantinople, de la flotte des escadres des thèmes et de la flotte impériale de la capitale. L'administration centrale est divisée en **logothésies** que gouvernent des **logothètes,** dont le premier, le **dromos,** dirige la politique de l'État. Ce **processus de féodalisation** s'affirme par la création d'une aristocratie dans les thèmes et l'accroissement des domaines des monastères, qui font des paysans libres et des stratiotes les vassaux des gros propriétaires fonciers que le pouvoir central ne peut plus soumettre. Byzance devra recourir de nouveau à des mercenaires. L'État contrôle l'économie au moyen des corporations.

L'essor de la Papauté

Après l'intervention des Pères de l'Église IRÉNÉE et TERTULLIEN en faveur de l'autorité de Rome comme ville apostolique, CALIXTE Ier (217-222) bénéficie d'une position exceptionnelle en tant qu'évêque de Rome (Mathieu 16, 18). Malgré l'opposition de TERTULLIEN et d'ORIGÈNE, il fonde ainsi la conception d'une papauté. CYPRIEN, Père de l'Église, défend la primauté honorifique de Pierre, mais est convaincu de l'égalité de droits de tous les évêques.

325 Le concile de Nicée déclare l'égalité des 4 patriarcats de Jérusalem, Antioche, Alexandrie et Rome, ce dernier étant le seul occidental.

375 DAMASE Ier (366-384) intervient pour affirmer l'autorité doctrinale de l'évêque de Rome sur la base de la tradition de saint PIERRE (emploi du terme : « le siège apostolique »). Cette évolution mènera à la conception d'un évêque de Rome pape. Ce terme (papa = père) est employé par THÉODOSE LE GRAND qui reconnaît l'évêque de Rome, autorité suprême, comme défenseur de la juste foi. SIRICIUS (384-399) rédige les decretalia constituta en s'appuyant formellement sur les ordonnances impériales dans lesquelles on affirme que le pape est le successeur de PIERRE.

440-461 Léon Ier « secret empereur romain » est le premier pape véritable et le fondateur de la primauté romaine.

445 Édit de Valentinien III. Confirmation de la primauté de l'évêque de Rome en Occident (Italie, Espagne, Afrique du Nord, Gaule mérid.). Les successeurs de PIERRE, à qui le Christ a fait don de pouvoirs spéciaux, sont évêque de Rome, « vicaire du Christ, juge suprême » (Mat. 16, 18), administrateur suprême de l'Église (Jean 21, 25-27), et la plus haute autorité enseignante (Luc 22, 32).

451 Protestation de LÉON Ier contre la décision du concile de Chalcédoine sur l'égalité des évêques de Rome et de Byzance.

492-496 Gélase Ier expose dans une lettre à l'empereur ANASTASE Ier la doctrine des deux pouvoirs : les évêques sont responsables devant Dieu des souverains temporels, auxquels les prêtres sont supérieurs en ce qu'ils administrent les sacrements.

498-514 SYMMAQUE. Pendant son pontificat, il est stipulé que le pape ne peut être jugé par personne.

590-604 Grégoire le Grand, le premier moine pape, se nomme « servus servorum Dei » (serviteur des serviteurs de Dieu), ce qui deviendra un titre officiel. Il simplifie la doctrine augustinienne. Par la centralisation des possessions du pape (Patrimoine : latifundia appartenant à l'Église), il fonde le pouvoir temporel papal en Italie et devient peu à peu le souverain de la ville de Rome. Il se détache de la civilisation byzantine et se tourne vers les peuples germaniques dont il reconnaît l'importance et qu'il lie ainsi à Rome : Wisigoths, Souabes et Lombards deviennent catholiques. Conversion des Anglo-Saxons par le moine AUGUSTIN qu'il envoie en 596 au roi ETHELBERT DE KENT (fondation de Cantorbéry). Les Anglo-Saxons se soumettent à la juridiction du pape.

664 Le synode de Whitby garantit au pape des droits en Angleterre.

680-681 Le 6e concile œcuménique de Constantinople condamne la doctrine monothélite défendue par l'empereur HÉRACLIUS Ier (le Christ a deux natures, mais une seule volonté), et à laquelle le pape HONORIUS Ier (625-638) a donné son accord. Il est anathématisé comme propagateur d'une hérésie : destruction de la doctrine de l'infaillibilité de Rome.

722 Boniface, une fois consacré évêque, fait vœu d'obéissance au pape GRÉGOIRE II (715-731) et part comme missionnaire en Allemagne.

752-757 ÉTIENNE II se détourne de l'empire d'Orient et traite avec le royaume des Francs (p. 115) : fondation de l'État pontifical (Donation de PÉPIN, p. 115). Le pape élève des prétentions à la puissance territoriale en se servant d'un document falsifié (Donatio Constantini) : l'indépendance de Rome à l'égard de l'Orient remonterait ainsi à CONSTANTIN LE GRAND qui aurait remis au pape de Rome la moitié de l'empire d'Occident.

800 LÉON III (795-816) couronne CHARLEMAGNE empereur (p. 115).

847-852 Les fausses décrétales (dites « isidoriennes »), rédigées dans la région de Reims, doivent consolider la situation des évêques à l'égard des métropolitains, des synodes et des puissances temporelles; l'indépendance de l'Église ne s'obtient que grâce au pape, garant de sa liberté. Le pape est donc proclamé suzerain suprême de la terre.

858-867 NICOLAS Ier. Devant la décadence du pouvoir impérial des Carolingiens, le pape s'appuie sur les fausses décrétales pour soumettre le système ecclésiastique franc à l'organisation centrale de Rome.

867 Le procès contre PHOTIUS, patriarche de Constantinople, renouvelle le schisme avec l'Église d'Orient.

Expansion du monachisme

Naissance du monachisme en Égypte et en Syrie. Son but est de sauvegarder l'austérité du christianisme grâce à un idéal ascétique et une vie érémitique. Vers 300, ANTOINE se réfugie dans la solitude du désert (vie des anachorètes ou ermites). PACÔME (292-346) fonde le premier monastère (vie monacale en communauté = cénobites). Au IVe siècle, le monachisme se répand dans tout l'Orient. BASILE LE GRAND, métropolite de Césarée en Cappadoce depuis 370, établit un règlement obligatoire pour tous les moines grecs. 451 Concile de Chalcédoine, qui donne aux évêques le droit de diriger les monastères de leur diocèse; les vœux des moines les lient pour la durée de leur vie.

Après 370, développement de la vie monastique occidentale sous l'influence de la « Vita Antonii », traduction latine d'EVAGRIOS D'ANTIOCHE.

480-543 Benoît de Nursie (Norcia à l'est de Spolète), fonde vers 529 le monastère du Mont-Cassin en Campanie et établit les « regulæ Benedicti » qui donnent au monachisme occidental sa forme définitive. Ces règles combinent la discipline romaine et les anciennes traditions monastiques : stabilitas loci (demeurer dans un monastère, contrairement aux ascètes errants); conversio morum (pauvreté et chasteté); obœdientia, (obéissance à l'abbé); travail obligatoire (ora et labora), et refus d'un ascétisme exagéré. Les monastères ont le devoir d'hospitalité, ils s'occupent des pauvres ainsi que de l'enseignement. Ils deviennent des centres culturels où l'on recueille la littérature antique, où l'on rédige l'histoire, où l'on s'occupe d'élevage et d'agriculture. Avec la faveur de GRÉGOIRE LE GRAND et de CHARLEMAGNE, la règle de SAINT BENOÎT prédomine en Occident. 743 Elle est obligatoire pour l'Empire des Francs.

816-817 Réforme monastique sous la direction de SAINT BENOÎT D'ANIANE : application sévère de la règle bénédictine.

X^e-XIe siècles : 2e mouvement de réforme. Ce mouvement dit de Cluny est originaire de Cluny (monastère fondé en 910) et de Gorze. Il est provoqué par l'avènement d'une féodalité ecclésiastique et par l'intervention du pouvoir temporel. L'économie monastique est réformée, les monastères sont placés sous la direction des papes et non plus des évêques. La discipline est renforcée ainsi que l'obéissance due à l'abbé. Environ 200 monastères réunis en congrégation reconnaissent l'autorité de l'abbé de Cluny. Autres mouvements réformateurs : les camaldules, fondés par ROMUALD DE RAVENNE; les chartreux, fondés par BRUNO DE COLOGNE en 1084, et celui du monastère de Hirsau (réformé en 1069). Tous tendent au développement de la spiritualité. 1098 Fondation de l'ordre des cisterciens par ROBERT DE MOLESMES (mort en 1100). Forte influence de SAINT BERNARD, qui entre chez les cisterciens et est le 1er abbé de Clairvaux (1115).

1119 « Charta caritatis » : Le 3e abbé de Clairvaux, SAINT ÉTIENNE HARDING, complète la règle bénédictine. L'ordre des cisterciens se réorganise par l'adjonction de monastères. L'autorité suprême est détenue par le chapitre général annuel de tous les abbés. Les monastères sont surveillés par le monastère d'origine, Cîteaux, et celui-ci par les quatre plus anciens monastères qu'il a créés. Colonisation de l'Allemagne de l'Est.

1120 Fondation de l'ordre de Prémontré par NORBERT DE XANTEN, archevêque de Magdebourg en 1126. Les membres sont des chanoines réguliers, et non des moines. Son activité spirituelle de conversion se déploie surtout à l'est de l'Elbe.

Ordres mendiants. Leur idéal est d'imiter le Christ (imitatio Christi), d'accomplir la vie de JÉSUS. A l'inverse des bénédictins et des cisterciens, ils se développent dans les villes où ils deviennent des organismes volontaires, disciplinés, centralisés, qui aident à la politique de la papauté. Tentative de réforme de saint François d'Assise (1182-1226). La Curie intervient en fondant l'ordre des franciscains. 1223 HONORIUS III confirme la création de cet ordre dont le but sera d'éveiller la piété populaire et d'effectuer un travail intellectuel. Vœu de pauvreté absolue.

1216 Fondation de l'ordre des dominicains (ordre des Frères prêcheurs) par DOMINIQUE DE CALERUEGA (1170-1221). Cet ordre doit combattre les hérétiques (Albigeois), chercher à les convaincre et les ramener sous l'autorité du Saint-Siège. A partir de 1231 : création de l'Inquisition.

En 1227, fondation de l'ordre des clarisses, par SAINT FRANÇOIS D'ASSISE et SAINTE CLAIRE, branche féminine de l'ordre mendiant des franciscains. Un « troisième ordre » est celui des laïques (tertiaires), qui sont contrôlés par les deux premiers. En 1156, sur le mont Carmel, des communautés d'ermites fondent l'ordre des carmélites. En 1256, fondation en Italie de l'ordre des ermites de SAINT-AUGUSTIN.

La France sous les Capétiens

L'essor des Capétiens
987-996 Hugues Capet, fils d'HUGUES LE GRAND, est élu et couronné roi. Ses successeurs, ROBERT LE PIEUX (996-1031), HENRI Ier (1031-1060) et PHILIPPE Ier (1060-1108), portent le titre de « Rex Francorum», mais ce n'est qu'un symbole. L'essor des Capétiens commence avec
Louis VI le Gros (1108-1137), qui soumet les vassaux indisciplinés du domaine royal, et, par la réglementation de son investiture comme roi associé de PHILIPPE Ier, inaugure la collaboration de la royauté française avec la papauté (défense contre l'Allemagne). Son conseiller, l'abbé de Saint-Denis, SUGER, organise une administration centralisée et établit des relations étroites entre la royauté et les nouveaux ordres monastiques, grâce à son ami BERNARD DE CLAIRVAUX.
1124 Les attaques de l'empereur HENRI V (p. 144), allié de son beau-père HENRI Ier d'ANGLETERRE, suscitent la naissance d'un sentiment national français : création de l'oriflamme, bannière royale.
1137-1180 Louis VII (marié avec ÉLÉONORE d'AQUITAINE) prend part à la 2e croisade (p. 147). Pendant son absence, l'abbé SUGER remplace le roi et lève un impôt général indirect pour couvrir les frais de l'expédition. Après son divorce avec LOUIS VII (1152), ÉLÉONORE épouse le comte d'Anjou, du Maine et de Touraine, HENRI, à qui elle apporte l'Aquitaine (Poitou, Guyenne, Gascogne) et qui, en 1154, devient roi d'Angleterre et duc de Normandie.
1180-1223 Philippe II, dit **Auguste** met victorieusement fin au conflit avec la maison d'Anjou.
1201 **Jean Ier sans Terre,** au cours d'un procès que lui intente PHILIPPE AUGUSTE, est déclaré déchu de tous ses droits féodaux; PHILIPPE lui prend toutes les provinces au nord de la Loire. Capitulation de Rouen (1204).
1212 Alliance avec FRÉDÉRIC II DE HOHENSTAUFEN (p. 169) contre OTTON IV, l'empereur Guelfe, et les seigneurs des Flandres.
1214 Bataille de Bouvines. PHILIPPE triomphe de ses adversaires. Paix de 5 ans à Chinon avec JEAN SANS TERRE : toutes les possessions anglaises au nord de la Loire deviennent possessions du roi (le domaine royal couvre un tiers de la France).
1209-1229 Croisade des Albigeois dans le Sud de la France. Un page de RAYMOND VI, COMTE DE TOULOUSE, assassine le légat du pape INNOCENT III qui lance un appel à la croisade. Les croisés, commandés par SIMON DE MONTFORT, prennent

le Languedoc. (1208-1218). Prise et incendie de Béziers (1209). Victoire de SIMON DE MONTFORT sur RAYMOND VI et son beau-frère PIERRE II d'ARAGON, à Muret (1213). SIMON meurt en 1218, RAYMOND VI recouvre ses terres.
1223-1226 Louis VIII. La monarchie est devenue héréditaire (Reims est ville du couronnement). LOUIS prend aux Anglais le Poitou et la Saintonge (1224), conquiert Avignon (1226) et le Languedoc.

État et constitution — Civilisation
Le roi fonde sa puissance sur les domaines de la couronne. De grandes principautés territoriales se forment au XIe siècle, avec une administration développée. Cette concentration sert les intérêts de la monarchie. La création d'un droit féodal permet au roi de se placer au sommet de la pyramide. Il y parvient en féodalisant tout le pays, tous les fiefs disponibles revenant à la couronne, par l'obligation qu'ont les vassaux d'être fidèles à leur seigneur.
L'administration centrale est renforcée par l'institution d'un **Parlement** (tribunal suprême) et par la création d'un état-major de fonctionnaires. Impôt direct: **la taille** (payée par les roturiers) Renforcement des villes par attribution de privilèges pour raisons financières et militaires.
Les routes du pèlerinage de Compostelle. En 813 en Galice, un pèlerinage s'instaure à la suite de la découverte de la tombe supposée de **saint Jacques le Majeur.**
En 997, les musulmans parviennent jusqu'au sanctuaire (raid d'ALMANZOR). A la fin du XIe siècle, le pèlerinage, favorisé par l'action des clunisiens, atteint son âge d'or.
1075-1150 Construction de la cathédrale Saint-Jacques de Compostelle (style roman à l'intérieur; le porche de la Gloire, à l'extérieur, annonce l'art gothique).
Hospices, hôpitaux jalonnent les **chemins de Saint-Jacques,** ornés de sanctuaires fameux : Le Puy, Conques, Moissac, etc. L'influence **mozarabe,** venue d'Espagne, remonte vers la France, alors que l'influence de l'art roman descend vers l'Espagne.
L'art roman. Origines romaines et catalanes, influence byzantine et musulmane; arc en plein cintre, plan basilical.
Il est réparti en France entre **plusieurs écoles (fin XIe, XIIe) :** poitevine (Notre-Dame-la-Grande à Poitiers, Aulnay); — auvergnate (Issoire, Saint-Nectaire, Conques); — de Saintonge (Angoulême); — provençale (Arles, Saint-Gilles-du-Gard); — bourguignonne (Autun, Vézelay, Cluny); — périgourdine (Saint-Front de Périgueux).

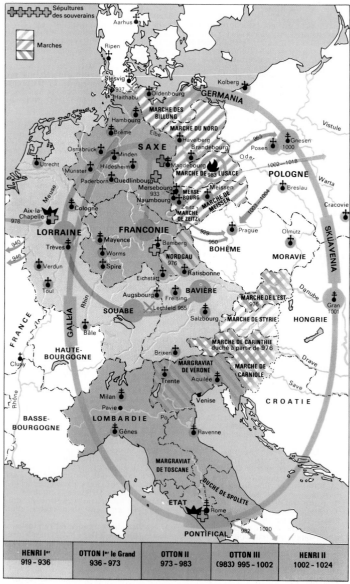

Sépultures
des souverains

Marches

Aarhus

Ripen

Slesvig
937
Haithabu
Oldenbourg
Kolberg
GERMANIA
Vistule

MARCHE DES
BILLUNG

Hambourg
Brême
Elbe
MARCHE DU NORD

Havelberg
Brandebourg
Posen
Gnesen
963
1000

Osnabrück
Minden
SAXE
Magdebourg
Oder
1002-1018

Utrecht
Munster
Hildesheim
MARCHE DE
LUSACE
983
POLOGNE
Warta

Paderborn
Quedlinbourg
Mersebourg
MERSE-
BOURG
Meissen
Breslau

Aix-la-
Chapelle
978
Meuse
Cologne
933
Naumbourg
Zeitz
MARCHE
DE ZEITZ
MARCHE DE
MEISSEN
Cracovie
SKLAVENIA

LORRAINE
940
FRANCONIE
929
Prague
Olmütz
MORAVIE

946
Trèves
Mayence
Bamberg
950
BOHÊME

Verdun
Worms
Spire
NORDGAU
976
Ratisbonne

Toul
Eichstätt
Danube
Gran
1001

Rhin
Augsbourg
Freising
BAVIÈRE
MARCHE DE L'EST
976
HONGRIE

FRANCE
GALLIA
SOUABE
Lechfeld 955
Salzbourg
MARCHE DE STYRIE

Bâle
MARCHE DE CARINTHIE
duché à partir de 976
Drave

HAUTE-
BOURGOGNE
Brixen
MARGRAVIAT
DE VÉRONE
MARCHE DE
CARNIOLE
Save

Cluny
Trente
Aquilée

Rhône
Milan
Venise
CROATIE

Pavie
Po

BASSE-
BOURGOGNE
LOMBARDIE
Ravenne

Gênes

MARGRAVIAT
DE TOSCANE

DUCHÉ DE SPOLÈTE

ÉTAT
Rome
982   1020

PONTIFICAL

HENRI Iᵉʳ 919 – 936	OTTON Iᵉʳ le Grand 936 – 973	OTTON II 973 – 983	OTTON III (983) 995 – 1002	HENRI II 1002 – 1024

Empire allemand 919-1024

Après l'extinction de la dyn. carolingienne, les grands d'Allemagne élisent à Forchheim **Conrad Ier (911-918) de Franconie**, qui devient roi. Il s'efforce enfin de rétablir l'unité du royaume contre les ducs. La Lorraine se joint au royaume de l'Ouest.

Les empereurs saxons (919-1024)
919-936 Henri Ier l'Oiseleur est élu roi par les Francs et les Saxons.
933 Victoire sur les Hongrois à Riade.
966-973 Otton Ier le Grand, fils d'HENRI, qui l'a désigné comme successeur. Il est intronisé à Aix-la-Chapelle par les nobles d'Allemagne, acclamé par le peuple, oint par les archevêques et couronné.
936-937 Organisation des marches avec HERMANN BILLUNG et le margrave GÉRON, pour protéger les frontières orientales.
939 Révolte des ducs EBERHARD DE FRANCONIE et GISELBERT DE LORRAINE.
10 août 955 Victoire d'Otton sur les Hongrois au Lechfeld. En octobre 955, victoire sur les Slaves sur la Recknitz.
La christianisation des Slaves s'effectue par la création des évêchés de Slesvig, Oldenbourg, Havelberg, Brandebourg (948), Meissen, Mersebourg et Zeitz (plus tard Naumbourg), suffragants de l'archevêché de Magdebourg (968). Prague (973) et Olmütz (975) dépendent de Mayence.
961-965 2ᵉ campagne d'Italie d'OTTON.
2 fév. 962 Couronnement d'Otton le Grand à Rome.
973-983 Otton II épouse THÉOPHANO, nièce de l'empereur d'Orient.
983 Grande révolte des Slaves. Perte des territoires à l'est de l'Elbe.
983-1002 Otton III. Jusqu'en 995, minorité sous la régence de sa mère THÉOPHANO et de sa grand-mère ADÉLAÏDE. En 996, campagne d'Italie. Il impose son cousin BRUNO comme pape (GRÉGOIRE V, 996-999) et est couronné à Rome.
999 GERBERT D'AURILLAC devient le pape SYLVESTRE II.
1002-1024 Henri II.
Guerres infructueuses contre BOLESLAV CHROBRY, conquête de la Bohême en 1004, mais à la paix de Bautzen, BOLESLAV reçoit en fiefs la Lusace et la région de Bautzen (Misnie) (p. 163).
1007 Fondation de l'év. de Bamberg. Mission chez les Slaves du Main.

État et politique
Le royaume des Francs (depuis la fin du XIᵉ siècle Regnum Teutonicum) est indivisible. Après son couronnement, il est appelé à partir de 982 Imperator Romanorum Augustus. Pour son élection par la noblesse et le clergé des quatre « nations » (Saxons, Francs, Bavarois, Souabes), le vieux droit du sang germanique joue de manière décisive ainsi que la désignation par son prédécesseur (ce n'est pas un droit héréditaire, mais un droit électif).
Au IXᵉ siècle, de nouveaux duchés nationaux se constituent dans des guerres défensives (Saxe, Bavière, Souabe, Lorraine). La Lorraine, peuplée de Francs rhénans, est le reste du royaume de LOTHAIRE.
Otton Ier échoue dans sa tentative de créer une monarchie héréditaire. Il se tourne alors vers la seule instance supérieure à toutes les « nations » : l'Église.
Politique religieuse d'Otton. Agrandissement des territoires ecclésiastiques, qui font partie des territoires de l'État. Il accorde la puissance temporelle aux évêques et aux abbés qu'il nomme aux plus hautes fonctions de l'État. En échange de riches donations et d'une complète immunité (exercice de la haute justice par des avoués ecclésiastiques nobles), l'épiscopat est soumis à des prestations militaires et financières (Servitium regis : les 2/3 de l'armée et des impôts du royaume).
L'Église défend l'unité du royaume.
Politique occidentale. Les conflits avec la France ont pour objet la **Lorraine**, pays riche, civilisé, puissant et fortement peuplé.
942 LOUIS IV de France doit renoncer à la Lorraine après la campagne d'OTTON Ier (940).
Politique impériale et italienne. Elle poursuit la tradition carolingienne. OTTON Ier n'arrive pas à rétablir complètement les droits de l'empire. Avec la dignité impériale, il obtient la suzeraineté sur le Patrimoine de Pierre et le droit de protéger l'Église. Contrairement à son père, OTTON Ier envisage son couronnement à Aix-la-Chapelle. Sa politique à l'égard de la France, de la Bourgogne et de l'Italie est un héritage de la tradition carolingienne : il se considère comme le successeur légal de l'empereur franc. Dans les dernières années de sa vie, il passe près de 10 ans en Italie.
OTTON III tente de se rattacher à l'empire romain (renovatio imperii Romanorum) : Rome doit redevenir la capitale impériale, l'Aventin sera sa résidence, et il gouvernera de là l'empire : la Germanie, Rome, la Gaule et les pays slaves. En 1001, il prend le titre de « serviteur des Apôtres » pour assurer son influence sur les terres polonaises et hongroises remises au Saint-Siège.
Politique orientale. Elle est dominée par la christianisation. Aux IXᵉ et Xᵉ siècles, il n'y a pas encore de colonisation.

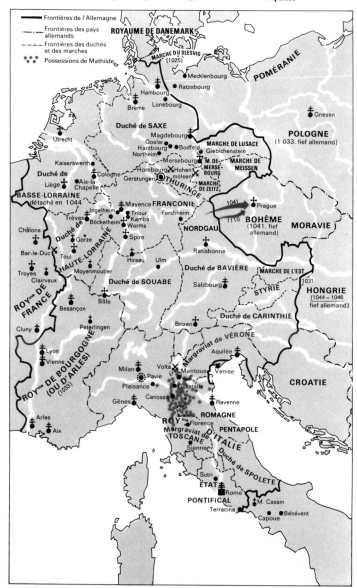

Empire germanique à l'époque des Empereurs francs (saliens) 1024-1125

Les empereurs franconiens ou saliens (1024-1125)

1024-1039 Conrad II s'appuie sur la petite noblesse révoltée et lui accorde en 1037 des privilèges spéciaux (hérédité et possession garantie des fiefs). CNUT LE GRAND occupe la marche du Slesvig (1025).

1033 Le royaume de Bourgogne est incorporé à l'empire.

1026-1027 1re campagne italienne de CONRAD II. Il ceint à Milan la couronne de fer des Lombards.

1027 Couronnement impérial à Rome.

1037-1038 2e campagne italienne. Révolte de la bourgeoisie de Milan commandée par l'archev. ARIBERT. Première défaite d'un empereur allemand devant une ville lombarde. La milice milanaise s'enorgueillira désormais du « Carrocio », char-étendard, symbole de la liberté de la ville.

1039-1056 Henri III épouse AGNÈS DE POITOU et veut réformer l'Église. La Bohême et la Hongrie deviennent des fiefs allemands.

1046 Synodes de Sutri et de Rome. HENRI III dépose 3 papes et supprime l'influence qu'avait la noblesse romaine sur les élections pontificales.

1047 Henri III est couronné empereur. Après la division de la Lorraine (1044), combats incessants entre l'empereur et le duc GODEFROI LE BARBU, son vassal pour la haute Lorraine, qui épouse secrètement BÉATRICE DE TOSCANE (1054) et fonde un puissant État princier. En accordant des privilèges aux villes, HENRI III diminue la puissance des margraves. BÉATRICE et sa fille MATHILDE, arrêtées, sont conduites en Allemagne.

1045 ADALBERT devient évêque de Brême et envoie des missions dans le Nord. Malgré ses efforts, Brême ne peut devenir le patriarcat du Nord.

1056-1106 Henri IV. Pendant la régence de sa mère AGNÈS DE POITOU (jusqu'en 1062), de l'archevêque ANNO DE COLOGNE (jusqu'en 1063) et d'ADALBERT DE BRÊME (jusqu'en 1065), le pouvoir des princes grandit. En 1066, après la prise de pouvoir d'HENRI, les princes renversent ADALBERT. Dans sa lutte contre eux, HENRI s'appuie sur la petite noblesse, les ministres et les bourgeois des villes en plein essor. Pour arrondir ses possessions dans le Harz, il agit sans prudence et les Saxons se révoltent, l'attaquent dans le Harz et détruisent leurs forteresses (1073). Paix de Gerstungen. Les Saxons se soumettent après la **victoire d'Henri à Hombourg sur l'Unstrut** (1075).

Réforme de la papauté (1046-1075)

La réforme purement religieuse de Cluny (p. 137) provoque au XIe siècle le besoin d'une **réforme totale de l'Église.** Il s'agit de supprimer la simonie (vente de dignités et de fonctions religieuses) et le mariage des prêtes (le célibat sera exigé). Le parti de la Réforme se renforce en France grâce au mouvement de la Paix de Dieu.

1040 Proclamation de la Paix de Dieu (Pax Dei) par le clergé. Protection des ecclésiastiques, des cultivateurs, des voyageurs et des femmes. Trêve de Dieu (treuga Dei) : on ne se bat plus que 90 jours par an, la trêve s'étend du mercredi soir au dimanche matin et à tous les jours de fête.

1046 Synode de Sutri. Le pape CLÉMENT II (1046-1047) doit purifier l'Église de toute simonie et de tout mariage des prêtres, d'accord avec la volonté de l'empereur. Henri III fait nommer pape l'évêque BRUNO DE TOUL, sous le nom de

Léon IX (1049-1054). Il fait venir à Rome les partisans de la réforme : HUMBERT DE SILVA-CANDIDA, PIERRE DAMIEN, FRÉDÉRIC DE LORRAINE, HUGO CANDIDUS, HILDEBRAND. Tous veulent appliquer à l'intérieur de l'Église le « Primatus Petri » (recueil de préceptes juridiques de l'Église romaine, qui assurent sa liberté = libertas ecclesiae romanae).

1054 Rupture entre les Églises latine et grecque (p. 171).

1057 Le cardinal HUMBERT rédige trois « Livres contre les Simoniaques » : dans le 3e, il conteste les droits des laïques dans l'Église.

1059 Décret de Nicolas II (1058-1061). Les cardinaux-évêques choisiront le pape, dont l'élection est soustraite à l'influence de la noblesse romaine et de l'empereur allemand. Interdiction d'investir les laïques. La papauté se renforce par son alliance avec les Normands de l'Italie mérid. En 1059, inféodation de l'Apulie, de la Calabre et de Capoue à ROBERT GUISCARD. Alliance avec la comtesse MATHILDE et la « Pataria » milanaise (mouvement social de révolte appuyé par le bas clergé et les classes populaires des villes lombardes dirigé contre les évêques du parti impérial).

1073-1085 Grégoire VII (Hildebrand). Victoire de l'idée papale et de la conception monarchique centralisatrice, qu'expriment les **Dictatus Papae.** Le pape, chef suprême et absolu de l'Église universelle, a le **droit de déposer non seulement les évêques, mais les rois,** qui, tenant leurs fonctions de Dieu, les tiennent aussi de l'Église. Ce qui est en jeu, c'est un « ordre juste dans le monde » et « la liberté de l'Église ».

La Querelle des Investitures
1074 Synode de Carême. Interdiction du mariage des prêtres.
1075 Synode de Carême. L'**interdiction de l'investiture des laïques** ouvre les hostilités avec l'empereur d'Allemagne : c'est la **Querelle des Investitures**. GRÉGOIRE VII menace HENRI IV d'excommunication.
Janvier 1076 Synode de Worms. HENRI IV et les évêques allemands déclarent que le pape est destitué.
1076 Synode de Carême. **Destitution et excommunication de l'empereur** par GRÉGOIRE VII; les sujets sont déliés de leur serment de fidélité.
Octobre 1076 Assemblée des princes à Tribur : ils décident, en présence du légat du pape, de destituer HENRI IV si l'excommunication n'est pas levée avant un an.
25-28 janvier 1077 Canossa. En faisant pénitence, HENRI force le pape à lever l'excommunication. Les princes nomment un antiroi RODOLPHE DE SOUABE : l'élection ne respecte pas l'hérédité. Guerre civile (1077-1080) qui se termine par la mort de l'antiroi à la bataille de Hohenmölsen (1080).
1080 2ᵉ excommunication d'HENRI IV par GRÉGOIRE. L'archevêque GUIBERT DE RAVENNE est élu antipape (CLÉMENT III). Victoire des Lombards sur l'armée de MATHILDE. Après avoir pris Rome dans sa 1ʳᵉ campagne d'Italie, en
1084 Henri IV est couronné empereur par l'antipape CLÉMENT III.
GRÉGOIRE VII, assiégé dans le château Saint-Ange, est délivré par les Normands de ROBERT GUISCARD. HENRI doit évacuer Rome. Les Normands pillent la ville, que GRÉGOIRE doit lui aussi quitter. Le 25 mai 1085, GRÉGOIRE VII meurt à Salerne. Échec de sa tentative d'unir l'Église et le pouvoir temporel sous le gouvernement du pape (subordination du roi au pape).
1085 HENRI IV proclame à Mayence la Paix de Dieu.
1088-1099 URBAIN II, conciliant, sauve l'œuvre de GRÉGOIRE VII. Au concile de Clermont (1095), renouvellement de l'interdiction d'investir des laïques d'une autorité religieuse, et interdiction aux clercs de prêter serment de vassalité au pouvoir temporel.
1090-1097 2ᵉ campagne d'Italie d'HENRI IV. La politique d'URBAIN II parvient à créer une ligue lombarde et provoque la défection de CONRAD, fils de l'empereur. Une alliance se forme entre la Toscane et les Guelfes. WELF Iᵉʳ se fait confirmer par l'empereur son domaine bavarois afin de contrôler le passage des cols alpins. Après la proclamation d'une paix générale, défection d'HENRI V qui se met à la tête d'une conjuration des

princes et est reconnu par le pape. Il craint de perdre son royaume à la suite du conflit de l'empereur avec l'Église.
1106 HENRI IV est forcé d'abdiquer et meurt à Liège avant la décision définitive.
1106-1125 Henri V donne la Saxe à LOTHAIRE DE SUPPLIMBOURG et rétablit la suzeraineté de l'empire sur la Bohême (1110).
1110-1111 1ʳᵉ campagne d'Italie.
1111 Traité de Sutri entre PASCAL II (1099-1118) et HENRI V. Le roi renonce à l'investiture, l'Église aux biens impériaux reçus en fiefs au temps de CHARLEMAGNE. Ce traité échoue devant la résistance des évêques et des prélats. Prisonnier, le pape accorde au roi le droit à l'investiture. Après la lutte d'HENRI contre les princes, surtout contre LOTHAIRE DE SUPPLIMBOURG, et une 2ᵉ campagne d'Italie au cours de laquelle les biens de la comtesse MATHILDE sont confisqués,
Concordat de Worms le 23 sept. 1122 entre HENRI V et CALIXTE II (1119-1124) sur la base d'une distinction établie entre les fiefs de l'évêque (temporalia) et les pouvoirs spirituels (spiritualia), par des théologiens et des juristes (YVES DE CHARTRES). Le roi renonce à l'investiture par l'anneau et la crosse. En Allemagne, l'élection canonique se fait en présence du roi, puis suivent la consécration, et l'investiture avec le sceptre. En Italie et en Bourgogne, la consécration a lieu six mois avant l'investiture.
Conséquences. L'affaiblissement de la dépendance de l'Église à l'égard du roi met fin au système ecclésiastique des Ottons. Les évêques ne sont plus fonctionnaires d'État, mais vassaux d'empire. Renforcement du pouvoir des princes en Allemagne, de celui des villes en Italie du Nord.
France. En France, peu d'évêques sont soumis à la couronne, et l'investiture n'est pas une question vitale pour le roi. Il n'y a donc pas querelle comme en Allemagne. Un accord entre PHILIPPE Iᵉʳ et PASCAL II laisse au roi le droit d'investiture par l'anneau et la crosse, et l'évêque prête serment au roi pour les biens temporels.
Angleterre. HENRI Iᵉʳ (1100-1135) exige de l'archevêque de Cantorbéry, ANSELME, l'hommage dû au suzerain. ANSELME refuse, il est exilé, et la querelle des Investitures commence. En 1107, « élection libre » des évêques à la cour du roi, avec son accord; avant la consécration, il accorde par une charte les biens temporels aux élus, qui lui rendent hommage. Le roi reconnaît leur droit d'en appeler à Rome.

L'hégémonie papale (XIIe-XIIIe siècles)

Malgré le schisme d'ANACLET II (1130-1138) et les troubles nés des exigences d'ARNAUD DE BRESCIA, qui veut que l'Église revienne à la pauvreté apostolique, la papauté, grâce à l'action de SAINT BERNARD, atteindra aux XIIe-XIIIe siècles l'apogée de sa puissance (fin de la suprématie de l'Église allemande). Elle s'appuiera sur la France. Dans son effort pour s'assurer la direction de la Chrétienté occidentale (hégémonie impériale ou curiale), FRÉDÉRIC Ier (p. 161) se heurte aux revendications d'**Alexandre III (1159-1181)**, qu'i doit admettre.

1179 3e concile œcuménique du Latran : l'élection du pape se fera à la majorité des 2/3 des cardinaux.

1198-1216 Innocent III n'est pas seulement le représentant de Pierre, mais celui du Christ ou de Dieu (Vicarius Christi), celui dont les souverains temporels reçoivent leurs royaumes en fief. Diminution de la puissance épiscopale, centralisation du pouvoir par l'institution papale des légats. La Sicile, l'Angleterre, le Portugal deviennent fiefs de l'Église. Interventions dans la politique intérieure de l'Allemagne (p. 169), de la France (p. 139) et de la Norvège (p. 159). Envoi de légats en Serbie et en Bulgarie. Création d'une Église latine dans l'empire latin (1204).

1215 4e concile œcuménique du Latran. Décisions sur l'inquisition épiscopale, interdiction de créer de nouveaux ordres. GRÉGOIRE IX (1227-1241) et INNOCENT IV (1243-1254) continuent à lutter pour dominer le monde (p. 169). La conception d'une Église universelle papale est complétée par le **Décret de Gratien (vers 1140)**, recueil de droit proprement ecclésiastique.

L'Inquisition

Jusqu'au XIIe siècle, l'hérésie est punie d'excommunication et de relégation dans un couvent. Après l'introduction de l'inquisition épiscopale (1215), GRÉGOIRE IX fonde l'Inquisition papale en 1231. Simultanément, application de la peine de mort pour les hérétiques en France et en Allemagne.

Les sectes

Alors que l'Église s'est dégagée du monde laïc (libertas ecclesiae), apparaissent des **sectes** qui lui dénient le droit de dominer et de posséder et exigent le retour à la pauvreté apostolique. La **secte des cathares** dérive du bogomilisme bulgare (doctrine radicalement dualiste, ascèse sévère, vie semblable à celle des apôtres) et du mouvement des nomades hérétiques (hérésie = opinion différente).

Création d'évêchés cathares. Après le **concile hérétique de Saint-Félix-de-Caraman** (1167), triomphe de la doctrine dualiste de NICÉTAS DE BYZANCE. Le groupe le plus important est celui des **Albigeois**. La secte des **Vaudois**, fondée par le commerçant lyonnais **Pierre Valdo**, s'étend rapidement (idéal de pauvreté : perfection évangélique). A côté des Vaudois français et en liaison avec les « Humbles » de l'Italie du Nord, se forme un second groupe qui devient indépendant en 1210. Ils prêchent en langue populaire (traduction en provençal des Écritures saintes). En suivant mot à mot le Sermon sur la Montagne, ils se refusent à prêter serment, récusent la peine de mort, rejettent la hiérarchie de l'Église, ne croient ni au Purgatoire, ni aux indulgences, ni à la vénération des saints. L'Église catholique combat les sectes avec les ordres qu'elle vient de créer (p. 137) au moyen de « croisades », et en s'appuyant sur l'Inquisition.

1209-1229   Croisade   des   Albigeois (p. 139).

La philosophie

La scolastique (scolasticus = qui appartient à l'école) désigne toute la science et la théologie du Moyen Age.

Scolastique primitive. Anselme de Cantorbéry (1033-1109) s'efforce, en partant de la foi, d'arriver à comprendre son contenu et il s'appuie sur la preuve ontologique de l'existence de Dieu. **Pierre Abélard** (1079-1142) est le créateur de la méthode dialectique (« sic et non » : oui et non). Le problème principal que se pose la philosophie de l'époque est celui **des Universaux** : le réalisme considère les idées générales comme existant réellement, alors qu'elles ne sont par le nominalisme que de simples abstractions. **Pierre le Lombard** (mort en 1160) rédige les « Sententiarum libri IV ».

Apogée de la scolastique. La connaissance d'ARISTOTE, transmise par les philosophes juifs et arabes et surtout par AVERROÈS (IBN ROSHD, 1126-1198), conditionne le système de pensée (summa) des maîtres en scolastique qui appartiennent aux ordres mendiants :

ALBERT LE GRAND (1193 -1280) : « Commentaires d'Aristote », et **saint Thomas d'Aquin** (1225-1274) : « Summa contra gentiles » (contre les païens), « Summa theologica » (son œuvre principale), « De regimine principum » (ouvrage de philosophie du gouvernement). La nature et le surnaturel (raison et révélation) font partie d'un grand système harmonieux. Par contraste avec l'intellectualisme de SAINT THOMAS, **Duns Scot** (mort en 1308) représente la pensée de SAINT AUGUSTIN.

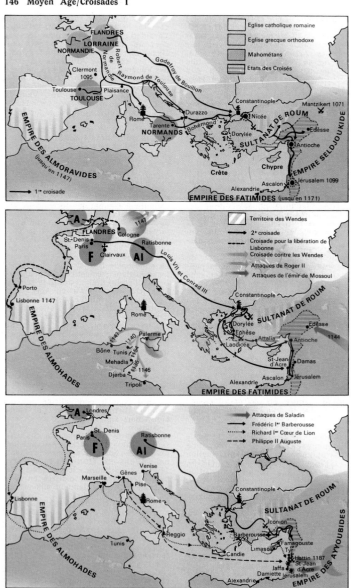

Eglise catholique romaine
Eglise grecque orthodoxe
Mahométans
Etats des Croisés

FLANDRES
LORRAINE
NORMANDIE
Clermont 1095
Toulouse ● Plaisance
TOULOUSE
Robert de Normandie
Godefroy de Bouillon
Raymond de Toulouse
EMPIRE DES ALMORAVIDES (jusqu'en 1147)
Rome
Tarente ● Bohémond
NORMANDS
Durazzo
Crète
Constantinople
Nicée
Dorylée
SULTANAT DE ROUM
Chypre
Alexandrie
Ascalon
Edesse
Antioche
EMPIRE SELDJOUKIDE
Mantzikert 1071
Jérusalem 1099
EMPIRE DES FATIMIDES (jusqu'en 1171)
→ 1re croisade

Territoire des Wendes
→ 2e croisade
-- Croisade pour la libération de Lisbonne
-- Croisade contre les Wendes
Attaques de Roger II
Attaques de l'émir de Mossoul

A
FLANDRES
Cologne 1147
St-Denis
Paris ● Clairvaux
F Al
Ratisbonne
Louis VII et Conrad III
Porto
Lisbonne 1147
EMPIRE DES ALMOHADES
Rome
Palerme 1140
Bône Tunis 1154
Mehadia
Djerba 1146
Tripoli
Constantinople
Dorylée
Ephèse
Laodicée
Attalia
Antioche 1144
Edesse
St-Jean d'Acre
Damas
Alexandrie
Ascalon
Jérusalem
EMPIRE DES FATIMIDES

Attaques de Saladin
Frédéric Ier Barberousse
Richard Ier Cœur de Lion
Philippe II Auguste

A ● Londres
Paris ● St. Denis
F
Ratisbonne
Al
Marseille
Gênes ● Venise
Pise
Rome
Lisbonne
EMPIRE DES ALMOHADES
Tunis
Reggio
Constantinople
SULTANAT DE ROUM
Iconion
Barberousse
Limasol
Candie
Famagouste
Tyr
Hattin 1187
St-Jean d'Acre
Jaffa
Damiette
Jérusalem
Alexandrie
EMPIRE DES AYYOUBIDES

1er, 2e et 3e Croisades

Les causes. 1re à 3e croisade
Les croisades sont la conséquence de l'essor de l'Église et de l'approfondissement du sentiment religieux. Elles sont provoquées par les Turks Seldjoukides qui, sous le commandement d'ALP ARSLAN, successeur de TOGHUL-BEG couronné à Bagdad comme calife (1055), arrachent Jérusalem et la Syrie aux califes fatimides d'Égypte et écrasent l'armée byzantine à la bataille de Mantzikert, en 1071 (p. 171).

1074 Grégoire VII a l'intention de venir à l'aide des chrétiens orientaux à la tête d'une armée de chevaliers occidentaux (comme dux et pontifex). Il a pour but, non seulement de délivrer le Saint-Sépulcre et les territoires conquis par les Seldjoukides, mais d'unir l'Église grecque à l'Église romaine. Après la fondation du sultanat de Roum (ou d'Iconium) en Asie Mineure, ALEXIS Ier COMNÈNE (1095), envoie une ambassade au pape URBAIN II au concile de Plaisance, pour lui demander de l'aide.

26 nov. 1095 Concile de Clermont. URBAIN II persuade les princes et chevaliers occidentaux par son célèbre discours en faveur de la croisade. Le mot d'ordre est « Jérusalem »; le symbole, la croix blanche.
Deux courants spirituels se réunissent pour donner à la croisade élan et force :
1. La pensée du pèlerinage en Terre sainte. Les pèlerinages qui, depuis les premiers temps de l'Église, permettaient d'acquérir des mérites, sans aucune arrière-pensée militaire, prennent de l'importance au XIe siècle grâce à l'intensité du sentiment religieux. — Or ils se heurtent à une résistance croissante des Seldjoukides et à leur hostilité.
2. La pensée de mener une guerre sainte contre les païens. Jérusalem n'est plus le seul but qu'envisage la chevalerie d'Occident, mais la guerre, tout aussi bien contre l'Islam que contre les païens de l'Est européen.

1096 Un premier groupe désordonné d'aventuriers sous la direction de PIERRE L'ERMITE sera anéanti par les Bulgares et les Seldjoukides.
1096-1099 1re Croisade. HENRI IV d'Allemagne et PHILIPPE Ier de France, excommuniés, étant absents, elle est dirigée par ROBERT DE NORMANDIE (Français du Nord), GODEFROI DE BOUILLON, BAUDOUIN DE FLANDRE, ROBERT II DE FLANDRE (Lorrains et Flamands), RAYMOND DE TOULOUSE (Français du Sud), BOHÉMOND DE TARENTE et son neveu TANCRÈDE (Normands d'Italie). ADHÉMAR, évêque du Puy, est le légat du pape. Après le siège de Nicée et une victoire sur le sultan d'Iconium à Dorylée, ils prennent Antioche grâce à une trahison, après

un siège de 7 mois, puis, par une sortie heureuse, mettent en fuite une armée de renfort commandée par KERBOGAT, l'émir de Mossoul (découverte de la Sainte Lance).
15 juillet 1099 Prise d'assaut de Jérusalem après 5 semaines de siège. Création d'États chrétiens féodalisés avec grande indépendance des vassaux (cour des liges).
Le royaume de Jérusalem a pour chef GODEFROY DE BOUILLON, « protecteur du Saint-Sépulcre ». A sa mort, son frère BAUDOUIN qui lui succède, prend le titre de roi (1100-1118). En 1187, le royaume s'effondre à la suite de troubles de succession, par impuissance interne. La principauté d'Antioche, les comtés d'Édesse et de Tripoli constituent d'autres fiefs plus petits. Antioche et Jérusalem deviennent les sièges des patriarcats. Les princes normands d'Antioche sont en guerre constante contre les Byzantins, et les disputes intestines des États chrétiens affaiblissent leur domination. Les États chrétiens tirent avantage des désaccords de leurs adversaires (Seldjoukides et Fatimides).
1144 La prise d'Édesse par l'émir IMADEDDIN ZENGUI, de Mossoul, est la cause de la
deuxième croisade (1147-1149), que dirigent CONRAD III DE HOHENSTAUFEN et LOUIS VII DE FRANCE, qui ont pris la croix sous l'influence de SAINT BERNARD. La collaboration des armées française et allemande cesse à la suite de l'alliance de LOUIS VII avec ROGER II DE SICILE (politique de force antibyzantine), et de celle de CONRAD III avec son gendre MICHEL COMNÈNE. Après les défaites de Dorylée et d'Attalia, LOUIS et CONRAD entreprennent deux expéditions malheureuses contre Damas et Ascalon.
1187 Prise de Jérusalem par le sultan SALADIN, qui triomphe des croisés à la bataille de Hattin.
1189-1192 3e croisade. Dans un véritable enthousiasme, l'empereur FRÉDÉRIC Ier BARBEROUSSE, fidèle à l'idéal universaliste de l'empire, tête du monde chrétien, prend la croix, mais après la brillante victoire d'Iconium, il se noie dans le Sélef le 10 juin 1190. Son fils, le duc FRÉDÉRIC DE SOUABE, conduit une partie de l'armée devant Saint-Jean-d'Acre, où il meurt. RICHARD CŒUR DE LION, roi d'Angleterre, et PHILIPPE AUGUSTE prennent Saint-Jean-d'Acre en 1191. RICHARD signe un armistice avec SALADIN : gain d'une bande côtière entre Tyr et Jaffa, autorisation des pèlerinages à Jérusalem. Il donne Chypre, qu'il a enlevée en 1191, en fief à GUY DE LUSIGNAN.

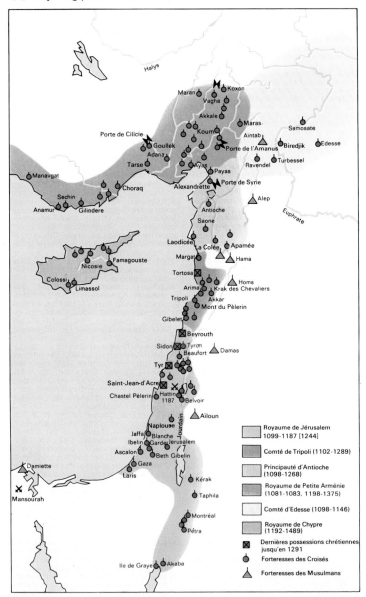

Halys

Koxon
Maran
Vagha
Akkale
Maras·
Koum
Samosate
Porte de Cilicie
Aintab
Goullek
Biredjik
Edesse
Porte de l'Amanus
Adana
Ravendel
Turbessel
Tarse
Ayas
Payas
Manavgat
Porte de Syrie
Choraq
Alexandrette
Sechin
Alep
Anamur
Gilindere
Antioche
Euphrate
Saone
Laodicée
Apamée
La Colée
Margat
Hama
Nicosie
Famagouste
Tortosa
Colossi
Arima
Krak des Chevaliers
Homs
Limassol
Tripoli
Akkar
Mont du Pèlerin
Gibelet
Beyrouth
Sidon
Tyron
Damas
Beaufort
Tyr
Saint-Jean-d'Acre
Chastel Pèlerin
Hattin
1187
Belvoir
Aïloun
Naplouse
Jaffa
Jourdain
Blanche
Ibelin
Garde
Jérusalem
Ascalon
Beth Gibelin
Damiette
Gaza
Laris
Kérak
Mansourah
Taphila
Montréal
Pétra
Ile de Graye
Akaba

Royaume de Jérusalem
1099-1187 [1244]

Comté de Tripoli (1102-1289)

Principauté d'Antioche
(1098-1268)

Royaume de Petite Arménie
(1081-1083, 1198-1375)

Comté d'Edesse (1098-1146)

Royaume de Chypre
(1192-1489)

☒ Dernières possessions chrétiennes
jusqu'en 1291

● Forteresses des Croisés

▲ Forteresses des Musulmans

États des Croisés

La 4e croisade

1197 Bien préparée, la croisade de l'empereur HENRI VI, tout en ayant pour but la conquête de la Terre sainte, doit aussi servir la politique des Normands de Sicile : la destruction de l'empire byzantin. A cause de la mort subite de l'empereur, on n'enlève que quelques points côtiers.

1202-1204 4e croisade. Le pape INNOCENT III (1198-1216) appelle la noblesse d'Europe à une nouvelle croisade, dont le but sera l'Égypte. Une grande partie de la noblesse française s'enrôle (BONIFACE DE MONTFERRAT, BAUDOUIN DE FLANDRE). Puisque Venise se charge du transport, les croisés doivent d'abord enlever Zara en Dalmatie. Le doge ENRICO DANDOLO, à la demande du prince byzantin ALEXIS et mû par les intérêts du commerce vénitien dans le Levant, dirige l'armée des croisés sur Constantinople, qui est prise d'assaut (p. 171). Chassés provisoirement, les croisés (Latins) prennent une seconde fois la ville qu'ils pillent sans pitié. Constitution de l'**Empire latin** (p. 203). En 1261, MICHEL PALÉOLOGUE, avec l'aide de Gênes, le reconquerra en partant de Nicée (p. 203).

1212 Croisade des enfants. Des milliers de jeunes garçons et de jeunes filles s'embarquent à Marseille. Les armateurs les dirigent sur Alexandrie où ils sont vendus comme esclaves.

1228-1229   Les   dernières   croisades FRÉDÉRIC II, excommunié, se rend à Saint-Jean-d'Acre. Il traite avec le sultan d'Égypte EL-KAMIL et obtient Jérusalem, Bethléem et Nazareth.

1244 Prise de Jérusalem par les musulmans. Les chrétiens perdent la ville définitivement.

1248-1254 SAINT LOUIS, roi de France, veut anéantir l'Égypte, la grande puissance musulmane. Il prend Damiette (1249), mais est battu à La Mansourah; il est prisonnier avec toute son armée. Libéré contre une rançon élevée, il fortifie Saint-Jean-d'Acre et retourne en France (1254).

1270 SAINT LOUIS s'embarque pour Tunis, où il meurt avec une grande partie de son armée.

1291 Saint-Jean-d'Acre, dernière forteresse chrétienne, est prise par les musulmans. Les chrétiens évacuent Tyr, Beyrouth et Sidon. Chypre demeurera sous le gouvernement des Lusignan jusqu'en 1489, Rhodes sous celui de l'ordre de Saint-Jean jusqu'en 1523.

Cause de l'échec des croisades

Les croisades échouent parce que les intérêts nationaux des peuples qui y prennent part ne peuvent coïncider avec une idée universelle. Byzance veut l'aide de l'Occident pour défendre ses frontières menacées. Venise est l'ennemie de Byzance, tout comme les Normands, pour des raisons commerciales, les autres pour des causes politiques; et les croisés ne peuvent se passer ni de l'une ni des autres pour leur transport et leur ravitaillement. **Conséquences des croisades.** Les ports de toute l'Italie et ceux de la France mérid. prennent un grand essor avec le trafic oriental. L'économie monétaire s'épanouit et une bourgeoisie opulente apparaît, le niveau de vie augmente (forte demande des articles d'Orient). L'Occident prend conscience de sa civilisation au contact des mondes byzantin et musulman plus cultivés, et son niveau culturel s'élève. La terrible catastrophe de la 2e croisade a diminué le respect qui entourait le Saint-Siège. Pour beaucoup, SAINT BERNARD est un faux prophète, et un courant anticlérical naît et grandit. On n'envisage et on ne comprend plus les croisades que dans leur rapport avec l'offensive menée partout contre l'Islam (péninsule Ibérique : prise de Lisbonne en 1147; Afrique du Nord) et contre les peuples païens de l'Est (croisade contre les Wendes proclamée sans succès par SAINT BERNARD). **Les ordres de chevalerie** qui unissent l'idéal ascétique et l'idéal chevalier, la pauvreté, la chasteté et l'obéissance avec le devoir de protection des opprimés, sont fondés à l'époque des croisades.

1. L'ordre de Saint-Jean naît de la Fraternité de l'Hôpital de Jérusalem. Il est approuvé en 1113 par PASCAL II; ordre de chevalerie en 1120 avec RAYMOND DU PUY. Objet : soins aux malades et service des armes. Uniforme : manteau noir à croix blanche, cotte d'armes rouge en temps de guerre. Sièges de l'Ordre : 1291, Chypre; 1309, Rhodes; 1530, Malte (jusqu'en 1798 : de là, le nom d'ordre de Malte).

2. Les chevaliers du Temple ou templiers, fondés par HUGUES DE PAYENS et plusieurs chevaliers français, protègent la Terre sainte et les pèlerins par les armes. Uniforme : manteau blanc à croix rouge. Nombre : 1312 : le pape CLÉMENT V supprime l'ordre au concile de Vienne.

3. Les chevaliers Teutoniques, fondés en 1190 devant Saint-Jean-d'Acre comme Fraternité pour donner des soins aux malades, deviennent ordre de chevalerie en 1198. Uniforme : manteau blanc à croix noire. S'installent d'abord en Transylvanie d'où les chasse ANDRÉ II DE HONGRIE en 1225, puis en Prusse (HERMANN VON SALZA). Sièges du grand maître : Saint-Jean-d'Acre, puis Venise à partir de 1291, enfin Marienbourg à partir de 1309 (p. 195).

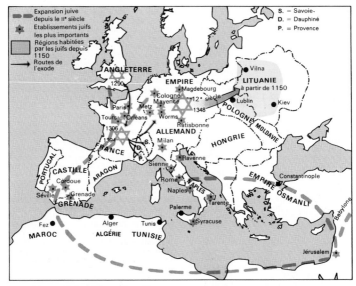

Expulsion des Juifs hors d'Europe Centrale

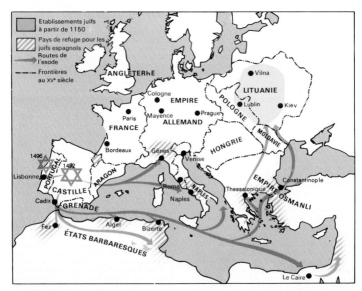

Expulsion des Juifs hors d'Espagne

La dispersion des Juifs

Après l'échec de la révolte de BAR KOCHÉBA (p. 95), les Juifs se voient interdire l'entrée de Jérusalem, colonie romaine nommée Aelia Capitolina, sous peine de mort. L'État national juif **(nation religieuse)** disparaît avec la perte de son centre politique et religieux. Pour la communauté juive, c'est le début de la **Diaspora** (dispersion), avec, comme centre spirituel, la **synagogue** (lieu où s'assemble la communauté).

Mésopotamie. De nombreux émigrés à Babylone parviennent à améliorer leur sort par le commerce. Sous les Sassanides, persécution par la caste des mages, mais situation améliorée sous la domination arabe (p. 131). Comme celle de l'Islam, la religion juive (« religion du Livre ») est un sévère monothéisme.

Vers 500, achèvement du Talmud de Babylone, qui se compose de la Mishna (doctrine) et de la Gemara (développements sur la Mishna).

De Babylone, les Juifs se répandent sur l'Afghanistan, la Perse, l'Inde, l'Arménie et dans la région du Caucase.

Les Juifs dans l'empire romain

CARACALLA accorde aux Juifs droit de cité (212) comme à tous les autres habitants de l'empire. Ils s'établissent partout (surtout en Asie Mineure, dans les Balkans, en Afrique du Nord et en Espagne). L'**antisémitisme** est attribué par les écrivains romains à leur vie religieuse séparée, à l'exclusivité exigée par IAHVÉ, au fait que leur adoration se passe d'images divines et aux préceptes rituels de purification. Les **lois juives** des empereurs CONSTANTIN, THÉODOSE (417, 423) et JUSTINIEN (534) font des Juifs des citoyens de classe inférieure.

Les Juifs au Moyen Age

Grégoire le Grand (590-604) inaugure la politique juive des papes au cours du Moyen Age : il repousse le baptême forcé et veut gagner les Juifs à force d'avantages. Considérés comme étrangers sans soutien, les Juifs doivent se placer sous la protection personnelle du souverain (protection spéciale des particuliers), cela commence avec LOUIS LE PIEUX (814-840). Les rois allemands qui lui succèdent accordent également des privilèges. L'Église interdit aux chrétiens de prêter avec intérêt, et les Juifs se voient obligés de faire le commerce de l'argent en tant que prêteurs. Cette particularité, et les pogroms qu'entraîne la 1re croisade, rendent nécessaire la promulgation de lois qui les protègent en tant que non-chrétiens (non comme marchands et habitants des villes).

1103 Paix impériale de Mayence décrétée par HENRI IV : parmi les personnes amnistiées on trouve des Juifs à côté de clercs, de femmes et de commerçants. Ils ont droit à être protégés puisqu'ils ne portent pas d'armes, mais, n'en portant pas, ils ne sont pas considérés comme libres.

1096-1215 Époque des croisades (p. 147 et suiv.). Premières grandes persécutions : **on accuse principalement** les Juifs de sacrilège (profanation d'hosties) et de meurtre rituel.

1236 FRÉDÉRIC II désigne les Juifs comme étant « servi camerae nostrae » (valets de notre Maison). La conception de l'Église qui fait des Juifs des inférieurs prend une forme juridique sous l'influence du droit romain : personnellement et économiquement, les Juifs dépendent de l'empereur.

1215 4e concile du Latran. Les Juifs se voient interdire toutes charges et doivent porter des vêtements particuliers.

Expulsions. De France, en 1306 et définitivement en 1394 (exceptions : Provence, Dauphiné, Avignon). D'Angleterre en 1290. Pendant l'expansion de la peste (« la Peste noire » 1347-1354), 350 communautés juives sont anéanties par des pogroms. Les Juifs émigrent vers l'Est dès les premières croisades. Dans les régions où ils s'établissent, ils parlent leur langue, le « yiddisch »; leurs vêtements demeureront ceux du Moyen Age. La lutte que mène depuis 1391 l'Église d'Espagne contre les Juifs s'achève par leur expulsion sur l'instigation du Grand Inquisiteur TORQUEMADA (1492). En 1496, les Juifs sont expulsés du Portugal.

Les Juifs aux XVIe, XVIIe et XVIIIe siècles

Humanisme et Réforme. A cause de sa connaissance de l'hébreu, REUCHLIN devient le porte-parole des Juifs (lutte contre les dominicains et PFEFFERKORN, Juif converti qui réclame que le Talmud soit brûlé). Pour REUCHLIN, la Synagogue n'est plus l'esclave vaincue de l'Église, mais sa sœur. Dans l' « Augenspiegel » (1511), il tente de revenir à l'esprit primitif du droit romain (les Juifs sont les sujets de l'empire) et du droit ecclésiastique (les Juifs sont les « Prochains »). La Réforme n'améliore pas la situation des Juifs, que LUTHER défend d'abord : (« Que N.-S. Jésus-Christ est né Juif », 1523). Mais son espoir de les convertir ne se réalisant pas, il rédige le pamphlet « Des Juifs et de leurs mensonges » (1542).

XVIIe-XVIIIe siècles : le prince a recours à des financiers juifs, ex. Samuel Bernar sous Louis XIV.

Art. L'art **carolingien** s'inspire de Byzance (réaction contre l'art classique). La **chapelle palatine d'Aix-la-Chapelle** (bâtiment central) présente un complexe important de pièces d'accès et un espace central surélevé flanqué de deux tours. La basilique romaine est le modèle des églises épiscopales et monastiques mais on voit se développer le **motif des tours** et la décoration du massif occidental. **Enluminures** de livres et statuettes (bas-reliefs d'ivoire). **Aucune grande sculpture en ronde bosse.** Le style **roman** (ainsi nommé par un romantique français, DE GERVILLE, par analogie avec les langues romanes, 1818) est le premier grand style architectural de l'Occident ; il succède à l'art de l'empire carolingien (vers 950). C'est la **basilique**, déjà adoptée par l'art carolingien, qui en constitue l'origine, mais à l'est l'édifice s'enfle d'une ou plusieurs absides, s'enrichit d'un transept, tandis qu'à l'ouest, la décoration prend de l'importance (façades, entrée avec narthex). Apparition des tours à l'intersection de la nef, sur le massif occ. et de chaque côté du chœur (pluralité des tours). **L'édifice roman** se caractérise par son aspect massif dû à l'épaisseur des piliers (ex. : Tournus), par l'étroitesse de ses ouvertures et par la richesse de l'ornementation. Vers 1100, introduction de la **voûte,** qui unit le volume architectural et soude le mur et la couverture. Les formes sculptées se dégagent de la surface et deviennent des statues en ronde bosse. Apparition de la grande sculpture qui, dans sa sévérité archaïque, est en liaison étroite avec l'élan architectural. Apogée dans la sculpture des tympans (représentation du Jugement dernier) et dans les statues des portails. Les **peintures murales** (ignorant les règles de la perspective) représentent des scènes de l'Ancien et du Nouveau Testament, ou de la vie des saints. En **Allemagne,** la sévérité du début s'adoucit à la période ottonienne : cathédrale de Magdebourg, Saint-Cyriaque-de-Gernrode. Monumentalité des voûtes : cathédrales de Spire, Mayence, Worms. **Le style gothique** et ses nouveautés techniques (arc ogival, arcs-boutants, nervures croisées) naît dans l'Ile-de-France, la terre royale, en Champagne, en Picardie, et se répand sur toute l'Europe. Dans ce style qu'adopte partout l'Église, le chef-d'œuvre est la **cathédrale gothique** : un bâtiment allongé à plusieurs nefs et à transept, avec un chœur, centre du culte, entouré d'un déambulatoire et de chapelles rayonnantes. **Caractéristique est la verticalité de l'ensemble** : en transposant le poids de la voûte grâce à des nervures qui s'appuient sur les piliers et à des arcs-boutants extérieurs, les murs peuvent devenir un squelette ajouré de vitraux. L'édifice s'allège : les tribunes réservées aux chanteurs au premier étage disparaissent, ainsi que les tours-lanternes qui caractérisaient les églises normandes.

En **France**, après le gothique primitif (chœur de Saint-Denis, consacré en 1144, Sens commencé en 1142), le gothique atteint son apogée avec Chartres (déb. 1194), Reims (déb. 1211), Amiens (déb. 1220), Beauvais (déb. 1272. Hauteur du chœur 48 m). Le gothique flamboyant ne fera plus tard que compliquer la décoration des modèles précédents.

En **Angleterre,** longueur accentuée des cathédrales (qui sont très souvent des églises abbatiales). La juxtaposition des espaces est elle aussi frappante (chœur, transept, chapelle mariale : « Lady Chapel »). C'est d'abord le « Early English » (York, Salisbury, Lincoln), puis le « Decorated Style », dont les caractéristiques sont la longueur du chœur pour les officiants des monastères et le style des fenêtres emprunté à la France (Exeter, Wells). Au XVe siècle, apparition d'un corps intérieur unique et du « Perpendicular style » (King's College Chapel, Cambridge). La cathédrale de Trondheim en **Norvège** relève du style gothique anglo-normand.

En **Allemagne.** Notre-Dame de Trèves et Sainte-Élisabeth à Marbourg introduisent le gothique. A Strasbourg et à Cologne, apogée du gothique. Dans le Nord, emploi de la brique (architecture cistercienne à Chorin, Deberan, etc.). Dans le gothique tardif, effet pictural obtenu par l'alternance des ombres et de la lumière (Saint-Laurent à Nuremberg). Expansion vers les Pays-Bas (voûtes en charpente), la péninsule Ibérique et l'Italie.

Loges de maçons. Tous les tailleurs de pierres employés sur un chantier font partie d'une confrérie ; ils se communiquent les secrets de construction : principes des proportions, méthodes, etc.

La **sculpture** tend à la spiritualisation et à l'humanisation des formes et est en rapport étroit avec l'architecture (Senlis, Chartres). Elle est idéaliste (beauté recherchée sur le modèle antique en France) et naturaliste avec une volonté marquée de spiritualisation (Christ souffrant et sa Mère : Pieta). La peinture murale disparaît mais demeure sur les bâtiments profanes. Importance de l'**art du vitrail** qui anime les grandes fenêtres des cathédrales et remplit l'intérieur d'une lumière colorée (Chartres 146 fenêtres, 1 359 scènes représentées). Début de la peinture sur panneau. Les thèmes illustrent le rôle de la théologie parmi les différents « arts » (N.-D. de Paris).

L'État au Moyen Age. Tandis qu'en France (p. 139) et en Angleterre (p. 155), la puissance royale se renforce par l'hommage lige, le serment du vassal et le retour des fiefs vacants à la couronne, celle des rois allemands s'affaiblit à la suite de la législation sur les fiefs (CONRAD II en 1037 et LOTHAIRE III en 1136), qui accorde aux vassaux la jouissance héréditaire et l'inaliénabilité de leurs fiefs, et oblige le roi à redistribuer un fief temporel après un an de vacance, si bien que le domaine royal ne peut s'agrandir. Les biens allodiaux s'accroissent même à ses dépens, car, faute d'être enregistrés, les fiefs se transforment souvent en terres libres. Face à la centralisation croissante de la France et de l'Angleterre, l'Allemagne souffre d'un effritement féodal auquel ne peut remédier une **réglementation stricte de la hiérarchie féodale** : selon les « miroirs » saxon et souabe, les hommes étaient divisés en sept classes : le roi, les princes ecclésiastiques, les princes temporels, les seigneurs libres, les échevins et les ministeriales, leurs adjoints et enfin les hommes libres susceptibles d'être admis dans la chevalerie.

La noblesse. Les grands féodaux héréditaires de la **haute noblesse** descendent des vieilles familles germaniques nobles, des fonctionnaires des rois francs et des vassaux de la couronne. La noblesse repose sur l'union indissoluble du titre de comte et du pouvoir. En dehors des anciens comtés devenus héréditaires et dont les frontières, à la suite des héritages, des partages et des conquêtes, ne coïncident plus avec celles des districts (Gau) qui disparaissent, apparaissent de nouveaux comtés allodiaux avec château fort au centre, et dont le pouvoir repose sur l'immunité du comte et son droit de rendre justice, ce que tous s'efforcent d'obtenir à l'exemple des évêques et des supérieurs de monastères. En plus de cette haute noblesse, il existe une basse noblesse, hommes liges en France et en Angleterre, ministeriales en Allemagne. Ces ministeriales sont des fonctionnaires inférieurs du roi et des vassaux des grands propriétaires terriens, vassaux eux-mêmes de la couronne. Serfs d'abord, ils deviendront libres par un droit qu'ils créent eux-mêmes, puis par l'entrée d'hommes libres parmi eux, enfin grâce au zèle qu'ils montrent dans l'exercice de leurs charges, en participant au service de la cour et à celui de l'armée (aucun travail manuel). A l'époque des Hohenstaufen, l'hérédité des fiefs et l'usage du cheval en temps de guerre transforment les soldats professionnels en une classe qui mène un même

genre de vie : la **chevalerie.** Toute la noblesse européenne se divise en haute et basse noblesse : barons et chevaliers en France, seigneurs et chevaliers en Allemagne, lords et gentry en Angleterre, grands et hidalgos en Espagne.

La chevalerie. BONIZON DE SUTRI rédige un code du chevalier chrétien (miles christianus) dans le « Livre de la Vie Chrétienne » (vers 1090). Il y engage le chevalier à se dévouer à son seigneur, à mépriser le butin, à offrir sa vie à Dieu, à combattre pour le bien public, à lutter contre les hérétiques, à protéger les pauvres, les veuves et les orphelins, et à observer son serment de fidélité envers son seigneur. La **poésie** de cour de cette civilisation nous offre une image embellie de la société; elle célèbre sans cesse les vertus cardinales du chevalier : la bravoure, l'équité, la sagesse et la mesure (modèles : ALEXANDRE LE GRAND, CHARLEMAGNE). L'épopée chante les actions chevaleresques (dans les tournois, les fêtes de cour et « l'aventure »); le lyrisme, la manière dont le chevalier sert sa dame. Entre l'idéal et la réalité, la distance est infranchissable. Les poètes (troubadours en Provence, trouvères en France du Nord, minnesänger en Allemagne) sont « gent courtoise » et leur public se compose de seigneurs et de femmes mariées.

En France, entre 1160 et 1190, **Chrétien de Troyes** compose ses grands romans courtois : « Lancelot », « Yvain », « Perceval »; le premier troubadour est GUILLAUME IX DE POITIERS (1071-1127). Le « Roman de la Rose », œuvre inachevée de **Guillaume de Lorris** (vers 1229-1236), exalte l'amour courtois au milieu d'allégories évoquées en songes.

En Allemagne, Walter von der Vogelweide (vers 1190-1230) est un des plus grands **minnesänger. Wolfram von Eschenbach** (« Parzifal », vers 1210), **Gottfried de Strasbourg** (« Tristan » vers 1210). Vers 1200, **épopée des Niebelungen.**

Droit. Le droit coutumier est recueilli dans le **Sachsenspiegel,** recueil saxon de droit féodal et général (entre 1220 et 1230), par EIKE VON REPKOW. **Bologne** devient le centre des études du droit romain, et l'on y crée une école de droit. Au XIIIᵉ siècle, le droit romain commence à se généraliser surtout en Angleterre, en France et en Allemagne (p. 181)·

En **Allemagne,** le mouvement des paix (Landfrieden), dirigé avant tout contre les guerres privées (Fehde), n'aboutit que partiellement. (« Landfrieden » de HENRI IV, de FRÉDÉRIC Iᵉʳ BARBEROUSSE, de FRÉDÉRIC II.)

La France et l'Angleterre aux XIe-XIIIe siècles

1066-1087 Guillaume le Conquérant est couronné roi à Westminster après la bataille de Hastings (1066).

1086 Domesday Book (Le Livre du Jugement Dernier), cadastre où chaque propriété figure avec son revenu annuel.

1086 Assemblée de Salisbury. Serment de fidélité des vassaux sous réserve qu'ils ne soient pas lésés. Au sommet de la pyramide féodale, le roi se fait aider par la curia regis (conseil des Grands).

1087-1100 GUILLAUME II LE ROUX. Son frère aîné, ROBERT COURTE-HEUSE, hérite du duché de Normandie. A la mort de GUILLAUME, son plus jeune frère,

HENRI Ier (1100-1135) se fait couronner roi. Il triomphe de ROBERT COURTEHEUSE à Tinchebray (1106) et réunit la Normandie à l'Angleterre.

1107 Concordat de Westminster qui met fin à la querelle des investitures (p. 144).

1127 Le roi force la noblesse à reconnaître les droits au trône de sa fille MATHILDE (veuve de l'empereur HENRI V). Elle se remarie avec GEOFFROY PLANTAGENÊT D'ANJOU.

Sous HENRI Ier, création d'une **Chambre des Comptes** (Scaccarium = Exchequer ou Échiquier), devant laquelle les shérifs (p. 125) viennent faire les comptes des rentrées en déposant leur « rouleau » (pipe roll) à partir de 1130-1131. L'impôt dû aux Vikings (le Danegeld) deviendra un impôt général d'État.

1135-1154 ÉTIENNE DE BLOIS. Après le débarquement en Angleterre de MATHILDE, période d'anarchie qui renforce la noblesse et l'Église.

1154-1399 Maison des Plantagenêts

1154-1189 Henri II, reconnu héritier du trône par ÉTIENNE en 1153, devient roi en 1154. Ses fiefs en France [la Normandie et la Bretagne par sa mère; l'Anjou, le Maine, la Touraine, par son père; l'Aquitaine par son épouse ÉLÉONORE (p. 139)], forment avec l'Angleterre l'ensemble des possessions angevines. Rétablissement des droits royaux :

1164 Constitution de Clarendon. Les ecclésiastiques criminels seront jugés définitivement par un tribunal temporel, et leur droit d'en appeler à Rome est restreint. THOMAS BECKET, chancelier d'HENRI II (1155), archevêque de Cantorbéry (1162), résiste et est assassiné (1170). HENRI II fait pénitence sur sa tombe (1174).

1171 Début de la conquête de l'Irlande.

1173-1174 Révolte des fils d'HENRI II. Création du **tribunal royal** [Curia

regis : à partir d'HENRI III bancum regis (King's bench)], et d'une cour de justice permanente de 5 tribunaux à Westminster (1178) où les procédés d'enquête et de justification sont codifiés. Jurés élus par le peuple. Peu à peu, formation d'un droit général anglais **(common law).** La **Chambre des Comptes** devient Cour de justice des Finances. Le **shérif** demeure fonctionnaire royal.

1189-1199 RICHARD Ier COEUR DE LION soumet JEAN SANS TERRE, son frère révolté, en revenant de croisade (p. 147). Il meurt devant la forteresse de Châlus.

1199-1216 JEAN Ier SANS TERRE perd toutes ses possessions françaises sauf la Guyenne (p. 139), et est excommunié par INNOCENT III (p. 145). Après la soumission des Lusignan, famille du Poitou, les alliés de JEAN sont vaincus en

1214 à la bataille de Bouvines (p. 139). Après la paix de Chinon (perte de tous les territoires au nord de la Loire), révolte de la noblesse. A Runnymede près de Windsor, le

15 juin 1215 octroi de la Grande Charte (Magna Charta libertatum). Le roi doit s'en tenir aux « droits anciens » et garantir par écrit ceux des seigneurs (droit de résistance féodale).

1216-1272 HENRI III. Le renforcement de l'Église, la fiscalité sans retenue de la Curie, la mise en place de favoris de la France mérid. (les Poitevins) dans les plus hautes charges, et les taxes extraordinaires levées en vue d'obtenir les couronnes d'Allemagne et de Sicile provoquent en

1258-1265 la révolte des Barons. Sous la pression de l'opposition conduite par SIMON DE MONTFORT, le 3e fils du vainqueur des Albigeois, le roi doit accorder en

1259 les Provisions d'Oxford. 15 barons conseilleront désormais le roi et contrôleront l'administration. HENRI III s'allie à SAINT LOUIS (traité de Paris en 1259, p. 157) et au pape, qui le délie du serment qu'il a prêté pour les Provisions (1261). SAINT LOUIS, nommé arbitre, déclare non recevables les Provisions (Amiens, 1264), SIMON DE MONTFORT, chef de la petite noblesse et des villes, triomphe du roi en

1264 à la bataille de Lewes. Établissement d'une régence, et convocation d'un Parlement que constituent deux chevaliers par comté et deux bourgeois par ville. ÉDOUARD, fils d'HENRI III, défait SIMON DE MONTFORT en

1265 à la bataille d'Evesham. Mort de SIMON.

France au 13e siècle

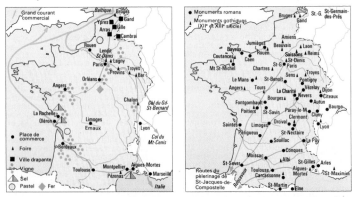

Commerce   Art roman et gothique

1226-1270 Saint Louis (Louis IX)
1229 Le traité de Paris met fin à la croisade des Albigeois. RAYMOND VII DE TOULOUSE cède à la couronne le pays entre Tarn et Agout, le Quercy du Nord et le duché de Narbonne. A sa mort (1249), sa fille JEANNE hérite du reste de ses possessions; elle a épousé le 3ᵉ fils de LOUIS VIII, ALPHONSE DE POITIERS. En 1271, tout revient à la couronne et les possessions royales s'étendent maintenant jusqu'à la Méditerranée. A son retour de croisade (p. 149), SAINT LOUIS écrase une révolte des barons qu'appuie l'Angleterre et vainc HENRI III (p. 155).

1259 Traité de Paris. HENRI III doit renoncer à la Normandie, au Maine, à l'Anjou et au Poitou et reconnaître la suzeraineté du roi de France sur le duché de Guyenne (Aquitaine). Quand l'empereur FRÉDÉRIC II meurt (1250) SAINT LOUIS est le souverain le plus puissant d'Occident (« L'arbitre »).

Civilisation

Économie. A partir du XIIᵉ siècle, l'économie marchande et monétaire se développe dans un monde resté presque uniquement rural.
Au XIIᵉ siècle, les **foires de Champagne** se succèdent tout au long de l'année : Lagny, Bar, Provins, Troyes. Le comte de Champagne favorise les foires par des exemptions de taxes. Des gardes de foires sont nommés. A partir de 1284, où la Champagne passe sous l'autorité directe des rois, ce sont des fonctionnaires royaux qui veillent au bon ordre de ces rassemblements de marchands.
La monnaie d'or réapparaît au XIIIᵉ siècle.
1252 : deniers de Gênes, florins de Florence. 1266 : écus de France. 1284 : ducats de Venise.
Ces nouvelles monnaies ont cours parallèlement à l'ancienne monnaie en argent, le denier.
Le commerce des marchands est aidé par la présence sur les foires de trois catégories d'hommes d'affaires :
— Les changeurs qui suivent le rapport entre monnaie-or et monnaie-argent;
— les Lombards ou Cahorsins qui sont des usuriers;
— les banquiers qui pratiquent l'assurance, le crédit, la participation à des « sociétés. »
Au XIVᵉ siècle, **la guerre de Cent Ans a ruiné les foires de Champagne.**
Paris s'est considérablement développé au XIIᵉ siècle.
Sous PHILIPPE AUGUSTE (1179-1223), enceinte fortifiée protégeant :
— la rive droite : Halles, place de Grève, donjon du Temple où est gardé le trésor royal;
— l'île de la Cité : a) centre religieux : Notre-Dame; b) centre politique : le palais royal;
— la rive gauche : centre intellectuel (quartier Latin).
Trois grandes abbayes sont en dehors de l'enceinte de PHILIPPE AUGUSTE :
au nord : Saint-Martin-des-Champs;
à l'ouest : Saint-Germain-des-Prés;
à l'est : Saint-Victor.
Dans la deuxième moitié du XIVᵉ siècle, nouvelle enceinte sous CHARLES V. Le célèbre « donjon » du Louvre est entouré de constructions et compris dans les remparts.

Notre-Dame de Paris (1163-1275).
1180-1200 L'évêque MAURICE DE SULLY, puis son successeur EUDES DE SULLY font construire la nef.
1177-1182 Construction du chœur (piliers massifs, larges tribunes).
1200-1245 Construction de la façade;
1250-1275 Façades du transept avec PIERRE DE MONTREUIL : rose du transept nord de Notre-Dame, avec quatre-vingts sujets tirés de l'Ancien Testament.

La Sainte-Chapelle.
1242-1248 Chapelle haute réservée à la famille royale. Les vitraux occupent presque toute la travée.
Méthodes de construction. Apparition au XIIIᵉ siècle de véritables architectes dirigeant plusieurs chantiers à la fois et formant des équipes. Ex. : VILLARD DE HONNECOURT, JEAN DES CHAMPS, PIERRE D'ANGICOURT.
Sculpture gothique. Disparition des monstres et du décor orientalisant de l'art roman (influence de SAINT BERNARD).
Les personnages se détachent de la pierre. Les proportions se rapprochent du canon classique. Ex. : Saint Joseph (porte centrale du portail ouest de Reims), l'Ange au sourire.
A la fin du XIIIᵉ siècle, influences maniéristes inspirées par les ivoires gothiques. Ex. : portails occidentaux de la cathédrale de Strasbourg (Vierge sage et Synagogue).
Droit : Rédaction des coutumes.
1250-1296 PHILIPPE DE RÉMI, sire de Beaumanoir, entre dans l'administration royale. Il est successivement : bailli en Beauvaisis, sénéchal de Poitou, bailli de Vermandois, de Touraine et de Senlis. Auteur des « coutumes du comté de Clermont en Beauvaisis ».
1260 « Livre des Métiers » d'ESTIENNE BOILEAU sur la réglementation des corporations.
Techniques financières. Développement de la pratique des contrats de change payables au Temple où étaient concentrées les sommes levées pour la préparation de la croisade.

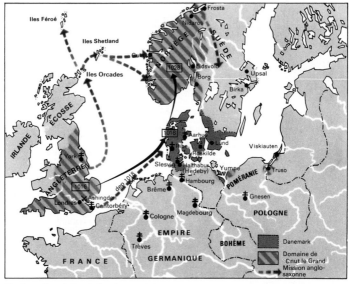

Empire nordique de Cnut le Grand au IIᵉ siècle

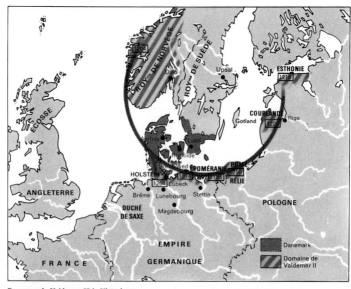

Royaume de Valdemar II le Victorieux

Vers 900, constitution en Scandinavie des premiers grands États dont les rois deviennent chrétiens pour parvenir au pouvoir et s'y maintenir.

Danemark (935-1286)

935-945 GORM L'ANCIEN. Il enlève le Jutland au royaume suédois de Hedeby (Haithabu). Son fils, HA-RALD A LA DENT BLEUE, baptisé en 960, fonde les évêchés de Ribe, Aarhus et Slesvig (948). OTTON III le vainc (974), et HARALD est remplacé par son fils

SVEN A LA BARBE FOURCHUE (985-1014), qui christianise le Danemark et conduit l'armée danoise contre les Anglo-Saxons (994). Son fils CNUT LE GRAND (1016-1035) est reconnu roi après sa victoire sur Edmond à Londres (p. 125). A la mort de son frère HARALD (1019), il est également roi de Danemark. Soumission de la Norvège. Des prêtres anglo-saxons organisent l'Église danoise.

1104 Fondation de l'archevêché de Lund. Aux XIe et XIIe siècles, le Danemark doit souvent reconnaître la suzeraineté de l'empereur d'Allemagne et est affaibli par des troubles successoraux.

1157-1182 VALDEMAR Ier LE GRAND. Le Danemark devient grande puissance. Avec ABSALON, évêque de Roskilde, il soumet les provinces et entreprend avec HENRI LE LION une expédition contre les Wendes.

1160-1164 Campagnes contre les Wendes. Prise de Rügen (1168).

1182-1202 CNUT IV épouse GER-TRUDE, fille d'HENRI LE LION, refuse de prêter à l'empereur serment de vassalité, conquiert la Poméranie (1184). BOGISLAV DE POMÉRANIE se déclare son vassal (1185). Son frère VALDEMAR conquiert le Holstein, Lübeck et Hambourg (1201).

1202-1241 Valdemar II le Victorieux conquiert le Lauenbourg, la Norvège, la Pomérélie, l'Estonie et la Courlande. FRÉDÉRIC II lui reconnaît la suzeraineté de toutes les terres à l'est de l'Elbe. 1223-1225 : il est prisonnier du comte HENRI DE SCHWERIN; perte des conquêtes danoises.

1227 Bataille de Bornhöved. Les princes de l'Allemagne du Nord et Lübeck triomphent de VALDEMAR II. Conséquences : essor du commerce allemand dans la Baltique, effondrement de l'hégémonie danoise. VALDEMAR abandonne ses plans de conquête.

1259-1286 Son petit-fils ERIK KLIPPING se voit obligé par la Grande Charte (1282) de convoquer annuellement la « Cour Danoise », assem-blée de prélats, de barons et de fonctionnaires de la cour, qui a droit de législation. Le pouvoir royal est battu en brèche.

Norvège (vers 900-1280)

Vers 900 HARALD Ier AUX BEAUX CHEVEUX, de la dynastie des Ynglings, fonde un grand royaume. Christianisation, parfois de force, sous OLAF TRYGGVASON (995-1000) et OLAF LE SAINT (1016-1028).

1035-1047 MAGNUS LE BON devient roi après avoir détrôné SVEN, fils de CNUT LE GRAND.

1047-1066 Son oncle HARALD LE SÉVÈRE meurt en attaquant l'Angle-terre, à Stamfordbridge, contre HAROLD (p. 125). Sous ses succes-seurs, création d'évêchés, et déve-loppement des villes.

1152 Fondation de l'archevêché de Nidaros (Trondheim).

1164 Parlement de Bergen. Les évêques revendiquent le droit d'élire le roi. Contre le clergé, révolte des **Kirke-beiner**, dirigés par

Sverre (1184-1202), qui triomphe du parti de l'Église et oblige les évêques à le couronner. Malgré l'interdit d'INNOCENT III, SVERRE fonde un puissant royaume héréditaire.

1217-1263 HAAKON IV, son petit-fils, meurt à l'île de Man, au cours d'une expédition vers les Hébrides.

1261 Le Groenland devient norvégien, ainsi que l'Islande en 1262-1264.

1263-1280 MAGNUS VI LE LÉGISLA-TEUR achète les Hébrides à l'Écosse (1266), met fin au conflit avec l'Église (1277), obtient droit de juridiction et peut disposer libre-ment des charges ecclésiastiques.

Suède (995-1290)

995-1022 Olaf, de la dynastie d'Upsal, est baptisé en 1008.

1130-1156 SVERKER L'ANCIEN. La maison des Sverkers parvient à s'assurer la couronne. Appel aux cisterciens. Les Upsvears déposent SVERKER LE JEUNE et proclament roi ERIK KNUTSSON (1250).

1164 Fondation de l'archevêché d'Upsal. Pendant un demi-siècle, les familles des Sverkers et des Eriks luttent pour le trône. Les deux familles disparaissent en 1222 et 1250.

1250-1266 Jarl Birger, de la dynastie des Folkungs, prend le pouvoir. Relations amicales avec la Norvège et le Danemark. Conquête de la Finlande du Sud. La Hanse germa-nique obtient de lui des privilèges.

1275-1290 MAGNUS Ier LADULAUS. Les grandes familles de propriétaires paysans commencent à former une noblesse terrienne.

1279 Statut d'Alsnö. Ceux qui com-battent à cheval sont libres d'impôts.

ROY^me DE DANEMARK

Bornhoved
Cté DE HOLSTEIN
Lubeck
DUCHÉ DE POMÉRANIE
(1181 fief allemand)
Lunebourg
Elbe
Vistule
Gnesen
Posen
Lentchiza
POLOGNE
DUCHÉ DE SAXE
Brunswick
Magdebourg
Goslar
Oder
Dortmund
Nordhausen
Mersebourg
DUCHÉ (1163 indépendant de l'Empire) DE SILÉSIE
Breslau
Cracovie
Mühlhausen
Leisnig
Kaiserswerth
Boyneburg
Altenbourg
COMTÉ DE THURINGE
Aix-la-Chapelle
Coblence
Gelnhausen
Plauen
Prague
Bouvines
Meuse
DUCHÉ DE BASSE-LORRAINE
Francfort
Wurzbourg
Eger
ROY^me DE BOHÊME (1158)
Bamberg
MARGRAVIAT DE MORAVIE
Kaiserslautern
DUCHÉ DE FRANCONIE
Nuremberg
Metz
DUCHÉ DE HAGUENAU
Wimpfen
Rothenbourg
Trifels
Weinsberg
Toul
HAUTE-LORRAINE
Rhin
Ratisbonne
AUTRICHE (1156 Duché)
Danube
Gran
Hohenstaufen
Braunau
Inn
DUCHÉ DE SOUABE
STYRIE
Constance
DUCHÉ DE BAVIÈRE
ROY^me DE FRANCE
St-Jean-de-Losne
Besançon
Drave
Rhône
ROYAUME D'ARLES
Chiavenna
ROY^me DE HONGRIE
Save
Côme
Cortenuova
Trévise
Legnano
Bergame
Vicence
Novare
Milan
Brescia
Venise
Lodi
DR
Mantoue
Padoue
Verceil
Payie
Crémone
Vérone
Asti
Plaisance
Pô
Alexandrie
Tortona
Parme
Ferrare
Modène
Bologne
COMTÉ DE PROVENCE
ROYAUME
Rimini
ROY^me DE SERBIE
Arles
D'ITALIE
ÉTAT
Tagliacozzo
Rome
Foggia
Tusculum
Anagni
PONTIFICAL
S. Germano
Bénévent
Castel del Monte
Lecce
Fiore
Messine
Palerme
ROY^me DE SICILE

Fiefs et possessions des Hohenstaufen

Expansion des Hohenstaufen

◆ Palais et châteaux des Hohenstaufen
Frontières de l'Empire

Possessions des Welfs

Duchés Welfs

Famille de Babenberg

Famille de Wettin

Ascaniens

Savoie

● Villes de la ligue de Lombardie et de Vérone

DR = Diète de Roncaglia

Empire des Hohenstaufen 1125-1254

1125-1137 LOTHAIRE DE SUPPLIMBOURG est élu roi contre FRÉDÉRIC II (HOHENSTAUFEN) de SOUABE. Avantages aux maisons princières des frontières de l'Est (p. 167). Les Guelfes se renforcent en Saxe par le mariage d'HENRI LE SUPERBE avec la fille de LOTHAIRE, GERTRUDE. INNOCENT II couronne LOTHAIRE empereur en 1133. A la mort de LOTHAIRE, ses biens allodiaux et le duché de Saxe reviennent à HENRI LE SUPERBE.

L'empire des Hohenstaufen

1137-1152 CONRAD III donne la Saxe en fief à ALBERT L'OURS, et la Bavière à LÉOPOLD IV DE BABENBERG, margrave d'Autriche.

En 1142, HENRI LE LION, à la paix de Francfort, obtient la Saxe et, en dédommagement, ALBERT L'OURS reçoit la marche du Nord, tandis que HENRI II JASOMIRGOTT, margrave d'Autriche, reçoit la Bavière. 2ᵉ croisade (p. 147) et réconciliation avec HENRI LE LION, qui force les Obodrites à payer tribut au cours de la « croisade des Wendes ».

1152-1190 Frédéric Iᵉʳ Barberousse arrange un compromis entre les Hohenstaufen et les Guelfes. Il donne en fief le marquisat de Toscane à son oncle WELFE VI et le duché de Bavière à son cousin HENRI LE LION. Pour dédommager HENRI II JASOMIRGOTT, l'Autriche est élevée au rang de duché.

Politique italienne de Frédéric Iᵉʳ

1153 Traité de Constance. FRÉDÉRIC Iᵉʳ appuie le pape EUGÈNE III contre les Romains (commune romaine et ARNAUD DE BRESCIA).

1154-1155 Première campagne d'Italie. FRÉDÉRIC Iᵉʳ livre ARNAUD DE BRESCIA et est couronné empereur en 1155 par le pape ADRIEN IV (1154-1159). Comme il néglige d'attaquer les Normands, le pape s'entend avec GUILLAUME Iᵉʳ DE SICILE (1154-1166) par le traité de Bénévent (1156) : GUILLAUME reçoit en fief la Sicile, l'Apulie et Capoue.

Oct. 1157 Diète impériale de Besançon. Choc entre du pape, le légat du cardinal ROLAND BANDINELLI, et le chancelier RAINALD DE DASSEL (1156-1167, en 1159 archevêque de Cologne), à propos de l'emploi du mot « beneficium » pour la couronne impériale.

1158-1162 2ᵉ campagne d'Italie.

Nov. 1158 Diète de Roncaglia. FRÉDÉRIC Iᵉʳ exige le retour à la couronne de tous les biens et de tous les droits des villes devenues autonomes; des fonctionnaires impériaux garantiront désormais les droits de l'empereur.

1159 Élections papales. ALEXANDRE III (1159-1181) et l'antipape VICTOR IV (1159-1164). L'empereur reconnaît ce dernier au concile de Pavie (1160). L'Occident se divise en deux camps (jusqu'en 1177). La rencontre de LOUIS VII de France et de FRÉDÉRIC Iᵉʳ à Saint-Jean-de-Losne ne met pas fin au schisme.

1163-1164 3ᵉ campagne d'Italie. Formation de la Ligue de Vérone.

1165 A l'assemblée de Würzbourg, RAINALD DE DASSEL fait prêter serment à tous de ne pas reconnaître ALEXANDRE III.

1166-1168 4ᵉ campagne d'Italie. Victoire de RAINALD DE DASSEL à Tusculum. Sa mort oblige l'armée à la retraite. Formation de la **Ligue lombarde** qui s'allie à celle de Vérone : Alexandrie devient la forteresse de l'Union.

1174-1178 5ᵉ campagne d'Italie. Échec du siège d'Alexandrie.

1176 Défaite de Legnano. FRÉDÉRIC signe des préliminaires de paix à Anagni avec le pape ALEXANDRE III.

1177 Paix de Venise. Armistice avec la Lombardie et la Sicile. Jusqu'au règlement final, l'empereur aura la jouissance des biens de MATHILDE. Réconciliation avec le pape.

1183 Paix de Constance avec les Lombards. Reconnaissance de la Ligue lombarde. Investiture par l'empereur des fonctionnaires élus. Abandon aux villes des droits de régale à percevoir à l'intérieur de l'enceinte urbaine.

1178-1180 Procès d'Henri le Lion. Les nobles saxons le citent devant le tribunal impérial pour avoir rompu la paix. Il perd ses fiefs d'empire (duchés de Bavière et de Saxe). La Saxe revient à BERNARD, COMTE D'ANHALT, la Bavière à OTTON DE WITTELSBACH, la marche de Styrie devient duché autonome. Les vassaux d'HENRI LE LION en Mecklenbourg et Poméranie deviennent directement ceux de l'empereur, et Lübeck, ville impériale.

1184-1186 6ᵉ campagne d'Italie. Alliance de FRÉDÉRIC Iᵉʳ avec Milan. Couronnement d'HENRI VI à Milan comme roi d'Italie, et mariage avec CONSTANCE DE SICILE. Le pape URBAIN III (1185-1187) s'allie avec les princes du Nord de l'Allemagne.

1187 Alliance de FRÉDÉRIC Iᵉʳ et de PHILIPPE AUGUSTE (p. 139) à Toul. Début de l'alliance entre les Hohenstaufen et les Capétiens contre les Guelfes et les Plantagenêts.

1188 Diète de Worms, où FRÉDÉRIC Iᵉʳ prend la croix (p. 147).

Base de la puissance de Frédéric Iᵉʳ : les biens dynastiques des Hohenstaufen, les biens d'empire, la haute Bourgogne dont il a épousé l'héritière BÉATRICE en 1156 et dont il est couronné roi en 1178, à Arles.

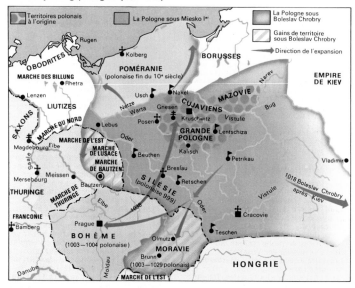

La Pologne aux 10ᵉ et 11ᵉ siècles

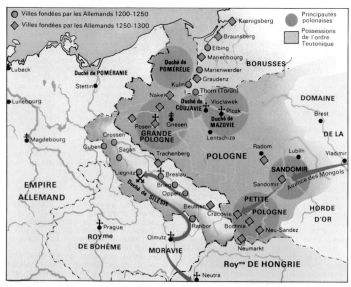

Les principautés polonaises et la colonisation allemande aux 12ᵉ et 13ᵉ siècles

La Pologne jusqu'en 1320
Sur les territoires occupés par les tribus polonaises, fondation d'un État polonais indépendant (Polanes = habitants des champs), qui est en contact avec les Allemands de l'Est et s'oppose à leur politique.

960-992 Mieszko Ier, de la maison des Piasts. Après son mariage avec la princesse tchèque DOUBRAVA, il se convertit au christianisme (966). La Pologne est chrétienne et a son propre évêché (Posen). Après des attaques de WICHMANN (963 et 967), vassal saxon révolté d'OTTON Ier, paix de compromis. MIESZKO devient « ami de l'empereur » (serment de fidélité personnelle). En 985, il rend hommage à OTTON III, mais place son pays sous la protection du pape.

992-1025 Boleslav Ier Chrobry, son fils. Rapports amicaux avec l'Allemagne. La Pologne s'assure l'hégémonie sur tous les Slaves occidentaux par la prise de Cracovie et la soumission des tribus vislanes.

1000 L'archevêché de Gnesen devient province polonaise autonome avec les évêchés de Cracovie, de Breslau et de Kolberg.

OTTON III prend part à la canonisation de l'évêque ADALBERT DE PRAGUE, par un pèlerinage sur son tombeau.

1002 BOLESLAV Ier récuse l'idée d'un empire chrétien universel et entreprend une politique polonaise dirigée contre la Bohême et l'Allemagne.

1003-1018 Conflits avec l'Allemagne. La politique allemande s'oppose à la conception d'un État unique des Slaves occidentaux sous la direction de la Pologne.

1013 BOLESLAV Ier CHROBRY reconnaît la suzeraineté du souverain allemand.

1018 Paix de Bautzen. BOLESLAV obtient en fiefs la Lusace et le territoire de Bautzen (Misnie).

1024 Après l'occupation de Kiev pendant les troubles successoraux des Varègues russes, BOLESLAV se fait couronner roi.

1025-1034 Mieszko II, marié depuis 1018 avec une petite-fille d'OTTON III, doit renoncer à la couronne royale à cause de l'opposition de CONRAD II et reconnaître sa suzeraineté (1033). Il perd la Poméranie, la Lusace et des territoires entre Vistule et Bug.

1037-1058 Casimir Ier. Révoltes des païens et attaques des Tchèques qui emportent à Prague les reliques de SAINT ADALBERT et annexent la Silésie (1038). CASIMIR, expulsé, revient dans son pays avec l'aide des Allemands. De Cracovie, la nouvelle capitale, il rétablit l'Église (avec des prêtres allemands) et l'État, en dé-

plaçant le centre de gravité de sa puissance de Grande-Pologne en Petite-Pologne. HENRI III lui rend la Silésie (1054). Jusqu'en 1138, le duché de Pologne est gouverné d'une manière absolument centralisée par les « Castellans », fondés de pouvoir du duc, qui détiennent toute la puissance. Sous l'influence du droit allemand, l'Église obtient d'abord l'immunité, puis les nobles, c'est-à-dire les anciens fonctionnaires ducaux et les hommes d'armes de leur suite, l'obtiennent à leur tour.
La noblesse se compose des **magnats** et de la **Szlachta** (petite noblesse).

1058-1079 Boleslav II prend part à la lutte entre l'Empire et la papauté aux côtés de Grégoire VII à cause de la coalition montée contre lui (HENRI IV, Bohême, Russie). Couronné en 1076, il est déposé rapidement par la noblesse ecclésiastique et guerrière.

1106-1138 Boleslav III. Nouvelle expansion, conquête de la Poméranie (1121) et des territoires entre Oder et Elbe (mission de l'évêque OTTON DE BAMBERG 1124-1125 et 1128). En 1135, reconnaissance de la suzeraineté du roi d'Allemagne, qui lui accorde en fief la Poméranie occ.

1138 Institution du séniorat. Le plus âgé de la dyn. des Piasts sera désormais souverain de la Petite-Pologne avec Cracovie comme capitale et ville de couronnement, les autres parents seront ducs de Silésie, de Mazovie, de Grande-Pologne et de Petite-Pologne orientale avec Sandomir.

1146 VLADISLAV, fils aîné de BOLESLAV III, est déposé par ses frères avec l'aide de la noblesse. Il s'enfuit chez CONRAD III, son beau-frère.

1180 L'assemblée des ducs et évêques polonais de Lentschiza supprime le séniorat et confirme par écrit les privilèges du clergé. C'est la possession de Cracovie qui commande le rétablissement de l'unité polonaise.

1241 Invasion mongole. Malgré leur victoire de LIEGNITZ, les envahisseurs reculent.

1295 Prémysl II, duc de Grande-Pologne, cherche à rétablir la royauté en se faisant couronner à Gnesen. Il est assassiné en 1296.

1300-1305 VENCESLAS DE BOHÊME devient roi avec l'aide de l'Église et de la bourgeoisie allemande. A l'extinction de la dynastie des Prémyslides (1306),

VLADISLAV LOKIETEK est couronné à Cracovie en 1320. Rétablissement de l'unité polonaise, mais sans le duché de Silésie, qui revient à la Bohême.

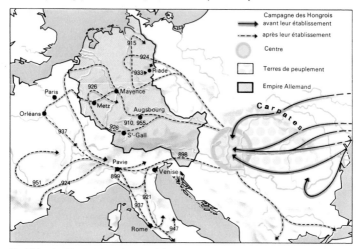

Expéditions de pillage des Hongrois au 10ᵉ siècle

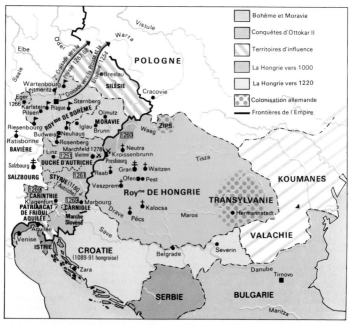

La Hongrie et la Bohême au 13ᵉ siècle

Moravie (830-906)

Après l'installation des Slaves (vers 600), le commerçant franc SAMO délivre les tribus slaves occidentales de la domination des Avars (après 626) et de l'influence du royaume oriental des Francs (631 : Bataille de la forteresse de Vogastis). A sa mort, l'État se défait et devient tributaire de CHARLEMAGNE (805).
Après la fondation de l'**État morave** par MOÏMIR (830-846), son neveu ROSTISLAV (846-879) fait hommage à Byzance pour se délivrer des Francs orientaux. Avec l'accord de Rome, les apôtres CONSTANTIN et MÉTHODE créent une Église autonome avec une langue liturgique slave, mais dont l'indépendance cesse dès la mort de MÉTHODE, nommé archevêque par Rome (885). Après plusieurs croisades sans succès de LOUIS LE GERMANIQUE, la grande révolte de ROSTISLAV prend fin grâce à son neveu
SVATOPLUK (870-894) qui fait prisonnier son oncle et le livre au roi des Francs orientaux après une guerre qui durera encore quatre ans et que terminera en
874 Traité de Forchheim. SVATOPLUK perd la Pannonie inférieure, mais poursuit sa politique d'expansion en occupant le pays des Sudètes, la Slovaquie, la Bohême, la Hongrie occ. et la Silésie.
880 La Grande-Moravie accepte l'autorité du Saint-Siège et de son vicaire.
906 Anéantissement de la Moravie par les Hongrois.

La Hongrie sous les Arpad (896-1301)

Sous le gouvernement d'ARPAD (896-907), sept tribus magyares (nomades de la steppe) occupent les basses plaines de la Tisza et du moyen Danube. De 899 à 955, campagnes contre l'Occident : royaume oriental des Francs, Italie, France, Lorraine, Bourgogne, Espagne et Byzance. Après leur défaite du Lechfeld (955), le petit-fils d'ARPAD, GEYSA (972-997), prend le pouvoir, christianise les Hongrois et les rend sédentaires.
997-1038 Étienne Ier (saint Étienne) fonde la royauté chrétienne. La Hongrie devient un État chrétien grâce aux chevaliers allemands que SAINT ÉTIENNE installe à sa cour et aux fiefs qu'il donne aux bénédictins.
1001 Fondation de l'archevêché de Gran et couronnement de SAINT ÉTIENNE avec la couronne que lui a envoyée SYLVESTRE II.
1077-1095 LADISLAS Ier. Union personnelle de la Croatie et de la Hongrie. Son successeur, KOLOMAN Ier, roi de Croatie.
1173-1196 Béla III, après un conflit

avec Byzance, annexe la Dalmatie, la Croatie et la Bosnie. Établissement de relations culturelles avec la France par l'appel adressé aux cisterciens et aux prémontrés. La Transylvanie est colonisée par les « Saxons » qu'on y fait venir et auxquels on assure leur autonomie (1224).
1205-1235 André II.
1222 ANDRÉ octroie la **Bulle d'Or** : la haute noblesse et le clergé obtiennent des garanties contre la confiscation de leurs biens, l'impôt, la détention et la libre disposition des biens de la basse noblesse qui n'est plus désormais le soutien du trône.
1241 Effondrement de la Hongrie sous l'assaut des Mongols à la défaite du Sajo. Il s'ensuit un conflit avec OTTOKAR II DE BOHÊME. Avec ANDRÉ III (1290-1301), fin de la dynastie des Arpad.

La Bohême

Au IXe siècle, le particularisme des tribus est vaincu par la famille des Prémyslides qui résident aux environs de Prague. Après l'assassinat de VENCESLAS, le saint national, la Bohême fait partie de l'empire au Xe siècle, mais avec sa propre dynastie.
973 Fondation de l'évêché de Prague, qui dépend de Mayence. Au cours de combats entre la Bohême et la Pologne, en
1054 cession de la Silésie à la Pologne. La Bohême garde la Moravie.
1061-1092 VRATISLAV est nommé roi par HENRI IV (1086). Après des troubles dynastiques dans la première moitié du XIIe siècle, renforcement de la noblesse par l'institution du séniorat et du droit de primogéniture (1158).
1140-1173 Vladislav II devient roi héréditaire. Mouvement colonisateur allemand vers l'Est (1170, privilèges pour les commerçants allemands), création de villes, naissance d'une bourgeoisie en plus de la noblesse indigène et du clergé.
1198-1230 Prémysl Ottokar Ier obtient des privilèges des souverains allemands et du pape.
1253-1278 Prémysl Ottokar II. Apogée de la puissance de la Bohême. Il soutient l'ordre des chevaliers Teutoniques (la ville créée sur la Pregel est appelée Koenigsberg en son honneur, 1225). Il conquiert l'Autriche (1251), et la Styrie après sa victoire de Kroissenbrunn sur les Hongrois (1261).
1278 Bataille du Marchfeld, où il succombe. VENCESLAS II hérite de la Bohême et de la Moravie qui, après la mort de VENCESLAS III (1306), sont annexées à l'empire.

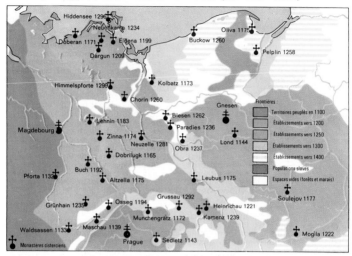

La migration allemande à l'est aux XIIe et XIIIe siècles.

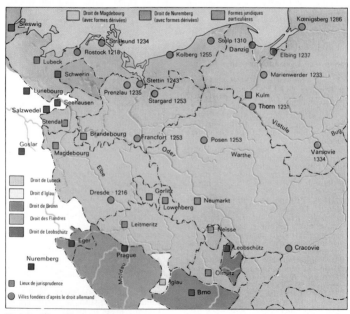

Droit des villes en Europe centrale

L'expansion allemande à l'Est
1125-1137 L'empereur LOTHAIRE DE SUPPLIMBOURG donne une nouvelle impulsion au mouvement vers l'Est. Les besoins de la christianisation et des facteurs politiques suggèrent à l'empereur d'établir de grands féodaux :
1110 ADOLPHE DE SCHAUENBOURG dans le comté de Holstein;
1123 CONRAD DE WETTIN dans la marche de Meissen, et en 1136, en Lusace;
1134 ALBERT L'OURS DE BALLENSTEDT, margrave de Brandebourg à partir de 1150, dans la marche du Nord (Altmark). Dynastie des Ascaniens.
1139-1195 HENRI LE LION soumet PRIMISLAV, prince des Obodrites (1167). Les ducs de Poméranie deviennent ses vassaux, mais il perd tous ses territoires à l'Est au cours de son procès contre l'empereur en 1178-1180 (p. 161).
Cette **vague de colonisation** du XIᵉ siècle, grâce à laquelle les territoires français désolés par la guerre sont repeuplés et de nouvelles terres allemandes défrichées et irriguées, n'est possible qu'à cause d'une invention faite dans le Nord de la France : **l'assolement triennal**. La culture des céréales prédomine. **La technique agricole s'améliore** : la charrue et la herse sont maintenant en fer, la faux prend sa forme actuelle, l'usage du fléau se répand, le moulin à eau facilite la mouture du grain, et le moulin à vent apparaît au XIIᵉ siècle. Le cheval remplace le bœuf comme bête de trait. **L'essor des rendements agricoles** amène une offre plus grande de produits alimentaires : les naissances s'accroissent. Les petits villages d'autrefois deviennent des bourgs, les villes, plus nombreuses, grandissent, ce qui fait monter le prix des denrées agricoles. Les seigneurs fonciers allemands et les princes slaves de Poméranie, Pologne, Silésie, Bohême, Moravie, Mecklembourg, ainsi que la noblesse indigène et le clergé, font appel à des paysans et à des bourgeois allemands. Les frontières orientales du Reich (Elbe-Saale-Forêt de Bohême) sont dépassées. Moines et nonnes émigrent vers l'est : Augustins, prémontrés, cisterciens, ordre des chevaliers Teutoniques, ordre de Saint-Jean, ordre espagnol de Calatrava.
La **colonisation** se fait :
1. Dans de **grands villages** à habitat groupé (villages-rues, villages de défrichements forestiers). Répartition identique des terres pour tous les colons (tenure franconienne = 24 ha ou tenure flamande 16,8 ha sont les deux unités employées). On confie la terre à un entrepreneur (locator) qui est récompensé de son travail par une charge de maire héréditaire. Fondation d'églises privées avec une « dot »

(« Widmut ») d'une à quatre tenures. En compensation de leur départ et de leurs épreuves, les colons obtiennent une situation sociale améliorée : transmission des biens dont ils sont propriétaires, le plus souvent contre une taxe d'héritage payable, après les premières années exemptes d'impôts, soit en argent soit en céréales : droit d'héritage. Remplacement de l'agriculture traditionnelle (une année de pâturage, la suivante en friche, d'où prédominance de l'élevage), par l'assolement triennal sur trois soles, ce qui permet d'agrandir la surface cultivable et les rendements.
2. Dans des **villes** construites intentionnellement par des seigneurs slaves (avec juridiction, droit de fortification et administration autonome), avec rues en damier et au centre la place du marché, au milieu de districts slaves. Sous leurs baillis, ces villes deviennent des centres culturels et religieux et des points d'appui pour le commerce avec les pays lointains. Application par privilège du droit allemand (coutume de Magdebourg, et des villes qui en dépendent, droit de Lübeck et de l'Allemagne du Sud).
3. Dans des localités qui demeurent slaves et où les colons vivent selon leur droit particulier, à moins que les non-Allemands n'adoptent eux aussi le droit allemand.
4. Avec des colons slaves, mais sous le droit allemand parfois transformé, comme par exemple dans les régions orientales de Pologne, en Lituanie, en Ukraine et en Russie blanche, (Lemberg, Kiev).
Au XIIIᵉ siècle, les Ascaniens avancent dans la **Nouvelle Marche**.
1201-1238 Le duc HENRI Iᵉʳ et ses successeurs, les évêques de Breslau et les ducs d'Oppeln colonisent la Silésie : installation sur la rive droite de l'Oder.
1200-1250 Dans le **Mecklembourg**, le prince HENRI BURVY et ses fils font appel à des colons (Rostock 1218, Wismar 1229, Stralsund 1234).
1253-1278 Le roi OTTOKAR DE BOHÊME fonde plus de 60 villes allemandes dans son royaume.
XIVᵉ siècle. Fin de la poussée vers l'Est. Il n'y a plus assez d'hommes disponibles pour coloniser; la population agricole émigre vers les villes. La campagne redevient déserte.
Conséquences. Progression pacifique de la civilisation. La population slave n'est ni refoulée ni chassée (d'après la recommandation de SAINT BERNARD). La population et le production des vivres quintuplent. Le commerce, jusqu'au XIIᵉ siècle entre les mains des Slaves et des Scandinaves (Haithabu-Slesvig), devient allemand (1158 : 2ᵉ fondation de Lübeck) avec l'emploi de vastes vaisseaux de haut bord.

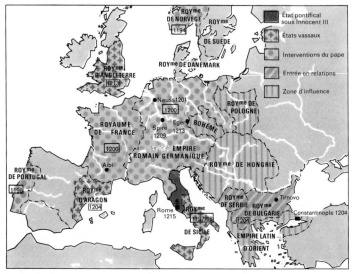

La puissance d'Innocent III

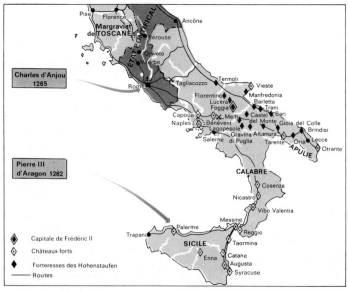

Italie centrale et méridionale au 13e siècle

L'empire des Hohenstaufen

1190-1197 Henri VI a deux adversaires : HENRI LE LION et TANCRÈDE DE LECCE, demi-frère de GUILLAUME II DE SICILE, qu'un parti normand a choisi pour roi.

1191 1re campagne d'Italie. Couronnement impérial par le pape CÉLESTIN III (1191-1198). Une épidémie l'oblige à lever le siège de Naples. Retour de l'armée en Allemagne.

1192-1194 L'opposition ¦des princes s'effondre après la captivité de RICHARD CŒUR DE LION, arrêté alors qu'il revient de croisade et qui doit rendre hommage de vassalité et payer rançon. HENRI LE LION se réconcilie avec l'empereur (1194).

1194-1195 2e campagne d'Italie. HENRI VI est couronné roi de Sicile à Palerme (1194); union personnelle de la Sicile et de l'Empire (Unio regni ad imperium). En 1197 HENRI VI meurt à 32 ans avant d'avoir pu fonder un Empire héréditaire. CONSTANCE, sa femme, est régente pour FRÉDÉRIC II. A sa mort (1198), le pape INNOCENT III (p. 145) devient tuteur du jeune prince tout en entreprenant d'occuper les biens d'Empire (duché de Spolète, Ancône, Toscane). Affaiblissement de l'Empire pendant que PHILIPPE DE SOUABE (1198-1208) et OTTON IV (1198-1218) luttent pour le trône. Les princes gagnent en importance aux dépens des ministeriales royaux et de la bourgeoisie.

1201 Traité de Neuss. OTTON IV renonce à ses droits sur les **domaines « récupérés »** par la papauté.

1209 Traité de Spire. Abandon du concordat de Worms. Après rétablissement des droits impériaux en Italie, OTTON IV est couronné empereur, mais il est excommunié à cause d'une expédition en Italie méridionale.

1210-1250 Frédéric II promet au pape de ne pas réunir la Sicile à l'Empire.

1213 Bulle d'Or d'Eger : confirmation des abandons d'OTTON IV (1201, 1209).

1214 Bataille de Bouvines. PHILIPPE AUGUSTE (p. 139) vainc la coalition anglo-guelfe dirigée par OTTON IV.

1220 Confœderatio cum principibus ecclesiasticis. Abandon aux princes d'importants droits de régale : droit de foire, frappe de monnaie, douane, haute justice.

Le Nord et l'Est

1214 Par le traité de Metz, FRÉDÉRIC II cède à VALDEMAR II de Danemark les territoires allemands à l'est de l'Elbe en contrepartie de son aide contre les Guelfes.

1226 Bulle d'Or de Rimini. L'ordre des chevaliers Teutoniques est chargé de conquérir la · Prusse païenne (p. 195).

1227 Bataille de Bornhöved (p. 159).

Empereur et pape

Après son couronnement à Rome en 1220, FRÉDÉRIC II donne son accord au pape par le traité de San Germano (1226) pour mener à bien une croisade. Il y part en 1227, mais il revient à cause d'une épidémie et est excommunié par le pape GRÉGOIRE IX (1227-1241).

1228-1229 FRÉDÉRIC II mène la croisade à bien.

1230 Il signe la paix de Ceprano : le pape le délie de l'excommunication et reçoit des droits ecclésiastiques particuliers en Sicile. En 1239, nouvelle excommunication.

Réorganisation de la Sicile (1221-1231)

Établissement d'un État moderne avec fonctionnaires rétribués, nouvelle législation, monopole d'État, réforme financière. Codification des lois siciliennes dans les **Constitutions de Melfi (1231).**

Allemagne

HENRI VII prend le pouvoir comme roi d'Allemagne (1228) et s'efforce de rétablir les droits impériaux en liaison avec les communes urbaines et les ministériales, mais en

1231 à la diète de Worms, il doit par le « Statutum in favorem principum » accorder aux vassaux laïques les mêmes droits qu'aux ecclésiastiques. FRÉDÉRIC II confirme ce statut, mais HENRI VII se révolte contre l'empereur et s'allie avec les villes lombardes. FRÉDÉRIC II intervient en Allemagne et envoie HENRI VII en Apulie où il mourra prisonnier, en 1242.

1235 Grande paix de Mayence. Réconciliation avec les Guelfes (OTTON L'ENFANT, petit-fils d'HENRI LE LION, devient duc de Brunswick-Lünebourg). On décide une guerre contre les villes lombardes dont les troupes sont battues en

1237 à la bataille de Cortenueva. HENRI RASPE, comte de Thuringe, et GUILLAUME, comte de Hollande, sont élus rois contre CONRAD IV.

1250 Mort de FRÉDÉRIC II en Apulie.

1250-1254 Conrad IV. Il meurt aussitôt après avoir pris Naples en 1253.

La fin des Hohenstaufen (1254-1268)

La Curie donne la Sicile à CHARLES D'ANJOU, frère de SAINT LOUIS.

1266 Bataille de Bénévent, où CHARLES triomphe de MANFRED, régent de Sicile, qui est tué.

1268 Bataille de Tagliacozzo. CHARLES vainc CONRADIN, fils de CONRAD IV. CONRADIN est exécuté à Naples.

1282 Vêpres siciliennes. Tous les Français sont chassés de Sicile (p. 183).

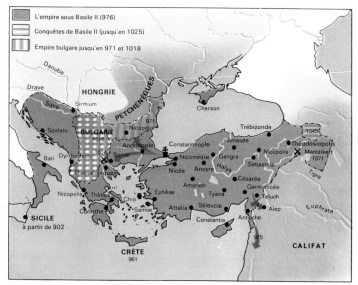

Byzance aux 10e-11e siècles

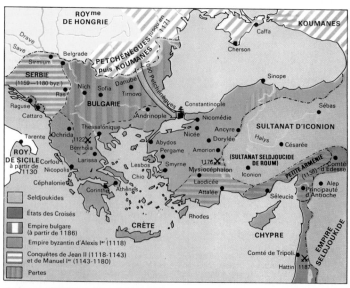

Byzance au 12e siècle

L'empire byzantin (867-1025)
867-1056 Dynastie macédonienne. Sous les empereurs BASILE Iᵉʳ (867-886) et LÉON VI (886-912), remise à jour du droit romain (« code des 3 basiliques »). **Apogée de la puissance impériale** : l'empereur est l'élu de Dieu. Bureaucratisation complète de l'appareil de l'État. Rétablissement de la puissance byzantine en Italie par la reprise de Bénévent (873) et de Bari (876). Succès des Arabes qui prennent la Sicile (902) et Thessalonique (904).

907 Attaque des Arabes contre Byzance. Les attaques du tsar des Bulgares SIMÉON (893-927) qui tente de prendre Byzance, sont repoussées par ROMAIN Iᵉʳ LÉCAPÈNE (920-944), qui vainc également les Russes (941) et les Arabes (943).

963-969 Nicéphore II Phocas conquiert comme général la Crète (961) et Alep (962), et comme empereur fait campagne contre les Arabes à Chypre et en Cilicie, puis redeviennent byzantines.

969-976 Jean Iᵉʳ Tzimiskès triomphe dans la « Guerre des deux fronts » des Russes (971) qu'il chasse des Balkans. La Bulgarie orientale devient province byz. (971). **Conquête de la Syrie et de la Palestine. Son règne voit l'apogée de la puissance byzantine.**

976-1025 Basile II le « tueur de Bulgares ». Il donne sa sœur en mariage au grand-prince russe VLADIMIR (989) qui se fait baptiser : propagation de la foi orthodoxe en Russie. L'Église russe dépend du patriarche de Constantinople. Après avoir confirmé les conquêtes syr. de son prédécesseur contre les Fatimides, il vainc SAMUEL, roi des Bulgares occ. dans une guerre de plus de vingt ans (991-1014).

1014 Défaite des Bulgares au Strymon. 14 000 prisonniers sont aveuglés. La Bulgarie occ. devient province byz. (1018).

Le déclin de l'empire byzantin (1025-1204)
Une **incessante féodalisation** mine les fondements militaires et financiers de l'empire (destruction de l'organisation des thèmes) : octroi de l'**immunité fiscale** aux grands propriétaires terriens et affermage des impôts. **Système de la Pronoia** (octroi temporaire de domaines avec abandon de tous les revenus pour rétribuer les services rendus). **Système du charistikion** : attribution des monastères et de leurs biens à des administrateurs temporels (charistiques). **Énorme bureaucratie** dans la capitale.
1045 Conquête de l'Arménie (dernière conquête byz. en Orient).
1054 Rupture entre les Églises occ. et

orient. **(Grand Schisme)**, provoquée par la même prétention à l'universalité.
1059-1078 Dyn. des Doukas. Progrès des Normands, des Petchénègues (p. 109), des Hongrois, et surtout des Turcs Seldjoukides.
1071 Victoire de Mantzikert remportée par les Turcs sur ROMAIN IV DIOGÈNE. Création du sultanat d'Iconium (1080).
1081-1185 Dyn. des Comnènes.
1081-1118 ALEXIS Iᵉʳ. Combats défensifs contre les Normands de ROBERT GUISCARD, contre les Petchénègues qui arrivent en 1090 devant Constantinople, et contre les Seldjoukides. En 1092, début d'une politique offensive.
1082 Pour leur aide contre les Normands, les Vénitiens obtiennent le droit de commercer dans tout l'empire byzantin sans payer de droits de douane (début de la puissance vénitienne au Levant). 1111 : Traité avec Pise.
1096 Les croisés commencent à traverser l'empire et fondent des royaumes. ALEXIS Iᵉʳ obtient la reconnaissance de sa suzeraineté sur Antioche (1108) et conquiert l'Asie Mineure occidentale.
1118-1143 Jean II anéantit les Petchénègues (Bérée 1122), combat les Hongrois (1124-1128) pour obtenir contre Venise le contrôle de la Serbie, de la Dalmatie et de la Croatie, et soumet l'Arménie Mineure (Antioche 1138).
1143-1180 MANUEL Iᵉʳ veut restaurer en Italie le pouvoir de Byzance ce qui conduit à un déclin économique. Il repousse les attaques des Normands de ROGER DE SICILE, des Serbes et des Hongrois.
1158 Suzeraineté sur les États des croisés en Syrie.
1175 Alliance contre Byzance de Venise et du roi normand GUILLAUME II.
1176 Désastre de Mysiocéphalon devant les Seldjoukides.
1185 Les Normands prennent Thessalonique.
1185-1204 Dyn. des Anges.
1187 Reconnaissance du 2ᵉ empire bulgare (p. 201). Perte de la Dalmatie, de la Croatie et de la Serbie.
1203 1ʳᵉ prise de Constantinople par les croisés.
1204 2ᵉ prise de Constantinople par les croisés. Établissement de l'empire latin (p. 203).
Byzance a repoussé les Perses, les Arabes et les Turcs. Les peuples occidentaux ont eu ainsi la possibilité de développer leur existence propre. Importante aussi est son action culturelle : la conversion des Slaves, surtout des Russes. Enfin, Byzance a assumé la garde et la transmission de l'héritage culturel de l'Antiquité.

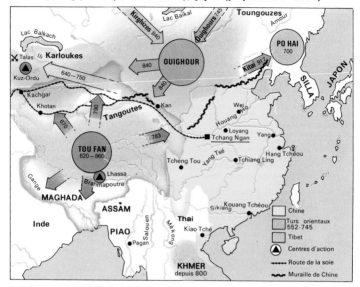

La Chine sous la dynastie des Tang 618-907

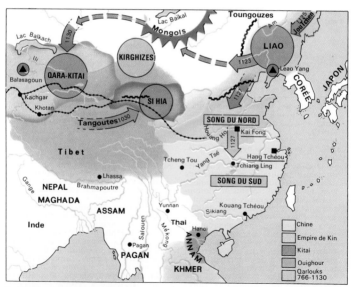

La Chine sous la dynastie des Song 960-1279

La Chine sous les dynasties T'ang et Song

220-265 Époque des « Trois royaumes » (Wei, Wou, Chou-han). Après une union provisoire,

317-589 Séparation de la Chine du Nord et du Sud. Dans le Nord, invasions de peuples étrangers (Huns, Turcs), qui forment 16 royaumes à civilisation et administration chinoises.

222-589 Dans le Sud, les **Six Dynasties** continuent la tradition chinoise. LEANG WOU-TI (502-550) impose le **bouddhisme Mahayana** qui se répand sur toute la Chine.

420-588 Prépondérance du royaume turc des **T'O-PA** (dyn. Wei). A sa chute, le général YANG KIEN prend le pouvoir et unifie l'empire sous le nom d'empereur WENG (580-604) (dynastie Souei).

604-618 YANG-TI choisit ses fonctionnaires par un **système d'examen littéraire** fondé en 606.

618-907 Dynastie T'ang.

627-649 T'ai Tsong le Grand élève la Chine à l'apogée de son histoire. Établissement de districts milit. autonomes pour protéger les frontières. Anéantissement des T'oukiue (Turcs). Offensive jusqu'en Corée. 88 peuples d'Asie reconnaissent sa suzeraineté. Réformes agraires et fiscales, économie florissante, commerce maritime avec les pays arabes, et terrestre en Chine.

Civilisation. Sommet de la poésie chinoise avec WANG WEI (699-759), LI T'AI PO (699-762), TOU FOU (712-770).

725 Fondation de l'**Académie Han Lin** pour le choix des hauts fonctionnaires. Le **développement du bouddhisme** influence littérature et art (peinture, sculpture).

751 Défaite du Talas devant les Arabes. Soulèvements militaires avec l'aide des Ouïghours, K'i-tan, Tangoutes et Thaïs.

790 Conquête de l'Ouest par l'**empire Toufan** qui se défait au IXᵉ siècle. Des persécutions contre les bouddhistes l'affaiblissent (844). Il s'émiette complètement.

907-960 Époque des Cinq Dyn. Un renouveau ne peut être obtenu qu'en payant tribut aux K'i-tan (dyn. Liao) et au royaume de Si-Hia.

960-1127 Dyn. Song du Nord au Kitan (dyn. Liao) et royaume Si-Hia. Pour contrôler les généraux, CHEN-TSONG (1068-1085) sépare les administrations civile et militaire. Les Jouchen conquièrent la Chine du Nord et fondent en 1125 la dyn. des Kin.

1127-1279 La dyn. Song du Sud tient jusqu'à l'invasion mongole (p. 207) mais doit payer tribut. Malgré l'impuissance polit., **2ᵉ apogée culturel et économique.**

Civilisation. Epanouissement de la prose (histoire, géographie, encyclop.). La **philosophie Song** s'inspire du confucianisme, morale d'État, et fonde **l'unité de la civilisation chinoise.** Tchou-hi crée la nouvelle langue chinoise (1131-1200).

L'archipel japonais

Deux vagues d'invasion venues de Corée et du Sud donnent naissance à des clans qui repoussent vers le Nord les **Aïnos,** premiers habitants. Formation d'une religion nationale de la nature et d'un culte des ancêtres. Le premier **mikado** (« la Haute Porte »), fondateur mythique de l'État, porte le titre de **Tenno** (roi céleste) et est le petit-fils de la déesse du Soleil **Amaterasu.**

120 av. J.-C. Jimmu-Tenno fonde l'empire Yamato qui dépend culturellement de la Chine et qui domine la Corée de 363 à 662 ap. J.-C.

Vᵉ siècle ap. J.-C. Adoption de l'écriture chinoise. Lutte de clans entre les Soga et les Nakatomi pour l'**introduction du bouddhisme,** importé par KIMMEI en 552. Les perdants sont les défenseurs du **shintoïsme** national.

593-628 L'impératrice SUIKO et le prince SHÔTOKU TAISHI fondent « le Chemin de Bouddha » (Bushido) en lui construisant des temples.

645-1192 Époque de l'État fonctionnarisé selon le modèle chinois.

645 Taika (« Grande Transformation »), codifiée dans le **Taihô** (« Grand Trésor ») en 702. Des fonctionnaires impériaux, propriétaires héréditaires, remplacent la vieille constitution par familles et renforcent le pouvoir absolu de l'empereur.

710-782 Période Nara. L'influence chinoise disparaît devant la fusion du shintoïsme et du bouddhisme. Apparition d'une noblesse de fonctionnaires (kouge) et de guerriers (bouke).

794-1192 Période de Heian (capitale Kyoto).

967-1068 La famille Fujiwara prend le pouvoir. Batailles entre les familles TAIRA et MINAMOTO pour la possession de la dignité de général en chef.

1185 Bataille de Dan-no-Ura, perdue par les Taira. MINAMOTO YORITOMO (jusq. 1199) se fait nommer shôgun avec cour à Kamakura.

1192-1333 Shôgunat de Kamakura. Le Tenno (souvent un enfant ou un moine) demeure officiellement le maître et nomme les fonctionnaires. En fait, le shôgun règne avec ses vassaux (v. les « maires du palais p. 117). A la cour de Kamakura, **la famille Hôjô (1219-1333)** acquiert la dignité héréditaire de la régence.

1274 et **1281** Mongols repoussés par des armées de samouraïs.

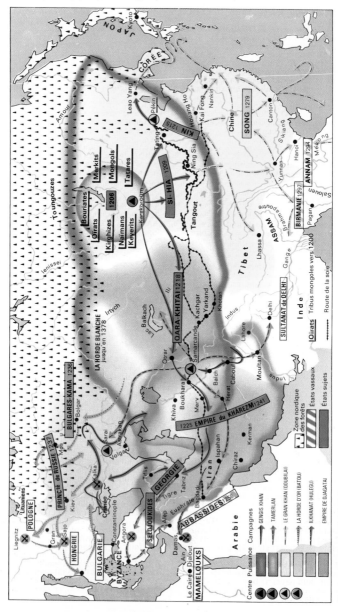

Empire mongol aux 13e-14e siècles

L'expansion des peuples mongols au XIIIe siècle

En 1196, un chef de tribus TEMUDJIN (forgeron, 1167-1227) extermine ses adversaires, et la « Qouriltaï » (assemblée) de tous les peuples mongols, turcs et tatares des steppes le nomme **Gengis Khan** (le très haut souverain) (p. 109). La « **loi de Yaza** » transforme la levée en masse des guerriers en une seule nation. Les populations s'organisent en 130 « milliers » et une garde, sous le commandement de chefs héréditaires qui élisent chaque fois le **Grand Khan** dans la « famille d'Or » de TEMUDJIN.

1205-1209 Conquête du royaume Si-Hia, tremplin contre la Chine.

1211-1215 Dévastation de l'empire Kin. Les Mongols déploient toute leur technique milit. (attaques de flanc, encerclement, simulacre de fuite, massacres). Ils utiliseront plus tard celle des ingénieurs chinois (artillerie, système de signaux, art de sièges).

1219-1225 Attaque de l'**Empire de Kharezm.** Les civilisations florissantes de l'Asie centrale déclinent; le commerce abandonne les vieilles routes des caravanes pour les voies maritimes des Arabes. SUBOETEI, un général, contourne la mer Caspienne et anéantit une armée russe à la Kalka.

1227 Mort de Gengis Khan et division de l'Empire entre ses quatre fils : DJOETCHI, DJAGHATAÏ, OEGEDEI, TOLOUI. Chacun reçoit des troupes, un « yourt » (des pâturages) et une partie des tribus. Karakorum devient capitale fixe.

1229-1241 Le Grand Khan **Oegedei** complète la soumission de la Chine du Nord et de la Perse.

Sur la demande d'une qouriltaï, les petit-fils de GENGIS KHAN **Batou (1236-1255)** et SUBOETEI conquièrent l'Ouest. Anéantissement des **Bulgares-Kama** (1236), chute de Kiev (1240); expéditions en Valachie et en Pologne.

1241 Bataille de Liegnitz (p. 163). Défaite de la chevalerie allemande et polonaise. L'armée hongroise de BÉLA IV est battue en

1241 à la bataille du Sajo (p. 165). La retraite subite des Mongols à la suite de la mort du Grand Khan, **sauve l'Europe.**

1251 Batou fonde l'hégémonie de la Horde d'Or (royaume de Qiptchaq). Pillage, déclin culturel de la Russie isolée de l'Europe et de la Baltique, à l'exception de Novgorod.

1251-1259 Mongka envoie deux armées de chacune un demi-million d'hommes sous le commandement de ses frères :

Qoubilaï, Grand Khan (1260-1294),

attaque en 1258 la Chine du Sud (p. 207).

HOULAGOU (1251-1265) conquiert la Perse et fonde **l'Ilkhanat.**

1258 Destruction de Bagdad (1 million d'habitants). Anéantissement du calfat des Abbassides. Prise d'Alep et de Damas. La vague mongole se brise contre la bravoure supérieure des **mamelouks** (esclaves mercenaires des pays de la mer Noire), qui gouvernent l'Égypte et qui infligent aux Mongols en

1260 la défaite d'Ain Djalout. L'Ilkhanat s'arrête à l'Euphrate. Il s'islamise vers 1300, les conquérants fusionnent avec la population plus civilisée.

1336 Dissolution de l'Ilkhanat en différents royaumes.

Deuxième Empire mongol (Timour Lenk)

Vers 1360, un prétendu descendant de GENGIS KHAN, **Timour Lenk** (le Boiteux) ou **Tamerlan** (1336-1405), se dit appelé par le Coran à refaire l'Empire mongol. Reconnu comme Grand Khan par les royaumes djaghataïde et de Qiptchaq, TIMOUR, installé à **Samarcande,** soumet le territoire de l'Ili en 35 campagnes cruelles.

1370-1380 Conquête du Kharezm, de l'Iran (1380) et de l'Empire de la Horde d'Or (Saraï).

1398-1399 Invasion de l'Inde (Delhi, p. 207). Les Osmanlis perdent en

1402 la bataille d'Angora (p. 205).

1405 Mort de Tamerlan avant la « guerre sainte » contre la Chine.

Iran. Dernière unification sous ABOU-SAID (1452-1469). La dyn. indigène des Séfévides secoue la domination étrangère. Le premier shah du **nouvel Empire persan chiite** (jusq. 1722) est

ISMAÏL Ier (1500-1524) couronné en 1502 à Tabriz.

La Horde d'Or (khanat de Qiptchak). Les Tatares refusent l'assimilation russo-byzantine et n'acceptent que superficiellement l'Islam. BERKÉ soutient en 1265 les Bulgares contre Byzance et s'allie aux mamelouks contre l'Ilkhanat.

1266-1280 Mangou-Timour s'approprie le pouvoir, bat sa propre monnaie. Union en

1378 avec la **Horde Blanche,** mais déclin nouveau avec les **attaques de Tamerlan** (1390-1395). Divisions : khanat de Crimée (1430-1783); **Kazan** (1445-1552); **Astrakan** (1466-1556). IVAN III libère Moscou en

1480 de la domination tatare. En 1502, les Tatares de Crimée détruisent Saraï.

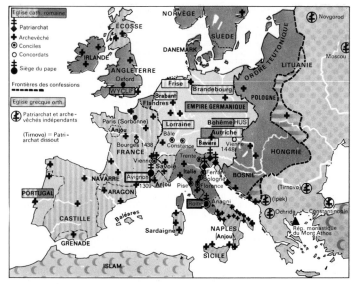

Église cath. romaine
- Patriarchat
- Archevêché
- ◎ Conciles
- ○ Concordats
- Siège du pape

Frontières des confessions

Église grecque orth.
- Patriarchat et arche-vêchés indépendants

(Tirnovo) = Patri-archat dissout

NORVÈGE · Novgorod
ÉCOSSE · SUÈDE · DANEMARK · Moscou
IRLANDE · LITUANIE · ORDRE TEUTONIQUE
ANGLETERRE
Oxford · WYCLIF · Frise · Brandebourg · POLOGNE
Brabant · Flandres · EMPIRE GERMANIQUE
Paris (Sorbonne) · Lorraine · Bohême HUS
Anjou · Bâle · Autriche
Bourges 1438 · Constance · Bavière · Vienne 1448
FRANCE · Vienne · Trente · HONGRIE
Savoie · Italie · Ferrara · BOSNIE
Avignon · Bologne · (Tirnovo)
1309 · Anjou · Pise · Florence · (Ipek)
NAVARRE · Rome · Anagni · Ochrida · Constantinople
PORTUGAL · ARAGON
CASTILLE · Baléares · Sardaigne · NAPLES · Rép. monastique du Mont Athos
GRENADE · [Anjou]
ISLAM · SICILE

Le Grand schisme (Rome-Avignon) 1378-1417

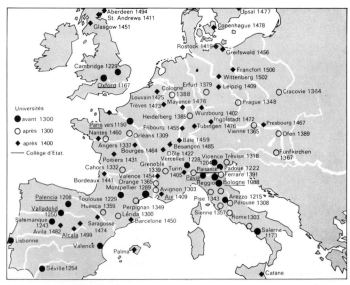

Universités
- ● avant 1300
- ○ après 1300
- ◆ après 1400
- — Collège d'État.

Aberdeen 1494 · St. Andrews 1411 · Upsal 1477
Glasgow 1451 · Copenhague 1478
Rostock 1419 · Greifswald 1456
Cambridge 1229 · Francfort 1506 · Wittenberg 1502
Oxford 1167 · Erfurt 1379 · Leipzig 1409 · Cracovie 1364
Cologne 1388 · Prague 1348
Louvain 1425 · Mayence 1476
Trèves 1473 · Wurzbourg 1402
Heidelberg 1385 · Ingolstadt 1472 · Presbourg 1467
Paris vers 1150 · Fribourg 1455 · Tubingen 1476 · Vienne 1365 · Ofen 1389
Nantes 1460 · Orléans 1309 · Funfkirchen 1367
Angers 1337 · Bâle 1459
Bourges 1464 · Besançon 1485
Poitiers 1431 · Dôle 1422 · Vercelles 1228 · Vicence Trévise 1318
Cahors 1332 · Grenoble 1339 · Turin 1405 · Padoue 1222
Valence 1454 · Plaisance · Ferrare 1391
Bordeaux 1441 · Orange 1365 · Pavie · Bologne 1088
Montpellier 1289 · Avignon 1303 · Reggio
Palencia 1208 · Aix 1409 · Pise 1343 · Arezzo 1215
Valladolid 1250 · Toulouse 1229 · Huesca 1359 · Perpignan 1349 · Sienne 1357 · Pérouse 1308
Salamanque 1243 · Avila 1482 · Saragosse 1474 · Lérida 1300 · Barcelone 1450 · Rome 1303
Alcala 1499 · Salerne 1173
Lisbonne
Valence · Palma
Séville 1254 · Catane

Les Universités jusqu'au XVᵉ siècle

Les débuts des universités

Dans les écoles des monastères et des cathédrales apparaissent au XIIᵉ siècle des confréries de professeurs et d'élèves (Universitas magistrorum et scholarium). Organisées en nations (étudiants vagabonds) et hiérarchisées selon les grades académiques (baccalauréat, licence, maîtrise, plus tard, doctorat), ces confréries ont leur administration et leur justice particulières. L'enseignement consiste en explication de textes latins et en « disputationes » (controverses sur un thème). **Salerne** (médecine) et **Montpellier** (droit) sont de vieilles universités. A l'avant-garde **Paris** (étudiants sous le contrôle de professeurs appartenant au clergé) et l'école de droit de **Bologne** (professeurs laïques sous le contrôle des étudiants). Naissance de nouvelles universités par essaimage (Oxford et Palencia à partir de Paris; Padoue et Sienne, à partir de Bologne) ou par fondations papales ou impériales, puis princières.

Fin de l'hégémonie papale

Avec l'aide de la France, les Hohenstaufen ont été vaincus (p. 169).

1294-1303 BONIFACE VIII réclame pour l'Église l'exemption fiscale et la suzeraineté temporelle. Les juristes français (légistes) repoussent toute limitation de pouvoir du « Roi très Chrétien ».

1302 Bulle « Unam sanctam » où BONIFACE leur répond en revendiquant la suzeraineté mondiale du pape.

PHILIPPE IV LE BEL (p. 187) convoque un concile national contre « les simoniaques et les hérétiques ». Son chancelier NOGARET s'empare de BONIFACE à Anagni.

1303 Captivité du pape qui meurt peu après sa libération.

1305-1314 CLÉMENT V (anc. archevêque de Bordeaux), le premier d'une série de papes français.

1309 Transfert de la papauté à Avignon. Le procès contre les templiers (p. 187) est retiré au concile de Vienne en 1311-1312. Pendant la « captivité à Babylone » l'Église perd de l'autorité par sa corruption et son népotisme.

1316-1334 JEAN XXII condamne en 1323, au cours d'un conflit avec les franciscains, la doctrine de la pauvreté du Christ et de ses apôtres. Dernière intervention papale dans les conflits de succession en Allemagne.

1324 Excommunication de LOUIS DE BAVIÈRE. Sur l'insistance de SAINTE BRIGITTE DE SUÈDE (1303-1373), URBAIN V retourne à Rome en 1367, mais SAINTE CATHERINE DE SIENNE ne fera revenir définitivement le pape GRÉGOIRE XI qu'en 1377. Le Vatican devient la nouvelle résidence papale.

Contagion du monde temporel et décadence de l'Église

Dans leur exil d'Avignon, les papes tiennent une cour et une administration considérables. La Curie revendique l'héritage personnel de tous les prêtres, et les annates (annuités perçues pour les bénéfices).

Double élection d'URBAIN VI (Rome) et de CLÉMENT VII (Avignon).

1378-1417 Le Grand Schisme. L'Europe est divisée en deux camps.

Mouvement réformateur dans l'Église

Les professeurs parisiens D'AILLY et GERSON réclament la convocation d'un concile général pour réformer « la tête et les membres de l'Église », car ce n'est pas le pape, mais la « communauté » de tous les fidèles qui représente la volonté de Dieu. Cette « théorie conciliaire » gagne du terrain.

1409 Concile de Pise : les cardinaux des deux tendances élisent un troisième pape.

1414-1418 Concile de Constance (33 cardinaux, 900 évêques, 2 000 docteurs). Sous la présidence de l'empereur, le concile vote par nations (française, anglaise, italienne, allemande). Il se déclare compétent pour :
1. Rétablir l'unité de l'Église (causa unionis) : déposition des papes existants et élection de MARTIN V (1417-1431);
2. La réforme de l'Église (causa reformationis), qui doit être ajournée;
3. La pureté de la doctrine (causa fidei). Malgré un sauf-conduit impérial, Jan Hus (p. 180) et JÉRÔME DE PRAGUE (1416) sont brûlés vifs pour hérésie.

1423 Concile de Pavie, tenu sans succès.

1431-1449 Le concile de Bâle s'oppose à la clôture décrétée par le pape.

1433 « Compactata » de Prague : compromis avec les hussites. Les décrets de réforme (entre autres sur les finances de la Curie) sont acceptés en France dans la **Pragmatique Sanction** de 1438, qui fonde l'Église gallicane. EUGÈNE IV (1431-1447) assure la victoire de la conception papale.

1448 Concordat de Vienne où FRÉDÉRIC III renonce aux réformes en Allemagne (p. 193).

1459 PIE II (AENEAS SILVIUS PICCOLOMINI) déclare hérétique la théorie conciliaire.

Résultats du mouvement de réformes.

1) Suppression du schisme; 2) Échec des réformes internes; 3) Renforcement de la puissance temporelle de la papauté (p. 213).

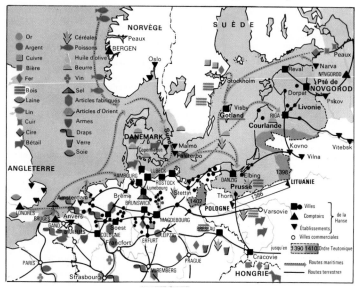

Le commerce de la Baltique vers 1400

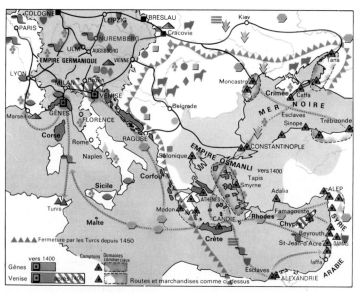

Le commerce du Levant vers 1400

Le commerce balte de la Hanse

Depuis le XIᵉ siècle, accords confraternels de commerçants allemands (Osterlinge) à l'étranger. Leur réussite principale :

1150-1250 Formation d'une unité économique des pays baltes. Leurs vaisseaux de haut bord (100 tonneaux) sont supérieurs aux anciens navires à rames scandinaves.

1161 Formation d'une **Hanse** (corps) allemande à **Visby.** Le commerce écrit (comptabilité, affaires de crédit et de commission) remplace le colportage, et le centre en devient **Lübeck** (fondé en 1158), qui prend son essor comme place de transbordement et port de départ pour la Livonie et la Prusse.

1259 Ligue formée par Lübeck, Hambourg, Wismar, Rostock. Formation en 1281 d'une Hanse de commerçants de Cologne et d'Allemands de l'ouest, à Londres, puis fusion. En **1358 « Ligue hanséatique allemande »,** pour assurer les droits des commerçants : droit d'entrepôt pour leurs marchandises, droit d'entreposer les marchandises étrangères et autres privilèges. Les villes hanséatiques sont organisées en **quartiers.** Le quartier prédominant est celui dit « des Wendes », avec Lübeck. Ligue très lâche dont le nombre des membres (plus de 200 villes) varie. **Comptoirs étrangers.** Novgorod (Peterhof); Londres (Stalhof); Bergen (« quai allemand »), etc.

1361-1362 VALDEMAR IV (p. 195) vainc la Hanse, qui s'allie avec le Mecklembourg, le Holstein, le Jutland et Cologne et en

1367-1370 contre-attaque victorieusement.

1370 Paix de Stralsund. L'élection du roi de Danemark ne pourra avoir lieu qu'avec l'accord de la Hanse. Lutte contre les pirates (Likendeeler = égalisateurs) qui ravitaillent de

1389 à 1395 Stockholm assiégée et pillent Visby en 1392.

1402 Victoire de Hambourg à Heligoland et exécution de KLAUS STÖRTEBECKER, leur meneur. Après une nouvelle guerre contre le Danemark (1420-1435),

1435 Traité de Vordingborg : les villes « wendes » ne paieront plus le **péage du Sund.**

1468-1474 La Hanse soutient le prétendant anglais ÉDOUARD IV (p. 185) qui confirme les privilèges commerciaux. En 1470, le Danemark interdit le passage dans le Sund aux vaisseaux hollandais.

XVᵉ-XVIᵉ siècle. Déclin de la Hanse : augmentation de la puissance des États nordiques après l'Union de Kalmar (1397) (Suède p. 195; Russie p. 199). Déplacement du commerce vers l'Atlantique (p. 221).

1494 Fermeture de la Peterhof à Novgorod.

1598 Fermeture de la Stalhof à Londres.

Le commerce oriental de Venise et de Gênes

A partir du XIᵉ siècle, le commerce méditerranéen arabe disparaît avec la Reconquista (p. 183) et les croisades (p. 149). Gênes, Pise, Amalfi s'assurent le commerce occidental; celui de l'Orient est le monopole de la Sicile et de Venise. Les **denrées orientales** recherchées sont : la soie, le brocart, les étoffes de Damas, le coton, l'ivoire, la porcelaine, les parfums. On les échange contre des tissus européens (Milan, Florence, l'Allemagne du Sud, les Flandres, le Brabant) par les voies caravanières asiatiques contrôlées par les Arabes.

Essor de **Venise** et de **Gênes** : 1) **Transports** pendant les croisades; 2) Commerce d'argent (banques et crédit) en plein essor. Méthodes rationnelles utilisant les écritures comptables; 3) Effondrement de la Sicile (p. 169) et déclin de Byzance (p. 203). Le déplacement du commerce vers l'Atlantique (p. 221) ôte de l'importance à ces deux puissances.

Venise. République aristocratique, elle devient la **première puissance maritime et commerciale** grâce à sa position clef entre l'Ouest (contrôle des défilés alpins) et l'Est (liaison avec Byzance (p. 171). Vers 1280, on accepte partout ses ducats d'or.

1192-1205 Enrico Dandolo, doge, assume le transport de la 4ᵉ croisade. L'établissement de l'empire latin (p. 203) lui ouvre des ports et des points d'appui entre l'Adriatique et la mer Noire qui deviennent parfois propriété des aristocrates.

1376-1381 Guerre de Chioggia avec Gênes, qui est vaincue. Venise s'assure une base de ravitaillement sur le continent contre Milan par l'extension sur la **Terre Ferme.**

Gênes. Avec Pise, elle chasse les Arabes de la Méditerranée occ.

1261 Installation en Crimée (Caffa, Tana) par l'alliance avec le royaume de Nicée. Dès lors, elle concurrence Venise.

1284 Victoire sur Pise. La Corse, Elbe, la Sardaigne (jusq. 1326) deviennent génoises. Fiefs des familles aristocratiques Doria, Fieschi, Grimaldi, Spinola, qui en

1339 sont exclues des fonctions de doge.

1381 Défaite dans la guerre contre Venise.

1407 Fondation de la Casa di San Giorgio, la première banque publique d'Europe.

Fin de la scolastique

La scolastique trouve son symbolisme poétique dans l'épopée religieuse du Florentin **Dante Alighieri** (1265-1321). Le créateur de l'italien écrit transforme un voyage de l'enfer au ciel (Divine Comédie 1311-1321) en la vision d'un tribunal universel de justice.

Les **thomistes** (via antiqua : dominicains) affrontent les **scotistes** (via moderna : franciscains). Les **spirituels** (extrémistes minoritaires) soutiennent contre la Curie une lutte épuisante au sujet du devoir de pauvreté. JEAN XXII (1323) déclare que la conception de l'indigence complète du Christ (idéal de saint François d'Assise p. 137) est hérétique. Le général de l'ordre franciscain MICHEL DE CESENA s'enfuit chez LOUIS DE BAVIÈRE, accompagné de GUILLAUME D'OCCAM et d'autres opposants. Son conseiller **Marsile de Padoue** (1290-1343) et JEAN DE JANDUN proposent dans « Defensor Pacis » une doctrine totalement temporelle : souveraineté du peuple, séparation de l'État et de l'Église, supériorité des conciles sur le pape (p. 177). **Roger Bacon** (1214-1294) préconise l'examen critique des autorités scolastiques (ARISTOTE) et l'observation libre de la nature, l'expérience et l'expérimentation.

Le représentant le plus important des « modernistes » est **Guillaume d'Occam** (vers 1285-1349). Pour lui, élève de Duns Scot, tout concept n'est qu'un « nom » sans réalité. Le **nominalisme** distingue les vérités de la foi, qu'on ne peut prouver et qui sont des actes de volonté divine, et la science (connaissance). JEAN BURIDAN (mort en 1358) appartient à l'école parisienne des occamistes, ainsi que le philosophe NICOLAS ORESME pour qui la terre tourne sur son axe et qui entreprend de calculer son mouvement.

Nicolas de Cues, CUSANUS, dont le nom véritable est KREBS (1401-1464), embrasse tous les mouvements spirituels de son époque. Son chef-d'œuvre « De docta ignorantia » (De l'ignorance savante, 1440) dépasse la scolastique. L'univers infini n'a point de centre (la terre) et ne peut être rationnellement conçu; chaque religion représente une partie de la vérité de Dieu. Elle ne peut concevoir Dieu que partiellement puisque tous les contraires sont réunis en lui.

Le mysticisme

Réaction contre la scolastique rationnelle et la puissance temporelle de l'Église (p. 177), le mysticisme cherche à apercevoir Dieu par une vision intérieure et à s'unir à lui (unio mystica). Les premiers mystiques sont SAINT BERNARD (1090-1153), HUGUES DE SAINT-VICTOR (mort en 1141). **Sainte Catherine de Sienne** (1347-1380) décide le pape GRÉGOIRE XI à abandonner Avignon pour Rome (p. 177).

Apporté par les dominicains et les nonnes des cloîtres, le mysticisme se répand surtout en Allemagne. **Maître Eckart** (mort en 1327) prêche en allemand le « néant intérieur » de l'être humain, dont « l'étincelle spirituelle » s'incorpore à Dieu dans la solitude. Son œuvre influence les Néerlandais RUYSBROEK (1293-1381), JEAN TAULER (1300-1361) et HENRI SUSO, le lyrique du mysticisme allemand (1295-1366).

La nouvelle piété (devotio moderna).
Les **Amis de Dieu** (moines, bourgeois et nobles du haut Rhin) veulent se séparer du monde « dans le calme et la tranquillité » sous la direction de TAULER et d'un commerçant, RULMAN. Textes importants : « Théologie allemande » vers 1400.

Les **Frères de la vie Commune** (Rhin inférieur, Deventer), clercs et laïques qui ne font aucun vœu, se consacrent sous l'impulsion de GERT GROOT (1340-1384), à l'étude des Saintes Écritures, aux missions populaires et à l'enseignement. L'œuvre principale de ce mouvement, l'« Imitation de N.-S. J.-C. », qui trouve un nombreux public, est attribuée à THOMAS A KEMPIS (1380-1471).

Le **mouvement des Bégards** annonce les mouvements laïques : leur communauté (orig. hollandaise) mène une vie ascétique vouée au service du prochain (Beghard = mendiant en holl.). A la suite de la peste, formes ascétiques exagérées dans certains mouvements (1350) : les **Flagellants** parcourent la Hongrie, l'Europe centrale, l'Angleterre et la Suède, et vers 1400, les pays romans.

Mouvements de réforme en dehors de l'Église

Ils naissent de la résistance nationale et religieuse à la papauté : en Angleterre, les **Lollards** (p. 185) partisans de **John Wiclif**, professeur à Oxford (mort en 1384), ne lisent que l'Écriture sainte pour leur doctrine et leur culte; la Bible est traduite en langue vulgaire; ils rejettent la hiérarchie, le célibat des prêtres, les indulgences, la communion et réclament la constitution d'une Église nationale « dans la pauvreté chrétienne ». Ils trouvent de nouveaux partisans en Bohême, avec le prêtre **Jan Hus** (p. 177). Son martyre et l'excommunication des **Hussites** provoquent dans le peuple tchèque une crise nationale, religieuse et sociale.

Les communes au Moyen Age

A partir du XIᵉ siècle, essor de l'Europe (augmentation de la population, du commerce et division du travail) : **les forteresses deviennent des villes** habitées par des bourgeois. En plus des anciennes villes (établissements romains, vieux palais, évêchés et forteresses), **nouveaux établissements** par les rois, les évêques et les princes, ou créations spontanées. Le fait important pour la croissance de la ville est son emplacement favorable au point de vue économique, à un carrefour ou à une confluence, ou près d'un lac, car malgré l'afflux des artisans et des cultivateurs, elle est surtout un **siège de commerçants et un marché permanent** pour le troc des biens de nécessité. Les **foires** sont importantes pour le commerce lointain des **guildes** (Hanse p. 179).

Les fondateurs encouragent les villes par des **privilèges** (Libertés : « L'air de la ville rend libre » devient un proverbe). Ils renoncent aux droits de suzeraineté et de régale (douane, marché, fortification, monnaie), car ils espèrent tirer de la ville un gros bénéfice. La ville devient une source de gains pour le seigneur que représente le maire ou burgrave. Des droits acquis par la ville (marché, commerce et plus tard location, police, défense, finance, etc.) découle un droit urbain (tribunaux et administration) avec assemblée de conseillers sous un fonctionnaire suprême (podestat, bourgmestre, maire, major). Nobles et riches familles **(patriciat)** jouent un rôle prédominant. Pour toutes les villes de l'Est, les coutumes de Magdebourg et de Lübeck sont valables; en France, ce sont les coutumes de Lorris (LOUIS VI), en Angleterre, les privilèges de Newcastle (HENRI Iᵉʳ).

A partir du XIIᵉ siècle, formation de **corporations** obligatoires pour contrôler, planifier et diriger la production (qualité, prix, écoulement, bénéfice), et pour former, employer les ouvriers et s'occuper de leurs besoins sociaux. **Lutte des corporations** contre le patriciat (XIVᵉ-XVᵉ siècles). Elles obtiennent souvent une participation au gouvernement de la ville.

Les villes luttent pour accroître leurs libertés et étendre leur souveraineté (banlieue, bourgeois campagnards). D'après leur degré de franchise, elles se divisent en : 1) Villes politiquement autonomes : **communes** (républiques souveraines p. 179) **et seigneuries** (p. 213) en Italie; villes consulaires en Provence; **villes impériales libres** en Allemagne, et communes industrielles en Flandres, Artois et Picardie; 2) Villes à autonomie restreinte : villes royales en Europe occidentale et orientale.

Importance. Leur droit, économie, civilisation, constitution deviennent les modèles pour l'État de l'époque nouvelle, qui fait de sa **capitale** le centre gouvernemental et culturel.

Les États allemands

Les « États dans l'État » naissent de l'immunité, de la féodalité, et de la politique impériale. Les étapes qui mènent à la **souveraineté princière** sont : l'obligation d'attribuer le fief, et son caractère héréditaire; l'attribution des droits de **régale** surtout par les « Statuts en faveur des princes de 1220 et de 1232 » (p. 169); l'indépendance des tribunaux princiers pendant les interrègnes; la reconnaissance du caractère souverain de leur droit de juridiction et par la **Bulle d'Or de 1356** (p. 193). La **seigneurie territoriale**, État princier, s'interpose entre l'État et les individus, prend la place de l'empire allemand et impose jusqu'à nos jours une structure fédérale à l'Allemagne.

Administration. La féodalité grâce à laquelle les princes ont le pouvoir est remplacée par des juridictions territoriales qu'administrent des ministeriales amovibles, plus tard **fonctionnaires** (baillis, curateurs, etc.). Ils sont contrôlés par l'administration centrale par l'intermédiaire de grands officiers de la cour placés sous les ordres du chancelier. Depuis le XIIIᵉ siècle, le prince s'entoure de juristes **(conseillers auliques)**.

A l'intérieur de ces territoires, des domaines impériaux ou immunitaires subsistent (monastères, villes, chevaliers d'empire, etc.). La politique du prince cherche à arrondir son territoire par trocs, achats, hypothèques, testaments, mariages, guerres.

Justice. Lent développement d'une organisation d'ensemble avec une Cour d'Appel au sommet, un tribunal de grande instance (tribunal de la noblesse) et un tribunal de première instance. **(Adoption du droit romain,** qu'enseignent les universités.)

Finances. Suivant les modèles ecclésiastiques ou communaux, des maîtres de recettes lèvent des impôts réguliers d'après les listes établies (stabilisation des noms de famille). Ces impôts servent à l'entretien de la cour, des fonctionnaires, des juges, des mercenaires et à exploiter le pays. Sources de revenus : adjudication de droits d'utilisation (douanes, monnaie, mines) à des villes ou à des sociétés.

Classes sociales. Avec le **droit d'imposition,** les propriétaires fonciers nobles (chevaliers), le haut clergé et les villes obtiennent dans les diètes provinciales une participation polit. et des privilèges (tribunaux spéciaux, franchise d'impôts).

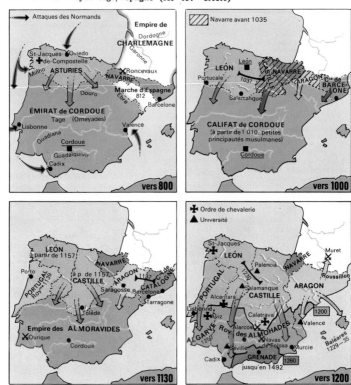

La « reconquista » espagnole

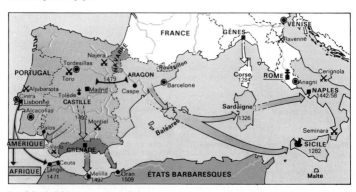

La péninsule ibérique aux 14ᵉ-15ᵉ siècles

Les États marginaux chrétiens

Dans le Nord de l'Espagne, de petits États indépendants se maintiennent.

Royaume de Navarre. SANCHE III (1000-1035) hérite, en 1029, du comté de Castille et divise le royaume en **Aragon, Castille et Navarre** (depuis 1234 sous influence française).

Comté de Barcelone, issu de la marche d'Espagne de CHARLEMAGNE (p. 119).

Royaume des Asturies (ou de León). Après les guerres du calife ABD ER-RHAMÂN III (912-961), le vizir **Almanzor** (le Victorieux) écrase en 978 ces États affaiblis par les dissensions.

La Reconquista (1031-1260)

1008-1028 Grande guerre civile arabe (fin du califat des Omeyyades). Début des attaques chrétiennes. Les papes (Grégoire VII, Innocent III) favorisent les croisades par la propagande et les secours financiers.

Aragon. ALPHONSE Ier LE GUERRIER (1104-1134) prend Saragosse en 1118.

1137. Union avec la Catalogne. Puis en **1229-1235** prise des Baléares, de Valence (1238) par JACQUES Ier (1213-1276).

1276-1285 PIERRE III d'Aragon attaque l'Italie. Il s'empare, en

1282 après les Vêpres siciliennes, de la **Sicile.** Avec Pise et Gênes,

1323-1325 combats pour la **Sardaigne** et la **Corse.** L'État est gouverné par « l'Union » de la noblesse. Elle remet le trône en

1412 par l'arbitrage de Caspe, à FERDINAND DE CASTILLE. Son fils ALPHONSE (1416-1458) reçoit Naples en fief.

Portugal. Le comté de Porto devient indépendant en

1094 ALPHONSE Ier se nomme roi après la victoire d'Ourique (1139).

1279-1325 DENIS Ier LE LIBÉRAL favorise l'économie du pays. A partir de JEAN Ier (1385-1433) expansion en Afrique :

1415 Prise de Ceuta.

Castille. FERDINAND Ier LE GRAND (1035-1065) conquiert le León en 1037.

1085 prise de Tolède. Le héros de ces combats est RODRIGO DIAZ, **le Cid** (en arabe : seigneur). Il prend du service chez les Maures et devient seigneur de Valence en 1094.

1126-1157 ALPHONSE VII reçoit en tant qu'empereur la suzeraineté sur tous les États chrétiens de la péninsule ibérique, mais il ne peut les forcer à l'unité. Ce n'est qu'après

1185 (défaite d'Alarcos), que se forme une nouvelle coalition.

1212 Victoire de Las Navas de Tolosa. Disparition du royaume des Almohades (depuis 1145).

1217-1252 FERDINAND III (le Saint) conquiert le Sud espagnol avec Cordoue (1236) et met fin à la Reconquista.

1340 Bataille de Salado, où le sultan du Maroc est vaincu (p. 187).

1369-1379 HENRI DE TRANSTAMARE. Alliance durable avec la France.

Grenade. Dernier État arabe sur le sol européen. Époque de splendeur culturelle (Alhambra), au XIVe siècle avec la dyn. des Nasrides.

Résultats de la Reconquista

Les Maures ne sont pas dépourvus de droits, mais vivent dans des quartiers séparés. Les Juifs sont protégés (contre impôt). Accroissement de l'esclavage (Maures, Africains du Nord). Des officiers royaux dirigent la colonisation chrétienne. A la royauté qui se réclame du droit romain, s'oppose la haute noblesse (les « Grands »). Elle est représentée polit. par les **Cortes.** La couronne soutient les villes qui obtiennent la suzeraineté même sur des provinces et créent des fraternités (ligues).

Église et civilisation. Forte influence d'églises richement dotées (franciscains, dominicains). Architecture gothique (Tolède, Burgos). Science arabe (math.; méd.; phil.) qui influence les nouvelles universités.

Formation de l'État espagnol

Une nouvelle époque commence en

1469 Mariage des « rois catholiques », **Isabelle de Castille** (1474-1504) et **Ferdinand II d'Aragon.**

1474-1479 Guerre de succession contre la France et le Portugal.

1476 Bataille de Toro : victoire sur le Portugal.

1479 Paix d'Alcacovas : **Union de la Castille et de l'Aragon,** qui conservent d'abord leur constitution particulière.

Castille. Les rois deviennent grand maître des ordres de chevalerie, ce qui renforce leur pouvoir. La noblesse a le devoir de servir et les villes fournissent des milices. Les Grands perdent leur puissance et servent à la cour. Le **Conseil royal** (Juristes) et des commissaires pour les villes dirigent l'État.

Église. Ses privilèges sont confirmés, mais pouvoir absolu du roi. Le cardinal JIMENEZ DE CISNEROS (1436-1517) réforme le clergé.

1481 Renouvellement de l'Inquisition sous le grand Inquisiteur TORQUEMADA. Expulsion des Juifs et des Maures après

1492 Prise de Grenade. Attaque de l'Afrique du Nord : prise de Melilla (1497), d'Oran (1509).

1496 L'archiduc PHILIPPE LE BEAU épouse JEANNE LA FOLLE. Son fils CHARLES hérite du trône espagnol en 1516 (p. 233).

Les îles britanniques aux 14ᵉ-15ᵉ siècles

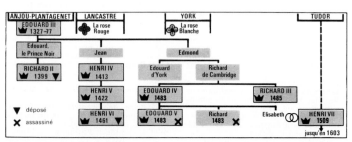

La lutte pour la couronne d'Angleterre

Politique intérieure et extérieure d'Édouard Ier

1272-1307 **Édouard Ier** renforce le pouvoir de la couronne par des réformes.

1290 Expulsion des Juifs; privilèges accordés aux étrangers (Hanse).

1284 Annexion du **pays de Galles**. Le prince héritier le reçoit en fief (Prince de Galles dep. 1301).

1294-1297 Guerre à la France pour la Guyenne.

Écosse. Troubles successoraux après extinction de la maison royale. Reconnu suzerain, ÉDOUARD Ier nomme roi JOHN BALLIOL (1292-1296).

1297 Soulèvement populaire du héros national WILLIAM WALLACE (env. 1270-1305). (Vainqueur à Stirling.)

1304 La noblesse l'abandonne. Il est exécuté.

1306-1329 **Robert Bruce** obtient l'indépendance en

1314 **Bataille de Bannockburn.** ROBERT II fonde la dyn. des **Stuarts** (1371-1714).

L'Angleterre pendant la guerre de Cent Ans

1327-1377 **Édouard III,** commence en

1339 la guerre contre la France avec des succès milit. (p. 187); mais les besoins financiers l'obligent à faire des concessions au Parlement.

1349-1350 la Peste Noire.

1369 Reprise de la guerre par le PRINCE NOIR.

1377-1399 RICHARD II. Troubles constants de succession. Revers en France, introduction d'un impôt par tête.

1381 révolte paysanne de WAT TYLER et de JOHN BALL. A cause de son despotisme, Richard II est déposé par le Parlement.

1399-1413 HENRI IV, de la maison de **Lancastre.**

1403-1405 Révoltes de la noblesse dans le Nord (HENRY PERCY, nommé HOTSPUR). Le perfide aide le roi (persécution des **Lollards,** partisans de WICLIF). Pour faire diversion, en

1415 HENRI V (1413-1422) reprend la guerre en France. Elle se termine par un échec (p. 187).

1362 La langue anglaise devient langue des tribunaux.

1387 **Chaucer** (1340-1400) (« Contes de Cantorbéry »)

Église. Rejet des « papes français » et de la fiscalité de la Curie (p. 177).

1351 Statute of provisors : L'adjudication des prébendes et l'appel à la Curie sont interdits.

1380 **Première traduction de la Bible en anglais** par WICLIF. **Droit.** Depuis ÉDOUARD Ier le « Justinien anglais », recueil des décisions de justice, jusqu'alors orales, dans le

Yearbook (1292), dans lequel se développe le droit anglais (common Law) en tant que droit coutumier.

1327 **Création de Juges de Paix** choisis dans la gentry (petite noblesse) avec droits de police et de justice.

Parlement. SIMON DE MONTFORT (p. 155) élargit le Conseil des Barons (Curia Regis) : 2 chevaliers par comté (37) et 2 bourgeois par ville. C'est le premier Parlement (1265). Sous ÉDOUARD Ier, l'exception devient la règle avec en

1295 le « **Model Parliament** » : gentry et villes perçoivent les impôts, et le roi a besoin de leur accord. Les **Communes** (représentants des bourgeois) siègent avec les barons.

1297 Confirmation du droit de consentement des impôts et des taxes douanières. Les pétitions approuvées par le roi deviennent des lois (droit d'initiative). A partir d'ÉDOUARD III, convocation régulière et séparation graduelle du Parlement en **House of Lords** (instance suprême), et **House of Commons** (chambre basse).

Armée. Le yeoman, paysan libre, se sert de la nouvelle arme, le grand arc. La guerre devient l'affaire du peuple (recrutement de « compagnies » dans toutes les classes sociales). Dans les luttes de succession des XIVe-XVe siècles, les barons qu'enrichit le commerce de la laine recrutent des partisans qui portent une « livrée » (uniforme aux insignes particuliers) et reçoivent des gages (maintenance).

1455-1485 Guerre des Deux-Roses entre les maisons de Lancastre et d'York. Les « compagnies » de la guerre de Cent Ans fournissent les soldats; arrêt du commerce et de l'économie. RICHARD D'YORK, devenu régent du royaume, emprisonne le roi fou

HENRI VI (1422-1461), mais tombe en 1460 à la bataille de Wakefield.

1461 Par la victoire de Towton, **Édouard IV d'York** (1461-1483) monte sur le trône. Le comte de WARWICK rétablit HENRI, mais le « faiseur de rois » meurt en

1471 à la bataille de Barnet. HENRI et les partisans des Lancastre sont assassinés. A la mort d'ÉDOUARD, usurpation de

RICHARD III (1483-1485) qui fait etrangler ses neveux ÉDOUARD V (12 ans) et RICHARD dans la Tour de Londres.

1485-1509 HENRI VII, héritier Lancastre, débarque au Pays de Galles et triomphe de Richard en

1485 **à la bataille de Bosworth.** Il fonde la dyn. **Tudor** (jusq. 1603). Les rivaux se sont éliminés eux-mêmes dans la guerre civile.

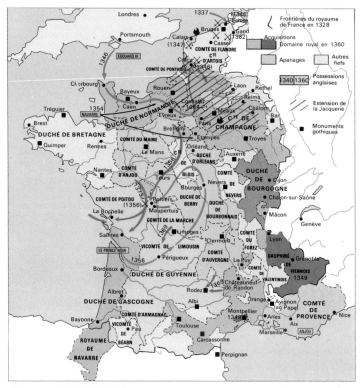

France au XIVe siècle (1328-1360)

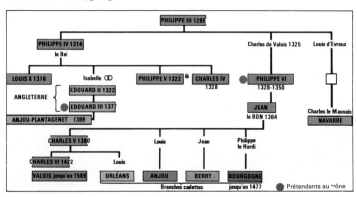

Les prétendants au trône de France 1328

Philippe le Bel (1285-1314)
Petit-fils de SAINT LOUIS, il fait triompher la conception d'une **monarchie laïque**, détachée de l'influence du pape.
1296-1303 Conflit avec BONIFACE VIII.
1307 Arrestation des templiers suivie de procès et de la confiscation des biens.
1302 Défaite de la chevalerie française à Courtrai devant les fantassins des communes flamandes révoltées.
1312 Annexion de Lyon.
1314 Incorporation (qui sera définitive en 1361) de la Champagne au domaine royal.
La mort de PHILIPPE LE BEL (1314) ouvre une **crise de succession**. Ses trois fils n'ont pas d'héritier mâle (les rois maudits).
1314-1316 : LOUIS X; 1316-1322 : PHILIPPE V; 1322-1328 : CHARLES IV. C'est la fin des Capétiens directs.

1328-1498 Règne des Valois
1328-1350 PHILIPPE VI, le premier souverain Valois, était le neveu de PHILIPPE LE BEL par son père CHARLES DE VALOIS. Comme ÉDOUARD III, roi d'Angleterre, était le petit-fils de PHILIPPE LE BEL par sa mère ISABELLE, il revendique la couronne de France. C'est la **cause de la guerre de Cent Ans.** Malgré les défaites, PHILIPPE VI continue la politique capétienne d'agrandissement du royaume.
1343 Acquisition du Dauphiné par PHILIPPE VI.
1346 ÉDOUARD III victorieux à **Crécy.**
1347 Prise de **Calais** par les Anglais.
1350-1364 Règne de Jean le Bon.
1356 Jean le Bon prisonnier à Poitiers.
1360 Paix de Brétigny.

Charles V (1364-1380)
De santé fragile, il reste au milieu de ses livres. Mécène, il fait construire une nouvelle enceinte autour de Paris; il confie la conduite de la guerre à **Bertrand Duguesclin.**
L'armée n'est plus féodale (service d'ost), elle se transforme en **armée nationale,** grâce à un impôt, exceptionnel à l'origine, qui devient annuel : le « fouage ».
L'institution des **apanages** inaugurée par JEAN LE BON se développe. Des portions du domaine royal sont administrées par des frères du roi.
LOUIS dirige l'Anjou, PHILIPPE LE HARDI la Bourgogne, JEAN le Berry, l'Auvergne et le Poitou.
C'est le **début de la politique indépendante de la Bourgogne** : Mariage de PHILIPPE LE HARDI et de MARGUERITE DE FLANDRE (1369).
En 1373, la Bretagne est occupée par les troupes de DUGUESCLIN, mais elle n'est pas rattachée au domaine,

et DUGUESCLIN meurt en 1380 à Châteauneuf-de-Randon en luttant contre les bandes anglaises.

Charles VI (1380-1422)
Né en 1368, le roi trop jeune est placé sous l'autorité d'un **conseil de régence** comprenant les frères de CHARLES V et le duc de Bourbon, son oncle maternel. Il n'exerce le pouvoir qu'entre 1388 et 1392 (crises de folie).
1404 Avènement de **Jean sans Peur** (politique bourguignonne de tutelle comme sous PHILIPPE LE HARDI, son père). Opposition du frère de CHARLES VI, LOUIS D'ORLÉANS.
1407 Assassinat de LOUIS D'ORLÉANS sur les ordres de JEAN SANS PEUR. Début de la guerre civile entre les Bourguignons et les partisans des Orléans, appelés Armagnacs (CHARLES D'ORLÉANS ayant épousé la fille de BERNARD VII D'ARMAGNAC).
1413 Les troupes d'émeutiers du boucher CABOCHE dominent Paris.
1415 Débarquement en France d'HENRI V. Grande victoire anglaise à **Azincourt** (supériorité des archers anglais).
1419 Assassinat de JEAN SANS PEUR par les Armagnacs à Montereau. Son fils, PHILIPPE LE BON, prend le parti du roi d'Angleterre, HENRI V.
1420 Traité de Troyes. **Établissement de la double monarchie.** CATHERINE DE FRANCE, fille de CHARLES VI, épouse HENRI V.
1421 Naissance d'HENRI VI.
1422 Mort d'HENRI V et de CHARLES VI.

Jeanne d'Arc et Charles VII (1422-1461)
Le territoire français est divisé en trois :
— France occupée par les Anglais (Normandie, Nord, Paris);
— France bourguignonne;
— France restée fidèle à CHARLES VII, réfugié à Bourges : le Midi, l'Anjou.
Une paysanne de Domremy, **Jeanne d'Arc,** redonne confiance à l'héritier légitime, CHARLES VII.
1429 Entrevue à Chinon de JEANNE D'ARC et de CHARLES VII.
1430 JEANNE D'ARC est faite prisonnière à Compiègne.
1431 elle est brûlée à Rouen.
1435 Traité d'Arras. Réconciliation de la Bourgogne et de la France.
1437 Entrée de CHARLES VII dans Paris.
1438 **Pragmatique sanction de Bourges.**
1445 Création des compagnies de grande ordonnance (cavalerie régulière).
Essor économique avec JACQUES COEUR (banque, mines).
1450 Bataille de Formigny (les Anglais sont chassés de Normandie).
1455-1458 **La féodalité est matée.** Exécution du duc d'Armagnac et du duc d'Alençon.

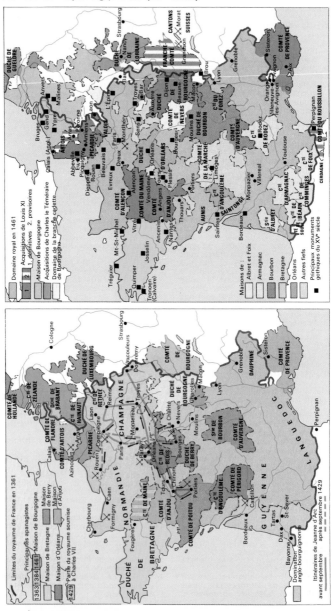

France à la fin du XVᵉ siècle

France à l'époque de Jeanne d'Arc

1461-1492 Louis XI et les Beaujeu
Connu par les « Mémoires » de COMMYNES, LOUIS XI cache, sous un aspect humble et négligé, une grande ambition au service de l'unité du royaume. Ses adversaires sont à l'est, la Bourgogne de CHARLES LE TÉMÉRAIRE, à l'ouest la Bretagne de FRANÇOIS II. Entre les deux États, CHARLES DE BERRY, frère cadet du roi, regroupe les féodaux pour essayer de mettre la monarchie en tutelle (Ligue du Bien Public).

1463 Achat par le roi des villes de la Somme (Amiens, Corbie, Saint-Quentin, etc.).

1465 Traités de Conflans et de Saint-Maur entre LOUIS XI et les féodaux révoltés. CHARLES DE BERRY reçoit la Normandie. Le roi renonce aux villes de la Somme.

1468 **États généraux de Tours.** Le roi est délié de ses engagements antérieurs. Mais à Péronne, il devient le prisonnier de CHARLES LE TÉMÉRAIRE, car il avait soutenu Liège en révolte contre la suzeraineté bourguignonne.

1475 Occupation du Roussillon et de la Cerdagne.

1477 Mort de CHARLES LE TÉMÉRAIRE à Nancy. Acquisition de la Bourgogne, d'Auxerre, de Mâcon. Récupération des villes de la Somme. MARIE DE BOURGOGNE, fille du duc de Bourgogne, se réfugie en Flandre.

1480-1481 Mort du roi RENÉ, descendant d'un frère de CHARLES V, LOUIS D'ANJOU; le Maine, l'Anjou, la Provence sont réunis au royaume.

1482 LOUIS XI doit renoncer à la F'andre après le mariage de MARIE DE BOURGOGNE avec MAXIMILIEN D'AUTRICHE.

1483 Mort de LOUIS XI.

La régence des Beaujeu (1483-1492)
ANNE, sœur aînée de CHARLES VIII, née en 1470, avait épousé le frère cadet du duc de Bourbon, PIERRE DE BEAUJEU.

1484 Les états généraux de Tours confirment la **force de l'autorité monarchique.**

1488 Les troupes royales, conduites par LOUIS DE LA TRÉMOILLE, battent une partie de la noblesse bretonne à Saint-Aubin-du-Cormier. Mort de FRANÇOIS II, partisan de l'indépendance.

1491 Entrée des troupes françaises à Nantes. Mariage de CHARLES VIII avec ANNE DE BRETAGNE, fille de FRANÇOIS II. Fin de la politique d'indépendance (annulation du mariage par procuration entre ANNE DE BRETAGNE et MAXIMILIEN D'AUTRICHE).

2e moitié du XVe siècle. Économie
Agriculture. La guerre a multiplié le nombre des villages abandonnés (Bassin parisien, Sud-Ouest). Développement des friches.
A la fin du siècle, repeuplement systématique des endroits dévastés, par exemple, l'Entre-Deux-Mers. Bretons et Poitevins viennent en basse Garonne. Développement de l'élevage grâce aux capitaux urbains autour d'Aurillac, de Toulouse.
Profond renouvellement de la population à la suite des épidémies, des migrations, des guerres. Les anciens propriétaires seigneuriaux sont parfois remplacés par la bourgeoisie de robe. La dépopulation favorise les tenanciers qui obtiennent des conditions plus favorables (diminution des redevances). La part que le seigneur exploite directement (la réserve) diminue à la suite de la hausse des salaires de plus en plus lourds à verser. Fermage et métayage, surtout dans le Midi, se développent. Le renouvellement rapide des baux permet de compenser les conséquences des dévaluations. Le servage devient de plus en plus rare (déguerpissement vers les domaines voisins en quête de main-d'œuvre).

Capitalisme. Développement des foires de Chalon-sur-Saône où se rencontrent Italiens et marchands des Flandres. Introduction et développement en France des **techniques italiennes de comptabilité** (fiscalité pontificale au service de la papauté avignonnaise). **Jacques Cœur,** fils d'un marchand de Bourges, associe l'évolution de ses affaires à la fortune politique de CHARLES VII. Prêteur, armateur, possesseur de mines dans le Lyonnais, il se fait construire une somptueuse résidence à Bourges. Arrêté en 1451. JACQUES CŒUR est condamné au bannissement après avoir été accusé de malversations. Il meurt à Chio en 1456.

Littérature. François Villon (1431-1463) bachelier, enfant perdu, mauvais garçon : « Le Lais » (1456); « Le Testament » (1462-1463). Utilisation du huitain octosyllabique.

Peinture. Dans les pays de la Loire : Fouquet (1420?-1480?) fait le voyage d'Italie en 1445. Il joint le sens de la lumière italienne au goût du détail inspiré par l'influence des écoles du Nord. Portrait de Charles VII, de JOUVENEL DES URSINS. **Dans le Midi :** Mécénat du ROI RENÉ. Chef-d'œuvre d'ENGUERRAND QUARTON (« Triomphe de la Vierge »).

1460 Manuscrits avec miniatures. « Le Cœur d'amour épris », « la Theseide ».

1476 Triptyque du « Buisson ardent » de NICOLAS FROMENT.

Tapisserie. Centre de fabrication à Arras et à **Aubusson** (développement du décor floral). Dans la vallée de la Loire, création de la « Dame à la Licorne ».

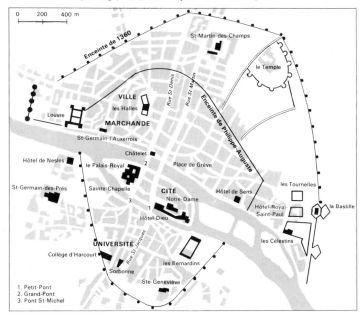

Paris à la fin du Moyen Age.

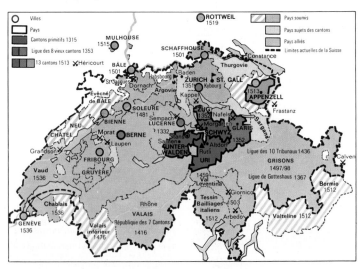

La Confédération Suisse 1315-1513

Ligue des cantons suisses (1291-1513)

À la disparition des ducs de Zähringen (1218), la région alpine s'émiette en une quantité de petits territoires autonomes. En élargissant le domaine de leur suzeraineté (liaison du haut Rhin et du Tyrol), les Habsbourgs se heurtent après 1278 à la résistance des paysans de **Schwytz** et d'**Uri**, qui, avec le canton d'**Unterwald**, constituent en

1291 la « **Ligue éternelle** » pour défendre leur liberté (le serment du Rütli, le chapeau de Gessler et **Guillaume Tell** appartiennent à la légende). Les adversaires des Habsbourgs (ADOLPHE DE NASSAU, 1297, HENRI VII, 1309) reconnaissent la Ligue. L'armée de chevaliers de LÉOPOLD Ier D'AUTRICHE est vaincue par les paysans en

1315 à la bataille de Morgarten.

1332 Lucerne est la première ville à entrer dans la Ligue, qui en

1353 comprend huit cantons. La levée en masse du peuple suisse triomphe en

1386 à la bataille de Sempach, en 1388 à Naëfels, contre l'Autriche.

1415 Conquête du district de l'Aar appartenant aux Habsbourgs. Expansion vers le Sud pour contrôler les cols vers l'Italie, mais en

1422 défaite d'Arbedo. Un conflit entre les cantons de Schwyz et Zurich met en danger la collaboration entre les localités paysannes et les cantons urbains (patriciens, corporations).

1440-1446 Guerre de Zurich. La ville s'allie à FRÉDÉRIC III qui fait appel aux Armagnacs. Mais compromis avec la France malgré la défaite de Saint-Jacques sur la Birse (1444). Zurich entre de nouveau dans la Confédération, que rejoignent la ville et l'évêché de Saint-Gall, en 1451, en tant qu'associés.

Les Habsbourgs perdent par la suite leurs possessions (Thurgovie) jusqu'à Rheinfelden, et demandent l'aide de CHARLES LE TÉMÉRAIRE (v. plus loin). Inquiétés par ses agissements, les adversaires s'allient grâce à l'entremise de la France après reconnaissance du statu quo territorial, pour se prêter mutuelle assistance, en

1474 par la « Disposition éternelle ». Dans sa campagne contre Berne, CHARLES LE TÉMÉRAIRE subit des défaites en

1476 à Grandson et à Morat, puis en 1477, devant Nancy, où il meurt (v. plus bas). Rendus plus sûrs d'eux-mêmes par leurs victoires, les confédérés s'opposent à la réforme impériale de MAXIMILIEN Ier (p. 213). La « guerre de Souabe » s'achève.

1499 Traité de Bâle. La Suisse : parente de l'Empire » obtient son indépendance politique et se sépare du Reich.

La Ligue grandit en

1513 et compte 13 cantons. Elle s'étend vers le Sud (Valteline, Bormio, Tessin). En

1515 défaite de **Marignan.** Les « bandes suisses » inaugurent une nouvelle méthode de guerre, celle des « lansquenets ». S'expatriant, ils deviennent les mercenaires les plus prisés de l'époque.

La Bourgogne (1363-1477)

Les ducs, issus de la maison de Valois, acquièrent en territoire français et allemand un ensemble de pays qui rappelle la Lotharingie (p. 121).

1363-1404 PHILIPPE LE HARDI reçoit le fief de Bourgogne de la main de son père JEAN LE BON. Lui et ses successeurs acquièrent en

1384 la Franche-Comté, puis de la Hollande jusqu'en 1433 (partie de l'héritage des Wittelsbach), et du Luxembourg (jusq. 1451).

Les ducs sont à la fois vassaux de l'Empire et de la France, et comptent parmi les princes les plus riches d'Europe, car ils disposent avec les Flandres et le Brabant du centre économique le plus important (p. 241). A leur cour se développe une culture chevaleresque : l'étiquette sera le modèle de celle de la future royauté absolue (p. 239). Dans les Pays-Bas, la bourgeoisie prend conscience de sa propre culture avec JAN VAN EYCK (1386-1440), ROGER VAN DER WEYDEN (1400-1464) et autres peintres flamands.

1435 Compromis avec CHARLES VII au traité d'Arras, qui le délie de ses devoirs de vassal envers la France.

1467-1477 CHARLES LE TÉMÉRAIRE, complètement indépendant, forme avec l'Angleterre, la Castille et l'Aragon une alliance contre son ennemi acharné, LOUIS XI. SIGISMOND D'AUTRICHE lui remet l'Alsace en gage pour obtenir son aide contre les Suisses. En échange du titre de roi, l'empereur demande pour son fils la main de MARIE, héritière de la Bourgogne. Après avoir fait en vain le siège de Neuss, CHARLES consent aux pourparlers de mariage.

1475 La conquête de la Lorraine incite Berne (NICOLAS DE DIESSBACH) et la Suisse à déclarer la guerre à CHARLES (v. plus haut).

1477 Bataille près de Nancy, et mort de CHARLES. MARIE épouse MAXIMILIEN Ier D'AUTRICHE. LOUIS XI s'y oppose et est vaincu en

1479 à la bataille de Guinegate.

1489 La Flandre reconnaît tardivement les droits de MAXIMILIEN.

1493 Le traité de Senlis répartit l'héritage et inaugure la lutte séculaire de la France et des Habsbourgs.

Politique dynastique et ligues urbaines à la fin du Moyen Age

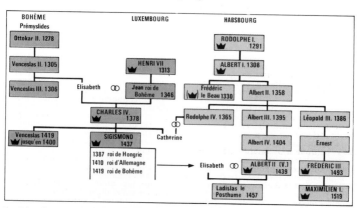

Les Prémyslides, les Luxembourgs et les Habsbourgs 13ᵉ-16ᵉ siècles

L'empire électif allemand (1273-1356)
Les luttes et les violences du Grand
Interrègne provoquent le rétablissement de la puissance de l'État par des
élections royales libres; double élection
de 1257 (ALPHONSE DE CASTILLE jusq.
1284; RICHARD DE CORNOUAILLES
jusq. 1272).
Séparation de la papauté. Le « Saint
Empire Romain de Nation germanique » abandonne la politique italienne (p. 141, 213) et l'idée de l'universalisme impérial.
1273-1291 Rodolphe de Habsbourg,
élu contre OTTOKAR II DE BOHÊME
(p. 165), réclame les biens impériaux
perdus. OTTOKAR rend hommage à
l'empereur, mais refuse de rendre
ses fiefs, est proscrit et meurt en
1278 à la bataille du Marchfeld. Son fils
VENCESLAS II conserve seulement
la Bohême et la Moravie. **Début de
la puissance des Habsbourgs** en
1282 lorsque les fils de RODOLPHE
reçoivent l'Autriche et la Styrie en
fiefs (la Carniole en gage).
1298-1308 Albert Ier de Habsbourg.
1346-1378 Charles IV fait de la Bohême
bien administrée le centre actif de
sa puissance. Agrandissement de sa
capitale, Prague (cathédrale Saint-Vit, Hradschin).
1348 Création de la première université allemande à Prague. La chancellerie exige l'emploi de l'allemand
(allemand de chancellerie).
1356 Bulle d'Or. Le roi, élu à la majorité à Francfort et couronné à Aix-la-Chapelle, est en même temps élu
empereur romain (titre à partir de
1508). Les princes électeurs obtiennent l'indivisibilité de leur domaine,
droit de majesté et suzeraineté territoriale et juridique.

**Ligues urbaines en Allemagne du Sud
au XIVe siècle**
1254 Ligue des villes rhénanes fondée
pour garantir la paix pendant l'Interrègne. D'autres unions se forment
pour protéger les libertés communales. Elles sont dirigées contre
les chevaliers : attaque et pillage des
convois des marchands;
les princes : conflits incessants à propos des « Pfahlbürger » (habitant
hors les murs) qui sont un empêchement à la constitution d'une
principauté territoriale;
les rois : ils donnent les villes en gage
aux princes pour des raisons politiques ou financières.
1356 La Bulle d'Or interdit les ligues
des villes. Malgré tout, en
1376 constitution de la Ligue souabe.

L'Allemagne sous les fils de Charles IV
Pour réaliser le grand empire slave
projeté, **Sigismond** obtient le Brandebourg en 1378, devient roi de Hongrie

en 1387; **Venceslas** a la Bohême, la Silésie et la couronne d'Allemagne en 1378.
1373-1419 Venceslas, roi de Bohême.
Il fait noyer NÉPOMUCÈNE, vicaire
de l'archevêque de Prague.
1410-1437 Sigismond. Il réclame la
convocation du concile de Constance
(p. 177).
Essor de nouvelles puissances territoriales :
**1415 Le burgrave Frédéric Ier de
Hohenzollern** reçoit la principauté
de Brandebourg.
1423 **Frédéric de Wettin** reçoit la principauté de Saxe.

Les Hussites en Bohême au XVe siècle
Jan Hus (1369-1415) devient héros
national après son exécution en
1415 (p. 177). Comme son « assassin »
SIGISMOND revendique le trône, les
Hussites pleins de haine pour les
Allemands se révoltent en
1419 Première défenestration de Prague. Leur doctrine s'exprime dans les
Articles de Prague (1420). Libre prédication; communion sous les deux
espèces; pauvreté apostolique du
clergé. Scission entre **Calixtins,
Utraquistes** (université, noblesse,
bourgeoisie) et **Taborites,** partisans
de WICLIF (p. 180) qui rejettent tout
culte et tout dogme qui ne figure
pas dans la Bible (paysans, petite
bourgeoisie, bas clergé). Conduits
par **Jan Ziska** (1360-1424) et **Procope le Chauve** (1380-1434), l'armée
populaire hussite repousse cinq
attaques des armées impériales et
des croisés et prend l'offensive dans
les pays voisins.
Résultat. Affaiblissement de la couronne, de l'Église et du germanisme
en Bohême. L'État national tchèque
n'arrive pas à s'affirmer.

Les premiers Habsbourgs
La branche des Luxembourgs s'éteint,
la couronne revient aux Habsbourgs
avec la Hongrie et la Bohême.
1438-1439 Albert II d'Autriche. Son fils
posthume LADISLAS (1440-1457) a un
tuteur, FRÉDÉRIC DE STYRIE, qui
devient
Frédéric III (1440-1493). Le mouvement conciliaire s'achève en
1448 au Concordat de Vienne (p. 177).
1488 Fondation de la **Ligue souabe**
(composée de princes, chevaliers
et communes). **Déclin de l'Empire.**
Politique dynastique :
1463 Convention d'héritage avec la
Hongrie.
1477 Acquisition de la Bourgogne
(p. 191) par le mariage de son fils
MAXIMILIEN.
1490 Délivrance de Vienne. Acquisition du Tyrol par héritage.
1491 Convention d'héritage avec la
Bohême et la Hongrie.

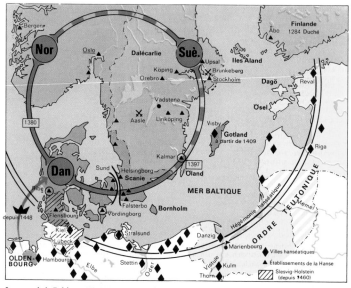

Les pays de la Baltique vers 1400

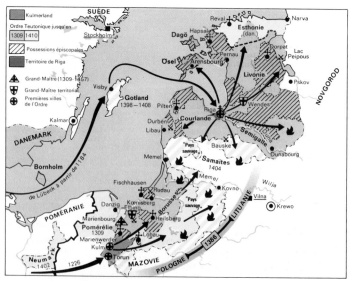

L'essor de l'Ordre Teutonique 1226-1410

L'ordre Teutonique (1226-1410)

Livonie. Un chanoine de Brême. ALBERT D'APPELDERN, évêque de Livonie, rassemble une armée de croisés, fonde Riga en 1201 et **l'ordre des Porte-Glaive.**

Jusqu'en 1230, soumission de la Livonie et de la Courlande. La noblesse s'empare des terres. Fondations de villes allemandes avec évêchés.

1235 Défaite de Bauske contre les Lituaniens, d'où en

1237 fusion avec l'ordre Teutonique. Une poussée vers Novgorod s'achève en

1242 Bataille du lac Peipous.

1246 L'ordre acquiert l'Estonie du Danemark.

Prusse. Le duc CONRAD DE MAZOVIE demande l'aide de l'ordre contre les Borusses païens et lui cède la **région de Kulm.**

1209-1239 Hermann de Salza, Grand Maître. FRÉDÉRIC II (p. 169) concède la Prusse à l'ordre en

1226 par la Bulle d'Or de Rimini. En 1234, le pape devient son suzerain. Le Grand Maître des territoires, HERMANN DE BALK, organise des croisades contre les Borusses à partir de Thorn (1231) et de Kulm (1233). Après des revers et des soulèvements, en

1283 conquête de la Prusse.

1309 Acquisition et défense de la Poméralie contre la Pologne.

1351-1382 Winrich de Kniprode amène l'ordre à son apogée.

1370 Défaite des Lituaniens à Rudau. Colonisation planifiée (plus de 400 villages fondés). Les villes nouvelles suivent la coutume de Kulm et appartiennent à la Hanse avec leurs propres places commerciales, mais l'ordre s'occupe de certains commerces de gros (céréales, bois, ambre), et leur fait donc concurrence ainsi qu'à la noblesse terrienne.

1393-1407 CONRAD DE JUNGINGEN s'efforce de garantir la sécurité commerciale de la Baltique contre les pirates de Visby.

A partir de 1386, les États de l'ordre sont encerclés par l'union polono-lituanienne (p. 197), dont la puissance est supérieure.

Constitution. L'ordre (p. 149) se compose de chevaliers et de prêtres, tous frères, que servent des demi-frères roturiers. Les **statuts** (vœux monastiques, règlement, lois) sont complétés par les décisions du chapitre et les ordonnances du Grand Maître « ressortissant de l'empire ». Le **siège de l'ordre est Marienbourg** (dep. 1309). Élu par le Chapitre général, le Grand Maître siège avec **5 Commandeurs,** le Maréchal (guerre), le Grand Commandeur (administration), le Grand Hospitalier (vivres), l'Intendant (habillement), le Grand Maître des territoires (Prusse, Livonie, Allemagne et territoires étrangers).

La Scandinavie à la fin du Moyen Age

La Suède. La noblesse s'affirme sous des rois faibles. Elle est issue de grandes familles paysannes; aucune opposition sociale avec la paysannerie libre. Les grands concèdent la couronne contre confirmation de leurs privilèges et la formation d'un conseil du royaume.

1319-1363 MAGNUS ERIKSSON, premier roi d'une Suède et Norvège unies. Le Danemark lui prend la Scanie, Gotland et Oland.

Norvège. MAGNUS doit céder la Norvège à

HAAKON VI (1355-1380), qui se marie en 1363 avec MARGUERITE, reine de Danemark et de Norvège en 1387.

Danemark. Le comte GÉRARD III DE HOLSTEIN, élu régent. En 1326, il fait élire roi

VALDEMAR III, duc de Slesvig. Il est assassiné en 1340.

1340-1375 Valdemar IV Atterdag. Ses expéditions contre Oland et Gotland (Visby) provoquent un conflit, de 1361 à 1370 avec la Hanse. Le Danemark doit plier devant la supériorité de son adversaire.

1370 Traité de Stralsund, qui assure à la Hanse l'hégémonie en Baltique.

1387-1412 Marguerite. Un parti d'opposition de la noblesse suédoise fait appel à la « Sémiramis du Nord ». Le roi de Suède ALBERT est fait prisonnier en

1389 à Aasle. Stockholm se défend jusqu'en 1395 avec l'aide des pirates (p. 179). Les conseils des 3 royaumes se réunissent.

1397 Union de Kalmar. Union de droit des 3 royaumes. Mais il n'y aura pas de grande puissance scandinave, la Suède repoussant la suzeraineté danoise.

1412-1349 ÉRIC DE POMÉRANIE favorise le commerce anglais et hollandais.

1423 Conflit avec la Hanse et le Holstein lorsqu'il élève les droits de passage du Sund.

1435 Traité de Vordingborg : confirmation des privilèges de la Hanse.

1434-1436 En Suède, soulèvement du héros national **Engelbrecht** (vers 1400-1436).

1448-1481 CHRISTIAN Iᵉʳ, de la maison d'Oldenbourg, élu en

1460 duc de Slesvig et de Holstein. Les 2 duchés « réunis à jamais » le resteront jusqu'en 1863.

1464 Révolte en Suède. Le régent STEN STURE Iᵉʳ (1470-1504) est vainqueur des Danois en 1471 à la bataille de Brunkeberg.

1481-1513 HANS, roi de Danemark et de Norvège : troubles constants avec la Suède. Fin de l'union (p. 245).

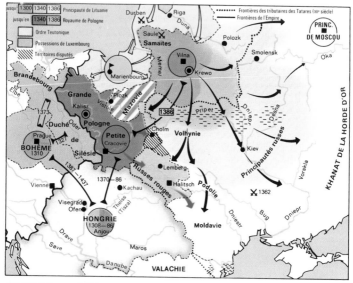

L'essor lituanien au 14e siècle

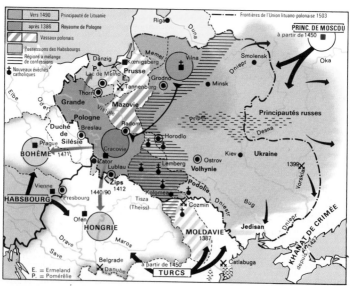

Le grand Empire lituano-polonais au 15e siècle

La Lituanie, puissance dominante à l'Est

Unis par le langage et le paganisme, les peuples indo-européens du rameau balte vivent dans les forêts et les marais de la Memel et de la Dvina. Les attaques de l'ordre Teutonique les obligent à réagir conjointement.

1316-1341 GEDYMIN crée des forteresses et des villes. Début de l'expansion vers le Sud-Est par annexion des principautés de Russie blanche et d'Ukraine, qui conservent leur structure sociale et politique.

1345-1377 OLGERD vainc les Tatares en
1362 à la bataille des Eaux bleues, et lutte contre la Pologne au sujet de la Galicie et de la Podolie. Dans cet empire lituanien, la population russe orthodoxe est plus nombreuse et plus civilisée que les Lituaniens païens.

1377-1434 JAGELLON devient roi de Pologne, mais la Lituanie demeure grand-duché indépendant sous suzeraineté polonaise.

1392-1430 WITOLD étend le pouvoir lituanien jusqu'à la mer Noire, remplace les princes par des gouverneurs, meurt toutefois avant d'être proclamé roi (conflits entre Lituaniens cathol. et Russes orth).

Consolidation de la Pologne au XIVᵉ siècle

1306-1333 LADISLAS Iᵉʳ LOKIETEK unit le pays avec l'aide du pape. S'appuyant sur la Hongrie, l'État polonais se consolide entre

1333 et 1370, avec **Casimir III le Grand.**

1335 Traité de Visegrad. La Bohême reçoit la Silésie aux dépens de la Pologne.

1343 Traité de Kalisz avec l'ordre Teutonique, qui permet en

1366 d'acquérir la Volhynie occidentale. CASIMIR III y fait venir des paysans, des colons allemands et crée des villes.

1347 Codification du droit polonais. La noblesse consent à une union personnelle avec la Hongrie contre une franchise fiscale.

1370-1382 LOUIS LE GRAND (Anjou). Les « seigneurs de Cracovie » prennent de l'importance.

1374 Privilèges de Kosice : première garantie des privilèges polit. de la noblesse qui confirme en échange la succession de la princesse HEDWIGE.

1382-1399 HEDWIGE doit annuler ses fiançailles avec un Habsbourg. Au traité de Krewo (1385), elle accepte la main de JAGELLON de Lituanie. Baptême, mariage et couronnement de JAGELLON à Cracovie.

1386 Union de la Lituanie et de la Pologne.

Les Jagellons au XVᵉ siècle

1386-1434 LADISLAV II JAGELLON rencontre de la résistance en voulant christianiser la Lituanie. La division entre catholiques et orthodoxes pèse lourdement sur le royaume polonolituanien. Leur adversaire commun, l'**ordre Teutonique, est battu en**

1410 à la bataille de Tannenberg.

1411 1ʳᵉ paix de Thorn.

1422 Victoire au lac de Melno sur l'ordre Teutonique, qui renonce définitivement au pays des Samaites.

1457 Prise d'assaut de Marienbourg.

1466 2ᵉ Paix de Thorn. L'Ermeland et la Prusse occ. (Pomérélie et région de Kulm) reviennent à la Pologne dont la Prusse reconnaît la suzeraineté. Dispositions particulières pour Dantzig (création du couloir de Dantzig).

1434-1444 LADISLAV III, roi de Hongrie dep. 1440, meurt au cours de la croisade contre les Turcs en 1444. Après la 2ᵉ paix de Thorn, la Pologne s'étend de la Baltique à la mer Noire. LADISLAV devient en

1471 roi de Bohême, et, en 1490, roi de Hongrie.

1485 La Moldavie reconnaît la suz. de la Pologne qui s'oppose ainsi aux Turcs.

1497 Défaite de Cozmin. Sous JEAN Iᵉʳ, ALBERT et ALEXANDRE jusq. 1506, les Habsbourgs (p. 245), Moscou (p. 199) et les Turcs encerclent la Pologne.

Fin du royaume de Hongrie

Après l'extinction des Arpads (p. 165), troubles internes jusq. la renaissance du pouvoir royal avec la dyn. d'**Anjou** (1307-1382).

1342-1382 Louis Iᵉʳ le Grand abaisse les magnats. Épanouissement de la bourgeoisie et des villes. Au Sud, se forme une ceinture d'États vassaux turcs (Moldavie, Valachie).

1387-1437 Sigismond, roi d'Allemagne en 1410, roi de Bohême en 1419, empereur en 1433, veut créer un grand État slave sous la dyn. des Luxembourgs.

1396 La défaite de Nicopolis (p. 205) met fin à son expédition contre les Turcs. Les magnats obtiennent des droits féodaux. Opposition avec l'évolution soc. de l'Europe occid.

1446 Élection de JEAN HUNYADE à la régence. Il lutte contre les revendications des Habsbourgs (LADISLAS 1440-1457).

1456 Victoire de Belgrade sur les Turcs. Le fils de J. HUNYADE,

Mathias Iᵉʳ Corvin (1458-1490) conquiert les terres héréditaires des Luxembourgs sur les Habsbourgs, et y ajoute la Styrie et la Carinthie.

1485 Il met sa capitale à Vienne.

1526 La Hongrie revient aux Habsbourgs à la mort de LOUIS II (1516-1526) **à la bataille de Mohacs (p. 205).**

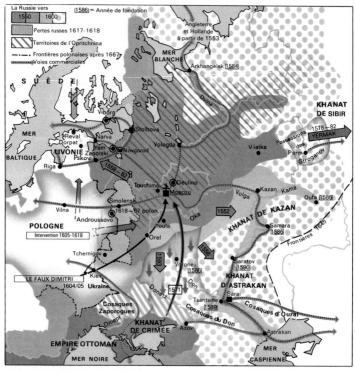

La Russie vers 1600

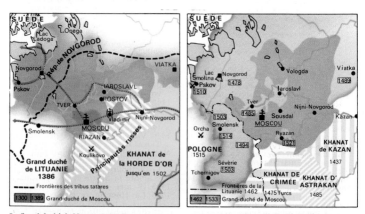

Le Grand-duché de Moscou 1300-1533

Essor de la principauté de Moscou

Des évolutions politiques et cult. differentes ont mis fin à l'ancienne unité russe. Les **Ukrainiens** sont sous suzeraineté pol., les **Russes blancs**, sous celle de la Lituanie, les **Grands Russes** sous celle des Tatares. Anarchie polit. des principautés russes. **Moscou** devient le berceau d'un nouvel empire russe. Première mention en 1147. Emplacement favorable, protégé par des bois, assez fortement peuplé.

1325-1341 IVAN Ier KALITA (« escarcelle ») est le « premier assembleur de terre russe ». Il s'attire la faveur des Tatares en payant de forts tributs et, par sa victoire sur le prince de Vladimir-Souzdal, devient grandprince en 1328.

1359-1389 DIMITRI DONSKOI. Batailles contre Tver et Riazan que soutiennent les Lituaniens. En 1375, hégémonie politique de Moscou.

1380 Première victoire russe sur les Tatares à **Koulikovo**. Malgré des conflits internes et des revers extérieurs, Moscou est le guide contre la domination étrangère.

1439 Rejet de l'Union de Florence (p. 203). L'Église russe se détache de l'Église grecque; la chute de Constantinople est considérée comme un châtiment justifié.

Le « rassemblement des terres russes »

1462-1505 IVAN III LE GRAND épouse SOPHIE, princesse byz., puis se nomme « tsar de toute la Russie ». Des architectes ital. bâtissent le **Kremlin**. Avec l'aide des boyards qu'il attire, il fait de l'État moscovite un État national. L'autocratie et ses symboles (aigle à deux têtes, cerémonial de cour) sont d'origine byz. Mythe de Moscou « troisième Rome », rempart de la vraie foi (moine PHILOTHÉE). Sentiment qu'ont le peuple et le souverain russes d'une mission, le tsar étant salué par l'Église orthodoxe comme le représentant de Dieu.

1478 Anéantissement de la rép. de Novgorod.

1480 Rejet de la suz. de la Horde d'Or (p. 175) qui se dissout en plusieurs petits khanats et qu'écrasent en 1502 les Tatares de Crimée. Incorporation de Tver, Pskov, Smolensk, Riazan.

1502 Attaque sans succès de la Livonie.

1533-1584 Ivan IV le Terrible, roi à 3 ans, subit les humiliations des nobles qui s'affrontent.

1547 Couronné tsar, il rétablit l'autocratie.

Politique intérieure. Réforme du gouvernement central (prikase), du droit (code Sudjebnik) et de l'armée avec l'aide de conseillers personnels (prince KOURBSKI), des nobles qui le servent et des Strelitz (garde de corps du tsar). Le peuple et l'Église le soutiennent.

1551 Synode réformateur du métropolite MACAIRE : introduction du calendrier des saints et d'un droit ecclésiastique (Stoglav).

1553 Ouverture de la voie maritime de la mer Blanche par le capitaine anglais CHANCELLOR et début du commerce avec l'Angleterre.

1584 Fondation d'Arkhangelsk.

1565-1572 L'Oprtchnina. Division de l'empire en territoires du tsar (opritchnina) et territoires des boyards (semchtchina). La puissance de ces derniers diminue à la suite de confiscations, déportations et attribution de leurs domaines aux Dvorianes (nouvelle classe guerrière). Règne de la terreur : liquidations, destruction de villes entières (1570 : Novgorod), déclin de l'agriculture, fuite massive des paysans malgré l'obligation de demeurer sur place (Cosaques p. 269).

Politique extérieure : Expansion vers le Sud.

1552-1556 Conquête de Kazan et d'Astrakan. Contre-offensive des Tatares de Crimée.

1571 Prise et incendie de Moscou.

1581 Début de la conquête de la Sibérie (p. 269). Le désir de créer un empire universel orthodoxe échoue dans les guerres de Livonie (p. 245). IVAN IV laisse un empire désorganisé.

1589 Moscou devient patriarcat indépendant.

L'époque des troubles (Smouta : 1605-1613)

1588 BORIS GODOUNOV devient régent.

1591 Assassinat de DIMITRI, fils du tsar. Profitant de la mort du dernier descendant de Rurik, BORIS est élu tsar (1598-1605).

1601-1603 Famines et troubles appuyés par la Pologne. Un aventurier, le « faux Dimitri », prétend être le fils du tsar et se révolte.

1605 Des troupes polonaises occupent Moscou. Sous IVAN BOLOTNIKOV,

1606-1607 soulèvements sociaux des Cosaques et des paysans, qui suscitent un second pseudo-Dimitri. Le parti des boyards triomphe de lui avec l'aide de la Suède en

1609 traité de Viborg, où la Suède obtient la Livonie. La Pologne (p. 245) revendique la couronne russe; elle obtient Smolensk en 1611, mais, à la suite d'un soulèvement, en

1612 libération de Moscou. Une assemblée impériale élit un boyard, qui fonde la **dyn. des Romanov** (1613-1762).

1613-1645 Règne de MICHEL III.

Le deuxième grand Empire bulgare vers 1240

Le grand Empire serbe en 1355

Le 2e royaume bulgare au XIIIe siècle
Pendant les croisades, bref essor des Bulgares slavisés (p. 171).
1186 Reconstitution d'une Bulgarie du Nord avec capitale à Tirnovo.
1218-1241 Ivan II Asen bat l'Epire en 1230 à la bataille de Klokotnica et, avec la Nicée, attaque l'empire latin, sans pouvoir créer un empire byzantin-bulgare.
1235 Fondation d'un patriarcat bulgare.
1242 Les attaques mongoles et les incursions hongroises affaiblissent l'État ainsi que les conflits religieux.
1330 Bataille de Küstendil et annexion au royaume serbe. Après l'effondrement serbe, le petit État bulgare s'appuie sur les Osmanlis contre Byzance. Le tsar IVAN III (1371-1393) devient vassal des Turcs, refuse de leur fournir une armée et les affronte à Kossovo.
1393 Destruction de Tirnovo, et en
1396 la Bulgarie devient province turque jusq. 1878.

Le grand royaume serbe au XIVe siècle
Au XIe siècle, MICHEL DE ZÉTA échoue en voulant fonder un État, et les tribus se reforment.
1151-1196 Étienne Nemania unit les tribus, récuse la suzeraineté de Byzance et fonde la dyn. des Némanides. Contre ETIENNE II, qui se tourne vers Rome, et à qui le pape en
1217 accorde la dignité royale, son frère, saint Sava (1169-1236), fonde en 1219 l'Église nat. serbe et réunit toutes les tribus serbes, y compris celles qui sont vassales des Turcs. Le monastère de Saint-Sava est le centre de la vie serbe.
XIIIe siècle. Évolution vers un État féodal du type occidental avec nouvelle noblesse, paysans libres qui deviennent serfs, droits communaux des villes (à l'Ouest suivant mod. italien, au Sud, suivant mod. grec). Expansion vers le Sud jusq. la Morava devant le vide byzantin (p. 203).
1330 Victoire de Küstendil sur les Bulgares et les Grecs.
1331-1355 Étienne Douchan (Ouroch IV). Grandes visées polit.
1346 Il se fait couronner à Skoplié « empereur des Serbes et des Grecs », et fonde le patriarcat serbe.
1349 Codification du droit (Zakoniko). Administration de l'empire suivant mod. byz. sous la direction de la noblesse serbe ; l'Église devient le plus gros propr. terrien. Mais ÉTIENNE ne peut prendre Constantinople (en slave : Zarigrad) ni la couronne impériale. Des plans de croisade contre les Turcs échouent à cause de la résistance hongr. Avec OUROCH V (1355-1367), déclin dyn. et

féodalisation en principautés (despoties). LAZARE DE RASCIE cherche en vain à arrêter les Turcs. Défaite des Slaves :
1389 Bataille de Kossovo. Anéantissement de la noblesse serbe.
1396 La Serbie devient vassale de la Turquie. GEORGES BRANKOVITCH (1427-1456) transporte la capitale à Smederevo, mais en
1459 incorporation de la Serbie dans l'empire turc.
Civilisation. Apogée de la construction d'églises à 5 coupoles aux XIIIe-XIVe siècles. Gravure sur or, mosaïques, icônes et fresques ; épopées nationales (cycle de Kossovo sur ÉTIENNE DOUCHAN et sur le héros national MARCO KRALIEVITCH).
Montenegro. Maintien de la vieille liberté serbe, même dans la vassalité turque (1528).
1526-1718 Dubrovnik (Raguse), répub. indép. sous suz. turque.
Albanie. Au XIe siècle, les Valaques, des pâtres du Nord-Est (Nich), s'installent dans le territoire où vivent des populations d'origine thrace et illyrienne (Albanais). Contre les progrès turcs, en
1443-1448 soulèv. nat. de GEORGES CASTRIOTA (SCANDERBEG). Pendant l'époque turque, 70 p. 100 de la population devient musulmane.

Les États limitrophes des Balkans
Croatie. Combats contre Venise et la Hongrie aux Xe-XIe siècles. Formation d'un État entre Drave et Adriatique. (924 : TOMISLAV, roi.)
1074-1089 DÉMÉTRIUS ZVONIMIR récuse la suz. byzantine. En 1076, son couronnement par GRÉGOIRE VII renforce l'orientation de la culture vers l'Ouest (cath. romaine).
1102 Union personnelle avec la Hongrie (Pacta conventa). Administration autonome sous un ban (chef d'une région frontière hongr.).
Bosnie. Au XIIIe siècle, croisades contre les Bogomiles (en slave = amis de Dieu), secte manichéenne (p. 145). Formation d'un État bogomile en lutte contre la Hongrie, les Serbes, les Croates, les Vénitiens.
1353-1391 ÉTIENNE TVARTKO Ier « roi de Bosnie et de Serbie ». Brève hégémonie jusqu'à la conquête turque (1463).
Moldavie, Valachie. Au XIe siècle, immigration des Valaques, vassaux des Mongols, près des frontières hongroises. Vers 1365, principauté indép. Après 1394, la Valachie dépend des Turcs. En Moldavie, 1457-1504 Étienne III le Grand combat avec acharnement les Turcs et les Polonais.
1512 Reconnaissance de la suzeraineté turque.

Empire latin 1204-1261

Byzance après 1261

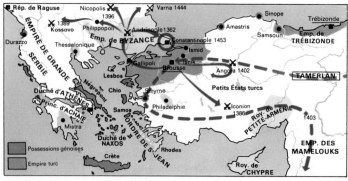

Progrès des Turcs-Osmanlis aux 14e et 15e siècles

L'empire latin (1204-1261)

Venise met une flotte de transport (p. 149) à la disp. des 34 000 croisés français et flamands sous les ordres de INNOCENT III. Malgré l'interdiction du pape, elle exige qu'ils prennent Zara.

1202 Prise de Zara. Le prétendant byz. ALEXIS IV leur demande de l'aide et promet des subsides. Au lieu d'aller en Égypte, la 4e croisade (1202-1204) se dirige sur Constantinople (p. 149). ALEXIS ne tient pas ses promesses et est déposé.

1204 2e prise de Constantinople. La haine des Latins pour les Grecs les incite à faire preuve d'une cruauté barbare : c'est le plus grand pillage du Moyen Age en reliques, objets d'art et de valeur. Division de l'empire en **États féodaux;**

Empire latin. BAUDOUIN Ier de Flandre (1204-1205); BAUDOUIN II (1216-1261).

Royaume de Thessalonique (HENRI DE MONTFERRAT). Principauté d'Achaïe, duché d'Athènes et autres territoires. Venise s'assure des points d'appui pour développer son empire commercial. La soumission forcée de l'Église grecque à Rome augmente la haine de la population.

Création d'États byzantins :

Empire de Trébizonde. S'étend vers l'Arménie avec l'aide de la Géorgie. Cet avant-poste chrétien en Asie Mineure subsiste jusq. 1461.

Despotat d'Epire. THÉODORE Ier (1215-1230) sera en conflit avec Nicée, après 1224 : prise du royaume de Thessalonique.

Empire de Nicée. THÉODORE Ier LASCARIS poursuit la tradition byz. (1204-1222) et cherche à renverser la domination des Latins avec l'aide des Bulgares (p. 201).

1205 Victoire d'Andrinople. Paix avec les Latins en 1214 et fixation de frontières réciproques.

1222-1254 JEAN III VATATZÈS gagne sur les provinces de l'empire latin, occupe Thessalonique en 1246 et vainc tous ses rivaux (Epire, Bulgares). Allié à Gênes (p. 179),

Michel VIII Paléologue (1258-1282) met fin à l'empire latin de BAUDOUIN II.

1259 Victoire à Pélagonia sur la coalition de l'Epire et de la Sicile. Déclin de la chevalerie franque. **Mistra** (principauté d'Achaïe) devient le centre de la nouvelle puissance byz.

1261 Fin de l'empire latin. Gênes devient la 2e puissance commerciale du Levant.

Byzance sous la dyn. des Paléologues

La nouvelle Byzance ne se remet pas de la destruction du dernier rempart chrétien par l'Islam. Venise est maîtresse de l'archipel, et en Grèce se trouvent les Latins. MICHEL établit des relations avec la France, la Horde d'Or, surtout avec le pape. Il espère la réunification de l'Église.

1274 Échec de l'Union des Églises au concile de Lyon.

ANDRONIC II (1282-1328). Influence croissante de l'Église orthodoxe et de ses monastères (communauté du Mont-Athos) sur l'État.

1321-1354 Époque des guerres civiles. Après des luttes de succession, à partir de

1328 JEAN CANTACUZÈNE gouverne. JEAN VI reprend le trône en 1347.

1349 Conquête de l'Epire, mais les Turcs occupent presque toute l'Asie Mineure et en

1354 Gallipoli, en Europe. JEAN, détrôné, devient moine. Un dernier épanouissement de la civilisation byz. a lieu à Mistra, sa résidence.

1354-1391 JEAN V devient vassal des Turcs après

la chute d'Andrinople (1362). Il cherche vainement de l'aide auprès de Rome et de LOUIS DE HONGRIE. Échec d'une croisade antiturque en 1396, à Nicopolis.

1399-1402 Vains voyages de MANUEL II (1391-1425) en Europe (Rome, Paris, Londres). Seule la défaite turque devant les Mongols en 1402 (p. 175) retarde l'anéantissement de Byzance.

1422 Premier siège de Constantinople par les Turcs.

1425-1448 JEAN VIII pense obtenir un appui del'Église et embrasse la foi catholique. Au concile de Ferrare, en

1439 entente de Florence avec le pape EUGÈNE IV. Mais aucune aide n'arrive et l'union sera repoussée par l'Eglise grecque. Le métropolite grec de Moscou, ISIDORE, reconnaît l'union, mais est désavoué, et l'Église russe sera désormais nationale et indépendante.

1444 Défaite de Narva (p. 205). Fin des derniers espoirs de secours.

29 mai 1453 Siège et prise de Constantinople défendue par les Byzantins, les Génois et les Vénitiens Fin. de l'empire d'Orient.

Importance. Apparition d'un grand empire turc asiatique et européen qui menace immédiatement l'Occident chrétien. Transfert en Italie de l'héritage de l'Antiquité par des savants grecs (début de l'**humanisme** européen p. 208). Le tsar et la 3e Rome, Moscou (p. 199) assument l'héritage de Byzance et la direction de l'Église orthodoxe. L'Europe perd l'accès à la mer Noire, et, avec Azov, la route des Indes. En recherchant une nouvelle voie maritime, découverte du **Nouveau Monde.**

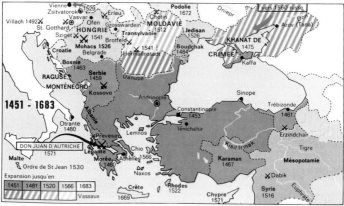

Essor de l'Empire Osmanli 1300-1683

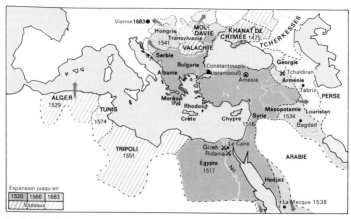

Empire Osmanli 1683

Les débuts de l'empire osmanli (1300-1402)

Avec l'avance des Mongols (p. 175), les nomades du Turkestan émigrent vers l'ouest. Parmi eux se trouvent des Turcs musulmans qui, après la marée mongole, s'établissent en Asie Mineure. A part. de

1243 Émir d'une communauté de guerriers (Ghazid) au service des Seldjoukides de Roum (p. 133), OSMAN Ier (1281-1326) se déclare sultan et fonde en 1301 l'empire turc.

1326 Prise de Brousse. Le fils d'OSMAN, ORKHAN (1326-1359), achève la soumission de la Bithynie avec, en

1337 la prise de Nicomédie (Iznid). Il introduit une nouvelle monnaie et le port du fez, coiffure nationale. L'armée se divise en troupes légères et en cavalerie féodale (garde du sultan et des pachas). Leur élite, qui effraie l'Europe, est composée de **spahis** (cavaliers formés de chrétiens passés à l'Islam) et de **janissaires** (enfants chrétiens enrôlés de force et transformés en fanatiques musulmans, qui combattent sous une discipline de fer pour le « Chef des Croyants »). Les janissaires, qui compteront 100 000 hommes, seront plus tard un État dans l'État.

1359-1389 MOURAD Ier attaque l'empire byzantin.

1361 Prise d'Andrinople. L'empire est réduit à la ville de Constantinople. La résistance des chrétiens des Balkans s'effondre en

1389 à la bataille de Kossovo. La puissance turque va du Danube à l'Euphrate (1393: Bulgarie, Valachie). Une croisade de l'empereur SIGISMOND (p. 197), qui doit délivrer Byzance, s'achève en

1396 par la défaite de Nicopolis. La chute de Byzance est retardée par l'invasion mongole de TAMERLAN (p. 175).

1402 bataille d'Angora (Ankara) où s'effondre l'empire turc.

Essor et apogée de l'empire (1413-1566)

Comme aucune menace ne vient d'Europe, MAHOMET Ier (1413-1421) et MOURAD II (1421-1451) surmontent la crise.

1444 Bataille de Narva, anéantissement d'une armée de croisés commandée par JEAN HUNYADE (p. 197).

1451-1481 Mahomet II (le Conquérant) fonde une nouvelle ordonnance domestique : « pour les besoins du monde », chaque sultan doit tuer ses frères.

1453 Siège et prise de Constantinople (p. 203), qui devient capitale turque sous le nom d'Istamboul. La Serbie et la Bosnie deviennent provinces turques. Venise perd ses possessions de Morée.

1461 Chute de Trébizonde.

1512-1520 Sélim Ier conquiert la Syrie, l'Arabie et l'Égypte.

1520-1566 Soliman II le Grand (le Magnifique), sous lequel l'empire atteint son apogée avec trois victoires fondamentales :

1522 Capitulation des chevaliers de Saint-Jean à Rhodes (contrôle turc du commerce vénitien et génois).

1526 Bataille de Mohacs : La Hongrie (roi : LOUIS II) perd son indépendance (jusq. 1917). C'est l'Autriche qui assume la défense de l'Occident. La Pologne et Venise s'allient à elle, tandis que la France traite avec les Turcs.

1529 Premier siège de Vienne. En 1533, armistice avec division de la Hongrie. JEAN ZAPOLY obtient la Hongrie orientale.

1541 La Hongrie orientale devient province turque. Après l'abdication du dernier calife abbasside (p. 133), en

1534 SOLIMAN conquiert la Perse. Bagdad devient une ville provinciale. Les Chiites (p. 131) perses deviennent les adversaires acharnés des Turcs.

État. Ces succès sont dus à l'autocratie des sultans et à la puissance offensive de l'armée; chaque année, immigration de 20 000 esclaves russes et africains; institution d'un prélèvement sur les enfants : le 5e garçon de chaque famille chrétienne est pris pour être janissaire. Des grands vizirs, souvent d'origine chrétienne ou grecque, dirigent l'administration. Le pays conquis est divisé en districts militaires et confié à des pachas qui le pillent. Les indigènes ne subissent aucune violence tant qu'ils obéissent et paient l'impôt. Les Turcs, peu doués pour le commerce et l'industrie, les abandonnent aux Arméniens et aux Grecs qui sont négociants, marins, fonctionnaires (phanariotes), interprètes.

Le début du déclin (1567-1661)

1566 Prise d'assaut de la forteresse de Szeged, défendue par ZRINY héros national hongrois.

1571 La bataille navale de Lépante (p. 239) met fin à la domination de la flotte turque.

1593-1606 La guerre reprend avec l'Autriche. Pour la première fois, un sultan doit transiger avec l'adversaire en

1606 au traité de Sitva-Torek. Bagdad et Mossoul font défection. MOURAD IV (1623-1640) réprime avec une énergie incroyable les révoltes des janissaires.

1639 Paix avec la Perse. Les frontières ne subiront pas de changement avant 1918.

FAZIL AHMED KOEPRULU (1656-1661) rétablit encore une fois l'unité intérieure de l'empire.

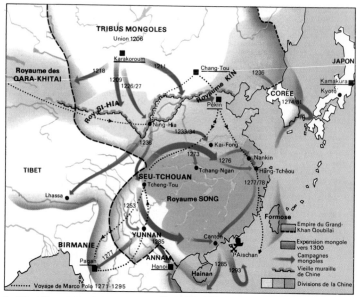

La Chine à l'époque mongole (Dyn. Yuan) 1205-1368

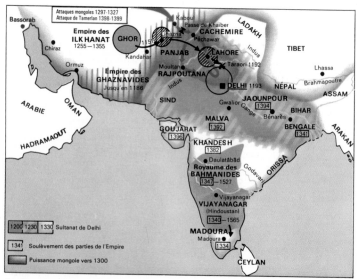

Le sultanat de Delhi 1206-1526

La domination mongole en Chine (1264-1368)

1211-1215 GENGIS KHAN envahit le royaume Kin qui est systématiquement dévasté (p. 175).

1215 Prise de Pékin. Le Grand Khan meurt après

1227 (anéantissement du royaume Si-Hia). Les Mongols et la dyn. Song s'allient pour, en

1233-1234 soumettre et se répartir le royaume Kin. Après la prise du Seu-Tchouan et du Yunnan,

Qoubilai (1214-1294), petit-fils de GENGIS KHAN, transfère sa capitale à Chang-Tou (1257), puis à Pékin (1264).

1258 Attaque concentrique sur le royaume Song. Proclamé Grand Khan, QOUBILAI redivise l'empire mongol et achève entre

1268 et 1279 la conquête du royaume Song (Il fait usage de canons et d'armes à feu portatives). Il fonde la dyn. Yuan (1280-1368). Échecs en Birmanie et à Java.

1281 Une attaque contre le Japon échoue. **Organisation.** Répartition de la Chine en 12 provinces, et de la population en 4 classes : Mongols (dignitaires et propriétaires terriens francs d'impôts) ; Asiatiques (Turcs et également Européens pour l'administration et le commerce) ; Chinois du Nord et Coréens (classe moyenne) ; Chinois Song (« Barbares » hors la loi et sans autorisation de commercer). Tolérants au point de vue religieux, les Mongols permettent l'expansion à l'ouest de l'Islam.

1307 Premier évêché catholique à Pékin.

Économie-Commerce. Énormes usines de porcelaines pour l'exportation. Pékin devient la métropole commerciale de l'Eurasie. Troc actif avec l'Europe.

Un Vénitien, **Marco Polo** (1254-1324), arrive à la cour mongole au cours d'un grand voyage (1275), et, sur la demande de son hôte, parcourt la Chine. Ses récits seront la base de la représentation géographique que se feront les Européens de l'Asie, aux xıve et xve siècles.

1325 Famine. Mort de 8 à 45 millions de Chinois. L'infériorité culturelle mongole et la résistance nationale chinoise accélèrent le déclin de l'empire Yuan.

Littérature. Les fonctionnaires chinois écartés du service de l'État se tournent vers la poésie populaire (romans) et le théâtre, négligé jusqu'alors.

Premières invasions musulmanes en Inde

Au cours d'une « guerre sainte », les musulmans conquièrent en

712-745 le district de l'Indus (Sind) avec Moultan.

900-1030 Mahmoud le Ghaznévide, le Grand, premier sultan du Turkestan occ. A sa cour, le grand poète épique persan, **Firdousi** (939-1020 : « Le livre du roi ») et le mathématicien AL BIROUNI (973-1048) : descriptions de l'Inde).

1001-1026 Expéditions de pillage (17) du sultan vers l'Inde. Les Ghaznévides s'installent à Lahore, dans le Panjab. Le sultan de Ghor les chasse du Ghazna.

1162-1206 Mohammed de Ghor anéantit le royaume des Ghaznévides en 1186 et vainc les **Rajpoutes** (petits princes indiens) en **1192 à la bataille de Taraori.**

Le sultanat de Delhi (1206-1526)

AÏBEK, esclave devenu général, étend les conquêtes musulmanes, assassine MOHAMMED et devient en

1206 sultan de Delhi (dyn. des esclaves).

1221 GENGIS KHAN avance jusqu'à l'Indus.

1296-1316 ALAED-DÎN (Aladin) brise le pouvoir des Rajpoutes et repousse des invasions mongoles au nord du sultanat.

Organisation. Despotisme milit. théocratique du sultan, mais aucun ordre de succession (conflits sanglants pour le trône). Aucune noblesse féodale hérédit. Gouvernement par concession de fiefs, destinés à être pillés, à de hauts fonctionnaires (turcs, arabes, indiens, mongols, etc.). Fiscalité sévère, mais grande richesse : textiles (Bengale), châles (Cachemire), tapis (Lahore), sucre. Commerce actif avec le monde islamique (Égypte). Contrastes sociaux accusés entre seigneurs (mus. et ind.), commerçants arabes et ind. (bien-être relatif) et paysans et artisans ind. (misère par la pression fiscale qui peut amputer jusqu'à la moitié du revenu). **Anéantissement du bouddhisme indien.** Destruction des monastères, temples, manuscrits. Trop nombreux, les hindous doivent payer un impôt spécial en tant que « peuple du Livre » (= non païen).

Vers 1330 Le sultanat atteint sa plus grande expansion avec MAHMOÛD TOUGHLOUQ (1325-1351), le « deuxième Alexandre » : conquête du Dekkan.

Vers 1340 Fondation du royaume hindou de **Vijayanagar** (« ville de la victoire ») qui devient le centre de la résistance à l'Islam. Guerres continuelles contre le royaume bahmanide du rebelle musulman ZAFAR KHAN.

1351-1388 FIROÛZ III cherche à conjurer le déclin de Delhi en favorisant l'agriculture.

1398-1399 Invasion de Tamerlan (p. 175), destruction de Delhi, pillage et annexion du Panjab. Au xve siècle, la souveraineté des sultans s'exerce encore sur Delhi seulement (p. 225).

1497-1498 Les Portugais découvrent la voie maritime du Cap (p. 217,

(Humanisme, du lat. humanitas = études sur l'humanité.)

Italie. Les « studia humanista » (grammaire, rhétorique, poétique) sont enseignées traditionnellement dans les écoles et universités par des « oratores », « poetae » ou « humanistae ». La nouveauté est l'étude de la littérature antique en vue d'imiter son style. Critique de la scolastique qui, ignorant les auteurs latins, ignorait également leur style. Ce mouvement s'accélère avec la **renaissance platonicienne**. Émigrés de Byzance, des savants (MANUEL CHRYSOLORAS, BESSARION) enseignent la langue grecque à partir de 1400 et fondent en 1440 l'**Académie platonicienne** de Florence. On réclame le libre développement de l'homme, qui peut se perfectionner lui-même par l'étude de la littérature classique antique.

Forte influence de **Pétrarque (1304-1374)**. Lecteur de SAINT AUGUSTIN, SÉNÈQUE et CICÉRON, ce poète recherche dans l'isolement des campagnes « la sagesse des païens éclairés » pour remodeler son esprit et son âme et renouveler le message de Rome et de l'Italie. Son ami **Boccace** (1313-1375) écrit le Decameron, le premier recueil de nouvelles de la Renaissance.

A **Florence**, LEONARDO BRUNI décrit dans son « Cicero novus » (1415) l'idéal de la personne cultivée et en même temps politiquement active. Le médecin MARSILE FICIN (1433-1499), traducteur de Platon, défend une religion esthétique : Dieu est le Beau. Pic de la **Mirandole** (1463-1494) dresse un tableau universel des valeurs antiques, ch étiennes et juives.

A **Rome**, le premier pape humaniste **Nicolas V** (1447-1455) fonde la **bibliothèque vaticane**. Son secrétaire, Lorenzo **Valla** (1405-1457), crée l'**humanisme philologique** par sa critique des textes de la Bible en comparant la « Vulgate » avec les « Septante ». Il prouve que la donation de Constantin (à la papauté) est un faux.

Dans le nouveau style de PÉTRARQUE, LUIGI PULCI, l'ARIOSTE, **le Tasse** (1544-1595) poétisent. Au milieu du XVᵉ siècle, l'humanisme se répand en Europe par l'intermédiaire des étudiants, des imprimeurs (BADIUS à Paris; FROBEN à Bâle, etc.), des clercs italiens et des diplomates des conciles. Empire. Bref lever de rideau vers 1350 à la cour de CHARLES IV à Prague : le chancelier JEAN DE NEUMARKT fait la connaissance de PÉTRARQUE.

1348 Fondation de l'Université de Prague.

Avant 1500, la nouvelle culture conquiert presque toutes les universités. MAXIMILIEN Iᵉʳ fait venir à Vienne comme premier professeur de l'art du discours et de la poésie, **Conrad Celtis**

(1459-1508) qui fut couronné « Poeta laureatus ».

Jean Reuchlin (1455-1522) favorise l'enseignement du grec et de l'hébreu. Les dominicains de Cologne l'attaquent, et il est défendu par le **Cercle d'Erfurt** à propos de MUTIANUS RUFUS dans la fameuse querelle de Reuchlin (1515-1517). La satire contre l'enseignement scolastique : « **Lettres des hommes obscurs** » (CROTUS RUBAEANUS, HUTTEN appuie sa position). Philippe **Mélanchton** (1497-1560), « précepteur de l'Allemagne », créateur du « Gymnasium humaniste », s'efforce de faire une synthèse de l'humanisme et de la réforme religieuse.

Nationalisme. La découverte des œuvres littéraires allemandes suscite un élan de **conscience nationale** contre les reproches faits par les historiens à la « barbarie germanique ». CELTIS édite pour la première fois la « Germania » de TACITE. Jacob **Wimpfeling** publie en 1505 la première histoire de l'Allemagne. **Ulrich von Hutten** (1488-1523) lutte contre les scandales de l'Église et de la Curie, en faveur d'un nouvel empire allemand (p. 227).

Cosmopolitisme. Didier Érasme de Rotterdam (1467-1536) tente un compromis entre la piété et l'intelligence. Son œuvre scientifique s'épanouit dans l'**édition en grec du Nouveau Testament** de 1516.

Angleterre. Expansion du « New learning » à partir d'Oxford. **John Colet** (jusqu. 1519), élève de Ficin, fonde l'école Saint-Paul à Londres et est ami d'ÉRASME comme le chancelier d'HENRI VIII **Thomas More** (1478-1535). Dans **Utopia** (1516), More projette un État idéal sur le modèle de la « Politeia » de PLATON (p. 54). WYATT et HOWARD transposent la poésie de PÉTRARQUE en anglais. **Premier épanouissement poétique** avec LYLY, SIDNEY et EDMOND SPENSER, les dramaturges CHRISTOPHER MARLOWE (1564-1593), BEN JONSON, JOHN WEBSTER. **William Shakespeare** (1564-1616), né à Stratford-on-Avon (tragédies, comédies, histoires, sonnets), les domine tous.

France. Fin du XVᵉ siècle, l'humanisme est une tradition déjà solide. ROBERT GAGUIN fait connaître PLATON. La nouvelle école historique met en valeur l'héritage gallo-romain. **Jacques Lefèvre d'Étaples** (Faber Stapulensis), traduit du grec en 1523 la Bible. **Guillaume Budé** fonde le Collège de France et la Bibliothèque Nationale. François **Villon** (1431?-1463) poétise à la manière des étudiants errants. **Rabelais** (1495-1553) écrit déjà dans le nouveau style (Gargantua et Pantagruel) ainsi que les poètes de la Pléiade. **Montaigne** inaugure le genre des « Essais » (1533-1592).

La Renaissance en Italie (XVᵉ-XVIᵉ siècle)

Ce mot français (de l'ital. rinascimento) a été inventé par le peintre VASARI pour désigner cette révolution artistique et est employé couramment depuis MICHELET et J. BURCKHARDT (après 1860). Orienté vers le monde, nourri d'humanisme, le sentiment qu'a l'homme de sa vie change : il n'est plus « viator mundi », pèlerin en route vers le ciel, mais « faber mundi », créateur et maître du monde. L'écrivain CASTIGLIONE (1478-1529) fait le tableau de « **l'homme universel** » : culture qui embrasse tout, en harmonie avec la nature. Cet idéal se concrétise dans le **gentilhomme** français, le **gentleman** anglais, le **caballero** espagnol et le **Kavalier** allemand.

L'art. Par l'étude du modèle antique, l'artiste acquiert le sens de la nature qu'il doit chercher ensuite à dépasser. Au XIVᵉ siècle (Trecento), quelques précurseurs : CIMABUE, GIOTTO, GIOVANNI PISANO. **Début de la Renaissance au XVᵉ siècle (Quattrocento)** sous l'impulsion des républiques urbaines : Venise, la Florence (p. 211) des Médicis, les Sforza (Milan), les Este (Ferrare) et les papes (p. 213).

La Renaissance s'épanouit au XVIᵉ siècle (Cinquecento) qui aboutit au **maniérisme** à partir de 1530.

Architecture. Retour aux formes antiques (voûte, arc en plein cintre, bâtiment central couvert d'une coupole). Palais italiens à 3 étages avec façade organisée, cours intérieures et couloirs voûtés. Reconstruction de **Saint-Pierre** à Rome, par JULES II, à laquelle travaillent **Bramante**, **Raphaël** et **Michel-Ange**.

Sculpture. Redécouverte du corps humain grâce à l'Antiquité. Figures en ronde bosse (bustes, statues de cavaliers, tombeaux). A noter **Ghiberti**, son élève **Donatello** (1386-1466) et Michel-Ange (1475-1564) : « David », « Moïse ».

Peinture. Création de la perspective, des **proportions** anatomiques, emploi de la technique de l'huile et de la **fresque**. Premières œuvres relig. de MASACCIO, de FRA ANGELICO, DOMENICO VENEZIANO, etc. Chefs-d'œuvre de **Sandro Botticelli** (1444-1510); **Raphael Sanzio** (1483-1520) : madones. **Michel-Ange** : « Jugement dernier ». **Léonard de Vinci** (1452-1519) : « la Cène », « la Joconde » (également des écrits théoriques). **Titien** (1477?-1576).

Musique. La musique polyphonique vocale (messes, motets) tend à la polyphonie instrumentale. Les maîtres du nouveau style sont **Roland de Lassus** (1532-1594) et **Palestrina** (1525-1594) qui renouvelle la musique religieuse.

Fin du gothique en Europe

Au XVIᵉ siècle, commence l'expansion de la Renaissance grâce à l'appel des princes (FRANCOIS Iᵉʳ) à des artistes italiens (LÉONARD DE VINCI) ou aux études des artistes étrangers en Italie (DÜRER), sans que le style gothique cesse complètement. Châteaux et manoirs princiers remplacent les forteresses. L'artiste se libère des traditions corporatives des peintres, architectes de cathédrales et maçons.

Allemagne. Le caractère bourgeois de l'époque se reflète dans les demeures patriciennes et les hôtels de ville, parfois à façades cloisonnées avec encorbellements, escaliers et beffrois (Nuremberg, Rothembourg). Surtout dans le Sud, hôtels de ville et châteaux sont construits sur le modèle ital. (Heidelberg), et dans ce qu'on appelle le « style Renaissance de la Weser », vers 1600. L'ancienne gravure sur bois et la peinture allemande deviennent encore plus réalistes dans les décorations d'autels avec STEPHAN LOCHNER (École de Cologne), KONRAD WITZ, MARTIN SCHONGAUER (jusq. 1491), HANS HOLBEIN L'ANCIEN. La période s'achève avec le « dernier gothique » **Mathias Grünewald** (jusq. 1528) de Würzbourg (« Retable d'Isenheim »).

Albert Dürer (1471-1528) rassemble la dernière tradition gothique et le sentiment allemand avec les conceptions italiennes. Il devient le maître d'une nouvelle génération de peintres par ses études sur la perspective et les proportions, ses autoportraits, ses tableaux religieux, ses aquarelles de paysages, ses gravures sur bois (Apocalypse, Vie de la Vierge, Passion), ses gravures sur cuivre (madones) et ses eaux-fortes.

Hans Holbein le Jeune (1497-1553). Influence ital. dans ses portraits, ainsi que dans les tableaux d'ALBERT ALTDÖRFER et les gravures de LUCAS CRANACH L'ANCIEN.

Apogée de la **sculpture** avec les autels sculptés de **Tilman Riemenschneider** (jusq. 1531) et les Nurembergeois **Veit Stoss, Adam Kraft** et **Peter Vischer.**

Pays-Bas. Développement magnifique du « style doux » dans la peinture d'ambiance réaliste (portraits, paysages), entre autres par les frères **van Eyck** (« autel de Gand », 1432) et **Roger van der Weyden.** Les tableaux fantastiques de **Jérome Bosch** (jusq. 1516) influenceront **Pierre Brueghel le Vieux** (jusq. 1569).

France. La forme architecturale se dissout dans le **style flamboyant** du gothique tardif. Apparition du décor Renaissance : répertoire de formes classiques (frontons, pilastres, feuilles d'acanthe). **Châteaux de la Loire** de François Iᵉʳ. La Renaissance s'exprime dans l'« École de Fontainebleau » ainsi que par **Jean** et **François Clouet** vers 1540.

Angleterre. Sous l'influence de la Renaissance, **style Tudor** (vers 1600).

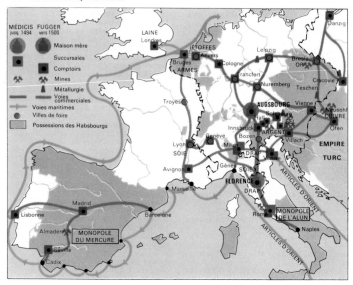

Sociétés commerciales au début du capitalisme

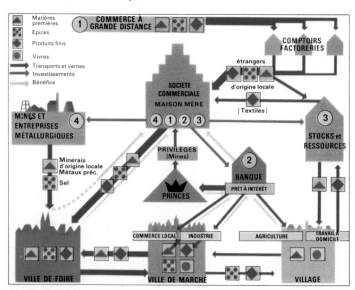

Développement d'une affaire commerciale aux 15e-16e siècles

Les origines du capitalisme

Depuis les croisades (p. 149), l'économie monétaire se développe (évolution, commencée en Italie centr. et sept.) : Pour l'aristocratie d'argent, ce ne sont plus la naissance ni la situation, mais le talent et la puissance qui comptent. **Commerce et métiers :** Pour étendre son commerce extérieur, le grand commerçant crée des **sociétés privées** (comme les Sociétés de Ravensbourg, 1380-1530), avec des participations en capitaux pour financer les transports de marchandises (constructions maritimes) et les comptoirs lointains. Devenue la plus grande puissance économique (p. 177), l'Église emploie, pour garantir ses rentrées d'impôts, des grands commerçants (ainsi que les templiers) qui, en échange de leurs avances, reçoivent des privilèges (**rentes**). Ce système est imité par les princes laïques qui afferment ainsi leurs douanes, leur droit de frapper monnaie ou de tenir des marchés, leurs mines.

Des places bancaires apparaissent à Gênes, à Florence (familles Bardi, Strozzi, etc.), à Augsbourg (Welser), à Anvers (p. 241). Le **banquier commerçant** crée son propre réseau de production pour l'exportation (textiles, métallurgie) suivant le **système de l'entreprise** : l'exploitant fournit à ses travailleurs à domicile matières premières et outils, mais écoule lui-même les produits finis.

Le grand capitaliste (commerçant, banquier et producteur) recherche les monopoles et l'influence polit. en prenant en régie l'exploitation d'une branche économique (mines), ou celle de l'exportation ou du crédit. A partir du XVIe siècle, apparition en Angleterre, Hollande et France des **compagnies commerciales privilégiées** qui se livrent à une politique commerciale nationale.

Les Médicis à Florence.

Enrichi par le commerce du Levant et le monopole de l'**alun**, JEAN DE MÉDICIS fonde la plus grande entreprise bancaire et commerciale de l'Europe : pour la production du drap seulement, il emploie 300 firmes avec 10 000 ouvriers.

1434-1464 COSME DE MÉDICIS exerce en tant que « père de la patrie » une autorité monarchique dans des formes républicaines. Il soutient PÉTRARQUE et BOCCACE et fonde en 1440 l'Académie platonicienne. Un poète et homme d'État lui succède : **Laurent le Magnifique (1469-1492).** Politique de compromis en Italie et apogée de Florence. A sa cour travaillent les artistes de la Renaissance : BOTTICELLI, MICHEL-ANGE (p. 209) qui, sous les ordres du fils de LAURENT,

Léon X, pape de 1513 à 1521, travaille à Rome (tombeau des Médicis à Florence, fresques de la chapelle Sixtine, coupole de Saint-Pierre). Ce grand train, l'appui donné aux arts et les spéculations financières dépasseront finalement les ressources de la maison.

Les Fugger à Augsbourg.

Essor d'une famille de petits paysans tisserands du XVe siècle grâce au commerce. Comme banquiers des Habsbourgs et des papes

JACOB FUGGER LE RICHE (1511-1525) finance l'élection et les guerres de CHARLES QUINT, contrôle la production européenne de plomb, d'argent et de cuivre et obtient le **monopole du mercure.**

1525-1560 ANTOINE FUGGER possède des concessions commerciales au Chili, au Pérou, à Moscou. L'entreprise sombre à la fin du XVIe siècle.

Agriculture. Les besoins des villes en vivres et en matières premières s'accroissent et les structures se modifient.
1. Spécialisation de la production (seigle, blé sur des terres appropriées, laiteries);
2. Déclin du lien patriarcal des corvées paysannes remplacées par des rentes en argent;
3. Naissance de nouvelles formes de propriétés foncières : affermage héréditaire en France; libre travail rémunéré en Angleterre; affermage par métayage; disparition du servage; administration directe par le noble qui possède la terre;
4. Apparition du grand domaine seigneurial dans l'Est de l'Europe (exploitation directe avec utilisation de la corvée).

Crises sociales et troubles. L'économie de profit accroît la circulation de l'argent. La surproduction d'argent diminue la valeur de la monnaie et élève les prix. Dans les villes, formation d'un prolétariat primitif (ouvriers salariés) qui oblige les corporations à lutter contre le patriciat pour gouverner la ville.

A p. de 1302, troubles ouvriers constants en Flandre.
1357-1358 Soulèvement des corporations parisiennes et jacquerie.
1378 Soulèvement des cardeurs de laine à Florence.
1381 Soulèvement des paysans (WAT TYLER) et des Lollards en Angleterre (p. 185).
1419-1436 Guerre des hussites et du prolétariat tchèque contre la bourgeoisie allemande.
XVe siècle Lutte de corporations et troubles paysans en Allemagne (p. 229).
XVIe-XVIIe siècles. Soulèvements des paysans en Pologne et en Russie (p. 245).

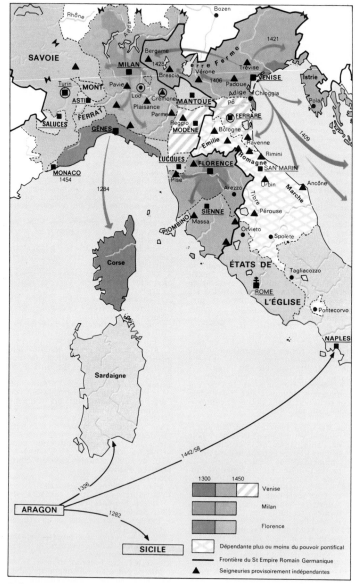

Italie vers 1450

Après l'effondrement des Hohenstaufen (p. 169), le **Saint Empire Romain Germanique** manque de la force suffisante pour contrôler l'Italie. La Curie réside à Avignon (p. 177); la France est en guerre avec l'Angleterre.

Fin de la politique impériale allemande
1310-1313 HENRI VII en Italie. Salué par DANTE (p. 180) comme « libérateur », il nomme vicaires VISCONTI à Milan et SCALIGER à Vérone.
1312 Il est couronné empereur et meurt à Sienne avant une campagne contre Naples.

La réforme impériale (vers 1500)
1493-1519 Maximilien Iᵉʳ (roi dep. 1486), adversaire de la France en **Bourgogne** (p. 191) et en **Italie du Nord.**
1495 Tribunal d'Empire pour régler les « guerres privées » entre les princes.
1515 Traités d'héritage avec la Bohème et la Hongrie (p. 197).

Les États italiens aux XIVᵉ-XVᵉ siècles
Nouvelle conception de l'État; le Florentin **Nicolas Machiavel** (1469-1527) développe la théorie d'un État nouveau, purement temporel. « Le Prince » (1513).

Venise. La constitution aristocratique se complète par l'avènement en 1310 du Conseil des Dix Constitution du Domaine de « Terre Ferme ».

Florence. La République se donne en 1282 une constitution démocratique.
1293 Interdiction au patriciat d'exercer une activité polit. Triomphe des « Noirs » (Guelfes). Expulsion des « Blancs » (DANTE).
1409 Soumission de Pise.

Milan. HENRI VII tranche les luttes des nobles au profit des Visconti.
1385-1402 JEAN-GALÉAS renforce l'État afin de devenir roi d'Italie. Au cours des combats avec Venise, Florence et Naples, le condottiere FRANÇOIS SFORZA, en
1450 prend le pouvoir.

État pontifical. Pendant l'exil des papes à Avignon, en
1347 révolution et échec du « tribun du peuple » COLA DI RIENZO.
Les papes de la Renaissance mettront fin à la décadence de l'État.
1447-1455 NICOLAS V fonde la Bibliothèque Vaticane.
1458-1464 PIE II (ENEAS SILVIUS PICCOLOMINI), lutte sans succès

en faveur d'une croisade contre les Turcs.
1492-1503 ALEXANDRE VI BORGIA. Son fils CÉSAR (1475-1507) détruit le prestige de l'État pontifical.
1503-1513 JULES II se distingue comme chef de guerre et homme d'État.
LÉON X MÉDICIS (1513-1521). La construction de Saint-Pierre l'oblige à instaurer un système d'indulgences qui provoquera la Réforme qu'il veut ignorer (p. 227). Avec la captivité de Clément VII et le **Sac de Rome (1527),** s'achève la papauté de la Renaissance.

Sicile. Depuis FRÉDÉRIC III (1296-1337), le trône est occupé par une branche de la maison d'Aragon.
1442-1458 Union avec Naples.
1479 La Sicile revient à l'Espagne.

Les guerres d'Italie (1494-1516)
1483-1498 Charles VIII de France revendique l'héritage de la maison d'Anjou (le royaume de Naples). Allié à LUDOVIC SFORZA LE MORE, de Milan (1480-1508),
Charles VIII prend Naples en 1494.
Florence. Expulsion des Médicis; le prédicateur SAVONAROLE (1452-1498) excommunié par ALEXANDRE VI, est brûlé vif comme hérétique. Rétablissant l'équilibre avec une Ligue, à laquelle l'Angleterre et les villes italiennes se joignent, l'Espagne et les Habsbourgs obligent CHARLES à battre en retraite.
1498-1515 Louis XII de France reprend l'offensive comme héritier des Visconti.
Début de l'hégémonie de l'Espagne et des Habsbourgs en Italie. MAXIMILIEN et LOUIS forment en
1508 la Ligue de Cambrai contre Venise, qui perd la Terre Ferme à la défaite d'Agnadel. Après la conquête de la Romagne, le pape JULES II quitte la Ligue et fonde avec l'Espagne, Venise et la Suisse, en
1511 « la Sainte Ligue pour la libération de l'Italie ». MAXIMILIEN et HENRI VIII d'Angleterre s'allient.
FRANÇOIS Iᵉʳ (1515-1547) reconquiert le duché en
1515 par la victoire de Marignan sur les Suisses.
1516 Concordat de Bologne. Reconnaissance de l'Eglise gallicane par le pape LÉON X.
Importance. Jusqu'au XVIIIᵉ siècle, le **conflit des Habsbourgs et de la France** sera le problème central de l'Occident **(principe fondamental de l'équilibre des forces).**

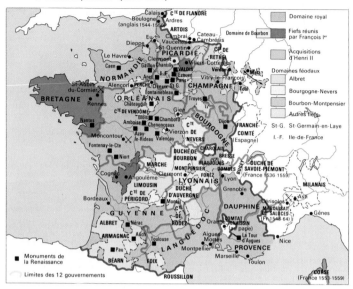

Domaine royal
Domaine de Bourbon
Fiefs réunis par François Iᵉʳ
Acquisitions d'Henri II
Domaines féodaux
Albret
Bourgogne-Nevers
Bourbon-Montpensier
Autres fiefs
St-G. St-Germain-en-Laye
I.-F. Ile-de-France

■ Monuments de la Renaissance

⌒ Limites des 12 gouvernements

France, 1ʳᵉ moitié du 16ᵉ siècle

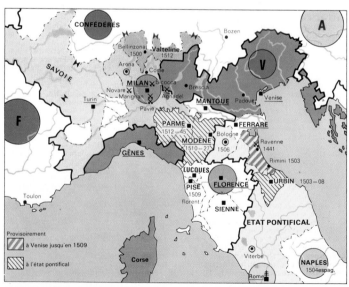

Provisoirement
▨ à Venise jusqu'en 1509
▧ à l'état pontifical

La lutte pour l'Italie 1494-1519

François Iᵉʳ (1515-1547)
Né en 1494, fils de LOUISE DE SAVOIE, marié à CLAUDE DE FRANCE, fille d'ANNE DE BRETAGNE et de LOUIS XII. Il lutte contre la féodalité, notamment contre la maison de Bourbon (dominant presque tout le Massif Central, capitale Moulins). Après l'affaire des « placards » (affiches posées par les protestants), il fait publier un édit pour « l'extermination de la Secte luthérienne » (1535).
Mécène, il fonde le Collège de France (1530) où l'on enseigne l'hébreu, le grec et la philologie. Dès 1515, il avait fait venir LÉONARD DE VINCI au Clos Lucé près d'Amboise. En 1534-1539, construction de la galerie d'Ulysse ornée de tableaux et de décors en stuc à Fontainebleau. Style maniériste caractérisé par l'allongement systématique des corps (LE ROSSO, LE PRIMATICE).
Politique extérieure. Contre l'Empire des Habsbourgs, il cherche l'appui des protestants allemands et des Turcs. Prisonnier à Madrid après la défaite de Pavie (1525), il réussit à garder la Bourgogne après avoir promis de la donner à CHARLES QUINT pour obtenir sa libération.
L'administration royale. Elle ne pénètre pas partout : L'apanage de Bourbon dans le Massif Central, le comté de Vendôme, les possessions des familles d'Armagnac, de Foix, d'Albret dans le Sud-Ouest, le Nivernais, le comté de Charolais y échappent.
Au sommet, siège le Conseil du Roi. Au-dessous, se dégage le rôle des officiers et des commissaires. Ainsi, les maîtres de requêtes de l'Hôtel partent en « chevauchées » munis de « lettres de commission » avec des pouvoirs étendus. (Ils sont 22 sous François Iᵉʳ, 35 sous Henri II.) C'est l'origine des Intendants (en 1555, intendant de justice en Corse, intendant de finances en Piémont).
Les parlementaires sont au sommet de la hiérarchie des officiers. Hérédité, vénalité des charges, cooptation sont la règle générale. Seul le premier président du Parlement est nommé par le roi. En théorie, les huit parlements ne forment qu'un seul et même corps. Création de parlements à Rouen (1515), Aix (1501) et Rennes (1561).
Finances. Appel au crédit public : emprunts d'État gagés sur les domaines et revenus de la Ville de Paris. (Rentes sur l'Hôtel de Ville émises en 1522, 1536, 1544.) Recours à des ventes de charges publiques (offices). Ce sont les « parties casuelles ». Droit de transmission (« résignation ») au successeur de son choix. Possibilité de reporter cette opération après sa mort (« survivance »).
Église. Rapports avec l'État réglés par le concordat de 1516 entre LÉON X

et FRANÇOIS Iᵉʳ. Le roi reçoit le droit de nommer les titulaires de la majorité des bénéfices, autrefois électifs. Le pape donne ensuite « l'institution canonique ».

Henri II (1547-1559)
1552 HENRI II prend pied dans la vallée de la Moselle et de la Meuse. C'est l'occupation des Trois Évêchés : Metz, Toul et Verdun.
1557 Les troupes françaises sont battues à Saint-Quentin par les Espagnols.
1559 Au traité de Cateau-Cambrésis, la France et l'Empire font la paix. Les Trois Évêchés restent français.

Civilisation
Paris (première moitié du XVIᵉ siècle).
Construction d'églises : Saint-Eustache (quartier des Halles); Saint-Étienne-du-Mont (quartier de la Montagne Sainte-Geneviève).
1549 Achèvement par JEAN GOUJON de la fontaine des Innocents.
1546-1549 Aile Lescot du Louvre (côté ouest de la Cour Carrée, entre le pavillon de l'Horloge et l'aile Sud).
1550 Salle des Cariatides avec tribune pour musiciens par Jean Goujon.
Sculpture (1ᵉʳᵉ moitié du XVIᵉ siècle).
Centre de Gaillon, près de Rouen. (Italiens appelés par le CARDINAL D'AMBOISE, mort en 1510.)
1531-1539 Stucs en ronde bosse de la galerie François-Iᵉʳ.
1510-1566 JEAN GOUJON (nymphes).
1537-1590 GERMAIN PILON (monument du cœur d'Henri II, Louvre).
La poésie.
Marot (1496-1544) a su unir les formes poétiques héritées du Moyen Age et l'esprit nouveau (évangélisme).
1526 : « Épitre à LYON JAMET ».
1541 Publication de trente psaumes.
Joachim du Bellay (1522-1560).
1549 « Défense et illustration de la langue française » concilie la nécessité « d'amplifier la langue française par l'imitation des anciens auteurs grecs et romains » (chap. VIII), avec « l'exhortation aux Français d'écrire en leur langue avec les louanges de la France » (chap. XII).
Ronsard (1524-1585).
1550 Inspiration anacréontique dans les odes, poèmes descriptifs appelés « blasons ».
1563 « Remontrances au peuple de France ».
1578 Publication des deux livres de « Sonnets pour Hélène ».

Les humanistes français.
Jacques Amyot (1513-1593).
1542 Commencement de la traduction des « Vies de Plutarque ».
Henri Estienne (1531-1598).
1579 Traité de la « Précellence du langage français ».

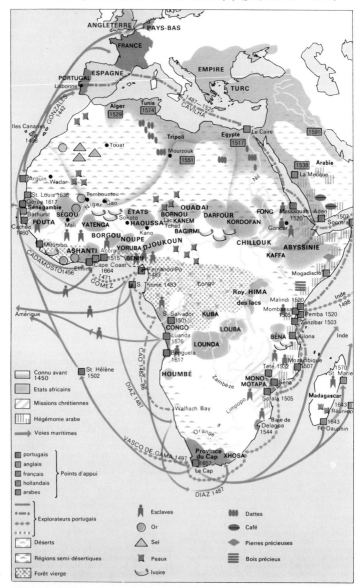

Afrique 15ᵉ-17ᵉ siècles

Une nouvelle conception de la nature

Les études des humanistes, l'observation de la nature, l'éveil de l'esprit de recherche triomphent de la conception traditionnelle du monde d'ARISTOTE (p. 54). A la lecture des Grecs (ARISTARQUE DE SAMOS p. 67), on redécouvre la **rotondité de la Terre.** MARTIN BEHAIM, en 1492, présente le premier globe terrestre. Sous l'influence de NICOLAS DE CUES (p. 180) et des doctrines pythagoriciennes, un chanoine médecin, **Nicolas Copernic** (1473-1543), de Thorn, met au point en 1507 **la théorie mathématique de l'héliocentrisme,** théorie non encore prouvée par les faits, et qu'il rend publique en 1543 dans les « De revolutionibus orbium coelestium ».

Giordano Bruno (1548-1600, brûlé vif comme hérétique) donne une représentation panthéiste de ce système, avec un univers infini et dépourvu de centre. Le Danois TYCHO BRAHÉ (1546-1601) construit le premier observatoire à Kassel et fait progresser l'astronomie avec son élève KEPLER (p. 275).

Georges Agricola (1494-1555) est le fondateur de la minéralogie et de la métallurgie. THÉOPHRASTE BOMBAST VON HOHENHEIM, dit **Paracelse,** réforme la médecine comme médecin, botaniste et chimiste. Il découvre que la vie est faite d'éléments physiques et chimiques qu'il tente d'expliquer. Le médecin MICHEL SERVET (1511-1553, brûlé à Genève comme libre penseur) découvre la circulation du sang.

Inventions techniques

A partir du XIVᵉ siècle, utilisation de la **poudre** pour les armes à feu. Amélioration de la **boussole** et des instruments de navigation (astrolabe pour déterminer l'emplacement d'un lieu en mer). **Le cabotage devient navigation au long cours.** En 1500, PETER HENLEIN invente la montre de poche (œuf de Nuremberg). LÉONARD DE VINCI (p. 209) dessine entre autres des pompes, des tours à métaux, des presses hydrauliques, des machines volantes. L'invention la plus importante est celle du Mayençais **Jean Gensfleisch, dit Gutenberg** (1400-1467) : **l'imprimerie à caractères métalliques** mobiles, en se servant d'une presse et de papier de lin, utilisé en Europe depuis le XIIIᵉ siècle pour la xylographie. Première grande œuvre : « la Bible sur 42 lignes » (vers 1455). L'imprimerie se répand rapidement en Europe.

Découvertes géographiques

Voies maritimes vers l'Asie.

L'infant portugais **Henri le Navigateur** (1394-1460) organise la première école de marins et projette de faire le tour de l'Afrique pour

1. Combattre l'Islam (achever la « Reconquête »);
2. Reconquérir la Terre sainte avec l'aide du royaume du « Prêtre Jean », qu'on suppose être chrétien (Abyssinie);
3. Établir des relations commerciales directes avec les marchés (or et esclaves) de l'Afrique orientale. Les marins portugais découvrent en

1419 les îles Madère; en 1431, les Açores; en 1445, le Cap-Vert; en 1482, l'embouchure du Congo.

1487 Bartolemeo Diaz passe la pointe sud de l'Afrique **(cap de Bonne-Espérance).** Avec 3 navires et 150 matelots, en

1498 Vasco de Gama découvre la route maritime des Indes.

Afrique. A partir du VIIᵉ siècle, islamisation du Soudan (haute vallée du Nil) et de la côte orientale par les marchands arabes.

XIᵉ-XVᵉ siècle. Formation de royaumes par les peuplades africaines et musulmanes, le **Kanem** (centre du commerce musulman et de l'Islam), le Bornou, l'Ouadaï, l'Ashanti, le Darfour.

Le Mali (sur le moyen Niger). SOUDIATA KEITA fonde en 1235 un empire qui atteint son apogée sous KANKAN MOUSSA (1312-1337). Déclin au XVᵉ siècle après la destruction de Tombouctou par les Songhaï.

1493-1528 L'Askya MAMADOU TOURÉ, dont la capitale est Gao, est maître d'un royaume que le Maroc soumettra en 1590.

L'empire du Congo (formé avant l'arrivée des Européens) :

1490 Le roi NZINGA NKOUVOU se fait chrétien. Déclin après NZINGA MPANGOU (qui à sa conversion prend le nom d'ALPHONSE Iᵉʳ, jusq. 1541). Son fils HENRIQUE, premier évêque africain, fonde vainement sa propre Église.

Empire du Monomotapa. La région aurifère de la Rhodésie semble avoir eu une longue tradition culturelle (ruines de **Zimbabwé** à l'ouest de Sofala aux Vᵉ-VIᵉ siècles). Après leur conquête au XVIᵉ siècle, les Portugais en font un protectorat et exploitent les mines.

Des forteresses côtières portugaises protègent la route maritime des Indes contre les attaques des Arabes. Ce sont également des places commerciales et des entrepôts, surtout des **marchés d'esclaves.** Jusqu'au début du XIXᵉ siècle, l'Afrique fournira env. 11 millions d'esclaves. C'est grâce à eux que la culture du sucre s'est développée en Amérique.

Inde. Entre 1505 et 1515, les vice-rois ALMEIDA et ALBUQUERQUE fondent **l'empire commercial portugais** à Goa, Ceylan, Malacca et l'Inde insulaire.

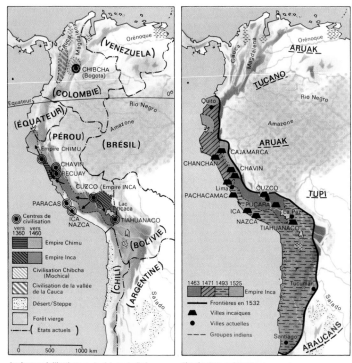

Anciennes civilisations en Amérique du Sud

Empire Inca 1460-1532

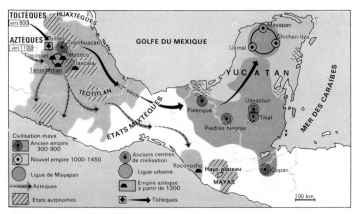

Civilisations indiennes en Amérique centrale vers 1520

A p. de 15000 av. J.-C. (?), établissement en Amérique d'envahisseurs asiatiques venus par vagues : pêcheurs dans le Nord (Atlantique); chasseurs dans les forêts du Nord et dans les steppes; agriculteurs dans le Sud avec des civilisations plus évoluées (tombes et temples à tumulus dans l'Ohio et le Mississippi inférieur).

Vers 200-500 ap. J.-C., les peuples agriculteurs pénètrent au Mexique (Olmèques). De leur civilisation de base (maïs, poterie, tissage) se développe la civilisation (prétoltèque (?)) de Téotihuacan.

Hautes civilisations indiennes en Amérique Centrale

Les vieilles civilisations américaines sont techniquement néolithiques. La métallurgie est à ses débuts (cuivre, or, argent).

Les Toltèques pénètrent au Mexique vers 800 et fondent **Tollan,** leur capitale. Artisanat, art, calcul du calendrier. Sacrifices non sanglants en l'honneur du Serpent-Ailé, dieu suprême.

Les Aztèques adoptent la civilisation supérieure des Toltèques, Mixtèques, Zapotèques, etc. Vers 1200, apparition de petites communautés politiques.

1325 (?) Fondation de Ténochtitlan sur le lac de Mexico.

1502-1520 Montezuma II agrandit son empire. Après son assassinat,

Hernan Cortez (1519-1521) détruit l'empire aztèque.

Religion. Quetzalcoatl tire les hommes et la terre (un disque avec 9 à 13 ciels et un monde souterrain) du chaos primitif. Réduit en cendres, il reviendra un jour en tant que « nuage blanc » pour achever son œuvre. Les dieux solaires se nourrissent de sang humain, d'où sacrifices cruels en présence du peuple (on arrache le cœur des victimes que l'on mange par la suite).

Civilisation. Écriture sur pierre, cuir ou écorce; écrits magiques et relig., également plans de villes et calculs. L'année a 18 mois de 20 jours, plus 5 jours « sans nom ». 52 ans constituent une « ère ».

Architecture. Temples décorés de bas-reliefs et de sculptures au sommet de pyramides massives.

Société. Des groupes composés chacun de 20 clans constituent l'empire dirigé par 4 chefs élus. Classes sociales : prêtres, nobles, libres, sujets, esclaves. Monogamie avec égalité de droits pour la femme.

Économie. Propriété collective du clan. Construction de routes et de ponts.

Les civilisations Maya

Venues du sud, des tribus se superposent aux autochtones et créent une riche civilisation néolithique. Villes-temples (120 connues) avec sculptures orne-

mentales, poterie, peintures murales. Les Maya possèdent une écriture idéographique (déchiffrée seulement en partie) et ont une mathématique et une astronomie très développées (chiffres comportant un zéro).

IVᵉ-VIIᵉ siècle l'Ancien Empire : États urbains avec dyn. classiques. Après sa disparition au

IXᵉ-Xᵉ siècle (provoquée par les Toltèques (?), les habitants émigrent vers le Yucatan : épanouissement du Nouvel Empire.

XVᵉ siècle Ligue de Mayapan (Toltèques) pour soumettre les villes maya.

1436 Soulèvement pour chasser les Toltèques. Les Maya émigrent au Guatemala.

Anciennes civilisations andines en Amérique du Sud

Des Indiens montagnards ont créé les civilisations primitives **Chavin** (vers 100 ap. J.-C.), **Tiahuanaco** et **Recuay.** Les peuples côtiers fondent leurs propres centres vers 500 ap. J.-C. avec **Nazca** et la civilisation **Chimu,** qui s'étend au XIIᵉ siècle.

L'empire Inca des Indiens montagnards Quechua.

XIIIᵉ siècle Fondation de la capitale, Cuzco, par le 1ᵉʳ Inca MANCO CAPAC.

1471-1493 TUPAC YUPANQUI progresse au loin vers le sud.

1513 HUAYNA CAPAC soumet le pays de Quito (Équateur).

1527-1532 Luttes de succession entre ses fils HUASCAR (Cuzco) et **Atahualpa** (Quito),

1532 Francisco Pizarro fait ATAHUALPA prisonnier par ruse et l'assassine.

1533 Prise de Cuzco par les Espagnols.

Religion. Tous les temples sont voués au dieu-soleil que personnifie l'Inca. Sacrifices animaux et parfois humains. De plus, dieux locaux vénérés sur les **huacas** (amoncellements de pierres).

Art. Temples, fortifications, rues (faits de blocs de pierre sans ciment); petite sculpture pour offrandes, poterie lisse. Pas d'écriture, mais des **quipous** (faisceaux de ficelles à nœuds colorés).

Société. Théocratie absolue. L'Inca (qui épouse sa sœur) dispose des deux tiers des produits de l'État et sa famille fournit tous les chefs. Le sol est divisé en terres de l'Inca, terres des temples et terres communes. Entrepôts d'État, système de terrasses, d'irrigation et de routes qu'entretient la population corvéable que surveillent des fonctionnaires. Agriculture collective (maïs, pomme de terre). **Plus de 10 000 km de routes** (routes de l'Inca).

La civilisation Chibcha. Un prêtre-roi commande les tribus des hauts plateaux de Bogota. En 1536-1541, l'Espagnol QUESADA anéantit cette civilisation (p. 221).

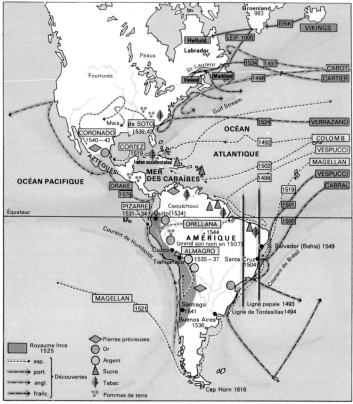

Découverte de l'Amérique

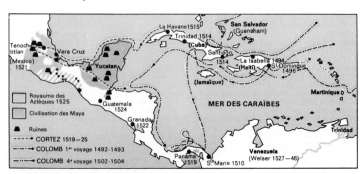

Amérique centrale à l'époque des découvertes

L'Amérique du Nord avant le XVIᵉ s.
984 L'Islandais ERIC LE ROUGE atteint le **Groenland** et y établit des colonies. Son fils LEIF ERIKSON aborde en 1000 La côte de l'Amérique du Nord (Vinland = terre de la vigne). Il lui est impossible de s'y établir. La découverte tombe dans l'oubli car les communications avec le Groenland s'interrompent vers 1400.

Découverte et exploitation de l'Amérique
La carte de TOSCANELLI, un Florentin (1397-1482), suggère au Génois **Christophe Colomb** (1451-1506) de rechercher une voie maritime vers les Indes. Il prend du service chez ISABELLE DE CASTILLE (p. 183).
1492 Découverte de l'Amérique après 61 jours de navigation. Il débarque à Guanahani (San Salvador), à Cuba et à Haïti. En tant que vice-roi, COLOMB fera 4 voyages vers les Indes occidentales et découvrira le continent en 1498 (embouchure de l'Orénoque; plus tard Panama).
1499-1502 Voyages côtiers du Florentin **Americo Vespucci** (1451-1512). Au cours d'un voyage du Portugais **Pedro Alvares Cabral** (1460-1526), en
1500 **découvre le Brésil**. L'Esp. **Balboa** atteint en 1513 le Pacifique.
1497 Découverte de l'**Amérique du Nord** par le Florentin **Giovanni Caboto (John Cabot),** qui recherche la route des Indes pour le compte de l'Angleterre. Le Florentin VERRAZANO et JACQUES CARTIER le suivent pour la France.
1519-1521 **Premier voyage autour de la terre de Ferdinand Magalhaes** (Magellan) (vers 1480-1521) ce qui prouve la rotondité de la terre. Au service de l'Espagne, ce Portugais découvre les Moluques, mais est massacré par les Philippins. L'un de ses 5 bateaux, commandé par ELCANO, atteint Lisbonne en 1522.
1577-1580 2ᵉ voyage autour de la terre par l'anglais **Francis Drake** (vers 1545-1596). Les **conquistadors** découvrent et exploitent l'Amérique centrale et du Sud. Aventuriers et nobles d'Espagne, ils sont mus par la soif de l'or, le désir de christianiser, l'ambition et la recherche de la gloire. **Hernan Cortez** (1485-1547) fonde Vera Cruz.
1519-1521 **Sanglante conquête de l'empire aztèque.**
1531-1534 **Francisco Pizarro** conquiert l'empire inca, fonde **Lima** en 1535, fait tuer son concurrent ALMAGRO, conquérant de la Bolivie, en 1538 et est assassiné en 1541 par ses adversaires.
1535-1538 QUESADA conquiert la Colombie.

1544 ORELLANA traverse le continent par la voie fluviale (Maranon-Amazone).
1540-1554 VALDIVIA découvre le Chili.

Formation de l'empire espagnol
Après les premières découvertes, en
1494 **traité de Tordesillas.** Le pape ALEXANDRE VI divise le monde en une zone espagnole et une zone portugaise. La frontière passe à 270 milles à l'ouest des Açores.
1524 **Séville** obtient le monopole du commerce avec l'Amérique et devient le siège du « **Conseil des Indes »,** administration centrale temporelle et spirituelle. Les **vice-royaumes** de la Nouvelle-Espagne (1535), du Pérou (1542), de la Nouvelle-Grenade (1718) et de La Plata (1776), se divisent en capitaineries générales à juridiction (audiencia) particulière. Les **villes** obtiennent une autonomie administrative limitée (cabildo). Des universités se créent à Mexico (1553), à Lima (1551), à Bogota (1592), à Caracas (1642).
1527 Les Welser d'Augsbourg obtiennent le Venezuela en gage (p. 211). Division de la terre en encomiendas (grandes propriétés privées) au bénéfice des conquérants, qui réduisent les Indiens au travail forcé, mais à charge de les évangéliser. L'apôtre des Indiens, **Las Casas** (1474-1566), lutte contre leur exploitation et le travail forcé. Pour soulager les Indiens, à p. de
1510-1515 **importation d'esclaves nègres.** Les mesures de protection s'achèvent par les « Nouvelles Lois » (1542-1545), qui reconnaissent que les Indiens sont des vassaux libres de la Couronne. Établissement de territoires de protection (réductions).

Conséquences des découvertes
Économie. Déplacement des centres commerciaux, de la Méditerranée, Baltique et mer du Nord, vers l'Ouest et l'océan Atlantique. Lisbonne, Séville, Rotterdam remplacent les villes jusqu'alors importantes : Lübeck, Venise, Gênes (p. 179). Importation de nouveaux produits (patate douce maïs, tabac), **essor du commerce mondial.** Les besoins en monnaie augmentent (capital pour plantations, formation de monopoles) et favorisent les entreprises du grand capitalisme. **Politique.** Essor des nations maritimes européennes et diminution de l'importance de l'Europe centrale. Le **Portugal** et l'**Espagne** deviennent de **grandes puissances.** Début de l'**européanisation du globe**; mélanges de races (transports d'esclaves, colonisation). Développement d'une population noire en Amérique avec la traite des Noirs transportés d'Afrique.

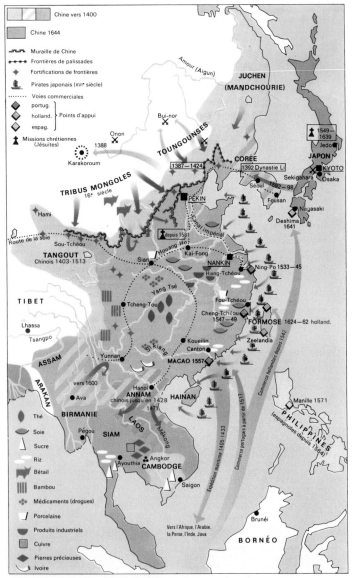

Chine à l'époque de la dynastie Ming (1368-1644)

La Chine : dynastie Ming (1368-1644)
1368-1398 TCHOU YUAN-TCHANG, moine bouddhiste, chasse le dernier empereur mongol de Pékin et fonde une nouv. dyn. nationale qui durera jusq. 1644. L'empire est divisé en 13 provinces et centralisé (ministères spécialisés, tribunaux et censure, refonte des écoles d'État, académies impériales avec examens littéraires pour les fonctionnaires). Contrôle de l'industrie et du commerce que la doctrine de CONFUCIUS considère comme immoraux. La bureaucratisation renforce le pouvoir des mandarins (caste supérieure de fonctionnaires); les eunuques du palais ont eux aussi des charges politiques. Le problème principal est la protection de l'empire. La Chine réagit en fermant ses frontières aux entreprises des Européens, aux attaques constantes des Mongols et des pirates japonais.
1403-1424 YONG-LO. Pour défendre la frontière du Nord, il transfère sa capitale à Pékin en 1421. **Restauration de la Grande Muraille.**
1405-1433 Expéditions maritimes jusqu'en Afrique qui ouvrent à la Chine de nouvelles voies commerciales et dirigent l'émigration du peuple vers l'Asie du Sud-Est.
Vers 1500, grandes famines, inondations et peste.
1516 Premier point d'appui portugais à Canton. Contre tribut, le commerce est autorisé à **Macao** seulement.
1522-1566 KIA-TSING, plus poète qu'empereur. Incursions des Mongols d'Altan jusqu'à Pékin.
1573-1619 WAN-LI favorise les missions jésuites dep. 1581 (le père RICCI). Par leur science mathématique et leur technique, ils gagnent de l'influence à la cour impériale.
A p. de 1622, les révoltes de la secte des « Lotus blancs » vont provoquer la fin de la dyn. Cette époque se caractérise par le raffinement de la vie et de la culture et un savoir-vivre accompli.
Littérature. Le philosophe WANG YANG-MING (1472-1528) critique la scolastique des Song. Le recueil de littérature « Yung-lo ta-tien » comprend 23 000 volumes. Cartographie de l'empire et romans réalistes.
Art. Tombeaux impériaux à Nankin et Pékin. Développement de la capitale (Autel du Ciel [1420], Palais d'Été). Art achevé de la **porcelaine Ming** et de l'architecture des jardins avec pagodes, ponts à dos d'âne, oiseaux chanteurs, maisons de thé et dragons.

Japon, shôgunat des Ashikaga (1338-1573). Les capitales du mikado sont Kyoto et Yoshino.

1392 Fin des cours rivales grâce au shôgun YOSHIMITSU, mais l'installation de deux nouveaux dignitaires provoque une guerre civile entre les familles nobles, qui durera 150 ans.
1478-1573 Époque des guerres civiles (Période Sengoko des « chevaliers et des héros »). Dissolution presque complète de l'État. Des pirates organisés (Wako) pillent le pays. Transformation de la hiérarchie sociale par l'ascension de familles nouvelles qui évincent les anciennes. Les « **Daimyos** » (= grand nom) sont env. 1 500 et deviennent princes héréditaires. Leurs vassaux constituent la caste guerrière des **Samouraïs.** Le confucianisme en s'incarnant dans le Bushido (la Voie) crée l'idéal chevaleresque japonais : en plus de l'entraînement au combat (arc, escrime, lutte), on tend vers des vertus particulières, la fidélité au Tenno et à la famille. Les affaires d'honneur ne se règlent pas par le duel, mais par le suicide, suivant des règles cérémonieuses (**Harakiri**). Mouvements pour la protection d'une culture spécifiquement japonaise (porcelaine, art, escrime), et rites secrets pour l'essor religieux du shintoïsme (p. 173). Le « cérémonial du thé » acquiert de l'importance comme moyen de détacher l'homme de ses tensions extérieures par une méditation esthétique.
1542 Première introduction d'armes à feu européennes.
1549 Fondation des missions jésuites (SAINT FRANÇOIS XAVIER).

La période sans shôguns (1573-1603)
Oda Nobunaga (1534-1582), « l'Attila japonais », combat les opposants du Tenno, entre à Kyoto et vainc en 1573 le dernier shôgun ASHIKAGA. Pour affaiblir les moines-soldats bouddhistes (Sotei), il soutient les missions chrétiennes.
Hideyoshi Toyotomi (1535-1598) brise par son génie l'hégémonie des Daimyos. Chancelier dep. 1582, il fonde un nouveau pouvoir central avec 5 Tairos (représentants du shôgun) et 5 Bagyos (administrateurs impériaux).
1592-1598 Campagne en Corée.
Ieyasu Tokugawa (1542-1616) vainc le successeur de HIDEYOSHI en 1600, à la bataille de Sekigahara. Il assure sa puissance en exterminant tous les Toyotomi, procède à une nouvelle répartition des fiefs et crée une police d'État.
1603-1867 Shôgunat des Tokugawa. Tokyo devient capitale.
1639 Fermeture de tous les ports (jusq. 1854). Le seul comptoir est l'île de Deshima.

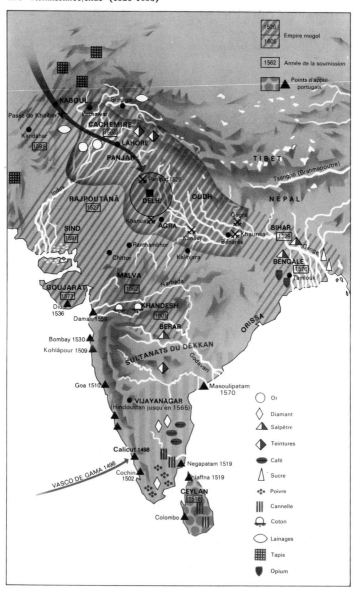

Empire mogol en Inde

Légende de la carte :

1526 / 1605	Empire mogol
1562	Année de la soumission
▲	Points d'appui portugais

Symboles :

○ Or
◇ Diamant
◭ Salpêtre
◈ Teintures
⬬ Café
◺ Sucre
∴ Poivre
‖ Cannelle
Coton
◯ Lainages
▦ Tapis
Opium

Toponymes et lieux :

KABOUL, Srinagar, Passe de Khaiber, Pechawar, CACHEMIRE 1588, Kandahar, 1595, LAHORE, PANJAB, Indus, TIBET, Tsangpo (Brahmapoutre), Panipat 1526, RAJPOUTÂNÂ 1527, DELHI, OUDH, NÉPAL, SIND 1591, Khanua, AGRA, Kanauj, Gogra, Khaunsa, Bénarès, BIHAR 1529, Gange, Ranthambhor, Chittor, Kalinjara, BENGALE 1576, Tamlouk, MALVA 1562, Narbada, GOUJARAT 1573, Diu 1536, KHANDESH 1601, BERAR, ORISSA, Daman 1559, Bombay 1530, Godavari, Kohlâpour 1509, SULTANATS DU DEKKAN, Goa 1510, Masoulipatam 1570, VIJAYANAGAR (Hindoustan jusqu'en 1565), Calicut 1498, VASCO DE GAMA 1498, Cochin 1502, Negapatam 1519, Jaffna 1519, CEYLAN 1518, Colombo

L'empire mogol en Inde (1526-1658)
1494-1530 Bâber, descendant de Gen-
GIS Khan et de Tamerlan, seigneur
de Kaboul depuis 1504, assure les
derniers progrès de l'Islam en direction de l'Hindoustan.
1526 Bataille de Panipat. Il met fin à
la domination d'Ibrahim Lodi de
Delhi, grâce à l'emploi massif de
l'artillerie. Prise d'Agra.
1526 Victoire de Khanua sur une
confédération rajpoute. Soumission
du Nord de l'Inde.
1556-1605 Akbar (empereur à 13 ans),
le plus grand souverain mogol.
Deuxième conquête de l'Inde. Le
régent Bayram Han vainc en
1556, à la 2ᵉ bataille de Panipat, les
rebelles hindous. A p. de
1559, expéditions personnelles d'Akbar
dont l'armée de métier conquiert
jusq. 1576 toute l'Inde septentrio-
nale (sauf le Sind), et
de 1591 à 1601, le Sind, le Kandahar,
le Berar et le Khandesh.
Politique intérieure. Pour affermir son
empire, il épouse des princesses
hindoues et engage des hindous au
service de l'État.
1563 Fin du régime fiscal spécial des
hindous. Réorganisation du gouvernement central (Divan) : dispositions contre la fraude et les révoltes
des fonctionnaires (inspecteurs).
1579 Établissement d'une fiscalité (un
tiers du revenu paysan) et organisation du recouvrement des impôts.
1582 Échec de la proclamation d'une
nouvelle religion panthéiste du
Soleil.
1583 Édit de tolérance pour toutes les
religions.
1605-1627 Jahanguir se laisse influen-
cer par sa femme préférée Nour-
jahan (1611-1622).
**1612-1613 Début de la polit. coloniale
anglaise.** Après une guerre intestine,
Shahjahan (1628-1658) monte sur le
trône et agrandit l'empire au Dekkan, dont les sultans deviennent en
1636 vassaux du Grand Mogol. Il vit
encore quand son fils Aurangzeb
(p. 271) prend le pouvoir.

**La civilisation musulmane en Inde
(XVᵉ-XVIIᵉ siècle)**
Fusion d'éléments indiens et arabo-
persans. L'aristocratie musulmane
adopte les mœurs indiennes. Sous
l'influence islamique, isolement sévère
des femmes hindoues, augmentation
des mariages d'enfants et des inciné-
rations volontaires des veuves. La
langue de l'État est l'**ourdou** à grammaire indienne et vocabulaire arabo-
persan. Formation de nouvelles langues
populaires : **hindi**, bengali, panjabi,
mahrati, etc. Les sultans de Delhi
attirent à leur cour des poètes persans,
des historiens et des savants. **Bâber,**
très cultivé, écrit ses « Mémoires »,
équivalents à ceux de César (p. 91).
Akbar réorganise le système éducatif,
fonde des bibliothèques et des écoles
supérieures. Tous les empereurs mogols
sont de grands constructeurs. D'après
le modèle persan, naissance d'un art de
la **miniature.**
Littérature.
Grâce à la traduction en persan des
Oupanishads (p. 39), par Dara Shokoh,
l'Europe aborde la littérature indienne.
L'adaptation en hindi du Ramayana
(épopée) « **Mer des prouesses de Rama** »
par Tulsi Das (1532-1624) devient la
bible des hindous.
Architecture.
La similitude des éléments architec-
turaux persans et hindous facilite la
fusion des traditions architecturales
(cours intérieures à portiques). La
nouvelle capitale d'Akbar, Fatehpour
Sikri près d'Agra, en 1569, présente
des palais et des mosquées en pur style
mogol, ainsi que le mausolée d'Akbar
à Sikandara et le temple de Go-Mandal
à Oudaipour (1600). Mais le chef-
d'œuvre de l'architecture est le **Taj
Mahal,** construit par Shahjahan pour
sa femme préférée. Cet édifice décoré
d'incrustations de pierres précieuses
et surmonté d'une coupole et de
4 minarets (en marbre blanc) est en
harmonie parfaite avec les jardins et
les jets d'eau. C'est l'un des plus beaux
édifices du monde. Sous Shahjahan,
construction de la citadelle et de la
« mosquée des perles » d'Agra.

Apparition des sectes hindouistes
Dans le groupe de Siva, les sectes de
Pashoupata et de Lingayat préconisent
l'ascétisme. Le groupe de Vichnou
recherche la libération dans un abandon
amoureux aux dieux; les **Bhagavata**
s'appuient sur le livre sacré, la **Bhaga-
vadgita,** interprété par Râmânouja
(1055-1137) qui met l'accent sur la
grâce divine. Les **Madhvas** de Madhva
Anandatirtha (1199-1278) défendent
une doctrine dualiste du monde et de
Dieu. Vallabhâ (1479-1531) et sa
secte des **Maharajas** au contraire considèrent l'union intime de l'âme à Dieu.
L'hindouisme actuel est influencé par
le **tantrisme** avec ses prescriptions mystiques et magiques et ses cérémonies
tirées des livres tantriques. Dans les
sectes syncrétistes (mélange d'éléments
islamiques et hindous), Râmananda
(vers 1400-1470) fonde à Bénarès une
secte Bakhti, ouverte à toutes les castes
ainsi qu'aux musulmans. Autour de
Nanak (1469-1538) se crée la communauté religieuse des **Sikhs** (ind. = jeunes) avec vêtements, chevelure et
barbe d'aspect particulier. Conception
de la guerre sainte contre les musulmans incroyants. Les Sikhs constituent
depuis lors l'élite militaire indienne.

L'Église et l'État en Allemagne

La faiblesse du pouvoir central (p. 193) interdit la formation d'une Église nationale comme en Angleterre, en France, en Espagne.

1439 La Diète de Mayence accepte pourtant les décrets de réforme de Bâle, mais la Curie de NICOLAS V en dissuade les princes en

1447, par la conclusion d'accords particuliers qui renforcent le **régime ecclésiastique des princes laïques** (occupation d'emplois, contrôle des biens de l'Église).

1448 FRÉDÉRIC III renonce dans le concordat de Vienne aux réformes ecclésiastiques dans l'Empire. L'augmentation des besoins d'argent de la Curie provoque un accroissement de la fiscalité ecclésiastique et un déficit dans les finances de l'Église nationale.

Vers le milieu du XVe siècle « **Doléances (gravamina) de la Nation Allemande** » aux Diètes impériales et assemblées territoriales. Des feuilles volantes font appel à « l'empereur de la fin des temps», qui protégera le « bon vieux droit » et l'Église allemande contre « l'exploitation des Welches ». Les humanistes s'élèvent contre la tutelle de la théologie sur les laïques et critiquent les revendications et l'avidité des papes :

1. Au sujet de la **richesse de l'Église,** cause de l'abaissement spirituel et de l'affaiblissement moral du clergé avec la complicité de nombreux monastères. Les propriétés de l'Église paraissent immorales, du fait qu'elles sont soustraites à la juridiction temporelle et à la fiscalité.

2. Au sujet du **haut clergé**; les « junkers de Dieu » considèrent leurs prébendes comme réservées à la noblesse pour subvenir à ses besoins. Les chanoines abandonnent leur charge spirituelle à des vicaires, mènent une vie toute extérieure ou s'appliquent à des études savantes, pendant que le bas clergé n'a aucune formation théologique.

3. Au sujet de l'**immoralité des moyens de l'Église** (indulgences, confessions, pénitences), du formalisme scolastique et de l'impersonnalité du service sacré.

La piété populaire allemande

Le développement du bien-être s'accompagne chez les gens simples de troubles intérieurs et d'angoisse devant la révolution, intellectuelle et morale, incompréhensible pour eux. L'imprimerie apporte un flot de **littérature édifiante** : petits livres de confession, de messe, de préparation à la mort, explications des évangiles, vie des saints, Bibles (14 traductions jusq. 1521). Des **prédicateurs populaires** (souvent des moines mendiants), qui prêchent la sim-

plicité de la vie et la pauvreté évangélique, sont écoutés, de même que les confréries où l'on pratique la prière en commun et le travail charitable. **Dotations et ex-voto.** Création d'hôpitaux et d'orphelinats. Entourées de chapelles aux autels peints, avec leurs figures de saints et les accessoires du culte, les églises et les cathédrales ressemblent à de riches musées. Cologne (30 000 hab.) compte 19 églises, 100 chapelles, 22 monastères, 12 hospices. Un Allemand sur 9 appartient au clergé. L'Église déploie tout son faste près de 100 jours de fête par an, avec processions, jeux de Pâques et représentations de la Danse des Morts. **Culte des reliques.** Cataloguées, des reliques sans nombre sont honorées, rassemblées et vendues à divers prix. **Vénération des saints.** Les églises, les villes, les professions, les classes sociales, toutes les peines et même les animaux ont leur saint protecteur. Parmi eux, MARIE et sa mère SAINTE ANNE occupent une place privilégiée. Les voyages de pénitence et les **pèlerinages** deviennent de plus en plus nombreux. **Chasse aux sorcières** qui s'appuie sur une bulle d'INNOCENT VIII sur les sorcières (1484) et sur l'ordonnance « Malleus maleficorum » des dominicains INSTITORIS et SPRENGER.

La formation de Luther jusq. 1517

On ne peut comprendre le mouvement étendu, d'abord purement relig. de la Réforme, sans connaître son développement théologique et les motifs personnels de son fondateur.

1483-1546 Martin Luther, né à Eisleben, élevé à Mansfeld. Poussé par son père, il entreprend des études juridiques après sa formation de base à Magdebourg, Eisenach et Erfurt.

1505 Il se convertit au cours d'un orage, entre au monastère des ermites augustins à Erfurt et reçoit une formation théologique (influence d'OCCAM) (p. 180).

1508 Séjour à l'université de Wittenberg, fondée en 1502. En 1510, voyage à Rome sur l'ordre du vicaire de l'ordre JOHANN VON STAUPITZ.

1512 Docteur en théologie.

1513-1517 Leçons sur les Psaumes et les Épîtres de SAINT PAUL. Tourmenté par la question de la grâce et sa conscience du péché, il éprouve des doutes sur les moyens que l'Église préconise pour le salut, ce qui le mène à une étude approfondie de la Bible et particulièrement des Épîtres de SAINT PAUL.

1512-1513 Expérience religieuse décisive (dite : « révélation de la tour ») : l'homme ne peut se justifier par un effort de volonté ou des bonnes œuvres, mais seulement par la grâce de Dieu (Rom. I, 17).

Les débuts de la Réforme (jusq. 1521)

1514 LÉON X renouvelle l'indulgence pour la construction de Saint-Pierre de Rome (p. 213). Contre TETZEL, commissaire aux indulgences de l'archevêque de Mayence, le **31 octobre 1517, Luther affiche**, en latin, ses 95 **thèses** à l'église du château de Wittenberg. Dans ce défi, il réclame une discussion publique sur le mauvais usage des indulgences. Accusé par les dominicains, LUTHER est convoqué à Rome pour hérésie, mais FRÉDÉRIC LE SAGE (1486-1525) le protège. Des circonstances polit. (élection impériale) engagent la Curie à se raviser.

1518 Interrogé à la diète d'Augsbourg par CAJÉTAN, légat du pape, LUTHER refuse de se rétracter et prend la fuite en réclamant un concile général.

1519 Discussion de Leipzig entre KARLSTADT, LUTHER et son principal adversaire JOHANN ECK (1486-1543) : **rupture avec Rome.** Luther récuse la primauté du pape, la tradition de l'Église et l'infaillibilité des conciles.

1520 Succès de la Réforme. LUTHER rédige trois programmes :

En août, le politique : « A la noblesse chrétienne de la nation allemande. » Il s'y adresse à l'empereur et aux députés de l'empire dans le style des « Doléances » (p. 226). Il réclame la Réforme au moyen d'un **concile national**, car « tous les chrétiens sont prêtres » (sacerdoce universel).

En octobre, le dogmatique : « De la captivité babylonienne de l'Église » (en lat.). Il ne garde que deux sacrements, le baptême et la communion, les seuls fondés sur l'Evangile.

En novembre, l'éthique : « De la liberté chrétienne », qui ne peut être obtenue que par la foi en la grâce de Dieu.

Décembre : La bulle du pape « Exurge Domine », où on le menace d'excommunication, est brûlée à Wittenberg.

Conséquences. Puissante impression des écrits et de l'action de LUTHER. Des feuilles volantes gravées sur bois répandent partout l'enthousiasme ressenti pour le réformateur. Parmi les humanistes qui rejoignent le mouvement, MÉLANCHTON, HUTTEN, **Zwingli.**

1521 Diète de Worms (p. 233) : venu de son propre gré, LUTHER en appelle aux Saintes Écritures, mais CHARLES QUINT le déclare hors-la-loi par l'Édit de Worms.

Essor de la doctrine luthérienne (1521-1525)

Mis en sûreté par FRÉDÉRIC LE SAGE sous le nom de « chevalier Georges », Luther traduit à la Wartbourg le Nouveau Testament d'après le texte grec. Par cette « **Bible de Septembre** » (1522), il est le **créateur du nouvel haut-allemand.** (Dans les régions catholiques, l'allemand « de Luther » ne triomphera qu'au XVIIIᵉ siècle.) Traduction complète en 1534.

Wittenberg. Après des troubles tumultueux (p. 229) qui engagent LUTHER à intervenir en 1522, la ville et l'université deviennent le « **centre de la Réforme** » (« la Rome allemande »). En plus de LUTHER s'y trouvent entre autres le peintre **Lucas Cranach**, et surtout **Philippe Mélanchton** qui donne la première expression théologique du luthéranisme dans ses « Lieux communs » (1521).

Les premiers foyers de la Réforme sont **Strasbourg** avec **Martin Bucer** (1491-1551), qui influence **Calvin** avec sa doctrine de la communion (p. 234). Dans le « Concordat de Wittenberg », il donne son accord à la tendance luthérienne (1536). **Nuremberg : Andreas Osiander** (1498-1551) répand la nouvelle doctrine. Les cercles artistiques d'**Albert Dürer** et de **Hans Sachs** donnent leur adhésion. Ulm, Nördlingen, Magdebourg, Brême suivent le mouvement. Les ordres monastiques sont dissous. Rejet du célibat (LUTHER épouse une nonne, CATHERINE DE BORA). Confiscation des biens de l'Église (sécularisation) par les seigneurs gagnés à la cause évangélique). Après son rejet brutal (« De servo arbitrio », 1525) de la liberté de pensée représentée par ERASME, beaucoup d'humanistes se détournent de LUTHER (PIRCKHEIMER).

La Réforme en Suisse

Ulrich Zwingli (1484-1531) est humaniste, pasteur et aumônier militaire, puis prêtre à **Zurich** à p. de 1518. Comme ses précurseurs ERASME et LUTHER, ses études le conduisent à critiquer l'Église.

1522 Il s'élève ouvertement contre les fautes de Rome. Le conseil de la ville adopte son programme en

1523 Ce programme est rédigé en « **67 conclusions** » : interdiction de toutes les formes du culte catholique, processions, reliques, images; doctrine insistant sur la prédestination. Le mouvement, avec une tendance plus pratique et plus rationnelle, s'implante notamment à Bâle (ŒKOLAMPADE), à Berne, à Saint-Gall, et mord sur Constance et Strasbourg (BUCER).

1529 La rencontre de Marbourg avec LUTHER échoue sur la question de la **communion.** Pendant la guerre de Zurich contre les cantons catholiques, ZWINGLI tombe en

1531 à la bataille de Cappel.

1539 Confession helvétique. Union avec l'Église genevoise de CALVIN en

1549 par le « Consensus Tigurinus ».

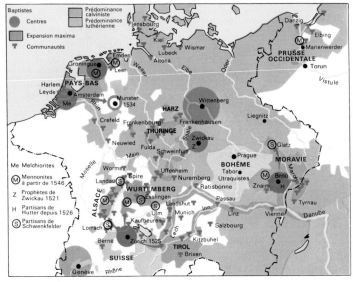

Baptistes
- Centres
- Expansion maxima
- Communautés
- Prédominance calviniste
- Prédominance luthérienne

Flensbourg · Danzig

Kiel · Lubeck · Wismar · Elbing · Marienwerder

PRUSSE OCCIDENTALE

Emden · Groningue · Leer · Altona · Torun

PAYS-BAS · Harlem · Leyde · Amsterdam · Me · Vistule

Munster 1534 · Wittenberg

HARZ

Crefeld · Frankenbourg · Frankenhausen · Liegnitz

THURINGE · Saale · Zwickau · Z · Glatz

Neuwied · Fulda · Schweinfurt · **MORAVIE**

Me Melchiorites
M Mennonites à partir de 1546
Z Prophètes de Zwickau 1521
H Partisans de Hutter depuis 1526
S Partisans de Schwenkfelder

Worms · Spire · Uffenheim · **BOHÊME** · Prague · Tabor · Utraquistes · Brno · Znaim · H

Landau · Nuremberg · Ratisbonne

WURTEMBERG · Esslingen · Landshut · Passau

Ulm · Munich · Inn · Linz · Vienne · Danube · Tyrnau

Moselle · **ALSACE** · Kaufbeuren · Salzbourg

Lorrach · Berne · Zürich 1525 · Kitzbühel · **TIROL** · Brixen

SUISSE · Genève · Rhône

Le mouvement baptiste au XVIe siècle.

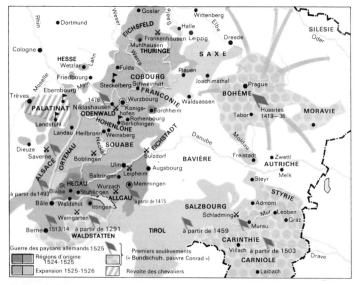

Rhin · Dortmund · Goslar · Wittenberg · **SILÉSIE**

EICHSFELD · Halle · Leipzig · Dresde · Oder

Cologne · Frankenhausen · **THURINGE** · **SAXE**

HESSE · Wetzlar · Muhlhausen · Plauen

Friedbourg · Lahn · Fulda · **COBOURG** · Joachimsthal · Prague

Trèves · Ebernbourg · Steckelberg · Schweinfurt · **BOHÊME**

1476 · Wurzbourg · Waldsassen · **MORAVIE**

PALATINAT · Niklashausen · Konigs-hofen · Forchheim

ODENWALD · Rothenbourg · Berlichingen · Tabor · Hussites 1419–36

Landstuhl · **HOHENLOHE** · Weinsberg

Dieuze · Landau · Heilbronn · **EICHSTADT** · Danube · Freistadt · Zwettl

Saverne · **SOUABE** · Sulzdorf · **BAVIÈRE** · **AUTRICHE** · Melk

ALSACE · **ORTENAU** · Boblingen · Ulm · Augsbourg · Steyr

Baltringen · Leipheim · Memmingen · **STYRIE**

St. **HEGAU** · Wurzach · à partir de 1415 · Admont

à partir de 1493 · Blaise · Stuhlingen · **ALLGAU** · **SALZBOURG** · Mur · Leoben

Bâle · Waldshut · Ittingen · Schladming · Murau · Graz

Weingarten

Berne · 1513/14 · à partir de 1291 · **TIROL** · à partir de 1459 · **CARINTHIE**

WALDSTATTEN · Villach · à partir de 1503 · Drave

Guerre des paysans allemands 1525
- Régions d'origine 1524-1525
- Expansion 1525-1526

Premiers soulèvements (« Bundschuh, pauvre Conrad »)
Révolte des chevaliers

CARNIOLE · Laibach

La guerre des Paysans, 1525.

Les courants secondaires de la Réforme

La lutte de LUTHER contre l'autorité de l'Église et pour un renouveau de la vie chrétienne éveille dans le peuple des sentiments et des conceptions passionnés. « L'évangile des Petits » déchaîne des manifestations violentes et met la Réforme en danger. **Baptistes** et **illuministes** à la doctrine incertaine récusent toute organisation étatique et ecclésiastique; ils croient à la révélation personnelle, à l'appel prophétique, à la « lumière intérieure » et à une sanctification de l'homme par un nouveau baptême.

ANDRÉAS BODENSTEIN, dit **Karlstadt** (1480-1541), profite de l'absence de LUTHER (Wartbourg) pour introduire à Wittenberg des réformes radicales (mariage des prêtres, dissolution des ordres). Ses destructions de statues ouvrent la voie aux baptistes. Les Hussites de Bohême et KARLSTADT influencent les « prophètes de Zwieckau » THOMAS MÜNZER et NICOLAS STORCH. Au cours de visions religieuses, ils prêchent le soulèvement et excitent les mécontents sociaux.

Beaucoup de baptistes voient dans leurs souffrances un martyre divin, tandis que MELCHIOR HOFFMANN, de Hall-en-Souabe, prêche l'anéantissement des impies par le glaive et proclame l'avènement du « millénaire du Christ » pour 1534. Aux Pays-Bas, les **melchiorites** ont pour chefs JAN MATTHYS, boulanger de Harlem, et JAN BOKELSON, tailleur de Leyde. En 1534-1535, ils établissent à Münster la domination des baptistes. La ville, gagnée à la Réforme en 1532, est mise hors la loi avec les melchiorites. Pendant le siège, leur fanatisme s'accroît jusqu'à fonder « le royaume de Sion » (communisme intégral et polygamie). Après la prise de Münster, un tribunal siège pour condamner tous les « baptistes d'esprit ». Le prédicateur **Menno Simons** 1492-1559) parviendra à les calmer : paisiblement, mais avec la conviction de gagner leur salut, les communautés de **mennonites** se répandront jusqu'en Russie et en Amérique du Nord.

Le soulèvement des chevaliers (1522-1523)

« Caste de guerriers sans occupation », les chevaliers s'unissent dans leur mécontentement contre ce soulèvement social. La nouvelle doctrine est pour eux une réforme qui leur permettra de déposséder l'Église et de se répartir ses domaines en devenant ainsi seigneurs de principautés.

La guerre des Paysans (1525)

Devenus aisés, assurés de vendre leurs produits, conscients de leur force et capables de se défendre grâce à la tactique des lansquenets, les paysans des territoires du Sud et du Centre de l'Allemagne s'opposent aux demandes d'argent et de corvées de leurs seigneurs appauvris. Le droit romain (p. 181) limite leur droit à la propriété communale, leur liberté personnelle et leur autonomie administrative. Dès le XVᵉ siècle, ligues secrètes et troubles :

1514 Soulèvement « du pauvre Conrad » (Souabe). Interprétation passionnelle de la Réforme, qui entraîne surtout les campagnes. Se fondant sur la Bible, le droit naturel divin et sur une fausse interprétation des écrits de LUTHER sur « la liberté chrétienne », les paysans exigent la suppression des classes sociales et des corvées.

1524 Début de la guerre des Paysans à Waldshut et à Stuhlingen.

1525 Extension en Thuringe et en haute Autriche. Mais les troupes paysannes manquent d'unité de but, de plan et de commandement. Union de quelques villes impériales (Rothenbourg) et de chevaliers volontaires (tel « l'idéaliste du mouvement » Florian Geyer) ou forcés (GÖTZ VON BERLICHINGEN). Le « chancelier des paysans » **Wendelin Hippler** rédige un programme modéré en 12 articles. « L'exhortation à la paix » de LUTHER s'adresse aux princes et aux paysans. Après des succès de début, le soulèvement dégénère en pillages, assassinats et incendies. THOMAS MÜNZER annonce un « royaume de Dieu » communiste.

Mai 1525 Parution du pamphlet de LUTHER : « Contre les bandes paysannes assassines et voleuses », appel sévère aux princes pour qu'ils anéantissent les paysans et rétablissent leur suzeraineté établie par Dieu, suzeraineté à laquelle tous doivent obéir. L'armée de la Ligue souabe, supérieure militairement, écrase les bandes paysannes de Souabe et de Franconie. Des représailles effroyables scellent la défaite des insurgés. Conséquences :

1. Jusqu'au déb. du XIXᵉ siècle, fixation de la condition rurale : le paysan est propriété corporelle du seigneur et sans droits polit. (Exceptions : Westphalie, Frise, Mecklembourg, Tyrol);

2. Renforcés par la doctrine de LUTHER : « De l'autorité temporelle et de l'obéissance qui lui est due », les princes deviennent avec leur victoire la puissance déterminante de l'époque;

3. Le mouvement religieux populaire de la Réforme se transforme en un mouvement politique appuyé par les princes.

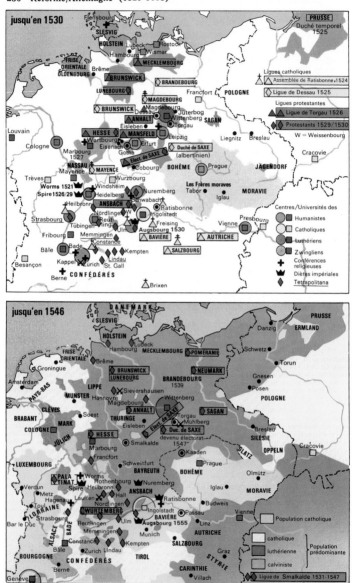

jusqu'en 1530

PRUSSE
Duché temporel 1525

SLESVIG
HOLSTEIN
Flensbourg
Lubeck Rostock
Hambourg Wismar
Brême
FRISE ORIENTALE
OLDENBOURG
MECKLEMBOURG
BRUNSWICK
LUNEBOURG
BRANDEBOURG
Francfort POLOGNE
MAGDEBOURG
Magdebourg
BRUNSWICK Dessau Juterbog
Wittenberg
ANHALT Eisleben Torgau SAGAN
Louvain Leipzig
HESSE Wartbourg MANSFELD Liegnitz Breslau
Cologne Eisenach Erfurt
Marbourg 1527 Gotha Duché de SAXE (albertinien)
Elect. de SAXE Cracovie
NASSAU Cobourg BOHÊME Prague JÄGENDORF
Mayence MAYENCE
Trèves Worms 1521 Wurzbourg Les Frères moraves
Spire 1526/29 Windsheim Tabor MORAVIE
Heidelberg Nuremberg Iglau
Heilbronn ANSBACH Schwabach
Strasbourg Nördlingen W Ratisbonne
Tübingen Reut Ingolstadt
Fribourg Ling Freising Vienne Presbourg
Memmingen Ulm
Bâle Bade Constance Augsbourg 1530
BAVIÈRE AUTRICHE
Kempten SALZBOURG
Besançon Kappel Lindau
Berne Zurich St. Gall
CONFÉDÉRÉS
Brixen

Ligues catholiques
△ Assemblée de Ratisbonne 1524
▭ Ligue de Dessau 1525
Ligues protestantes
▲ Ligue de Torgau 1526
◈ Protestants 1529/1530
W = Weissenbourg

Centres/Universités des
◧ Humanistes
◯ Catholiques
◉ Luthériens
◐ Zwingliens
✚ Conférences religieuses
⚒ Diètes impériales
◆ Tetrapolitana

jusqu'en 1546

DANEMARK
SLESVIG
HOLSTEIN
Lubeck PRUSSE ERMLAND
Hambourg Danzig
FRISE ORIENTALE MECKLEMBOURG POMÉRANIE
Brême Schwetz
Groningue BRUNSWICK Torun
Amsterdam LUNEBOURG NEUMARK
LIPPE BRANDEBOURG 1539 Gnesen
PAYS-BAS MUNSTER Sievershausen Posen
Hannovre
CLÈVES Magdebourg Wittenberg POLOGNE
Soest ANHALT
BRABANT MARK THURINGE Torgau SAGAN
COLOGNE JÜLICH Eisleben Mühlberg Breslau
HESSE Elect. de SAXE SILÉSIE
Marbourg Smalkalde Duc. de SAXE devenu électorat 1547 OPPELN
Francfort GLATZ
LUXEMBOURG Schweinfurt Kaaden Olmütz
BAYREUTH Prague
PALA- Worms BOHÊME
Verdun TINAT Rothenbourg Nuremberg Iglau MORAVIE
Metz Spire Heilbronn ANSBACH Budweis
Hagenau Hall Ratisbonne Vienne
Toul LORRAINE Lauffen Nördlingen
Bar le Duc Strasbourg WURTEMBERG Ingolstadt Passau
ALSACE BADE Reutlingen Ulm BAVIÈRE Linz
Bâle Memmingen Munich Augsbourg 1555
Constance Kempten AUTRICHE
BOURGOGNE Zurich Lindau SALZBOURG
Genève Berne CONFÉDÉRÉS TIROL Graz STYRIE
CARINTHIE
Villach

Population catholique
▢ catholique
▨ luthérienne Population prédominante
▢ calviniste
◈ Ligue de Smalkalde 1531-1547

Réforme en Allemaghe

La Réforme, mouvement politique (1521-1555)

Malgré l'Édit de Worms, la Réforme se répand d'autant plus que l'empereur est absent (p. 233). Ni les gouvernements de l'empire, ni les assemblées ne trouvent de solution à la question religieuse.

1525 Introduction de la Réforme en Prusse. Le grand maître ALBERT DE HOHENZOLLERN (1513-1568) sécularise les biens de l'ordre Teutonique.

1526 Première diète de Spire. On décide que chaque État se comportera « comme il doit en répondre vis-à-vis de Dieu et de Sa Majesté impériale ».

1529 2ᵉ diète de Spire. Les délégués évangéliques se fient à leur conscience dans les questions de foi et protestent contre l'Édit de Worms. Contre la politique extérieure de l'empereur, PHILIPPE DE HESSE lutte pour l'union des protestants et ménage entre LUTHER et ZWINGLI, en 1529, la rencontre de Magdebourg, qui demeure sans succès. Les protestants de la haute Allemagne s'unissent dans la « Convention souabe ».

1530 Diète d'Augsbourg. L'empereur veut préserver l'unité religieuse. Les protestants présentent leur doctrine dans différentes propositions : **Confessio Augustina**, rédigée par MÉLANCHTON; **Confessio tetrapolitana** (BUCER, CAPITO), et **Fidei ratio** de ZWINGLI. CHARLES QUINT repousse la Confessio Augustina.

1531 Constitution de la **Ligue protestante de Smalkalde**, avec armée fédérale et caisse commune; les protestants cherchent des appuis à l'extérieur (France).

Naissance d'Églises évangéliques nationales

Au cours de la guerre des Paysans, LUTHER s'est décidé pour les princes dans le respect de la suzeraineté temporelle (p. 229).

1527 Fondation de la première université évangélique à Marbourg; Koenigsberg en 1544, Iéna en 1558.

Succès de la Ligue de Smalkalde

1532 Paix de Nuremberg, qu'impose à l'empereur le danger turc.

1536 Concordat de Wittenberg (BUCER, MÉLANCHTON).

Crise du protestantisme

Allié au pape, à la Bavière et aussi à des princes prot. (MAURICE DE SAXE) l'empereur triomphe dans la Guerre de Smalkalde (1546-1547) (p. 233).

1555 Paix religieuse d'Augsbourg. Ses obscurités sont le germe de futurs conflits. Dispositions principales :
1. La paix ne s'applique qu'aux luthériens et aux catholiques;
2. Les sujets doivent suivre la confession du seigneur (Jus reformandi : cujus regio, ejus religio). Seules les villes impériales bénéficient de la tolérance religieuse;
3. Pour les territoires ecclésiastiques droit de « réserve » : un prince ecclésiastique doit se démettre de ses fonctions s'il change de confession;
4. La « déclaration de Ferdinand » assure la liberté religieuse à la noblesse et aux villes des territoires ecclésiastiques.

Le pouvoir central impérial (1555-1619)

La plus longue période de paix de l'Europe centrale ressemble à la pause d'un lutteur épuisé. L'Allemagne est isolée du commerce mondial, ses villes s'appauvrissent, l'industrie decroît; l'autorité de l'État disparaît. Il n'y a plus de grandes personnalités.

1556-1564 Ferdinand Iᵉʳ veut assurer la paix confessionnelle. Il penche pour la doctrine luthérienne.

1576-1612 RODOLPHE II, élevé en Espagne par les jésuites, dirige la Contre-Réforme sur les terres héréditaires des Habsbourgs.

1612-1619 Son frère MATTHIAS s'occupe de rétablir l'autorité de l'État sous la suprématie des Habsbourgs.

Formation de principautés indépendantes

Triomphe graduel de la conception patriarcale du prince représentant de Dieu. Le foyer de l'orthodoxie luth. est la **Saxe.**

La Contre-Réforme catholique

La division des protestants favorise la restauration du catholicisme, en premier lieu l'œuvre des **jésuites** (p. 235). Leur influence s'accroît sur les princes cath., les universités, l'école, par la construction de magnifiques églises baroques, par leurs processions, leurs représentations à sujets religieux, le peuple est également touché. Pour l'éducation des prêtres, fondation du Collège Germanique en 1552 à Rome. PETRUS CANISIUS (1511-1597) compose des catéchismes populaires.

1563 Début de la Contre-Réforme en Bavière, principale puissance cath. de l'Allemagne.

1583-1610 FRÉDÉRIC IV DU PALATINAT forme une Ligue des États protestants.

1608 Formation d'une Union des protestants (CHRISTIAN D'ANHALT), qui s'allie à la France, à l'Angleterre et aux Pays-Bas.

1609 Fondation de la Ligue catholique par MAXIMILIEN Iᵉʳ DE BAVIÈRE qui s'appuie sur l'Espagne.

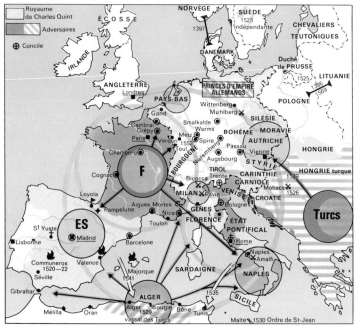

Empire de Charles Quint

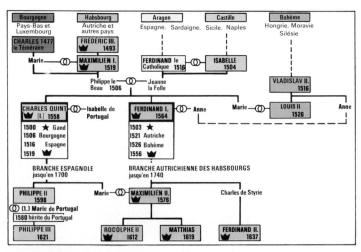

Dynastie des Habsbourgs espagnols et autrichiens

1519-1556 Charles Quint. Né à Gand en 1500. Élevé à Malines (son précepteur est le futur pape ADRIEN VI).

1515 Il devient duc de Bourgogne, puis hérite en

1516 de l'Espagne et de son empire mondial. Une réforme du gouvernement espagnol met fin à la révolte des « communeros » (1520-1522), dont l'État sort consolidé. Ses généraux (DUC D'ALBE) et ses mercenaires servent l'empereur dont les guerres sont financées par les impôts espagnols et italiens (Naples).

Lutte pour l'hégémonie européenne

Avec l'aide des Fugger et des Welser (p. 211), CHARLES est élu empereur aux dépens de FRANÇOIS Ier de France (1515-1547), en

1519, mais il doit s'engager à garantir la « liberté allemande » : respect des privilèges des princes, accord des princes électeurs en matière de législation, traités, impôts et politique extérieure, interdiction d'employer des mercenaires étrangers, etc. Conseillé par le Grand Chancelier GATTINARA, CHARLES QUINT estime que son devoir d'empereur est de rétablir **l'empire universel du Moyen Age** en utilisant des moyens modernes (mercenaires, fonctionnaires). Il aura pour adversaires les **États nationaux,** surtout la France, puis en Allemagne, les princes, particulièrement les protestants, ensuite les Turcs et également le pape.

1521 La diète de Worms lui accorde une aide contre la France. CHARLES confie à son frère FERDINAND les terres héréditaires des Habsbourgs et fonde ainsi la branche autrichienne de la dynastie.

1521-1526 1re guerre contre FRANÇOIS Ier.

1525 Pavie. Prisonnier, FRANÇOIS Ier perd en

1526 au traité de Madrid, Milan, Gênes, la Bourgogne et Naples. Libéré, il déclare le traité nul et s'allie au pape CLÉMENT VII.

1526 Sainte Ligue de Cognac, où entrent Milan, Florence et Gênes.

1526-1529 2e guerre contre la France.

1527 Sac de Rome. L'armée impériale pille Rome.

1529 Traité de Cambrai sous la pression d'une avance turque.

1529 1er **siège de Vienne par les Turcs** (p. 205). Après son couronnement en 1530, à Bologne (le dernier), CHARLES QUINT intervient dans les querelles religieuses.

1530 Diète d'Augsbourg Dépourvu d'argent et d'hommes en

1532, il accorde la paix religieuse de Nuremberg pour obtenir une aide contre les Turcs. A la suite d'un accord avec FRANÇOIS Ier, le corsaire turc BARBEROUSSE (vers 1475-1546) attaque les côtes espagnoles et italiennes.

1535 Expédition africaine contre BARBEROUSSE. Prise de Tunis.

1536 Alliance franco-turque et 3e guerre de CHARLES QUINT contre FRANÇOIS Ier. Le pape PAUL III négocie en

1538 l'armistice de Nice.

1541 Échec d'une expédition punitive contre Alger. Les Turcs prennent Bude et la Hongrie est perdue.

1542-1544 4e guerre contre FRANÇOIS Ier. L'empereur en

1544 promet à la diète de Spire un concile national. Avec l'appui des princes, il peut menacer Paris.

Charles Quint à l'apogée de sa puissance

1544 Traité de Crépy-en-Laonnois. FRANÇOIS Ier abandonne les protestants d'Allemagne et renonce à Naples. CHARLES QUINT lui rend la Bourgogne.

1545 Concile de Trente pour régler la question religieuse.

1546-1547 Guerre de Smalkalde en Allemagne du Sud et du Centre.

1547 Bataille de Mühlberg, arrestation de PHILIPPE DE HESSE et de JEAN-FRÉDÉRIC DE SAXE, chefs hors-la-loi des protestants. La dignité de prince électeur de JEAN-FRÉDÉRIC est accordée à MAURICE DE SAXE (1541-1553) par la capitulation de Wittenberg (1547).

1547-1548 CHARLES QUINT dicte l'**Intérim d'Augsbourg.**

Échec de la politique impériale de Charles Quint

La dignité impériale irait à PHILIPPE, bien que FERDINAND ait été élu roi des Romains en 1531. MAURICE DE SAXE prend la tête d'une conspiration secrète des princes et obtient en

1552, au traité de Chambord, l'appui de HENRI II de France, à qui l'on promet le vicariat des Trois Évêchés : Metz, Toul et Verdun. MAURICE oblige l'empereur à fuir d'Innsbruck à Villach. Le concile de Trente se dissout. Pendant que FERDINAND signe avec les princes le traité de Passau (1552) et en

1555 la paix religieuse d'Augsbourg (p. 231), CHARLES QUINT de

1552 à 1556 combat vainement la France pour reprendre Metz, Toul et Verdun. Plein d'amertume, il se résigne à abdiquer en

1556, et meurt en 1558 à San Yuste. Son frère FERDINAND devient empereur. Son fils PHILIPPE II devient roi d'Espagne.

Résultat. La conception de l'État national a triomphé de celle de l'empire universel. Dualité du pouvoir en Allemagne au bénéfice des princes.

La Réforme de Genève (calvinisme)
1509-1564 Jean Calvin (Cauvin), né à Noyon (France); études humanistes et juridiques à Paris, Orléans, Bourges. Après sa conversion à la foi évangélique, en
1534 fuite de Paris à **Bâle,** où il rédige son œuvre principale :
1536 « Institution Chrétienne », précis sur le dogme.
Doctrine. La toute-puissance et la **gloire de Dieu** exigent une obéissance absolue. L'homme est **prédestiné** soit au salut soit à la damnation. Seul peut espérer être élu celui qui sanctifie sa vie par l'accomplissement de ses devoirs terrestres suivant les Saintes Écritures. La communion n'est ni un souvenir symbolique (ZWINGLI), ni une présence réelle du Christ (LUTHER), mais une liaison spirituelle avec le Christ. Après sa rencontre avec le réformateur GUILLAUME FAREL (1489-1565), à partir de
1536 première activité à **Genève,** qui pour des raisons politiques (revendications de la suzeraineté du duché de Savoie), s'est associée aux Confédérés et à la Réforme.
1538 Expulsion de CALVIN qui dirige alors la communauté française de Strasbourg, puis, sur la demande de BUCER (p. 227), en
1541 retourne à Genève et établit **l'Église de Genève.** Pour servir Dieu, la communauté se dirige elle-même en élisant des représentants :
1. Pour **4 charges spirituelles** : pasteurs (prédicateurs et soins des âmes); docteurs (doctrine); anciens (discipline); diacres (soins aux pauvres);
2. Pour **2 commissions** chargées de l'élection des ministres et pour le gouvernement de la communauté par le **consistoire (synode).** Il surveille la conduite de chacun, propose à l'État, qui doit aider la communauté, d'appliquer des châtiments temporels (régime théocratique). Obligation de fréquenter l'église, mœurs sévères : interdiction du jeu et de la danse; suppression des images, autels, cierges, dans les églises **prière** et **chant des psaumes.** Le tableau idéal du travailleur économe qui parvient à la richesse, ce qui prouve qu'il est choisi par Dieu, va se développer en une **morale nouvelle, capitaliste.** Répression violente de toute résistance à « l'État de Dieu » réalisé à Genève (58 condamnations à mort jusq. 1564 seulement).
1553 Exécution de MICHEL SERVET, libre penseur. **Genève devient alors le centre du monde protestant.** Pour favoriser la propagation du calvinisme en Europe (p. 237), en
1559 fondation de l'Académie de Ge- nève, avec THÉODORE DE BÈZE (1519-1605). Le **calvinisme** et **l'ordre des jésuites** seront à la pointe du combat dans la seconde moitié du XVIᵉ siècle.

L'Église anglicane en Angleterre
L'Église anglaise qui n'est pas représentée à la Chambre basse n'a que peu de contacts avec la nation. Le haut clergé, nommé par le roi dont il est souvent le conseiller politique, a des tendances antipapistes;
Des bourgeois, élevés dans l'humanisme d'Oxford et de Cambridge, occupent les postes ecclésiastiques les plus élevés. Le Parlement propose de séculariser les biens de l'Église au profit de la couronne et du Parlement. **Banqueroute financière et morale de la couronne.**

1509-1547 Henri VIII, humaniste et théologien, mais sans scrupules et tyrannique, obtient par le pape le titre de « Défenseur de la Foi » grâce à un libelle qu'il rédige contre LUTHER en 1521. Ambitieux, son conseiller le **cardinal Wolsey** est légat du pape et dispose sans limites de l'Église. Son souci principal est la succession du trône, mais la Curie refuse le divorce du roi d'avec CATHERINE D'ARAGON.
1529 Chute de WOLSEY. Le clergé est obligé d'admettre en
1531 le roi comme chef suprême de l'Église. En 1533, il divorce, épouse une dame de la cour, ANNE BOLEYN (exécutée en 1536). Le roi se mariera six fois en tout.
1534 Acte de Suprématie. Le Parlement confirme **l'indépendance de l'Église nationale anglaise.**
1534-1539 Suppression des monastères. Leurs énormes domaines sont revendus à la gentry et à la bourgeoisie. La constitution et le dogme de l'Église de 1539 restent catholiques. Des influences évangéliques se renforcent en
1547 sous ÉDOUARD VI, avec le premier primat d'Angleterre anglican THOMAS CRANMER (1489-1556).
1549 Common Prayer book. Liturgie purement anglicane. Réaction violente sous **Marie Tudor** « la Sanglante », mariée à PHILIPPE II d'Espagne (p. 239). Persécution du parti évangélique (300 exécutions, dont CRANMER en 1556).
1558-1603 Élizabeth Iʳᵉ réaffirme la souveraineté royale sur l'Église sans administration de sacrement ni droit d'intervention.
1559 Serment de Suprématie et Acte d'Uniformité.
1563 Les « 39 articles ». Nouvelle profession de foi calviniste, qui devient la base de l'Église anglicane.

Le renouveau catholique

L'Église catholique se reprend :

1. En se réformant elle-même — sans troubles en Espagne et en Italie — en, réaction contre le protestantisme dans le concile de Trente;
2. En se défendant contre le protest. et en contre-attaquant : **Contre-Réforme**. La papauté réformatrice combine ces deux mouvements vers le milieu du XVIᵉ siècle.

Espagne. Le sentiment relig. nat., l'Inquisition s'opposent à la pénétration de la doctrine prot. L'humanisme chrétien de **Francisco de Vitoria** (jusq. 1546), de **Soto** et de **Cano** se développe. Les jésuites VASQUEZ, **Molina** et SUAREZ (p. 239) mettent au point un **néothomisme** important pour une compréhension nouvelle de la doctrine de l'Église, du droit naturel et du droit des gens. Le **mysticisme** espagnol acquiert sa forme partic. avec **sainte Thérèse d'Avila** (1515-1582) : réforme des carmélites déchaussées. Son disciple est SAINT JEAN DE LA CROIX (1542-1591).

Italie. En 1494 part de Vicence le mouvement charitable des **oratoriens**, nouvelle expression de la foi des laïcs, auquel appartient le card. **Contarini**, Nouveaux ordres religieux : **théatins** (clercs 1524); **capucins**; **ursulines** (enseignement 1535), etc. Autres fondations d'écoles et d'ordres par **Charles Borromée**, archevêque protecteur de la Suisse (1538-1584) et FRANÇOIS DE SALES, évêque. **Philippe Néri** (1515-1595) fonde la congrégation de l'Oratoire (1576) qui devient un modèle pour les prêtres séculiers et a attaché son nom à un nouveau genre musical : l'oratorio.

L'ordre des jésuites

1491-1556 Ignace de Loyola, noble basque·· au service du vice-roi de Navarre. Une grave blessure (1521) à la défense de Pampelune le convertit en « chevalier de Jésus ». Ses visions mystiques, ses « **Exercices spirituels** » contribuent à former sa volonté, mise tout entière au service de la cause catholique.

1523 Pèlerinage à Jérusalem. 1526 : études théologiques à Alcala et Salamanque. Après un conflit avec l'Inquisition, séjour à Paris, à la Sorbonne, à partir de 1528.

1534 Fondation de la « Société de Jésus » à Paris (Montmartre). LOYOLA et ses 7 compagnons veulent aller en mission ou se mettre sans conditions au service du pape.

1540 PAUL III ratifie la création de l'ordre.

Règlement. Un général élu (« le pape noir ») dirige les provinces et les maisons de l'ordre dans un absolutisme milit. A ses côtés, un « admoniteur » doit sans cesse le critiquer. Vœux monastiques, mais costume des prêtres séculiers. Les profès font un 4ᵉ vœu particulier : « obéir comme un cadavre ». But unique : conversion des hérétiques et des païens, donc volonté d'être les éducateurs et les confesseurs des princes dans les cours royales. Dans les écoles et universités, ils sont professeurs, prédicateurs, missionnaires (collèges de jésuites).

Importance. C'est l'ordre le plus important dans le renouveau de l'Église (BELLARMIN), dans la **lutte contre l'hérésie** (FABER, CANISIUS p. 231) et dans les **missions mondiales**, surtout Chine (SAINT FRANÇOIS XAVIER, RICCI). Il est souvent combattu et soupçonné à cause de ses méthodes.

1541-1556 IGNACE DE LOYOLA, premier général de l'ordre, lui imprime sa marque.

1549 Subordination directe au pape de la « Compagnie de Jésus »; fondation de séminaires :

1551 Collège romain. 1552 : Collège germanique. Ses successeurs les plus importants sont **Lainez** (1558-1565) et **Aquaviva** (1581-1615).

Les papes réformateurs

PAUL III (1534-1549) convoque une commission de réforme en 1536 (CARAFA, CONTARINI).

1542 Renouveau d'activité de l'Inquisition. **Paul IV** (1555-1559) est le premier pape réformateur actif.

1566-1572 PIE V prend des mesures rigoureuses contre la simonie. Nouvelle rédaction du catéchisme romain, du bréviaire en 1568 et de la messe en 1570.

1582 Réforme du calendrier par Grégoire XIII.

A p. de **Sixte Quint** (1585-1590), rapports réguliers de contrôle et réforme du cardinalat.

1590 Nouvelle édition de la Vulgate.

Le concile de Trente (1545-1563)

Convoqué par PAUL III pour assurer l'unité de la foi et de l'Église et dirigé par des légats du pape.

1545-1547 Première période : dissensions entre l'empereur et le pape.

1547-1549 Transfert du concile à Bologne.

1551-1552 2ᵉ période avec représentants prot. sur l'ordre de CHARLES QUINT.

1562-1563 3ᵉ période : les jésuites LAINEZ et SALMERON assurent le triomphe de la centralisation pontificale.

Décisions. Décrets sur la foi qui veulent préciser clairement la doctrine évangélique sur les sacrements, la tradition, le sacrifice de la messe, le clergé, le péché originel, la confession. **Décrets de réforme** sur la formation, l'habillement, les devoirs et le célibat du clergé. Etablissement de l'**Index** (1564).

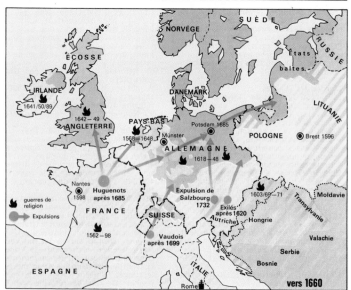

Les scissions religieuses en Europe, 16e-17e siècle

De l'Allemagne et de la Suisse, la Réforme se répand sur toute l'Europe, sauf l'Italie, l'Espagne et les régions grecques orthodoxes. Seul le Nord de l'Europe deviendra purement luthérien, et l'Écosse purement calviniste.

Danemark, Norvège. FRÉDÉRIC Ier (1523-1533) autorise la prédication évangélique au Slesvig.
1527 Assemblée d'Odense. Tolérance pour les luthériens.
1536 Sous CHRISTIAN III, triomphe de la Réforme. BUGENHAGEN établit sa constitution, qui s'applique aussi à la Norvège. Les biens ecclésiastiques reviennent à la couronne. En Islande, à p. de 1539, la doctrine luthérienne s'impose peu à peu.

Suède. GUSTAVE VASA attend de la Réforme une augmentation du pouvoir de la couronne.
1594 SIGISMOND VASA, catholique, doit prêter serment à l'assemblée ecclésiastique d'Upsal de ne pas porter atteinte à la confession luthérienne. La Contre-Réforme échoue, et il perd son trône (p. 245).

États baltes. La nouvelle foi s'étend à partir de Riga.
1539 Elle atteint l'État de l'ordre Teutonique. Après sa disparition, les régions baltes appartenant à la Suède et à la Pologne (plus tard russes) demeurent luthériennes.

Pologne, Lituanie. Dans ces États où il y a mélange de religions (catholiques, orth., juifs), toutes les confessions s'affrontent. JOHANN LASKI (1499-1560) prêche le calvinisme à p. de 1540, et des frères moraves expulsés forment de nouvelles communautés.
1507 Union de Sandomir de toutes les tendances prot.
1573 Paix des Dissidents : tous les partis religieux sont tolérés. Les unitaires (qui nient la Trinité), avec FAUSTUS SOCIN (1539-1604) fondent en
1579 l'Église des sociniens. Déclenchée par le cardinal **Stanislas Hosius** (1504-1579), arch., d'Ermeland la Contre-Réforme commence sous SIGISMOND VASA par des persécutions, surtout des sociniens.
1596 Par l'**Union de Brest**, compromis avec une partie de l'Eglise orth. sur l'instigation de l'évêque PETER SKARGA (1536-1612).

Transylvanie. JOHANN HONTER (1498-1549), réformateur, fonde l'Église nationale évang. des Saxons de Transylvanie. À l'exception des Valaques, tous les autres peuples deviennent protestants.

Hongrie. Avec MATTHIAS BIRO, la doct. évang. progresse dans la noblesse (magnats) et dans les villes. La Hongrie turque demeurera prot., mais la Hongrie autrichienne reviendra cath. au XVIIe siècle malgré la résistance des magnats.

Terres héréd. autrichiennes. Forte influence luthérienne sur la noblesse, la bourgeoisie et le paysannat.
1561-1599 Fondation en Carniole d'une Église évang. dont les textes inaugurent la littérature slovène. En Styrie, en Carinthie et en Carniole, FERDINAND II fait triompher la Contre-Réforme. Expulsion de tous les évangélistes par l'arch. FIRMIAN DE SALZBOURG (en 1732 la Prusse les accueille).

France. FRANÇOIS Ier, en matière religieuse libéral, n'est pas hérétique car il a besoin des revenus de l'Église. Le calvinisme se répand malgré une persécution plus violente sous HENRI II.
1559 Premier synode national à Paris. Après la conversion des maisons de Bourbon et Chatillon, les Huguenots deviennent parti politique.
1562-1598 Guerres de Religion. Tolérance pour les huguenots. En
1598 Édit de Nantes (p. 243). Par la suite, le cardinal de RICHELIEU détruit leurs places de sûreté (La Rochelle, 1628).

Pays-Bas. CHARLES QUINT poursuit luthériens et baptistes (p. 229).
1523 Premiers hérétiques brûlés vifs à Bruxelles. La résistance calviniste s'affermit contre l'Espagne.
1566 Synode d'Angers. Fondation de l'Église calviniste qui devient Église nat. dans les provinces du Nord, mais tolère les autres confessions. Émigration massive des prot. dans les Pays-Bas espagnols recatholicisés (p. 241).

Écosse. John Knox (1505-1572), réformateur et disciple de CALVIN, assure la cohésion des évangélistes.
1547 Vaincu à St. Andrews, le calvinisme gagne la noblesse qui, en 1557, se rallie au Covenant (Ligue) et en
1560, fonde l'Église nat. écossaise. Après l'abdication forcée de MARIE STUART, élévation en
1567 au rang d'Église d'État par JACQUES VI. Les biens ecclésiastiques reviennent à la noblesse.

Angleterre (p. 234).

Irlande. ÉDOUARD VI et ÉLIZABETH imposent au peuple des prêtres anglicans, mais malgré les persécutions et les expéditions punitives, l'Irlande demeure cath. (sauf l'Ulster).

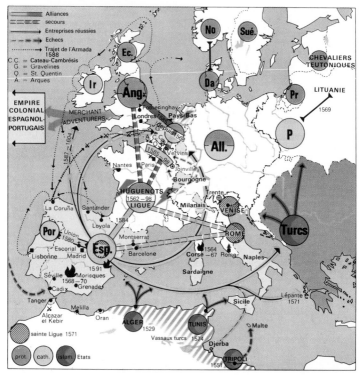

Espagne vers 1580 (Philippe II)

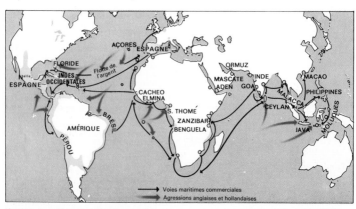

Empire universel hispano-portugais vers 1580

L'empire portugais au XVIᵉ siècle

1495-1521 EMMANUEL Iᵉʳ LE GRAND fonde la puissance commerciale portugaise avec des comptoirs en Inde, en Asie orientale (monopole des épices), en Afrique, au Brésil : Lisbonne devient le plus grand port européen. La nation est célébrée par CAMOENS (1524-1580) dans les « Lusiades » (Voyage aux Indes de Vasco de Gama : p. 217).

1557-1578 SÉBASTIEN entreprend une croisade spectaculaire contre le Maroc. Il est tué avec une grande partie de la noblesse portugaise en 1578, à la bataille d'Alcazar. Entre 1580 et 1640, union personnelle avec l'Espagne ; l'empire colonial est conquis par la Hollande et l'Angleterre.

1640 Rupture des liens avec l'Espagne sous la nouvelle dyn. des **Bragance** (JEAN IV).

L'époque de Philippe II en Espagne

1556-1598 Philippe II, à la fois méfiant, et d'esprit lent, dirige tout par écrit.

1548 Introduction du cérémonial de cour bourguignon qui isole le roi de ses sujets. **Espagnol, Habsbourg** et **catholique**, il se sent obligé d'unir toute la Chrétienté sous une direction espagnole.

L'**Escurial** (commencé en 1557) sera la capitale, le monastère et le cimetière des rois d'Espagne.

Politique intérieure. Unité relig. et polit. de tous les pays dont il a hérité, et qu'il obtient par :

1. Une inquisition brutale avec autodafés (hérétiques condamnés au bûcher) et pressions exercées sur les Morisques (Maures) et les Maranos (« porcs » : Juifs), qui sont les commerçants et les industriels de l'Espagne (1568-1570 : Révolte des Maures à Grenade);

2. Un pouvoir absolu sur l'Église nat.

Perte des Pays-Bas (1581) (p. 241). Les grands n'ont plus de puissance; les hidalgos (petite noblesse) émigrent aux colonies; ruine de l'économie, banqueroute de l'État, importation d'argent (p. 273), interdictions commerciales, déclin industriel. Le capital se rassemble entre les mains des banquiers (Fugger, p. 211). Les « tercios » sont dirigés par de grands capitaines :

DUC d'ALBE (1507-1582); ALEXANDRE FARNÈSE (1545-1592); DON JUAN D'AUTRICHE (1547-1578), demi-frère du roi; SPINOLA (1569-1630).

Politique extérieure. La France et l'Angleterre luttent contre cette hégémonie.

1556-1559 Guerre contre la France : victoires de Saint-Quentin et de Gravelines.

1559 Traité de Cateau-Cambrésis : gain

de la Bourgogne et de Naples. En Angleterre, après la mort de MARIE, tante et 2ᵉ épouse de PHILIPPE, violente réaction antipapiste :

1558-1603 ÉLIZABETH fait traîner en longueur une demande en mariage de PHILIPPE et favorise en secret la guerre des corsaires des « Merchant Adventurers » contre les navires espagnols (p. 243). Contre les Turcs, la Sainte Ligue remporte en

1571 **la brillante victoire de Lépante** qui met fin à l'hégémonie turque en Méditerranée. Les succès de PHILIPPE se poursuivent :

1580 Union personnelle de l'Espagne et du Portugal.

1584 Alliance avec le parti catholique (Ligue) français (p. 243). Pour conquérir l'Angleterre qui soutient ouvertement les rebelles des Pays-Bas, constitution d'une flotte de 130 unités et de 27 000 hommes commandée par l'amiral MEDINA SIDONIA.

1588 **Anéantissement de la Grande Armada**, sous le feu des canons de DRAKE, et par la tempête.

Le déclin de la puissance espagnole

1590 L'intervention espagnole dans les guerres de Religion renforce le sentiment nat. français. Alliance de la France à l'Angleterre et à la Hollande.

1595 Guerre de l'Espagne contre la France.

1598 Traité de Vervins. L'Espagne renonce à intervenir en France.

1598-1621 PHILIPPE III abandonne son royaume épuisé à son favori le comte LERMA « le plus grand voleur d'Espagne ».

1610 Expulsion brutale des Morisques.

1621-1665 PHILIPPE IV. C'est son ministre OLIVAREZ (1621-1643) qui règne. Son intervention dans la guerre de Trente ans accélère le déclin de l'Espagne. En 1640, perte du Portugal et de la Catalogne (jusq. 1652).

1648 Reconnaissance des Pays-Bas. Abandon de la politique de suprématie sur la France en

1659 au traité des Pyrénées (p. 255).

Civilisation à l'époque espagnole

Les mœurs et la mode espagnoles se répandent à travers toute l'Europe. La poésie et la peinture atteignent leur apogée. Le roman satirique « Don Quichotte », de **Cervantès** (1547-1616), les drames de LOPE DE VEGA (1562-1635) et de CALDERON (1600-1681) appartiennent à la littérature mondiale. **Greco** (1541-1613) et MURILLO (1617-1682) peignent des tableaux religieux, tandis que **Velázquez** (1599-1660) représente des scènes de cour. Le jésuite SUAREZ (1548-1617) développe une théorie du droit des gens.

Lutte de libération des Pays-Bas 1568-1648

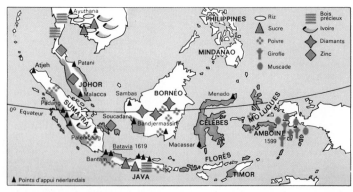

Indes néerlandaises au 17ᵉ siècle

Les Pays-Bas sous les Habsbourgs (1477-1568)

1477 Dans **l'héritage bourguignon** (p. 191), les provinces du Sud et la Hollande reviennent à MAXIMILIEN Ier. Celles du Nord reviennent également aux Habsbourgs par héritage jusq. 1543.

1512 Formation de cet empire bourguignon que CHARLES QUINT lègue en 1551 à la branche espagnole.

Caractéristiques des 17 provinces. 1) Opposition populaire et nat. entre les Wallons au Sud et les Flamands au Nord; 2) Opposition entre une noblesse paysanne appauvrie et une bourgeoisie urbaine enrichie; 3) Opposition religieuse entre le Sud catholique et le Nord qui s'ouvre très tôt à la doct. luth., même au baptisme et à partir de 1563 au calvinisme; 4) Oppositions politiques : chaque ville, chaque prov. défendent avec acharnement leurs libertés.

Constitution. Administration autonome de chaque province avec gouverneur royal et représentation des trois états. Au-dessus, gouverneur général, conseil d'État et assemblée commune (États généraux).

Importance. C'est la région la plus florissante d'Europe avec plus de 200 villes. Elle rapporte à la couronne en impôts 7 fois plus que l'argent d'Amérique. Par Anvers, véritable plaque tournante du commerce, environ 40 p. 100 du commerce mondial transite. La bourse d'Anvers est le centre du marché de l'argent. Ses grands politiques sont MARGUERITE DE PARME, gouverneur général (1559-1567) et son conseiller le cardinal GRANVELLE. Cette polit. espagnole blesse le peuple, que mènent les gouverneurs EGMONT, HOORN et **Guillaume de Nassau-Orange (1533-1584).** PHILIPPE II ne supporte ni liberté religieuse ni libertés politiques.

1565 Développement de l'Inquisition.

1566 EGMONT et GUILLAUME D'ORANGE répriment les troubles et les destructions d'images religieuses. Le roi confie la pacification au « duc de fer », ALBE.

1567 Dictature militaire avec tribunaux spéciaux (« Le Conseil Sanglant » de Bruxelles).

1568 Exécution d'EGMONT et de HOORN.

Guerre de la liberté aux Pays-Bas du Nord (1568-1648)

GUILLAUME D'ORANGE rassemble des mercenaires à Nassau, mais ne peut vaincre le duc d'ALBE sur le champ de bataille.

1573 Rappel du duc d'ALBE. Contre les pillages et la terreur de la soldatesque espag., union de toutes les provinces en 1576.

Alexandre Farnèse (1578-1592) confirme les libertés des provinces cath. du Sud et les gagne à l'Espagne au traité d'Arras (1578).

1579 **Union d'Utrecht** des provinces du Nord (naissance des Provinces-Unies). PHILIPPE II déclare GUILLAUME d'ORANGE hors la loi et réclame sa destitution. L'Union réplique en

1581 par **la déclaration d'indépendance** contre « les tyrans et les criminels » espagnols.

1584 Assassinat de Guillaume d'Orange à Delft.

Constitution des « États généraux ». Sous la présidence de la **Hollande**, région qui donne aussi son nom à l'ensemble, les députés des 7 Républiques siègent à La Haye : chacune d'elles nomme pour 5 ans un « pensionnaire conseiller » ou « avocat du pays ». Le premier dirigeant politique est OLDENBARNEVELDT (1547-1619), dit BARNEVELDT.

Nouvelle attaque de FARNÈSE : conquête de la Flandre et du Brabant.

1585 Chute d'Anvers. L'Angleterre (Leicester) aide désormais ouvertement les Provinces Unies (p. 242). Constitution d'un **empire colonial néerlandais** en Afrique du Sud, en Inde, en Asie du Sud-Est (Moluques, Inde du Nord). Sur terre, les Pays-Bas résistent. L'Angleterre et la France repoussent l'armée espagnole (p. 239). De plus, le pays possède en **Maurice d'Orange (1585-1625)** un organisateur et un tacticien génial.

1609 Conclusion d'un armistice de 12 ans. Des luttes partisanes entre MAURICE D'ORANGE et le Pensionnaire Conseiller s'achèvent en

1619 par l'exécution de BARNEVELDT.

1648 Par le traité de La Haye l'Espagne doit reconnaître la nouvelle république.

Épanouissement des Provinces-Unies au XVIIe siècle

Au cours des 80 années de guerre, le commerce et l'industrie émigrent vers le Nord (Amsterdam). La Hollande devient la première puissance commerciale du monde. Les **Compagnies** est-asiatique et ouest-asiatique (1602 et 1621) exploitent les colonies. Au milieu du XVIIe siècle, ce pouvoir maritime trouve en l'Angleterre un ennemi supérieur à lui (p. 263). **Apogée de la peinture** : école flamande avec **Rubens** (1577-1640) et VAN DYCK (1599-1641) : allégories baroques, portraits. L'école hollandaise est plus réaliste : tableaux de mœurs, marines, paysages. FRANZ HALS (1580-1666), JAN STEEN, RUYSDAEL, VERMEER, etc., et **Rembrandt** (1606-1669) : portraits, grandes scènes, eaux-fortes. **Science : Spinoza** (p. 246) et le « père du droit des gens » **Hugo Grotius** (1583-1645) sont plus célèbres que le naturaliste LEEUVENHOEK et le philologue LIPSE.

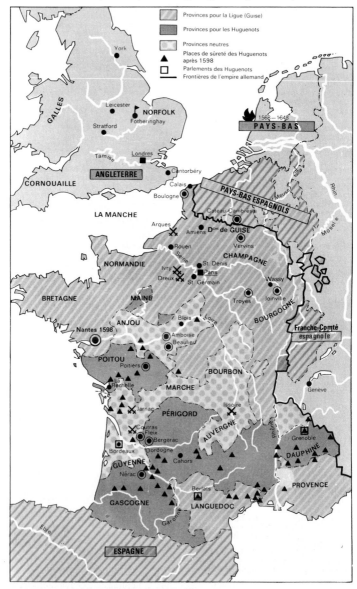

France à l'époque des guerres de Religion (1562-1598).

Les guerres de religion

1547-1559 HENRI II s'allie aux princes protestants allemands (p. 233) contre les Habsbourgs, mais persécute les huguenots français. Sa mort au cours d'un tournoi déclenche la crise.

1559-1560 FRANÇOIS II (15 ans), marié avec MARIE STUART, dépend de la famille de sa femme, les GUISE catholiques.

1560-1574 CHARLES IX (10 ans). Sa mère est régente (**Catherine de Médicis**). Elle appuie les Bourbons (Antoine de Navarre) contre les Guise. Reconnus sous condition par l'édit de Saint-Germain, les huguenots sont attaqués en

1562 par les Guise (massacre de Wassy). C'est le début des guerres de Religion.

1562-1598 L'Espagne soutient les Guise, l'Angleterre les huguenots (aide milit. également du prince palatin et du duc de Hesse). Les chefs des deux partis, FRANÇOIS DE GUISE et LOUIS DE CONDÉ, sont assassinés, conséquence de la théorie que défendent entre autres TH. DE BÈZE (p. 234) et le jésuite MARIANA, et selon laquelle le meurtre d'un tyran est licite. **Henri de Guise** et l'AMIRAL DE COLIGNY continuent la lutte. Un troisième parti se forme, le « parti des politiques » avec **Jean Bodin** (1530-1596), « (La République ».

1570 Traité de Saint-Germain : les huguenots obtiennent 4 places de sûreté. COLIGNY fait adopter au roi une polit. anti-espagnole. CATHERINE profite des noces de sa fille avec **Henri de Navarre** pour écraser COLIGNY et les huguenots.

1572 (24.8) **Nuit de la Saint-Barthélemy.** Assassinat d'environ 20 000 huguenots (3 000 à Paris). Les huguenots se retranchent dans **La Rochelle** et fondent dans le Midi leur propre organisation milit. HENRI III (1574-1589) cède à leur pression dans l'édit de Beaulieu, en 1576. Comme HENRI DE NAVARRE, huguenot, est l'héritier légitime du trône, la **Ligue** catholique (HENRI DE GUISE) s'allie à l'Espagne en 1584.

1585-1589 « Guerre des Trois Henri », dont l'enjeu est Paris. Le roi fait assassiner HENRI DE GUISE et meurt lui-même assassiné.

1589-1610 **Henri IV de Bourbon** combat la Ligue et l'armée espagnole. En 1593, il se convertit au catholicisme (« Paris vaut bien une messe! ») et met fin aux guerres.

1598 **Édit de Nantes.** Les huguenots obtiennent liberté de conscience, droit limité d'exercice de leur culte, égalité polit., et conservent leurs places de sûreté.

Résultat. La France demeure cath. mais admet une minorité polit. et relig. protestante. HENRI IV réalise la véritable unité de l'État. Le ministre SULLY organise l'agriculture et les finances. Au Canada, première colonie française (p. 273).

L'Angleterre sous les Tudors

1485-1509 **Henri VII** rétablit l'ordre par un tribunal spécial (Chambre étoilée), puis confie les administrations locales à des juges de paix. Par le mariage de sa fille avec JACQUES IV D'ÉCOSSE (1488-1513), il prépare l'unité de l'île (p. 263).

1509-1547 **Henri VIII** se laisse mener par le cardinal WOLSEY (jusq. 1530) à des guerres contre la France et l'Écosse.

1553-1558 **Marie Tudor** (p. 234) suit la polit. de CHARLES QUINT, appuie l'Espagne contre la France et perd Calais en 1558. L'Espagne et l'Église catholique (jésuites) seront dès lors considérés comme ennemis.

1558-1603 **Élizabeth I**re, fille illégitime — pour les cath. — d'ANNE BOLEYN, affermit habilement son pouvoir polit. et relig. avec l'aide de **Lord Burghley (William Cecil).**

1559-1560 Intervention en Écosse en faveur de la noblesse calviniste (p. 237). Élevée à la cour de France, MARIE STUART (1542-1567) revient en Écosse, épouse le meurtrier (BOTHWELL) de son époux (DARNLEY), doit abdiquer, fuit en 1568 en Angleterre et revendique le trône, soutenue par un puissant parti cath. (NORFOLK). MARIE est emprisonnée.

1587 Exécution de MARIE STUART qui déclenche le conflit avec l'Espagne (jusq. 1604). L'Angleterre soutenait déjà les Pays-Bas (p. 241) et la guerre des corsaires (**John Hawkins, Francis Drake,** FROBISHER, CAVENDISH, etc.).

1588 **Anéantissement de l'Armada espagnole** (p. 239); de nouvelles attaques de l'Espagne en 1596-1597 et 1599 ne constituent plus un danger.

Commerce et économie. La perte des anciennes places d'exportation (Anvers et Bruges à l'Espagne, Calais à la France, et Hambourg à la Hanse**)**, obligent l'Angleterre à rechercher de nouveaux marchés. Les **Merchant Adventurers** (commerce et course) créent des compagnies par actions : 1554, la Compagnie moscovite, 1581 la Compagnie du Levant, **1600 l'East-India Company.**

1571 Ouverture de la Bourse de Londres.

1584 Fondation de la première colonie anglaise, la **Virginie,** par **Sir Walter Raleigh** (1552 à 1618).

Résultat. L'Angleterre brise l'hégémonie espagnole et devient la plus grande puissance protestante. Épanouissement culturel et début de son essor colonial.

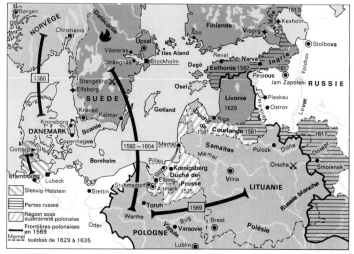

Les pays baltes au 16ᵉ siècle

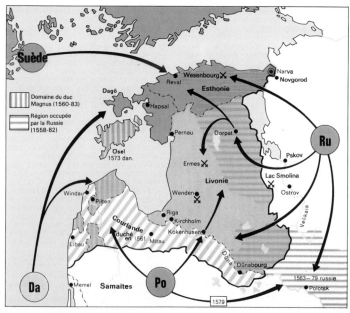

La lutte pour la Livonie 1558-1582

Formation de la République aristocratique polonaise

1506-1548 SIGISMOND Iᵉʳ renonce à la Bohême et à la Hongrie en

1515 aux congrès de Presbourg et de Vienne. MAXIMILIEN Iᵉʳ confirme en échange la suzeraineté pol. sur la Prusse, qui se transforme en duché sécularisé en 1525.

Menacée par les Turcs, la Russie et la Suède, la Lituanie en

1569 par l'**Union de Lublin**, perd son indépendance. Formation d'une diète commune. Égalité entre la noblesse lituanienne et polonaise.

Constitution. La petite noblesse (Szlachta) acquiert les privilèges des magnats (développement du servage).

Les villes autonomes ne sont pas représentées dans la **Diète** (Sejm) qui se compose du roi, des Magnats (Sénat) et de la petite noblesse.

Dès 1505 liberum veto : il faut l'unanimité des votants pour qu'une loi soit applicable.

1572 Articuli Henriciani(d'après HENRI DE VALOIS, roi de Pologne de 1572 à 1574) : droit de résistance, liberté religieuse et élective de la noblesse.

Civilisation. Sous les derniers Jagellons, « âge d'or de la Pologne », tolérance relig. (p. 237). Épanouissement du gothique de la Vistule. Apparition de la Renaissance ital. à l'école de peinture de Cracovie; influence des artistes allemands et flamands (VEIT STOSS). A l'université de Cracovie, centre d'humanisme, COPERNIC (p. 217). Après la disparition des Jagellons (1572), en

1574 double élection, MAXIMILIEN II, candidat du parti des Habsbourgs, est écarté par ZAMOYSKI, homme polit. (1542-1605), au profit de :

Étienne Bathory (1575-1586). Il renforce l'armée en engageant des Cosaques et dirige trois campagnes victorieuses contre IVAN IV.

1587-1632 SIGISMOND III VASA, roi de Suède de 1592 à 1604, favorise la Contre-Réforme (p. 237).

1607-1609 Révoltes de la noblesse contre son pouvoir absolu. Batailles contre les Turcs en Moldavie. Premiers troubles parmi les Cosaques contre les orthodoxes sous BOGDAN CHMIELNICKI (1593-1657).

Les revendications polonaises au trône des tsars amènent un soulèvement nat. russe et provoquent l'opposition des Suédois.

1618 Armistice de Deulino.

1621 Traité de Chocim avec les Turcs, mais abandon de la Livonie aux Suédois.

La Suède sous les Vasa au XVIᵉ siècle

1513-1523 CHRISTIAN II (1481-1559) triomphe du régent STEN STURE II

et après son couronnement se venge de ses adversaires en

1520 au massacre de Stockholm.

1523-1560 Gustave Vasa Iᵉʳ, avec l'aide de Lübeck, chasse le dernier roi danois en 1523. Élu roi par l'assemblée de Strängnäs, il fonde un État national suédois malgré les résistances internes. Il réorganise l'administration (baillis, Chancellerie et Chambre des Comptes). L'assemblée se compose des « ordres » (noblesse, clergé, bourgeoisie et paysannat), et vote les impôts. Pour se soustraire à la dépendance économique de Lübeck, confiscation des biens d'Église. Après

1527 introduction de la Réforme (p. 237). GEORGES WULLENWEWER (1492-1537) veut rétablir le pouvoir de la Hanse.

1534-1536 Guerre des comtes. WULLENWEWER est déposé et exécuté.

Le mariage de JEAN III (1568-1592) fonde la branche catholique de la dyn. des Vasas.

Son fils SIGISMOND (1592-1604) réunit les couronnes suédoise et pol., mais à cause de sa polit. cath., il est vaincu en

1598 à la bataille de Stangebro et déposé par l'Assemblée. A CHARLES IX (1604-1611) succède le plus grand roi de Suède :

1611-1632 Gustave II Adolphe (17 ans) qui crée l'armée la plus moderne d'Europe

La lutte pour la domination de la Baltique au XVIᵉ siècle

La première poussée russe vers la Baltique est repoussée en

1502 à la bataille du lac Smolina par WOLTER VON PLETTENBERG (1494-1535) maître provincial de Livonie.

IVAN IV (p. 199) reprend la lutte pour la Livonie. En

1558 la Livonie se place sous la protection de la Pologne. Après l'effondrement de l'ordre teutonique, la Courlande passe sous suzeraineté polonaise. D'où conflit de la Pologne et de la Russie.

1563-1570 Alliance avec le Danemark et guerre des Trois Rois contre la Suède.

1582 Armistice de Jam Zapolski. La Russie renonce à la Livonie et à Polozk. Dans la lutte pour l'hégémonie balte, triomphe de GUSTAVE-ADOLPHE. Il met fin à la guerre de Kalmar (1611-1613). Traité de Knäred avec CHRISTIAN IV DE DANEMARK (p. 249) dont la politique d'annexion échoue. La Russie perd tout accès à la Baltique en **1617 au traité de Stolbova.**

1621 Conquête de la Livonie par GUSTAVE II ADOLPHE. La Pologne doit céder la Livonie à la Suède par l'armistice d'Altmark (1629),

Le Baroque (1600-1750)
Le Baroque (portugais barocco = perle irrégulière), style de cour, exprime le sens de la vie de la Contre-Réforme et de l'absolutisme. Il remplace la Renaissance et provient comme celle-ci de l'Italie (MICHEL-ANGE). Il se répand d'abord dans l'Allemagne du Sud, ainsi que dans les Flandres (peinture, p. 241) et devient le premier style universel. Cet art trouve son expression dans les constructions princières et religieuses.
Architecture. En liaison avec la sculpture et la peinture, elle tend au « style grandiose », par un élan rythmé et par une décoration qui va jusqu'à la surabondance. Dans les **églises** (dont le modèle est le « Gesù » à Rome, 1585), construction à coupole et plan ovale (Saint-Louis de Versailles). En Allemagne : peintures des plafonds, sculptures, ornementation, groupe de colonnes contournées. Des éléments semblables se retrouvent dans les **palais** entourés de parcs géométriques (modèle : Versailles p. 257) : construction centrale très décorée, à étages, ailes très développées. En Italie, les architectes **Borromini** (1599-1667) et le **Bernin** (1598-1680); en France MANSART (Dôme des Invalides) et LE VAU; en Franconie, les familles DIENTZENHOFER et BALTHASAR NEUMANN (1687-1753). En Bavière, travaillent les frères ASAM, en Westphalie SCHLAUN, en Saxe BÄHR (Autriche p. 261; Dresde, Berlin p. 259). JONES (1573-1652) et WREN (1632-1723) représentent en Angleterre le **style palladien.**
Musique. En Italie, évolution du style musical par la fusion de formes anciennes et découverte de formes nouvelles (fugue, suite, cantate, concerto grosso, sonate). La **monodie** s'oppose à la composition polyphonique (contrepoint). FRESCOBALDI (mort en 1643), **Corelli** (1653-1713), **Vivaldi** (1680-1743) sont les représentants de « l'Ars nova » (musique instrumentale, vocale, et d'orgue) introduit en Angleterre par PURCELL.
L'oratorio relig. épico-lyrique naît avec **Monteverdi** (1567-1643), qui, suivi par CAVALLI et SCARLATTI, crée l'**opéra** avec le récitatif dramatique et les arias lyriques. Les chefs d'orchestre italiens se répandent dans les cours européennes. **Lulli** (1632-1687) fonde l'opéra héroïque, **Rameau** (1683-1764) l'opéra nat. français. SCHÜTZ (1585-1672) et BUXTEHUDE (1636-1770) sont les précurseurs de la musique allemande qui atteint son premier apogée avec **Jean-Sébastien Bach** (1685-1750). **Georges-Frédéric Haendel** (1685-1759) compose en Angleterre à p. de 1712. Dès 1750, **Vienne** est le foyer du **classicisme** (sonates, symphonies, lieder,

opéras) avec GLUCK (1714-1787), **Joseph Haydn** (1732-1809) et **Mozart** (1756-1791).
Littérature. (Espagne p. 239, France p. 257). En Allemagne. **Martin Opitz** (1597-1639) réglemente la poésie de cour. Les œuvres de **Grimmelshausen** (mort en 1676) sont marquées par les événements de la Guerre de 30 ans.
Philosophie. Cherchant une méthode rationnelle de connaissance qui permette d'expliquer le monde de manière juste, sans dogmatisme relig., **Francis Bacon** (1561-1626) fonde l'**empirisme** anglais : les expériences qui proviennent de l'observation mènent à des lois générales (méthode inductive), et à une science qui est puissance. **John Locke** (1632-1704) nie qu'il y ait des « idées préconçues ». La sensation est le seul moyen de connaître. **René Descartes** (1596-1650) représente le **rationalisme** : Après avoir mis en doute l'existence du monde, la pensée découvre son autonomie (Cogito). La matière et l'esprit sont absolument séparés (dualisme). **Spinoza** (1632-1677) part de l'identité de la pensée et de l'être pour affirmer l'unité de Dieu et de la nature (monisme). Son panthéisme influence également le système de **Leibniz** (1646-1716) : le monde se compose de **monades** en nombre infini dont l'harmonie est « préétablie » par Dieu (unités de force dynamique) et s'étage qualitativement de la matière à la monade centrale, Dieu. L'homme doit concevoir l'ordre raisonnable du « meilleur des mondes possibles ».
Droit public. Dans son utopie « Nova Atlantis », **Bacon** présente le modèle d'un État complètement organisé, ainsi que CAMPANELLA (1568-1639) dans son « État solaire ». **Hugo Grotius** (1583-1645) entrevoit un État formé par le libre consentement d'hommes qui recherchent leur propre sécurité. Dans « De jure belli ac pacis » (1625), il réclame l'établissement d'un « **droit des gens** » qui règle la paix générale. Seule la guerre défensive est moralement autorisée; la mer doit être libre pour toutes les nations. C'est sur une **théorie contractuelle** que **Hobbes** (p. 255) et **Pufendorf** fondent le droit du prince et la souveraineté absolue de l'État. Pour eux, ce contrat social n'est pas résiliable; pour LOCKE (p. 265), le peuple peut le résilier si le prince viole le droit naturel.
Théories scientifiques. Galilée (1564-1642). Avec son « Livre pour la lecture de la nature à l'aide des mathématiques », il crée la **physique classique**, découvre les lois de la chute libre des corps, que **Képler** (1571-1630) complétera par les lois sur le mouvement des planètes et **Isaac Newton** (1643-1727) par celle de la gravitation.

Le Siècle des Lumières (XVIIIᵉ siècle)
Le plus grand mouvement spirituel que
connaît l'Europe occ. après la Réforme
se fonde sur l'humanisme (p. 208), la
philosophie et la conception du monde
fournie au XVIIᵉ siècle par les sciences
physiques. Ces idées font naître une
conception générale qui s'applique à
tous les domaines de la vie et que
répand partout une **bourgeoisie** devenue
consciente d'elle-même grâce à son
bien-être et à son intelligence. D'après
Kant, le siècle des lumières est « celui
où l'être humain arrive à l'âge adulte ».
La **raison**, l'éveil de l'esprit critique, la
liberté spirituelle et la **tolérance religieuse** doivent vaincre la tradition, les
dogmes, l'autorité de l'État et de
l'Église (absolutisme), les préjugés
moraux et sociaux. Une éducation
naturelle garantit le **progrès**, provoque
une « fraternisation de l'humanité »
(bourgeoisie universelle, **cosmopolitisme**), la « paix éternelle » (KANT)
ainsi que le bonheur et le bien-être
de tous.
Les villes et les universités sont les
centres actifs de ce mouvement. Pour
propager cet idéal, en Angleterre la
franc-maçonnerie se constitue (1717,
fondation de la Grande Loge de Londres) dont l'influence politique a été
très surestimée.
Philosophie. En Angleterre, elle se distingue par le **déisme** : Dieu laisse le
monde qu'il a créé évoluer d'après ses
propres lois sans intervenir par des
miracles ou des révélations. Cette « religion naturelle » est la base de toutes les
religions. CHERBURY, COLLINS, **Shaf-
tesbury** (1671-1713) sont des **libres
penseurs** qui unissent le beau et le bien
dans une morale naturelle.
David Hume (1711-1776) doute de
toute certitude (scepticisme). L'esprit,
« force d'association » est lié aux
perceptions par des lois psychologiques.
A sa naissance, l'homme est une « table
rase »sur laquelle l'expérience consigne
ses « caractères ».
En France c'est **Pierre Bayle** (1647-1706)
qui ouvre les voies au Siècle des Lumières, en combattant sans condition
pour la liberté de la science et de la foi.
Voltaire (1694-1778) fait l'éloge de son
siècle dans « Le Mondain ». Dans les
« Lettres philosophiques », il critique
PASCAL et donne l'Angleterre en exemple. Il prône une morale fondée sur l'activité humaine (« Candide »). Le « patriarche de Ferney » meurt respecté de toute
l'Europe. L'**Encyclopédie** (1751-1777)
éditée par D'ALEMBERT et DIDEROT
présente et veut répandre toute la
science de l'époque sous le jour du
rationalisme ; y collaborent des **matéria-
listes et athées** : CONDILLAC, LA METTRIE
(« l'homme est une machine »), et
HOLBACH (« la religion est un produit de
l'angoisse et du scandale des prêtres »),

ainsi que **Jean-Jacques Rousseau**
(1712-1778). Critiquant la civilisation,
il s'oppose à la théorie du progrès : bon
de nature, l'homme devient mauvais
quand il ne se laisse pas guider par le
sentiment. La civilisation corrompt
(envie, mensonge, dissimulation). Il faut
« revenir à la nature » et à une simple
« culture du cœur ». Dans l' « Émile »
(1762), il veut appliquer cet évangile
naturel aux besoins de l'éducation et
défend dans son roman épistolaire « La
Nouvelle Héloïse » (1761) le « droit à la
grande passion ». Opposition au mouvement philosophique menée par le
« Journal de Trévoux ».
En Allemagne, les écrivains insistent
sur le rôle de l'éducation. CHRISTIAN
WOLFF (1679-1754) répand les idées
de LEIBNIZ. **Gotthold Ephraim Lessing** (1729-1781) lutte pour la tolérance
(« Nathan le Sage », 1779), l'indépendance spirituelle nationale et l'humanité (« Éducation de la race humaine »,
1780). Son ami MOÏSE MENDELSSOHN
(1729-1786) combat pour l'égalité des
droits des Juifs.
Le plus grand penseur de l'époque est
Emmanuel Kant (1724-1804), de Kœe-
nigsberg. « **Critique de la Raison pure** »
(1781) : l'expérience dépend des formes
de la sensibilité (espace et temps).
Le monde ne peut donc être connu
que « comme il nous apparaît », et
non « comme il est » (séparation
précise de la science et de la foi).
« **Critique de la Raison pratique** »
(1788) : La loi morale postule l'existence de Dieu, la liberté et l'immortalité. Les exigences morales n'ont de
valeur que lorsque les hommes les
éprouvent, libres de toute tendance
personnelle (succès, penchant) comme
des **impératifs catégoriques** auxquels
on obéit librement (autonomie morale
de la personnalité). Avec KANT commence la **philosophie idéaliste allemande** : sa doctrine influe également
sur le classicisme allemand (SCHILLER).
Religion et Église. Le **fébronianisme**
de l'évêque auxil. J. N. VON HONTHEIM,
est un mouvement « éclairé » qui critique la hiérarchie du clergé et sa
dépendance de Rome. En 1773, la
Curie supprime l'ordre des jésuites
(toléré en Russie et en Prusse). Dans le
protestantisme, à côté de l'orthodoxie
luth. apparaît le **piétisme**, mouvement
qui tend à un christianisme biblique
pratique. Le comte Zinzendorf (1700-
1760) accueille les frères moraves
expulsés (p. 193) qui se reforment en
communautés. Sous l'influence piétiste,
WHITEFIELD et **John Wesley** fondent
en 1770 en Angleterre l'**Église métho-
diste** : conversions, guérisons, missions
populaires et soins aux pauvres. Grand
succès en Amérique du Nord. SHARP et
WILBERFORCE combattent l'esclavage,
supprimé en Angleterre en 1807.

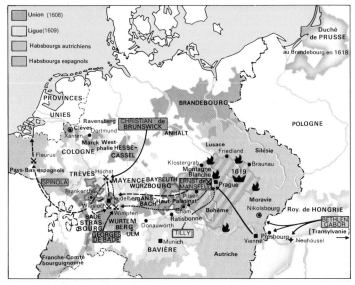

Guerre de Bohême et du Palatinat, 1618-1623.

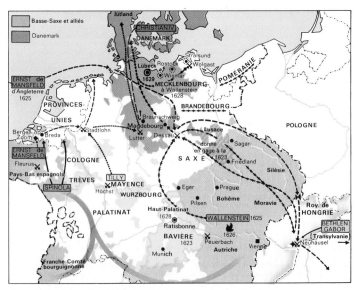

Guerre dano-saxonne, 1625-1629.

1618-1648 Guerre de Trente Ans. Elle commence par une guerre de religion et finit en conflit général des puissances europ. Toutes les tensions entre États cath. et prot., classes sociales et princes, villes impériales et empereur, Habsbourgs et France, vont se manifester.

Cause immédiate de la guerre : la politique des Habsbourgs
Le conflit entre RODOLPHE (p. 231) et MATTHIAS divise les États. En 1608, l'Autriche, la Hongrie et la Moravie élisent MATTHIAS.

1609. MATTHIAS garantit aux États de Bohême le droit de choisir librement leur roi, et RODOLPHE, la liberté religieuse.

1617 Traité de Prague. PHILIPPE III d'Espagne abandonne son droit héréditaire sur la Bohême au profit de l'archiduc FERDINAND contre cession de l'Alsace. Sans l'accord des États, FERDINAND devient roi de Bohême. Des troubles provoqués par la destruction des églises prot. et l'annulation des privilèges mènent en

1618 à la 2ᵉ défenestration de Prague (victimes : les conseillers impériaux). Soulèvement général (comte DE THURN) et formation d'un gouvernement des États avec l'appui de MANSFELD.

L'écrasement de la Bohême et la défaite du Palatinat
THURN marche sur Vienne : union des États d'Autriche, de Silésie, Moravie, Hongrie et Transylvanie (BETHLEN GABOR).

1619-1637 FERDINAND II, élu empereur, n'est pas reconnu par la Bohême qui élit roi FRÉDÉRIC V DE PALATINAT (23 ans). L'empereur contre-attaque grâce aux subsides du pape et à l'aide de l'Espagne, de la Ligue (MAXIMILIEN Iᵉʳ DE BAVIÈRE) et du prince électeur de Saxe. Pendant que la Saxe conquiert la Lusace et que des troupes espagnoles pénètrent dans le Palatinat (SPINOLA), l'armée de la Ligue (TILLY) triomphe de la Bohême en

1620 à la bataille de la Montagne blanche. FRÉDÉRIC DE PALATINAT s'enfuit en Hollande.

1622 Paix séparée de Nikolsbourg avec BETHLEN GABOR. TILLY prend Heidelberg d'assaut.

1623 La Bavière obtient la dignité de principauté électrice et le haut Palatinat. La Lusace est donnée en gage à la Saxe. En Bohême, tribunaux dépossédant la moitié de la noblesse terrienne. Recatholicisation violente (150 000 émigrants) et regermanisation qui seront le fondement de la haine des Tchèques à l'égard des Allemands.

1627 La Bohême sera désormais possession héréditaire des Habsbourgs qui y exerceront le pouvoir absolu.

La période danoise de la guerre de Trente Ans
Assuré de subsides anglais, néerlandais et français, CHRISTIAN IV de Danemark (p. 245), duc de Holstein et « chef suprême du Cercle de basse Saxe » intervient.

Albert de Wallenstein (1583-1634) met une armée à la disposition de l'empereur. Issu de la noblesse bohémienne, il se convertit au catholicisme.

1624 Il devient duc de Friedland. Il vainc MANSFELD en

1626 au Pont de Dessau.

1626 Victoire de TILLY à Lutter sur CHRISTIAN IV. Avec WALLENSTEIN, il repousse le roi en Jutland. WALLENSTEIN soumet l'Allemagne du Nord jusqu'à Stralsund. Il obtient le Mecklembourg en duché (1628).

1629 Traité de Lübeck : CHRISTIAN IV renonce à toute immixtion et conserve ainsi ses possessions. Trois possibilités politiques s'offrent à FERDINAND II : 1) Édification d'un empire universel (plan de CHARLES QUINT) ; 2) Réforme impériale absolutiste (plan de WALLENSTEIN) ; 3) Recatholicisation de l'Allemagne.

1629 **Édit de restitution.** Restitution de tous les biens d'Église tombés au pouvoir des prot. après 1552.

1630 Assemblée des princes électeurs à Ratisbonne. Soucieux de leurs « libertés », ils obligent l'empereur à renvoyer WALLENSTEIN.

Caractère de la guerre
L'entretien des armées est coûteux, elles demeurent donc peu nombreuses et on ne les risque qu'à contrecœur dans une bataille (guerre d'usure). La durée d'une campagne dépend du trésor de guerre. Les lansquenets refusent de servir dès qu'il y a retard dans leur solde. Ils s'engagent ailleurs, pillent et briment les populations. Troupes en présence :
1. Mercenaires diversement armés (lance, arquebuse, pique), dirigés par des chefs mercenaires eux-mêmes (MANSFELD) ;
2. Armée espagnole disciplinée, et qui se bat formée en carrés ;
3. Armée de WALLENSTEIN qui n'affiche aucune confession relig. Le pays occupé doit supporter toutes les charges de la guerre (la guerre nourrit la guerre) ;
4. Armée nationale suédoise, mobile et dotée d'une grande puissance de feu. Elle se bat pour son roi et sa foi luthérienne, en faisant régner partout la terreur.

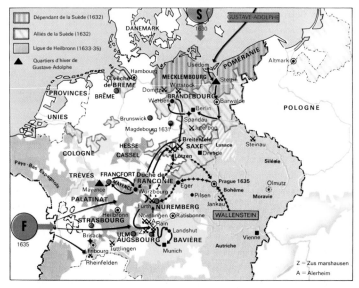

Intervention suédoise et franco-suédoise 1630-1648.

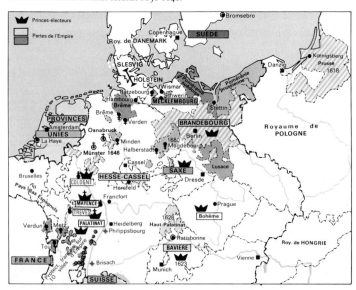

Traités de Westphalie, 1648.

L'intervention suédoise (1630-1635)

Après avoir fait la paix (négociée par RICHELIEU) avec la Pologne (p. 245, 255), en

1630 débarquement de **Gustave II Adolphe de Suède** pour protéger la cause protestante, mais également pour assurer la puissance suédoise.

1631 Traité de Bärwalde avec la France qui, principale force contre les Habsbourgs, fournit des subsides. La population évangélique acclame le roi de Suède, les États protestants (Brandebourg, Saxe) ne le rejoignent qu'en

1631 après la destruction et le pillage de Magdebourg par TILLY et PAPPENHEIM. Appelé par dérision le « roi des neiges » à Vienne, GUSTAVE-ADOLPHE sauve le protestantisme de l'Allemagne du Nord en anéantissant l'armée de TILLY en

1631 **à la bataille de Breitenfeld.** Traversant la Thuringe et la Franconie, il délivre le Palatinat et passe l'hiver à Mayence.

1632 Mort de TILLY. Munich et Nuremberg ouvrent leurs portes aux Suédois. Rappelé comme « généralissime avec pouvoirs spéciaux », WALLENSTEIN chasse les Saxons de Bohême, oblige GUSTAVE-ADOLPHE à abandonner son dessein de pousser sur Vienne.

1632 **Bataille de Lützen.** Victoire suédoise, mais mort de GUSTAVE-ADOLPHE. Ses successeurs militaires sont BERNARD DE SAXE-WEIMAR puis TORSTENSON et WRANGEL. Le chancelier de Suède OXENSTIERN assume le gouvernement et la direction politique (p. 267).

1633 Ligue de Heilbronn. B. DE SAXE-WEIMAR obtient le duché de Franconie, conquiert le haut Palatinat et la Bavière jusqu'au Danube. WALLENSTEIN, abandonne MAXIMILIEN Ier DE BAVIÈRE.

1633 Il s'assure la fidélité personnelle de ses officiers dans la convention de Pilsen et engage des pourparlers de paix séparée avec la Suède et la Saxe. Déposé, mis hors la loi, il est en 1634 assassiné à Eger.

1634 **Bataille de Nordlingen,** où la Suède perd l'Allemagne du Sud. FERDINAND II renonce à la restitution des biens d'Église pour conclure en

1635 **le traité de Prague,** auquel adhèrent presque tous les États prot. Une armée impériale doit chasser les étrangers.

I 'intervention française (1635-1648)

S'alliant avec BERNARD DE SAXE-WEIMAR, la France prend maintenant une part active à la guerre qui se poursuit sur deux fronts.

1637-1657 FERDINAND III fait naître tous les espoirs de paix. Mais en 1638, nouvelle alliance franco-suédoise.

1643 Déclaration de guerre au Danemark (p. 267).

1644 Début de longs pourparlers de paix à Münster et à Osnabrück. Armistice de la Suède et du Brandebourg; la Saxe s'y joint.

Allemagne du Sud. BERNARD DE SAXE-WEIMAR conquiert en

1638 l'Alsace avec Brisach. Une attaque en tenaille sur la Bavière met fin à la guerre.

1648 **Traités de Westphalie,** à Münster avec la France, à Osnabrück avec la Suède; les deux puissances deviennent garantes de la paix.

Résultats des traités de Westphalie

1. Clauses religieuses. Confirmation de la paix relig. d'Augsbourg (1555) avec participation des calvinistes. Les changements de confession seront tolérés, sauf dans le haut Palatinat et dans les terres héréditaires de l'empereur, où seul sera valable le catholicisme.

2. Clauses constitutionnelles. Les droits impériaux (législation, conclusion de traités) sont soumis à ratification de la Diète, qui deviendra assemblée permanente en 1663. **Pleine souveraineté des États de l'empire** (jus foederationis), c.-à-d. droit de se fédérer sauf contre l'empereur et l'empire. La Bavière demeure principauté électrice, ainsi que le Palatinat.

3. Clauses politiques. La France obtient la haute Alsace, les Trois Evêchés de Metz, Toul, Verdun (vicariat); la surveillance de 10 villes d'empire alsaciennes et la frontière du Rhin (pont de Brisach).

La Suède acquiert la Poméranie occidentale avec Stettin, Wismar, Rügen; les duchés de Brême et de Verden, et par conséquent le contrôle de l'embouchure de la Weser, de l'Elbe et de l'Oder, ainsi qu'un siège à la Diète. **La Bavière** obtient le haut Palatinat; **la Saxe,** la Lusace. **Le Brandebourg** obtient la Poméranie orientale et les évêchés d'Halberstadt, de Kammin, de Minden, ainsi que le droit de candidature sur l'archevêché de Magdebourg.

La Suisse et les Pays-Bas se séparent de l'empire.

Importance. Début de l'époque de l'État sécularisé. En Europe, le danger d'une hégémonie des Habsbourgs est conjuré. Essor de nouvelles grandes puissances (France, Suède, Pays-Bas). **En Allemagne.** L'empire se dissout en un État fédéral qui scelle son impuissance polit. et milit. MAZARIN se pose en défenseur des « libertés germaniques ».

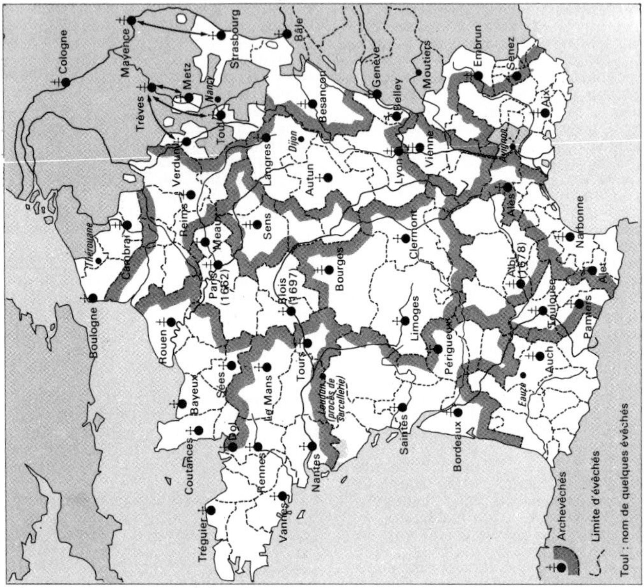
Archevêchés
Limite d'évêchés
Toul : nom de quelques évêchés

Divisions religieuses

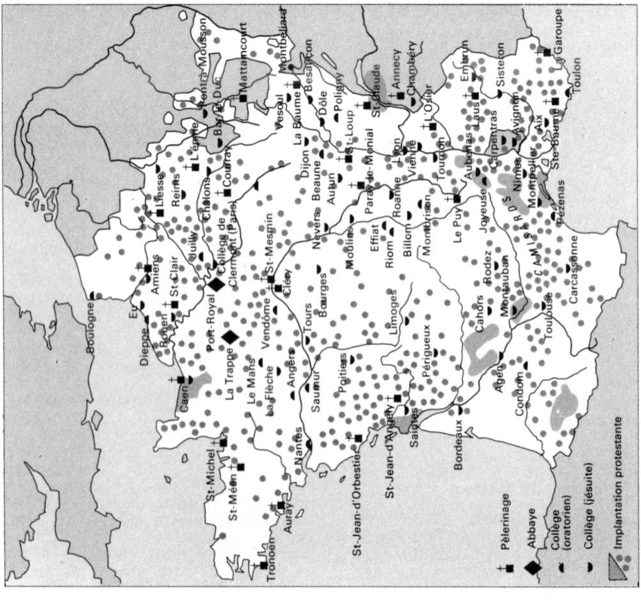
Pèlerinage
Abbaye
Collège (oratorien)
Collège (jésuite)
Implantation protestante

Enseignement et pratique religieuse

L'épanouissement de la vie religieuse sous Louis XIV a été préparé par **l'introduction d'ordres nouveaux dans la première moitié du siècle.**
1601 Fondation du **Carmel** français (Mme Acarie) d'après le modèle espagnol (Sainte Thérèse d'Avila), 8 monastères en 1610, 40 en 1630.
1609 « Introduction à la vie dévote » de Saint François de Sales (1567-1622) évêque « in partibus » de Genève. A écrit le « Traité de l'Amour de Dieu » (1616).
1609 L'ordre de l'**Oratoire** s'installe en France sous l'autorité du cardinal de Bérulle (1575-1629).
1634 Ordre des **Filles de la Charité,** créé par Saint Vincent de Paul (1576-1660), ancien précepteur chez Philippe de Gondi. Aumônier des galères en 1622.
1638 Fondation de l'œuvre des enfants trouvés par **saint Vincent de Paul.**
1664 Rance fonde **la Trappe.**

Le jansénisme

Louis XIV le considère comme une hérésie dangereuse pour l'unité de la foi dans le royaume. Or « le roi n'a de sa vie manqué la messe qu'une fois à l'armée, un jour de grande marche, ni aucun jour maigre, à moins de vraie et très rare incommodité » (Saint-Simon). Mais il n'a aucune formation théologique. Il suit les conseils de ses confesseurs de l'ordre des jésuites : le père de la Chaise (confesseur du roi pendant 32 ans, 1624-1709) et le père Tellier (successeur du P. de la Chaise).
1643 **Condamnation par le pape** de propositions extraites de l' « Augustinus », ouvrage posthume de Jansénius publié en 1640.
1670 1re édition des « Pensées » de **Pascal,** mort en 1662, fragments d'une apologie destinée aux libertins. Tout occupée par l'amour de soi (« amour-propre »), l'âme cherche à s'étourdir dans le « **divertissement** ». Elle est placée devant « **trois ordres** » de grandeur : des corps, de l'esprit et de la charité. Pourquoi ne pas tenter « **le pari** » de croire?
Le salut est dans « le Dieu d'Abraham, le Dieu d'Isaac, le Dieu de Jacob ».
1679 **Première persécution contre les jansénistes.** Le grand Arnauld est obligé de se réfugier aux Pays-Bas.
1693 Pasquier Quesnel de l'Oratoire publie « Réflexions morales sur le Nouveau Testament ».
1705 Bulle « **Vineam Domini** » contre le jansénisme.
1709 **Port-Royal est fermé.**

Le gallicanisme

Louis XIV tint à affirmer son autorité sur l'Église catholique. Le conflit avec le pape Innocent XI (1676-1689) naît à propos du « **droit de régale** ».

1673 Établissement de la régale spirituelle (droit de nommer à certaines abbayes de femmes) : Extension à tout le royaume de la régale temporelle (droit de toucher les revenus des évêchés vacants).
Les évêques Pavillon, d'Alet, Caulet, de Pamiers, protestent.
1682 Une « Assemblée extraordinaire » du royaume prépare la « **Déclaration des Quatre Articles** » affirmant **l'indépendance de l'Église de France à l'égard de Rome.** L'autorité du Souverain Pontife trouve des limites dans les canons de l'Église, dans les droits des évêques (constitués comme lui gardiens de la doctrine), dans les conciles généraux.
1688 Trente-cinq évêchés restent sans titulaire, le pape refusant de donner l'investiture aux évêques présentés par Louis XIV.
1713 **Bulle Unigenitus.**
Louis XIV a recours au pape pour condamner le jansénisme. Une partie du haut clergé, le Parlement de Paris, restés fidèles au gallicanisme, protestent. Les magistrats des Parlements veulent tirer des conséquences juridiques qui permettraient de surveiller les relations entre le clergé national et Rome : ainsi triompha la règle d'après laquelle aucun acte du Siège apostolique ne peut être publié en France sans l'approbation du souverain.
De là l'apparition d'un gallicanisme parlementaire (régalisme).

Le protestantisme

Peu nombreux, les protestants tiennent une place importante dans la vie économique (Van Robais, industriel dans le tissage à Abbeville, Le Gendre, banquier à Rouen).
1676 **Création de la Caisse des conversions.**
1680 **Début des dragonnades** (logement des soldats de préférence chez les protestants).
1685 **Édit de Fontainebleau : révocation de l'Édit de Nantes.** Les pasteurs doivent être expulsés. Les « nouveaux convertis », ex-réformés, doivent rester dans le royaume.
1688 **Bossuet** : « Histoire des variations des Églises protestantes ».
1700 Apparition d'un **prophétisme cévenol** au nord de Ganges, Anduze et Alès.
1702 **Début de la guerre des Camisards.**
1703-1710 Dévastation systématique par les troupes du maréchal de Villars.
1715 Antoine Court restaure une Église régulière, avec des pasteurs, une discipline, des assemblées religieuses dans des campagnes reculées (au « désert »).

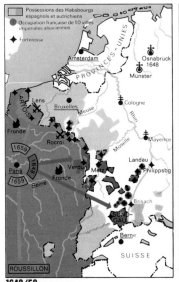

Possessions des Habsbourgs espagnols et autrichiens
Occupation française de 10 villes impériales alsaciennes
Forteresse

Amsterdam
PROVINCES-UNIES
Osnabrück 1648
Munster
Lens
ARTOIS
Bruxelles
Cologne
Meuse
Fronde
Rocroi
Moselle
Rhin
Mayence
1659
1648
Paris
Verdun
Fronde
Landau
Philippsbg
Seine
Metz
Toul
Brisach
SUND-GAU
Berne
SUISSE
ROUSSILLON

1648/59

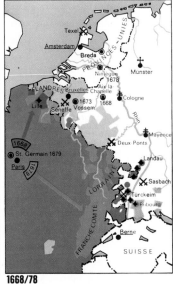

Ville détruite
Texel
Amsterdam
Breda
PROVINCES-UNIES
Munster
FLANDRES Bruxelles
Aix la Chapelle
Nimègue 1678
1668
Lille
1673
Seneffe Vossem
Cologne
Rhin
Mayence
Deux Ponts
1668
St. Germain 1679
Paris
Landau
1678
Sasbach
LORRAINE
Türckeim
Fribourg
FRANCHE-COMTE
Berne
SUISSE

1668/78

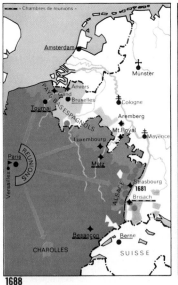

« Chambres de réunions »
Amsterdam
Munster
Anvers
Gand
Bruxelles
PAYS-BAS-ESPAGNOLS
Cologne
Tournai
Aremberg
Mt.Royal
Mayence
Luxembourg
REUNIONS
Paris
Versailles
Metz
Strasbourg
1681
ALSACE
Brisach
Besançon
Berne
CHAROLLES
SUISSE

1688

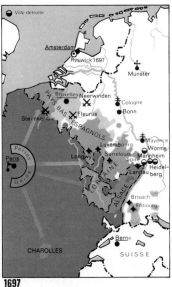

Ville détruite
Amsterdam
Ryswick 1697
Munster
Bruxelles Neerwinden
PAYS-BAS-ESPAGNOLS
Cologne
Fleurus
Bonn
Steinkerque
Mayence
Luxembourg
Worms
Longwy
Sarrelouis
Mannheim
Paris
Spire
Heidel-berg
Pertes
Gains
Landau
LORRAINE
ALSACE
Brisach
Fribourg
CHAROLLES
Berne
SUISSE

1697

Avance de la France vers l'est au 17e siècle

L'absolutisme en France
Sous Louis XIII (1610-1643), formation du pouvoir absolu. Théorie de **Jean Bodin** (p. 243) et de **Thomas Hobbes** (1588-1679) dans le « **Léviathan** » (1651) : à l'état de nature, il y a guerre de « tous contre tous ». Les hommes doivent pour subsister passer un **contrat** par lequel ils transfèrent irrévocablement leurs droits naturels à l'État, dont la souveraineté est donc absolue et qui est représenté de la manière la plus parfaite par une personne, le roi **(monarchie absolue)**. **Bossuet** (1627-1704) formule la doctrine de l'absolutisme : « Un roi, une foi, une loi ». Le prince est le représentant de Dieu.
1614 Dernière convocation des états généraux. Au point de vue polit., l'absolutisme triomphe avec le **cardinal de Richelieu** (1624-1642), âgé de 39 ans. Il combat l'opposition de la haute noblesse et les droits polit. (mais non relig.) des huguenots (p. 243), dont il enlève la dernière place de sûreté, La Rochelle, en 1628. Création d'une armée permanente et d'une administration royale dans les provinces. Des **intendants** reçoivent les pouvoirs des gouverneurs nobles. Il doit tolérer la vénalité des charges.
1635 Fondation de l'**Académie française.**
Politique extérieure. Le but est de libérer le pays de l'étreinte des Habsbourgs et de rétablir des « frontières naturelles » : Pyrénées et Rhin. Soutien accordé aux princes protestants d'Allemagne. Médiation dans le conflit baltique entre la Pologne et la Suède (1629, armistice d'Altmark). Aide financière à la Suède (Gustave-Adolphe).
1635 Intervention dans la guerre de Trente Ans (p. 251).
1643-1661 Le **cardinal Mazarin** (41 ans) gouverne dans l'esprit de Richelieu.
1648 Gains dans le Traité de Westphalie (p. 251). Guerre contre l'Espagne et en
1659 traité des Pyrénées. Déclin de l'Espagne, accession de la France au rang de première puissance europ. Début de la « période française ».
1648-1653 Dernière révolte des nobles : la Fronde, à laquelle se joint le Parlement de Paris (cour suprême de justice avec droit de contrôle sur les ordonnances royales). La haute noblesse perd toute importance politique.

Politique extérieure de Louis XIV
1661 Louis XIV (22 ans) prend le pouvoir. Son but : **hégémonie europ.** et agrandissement du royaume au Nord et à l'Est (frontière du Rhin). 1) Il s'appuie sur l'alliance rhénane dirigée contre les Habsbourgs ; 2) Il cherche à entourer l'empire en détachant les « voisins du voisin » : Suède, Pologne, Hongrie, et Turquie.

Moyen diplom. préféré : les **subsides.**
1667-1668 Guerre de Dévolution contre l'Espagne : revendique des droits (douteux) sur le Brabant. L'Angleterre et la Hollande se réconcilient au traité de Bréda (p. 263), s'unissent à la Suède dans une triple alliance qui l'oblige à signer le traité d'Aix-la-Chapelle (1668). Préparation de la « vengeance contre la Hollande » (concurrence économique) par des alliances avec Charles II d'Angleterre (1670), la Suède (1672) et des évêchés de l'empire (Cologne, Münster).
1670 La France occupe la Lorraine.
1672-1678 Guerre contre la Hollande. Jan de Witt, chef du parti de la Régence, est renversé. **Guillaume II d'Orange** (22 ans) est nommé gouverneur-général à vie. Ouverture des écluses et des digues pour protéger le pays.
1672-1673 Alliance antifranç. sous la direction de l'Autriche (Lisola). Louis XIV répond en imposant le candidat franç. à l'élection à la couronne de Pologne et par une révolte de la noblesse hongr. (p. 261).
1678 Traité de Nimègue. La Hollande demeure entière. L'Espagne perd la Franche-Comté. Malgré ses succès militaires, le Brandebourg doit céder Stettin et la Poméranie suédoise en
1679 au traité de Saint-Germain. Vexé par la politique de l'empereur, le Grand Électeur conclut un « traité de subsides » avec Louis XIV et tolère sa **politique d'annexions.** Conquête pacifique de la frontière du Rhin. Les revendications franç. sur les terres d'empire sont reconnues valables par des Chambres de réunion françaises.
1681 Annexion de Strasbourg, et entrée triomphale de Louis XIV.
1684 Occupation du Luxembourg. Sécurité des frontières par un système de fortifications. L'avance des Turcs oblige l'empereur et l'empire à reconnaître les annexions en
1684 à Ratisbonne. Toutefois, résistance de la Ligue d'Augsbourg (1686). Malgré tout, Louis XIV élève au nom de sa belle-sœur, Élisabeth-Charlotte (la princesse Palatine), des revendications sur le Palatinat.
1688-1697 Guerre de la Ligue d'Augsbourg. Après invasion des Français en Allemagne du Sud, en
1689 Grande Alliance (Guillaume II d'Orange) pour assurer l'équilibre europ. Dévastation du Palatinat, destruction de Worms, du château de Heidelberg.
1692 Bataille navale de La Hougue : défaite décisive de la flotte française.
1697 Traité de Ryswick. Première paix de compromis de Louis XIV, qui garde Strasbourg et les annexions en Alsace.

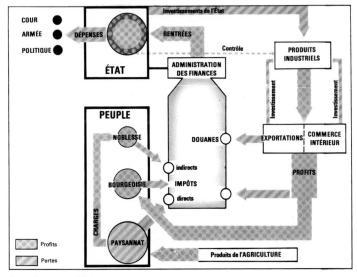

Le système mercantiliste

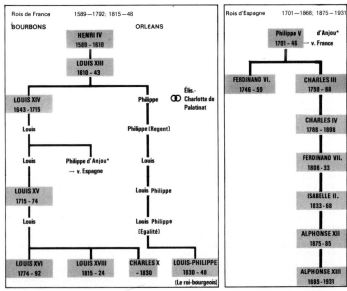

Dynastie des Bourbons-Orléans

Dynastie des Bourbons

Triomphe de l'absolutisme en France (1643) 1661-1715 Louis XIV, le « Roi Soleil ». Élégant, courtois et réservé, d'allure majestueuse cependant, pénétré de la dignité de ses fonctions (« L'État, c'est moi ! »), il se sent tenu d'accroître sa renommée et l'éclat de l'État.

Armée. Louvois (1641-1691), ministre de la Guerre depuis 1668, porte l'armée permanente à 170 000 hommes pour 18 millions d'habitants. Il généralise l'uniforme, améliore l'équipement (baïonnette), organise l'armée en unités de cavalerie, infanterie, artillerie, avec des grades fixes. Le roi nomme et paie les officiers (nobles). L'armée conduite par **Turenne, Villars** et **Luxembourg** devient la plus forte et la meilleure d'Europe. **Vauban** révolutionne l'art des fortifications par des bastions en étoile sans angles morts. Transformation des techniques de siège et de tout l'art de la guerre.

Économie et finances. La seconde moitié du XVIIe siècle correspond à un mouvement de baisse des prix de longue durée. En 1650, l'or d'Amérique du Sud arrivant en Espagne ne représente plus que le cinquième des quantités arrivant en 1600.

Colbert (1619-1683) met au point la première économie nationale dirigée des temps modernes, avec prévision des dépenses et comptabilité. Le **mercantilisme** (ou colbertisme) procure les finances indispensables au pouvoir absolu : douanes, impôts directs (taille) et indirects (sur la consommation) servent à entretenir l'armée, l'administration et la cour. Le mercantilisme s'efforce d'avoir une balance commerciale bénéficiaire par l'exportation de marchandises de valeur (objets de luxe, de mode, verrerie, parfums, porcelaine, etc.). Suppression des douanes intérieures, construction de routes et de voies d'eau, monopoles d'État, **manufactures** subventionnées. Encouragement aux sociétés commerciales (polit. coloniale p. 273); protection douanière.

Comme exemple de grands travaux, on peut citer le canal des Deux-Mers inauguré en 1681. RIQUET (1609-1680), fermier des gabelles, est l'entrepreneur. De 1666 à 1673, est construit le port de Sète, débouché du canal vers la mer.

En dehors de l'industrie des manufactures, dirigée par l'État, il y avait une industrie textile rurale (lin, chanvre) dans l'Ouest (Maine, Bretagne, Vendée). Les toiles sont exportées vers l'Espagne (Cadix), et payées en piastres (argent).

Les successeurs de Colbert comme **Pontchartrain** (1689-1699), DESMARETZ (1708-1715) doivent recourir aux « affaires extraordinaires » (ventes d'offices, de titres de noblesse) pour faire face à l'aggravation de la situation économique (famines de l'hiver 1693-1694 et de 1709).

1695 Établissement de la capitation (impôt pour tous les sujets répartis en 22 classes).

1707 Projet d'une « Dîme royale » de **Vauban.** Affirmation du principe de l'égalité devant l'impôt.

1710 Établissement de l'impôt du dixième sur les revenus de tous les sujets.

1700-1715 Essor de Saint-Malo et de Nantes, en relation avec Saint-Domingue.

1712 Début de mise en valeur du bassin du Mississippi (Louisiane).

1713 Traité d'Utrecht. Abandon du tarif douanier très élevé de 1667. Donc victoire pour la Hollande.

Le cadre de la cour. Le symbole de l'État absolu est le château de **Versailles,** construit de 1624 à 1708 surtout par **Mansart** (1646-1708). Décoration luxueuse de **Le Brun** (1619-1690). Le château est entouré d'une « architecture de verdure » (**Le Nôtre,** 1613-1700) avec jets d'eau et allée axiale sur laquelle donne le milieu du château.

Le courant burlesque et précieux fut combattu par **Boileau** (1636-1711) qui règlemente le **classicisme français** avec « L'Art poétique », auquel se conforment les tragédies de **Corneille** et de **Racine,** ainsi que les comédies de caractères de **Molière** et les fables de **La Fontaine** (1621-1695).

Corneille (1606-1684). 1636 « Le Cid », inspiré par le Romancero espagnol; 1640 « Horace » (histoire romaine); 1642 « Polyeucte » (tragédie chrétienne (lyrisme religieux dans les stances : acte IV, scène II); 1651 « Nicomède »;

Racine (1639-1699). 1667 « Andromaque »; 1669 « Britannicus »; 1670 « Bérénice »; 1672-74 « Bajazet », « Mithridate ». « Iphigénie en Aulide »; 1677 « Phèdre »; 1689-1691 Pièces « sacrées » : « Athalie », « Esther ».

Molière (1622-1673). 1659 « Les Précieuses Ridicules »; 1662 « École des Femmes »; 1663 « La Critique de l'École des Femmes » (« Je voudrais bien savoir si la grande règle de toutes les règles n'est pas de plaire »); « Grandes comédies » fondées sur la peinture d'un caractère : 1664 « Le Tartuffe »; 1665 « Don Juan »; 1666 « Le Misanthrope »; 1668 « L'Avare ». Psychologie et pantomime sont associées dans la « comédie-ballet ». 1670 « Le Bourgeois Gentilhomme »; 1673 « Le Malade Imaginaire ». Apparition d'une littérature politique et philosophique vers la fin du règne : « Télémaque » de **Fénelon** (1651-1715).

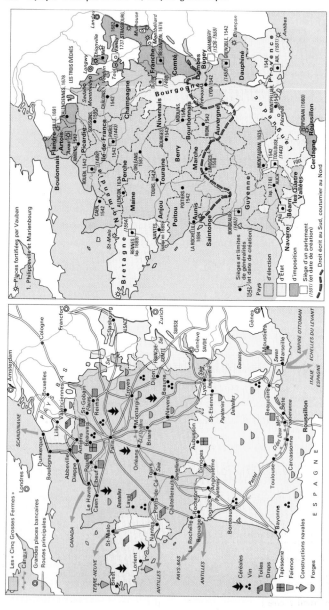

France, carte administrative

France, carte économique

Administration sous Louis XIV

LOUIS XIV a été formé par MAZARIN qui a légué au jeune roi : le chancelier SÉGUIER, MICHEL LE TELLIER, HUGUES DE LIONNE et J.-B. COLBERT, homme de confiance qui gère les affaires privées du cardinal. Aucun de ces collaborateurs ne sera premier ministre (recommandations de MAZARIN en 1661).

La France d'avant 1660 est la **France des Grands**, princes du sang ou grands seigneurs, que le roi doit nommer gouverneurs de provinces, pratiquement semi-héréditaires. Ces Grands ont une **clientèle** de gentilshommes et même d'officiers. Or, à la tête de l'État, le roi s'entoure du Conseil d'en Haut où ne siège aucun prélat, aucun prince du sang. LOUIS XIV s'est toujours défié des personnages de très haut rang, ce qui a permis à SAINT-SIMON de parler d'un « règne de vile bourgeoisie » :

Les conseils spécialisés sont :

Le Conseil des Finances, dirigé par le Contrôleur général. Il répartit la taille à lever entre les généralités et établit le bail des impôts affermés.

Le Conseil des Parties : C'est une Haute Cour judiciaire et administrative. Il comprend les conseillers d'État, les rapporteurs et enfin les maîtres des requêtes.

Le Conseil de Conscience, auquel prend part le jésuite confesseur, est un véritable ministère des Affaires ecclésiastiques.

LOUIS XIV mate les parlementaires révoltés sous la Fronde où on a pu voir de véritables « syndicats d'officiers».

1675 Exil à Condom des parlementaires de Bordeaux qui ont voulu résister. Les villes sont contrôlées par des forteresses (à Bordeaux Château-Trompette, forts Saint-Jean et Saint-Nicolas à Marseille) et par la police (création de la charge de « lieutenant général du prévôt de Paris pour la police » confiée pour vingt ans à NICOLAS DE LA REYNIE).

Généralisation des **intendants,** qui à l'origine furent souvent des « maîtres des requêtes départis ». L'assiette et la répartition de la taille leur est confiée aux dépens des trésoriers de France. Dans les régions annexées, les intendants sont des agents d'assimilation. Ex. : COLBERT DE CROISSY et LA GRANGE en Alsace, LE PELETIER DE SOUZY et DUGUÉ DE BAGNOLS en Flandre, CHAUVELIN en Franche-Comté.

Rôle considérable dans la chasse aux protestants après 1685 (LAMOIGNON DE BASVILLE dans le Languedoc).

1704 Un subdélégué général, adjoint de l'intendant, contrôle ses collègues, les subdélégués qui dominent la bureaucratie à l'échelon local.

La centralisation, l'effort de réglementation a créé :

1667 Ordonnance civile ou Code Louis.

1669 Ordonnance des Eaux et Forêts. (Le roi est « propriétaire éminent » des terres du royaume.)

1670 Ordonnance criminelle.

1672-1673 Ordonnance maritime et commerciale (développement de l'Inscription maritime).

1685 Ordonnance coloniale (Code Noir) sur l'esclavage.

Dans l'**armée,** création d'une administration confiée à des civils contrôlant les militaires (noblesse d'épée) : commissaires des guerres. Hiérarchie des grades fixée par l'ordre du **Tableau** (1675). Création de l'Hôtel des Invalides pour les estropiés. A la fin du règne, ce sont alors les « premiers commis », qui ne sont pas des officiers, qui assument le travail administratif central.

L'empire germanique après 1648

A côté des États absolutistes (Brandebourg, Bavière) apparaissent également des États constitutionnels (Wurtemberg).

Constitution. L'empire se compose de quelque 300 États souverains qui ont perdu le sentiment d'une communauté impériale.

1663 Diète de Ratisbonne siégeant de façon permanente.

1658 Élection de LÉOPOLD I er (jusq. 1705). Contre-candidat : LOUIS XIV.

L'essor des maisons princières

Bavière (maison des Wittelsbach).

1679-1726 MAXIMILIEN II EMMANUEL, vainqueur des Turcs et allié de LOUIS XIV dans la guerre de Succession d'Espagne. Munich devient le centre du baroque de l'Allemagne du Sud.

Saxe (maison des Wettin).

1697-1763 Union personnelle avec le royaume de Pologne à partir d'AUGUSTE II LE FORT (1694-1733).

Brandebourg-Prusse (maison des Hohenzollern).

1608-1619 JEAN SIGISMOND obtient Clèves, Mark et Ravensberg au traité de Xanten (1614), ainsi que la Prusse orientale en tant que fief polonais, qui lui revient par héritage (1618).

1640-1688 Frédéric-Guillaume I er, le Grand Électeur.

1683 Fondation de la manufacture Gross-Friedrichsbourg en Afrique occ. (prussienne jusq. 1720).

1685 Édit de Potsdam. Accueil de 20 000 réfugiés français (p. 253).

Armée : Renforcement de l'armée.

1675 Bataille de **Fehrbellin;** poursuite des Suédois jusq. Riga.

1688-1713 FRÉDÉRIC (III) I er, le roi courtisan, baroque, de la Prusse. En 1701, il est couronné « roi de Prusse » à Koenigsberg. **Berlin** capitale.

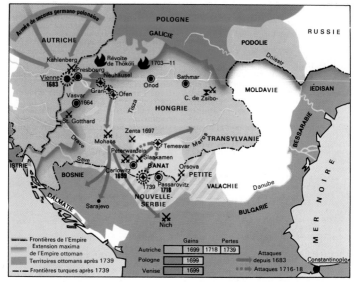

Guerre contre les Turcs 1663-1739

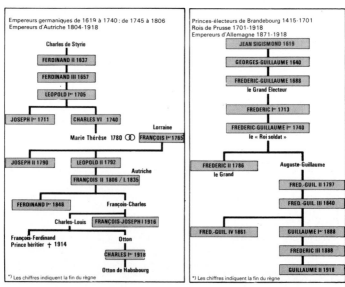

Dynastie des Habsbourg depuis 1637

Dynastie des Hohenzollern depuis 1619

L'Autriche devient grande puissance

Après le renforcement interne de l'empire ottoman effectué par le grand vizir MOHAMMED KÖPRULU (1656-1661), en

1663-1699 deuxième **assaut turc contre l'Europe centrale** (MAHOMET IV) (1648-1687).

1663-1664 Première guerre turque provoquée par les interventions turque et autrichienne en Transylvanie.

1664 Bataille de Saint-Gotthard/Raab. Partage de la Hongrie.

1669-1671 Conjuration des magnats hongrois contre les persécutions des protestants : dragonnades, exécutions, galères. Révolte du prince THÖKÖLI (1656-1705) qui fait appel aux Turcs.

1683-1699 2e **guerre turque** (Grande guerre). Le grand vizir KARA MUSTAFA avance jusqu'à Vienne.

1683 Siège de Vienne défendue par le comte RÜDIGER VON STARHEMBERG. Défaite turque au **Kahlenberg** devant l'armée de secours conduite par JAN SOBIESKI, roi de Pologne et commandée par CHARLES V DE LORRAINE.

1684 Sainte-Alliance (Autriche, Pologne, Venise, Russie à p. de 1686) contre les Turcs sous le patronage d'INNOCENT XI. Victoire sur les Turcs d'EMMANUEL DE BAVIÈRE et de LOUIS DE BADE.

1686-1697 Libération de la Hongrie et prise de Belgrade (1688).

1687 **Diète de Presbourg.** Les États accordent la couronne de Hongrie à la maison de Habsbourgs (descendance masculine).

1691 Libération de la Transylvanie. Soulèvement des peuples chrétiens des Balkans.

1696 Le tsar PIERRE Ier prend Azov.

1697 Le prince **Eugène de Savoie** (1663-1736) devient généralissime des armées autrichiennes. Petit-neveu de MAZARIN, il est depuis 1683 au service de l'Autriche, LOUIS XIV l'ayant écarté.

1697 Bataille de Zenta.

1699 **Traité de Carlowitz.** L'Autriche devient grande puissance. Venise obtient la Morée, mais la perdra en 1715, et en

1716-1718 3e guerre turque. Victoires du PRINCE EUGÈNE (Peterwardein).

1717 **Prise de Belgrade.**

1718 **Traité de Passarovitz.** C'est la plus grande expansion territoriale de l'empire des Habsbourgs.

Le développement de l'Autriche et de la Hongrie

Un général et homme d'État dirige la nouvelle puissance : le PRINCE EUGÈNE (« L'Autriche par-dessus tout »). Les liens qui unissent les 11 nationalités de cet empire sont : 1) Le danger turc

sur le Danube; 2) La dynastie des Habsbourgs (Domus Austria); 3) La confession cath.; 4) La noblesse de cour des Habsbourgs provenant de tous les territoires héréditaires; 5) Un pouvoir absolu centralisé.

Vienne devient le centre polit., écon. et culturel de l'empire. Architectes : JOH. FISCHER VON ERLACH (1656-1723) : église Saint-Charles, plans de Schoenbrunn.

Administration. La Conférence privée est l'instance suprême (1709). En font partie la Chancellerie de la cour (Intérieur), le Conseil privé et la Chancellerie d'État (Extérieur), le Conseil de guerre (armée) et la Chambre de la cour (finances).

Économie. Monopoles du sel, du tabac, du fer, et des usines de textiles (Silésie, Linz, Graz), de la soie (Saint-Pölten) et du verre (Bohême), qui n'améliorent pas les finances de l'État endetté.

1718 Fondation de la manufacture de porcelaine de Vienne. Le principal théoricien du mercantilisme est W. VON HÖRNIGK (1640-1712) : « L'Autriche peut tout pourvu qu'elle le veuille » (1684).

Politique de colonisation. La politique dite d'installation (1689) conditionne la colonisation des territoires danubiens dont les Turcs ont fait un désert (convois des Souabes du Banat et des Saxons de Transylvanie).

1711-1740 **Charles VI.** Après les révoltes des nobles, en

1711 traité de Sathmar. La Hongrie s'administrera par ses propres lois votées par la Diète.

Politique extérieure. Hégémonie en Italie par la participation à la guerre de Succession d'Espagne, mais mal assurée (p. 265). La politique de l'empereur est déterminée par

la Pragmatique Sanction de 1713, qui assure la succession au trône par les femmes (MARIE-THÉRÈSE, née en 1717). Traités avec l'Espagne (1725), la Prusse (1728), la Grande-Bretagne (1731) et la France (1738). Essais de politique coloniale par la fondation d'une Compagnie orientale (1719, à Trieste), et en

1722 de la Compagnie des Indes orient. (Ostende). Mais échec à la suite de l'opposition de la Grande-Bretagne. Après les congrès de Cambrai (1724), et de Soissons (1728), dissolution des compagnies en

1731 au traité de Vienne. L'Angleterre reconnaît la Pragmatique Sanction.

1737-1739 4e guerre turque.

1739 Traité de Belgrade (perte de la Serbie du Nord et de la Petite-Valachie). Début de la rivalité de l'Autriche et de la Russie dans les pays balkaniques.

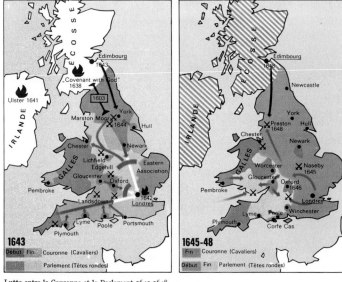

Lutte entre la Couronne et le Parlement 1642-1648

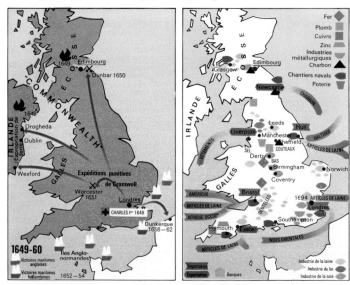

Dictature de Cromwell   Activité économique vers 1700

L'Angleterre sous les Stuarts (1603-1648)

1603-1625 JACQUES Ier roi d'Écosse et héritier des Tudors, se nomme « roi de Grande-Bretagne » (1604). Il s'appuie sur l'Église anglicane.

1605 Complot des Poudres (catholique). Contre les tendances absolutistes, il se forme une opposition parlementaire de la gentry campagnarde et de la bourgeoisie urbaine.

1625-1649 CHARLES Ier (25 ans). Augmentation des impôts (1635, taxe pour la construction de navires). Malgré des dissolutions répétées, le Parlement, en

1628 dans la Pétition des Droits, obtient des assurances contre les arrestations et une fiscalité arbitraires.

1629-1640 Gouvernement sans parlement et persécution de tous les adversaires polit. et relig. (dissidents, non-conformistes), surtout les puritains, mouvement calviniste qui veut supprimer les cérémonies cath. de l'Église sur la base d'un christianisme biblique libre, aux principes communautaires (p. 234), et d'une conduite ascétique. Parmi eux, les indépendants extrémistes exigent une liberté de réunion absolue.

1638 Soulèvement des Écossais qui protestent contre l'introduction de l'Église anglicane par WILLIAM LAUD, arch. de Cantorbéry. Pacte du Covenant (« Ligue avec Dieu » des presbytériens). Pour financer la « guerre des évêques » contre les rebelles écossais, en

1640 convocation du « Parlement Court », puis du « Long parlement ». Sous l'influence des puritains (JOHN PYM), contrôle du gouvernement et catalogue de doléances : « la grande remontrance ». Procès et exécution des conseillers du roi : STRAFFORD (1641) et LAUD (1645).

1642-1648 Guerre civile entre la couronne (les Cavaliers) et le Parlement provoquée par une première révolte cath. des Irlandais (massacre en Ulster) et l'arrestation de JOHN PYM. Intervention décisive de l'Écosse (1643) et de la nouvelle armée parlementaire des indépendants commandée par OLIVIER CROMWELL (1599-1658) avec les « Côtes de fer » (Ironsides).

1648 Victoire de CROMWELL à Preston sur les Écossais que CHARLES Ier avait gagnés à sa cause. Après épuration par l'armée, le « Parlement croupion » met le roi en accusation. Le procès se termine en

1649 par l'exécution de Charles Ier.

L'Angleterre républicaine (1649-1660)

Le Commonwealth est gouverné par le « Parlement croupion » sans Chambre haute ni Conseil d'État. Vive agitation des sectes religieuses (Levellers = Niveleurs). Épuration puritaine en Irlande cath. (1649) avec dépossession complète du sol (début de la haine des Irlandais contre l'Angleterre) et en Écosse (1650-1651), par CROMWELL. Le Parlement croupion est dissous.

1653 Cromwell devient Lord-Protecteur (dictature des puritains). Succès contre la Hollande et l'Espagne.

1651 Acte de Navigation dirigé contre le commerce hollandais. Toutes les marchandises partant de l'Angleterre ou y entrant doivent être chargées sur des navires anglais.

1652-1654 1re guerre anglo-hollandaise (sous le commandement de l'amiral ROBERT BLAKE).

1654-1659 Guerre contre l'Espagne. Prise de la Jamaïque (1655) et de Dunkerque (1658). Sévère domination des puritains en Angleterre avec surveillance des mœurs privées (sanctification du dimanche). Le secrétaire de CROMWELL, John Milton (1608-1674), exprime dans son épopée le « Paradis perdu » (1667), la conscience anglo-puritaine d'une mission, d'être le « peuple choisi par Dieu » (« God's own people »).

1658 Mort de CROMWELL. RICHARD, son fils, est un incapable. Le général MONK rétablit la monarchie.

Restauration des Stuarts (1660-1688)

1660-1685 CHARLES II (30 ans), élevé à la cour de LOUIS XIV. Son imitation de l'absolutisme franç., sa persécution des puritains et la restauration de l'Église anglicane (Act of Uniformity 1662) provoquent l'opposition du Parlement.

1665-1666 Destruction de Londres par la peste et l'incendie.

1665-1667, 2e guerre anglo-hollandaise (victoires de l'amiral RUYTER). Au traité de Bréda en 1667, New Amsterdam (New York) est échangée contre Surinam.

1670 Traité secret de Douvres avec LOUIS XIV, et guerre impopulaire contre la Hollande (p. 255).

1672-1674 3e guerre anglo-hollandaise. A la déclaration royale d'indulgence (1672) au bénéfice des cath. et des dissidents, le Parlement répond en

1673 en excluant tous les non-Anglicans des emplois de l'État, et en

1679 par l'Habeas Corpus. Protection contre les arrestations arbitraires. Deux partis se forment au Parlement : les Whigs (désignation ironique pour les paysans écossais = bourgeois et adversaires des Stuarts); les Tories (bandits irlandais = anglicans et fidèles au roi).

1685-1688 JACQUES II (52 ans), cath., tente de restaurer le catholicisme. Résistance acharnée de l'Église anglicane et des Whigs (W. RUSSELL).

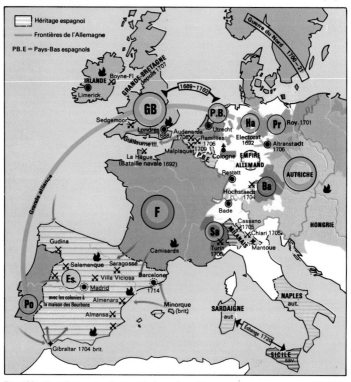

Répartition des puissances dans la guerre de Succession d'Espagne

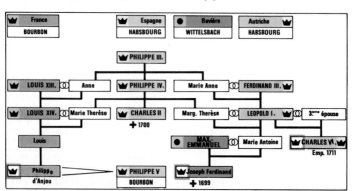

Revendications dynastiques sur l'héritage de l'Espagne
(Prétendants : Philippe, Joseph Ferdinand, Charles VII)

La chute des Stuarts (1688)

La naissance inattendue d'un héritier au trône, JACQUES III, crée le danger d'une dyn. cath. durable. Whigs et Tories font appel à GUILLAUME III D'ORANGE « pour la religion prot. et un Parlement libre ».

1688 Révolution non sanglante. JACQUES II s'enfuit en France. Expédition de GUILLAUME III contre les cath. irlandais jacobites; 1690 : bataille de la Boyne et capitulation de Limerick (1692).

1689 Déclaration des Droits : 1re participation au gouvernement de la gentry rurale et de la City (consentement aux impôts, liberté d'expression, pas d'armée permanente). JOHN LOCKE (p. 246) établit la base théorique de la division des pouvoirs législatif et exécutif pour protéger la liberté personnelle et la propriété des citoyens.

1694 Fondation de la Banque d'Angleterre.

Importance pour l'Europe. 1) Remplacement de l'absolutisme par la **monarchie constitutionnelle;** 2) Coup d'arrêt porté à la politique d'hégémonie franç. par le principe de l'équilibre européen; qui inspirera la politique anglaise sur le continent.

Importance pour le monde. 1) La rivalité maritime s'achève au bénéfice de l'Angleterre (union personnelle avec la Hollande jusq. 1702); 2) Naissance de l'hostilité coloniale anglo-française (p. 273).

La Grande-Bretagne jusqu'en 1742

1701 Acte d'Établissement, pour régler la succession au trône (maison de Hanovre).

1702-1714 La reine ANNE (belle-sœur de GUILLAUME III). Guerre de Succession d'Espagne sous le commandement de JOHN CHURCHILL duc de Marlborough (1650-1722).

1707 Union de l'Angleterre et de l'Écosse sous le nom de **Grande-Bretagne.**

1714-1901 Dynastie de Hanovre (GEORGE Ier 1714-1727; GEORGE II 1727-1760). Le Parlement forme le ministère, c'est le **Premier ministre** qui le préside.

1721-1742 Période de paix sous le gouvernement whig de ROBERT WALPOLE, corruption électorale et censure de la presse (Critique : JONATHAN SWIFT, 1667-1745, « Voyages de Gulliver » 1726).

Guerre de Succession d'Espagne (1701-1713/14)

Depuis 1665, l'Europe attend la mort de CHARLES II, le dernier Habsbourg d'Espagne. L'héritage espagnol peut provoquer l'apparition d'un empire universel (France ou Autriche). Pour l'empêcher, GUILLAUME III propose une répartition.

1er plan (1698) : Le prince électeur de Bavière prendrait la couronne, mais il meurt en 1699. 2e plan (1700) : L'archiduc CHARLES DE HABSBOURG serait le successeur et hériterait de l'Espagne et de ses colonies. CHARLES II, sur l'insistance de LOUIS XIV, du conseil d'État espagnol et de la Curie, lègue tout son héritage à PHILIPPE D'ANJOU, ce qui met en péril l'équilibre européen.

1701 Alliance entre la Grande-Bretagne, la Hollande, l'Autriche, la Prusse, le Hanovre, le Portugal (traité de METHUEN), l'empire (1702) et la Savoie (1703), contre LOUIS XIV dont le seul allié est la dyn. des Wittelsbach (Bavière et électorat de Cologne).

1701-1713/14 Guerre de Succession d'Espagne, en Europe et en Amérique; en Espagne, guerre civile; en Italie, le PRINCE EUGÈNE; en Allemagne du Sud, LOUIS DE BADE; aux Pays-Bas, MARLBOROUGH; blocus britannique sur tous les océans.

1703 L'ARCHIDUC CHARLES (III) est proclamé roi d'Espagne.

1704 Prise de Gibraltar par les Anglais. Victoires des alliés : Höchstaedt (1704), Ramillies, Turin (1706), Audenarde (1708), Malplaquet (1709). Après sept ans de guerre, la France est épuisée. Des propositions de paix de LOUIS XIV, qui renonce à l'Espagne et propose d'évacuer l'Alsace, échouent.

1711 Le gouvernement whig est renversé. Début de l'ère BOLINGBROKE (tory), en Grande-Bretagne, où l'on rappelle MARLBOROUGH; mort de l'empereur JOSEPH Ier, dont le successeur est l'ARCHIDUC CHARLES, empereur sous le nom de CHARLES VI (p. 261). Danger d'une trop grande puissance des Habsbourgs, d'où accord entre la France et les puissances maritimes.

1713 Traité d'Utrecht, où l'on se répartit les possessions espagnoles : PHILIPPE V petit-fils de LOUIS XIV, garde l'Espagne et ses colonies; les autres territoires européens vont à l'Autriche; la Sicile à la Savoie. Par le traité de la Barrière, les Pays-Bas obtiennent des forteresses en Belgique. La Grande-Bretagne gagne Gibraltar, Minorque, Terre-Neuve, la Nouvelle-Écosse, les territoires de la baie d'Hudson et le monopole du commerce des esclaves avec l'Amérique espagnole (Traité d'Asiento). L'empereur continue un temps la guerre et reconnaît l'ordre nouveau en 1714 par les traités de Rastatt et de Bade.

Résultats. Victoire de la politique anglaise d'équilibre des forces. La Grande-Bretagne devient l'arbitre de l'Europe.

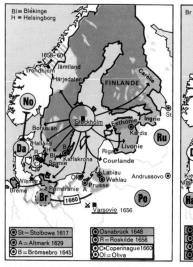

Expansion de la Suède jusqu'en 1660

Pertes de la Suède jusqu'en 1815

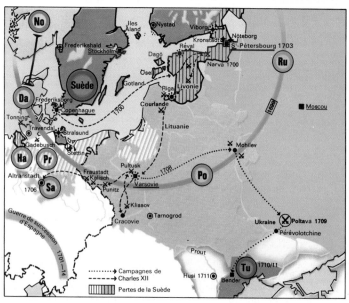

La guerre du Nord 1700-1721

La Suède, grande puissance
1632-1654 CHRISTINE (6 ans). Se convertit plus tard au catholicisme et abdique. Gouvernée par son plus grand homme d'État, le chancelier **Axel Oxenstiern** (1583-1654), la Suède, de
1643 à 1645, fait la guerre au Danemark, et en
1648 le traité de Westphalie (p. 251) lui assure des gains qui font d'elle la plus grande puissance de la Baltique, mais il lui manque les moyens financiers et écon. pour jouer ce rôle à elle seule. Ses adversaires naturels sont le Danemark, la Pologne (les Vasas pol. revendiquent le trône suédois), le Brandebourg, et plus tard la Russie.
1654-1720 Dynastie Palatinat-Deux-Ponts.
1654-1660 CHARLES X GUSTAVE attaque la Pologne affaiblie par une révolte des Cosaques Zaporogues (1654) et une offensive russe, et dont le roi est JEAN II CASIMIR (1648-1668).
1654-1660 Guerre contre la Pologne. Occupation de Cracovie et de Dunabourg.
1656 Victoire de Varsovie avec l'aide du Brandebourg. Le Danemark perd le Sud de la Suède en 1658 au traité de Roskilde.
1660 Traité d'Oliva pour maintenir dans le Nord l'équilibre des forces. La Russie gagne Smolensk et l'U-kraine orientale en
1661 au traité de Kardis. La Suède finance la guerre par des privilèges fiscaux et la vente des terres de la couronne à la noblesse, qui possédera ainsi 72 p. 100 du sol.
1660-1697 CHARLES XI GUSTAVE. La Suède dépend des subsides de la France (p. 255). Guerre avec le Brandebourg en 1675.
1678 Défaite de Fehrbellin.
1675-1679 Offensive du Danemark (victoire dans le golfe de Köge en 1677). L'intervention de LOUIS XIV lui restitue tous ses territoires par les traités de Lund (Danemark) et de Saint-Germain (p. 255). Réorganisation de l'État au Danemark (Lex Regia, 1665) et en Suède :
1682 Établissement du pouvoir absolu avec confiscation d'une partie des terres aliénées jadis par la couronne. Entre couronne, noblesse et paysannerie, répartition égale des terres. Réorganisation de l'armée et de la flotte.

La guerre du Nord (1700-1721)
1697-1718 Charles XII (15 ans) le « dernier Viking ». Luthérien convaincu, général génial, mais politique borné. Le tsar PIERRE Ier conclut contre lui une alliance avec la Saxe-Pologne (AUGUSTE II) et le Danemark (FRÉDÉRIC IV). PATKUL met la Livonie sous la protection de la Pologne. Offensives danoise et russe contre la Suède.
1700 Aidé par une flotte hollando-anglaise, CHARLES XII débarque à Seeland et vainc le Danemark.
1700 Victoire de Narva sur PIERRE Ier et des forces 5 fois supérieures. Au lieu d'anéantir l'armée russe, mû par une haine personnelle, il se tourne contre AUGUSTE II converti au cath. et le chasse de Pologne.
1704 Élection de STANISLAS LESZCZINSKI, roi de Pologne. Soumission de la Saxe.
1706 Traité d'Altranstaedt. AUGUSTE II doit renoncer à la Pologne et livrer PATKUL. MARLBOROUGH (p. 265), dans une mission personnelle, empêche la Suède d'intervenir au profit de la France dans la guerre de Succession d'Espagne. Entre-temps, PIERRE Ier a renforcé son armée et réoccupé Schlüsselbourg, Ivangorod et Narva (1704).
1703 Fondation de Saint-Pétersbourg à l'embouchure de la Néva.
1708-1709 Campagne de Russie de CHARLES XII. Il unit ses forces à celles de MAZEPPA, hetman des Cosaques, pour libérer l'Ukraine et avancer sur Moscou. L'hiver, des épidémies et les attaques des Russes déciment son armée affaiblie.
1709 Charles XII perd la bataille de Poltava. Le roi blessé s'échappe en Turquie et pousse le sultan à la guerre (1711). L'armée russe encerclée sur le Prout, mais PIERRE Ier parvient à acheter ses adversaires en renonçant à Azov par le traité de Housi.
1713-1720 Attaque concentrique sur les possessions suédoises de la mer du Nord et de la Baltique ;
le Danemark marche sur Brême et Verden ; prise de Rönning (1713) ;
la Russie occupe les îles Aland et la Finlande (1714), et envahit la Suède (1719-1720).
La Prusse et le Hanovre, sortis de la coalition au traité d'Utrecht, conquièrent les possessions suédoises en Allemagne. CHARLES XII s'échappe de Turquie et débarque à Stralsund (1718). Il meurt devant la forteresse de Frederikshald en 1718.
1719-1721 Traités de paix : à Stockholm avec le Hanovre (Brême, Verden) et la Prusse (Poméranie suédoise); à Frederiksborg avec le Danemark (péages du Sund); à Nystad avec la Russie (les pays baltes ont une position politique spéciale, avec Église luthérienne, administration et langue allemandes).
Le vainqueur est Pierre le Grand. A partir de 1721, il se nomme « Tsar de toutes les Russies ». La Russie remplace la Suède comme grande puissance de la Baltique.

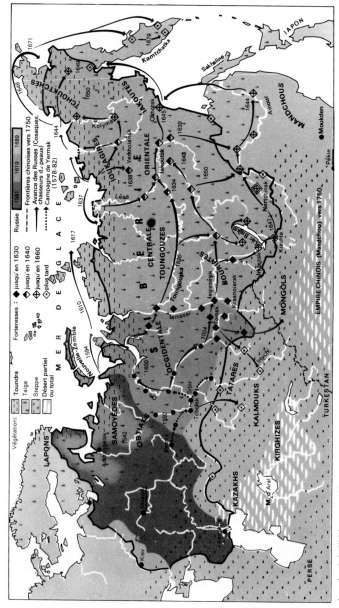

Annexion de la Sibérie au 17ᵉ siècle

L'exploration de la Sibérie au XVIIᵉ siècle

1558 IVAN IV LE TERRIBLE accorde à la famille STROGANOV un « droit de possession » sur la Sibérie contre obligation de l'annexer.

Les Cosaques, serfs russes et ukrainiens fugitifs, ont établi leurs communautés libres et autonomes dans la steppe, sous la direction de chefs élus (hetmans). Reconnus dès le XVᵉ siècle par les tsars, ils protègent les frontières contre les Turcs, les Tatares et les Polonais. Aux Cosaques succèdent les « chasseurs de zibelines », les marchands et des paysans.

1581-1584 L'hetman **Yermak,** avec 800 hommes à pied, traverse pour le compte des Stroganov la Sibérie occidentale jusqu'à l'Irtych. Les villes sibériennes sont d'abord des ostrogs, simples fortifications qui protègent les routes de trafic.

1610 Les Cosaques atteignent l'embouchure de l'Iénissei qui devient en 1619 frontière de la Russie. Fondation de Tomsk (1604), Iénisseisk (1619), Krasnoiarsk (1628), Irkoutsk (1652).

1640 Pénétration en Sibérie centrale jusqu'à la Léna, la Iana et l'Indighirka. De Iakoutsk (1632) et de Verkhoiansk (1638), POYARKOV et **Simon Dejnev,** qui découvre le détroit de Bering en 1648, poussent vers le nord-est; la mer d'Okhotsk est atteinte en 1645. En 1653 **Khabarov** est sur l'Amour. Le Kamtchatka est découvert en 1679. Conflit de frontière russo-chinois :

1689 Traité de Nertchinsk (frontière de l'Amour).

1727 Comptoir commercial russe à Pékin par le traité de Kiakhta. La Sibérie devient colonie de déportation pour criminels et prisonniers polit. Le Danois **Bering** (1680-1741) entreprend des voyages d'exploration scientifique pour le compte du tsar.

1742 TCHÉLIOUSKINE découvre le cap Nord. Découverte de l'Alaska (russe depuis 1791).

1613-1762 Dynastie des Romanov

C'est la fin de « l'époque des troubles » (p. 199). Sous le tsar ALEXIS (1645-1676), l'Église orth. se divise à cause de la réforme de NIKON (1653), patriarche de Moscou, qui veut renouveler les rites supposés grecs. Persécution des « Vieux-Croyants » (1682, l'archiprêtre AVVAKOUM est brûlé vif). La fille du tsar, SOPHIE, veut s'assurer la régence avec l'aide des Strelitz (p. 199), mais son demi-frère PIERRE prend le pouvoir en 1689.

L'essor de la Russie

1689-1725 Pierre Iᵉʳ le Grand (17 ans) veut européaniser le pays avec une énergie despotique. Ses voyages à l'étranger (1697/98, 1716/17) sont l'expression de son admiration pour les « Allemands », nom que donnent les Russes à tous les étrangers. Le tsar est maître canonnier à Koenigsberg, ingénieur maritime à Amsterdam et navigateur à Londres. Il brise sans pitié toutes les résistances à ses réformes extermination des Strelitz (1698); mort de son propre fils en prison (1718).

L'œuvre réformatrice qu'il accomplit avec des étrangers, l'Écossais GORDON, le Suisse LEFORT, a pour but d'augmenter la puissance financière de l'État pour renforcer sa nouvelle flotte et l'armée qui reçoit une formation européenne, avec des levées régulières (1 soldat par 20 feux), et où la noblesse doit servir.

Administration. Le Sénat est l'assemblée suprême (1711). Les ministères spécialisés (11 collèges en 1718) lui sont soumis. Division de l'empire en 11 gouvernements, 50 provinces et des districts. Contrôle de la bureaucratie par des procureurs en 1722. Établissement d'un impôt direct par tête.

Politique ecclésiastique. Le patriarcat est remplacé par le Saint-Synode (1721) sous la présidence du tsar.

Organisation sociale. Interdiction des vieilles traditions russes (barbe et vêtements); la noblesse de naissance est mise sur le même pied que la noblesse de fonction (pour hauts services rendus à l'État), avec 14 échelons différents à partir de 1722, par la « loi de la Table des rangs » (Tchin).

Économie. Monopoles d'État pour les manufactures de tapisserie et de tissus, pour les mines et les forêts. Constructions de canaux et de ports; appel à des spécialistes étrangers. Académie des Sciences à Saint-Pétersbourg (1725).

Politique extérieure. Accès à la mer libre (la fenêtre sur l'Europe), que procure enfin la guerre du Nord (p. 267).

1722-1723 Expédition contre la Perse (Derbent, Bakou).

1725-1740 CATHERINE Iʳᵉ et ANNE; Période « allemande » des favoris (MENTCHIKOV, BIRON, MUNNICH, OSTERMANN). La cour absorbe jusqu'à 50 p. 100 des revenus de l'État. La situation des paysans empire sous l'arbitraire de la noblesse.

1735-1739 Guerre contre les Turcs et victoires en Crimée, à Otchakov et à Chotin. Le traité de Belgrade (1739, p. 261) ouvre à la Russie l'accès de la mer Noire et confirme la possession d'Azov.

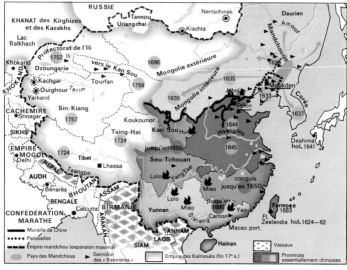

Chine sous la dynastie mandchoue aux 16e-17e siècles

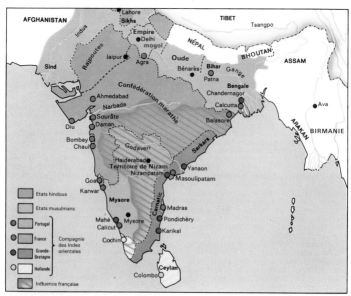

Inde vers 1700

La Chine sous la dyn. Mandchoue

Vers 1600, NOURHA-TCHI (1583-1628) unit les tribus toungouses du Sud-Est de la Mandchourie en une nation mandchoue et leur donne une organisation militaire stricte en les groupant sous les « huit bannières » (1615).

1620 Prise de Moukden (capitale à p. de 1625). 1637 : Expédition victorieuse en Corée. Sous le dernier empereur Ming, TCH'ONG-TCHEN (1628-1644), déclin de l'empire et révoltes. Appelés à l'aide par des troupes Ming, en

1644 les Mandchous entrent à Pékin et prennent le pouvoir.

1644-1911 Dyn. Mandchoue. Le fondateur est le régent DORGON, qui soumet la Chine du Sud.

1662-1722 K'ang-hi, empereur, le souverain le plus important de la Chine, grand général, homme d'État et lettré qui tolère les jésuites à cause de leurs connaissances scientifiques et techniques (mais non pour des raisons relig.). Son maître est le jésuite FERDINAND VERDIENST.

1673-1681 Soulèvement du parti Ming dans l'Ouest et le Sud; prise de Formose (1683). Pour protéger « l'empire du Ciel » par une ceinture de marches frontières, campagnes contre les Mongols occidentaux et les Tangoutes dans le territoire du lac Koukounor. Protectorats en Mongolie (1696) et au Tibet (1724).

Le petit peuple mandchou s'assure la domination d'un empire géant par des moyens policiers : 1) Établissement d'une hiérarchie de fonctionnaires soumis à des examens précis, d'après le système (chinois et mandchou) de la double occupation du même emploi; 2) Maintien de la vieille réglementation de l'armée; 3) Le commerce européen doit se faire par l'intermédiaire de firmes chinoises (les commerçants Hong); 4) Manque de maturité de la plus grande partie de la population (d'où introduction forcée de la natte mandchoue); 5) Durcissement du confucianisme qui devient doctrine d'État, par les 16 règles du Saint Édit (1671,. sur modèle jésuite).

Civilisation. Apogée de la philologie chinoise (KOU YEN-WOU). Géographies de la Chine, chroniques locales, recueils littéraires (« Livre des Chants ») et « Explications quotidiennes » des écrits classiques du confucianisme.

1716 Dictionnaire chinois de l'Académie impériale.

1736-1796 K'ien-long, empereur et confucianiste orth., interdit les missions chrétiennes. Formation de sociétés secrètes; méfiance grandissante à l'égard des étrangers et du commerce européen (opium).

A la suite de revendications grandis-

santes du peuple, la Chine atteint sa plus grande extension territoriale grâce à des guerres coloniales dans la région de l'Ili ou Dzoungarie (1729-1734; 1754-1761), en Birmanie (1767-1769) et au Tibet (1791-1792).

Au XVIIIᵉ siècle, la Chine exerce une grande influence sur l'Europe (modes idéalisées = chinoiseries, du style Louis XV et roccoco, laques et porcelaines; jardins décoratifs chinois avec maisons de thé et pavillons).

Fin de la puissance mogole en Inde

1658-1707 Aurangzeb, le dernier Grand Mogol important et musulman fanatique. Après la conquête de Kandahar, de Kaboul et du Dekkan, en

1691 l'empire mogol atteint sa plus grande extension territ., mais commence à se dissoudre intérieurement : Persécutions vexatoires des hindous, rétablissement, en 1679, de l'impôt spécial pour les hindous, et attaques contre des vassaux hindous (Jaïpur). Révoltes hindoues, défection des **Sikhs** (secte guerrière et relig. du Panjâb) et des **Rajpoutes.**

Les **Marathes** deviennent les défenseurs de l'hindouisme une fois qu'ils sont unis militairement par SHIVAJI (1646-1680).

1664-1670 Sac de Sourâte, la ville la plus riche de l'empire du Grand Mogol.

A p. de 1681, expéditions annuelles d'AURANGZEB contre les Marathes, qui deviennent une grande puissance.

Colonisation européenne en Inde

Le déclin de l'empire du Grand Mogol et les luttes sanglantes entre musulmans et hindous facilitent l'établissement de nouveaux comptoirs européens.

La **Hollande** chasse les Portugais de **Ceylan** (1609), et engage un combat acharné avec l'Angleterre.

1615 Bataille navale de Sourâte, victoire anglaise sur les Portugais.

L'Angleterre est représentée par la Compagnie des Indes orientales (1600-1858), les centres du futur empire britannique, Madras (1639), Bombay (1661), Calcutta (1696), sont exposés aux attaques renouvelées des Marathes.

La France édifie et développe son commerce avec l'Inde.

1664 COLBERT fonde la Compagnie des Indes orientales. Pour protéger la sécurité des routes maritimes, occupation de Fort-Dauphin à Madagascar et de l'île Bourbon (Réunion, 1654). Le gouverneur **Dupleix** (1697-1763) peut affronter avec succès la compagnie anglaise.

A partir de 1746, lutte coloniale franco-anglaise, que DUPLEIX conduit habilement grâce à ses bonnes relations diplomatiques avec les princes de l'Inde méridionale.

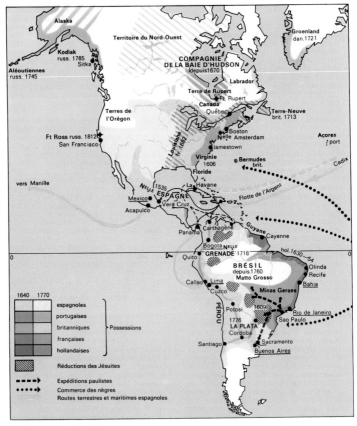

Amérique aux 17e-18e siècles

Les Indes occidentales au 17e siècle

Les missions jésuites en Amérique du Sud

L'Espagne abandonne aux missions les frontières de la forêt vierge sur le Paraña, le Marañon, l'Orénoque supérieur. Succès des jésuites, particulièrement dans l'**État du Paraguay**. **A p.** de 1607, « réductions indiennes » (établissements collectifs sans propriété privée). Malgré les attaques continuelles des chasseurs d'esclaves brésiliens, ces réductions ne font que croître.

1767 Expulsion des jésuites.

Exploitation de l'Amérique du Centre et du Sud

Colonies espagnoles. Les cultures européennes (céréales) et les animaux domestiques (bœuf, cheval, mouton) se répandent rapidement, mais l'intérêt principal se porte sur l'exploitation des métaux précieux malgré les transports coûteux. Création d'une **flotte de l'argent** et, à p. de 1561, d'un système de convois pour la protéger contre les attaques anglaises, françaises et hollandaises.

1546 Fondation de **Potosi**, ville de l'argent (alt. 4 000 m). Conséquences des arrrivées d'argent en Europe : inflation latente, augmentation des prix, crises des débouchés, banqueroute de l'État (déclin des Fugger p. 211). Le traité d'Asiento de 1713 relâche la surveillance de l'État.

Portugal. L'intérêt se porte sur les colonies des Indes occidentales. Fondation d'Olinda (1537), centre de défense contre les pirates, et de Bahia (1549), centre de transbordement pour le commerce des Indes or. Division des côtes fertiles du Brésil en 12 capitaineries héréd. (semi-féodales, et presque autonomes). Dans l'arrière-pays de São Paulo, des descendants d'aventuriers (Paulistes, également « mamelucos ») forment des bandes armées. Chassant les esclaves, les bandeirantes pénètrent dans le continent.

1680 Fondation de la colonie de Sacramento en territoire de souveraineté espagnole. Découvertes d'or à Minas Geraes (1693) et au Matto Grosso (1720) qui amènent la mise en valeur de l'intérieur.

1777 L'Espagne reconnait ces nouvelles frontières par le traité d'Ildefonso.

Pays-Bas. La compagnie des Indes occidentales (1609) attaque les possessions réunies (1580-1640) esp. et portugaises et la flotte espagnole qui transporte l'argent.

1624 Prise de Bahia et occupation de 6 capitaineries pour exploiter leurs produits (canne à sucre, café) et faire le commerce des esclaves. Recife (1630) assure la protection de cette côte nord-est, mais les Portugais la reprennent en 1654. Curaçao (1634) et la Guyane (1636) demeurent hollandaises.

Antilles. Dans la lutte contre l'Espagne apparaissent en 1639, sous le nom de « Compagnie des Iles américaines », des communautés de flibustiers dans les possessions antillaises franc., notamment à Saint-Christophe (1625), Saint-Domingue, la Guadeloupe, la Martinique (1635), Haïti (1655, qui fait plus de 25 p. 100 des importations coloniales). La compagnie des Indes occidentales anglaises a ses principaux comptoirs aux Barbades (1605), aux Bahamas (1646-1670), aux Bermudes (1612).

1655 La Jamaïque devient anglaise (p. 263).

Colonisation franc. et angl. en Amérique du Nord

France. SAMUEL DE CHAMPLAIN (1567-1635), premier gouverneur du **Canada** prend possession en 1603 de Terre-Neuve, de la Nouvelle-Écosse et de la Nouvelle-France.

1608 Fondation de Québec (Montréal en 1643). En 1625, missions des jésuites franç. Commerce de peaux et d'alcool avec les Indiens.

A p. de 1674, exploitation étatique et mercantiliste de COLBERT (p. 257); premier empire colonial franç. Vers 1690, plus de 10 000 colons au Canada.

1682 Exploration et annexion du territoire du Mississippi par CAVELIER DE LA SALLE **(Louisiane).** Forts jusq. La Nouvelle-Orléans (fondée en 1718).

Angleterre. WALTER RALEIGH fonde la **Virginie** en 1584. Premier établissement anglais en Amérique (1607, Jamestown). Au XVIIᵉ siècle, les persécutions religieuses en Europe provoquent la création des **États de la Nouvelle-Angleterre,** colonies de la couronne avec self-government sous tutelle d'un gouverneur royal, ou colonies de propriétaires à la suite de contrats privés avec la couronne.

1620 Les pèlerins puritains arrivent au **Massachusetts** avec le Mayflower.

1632 Les catholiques fondent le Maryland.

L'État soutient les colonies (1640 : plus de 25 000 colons) par des chartes et des avantages commerciaux.

1664 Attaque de la Nouvelle-Hollande (possession des Pays-Bas dep. 1616) qui devient anglaise par le traité de Westminster (1667), et qui forme les États de New York, New Jersey, Delaware. Occupation de la Caroline du Sud en 1670.

1683 WILLIAM PENN fonde Philadelphie et la Pennsylvanie.

1713 La Grande-Bretagne obtient Terre-Neuve et la Nouvelle-Écosse.

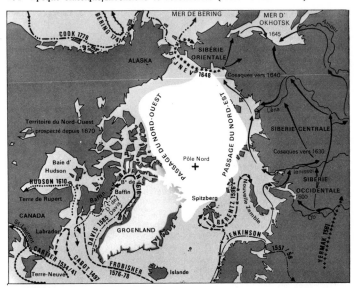

Exploration de l'Arctique aux 16e-17e siècles

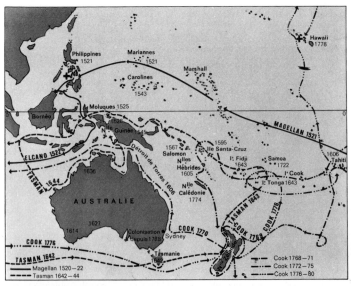

Découvertes dans le Pacifique jusqu'au 18e siècle

Découvertes géographiques aux XVIIᵉ-XVIIIᵉ siècles

Après les grandes découvertes réalisées vers 1500, l'exploration de la terre, faite surtout par des Hollandais et des Anglais, porte essentiellement sur les points suivants :

1. Recherche du passage du Nord entre Atlantique et Pacifique, ce qui amène la découverte de l'**Arctique** et du passage du **Nord-Est** (DEJNEV et BERING p. 269), mais on ne découvrira aucun passage au Nord-Ouest : DAVIS (détroit de Davis 1585); HUDSON (Baie d'Hudson 1610).
2. Expéditions vers une « terre australe » dont on suppose l'existence. Les traversées du **Pacifique** permettent de découvrir des îles importantes et des routes maritimes.

1642-1659 Le Hollandais ABEL TASMAN découvre les îles Maurice, la Tasmanie, la Nouvelle-Zélande et le Nord-Ouest de la Nouvelle-Guinée. BOUGAINVILLE fait le tour du monde et explore la Polynésie et la Mélanésie.
1768-1779 Voyages mar. scientifiques de l'Anglais JAMES COOK. Exploration de la côte Est de l'Australie, Nouvelle-Calédonie, les îles Tonga, Sandwich, etc. Tué en 1779 à Hawaii.

La connaissance de ces pays et de la répartition des terres et des eaux sur la surface du globe se complète par :

1. Les missions mondiales des jésuites.
2. Des expéditions de corsaires financés partiellement par les États (pirates, flibustiers, boucaniers) au cours de leurs luttes illégales contre l'Espagne (p. 273; et FRANCIS DRAKE p. 221).
3. La mise en valeur, commandée par les États, de ces pays par le commerce et la colonisation : DE VRIES : Japon 1643; CHAMPLAIN et LA SALLE en Amérique du Nord (p. 273); YERMAK en Sibérie (p. 269).
4. Des voyages privés, des explorations scientifiques au xviiiᵉ siècle : ENGELBERT KÄMPFER/Japon 1690-1692; TOURNEFORT/Arménie et Perse 1700-1702; KOLBE/Afrique du Sud 1710; GMELIN/Sibérie 1733-1734; Vers 1600, on a découvert environ 49 p. 100 de la terre (32 p. 100 des terres émergées).

Vers 1800, 83 p. 100 (60 p. 100 des terres émergées).

Découvertes scientifiques

L'empirisme et le rationalisme favorisent les sciences naturelles (p. 246).

Mathématiques :
1614 table des logarithmes (NAPIER).
1637 géométrie analytique (DESCARTES).
1665 calcul infinitésimal (NEWTON et LEIBNIZ 1672).
Vers 1700 calcul des probabilités (BERNOULLI).
1788 géométrie descriptive (MONGE).

Physique :
1609 chute des corps, pendule (GALILÉE).
1609-1619 lois des planètes (KEPLER).
1618 réfraction de la lumière (SNELLIUS).
1662 loi des gaz (BOYLE).
1665 courbure de la lumière (GRIMALDI).
1666 lois de la gravitation (NEWTON).
1675 calcul de la vitesse de la lumière (RÖMER).
1690 théorie ondulatoire de la lumière (HUYGENS).
1728 aberration de la lumière (BRADLEY).
1738 théorie cinétique des gaz (BERNOULLI).
1790 électricité statique (GALVANI).

Biologie et Chimie :
1618 circulation du sang (HARVEY).
1677 spermatozoïdes (LEUWENHOEK).
1727 sels d'argent (SCHULZE).
1735 système de classification naturelle (LINNÉ).
1747 sucre de betterave (MARGGRAF).
1766 hydrogène (CAVENDISH).
1771 oxygène (SCHEELE).
1772 azote (RUTHERFORD).
1780 théorie de la respiration (LAVOISIER).
1791 soude artificielle (LEBLANC).
1799 ciment (PARKER).

Inventions aux XVIIᵉ-XVIIIᵉ siècles

Ces inventions sont souvent dues à l'emploi de **nouveaux instruments d'observation et de mesure :**
1590 microscope (ZACHARIAS).
1610 lunette astronomique (KEPLER).
1643 baromètre au mercure (TORRICELLI).
1657 horloge à pendule (HUYGENS).
1663 manomètre (V. GUERICKE).
1669 télescope à miroir (NEWTON).
1718 thermomètre à mercure (FAHRENHEIT).
1742 thermomètre centigrade (CELSIUS). **Les procédés techniques, les outils et les appareils,** souvent inventés au début par des savants comme GALILÉE, se répandent progressivement au xviiiᵉ siècle parmi le public cultivé (vogue des cabinets de physique).
1662 crayon (STÄDTLER).
1673 machine à multiplier (LEIBNIZ).
1681 chaudière (PAPIN).
1752 paratonnerre (FRANKLIN).
1767 machine à filer (HARGREAVES).
1779 machine à vapeur (WATT).
1770 automobile à vapeur (CUGNOT).
1783 ballon à air chaud (MONTGOLFIER).
1785 métier à tisser mécanique (CARTWRIGHT).
1804 métier à tisser (JACQUARD).
1807 bateau à vapeur (FULTON).

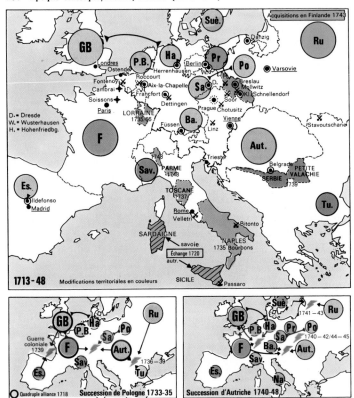

Alliances, guerres et changements territoriaux en Europe (1713-1740)

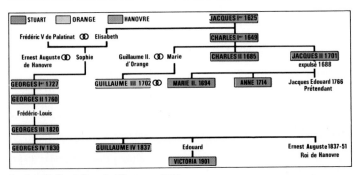

Les dynasties Stuart (Orange) et Hanovre en Angleterre

Politique d'équilibre dynastique (1713-1748)

Le Régent, redoutant les prétentions du roi d'Espagne, PHILIPPE IV, à la succession française, s'allie à l'Angleterre et les échanges de territoire se font selon la raison d'État, sans égard pour les désirs des populations. Les conflits sont provoqués par :

L'Espagne. Son ministre, le cardinal ALBERONI, veut restaurer l'hégémonie espagnole en Italie, en profitant de la guerre du Nord. En

1717 il occupe la Sardaigne et la Sicile.
1718 Victoire maritime de la Quadruple Alliance à Cap Passaro. Pression milit. sur l'Espagne jusqu'au renvoi d'ALBERONI. En
1720 la Savoie échange la Sicile contre la Sardaigne autrichienne.

L'intervention russe en Pologne en

1733-1735 dans la guerre de succession au trône contre les revendications du candidat français STANISLAS LESZCZINSKI, en faveur du prétendant autrichien et russe AUGUSTE III DE SAXE (1733-1763).
1738 Traité de Vienne. La Lorraine revient à Stanislas Leszczinski (p. 267), et, à sa mort en 1766, à la France; la Toscane à François de Lorraine qui, en 1736, épouse MARIE-THÉRÈSE; Naples et la Sicile, à la dyn. des Bourbons d'Espagne, Parme et Plaisance, à une branche cadette des Habsbourgs.

L'Autriche.

1740-1748 Guerre de Succession d'Autriche, que provoque l'entrée en Silésie de FRÉDÉRIC II DE PRUSSE (p. 283). Alliance franco-prussienne et en
1740-1742 1re guerre de Silésie. Victoires prussiennes; Français et Bavarois marchent sur Linz. Marie-Thérèse (p. 283) obtient l'aide des Hongrois en
1741 à la Diète de Presbourg. CHARLES ALBERT DE BAVIÈRE est élu empereur (1742-1745) sous le nom de CHARLES VII.
1742 Traités de Berlin. L'Autriche renonce à la Silésie, se retourne contre la Bavière et s'allie à la Savoie, la Saxe et la **Grande-Bretagne.**
1743 L'Autriche à Dettingen bat la France. Deuxième alliance franco-prussienne et en
1744-1745 2e guerre de Silésie. Victoires prussiennes
1745 Traité de Dresde. L'Autriche confirme la cession de la Silésie. La guerre entre l'Autriche et la Grande-Bretagne, et la France et l'Espagne (victoires franç. de Rocoux et de Fontenoy) dure jusqu'en
1748 Au Traité d'Aix-la-Chapelle, la France rend ses conquêtes, les Pays-Bas autrichiens et les territoires britanniques. Parme revient à une branche cadette des Bourbons espagnols. La Savoie obtient une partie du Milanais.

Le règne de Louis XV (1715-1774)

Après l'endettement causé par les guerres de LOUIS XIV (p. 265), gaspillage à la cour du Régent PHILIPPE D'ORLÉANS (1715-1723). L'Écossais JOHN LAW en
1715 fonde une banque émettant des billets et une société par actions pour l'exploitation de la Louisiane (1717).
1720 Effondrement du système
1726-1743 Derniers succès polit. grâce au card. **Fleury.** Puis influence grandissante des maîtresses royales (marquise DE POMPADOUR, comtesse DU BARRY). Les classes privilégiées (clergé et noblesse) s'opposent aux réformes du ministre MACHAULT qui tente d'instaurer en 1749 une taxe de 1/20 sur tous les revenus.
1770 Disgrâce de CHOISEUL favorable aux idées nouvelles.
1771 Le chancelier MAUPEOU remplace les parlements par des cours de justice.

Luxe du décor : Essor de l'ébénisterie, développement des faïenceries (Moustiers, Sincenz). Apogée de la peinture franç. du XVIIIe siècle : WATTEAU (1684-1721), BOUCHER (1703-1770), FRAGONARD (1732-1806). Art du pastel : LA TOUR.

L'Etat militaire prussien

1713-1740 Frédéric-Guillaume Ier. Profondément religieux mais rude et fermé à tout raffinement intellectuel, le « maître d'école de la nation prussienne » exige l'obéissance absolue (« L'âme est à Dieu, tout le reste doit m'appartenir »). Encouragement à l'économie rurale. Recolonisation des régions dépeuplées par les épidémies en Prusse orientale.
1732 Établissement de 15 000 émigrants de Salzbourg (p. 237). Relèvement du niveau des études (Édit de 1717). Le corps noble des officiers est la classe supérieure de l'État. Le **roi-soldat** est le premier monarque europ. à porter constamment l'uniforme. Discipline de l'infanterie (entraînement intensif, pas cadencé, tir accéléré), grâce au prince d'ANHALT-DESSAU.
1733 Service milit. obligatoire pour les paysans.
Conflit violent entre le roi et le prince héritier **Frédéric** (1712-1786), qui se soumet en 1730 après une fuite manquée et l'exécution de KATTE, son ami.

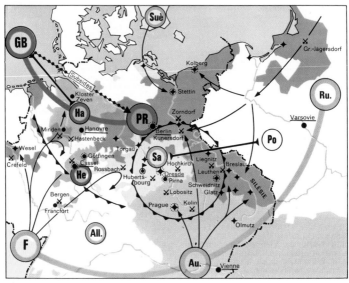

Guerre de Sept Ans en Europe

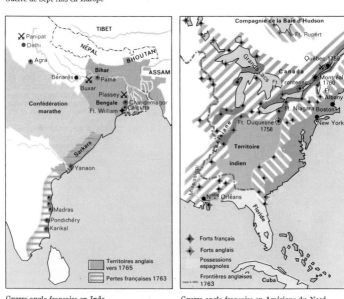

Guerre anglo-française en Inde

Guerre anglo-française en Amérique du Nord

La guerre de Sept Ans 1756-1763
Le traité d'Aix-la-Chapelle n'apporte aucune détente. Les puissances coloniales et l'Autriche provoqueront des conflits. La guerre en Europe et outre-mer profitera aux intérêts des Anglais.

Guerre coloniale franco-anglaise (1754/55-1763)
Amérique du Nord. L'immigration croissante renforce la pression de près de 2 000 000 d'Anglais sur les territoires énormes, faiblement peuplés, mais bien protégés par des forts, que possède la France. Combats de frontière incessants qui en 1754 deviennent une véritable guerre dans la vallée de l'Ohio. Les succès franç. amènent le renvoi du gouv. whig.
1757-1761 WILLIAM PITT assume la direction polit. Il renforce la flotte et les troupes d'outre-mer, accorde des subsides à la Prusse.
1758 Progrès dans la vallée de l'Ohio : prise de Fort-Louisbourg et de Fort-Duquesne (Pittsburg).
1759 Avance sur le Saint-Laurent. Prise de **Québec**, le « cœur de la puissance ennemie » (le général WOLFE vainc MONTCALM; tous deux sont tués). Avec la prise de **Montréal** (1760), percée sur les Grands Lacs.
Antilles. Prise de la Guadeloupe (1759), la Martinique (1762) ainsi que de Cuba, après l'entrée en guerre de l'Espagne en 1761 ; conquête aussi des Philippines.
Afrique occidentale et côte atlantique. Jusqu'en 1760, occupation de tous les points d'appui franç. au Sénégal. Victoires navales angl. à Lagos et Quiberon. Attaques des ports français.
Inde. Au début, succès franç. Conquête de Calcutta et de toute l'Inde du Sud, sauf Madras.
ROBERT CLIVE (32 ans), de la Compagnie des Indes orientales, organise la résistance britannique, utilise la rivalité des princes indiens et reprend Calcutta (Fort-William).
1757 La victoire de Plassey obtenue par trahison contre des forces 20 fois supérieures avec 10 hommes tués (!) assure la domination brit. Effondrement des plans français.
1763 Traité de Paris. La Grande-Bretagne gagne le Canada, la Louisiane, Cap-Breton et le Sénégal sur la France. Elle prend la Floride à l'Espagne. C'est la plus grande victoire brit. des temps modernes : l'Amérique du Nord sera anglo-saxonne.

Le renversement des alliances (1756)
Le comte KAUNITZ-RIETBERG, chancelier autr. dep. 1753, incite MARIE-THÉRÈSE à traiter avec la France pour former une coalition contre la Prusse. FRÉDÉRIC II est isolé.
Janv. 1756 Convention de Westminster (entre Angl. et Prusse) pour la protection du Hanovre. Ce traité défensif inaugure le « renversement des alliances » préconisé par KAUNITZ.
Mai 1756 Traité de Versailles : à l'alliance franco-autr. se joignent la tsarine ÉLISABETH (pour des raisons personnelles), la Saxe, la Suède, la Hesse, le Brunswick. FRÉDÉRIC II devance l'action commune de ses adversaires.
Août 1756 Invasion de la Saxe (guerre préventive) qui devient une base d'opérations prussienne après la capitulation de Pirna. La Prusse lutte pour son existence contre des forces 20 fois sup. (d'après le nombre d'habitants). La chance tourne plusieurs fois dans ces batailles classiques de l'histoire militaire.
FRÉDÉRIC II tire avantage des lignes intérieures par des offensives qui mènent à des batailles d'anéantissement, mais ne peut empêcher la réunion des forces coalisées.
1757-1758 Victoires de Prague, **Rossbach** (SEYDLITZ), Zorndorf, **Leuthen.** Défaites de Gross-Jägersdorf (les Russes occupent la Prusse orientale), de Kolin (création de l'ordre de MARIE-THÉRÈSE).
Intervention anglaise (Pitt : « Nous avons gagné le Canada en Silésie »). Au service de l'Angleterre, FERDINAND DE BRUNSWICK repousse les attaques françaises à Crefeld (1758) et à Minden (1759). Dès que la Grande-Bretagne a atteint ses buts outre-mer, PITT est renversé, et elle cesse d'aider la Prusse (1761).
1759-1761 Guerre défensive de FRÉDÉRIC II. Les armées autr. et russe anéantissent presque l'armée pruss. en
1759 à la bataille de Kunersdorf. La désunion des vainqueurs sauve la Prusse (« le miracle de la maison de Brandebourg »). Pillage de Berlin. Pour remédier aux besoins financiers, frappe d'une monnaie dévaluée.
1762 La Russie abandonne la coalition après la mort de la tsarine. PIERRE III admirateur de FRÉDÉRIC sera assassiné, et CATHERINE II (p. 283) met fin à la guerre. Épuisées, la France et la Suède abandonnent. L'Autriche doit entamer des pourparlers.
1763 Traité d'Hubertsbourg : statu quo territorial. Importance : une 5e **grande puissance, la Prusse,** complique l'équilibre europ. Influence croissante de la Russie, tandis que les échecs français provoquent une recrudescence des critiques à l'égard de l'Ancien Régime (p. 277). Jusqu'à BISMARCK (1866), le dualisme austro-prussien décidera de la polit. allemande.

La Pologne au 17e siècle

Gains russes, prussiens et autrichiens

Expansion prussienne et russe

La fin de la Pologne

Le grand-duché de Varsovie

La Pologne du Congrès

Succès polit. de la Russie après 1763

1764-1780 Le comte PANINE, ministre des Affaires étrangères, mène la polit. étrangère de CATHERINE II.

1764 Alliance avec la Prusse qui soutient l'élection du candidat russe, PONIATOVSKI au trône de Pologne.

Pologne. Des interventions réciproques dans les troubles de succession provoquent la 1re guerre russo-turque :

1768-1774 La Russie occupe la Moldavie et la Valachie. Alliance de l'Autriche et de la Turquie. Dans ce **premier conflit balkanique**, la Prusse médiatrice détourne l'attention sur la Pologne :

1772 Premier partage de la Pologne. Les Russes abandonnent les principautés danub. et la paix est sauve.

En mer Noire, à l'aide des Anglais, en

1770 victoire de la flotte russe de la Baltique à Tcheshmé. La Turquie sera désormais « l'homme malade de l'Europe ».

1774 Traité de Kaïnardji : la Russie gagne Azov et devient la protectrice des pays orth. des Balkans.

1783 Annexion de la Crimée. Mise en valeur de la « Nouvelle Russie » par **Potemkine** (1736-1791), favori de la tsarine : construction d'une flotte de la mer Noire, fondation de villes (Kherson 1778, Sébastopol 1784).

1787-1792 2e guerre contre la Turquie, qu'attaque aussi l'Autriche. Le maréchal prince **Souvorov** (1730-1800) est vainqueur. Son livre « La doctrine de la Victoire » (1795) inspirera toute la tactique russe (tirailleurs dispersés, attaques par surprise).

1792 Traité de Jassy. Entre le Bug et le Dniester, la côte devient russe.

La rivalité austro-prussienne après 1763

La Prusse et l'Autriche s'appuient l'une après l'autre sur la Russie.

1765-1790 JOSEPH II veut renforcer la position autrichienne en Allemagne après l'extinction des Wittelsbach (1777). Un plan d'échange de territoires avec l'héritier CHARLES THÉODORE DE PALATINAT (la basse Bavière et le haut Palatinat contre une partie de l'Autriche) provoque en

1778-1779 la guerre de Succession de Bavière avec intervention de la Prusse en Bohême. MARIE-THÉRÈSE oblige JOSEPH à se raviser.

1779 Traité de Teschen, garanti par la Russie. L'Autriche se contente du district de l'Inn. JOSEPH II poursuit son dessein : en

1781 alliance avec la Russie. Il tente d'échanger la Baltique contre la Bavière. FRÉDÉRIC II répond en

1785 par la « Ligue des Princes Allemands pour le maintien du traité de Westphalie » (p. 251). L'Autriche ne peut plus imposer sa volonté en Allemagne contre la Prusse.

1790 Convention de Reichenbach. L'Autriche doit céder à l'exigence de la Prusse et interrompre sa guerre contre les Turcs (1787-1791).

1791 Traité de Sistowa. Malgré les victoires de Fokschani et la prise de Belgrade, succès limités.

Les partages de la Pologne (1772-1795)

1764-1795 STANISLAS II PONIATOWSKI. Favori de CATHERINE II, élu sous la pression des Russes, il veut réformer cette « anarchie adoucie par la guerre civile ». La Russie protège les dissidents (non cath.) et la noblesse de l'opposition que représentent en

1767 les confédérations de Sluzk et de Radom, et interdit toute restriction au liberum veto (p. 245).

1768 La contre-confédération de Bar qui s'appuie sur les Turcs est vaincue avec l'aide des Russes dans une guerre civile.

1769 L'Autriche occupe la Zips, mise en gage depuis 1412. Pour empêcher une guerre austro-russe, en

1772 premier partage de la Pologne. Les parties prenantes exigent le maintien de la royauté élective, des privilèges de la noblesse et du liberum veto. Pendant la guerre russoturque et russo-suédoise (1788-1790), la « Diète de 4 Ans » (1788-1791) décide de transformer la Pologne en une monarchie parlementaire héréditaire. Cette « Constitution de mai » (1791) est immédiatement attaquée par une opposition sous influence russe, qui constitue la Confédération de Targowice (1792). Le roi doit abdiquer. Pour « rétablir l'ordre », en

1793 deuxième partage de la Pologne, reconnu par la « Diète muette » de Grodno. Révoltes à Vilna et à Varsovie avec le héros national KOSCIUSZKO (1746-1817), qui déclenche en

1794 une révolte générale écrasée par les troupes russes de SOUVOROV et les Prussiens.

1795 Troisième partage de la Pologne. C'est la fin du royaume. Des légions polonaises commandées par le général DOMBROVSKI (1755-1818) combattent avec NAPOLÉON qui fonde en

1807 le grand-duché de Varsovie. Le Congrès de Vienne l'unit à la Russie par une alliance personnelle. Après **la vaine révolution de 1830-1831,** le grand-duché devient province russe. **Paris est le centre de l'émigration polonaise.**

Conséquences des partages. Le mouvement national polonais ne peut être réprimé. **La Prusse** se charge d'une minorité polonaise. La **Russie** progresse vers l'ouest et, à p. de 1795, est le voisin immédiat de la Prusse et de l'Autriche.

Nouveaux établissements dans la région du Danube après les guerres contre la Turquie au 18e siècle

Le despotisme éclairé au XVIIIᵉ siècle

Les idées humanitaires de l'époque influencent les conceptions de l'État et de la société. Le « despote éclairé » règne en tant que premier serviteur de l'État d'après les principes de la raison (« Rien par le peuple, tout pour le peuple »). MERCIER DE LA RIVIÈRE fait la théorie d'un État autoritaire et providentiel à bureaucratie moderne et à justice bien organisée.

Prusse : Frédéric le Grand (1740-1786)
Il poursuit l'œuvre réformatrice de son père (p. 277). Budgets fixes, monopoles d'État du café, du tabac et du sel.

Colonisation intérieure. Assèchement des terres inondées de l'Oder, de la Warthe et de la Netze; construction de routes et de canaux; création de 900 villages avec plus de 300 000 nouveaux habitants.

Expansion de l'agriculture. Assolements, pomme de terre; amélioration de l'élevage, de l'arboriculture et des forêts.

Ordre social. Toutes les classes sociales doivent servir l'État : le **roi** (gouvernement personnel avec conseillers et secrétaires), par des secours, des inspections, des contrôles actifs; la **noblesse** (propriétaires fonciers et terriens) fournit les officiers et les hauts fonctionnaires; les **bourgeois** (commerce et industrie) supportent toute la fiscalité, mais sont soutenus par l'État (développement de l'industrie de la soie, du verre, de la porcelaine); les **paysans** (travail de la terre) demeurent des **serfs héréditaires** du fait qu'ils appartiennent à la propriété. **Liberté de pensée et de religion** pour tous.

Égalité devant la justice qui est indépendante (séparation des pouvoirs). Examen d'État pour les juges, qui sont rémunérés. Mêmes instances pour tous, réglementation des procès, des châtiments et des prisons. La Prusse abandonne ainsi ses traditions féodales. Rédigé par SVAREZ (1746-1798) un **code général** entre en vigueur.

Autriche : Marie-Thérèse (1740-1780)
L'impératrice suit l'exemple de son adversaire prussien, mais rencontre des difficultés pour organiser des peuples aussi différents socialement, polit. et économiquement. Mais transformation de la partie autrichienne et bohémienne en un État fonctionnarisé et moderne : impôt généralisé sur la noblesse et l'Église, basé sur des recensements et un cadastre.

Justice. Les protestants et les Juifs ont des droits réduits; surveillance de l'Église : l'autorisation royale est nécessaire pour les indulgences papales. Code pénal unique.

Écoles. Écoles populaires et professionnelles. Académies militaires, techniques et commerciales. Le monopole des jésuites en matière d'éducation disparaît

avec la suppression de l'ordre (1773).

Colonisation intérieure. « Convois souabes » renforcés depuis 1748 dans les territoires du Sud-Est (p. 261). Pour réaliser un **État unitaire**, réformes radicales et précipitées de

Joseph II (1765-1790) (depuis 1780, il règne avec sa mère). Administration centralisée avec emploi de la langue allemande.

1781 Suppression du servage et des corvées obligatoires. Déclaration de tolérance, mais inégalité entre les religions.

Réforme ecclésiastique. Suppression des ordres contemplatifs (1 300 couvents). L'État assure la formation des prêtres et leur rémunération. Fondation d'écoles, d'hôpitaux, d'asiles, d'orphelinats, de maisons d'aveugles. Mariage civil.

Conséquences des réformes. Les peuples défendent leurs traditions nationales et leurs droits particuliers.

1787 Révolte des Pays-Bas autrichiens, désordres généraux (Hongrie).

1790 Révolte de la « République des Provinces-Unies belges ». JOSEPH II doit revenir sur la plupart de ses réformes.

1790-1792 Son frère LÉOPOLD II fait précautionneusement marche arrière pour sauver la monarchie.

Russie : Catherine II (1762-1796)

1764 Établissement de paysans allemands sur la Volga, et en 1783 en Crimée.

1775 Gouvernement autocratique. Division du pays en **gouvernements** semi-autonomes administrés par des unions de nobles. A l'instigation du chimiste LOMONOSSOV (1712-1765), en

1755 fondation de l'université de Moscou, de lycées et d'écoles populaires. Échec de toutes les tentatives pour modifier la manière de vivre des Russes, faute de fonctionnaires cultivés et d'une bourgeoisie urbaine. Des lettres de grâce accordées à la noblesse accentuent l'exploitation des serfs (âmes). Troubles paysans.

1773-1774 Révolte de POUGATCHEV.

Portugal. Sous le ministère de POMBAL, réformes scolaire, financière et militaire.

1755 Tremblement de terre de Lisbonne.

1759 Expulsion des jésuites du Portugal, puis en 1767 d'Espagne par le comte ARANDA.

Danemark. Période de réformes : STRUENSEE, médecin allemand, est renversé et exécuté en 1772. **Bernstorff** entreprend la libération des paysans en 1788.

Bade. CHARLES-FRÉDÉRIC (1746-1811) est considéré comme le modèle des **princes éclairés** : en 1783, suppression du servage.

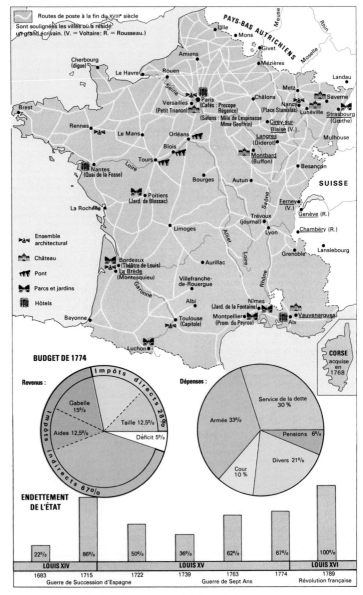

Routes de poste à la fin du XVIIIe siècle

Sont soulignées les villes où a résidé un grand écrivain. (V. = Voltaire; R. = Rousseau.)

PAYS-BAS AUTRICHIENS

Cherbourg (digue)
Le Havre
Rouen
Amiens
Lille
Mons
Givet
Mézières
Metz
Landau
Brest
Versailles (Petit Trianon)
Paris (Cafés : Procope Régence) (Salons : Mlle de Lespinasse Mme Geoffrin)
Châlons
Nancy (Place Stanislas)
Saverne
Strasbourg (Goethe)
Lunéville
Cirey-sur-Blaise (V.)
Mulhouse
Rennes
Le Mans
Orléans
Blois
Langres (Diderot)
Montbard (Buffon)
Besançon
Nantes (Quai de la Fosse)
Tours
Bourges
Autun
SUISSE
Poitiers (Jard. de Blossac)
Trévoux (journal)
Ferney (V.)
Genève (R.)
La Rochelle
Limoges
Lyon
Chambéry (R.)
Lansiebourg

Ensemble architectural

Château

Pont

Parcs et jardins

Hôtels

Bordeaux (Théâtre de Louis)
La Brède (Montesquieu)
Aurillac
Villefranche-de-Rouergue
Grenoble
Albi
Nîmes (Jard. de la Fontaine)
Vauvenargues
Bayonne
Toulouse (Capitole)
Montpellier (Prom. du Peyrou)
Aix
Luchon

CORSE acquise en 1768

BUDGET DE 1774

Revenus :

Impôts directs 28%
Gabelle 15%
Taille 12,5%
Aides 12,5%
Déficit 5%
Impôts indirects 67%

Dépenses :

Service de la dette 30 %
Armée 33%
Pensions 6%
Divers 21%
Cour 10 %

ENDETTEMENT DE L'ÉTAT

22%	86%	50%	36%	62%	67%	100%

LOUIS XIV		LOUIS XV				LOUIS XVI
1683	1715	1722	1739	1763	1774	1789
	Guerre de Succession d'Espagne			Guerre de Sept Ans		Révolution française

La civilisation française à la fin de l'Ancien Régime

Les révolutions succèdent au Siècle des Lumières et leur influence s'étend sur le monde :
1. Les **révolutions politiques** donnent naissance à des formes d'État qui garantissent la liberté personnelle et l'égalité des droits.
2. La **révolution industrielle**, venue d'Angleterre, instaure la production en grande série; grandes entreprises privées (capitalistes), salariés.

Les nouvelles conceptions de l'État et de la politique

1689-1755 **Montesquieu,** influencé par la Rome antique et une vision idéalisée de l'Angleterre, critique en 1721 dans les « Lettres persanes » l'absolutisme français et, en 1748, dans « L'Esprit des Lois », développe la théorie de LOCKE sur la séparation des pouvoirs. Seule la **monarchie constitutionnelle** garantit la liberté individuelle, car les pouvoirs s'équilibrent.

1712 - 1778 **Jean-Jacques Rousseau** brosse un tableau idéal de la démocratie en 1762 dans le « Contrat social ». La souveraineté du peuple est absolue, indivisible, inaliénable, et s'exprime par la volonté générale qui vise au bien de tous.

DIDEROT (p. 247) insiste dans son « Encyclopédie » sur le rôle des arts et métiers (nombreuses planches).

Représentant du **physiocratisme,** QUESNAY (1694-1774) réagit contre le mercantilisme et voit dans le sol la source unique de la richesse. Seule l'agriculture est productive, l'industrie et le commerce sont « stériles ». **Adam Smith** (1723-1790) voit dans le **travail** la base du bien-être. C'est l'intérêt particulier qui incite à produire des marchandises qui, d'après la loi de l'offre et de la demande, se vendent au « **prix du marché** ». Son œuvre fait date : « Recherches sur la nature et les causes de la richesse des nations ».

Le XVIIIe siècle s'est marqué par la hausse des prix, favorable à l'essor économique. Conséquences : transformation des villes, construction de routes et de ponts qui permettent l'accélération des échanges. Les ports (Bordeaux, Nantes), en relation avec les Antilles, se développent.

La France à la veille de la Révolution

La noblesse. Elle détient les hautes charges (civiles et militaires). On distingue la haute noblesse (qui profite des emplois à la cour, des pensions royales, de la rente foncière), la noblesse provinciale et la noblesse de robe.

Le clergé. Le clergé est divisé en haut clergé (noblesse) et bas clergé (partisan du tiers état).

La bourgeoisie (banquiers, industriels, commerçants, juristes, médecins) est en plein essor, favorisée par le développement économique (p. 256).

Le monde des **artisans** cherche à se dégager du cadre rigide des corporations.

Les **paysans** sont soumis au régime seigneurial. Les propriétaires libres subissent parfois la pression de la « réaction féodale » (revision des « terriers », recueil de documents fonciers), mais peuvent être aisés (« laboureurs »).

Politique financière. Fermiers généraux qui recouvrent les impôts et en gardent le bénéfice. La noblesse refuse de payer l'impôt foncier (taille) que supportent les roturiers. Le clergé ne fait que des « dons gratuits ».

1774-1792 **Louis XVI,** de bonne volonté mais sans caractère, appelle le physiocrate TURGOT (1721-1781) pour réorganiser les finances. La « liberté du commerce des grains » déclenche la révolte des ouvriers parisiens contre l'augmentation rapide du prix du pain.

1778 Alliance avec les E.-U. et guerre contre l'Angleterre. NECKER (1732-1804), calviniste et banquier à Genève, tente vainement de couvrir par des emprunts les frais de guerre. Il est renvoyé après la publication d'un « Compte Rendu » financier (1781).

1783 Le traité de Versailles rend le Sénégal à la France.

1783-1787 **Calonne,** ministre des Finances (1734-1802), revient au plan de TURGOT, mais une assemblée de notables recrutée parmi les ordres privilégiés (la première depuis 1626) et ne connaissant rien aux finances, repousse les projets destinés à couvrir le déficit. A CALONNE succède **Loménie de Brienne** (1727-1794) qui échoue devant le Parlement de Paris, lequel réussit à faire convoquer pour la première fois depuis 1614 les États généraux en vue d'une réforme fiscale.

1786 Crise industrielle, famine (mauvaises récoltes).

1788 Banqueroute de l'État et rappel de NECKER qui réussit à faire doubler le nombre des délégués du tiers à l'assemblée des États généraux qui délibérera groupée en « ordres ». Dans sa brochure « Qu'est-ce que le tiers état? », l'**abbé Sieyès** (1748-1836) demande que les représentants de la nation participent au gouvernement et que les délibérations aux États généraux se fassent « par tête ».

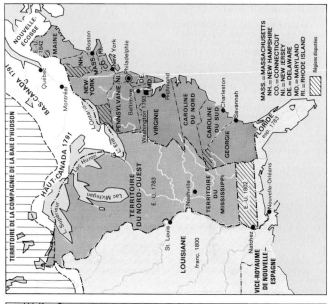

Les États-Unis à la fin du XVIIIe siècle

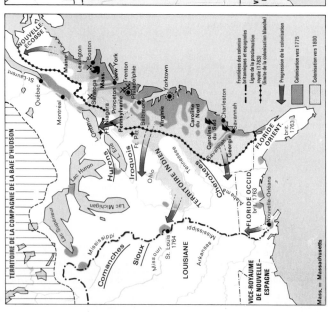

La colonisation européenne en Amérique du Nord au XVIIIe siècle

Mass. = Massachusetts

Le mouvement d'indépendance

Par le traité de Paris (1763), les colons anglais, qui ne craignent plus la France désormais, prennent plus d'assurance à l'égard de la Couronne.

Tensions croissantes entre la métropole et les colonies (interdiction de s'établir à l'ouest des Appalaches ; entrave du commerce des colonies pour leur propre compte ; levée d'impôts directs pour amortir les dettes de guerre britanniques, etc.), le tout couronné en 1765 par la loi du timbre sur les documents, journaux, livres. WILLIAM PITT (p. 279) et BURKE (p. 305) prennent parti pour les colons mais n'obtiennent que des succès partiels : en 1766, suppression du timbre, mais entrée en vigueur de nouvelles taxes douanières.

A partir de 1770 émeutes à Boston (Massachusetts) et boycottage des marchandises britanniques. Des radicaux (SAMUEL ADAMS, HENRY LEE, THOMAS JEFFERSON, etc.) fondent des comités de correspondance pour organiser la rupture des liens avec l'Angleterre. L'essor définitif de ce mouvement sera marqué par la publication d'un tract de THOMAS PAINE, « Common Sense » (1776).

Le gouvernement écarte des réclamations présentées au Parlement sur la nécessité d'obtenir l'accord des colons en matière d'impôts (« Pas de taxation sans représentation »). De plus, taxes sur les denrées importées, et notamment sur le thé dont le monopole est ainsi garanti à la Compagnie des Indes orientales. Conflit déclaré : en

1773 Échauffourée de Boston (Boston Tea Party). Le chargement de thé de trois bateaux est jeté à la mer. Le gouvernement bloque le port et décrète l'état d'urgence.

1774 Premier Congrès continental à Philadelphie. Les délégués des 13 États de la façade atlantique (Massachusetts, New Jersey, New York, Rhode Island, Connecticut, New Hampshire, Pennsylvanie, Delaware, Virginie, Maryland, Caroline du Nord, Caroline du Sud, Georgie) décident de cesser tout commerce avec la métropole.

18 avril 1775 A Lexington, premier choc entre les troupes britanniques et les milices américaines qui dégénère et devient de

1775 à 1783 la guerre d'Indépendance d'Amérique du Nord. Les colons, environ trois millions, manquent de troupes instruites, d'argent, de matériel de guerre et d'une unité de direction. GEORGE WASHINGTON (1732-1799), propriétaire terrien de Virginie (Mount Vernon), reçoit du deuxième Congrès le commandement en chef. Il a pour adversaires :

a) L'armée coloniale britannique (dont 17 000 mercenaires peu sûrs, originaires de Hesse et de Brunswick, ont été vendus à l'Angleterre par leurs souverains) ; b) Les « Loyalistes », Américains fidèles à l'Angleterre ; c) Des tribus indiennes alliées des Anglais.

4 juillet 1776 Déclaration d'Indépendance des 13 États (symbolisés par les 13 bandes du drapeau américain) : première déclaration, toujours en vigueur aux États-Unis, des **Droits de l'Homme** (« la vie, la liberté et la recherche du bonheur ») et du **droit à la résistance** qui en découle. L'acte de naissance de la nouvelle nation est l'œuvre de **Thomas Jefferson** (1743-1826). Le 4 juillet devient le jour de la fête nationale des États-Unis.

1776 Défaites britanniques dans le Delaware à Trenton et Princeton.

1777 Victoire américaine à Saratoga.

Benjamin Franklin (1706-1790), premier ambassadeur des E.-U., agit à Paris en faveur de la cause américaine. De jeunes officiers combattent sous les ordres de WASHINGTON (LA FAYETTE, le héros national polonais KOSCIUSZKO (p. 281) et le général prussien VON STEUBEN, organisateur de l'armée américaine). En 1778, la France et l'Espagne interviennent contre l'Angleterre.

1779-1782 Vain siège de Gibraltar, mais conquête de Minorque ; victoires navales britanniques (amiral RODNEY) dans les Antilles, Saint-Vincent (1781) et Saint-Domingue (1782). Victoires navales françaises (SUFFREN) aux Indes.

Apparition dans le droit maritime moderne du principe : « Le pavillon neutre couvre la marchandise ennemie à l'exception de la contrebande (de guerre). » Les troupes françaises de ROCHAMBEAU débarquent à Rhode Island.

1781 Prise de Yorktown (7 200 prisonniers dont le Prussien GNEISENAU). Les Anglais déposent les armes.

1783 Traité de Versailles. La Grande-Bretagne reconnaît l'indépendance américaine ; Tobago (Antilles) et le Sénégal reviennent à la France. L'Espagne obtient Minorque et la Floride.

Conséquences. a) **Grande-Bretagne** : effondrement de son empire atlantique ; b) **France** : de nouvelles dettes de guerre alourdissent les finances déjà obérées (p. 285) ; les officiers comme LA FAYETTE, ROCHAMBEAU sont fêtés par la noblesse libérale. Popularité de B. FRANKLIN établi à Passy ; c) **Amérique du Nord** : après de lourds sacrifices (70 000 morts), obtention de l'indépendance. Problème constitutionnel : fédéralisme centralisateur ou confédération.

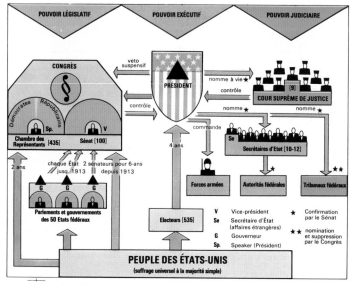

La Constitution des États-Unis d'Amérique

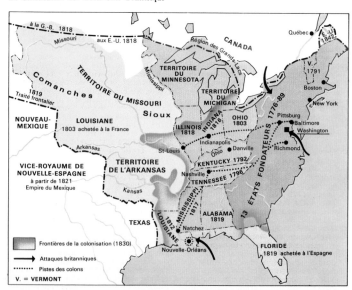

Le développement des États-Unis d'Amérique jusqu'en 1820

La formation des États-Unis

Chacun des États remplace son statut colonial par une constitution sur le modèle de celle de la Virginie. Ces constitutions garantissent :

1. La souveraineté du peuple par des droits démocratiques fondamentaux : en 1776, **Déclaration des Droits de Virginie** (Jefferson);
2. La séparation des pouvoirs et le principe de l'élection pour les fonctions publiques;
3. La séparation de l'Église et de l'État (1785, Statut de Virginie sur la liberté religieuse).

En dépit du particularisme de chaque État, les dévaluations, les besoins économiques et les guerres de frontière avec les Indiens favorisent l'unité.

1787 Assemblée constituante à Philadelphie. Franklin et Madison arbitrent le conflit entre les fédéralistes centralistes (Hamilton, Adams, Washington) et les fédéralistes républicains (plus tard démocrates : Jefferson). Les 55 délégués des États fondateurs acceptent le compromis d'une **république fédérale présidentielle**. La constitution qu'ils rédigent n'est reconnue par les États qu'avec réticence. Elle entre en vigueur en 1789.

17 septembre 1787 Constitution des E.-U. d'Amérique, loi fondamentale de la première démocratie moderne. Caractéristiques : **Séparation des pouvoirs** (Montesquieu, p. 285) :
a) Entre la Fédération et les États (double citoyenneté) : la Fédération est compétente en matière de défense, de monnaie, de politique et de commerce extérieurs; les États en matière de commerce intérieur, de culte, de justice, de police, etc.;
b) Entre les différents pouvoirs à l'échelon fédéral :

Le **président** est désigné par les partis et élu au suffrage indirect pour quatre ans par les grands électeurs des États (une seule réélection possible; exception pour F. D. Roosevelt). Il nomme les secrétaires d'État (ministres), ne peut être renversé qu'en cas de mise en accusation, mais est contrôlé par le Congrès, et par la Cour suprême.

Le **Congrès** se compose de deux Chambres : la Chambre des Représentants (élus au suffrage direct pour deux ans) et le Sénat (deux représentants de chaque État pour six ans, renouvelables tous les deux ans par tiers). Le président (droit de veto suspensif) et la Cour suprême contrôlent le pouvoir législatif.

La **Cour suprême** est composée de neuf membres inamovibles nommés à vie par le président. Gardienne de la constitution, elle juge de la constitutionnalité des lois.

L'ère des présidents virginiens

1789-1797 George Washington. Hamilton (1757-1804) ébauche un programme pour le développement économique. Il affermit le jeune État et fonde la puissance du capitalisme américain. La capitale, Washington, fondée en 1793, devient à. p. de 1800 le siège du Congrès.

1791-1801 John Adams (fédéraliste). Premiers conflits avec les États du Sud (Kentucky) à propos des lois fédérales sur les étrangers.

1801-1809 Thomas Jefferson (républicain). Réaction contre les centralisateurs selon la devise : « Le moins possible d'État et de gouvernement. »

Conquête de l'Ouest (« The Winning of the West ») par migrations internes et immigration provenant de l'Europe de l'Ouest, du Nord et du Centre. La population passe de 3,9 millions (1790) à 7,2 millions (1810) et colonise l'intérieur du continent au-delà des Appalaches. Colons et sociétés reçoivent des terres du gouvernement à un prix légal et modéré. Lutte contre les Indiens (gén. Wayne, Andrew Jackson) auxquels on accorde en théorie l'égalité des droits.

A. p. de 1781, colonisation des territoires du Nord-Ouest et du Mississippi, et fondation d'États nouveaux : Kentucky (1792), Tennessee (1796), Ohio (1803), Louisiane (1812), Indiana (1816), Mississippi (1817), Illinois (1818), Alabama (1819).

Politique étrangère. Dès le début, **tendance isolationniste** (la politique se limite à l'Amérique).

1793 Déclaration de neutralité malgré l'alliance avec la France (1778) et les guerres de coalition (p. 297). Dans son message d'adieu (Farewell Address de 1796), Washington met en garde contre « des alliances durables » avec l'Europe.

1803 Acquisition de la Louisiane. Napoléon vend la dernière possession coloniale française en Amérique du Nord pour 15 millions de dollars (p. 305). La « plus grande affaire des É.-U. » permet l'exploitation de la voie, maintenant ouverte, du Mississippi. Tensions avec l'Angleterre (question indienne, revendications territoriales, concurrence commerciale), déclaration d'embargo en 1807.

1809-1817 James Madison se laisse entraîner par son parti dans une seconde guerre anglo-américaine (1812-1814) contre la Grande-Bretagne pour la conquête du Canada, mais les Anglais attaquent les côtes et détruisent Washington. Jackson défend La Nouvelle-Orléans.

1814 « Paix éternelle » de Gand. Rétablissement du statu quo : les Grands Lacs sont neutralisés.

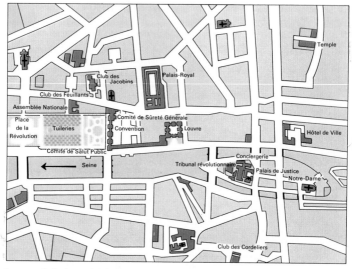

Le centre de Paris sous la Révolution

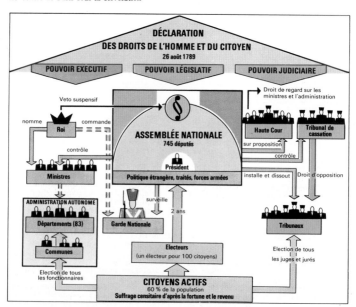

La Constitution de 1791

La naissance de la Constituante

5 mai 1789 Réunion des États généraux à Versailles. Délibération par ordre. Le tiers état propose dès les premiers jours la délibération en commun de tous les députés et le vote par tête. Dans la députation du clergé aux États généraux, sur 300 représentants, on compte 208 curés.

17 juin 1789 Le tiers état se proclame Assemblée nationale et menace le roi de la grève de l'impôt.

20 juin 1789 Les députés du tiers état se réunissent dans la salle du Jeu de Paume. Ils décident que tous les membres de cette Assemblée prêteront à l'instant le serment « de ne jamais se séparer et de se rassembler partout où les circonstances l'exigeront, jusqu'à ce que la Constitution du royaume soit établie et affermie sur des fondements solides ». C'est le serment du Jeu de Paume.

23 juin 1789 Ralliement du clergé au tiers état décidé par 148 voix contre 136. Séance royale du 23 juin pour imposer la délibération par ordre.

9 juillet 1789 Après ralliement de la noblesse, transformation des États généraux en **Assemblée constituante.**

14 juillet 1789 Prise de la Bastille où les émeutiers viennent chercher des armes pour riposter aux troupes de Louis XVI qui vient de renvoyer Necker.

Nuit du 4 août 1789 Abolition des privilèges. Suppression des dîmes et des droits seigneuriaux. Les droits sur la personne sont supprimés. Les droits sur les terres sont rachetables.

26 août 1789 Déclaration des Droits de l'Homme : liberté, sûreté, propriété, résistance à l'oppression.

La Constituante et l'Église

12 juillet 1790 Vote de la Constitution civile du clergé.

27 novembre 1790 Tous les prêtres doivent prêter le serment civique comme les fonctionnaires.

2 janvier 1791 Les prêtres qui ne prêteraient pas serment seront considérés comme démissionnaires. C'est l'origine des prêtres réfractaires.

Les auteurs de la Constitution civile s'inspirent de principes gallicans. Elle ne devait porter que sur des questions d'ordre temporel. Or, les droits du pape sont méconnus. Évêques et curés sont élus par les citoyens actifs comme des fonctionnaires et l'évêque élu écrit au pape pour lui faire part de sa désignation, mais sans avoir à obtenir de Rome confirmation de ses pouvoirs.

10 mars 1791 Pie VI condamne la Constitution civile et s'attaque aux principes même de la « Déclaration des Droits de l'Homme ». Louis XVI manifeste la même désapprobation.

Évolution intérieure

Les anciens députés aux États généraux se groupent suivant leurs tendances. Il n'est pas question de parti au sens moderne du terme.

a) A droite : les **monarchiens** s'opposent à la Révolution (Mounier); **b) Au centre :** les **constitutionnels** (Le Chapelier, Bailly, l'abbé Sieyès, Talleyrand, La Fayette); **c) A gauche :** le triumvirat (Duport, Barnave et Lameth); **d) A l'extrême gauche :** la Société des Amis des Droits de l'Homme, devenue le **Club des cordeliers** (Danton, Marat).

22 décembre 1789 Création de 83 départements, qui sont de petites républiques. A la tête du département, aucun agent du pouvoir central, mais un conseil de 28 membres, un directoire de 8 membres, enfin un procureur général syndic chargé de faire appliquer les lois : tous ces membres sont élus par les « électeurs » censitaires.

Mars-avril 1790 L'assignat, créé en décembre 1789 et qui donnait un intérêt de 5 %, devient un billet de papier-monnaie.

14 juil. 1790 Fête de la Fédération : commémoration du 14 Juillet. Pour symboliser l'abolition de toutes les distinctions entre provinces, des fédérations locales envoient 14 000 représentants à Paris. Au milieu du Champ-de-Mars, l'évêque d'Autun, Talleyrand, célèbre la messe sur l'autel de la Patrie.

2 avril 1791 Mort de Mirabeau.

20 juin 1791 La famille royale s'échappe des Tuileries. Louis XVI, reconnu à Sainte-Menehould par le maître de poste Drouet qui donne l'alerte, est arrêté à Varennes par le procureur de la commune.

17 juil. 1791 Sous l'impulsion du Club des cordeliers, une pétition demandant la déchéance du roi est déposée au Champ-de-Mars (6 000 signatures). Mais la municipalité de Paris, dominée par La Fayette et Bailly, proclame la loi martiale. Fusillade du Champ-de-Mars : 100 morts.

3 sept. 1791 Vote de la Constitution : le pouvoir législatif est confié à une Chambre élue au suffrage censitaire. Le roi dispose d'une « liste civile ». Pas de régime parlementaire : le roi choisit ses ministres comme il le veut (droit de veto suspensif, pendant deux législatures).

14 sept. 1791 Louis XVI accepte la Constitution.

Le caractère bourgeois du nouveau régime apparaît :
a) Dans la distinction entre citoyens actifs et citoyens passifs;
b) Dans la loi Le Chapelier (14 juin 1791) qui interdit aux « citoyens d'un même état ou profession » de se grouper.

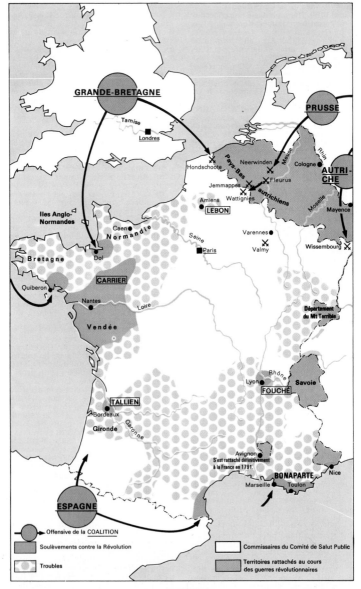

GRANDE-BRETAGNE

Tamise

■ Londres

PRUSSE

Neerwinden

Meuse

Rhin

Cologne ●

AUTRI-
CHE

Pays-Bas

Hondschoote ×

Jemmappes ×

× Fleurus

Wattignies ×× autrichiens

Amiens ●

Moselle

LEBON

Mayenne ●

Iles Anglo-
Normandes

Caen ●

Seine

Varennes ●

Normandie

Paris ■

Valmy ×

Wissembourg ×

Bretagne

Dol ●

CARRIER

Quiberon ●

Nantes ●

Loire

Département
du Mt Terrible

Vendée

TALLIEN

Bordeaux ●

Garonne

Gironde

Rhône

Lyon ●

Savoie

FOUCHÉ

Avignon ●
S'est rattaché définitivement
à la France en 1791.

Nice ●

BONAPARTE

Marseille ●

Toulon ●

ESPAGNE

→ Offensive de la COALITION

Soulèvements contre la Révolution

Troubles

Commissaires du Comité de Salut Public

Territoires rattachés au cours
des guerres révolutionnaires

La crise de 1793

La Législative (1er oct. 1791-20 sept. 1792)

Les anciens députés de la Constituante n'ont pas le droit de se représenter. Apparition à la droite de l'Assemblée d'une nouvelle formation, les **feuillants** (du nom du club qui s'était constitué lorsque les plus modérés avaient quitté les jacobins). Parmi eux, beaucoup suivent les directives du triumvirat formé par BARNAVE, DUPORT et LAMETH.

Le 9 nov. 1791 un décret somme tous les émigrés de rentrer dans le royaume avant le 1er janvier 1792.

Le 29 nov. un autre décret exige de tous les prêtres un serment civique en menaçant le clergé réfractaire de la prison ou de la déportation. Mais le roi met son veto.

14 décembre 1791 LOUIS XVI demande à l'électeur de Trèves d'interdire avant le 15 janvier 1792 les rassemblements d'émigrés.

10 avril 1792 Mise en accusation du ministre des Affaires étrangères DE LESSART. Ministère girondin, composé d'amis de BRISSOT, CLAVIÈRE aux Finances, ROLAND à l'Intérieur et DUMOURIEZ aux Affaires étrangères.

20 avril 1792 Déclaration de guerre au « roi de Bohême et de Hongrie ».

Les girondins espèrent que le roi va donner des preuves de trahison, ce qui permettra de l'abattre.

Les « patriotes » font pression sur l'Assemblée indécise, qui vote trois nouveaux décrets visant à bannir les prêtres réfractaires (27 mai), à licencier la garde constitutionnelle du roi composée de 6 000 hommes (29 mai) et à former un camp de 20 000 fédérés près de Paris (8 juin).

20 juin 1792 Malgré l'invasion des Tuileries, le roi maintient son veto.

10 août 1792 Dans la nuit, formation d'une Commune insurrectionnelle de Paris avec PÉTION et MANUEL à sa tête. Le commandant de la garde nationale, MANDAT, est remplacé par SANTERRE, un des chefs du faubourg Saint-Antoine. Les 600 fédérés marseillais, sous la conduite de BARBAROUX, suivis des gardes nationaux et des manifestants venus des faubourgs ouvriers de Paris prennent les Tuileries. LOUIS XVI et sa famille se sont réfugiés à l'Assemblée avant les premiers coups de feu. Les Suisses sont massacrés. La Commune de Paris, pouvoir insurrectionnel, s'installe à l'hôtel de ville de Paris.

Sur les 288 membres de la Commune il y a peu de girondins, mais surtout de futurs montagnards. La Commune fait transférer la famille royale dans la prison de la Tour du Temple.

17 août 1792 Création d'un tribunal criminel extraordinaire.

26 août 1792 L'Assemblée décrète la déportation des prêtres réfractaires.

2-5 sept. 1792 Massacre de prêtres réfractaires et de nobles dans les prisons de Paris : Conciergerie, Carmes. DANTON laisse faire.

21 sept. Fin de la Législative.

La Convention girondine (septembre 1792-31/mai-2 juin 1793)

21 sept. 1792 Proclamation de la République.

Division de l'Assemblée en deux grandes tendances : la Montagne et la Gironde. Ce ne sont pas des partis. Les girondins se méfient de la toute-puissance de Paris qui doit être réduit à « 1/83 d'influence ».

19 nov. 1792 « La Convention nationale déclare, au nom de la nation française, qu'elle accordera fraternité et secours à tous les peuples qui voudront recouvrer leur liberté, et charge le pouvoir exécutif de donner aux généraux les ordres nécessaires pour porter secours à ces peuples et défendre les citoyens qui auraient été vexés ou qui pourraient l'être pour la cause de la Liberté. »

15-19 janv. 1793 « Louis Capet est-il coupable de conspiration contre la liberté publique et d'attentat contre la sûreté de l'État? » Le 15 janvier, 707 députés répondent oui sur les 718 présents. **« Le jugement sera-t-il soumis à la ratification du peuple? » :** 281 oui, 423 non.

« Quelle peine sera infligée à Louis? » Les 16 et 17, vote nominal des députés. Il y a 387 voix pour la peine de mort, 334 pour le bannissement ou la détention. Parmi les régicides, il n'y avait pas seulement des montagnards, mais de nombreux girondins intimidés par l'opinion populaire parisienne (PÉTION, VERGNIAUD, BUZOT, GUADET).

Le 19 janvier, sur une ultime proposition de BRISSOT, on met aux voix la question du sursis à l'exécution : 380 députés le rejettent.

21 janvier Exécution du roi.

24 février Levée de 300 000 h. avec ouverture dans chaque commune d'un registre des volontaires.

10 mars Établissement d'un Tribunal révolutionnaire contre les suspects.

18 mars Loi établissant la peine de mort pour tous ceux qui proposeraient « la loi agraire ».

6 avril Formation du premier Comité de Salut public de 9 membres, dominé par DANTON.

13 avril Décret d'arrestation contre MARAT obtenu par le girondin GUADET. Il est acquitté.

Nomination par l'Assemblée de la « Commission des Douze » chargée d'enquêter sur l'activité de la Commune de Paris.

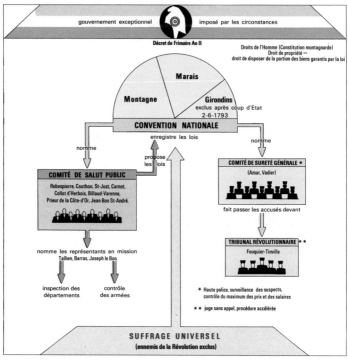

Le gouvernement révolutionnaire (1793-1794)

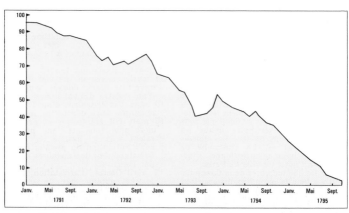

Pouvoir d'achat intérieur de l'assignat (valeur d'émission : 100)

La Convention montagnarde (31 mai/ 2 juin 1793-27 juillet 1794)

31 mai-2 juin Triomphe politique des sans-culottes parisiens. Trente et une sections de sans-culottes somment l'Assemblée de leur livrer les girondins. En fait, les montagnards qui se sont appuyés sur les sections parisiennes pour venir à bout des girondins ne veulent pas être débordés sur leur gauche. Les sans-culottes forment un groupe hétérogène d'artisans, d'ouvriers (maîtres, compagnons et apprentis). Ils réclament l'égalisation des fortunes : impôts sur les riches, partage des grands domaines. Ils désirent une législation assurant la distribution régulière et équitable des subsistances : « maximum » des prix, rationnement. Campagne de déchristianisation. Les vœux des sans-culottes ont été traduits par un médecin, MARAT; un journaliste, HÉBERT; un prêtre, JACQUES ROUX.

23 juin 1793 Les sans-culottes obtiennent que leurs revendications soient prises en considération par les montagnards dans la nouvelle constitution précédée d'une nouvelle Déclaration des Droits :

Juillet 1793 Installation du Comité de Salut public : BARÈRE, CARNOT, COUTHON, C.-A. PRIEUR, COLLOT D'HERBOIS, SAINT-JUST, BILLAUD-VARENNE, ROBERT LINDET, ROBESPIERRE.

5-6 sept. 1793 Suppression de la permanence des sections.

4 déc. 1793 En frimaire, rapport à la Convention par ROBESPIERRE sur le gouvernement révolutionnaire : « Le but du gouvernement constitutionnel est de conserver la République; celui du gouvernement révolutionnaire est de la fonder »; « Le gouvernement constitutionnel s'occupe principalement de la liberté civile; et le gouvernement révolutionnaire, de la liberté publique. »

26 fév.-3 mars 1794 Décrets de Ventôse, proposés par SAINT-JUST. « Ceux qui font les révolutions à moitié n'ont fait que se creuser un tombeau. La Révolution nous conduit à reconnaître ce principe que celui qui s'est montré l'ennemi de son pays n'y peut être propriétaire. » Art. 2 : Indemnisation de tous les malheureux avec les biens des ennemis de la Révolution.

24 mars HÉBERT et ANACHARSIS CLOOTS sont guillotinés.

Fin mars-avril 1794 Condamnation des indulgents (DANTON, CAMILLE DESMOULINS, FABRE D'ÉGLANTINE).

7 mai 1794 « Le peuple français reconnaît l'Être suprême et l'immortalité de l'âme. »

8 juin 1794 Fête de l'Etre suprême.

ROBESPIERRE, suivi des membres de la Convention, met le feu à une statue à l'athéisme. Influence du déisme de ROUSSEAU (« Profession de foi du Vicaire savoyard »). D'après ROBESPIERRE, « l'athéisme est aristocratique ».

Après le **décret de Prairial**, supprimant les garanties judiciaires,

27 juillet-9 Thermidor ROBESPIERRE se heurte à l'obstruction de la Convention. Mise hors la loi.

28 juillet-10 Thermidor Exécution de ROBESPIERRE et de ses amis.

La Convention thermidorienne (juillet 1794-octobre 1795)

Le Marais (le Centre) domine avec CAMBACÉRÈS, BOISSY D'ANGLAS, aidé par d'anciens jacobins : TALLIEN, BARRAS.

Fin déc. 1794 Abolition du maximum, inflation, hausse des prix. Agitation : 1er avril 1795 **(Germinal)**, 20 mai 1795 **(Prairial)**. La Convention est menacée par les « émeutes de la faim ». Condamnation à mort des derniers montagnards.

Œuvre constitutionnelle. Deux assemblées : conseil des Cinq-Cents et Conseil des Anciens, élues au suffrage censitaire à deux degrés. L'exécutif est confié à un Directoire de cinq membres.

Œuvre intellectuelle. Le 25 fév. 1795, création d'écoles centrales pour l'enseignement secondaire. École normale pour former les professeurs; Conservatoire des Arts et Métiers; École des langues orientales; Museum d'histoire naturelle; Musée des Monuments français; Institut national des Sciences et des Arts.

Œuvre religieuse. Le 21 février 1795, séparation de l'Église et de l'État.

Lutte contre les royalistes :

5 octobre 1795 (13 Vendémiaire) BARRAS fait appel à BONAPARTE alors en disgrâce, pour défendre la Convention, car les royalistes tentent de faire annuler par une émeute le décret des Deux-Tiers qui décidait que les deux tiers des premières assemblées du Directoire seraient choisis parmi les députés sortants.

Le Directoire (oct. 1795-nov. 1799)

Difficultés économiques :

1796 Fin des assignats. Apparition des mandats territoriaux.

1797 Banqueroute des deux tiers.

Difficultés sociales :

27 mai 1797 Exécution de BABEUF qui voulait une répartition égalitaire de la terre.

Difficultés politiques :

Sept. 1797 Coup d'État du 18 fructidor an V contre les royalistes qui gagnent les élections de 1797.

9 et 10 nov. 1799 Coup d'État du 18 brumaire an VIII.

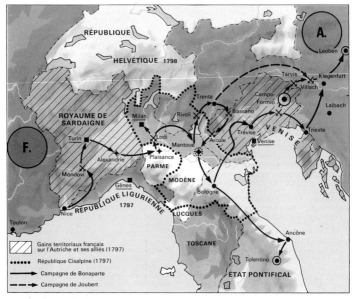

La campagne de Bonaparte en Italie (1796/97)

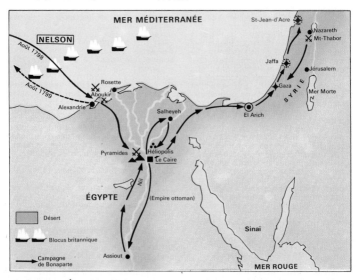

La campagne d'Égypte (1798/99)

Avril 1792 Déclaration de guerre de la France à l'Autriche (p. 293), provoquée par des menaces d'invasion et une alliance défensive austro-prussienne (fév.). La nation française se considère comme le champion de la lutte contre l'absolutisme et la féodalité; elle revendique ses « frontières naturelles, les Alpes et le Rhin ».

La première coalition (1792-1797)

L'avance des armées coalisées et le manifeste de Brunswick enflamment le sentiment national français.

20 septembre 1792 Valmy, tournant décisif. Retraite de l'armée prussienne. Victoire de DUMOURIEZ (1739-1823) à Jemmapes et conquête de la Belgique. Annexion de la Savoie.

Fév. 1793 L'Angleterre intervient.

Mars 1793 Défaite de Neerwinden (DUMOURIEZ). L'Autriche reconquiert la Belgique, Paris est menacé. La flotte britannique intervient en Méditerranée. La France répond par la levée en masse. CARNOT (1753-1823) réforme l'armée qui comptera un million d'hommes. Des commissaires politiques contrôlent les militaires. **Succès de la nouvelle organisation.** Deuxième conquête de la Belgique par JOURDAN (victoires de Wattignies en 1793 et de Fleurus en 1794). La Hollande devient la République batave. Échec des tentatives d'invasion anglaises à Toulon et Quiberon, mais conquête des colonies hollandaises de Ceylan et du Cap.

1795 Traité de Bâle. Pour avoir les mains libres en Pologne (p. 281), la Prusse renonce à la rive gauche du Rhin contre compensation sur la rive droite. Une ligne de démarcation garantira la neutralité de l'Allemagne du Nord jusqu'en 1806 et isole de plus en plus la Prusse. L'Espagne signe la paix, et après

1796 (traité de Saint-Ildefonse), déclare la guerre à la Grande-Bretagne, qui anéantit sa flotte au cap Saint-Vincent. L'Autriche poursuit la guerre avec des subsides britanniques. Les Français (JOURDAN, MOREAU) avancent en Allemagne du Sud. L'ARCHIDUC CHARLES (1771-1847) les repousse à Amberg et Wurzbourg.

Un nouveau type de guerre

Les liens nouveaux entre le peuple et la nation (patriotisme) bouleversent les armées et l'art de la guerre. C'est le signal de l'essor des nationalismes. La guerre devient l'affaire de toute la nation : levées en masse, réquisitions. Les méthodes évoluent : attaques en ordre dispersé de tirailleurs qui bousculent les « lignes »

des armées traditionnelles, rajeunissement des cadres par épuration et par promotion des éléments les plus capables, sans considération de titres de noblesse. Ex. : JOURDAN, HOCHE. Rôle de la propagande (« guerre aux tyrans »). Cette nouvelle armée française devient invincible avec NAPOLÉON BONAPARTE (1769-1821). Né à Ajaccio, Corse (génoise jusq. 1768), artilleur (dep. 1785), il adopte vite les idées révolutionnaires. Il devient général en 1793 après le siège de Toulon, est arrêté comme jacobin à la chute de ROBESPIERRE. BARRAS lui confie la répression du soulèvement royaliste à Paris (p. 295) et le nomme général en chef de l'armée d'Italie.

La campagne d'Italie (1796-1797)

Les Français battent d'abord les troupes piémontaises avant de s'emparer de la Lombardie.

1797 Capitulation de Mantoue. Traité de Tolentino avec PIE VI (fév.). Avance vers la Carinthie et préliminaires de paix de Leoben (avril). Les contributions des « Italiens libérés » soutiennent le Directoire.

Octobre 1797 **Traité de Campo Formio.** L'Autriche reconnaît l'annexion de la rive gauche du Rhin (63 000 km² avec env. 3,5 millions d'habitants). Échange de la Belgique et du Milanais contre Venise (disparition de la république de Venise, vieille de plus de mille ans). Édification d'un système de **républiques sœurs.**

1797 **République cisalpine** (Milanais) et République ligure (Gênes).

1798 Guerre civile et naissance de la **République helvétique.** Après la conquête de Rome et la capture du pape, l'État pontifical devient la **République romaine.** En 1799, le royaume de Naples devient la **République parthénopéenne.**

La campagne d'Égypte (1798-1799)

BONAPARTE se voit confier le commandement de la guerre contre l'Angleterre qu'il s'agit de frapper en Méditerranée. Après l'occupation de Malte, il débarque à Alexandrie avec 33 navires de guerre, 232 navires de transport, 2 000 canons, 32 300 soldats et 175 ingénieurs et savants pour la mise en exploitation du pays. Victoire sur les Mamelouks aux Pyramides et prise du Caire.

1798 Victoire navale britannique à Aboukir (NELSON, p. 305). L'armée française est coupée de la France. Échec en Syrie (1799) devant Saint-Jean-d'Acre. La victoire terrestre d'Aboukir ne sauve pas l'expédition. Alliance de la Russie et de la Turquie; Malte et la Méditerranée sont contrôlées par les Britanniques.

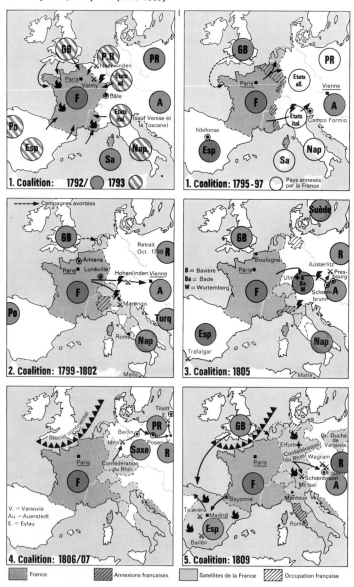

Les coalitions contre la France sous la Révolution et l'Empire

Les guerres de coalition

Par une succession d'alliances, les puissances européennes luttent contre l'expansion des idées révolutionnaires et de la République française que dirige BONAPARTE à p. de 1799. Les centres de résistance sont l'Autriche et la Grande-Bretagne qui sous PITT le Jeune (p. 305), demeure inébranlable et complète son hégémonie navale et coloniale. Malgré le blocus continental, elle devient la plus grande puissance industrielle et commerciale du monde. Après la **première coalition (1792-1799)**, PITT obtient l'alliance de l'Autriche et du grand maître de l'ordre de Malte, le tsar PAUL Iᵉʳ (1796-1801), à la suite de l'occupation de Malte par les Français et de leur défaite à Aboukir. Naples attaque la République romaine.

1799 à 1802 Seconde coalition. Au début, succès alliés. L'ARCHIDUC CHARLES bat JOURDAN à Stockach (mars), SOUVOROV bat MOREAU à Cassano (avril). JOUBERT est vaincu à Novi (août), mais MASSÉNA bat SOUVOROV et les Autrichiens à Zurich (juin). Si les républiques créées par la France s'effondrent, les Russes évacuent la Suisse et une invasion anglo-russe à Alkmaar (Hollande) échoue. Vexé par la prise de Malte par les Anglais, PAUL Iᵉʳ quitte la coalition. Entre-temps, BONAPARTE a abandonné son armée en Égypte (août). Il débarque en France, renverse le Directoire, et prend le pouvoir. Les alliés refusent ses offres de paix.

1800 Victoire de BONAPARTE à Marengo. MOREAU triomphe à Hohenlinden. Armistice de Steyr.

Fév. 1801 Traité de Lunéville. L'Autriche ratifie les conditions du traité de Campo Formio (p. 297).

1801 Coalition nordique pour protéger le commerce neutre (Russie, Suède, Danemark, Prusse). La Grande-Bretagne réagit en bombardant Copenhague (NELSON). Elle demeure isolée après la conclusion de la paix entre la France, la Russie et l'empire ottoman. PITT est renversé.

Mars 1802 Paix d'Amiens. Succès moral pour BONAPARTE. L'Angleterre rend toutes ses conquêtes (sauf Ceylan et Trinidad). La France renonce à l'Égypte.

1802 Réorganisation de l'Italie par BONAPARTE. Rétablissement de l'État pontifical (sans la Romagne) et du royaume des Bourbons à Naples. Le grand-duché de Toscane devient royaume d'Etrurie, la République cisalpine, République d'Italie (avec BONAPARTE comme premier consul). Le Piémont et Parme sont administrés directement par la France. Nouvelle tension anglo-française à la suite des tentatives françaises pour recréer un empire colonial (achat de la Louisiane espagnole en 1800; débarquement à Haïti et à la Martinique). BONAPARTE viole le traité de Bâle en occupant le Hanovre en 1803.

Mesures françaises de protection douanière, et surtout en 1804 préparatifs d'invasion de l'Angleterre au camp de Boulogne. (BONAPARTE : « Si nous dominons la Manche pendant six heures, nous sommes les maîtres du monde! ») L'Angleterre refuse de rendre Malte. PITT conclut une alliance avec le tsar ALEXANDRE Iᵉʳ (1801-1825), l'Autriche, la Suède et Naples.

1805 Troisième coalition. L'armée autrichienne est encerclée à Ulm et capitule. NAPOLÉON entre à Vienne.

21 oct. 1805 Bataille de Trafalgar, qui assure l'hégémonie maritime britannique. Après des succès en Italie, l'ARCHIDUC CHARLES se retire en Hongrie. Les troupes russes, dirigées par ALEXANDRE Iᵉʳ, se concentrent en Moravie.

2 déc. 1805 Bataille d'Austerlitz. Magnifique victoire de NAPOLÉON. La Prusse réagit trop tard.

Déc. 1805 Accord avec la France : la Prusse obtient l'électorat de Hanovre contre Clèves, et Ansbach-Bayreuth. Elle s'intègre ainsi dans l'Allemagne réorganisée par NAPOLÉON.

25 déc. 1805 Traité de Presbourg. L'Autriche cède Venise et la Dalmatie à la République d'Italie; le Tyrol, le Vorarlberg et Lindau à la Bavière; Elle reçoit en échange Salzbourg et reconnaît l'élévation de rang des princes allemands (p. 303). A la mort de PITT, NAPOLÉON, en violation de son traité avec la Prusse, offre à l'Angleterre le Hanovre.

1806-1807 Quatrième coalition. Réduite à ses seules forces, la Prusse s'effondre totalement (défaite d'Iéna).

1806 Proclamation du blocus continental à Berlin « car l'Angleterre ne reconnaît pas les principes fondamentaux du droit des gens et abuse du droit de blocus ».

1807 Traité de Tilsitt (entrevue de NAPOLÉON et d'ALEXANDRE Iᵉʳ). L'intervention russe sauve ce qui reste de la Prusse à l'est de l'Elbe. S'associant à NAPOLÉON (division de l'Europe en deux zones d'influence), la Russie applique le blocus continental.

1809 Cinquième coalition. Échec du soulèvement national de l'Autriche. Le traité de Schœnbrunn isole l'Autriche de la mer. Avec le prince de METTERNICH (p. 313), la politique autrichienne s'oriente désormais vers NAPOLÉON.

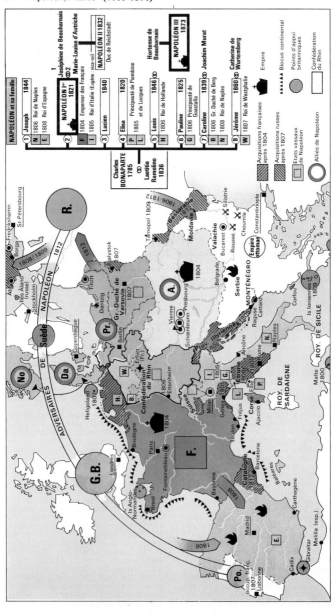

Tableau de l'Europe napoléonienne en 1812

Le Consulat

Le Consulat est un régime de transition entre la fin de la Révolution et l'Empire. Il consolide le pouvoir et la fortune de la bourgeoisie, rassurée par Thermidor et le Directoire. Le libéralisme et la décentralisation qui avaient inspiré la Révolution sous la Constituante sont abandonnés. Autorité, hiérarchie l'emportent. Le plébiscite populaire remplace la légitimité, principe d'Ancien Régime.

25 janv. 1800 Constitution de l'an VIII.

15 fév. 1800 Loi sur l'administration locale inspirée des principes de centralisation.

18 mars 1800 Réforme judiciaire.

16 juil. 1801 **Signature du Concordat.** Dans les négociations, le pape est conseillé par son secrétaire d'État CONSALVI, et BONAPARTE par BERNIER et son frère JOSEPH. BONAPARTE abandonne l'Église « constitutionnelle », le pape reconnaît la confiscation des biens du clergé. Diminution de moitié du nombre des évêchés. Le clergé reçoit dorénavant un traitement pour compenser la perte des biens d'Église.

Difficultés :

1802 Les articles organiques. Règlement de la police des cultes inspiré par des principes gallicans (les Quatre Articles de 1682). Le pape ne les reconnaît pas. Ils satisfont les anciens jacobins, les « idéologues » siégeant au Tribunat.

1er mai 1802 Création des lycées.

19 mai 1802 Le premier consul, après plébiscite, devient consul à vie (3 500 000 oui, 8 374 non).

27 mars 1803 Création d'une monnaie stable pour plus d'un siècle : le **franc germinal.**

13 avril 1803 Monopole d'émission des billets de banque confié à la **Banque de France.**

21 mars 1804 Code civil.

18 mai 1804 Napoléon Bonaparte **devient empereur héréditaire** par plébiscite (3 572 000 oui, 2 579 non).

L'Empire intérieur (1804-1814) :

NAPOLÉON déclare en 1804 : « Le temps de la Révolution est fini. Il n'y a plus qu'un parti en France. » Il concilie dans la richesse de sa nature le romantisme (goût de l'infini, volonté de puissance, rôle de la Fortune) et le classicisme (sens des institutions, de la hiérarchie, de l'urbanisme : Paris et Rome). Sous son règne, l'activité politique très réduite a été éclipsée par le développement de l'administration, hérité du Consulat (analogie avec le despotisme éclairé).

NAPOLÉON a compris l'importance de l'Église au point de vue politique et social, mais n'était pas croyant. « Ma politique est de gouverner les hommes comme le grand nombre veut l'être. C'est là, je crois, la manière de reconnaître la souveraineté du peuple. C'est en me faisant catholique que j'ai fini la guerre de Vendée, en me faisant musulman que je me suis établi en Égypte, en me faisant ultramontain, que j'ai gagné les esprits en Italie. » Il apprécie les juristes (PORTALIS, BIGOT DE PRÉAMENEU, deux ministres des cultes) et déteste les intellectuels (les idéologues). Il a conscience de la fragilité de son œuvre liée aux armes. NAPOLÉON put dire à METTERNICH : « Vos souverains nés sur le trône peuvent se laisser battre vingt fois et rentrer toujours dans leurs capitales. Moi, je ne le puis pas, parce que je suis un soldat parvenu. » (Dresde, 28 juin 1813).

Été 1804 Organisation du corps des **Ponts et Chaussées**; plus tard, corps des **Mines** (1810) et corps du **Génie maritime** (1811).

Août 1807 Suppression du Tribunat.

Sept. 1807 Institution de la **Cour des comptes,** chargée d'examiner la gestion des comptables publics. Établissement d'un « **cadastre général parcellaire** ».

17 mars 1808 **Fondation de l'Université impériale** divisée en Académies; à la tête un grand maître et un Conseil, « aucun établissement d'enseignement ne pouvant être formé en dehors d'elle et sans l'autorisation de son chef ».

2 avril 1810 Mariage de NAPOLÉON et de MARIE-LOUISE. Naissance du Roi de Rome (20 mars 1811).

Octobre 1812 Conspiration du général MALET qui répand le bruit de la mort de NAPOLÉON en Russie. Il réussit à arrêter le ministre de la Police SAVARY avant d'être reconnu et fusillé.

6 avril 1814 Après la campagne de France (p. 311), **abdication de Napoléon** (la solution de la régence du Roi de Rome est abandonnée).

A la fin de l'Empire, les idées libérales sont reprises par la **Déclaration de Saint-Ouen** (du 2 mai 1814). LOUIS XVIII y promet de préparer une constitution libérale avec gouvernement représentatif, vote de l'impôt par les Chambres, liberté de la presse et des cultes, irrévocabilité de la vente des biens nationaux, maintien de la Légion d'honneur.

Après les excès de la première Restauration (Terreur blanche), NAPOLÉON, revenu de l'île d'Elbe qui lui avait été attribuée au premier traité de Paris, tente de rendre le régime impérial restauré plus libéral par l' « Acte additionnel aux Constitutions de l'Empire» (1er juin 1815), inspiré des critiques d'un ancien adversaire de l'Empire : BENJAMIN CONSTANT.

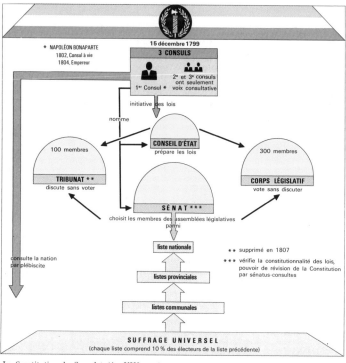

La Constitution du Consulat (An VIII-1799)

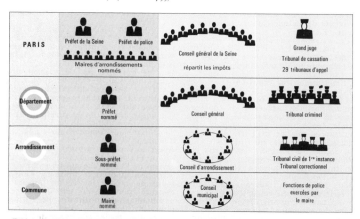

Tableau de l'organisation administrative sous le Consulat

L'Église catholique et l'Empire

Dès 1803, au **Recès d'Empire**, dans les pays germaniques, sécularisation des biens ecclésiastiques.

Fév. 1808 Occupation de Rome par le général MIOLLIS.

1808-1814 NAPOLÉON est considéré par le clergé espagnol comme « l'Antéchrist » au cours de la guerre d'Espagne.

Juin 1809 Excommunication de NAPOLÉON par PIE VII.

6 juil. 1809 Arrestation de PIE VII par RADET. Internement à Savone.

Janv. 1810 Annulation par l'Officialité de Paris du mariage religieux de JOSÉPHINE à cause de sa clandestinité (il avait été célébré en secret la veille du sacre).

2 avril 1810 Treize cardinaux refusent d'assister à la cérémonie du mariage de NAPOLÉON avec MARIE-LOUISE. On leur interdit l'habit cardinalice. Ce sont les « cardinaux noirs ».

1810-1811 PIE VII refuse l'institution canonique aux nouveaux évêques nommés par l'Empereur.

1810 ALEXIS DE NOAILLES et MATHIEU DE MONTMORENCY organisent un service secret de correspondance entre le pape et les cardinaux internés.

Juin 1811 Réunion d'un concile national à Paris. Les évêques réaffirment leur attachement au pape.

25 janv. 1813 Concordat de Fontainebleau.

La décomposition de l'Empire germanique

Au traité de Lunéville (p. 299), NAPOLÉON réalise de force cette transformation de l'Allemagne qui avait échoué en 1797-1799 au Congrès de Rastatt. Cette réorganisation s'accomplit au Recès de 1803 :

1. Démembrement de 45 villes d'Empire sur 51 et de nombreux petits comtés et principautés, soit en tout 112 États avec 3 millions d'habitants ;

2. Médiatisation de 350 terres d'Empire (affranchissement de la dépendance immédiate de l'empereur).

1804 FRANÇOIS II (1792-1806) prend le titre d'empereur d'Autriche et règne sous le nom de FRANÇOIS Ier jusqu'en 1835.

1805 La Bavière et le Wurtemberg deviennent des royaumes.

1806 Le Pays de Bade, Hesse-Darmstadt et Berg deviennent grands-duchés ;

3. 16 princes du Sud et de l'Ouest de l'Allemagne forment en

1806 la Confédération du Rhin sous le protectorat de NAPOLÉON. THÉODORE VON DALBERG (1744-1817) est archevêque de Mayence et grand-duc de Francfort à p. de 1810.

6 août 1806 Sous la pression de NAPOLÉON, FRANÇOIS II renonce à la couronne impériale : fin du Saint Empire romain germanique. Cette « réorganisation » est l'une des conditions préalables à la naissance d'un État national allemand (p. 306). Protestation de PALM, maire de Nuremberg, fusillé à cause de son livre « L'Allemagne dans son plus profond abaissement ».

L'effondrement de la Prusse

La politique erronée du comte HAUGWITZ (1752-1832) fait tomber la Prusse dans l'orbite de NAPOLÉON. Mais la politique française en Allemagne incite la Prusse à se coaliser avec la Russie et la Saxe, et à envoyer à NAPOLÉON un ultimatum exigeant le retrait de toutes les troupes françaises de la rive droite du Rhin et la dissolution de la Confédération du Rhin.

1806-1807 Quatrième coalition. Après un combat d'avant-garde à Saalfeld, l'armée prussienne, désuète, est anéantie en

oct. 1806 dans la double bataille d'Iéna et d'Auerstedt. NAPOLÉON entre sans combat à Berlin.

Fév. 1807 Bataille d'Eylau.

Juin 1807 Victoire à Friedland sur les Russes.

Juillet 1807 Traité de Tilsitt. La Prusse perd ses territoires à l'ouest de l'Elbe et le territoire de Posen en Pologne. Occupation française. L'armée prussienne est réduite à 42 000 hommes. Dantzig devient république avec garnison française. Nouveaux États : royaume de Westphalie dont le roi est JÉRÔME, frère de NAPOLÉON ; grand-duché de Varsovie, en union personnelle avec la Saxe.

Le soulèvement de l'Autriche (1809)

Le soulèvement espagnol (p. 309) donne au comte STADION le signal de la résistance. Mais NAPOLÉON repousse l'armée autrichienne en Bohême et entre à Vienne.

Mai 1809 Bataille d'Essling, considérée comme la première défaite de NAPOLÉON, par l'ARCHIDUC CHARLES. Actions isolées en Allemagne du Nord (corps franc du Major SCHILL), qui échouent.

Au Tyrol, ANDREAS HOFER livre au Mont-Isel près d'Innsbruck des combats victorieux contre Bavarois et Français. HOFER est exécuté en 1810 à Mantoue.

Juil. 1809 Défaite de l'Autriche à Wagram.

Oct. 1809 Traité de Schœnbrunn. L'Autriche perd son accès à la mer et les provinces illyriennes. La Bavière lui prend Salzbourg, la région de l'Inn et le Tyrol du Nord.

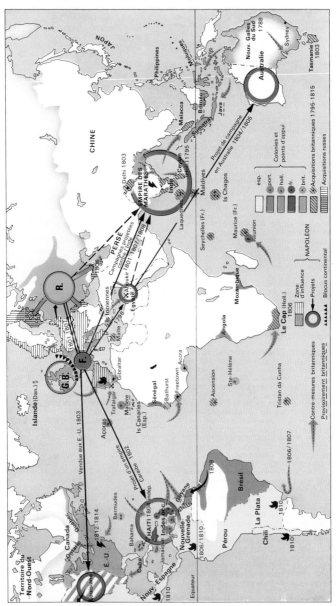

Le conflit entre Napoléon et la Grande-Bretagne à l'échelle mondiale

La politique intérieure de la Grande-Bretagne

Le régime parlementaire. Choc en retour de la guerre américaine : le pouvoir absolu du roi GEORGE III (1760-1820) s'effondre. Le Premier ministre dépend du Parlement. Au Parlement, les propriétaires terriens, sûrs de conserver leur siège grâce au vote censitaire, forment de petits clans rivaux. L'argent règne en maître depuis le cabinet du Premier Ministre jusqu'aux circonscriptions électorales (vénalité des électeurs et des politiciens). Les tories s'appuient sur l'Église anglicane, les whigs représentent plutôt les protestants dissidents (dissenters). Économiquement influents, les whigs tâchent d'obtenir une réforme parlementaire en supprimant les « bourgs pourris », anciennes localités dépeuplées qui continuent à avoir le droit de vote, au profit des nouvelles villes industrielles qui ne sont pas représentées au Parlement. En 1779, les catholiques obtiennent la liberté de célébrer leur culte, mais non pas leur émancipation.
Controverses soulevées par la Révolution française. THOMAS PAINE (1737-1809) défend des idées démocratiques (souveraineté du peuple, abolition de la monarchie). En 1792, avec ses « Droits de l'Homme », il s'oppose à EDMUND BURKE (1729-1797), conservateur, dont les « Réflexions sur la Révolution en France » (1790) influencent l'Angleterre et l'Europe.
Industrialisation et révolution des techniques agricoles. L'Angleterre devient « l'atelier du monde » d'après les principes de l'organisation capitaliste. L'agriculture et l'élevage progressent (nouveau système d'assolement et prairies artificielles). Pourtant, l'augmentation des rendements ne suit pas la croissance de la population (7,8 millions en 1750 et 14,3 en 1820). Les villes industrielles et les salaires attirent la main-d'œuvre.
De 1783 à 1806 (avec une interruption de 1801 à 1804), WILLIAM (II) PITT, « the boy minister », âgé de 24 ans en 1783, est Premier ministre.
1785 Suppression de toute douane entre l'Angleterre et l'Irlande qui, après la rébellion de 1797-1798, fait partie, à dater de 1801, du Royaume-Uni de Grande-Bretagne et d'Irlande.

Le renforcement de l'empire colonial britannique

Canada. Grâce à la séparation en 1791 du Bas-Canada français (Québec) et du Haut-Canada anglais (Ontario) qui diffèrent par la religion, la langue, les coutumes et le droit, les colons français supportent les liens qui les attachent à l'Angleterre.
Australie. En 1788, début de la colonisation, entreprise d'abord par des forçats, à partir de Sydney (Botany Bay).
Inde. En 1784, East India Bill. Cette loi enlève le contrôle de l'Inde à la Compagnie des Indes orientales pour le donner au gouvernement (Regulating Act de 1773).

La lutte pour l'hégémonie mondiale

Le plus grand service que PITT rend à l'Angleterre est de la diriger dans sa lutte pour l'existence contre la Révolution française et NAPOLÉON.
1793 Sa participation à la première coalition (p. 297) s'explique par : a) La lutte coloniale anglo-française; b) La menace qui pèse sur l'équilibre européen; c) L'occupation par la France des bouches de l'Escaut. Chef de l'opposition des whigs, Fox (1749-1806) exige l'arrêt des hostilités, renverse PITT en 1801 et en
1802 signe la paix d'Amiens (p. 299).
Plans de Napoléon contre l'Angleterre :
1798-1799 Expédition d'Égypte (p. 297).
1801 RICHARD WELLESLEY occupe la côte orientale de l'Inde pendant la seconde guerre marathe (1803-1805).
1802 Plan pour créer un empire caraïbe, auquel la flotte anglaise met fin. Pour mettre les E.-U. de son côté, en
1803 NAPOLÉON leur vend la Louisiane.
1804-1805 Abandon des projets d'invasion de l'Angleterre.
1812-1814 Seconde guerre anglo-américaine (p. 289).
Mesures de défense prises par l'Angleterre. Coalitions successives (p. 299) : « Peu de troupes mais beaucoup d'argent. » Guerre navale dirigée par l'amiral NELSON (1758-1805). Ses victoires garantissent à l'Angleterre l'hégémonie maritime et la sécurité de son trafic avec l'Inde. Le blocus des ports français et la prise de navires même neutres renforcent la flotte britannique d'environ 2 000 navires par an.
Napoléon répond en
1806 par le **blocus continental** (p. 299) qui, après 1807 (bombardement de Copenhague et capture de la flotte danoise), doit être renforcé.
1808 « Second front » au Portugal (p. 309).
Conséquences pour la Grande-Bretagne. Augmentation des impôts, subventions aux céréales, ouverture de nouveaux marchés outre-mer (Amérique du Sud) pour remplacer la perte des marchés européens. Crise de débouchés dans l'industrie, après 1810 (chômage, famine).
1811-1812 Premières émeutes contre le machinisme (Luddistes). Les réserves d'or des banques britanniques empêchent l'effondrement des prix (recours au système des licences).

La vie culturelle de la France

NAPOLÉON a marqué l'art de son temps. La vie de cour a donné essor aux arts du meuble (JACOB, RIESENER), de l'orfèvrerie (THOMIRE) et de la porcelaine (Sèvres). Échec de l'Empereur dans le domaine littéraire. Les grands auteurs sont contre lui. Lacune dans la vie musicale, à part GRETRY et MÉHUL. Cet art ne représente rien pour l'Empereur.

Littérature.

François-René de Chateaubriand (1768-1848). Ancien émigré favorable au royalisme, il est sensible à la grandeur de l'Empire.

1802 Le « Génie du Christianisme » oppose au paganisme l'exemple du renouveau chrétien, dont il expose les dogmes, le culte et la poétique.

1804 « René » : « un frisson nouveau ».

1811 « Itinéraire de Paris à Jérusalem » (la poésie de l'Orient et le sentiment des ruines).

Madame de Staël (1766-1817). Fille de Necker, elle personnifie la révolte libérale contre l'Empereur.

1810 « De l'Allemagne », chef-d'œuvre de littérature comparée. Études sur les origines du romantisme en Allemagne.

Benjamin Constant, ami de Madame de Staël, défend le libéralisme. Il a rédigé l' « Acte additionnel aux Constitutions de l'Empire ».

Peinture : classicisme.

David (1748-1825). En 1805, « Le Sacre », chef-d'œuvre de la peinture officielle.

Gros (1771-1835). L'épopée impériale. Sens de la couleur. (« Pestiférés de Jaffa », « Bataille d'Eylau », « Bataille des Pyramides ».)

Architecture.

PERCIER et FONTAINE : Imitation de l'antique. Arc de triomphe du Carrousel. Construction de monuments inspirés de l'antique : la colonne Vendôme (1810); les façades du palais Bourbon et de la Madeleine se répondent de part et d'autre de la Seine.

La naissance du sentiment national allemand

Elle est contrariée par la division en une multitude de petits États, issus de la décadence du Saint Empire, le conservatisme social et politique. A partir du milieu du XVIIIᵉ siècle, poètes, savants, hommes cultivés ressentent de plus en plus leur appartenance à une nation. Ils déclenchent le **mouvement allemand,** d'abord apolitique. **Lessing** (p. 247) combat l'influence française en littérature. Mouvement « **Sturm und Drang** » (vers 1760-1780) : nommé d'après un drame de KLINGER, influencé par le piétisme et ROUSSEAU, il s'oppose au Siècle des Lumières en

préconisant la liberté des sentiments contre la raison, se fonde sur SHAKESPEARE, le passé de l'Allemagne, la spontanéité du génie original. A Strasbourg, autour du jeune **Gœthe** (« Götz von Berlichingen », 1773), c'est l'apogée du mouvement. En 1770, rencontre décisive de GŒTHE et de **Herder** (1744-1803) qui voit dans la langue et les chants populaires l'expression d'une « âme nationale » (Volksgeist). Les classiques (GŒTHE 1749-1832, **Friedrich Schiller** 1759-1805) s'orientent vers une culture cosmopolite qui se rattache à l'humanisme antique : « Lettres sur l'éducation de l'humanité » de SCHILLER, « Iphigénie » de GŒTHE. C'est l'idéal de WINCKELMANN. FICHTE (1762-1814) est le chef de file de l'idéalisme post-kantien.

Le romantisme allemand

Mouvement purement littéraire au début (Iéna, Berlin avec les frères SCHLEGEL, TIECK, NOVALIS, etc.). Avec la deuxième école romantique (Heidelberg : BRENTANO, VON ARNIM, VON EICHENDORFF, etc.), l'inspiration se tourne vers les forces nationales (chants populaires, contes, légendes).

Diffusion des idées romantiques en Europe

En **France, Victor Hugo** affirme dans la « Préface de Cromwell » (1827) les principes esthétiques de la révolution romantique. En 1830, « Bataille d'Hernani. » **Musset,** dans les « Confessions d'un enfant du siècle », évoque le désarroi des générations qui ont vu leur jeunesse exaltée par les victoires impériales. « Lorenzaccio » (1834) reste le chef-d'œuvre du drame romantique. **Lamartine** est passé du lyrisme personnel au lyrisme social (« Jocelyn » 1836). **Vigny** (1797-1863) reste le symbole de la solitude du poète romantique (« Chatterton ») qu'il évoque dans la figure de « Moïse ». **Stendhal** exalte dans ses romans les droits de la passion individuelle : « Le Rouge et le Noir » (1831), « La Chartreuse de Parme » (1839). Dans ses essais « Racine et Shakespeare » (1823-1825) et « De l'Amour » (1822), il analyse la révolution des sentiments. **Michelet** (1798-1874) introduit « le peuple » dans l'histoire (« Introduction à l'histoire universelle », 1831). **Balzac** (1799-1850), au-delà du romantisme, fait le tableau de la société bourgeoise dominée par l'argent (création du personnage de Rastignac dans son œuvre « La Comédie humaine »).

En **Angleterre** : Byron, Shelley, Keats; en **Italie** : Leopardi, Manzoni; en **Pologne** : Mickiewicz; **Frédéric Chopin** exalte par la musique le sentiment patriotique; en **Russie** : Lermontov, Pouchkine.

Les transformations intérieures de l'Allemagne

Prusse. Avant même l'effondrement de 1806, de hauts fonctionnaires critiquent le système du pouvoir absolu. Ces réformateurs souhaitent une « révolution par le haut » : en libérant et en élevant les sujets au rang de citoyens responsables, on construira un État plus solide. Le baron VON STEIN (1757-1831) est la personnalité marquante du mouvement. Juriste, il entre au service de la Prusse et, conseiller puis président (1796) des mines de Westphalie, il y voit fonctionner une administration autonome. Congédié comme « jacobin » en 1807, rappelé au traité de Tilsitt pour être congédié de nouveau en 1808 (sur l'ordre de NAPOLÉON), il devient conseiller polit. du tsar jusqu'en 1815 et lutte pour l'unité nationale (« Je n'ai qu'une patrie, elle s'appelle l'Allemagne »). On trouve en STEIN un mélange d'idées libérales (franç.), démocratiques (angl.) allié à une pensée conservatrice traditionnelle. Son programme de réformes (le « Mémoire de Nassau ») se réalise à partir de

1810 avec le chancelier HARDENBERG (1750-1822, prince en 1814). En 1807, dans son « Mémoire de Riga », ce diplomate habile et libéral demande des « réformes démocratiques dans un État monarchique » sans revenir à l'autonomie des « ordres ». Réformes sociales en vue d'abolir les distinctions juridiques entre citoyens.

1807 Édit de libération des paysans. Suppression des liens de dépendance héréditaire. Garantie de la liberté de la personne, de la propriété, des emplois et de l'égalité juridique.

1808 Statut des villes. Conseils municipaux élus par les bourgeois résidents.

1810-1811 Suppression des corporations et des entraves à la liberté d'entreprise.

1811 Édit remplaçant les corvées par l'attribution d'un tiers des terres paysannes aux propriétaires fonciers (p. 321).

1812 Émancipation des Juifs.

Réformes administratives. Séparation de la justice et de l'administration.

1808 Création de ministères spécialisés (Guerre, Intérieur, Administration (finances), Justice, Affaires étrangères). Réforme de l'armée, création d'une armée nationale par **Scharnhorst** (1755-1813), **Gneisenau** (1760-1831) et ses collaborateurs BOYEN (1771-1848), GROLMAN (1777-1843) et **Clausewitz** (1780-1831), théoricien de la guerre moderne (« De la Guerre », écrit entre 1816 et 1830). Malgré les limites fixées par NAPOLÉON au

nombre des troupes actives (ligne), formation de réserves par le système des « Krümper » (formation accélérée en un mois); avancement suivant la valeur, suppression des châtiments corporels.

1814 Loi sur la conscription générale et obligatoire. Réforme de l'enseignement dans un esprit néo-humaniste par **Guillaume de Humboldt**, homme d'État et savant (1767-1835), ministre de l'Instruction publique (1809-1810), représentant de la Prusse avec HARDENBERG au Congrès de Vienne (1814-1815), l'un des fondateurs de la linguistique comparée.

1810 Création de l'université de Berlin. Professeurs : **Fichte, Schleiermacher, Niebuhr** et **Savigny.**

1812 Enseignement secondaire d'État sur le principe d'une culture générale orientée principalement vers les langues classiques et la formation de l'esprit. Réforme de l'école primaire selon les conceptions du Suisse PESTALOZZI (1746-1827).

Le nouvel État prussien incarne les espoirs des patriotes allemands.

Autriche. Fortes résistances aux réformes. Entre

1806 et **1809** sous le ministre, comte de STADION, l'État est obligé de ménager la noblesse qui constitue un élément d'unité dans cet État multinational. Réformes militaires des archiducs CHARLES (1771-1847) et JEAN (1782-1859).

1808 Service militaire universel.

États de la Confédération du Rhin. Sur le modèle français, on voit apparaître les bases de l'État moderne unifié, surtout en Bavière avec MONTGELAS (1759-1838), et au Pays de Bade avec REITZENSTEIN (1766-1846) : centralisation soutenue par un corps de fonctionnaires.

Le triomphe de la conscience nationale allemande

Dans ses « Discours à la nation allemande » (1807-1808), FICHTE identifie le germanisme à la vraie moralité et à la vraie culture. Dans « La Bataille d'Arminius » (1808), **Heinrich von Kleist** (1777-1811) célèbre l'exemple d'un soulèvement patriotique. ARNDT (1769-1860) traduit en langue populaire les aspirations naturelles (« Être un peuple, voici la religion de notre époque »). JAHN (1778-1852) lance un mouvement patriotique qui fait une large place à la gymnastique pratiquée en commun.

Au cosmopolitisme du XVIIIe siècle, illustré par GOETHE et LESSING va succéder un nationalisme romantique fidèle aux souvenirs du Moyen Age (Église, corporation) et hostile aux idées universalistes héritées des philosophes de l'époque des lumières (NOVALIS).

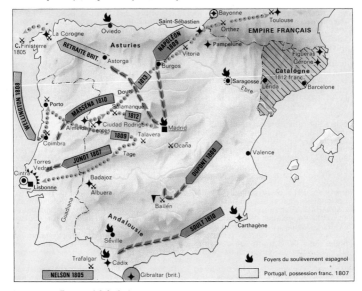

La guerre en Espagne (1808-1814)

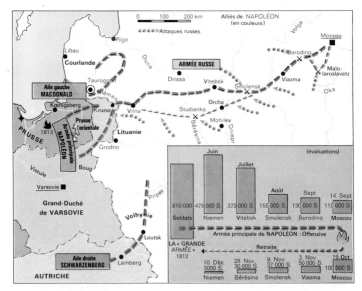

La campagne de Russie (1812)

Le soulèvement national en Espagne

Pour attaquer le Portugal qui demeure ouvert au commerce anglais, NAPOLÉON en

oct. 1807, au traité de Fontainebleau, obtient le droit d'utiliser les routes espagnoles et d'y constituer des dépôts. JUNOT conquiert le Portugal (1807) et la maison royale (JEAN VI) fuit au Brésil.

Fév. 1808 Pour « protéger les côtes contre l'Angleterre », MURAT conduit une forte armée française à Madrid. Après une révolte à Aranjuez dirigée contre GODOY, favori de la reine et ami des Français, CHARLES IV abdique au profit de son fils FERDINAND VII. Craignant pour son influence, NAPOLÉON intervient dans le conflit familial et obtient à Bayonne la double abdication de CHARLES IV (1788-1808) et de FERDINAND VII (1808-1833) au profit de son frère JOSEPH. MURAT devient roi de Naples. **Les Cortes proclament la résistance nationale.** Les Asturies et l'Andalousie se soulèvent. Création à Séville d'une « Junte central » (gouv. provisoire) en faveur de FERDINAND VII.

Juil. 1808 Capitulation d'une armée française de 23 000 hommes à Bailén : JOSEPH s'enfuit. Le général britannique ARTHUR WELLESLEY (1769-1852), Lord en 1809, **duc de Wellington** à p. de 1814) débarque au Portugal et repousse JUNOT. L'Empereur intervient lui-même avec 300 000 hommes.

1808-1809 Campagne de NAPOLÉON. Occupation de Madrid, prise de Saragosse; JOSEPH revient. Le soulèvement autrichien interrompt la campagne (p. 305). SOULT rejette l'armée de secours anglaise de MOORE sur La Corogne. Mais la guérilla dirigée par la noblesse et le clergé gagne partout et immobilise les forces françaises.

1809 L'annexion de l'État pontifical et la captivité du pape enflamment la résistance de l'Espagne fidèle à l'Église. WELLINGTON avance et en

1810 repousse l'attaque de MASSÉNA vers Lisbonne sur les lignes de fortifications de Torres Vedras. Profitant de la campagne de Russie, il parvient en

1812 à libérer Madrid. Dans Cadix assiégée, la « Junte central » promulgue la « constitution de l'an XII » qui conserve la monarchie, mais diminue fortement les droits du souverain.

1813-1814 La dernière offensive de WELLINGTON délivre l'Espagne grâce à la victoire de Vitoria. Elle s'achève sur la prise de Toulouse. En

1813, par le **traité de Valençay**, NAPOLÉON rend à FERDINAND VII le trône d'Espagne. Le roi rejette la constitution libérale et établit un régime réactionnaire et absolutiste. Les libéraux se soulèvent : **la guerre civile éclate** (p. 319).

La campagne de Russie de 1812

La crise économique oblige le tsar ALEXANDRE Ier à abandonner le blocus continental (déc. 1810). Des droits de douane préférentiels avantagent le commerce anglais et ses produits industriels dont la Russie a un besoin urgent. Les alliances de NAPOLÉON avec la Russie (fév.) et l'Autriche (mars) assurent les arrières de la Grande Armée, la plus grande qu'ait jusqu'alors connue l'histoire, plus de 600 000 hommes et 180 000 chevaux. Par égard pour le Danemark, NAPOLÉON refuse d'attribuer la Norvège à la Suède pour la dédommager de la perte de la Finlande. La Russie s'allie à la Suède (avril), et conclut la paix avec la Turquie.

En juin 1812, les troupes de NAPOLÉON franchissent le Niémen sans déclaration de guerre. L'aile gauche opère en Courlande pour protéger leur flanc (Prussiens sous MACDONALD), l'aile droite en Volhynie et Lituanie (Saxons et Autrichiens sous SCHWARZENBERG). Avec l'armée principale, NAPOLÉON avance sur Moscou par Vilna. Moscou tombe sans combat après les victoires de Smolensk (août) et Borodino (sept.). Koutousov, général en chef de la « **Grande Guerre patriotique** » et héros national russe, fonde sa tactique sur l'immensité du pays, adopte une défense très mobile et évite toute bataille décisive. Cette « tactique de Parthe » deviendra pour les Russes le symbole de l'invincibilité de leur terre et de leur peuple.

Après la **chute de Moscou**, le baron VON STEIN, conseiller politique du tsar, préconise la poursuite du combat. Les propositions de paix de NAPOLÉON sont refusées. Les difficultés du ravitaillement, l'incendie de Moscou (destruction du Kremlin) et l'approche de l'hiver obligent NAPOLÉON à battre en retraite, mais trop tard (oct.). L'armée, poursuivie par les Russes, doit évacuer ses quartiers d'hiver à Smolensk.

Le passage de la **Bérésina** à Studianka (nov.) est une catastrophe. La faim, le froid et les maladies anéantissent la Grande Armée qui ne compte plus que 37 000 hommes. NAPOLÉON quitte ses troupes et après un voyage rapide arrive à Paris pour raffermir son régime chancelant (conjuration du général MALET en oct.) et lever de nouvelles troupes.

A la fin de 1812, les débris de la Grande Armée (10 000 hommes env., 60 canons et 9 chevaux) arrivent aux frontières de la Prusse.

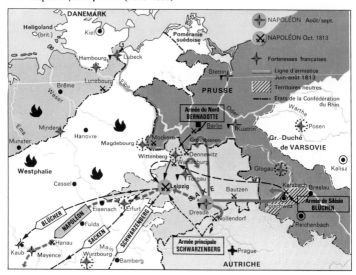

La campagne d'Allemagne (1813)

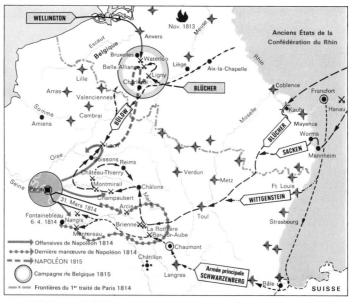

La campagne de France (1814) et Waterloo (1815)

La « guerre de libération » (1813)

La catastrophe de la Grande Armée enflamme les peuples de l'Europe qui se soulèvent contre l'hégémonie française.

Soulèvement de la Prusse. Sous sa propre responsabilité, le général YORCK signe la convention de Tauroggen (déc. 1812) (neutralité des troupes auxil. prussiennes), ce qui ouvre aux Russes la Prusse Orientale. Sur la demande du tsar, YORCK, STEIN et les États provinciaux de Prusse Orientale organisent des milices populaires.

Fév. 1813 Traité de Kalisz. La Russie s'adjuge la Pologne en échange du rétablissement de la Prusse qui annexe la Saxe. Les patriotes prussiens (SCHARNHORST, HARDENBERG) obligent FRÉDÉRIC-GUILLAUME III à déclarer la guerre à la France (mars). **Création de la Croix de Fer.** Un appel « A mon peuple » déclenche l'enthousiasme patriotique. Levée de corps francs comme le **Corps Franc Lützow** aux couleurs noir, rouge, or. Formation d'une armée nationale (SCHARNHORST).

La campagne d'Allemagne. Prussiens et Français s'affrontent à Lützen (mort de SCHARNHORST) et à Bautzen. Victorieux, NAPOLÉON repousse les alliés en Silésie, mais des troupes suédoises débarquent en Poméranie (mai). Au traité de Reichenbach, la Grande-Bretagne entre dans la coalition (juin).

Intervention de l'Autriche.

Mars 1813 La proclamation de Kalisz, rédigée par STEIN et KOUTOUSOV, propose à tous de se joindre à la lutte et d'établir une constitution nationale allemande. METTERNICH négocie avec les deux adversaires. Grâce à lui, en

juin 1813, armistice de Poischwitz. Pourparlers de paix infructueux à Prague. L'Autriche entre en guerre (août).

Malgré une victoire à Dresde (août) et des succès locaux, l'armée française (160 000 hommes) est encerclée.

16-19 oct. 1813 Bataille des Nations à Leipzig (plus de 100 000 morts et blessés). Victoire des coalisés. NAPOLÉON se retire avec le reste de ses troupes en deçà du Rhin.

Conséquences. Effondrement du système napoléonien. Dissolution de la Confédération du Rhin. Libération de l'Allemagne, de la Hollande, de l'Italie du Nord. Chute de Naples (MURAT). Le Danemark en 1814 doit céder la Norvège à la Suède au traité de Kiel. La Prusse obtient la Poméranie antérieure (côte de la Baltique à l'ouest de l'Oder).

La campagne de France (1814)

Blücher (1742-1819) et SCHWARZENBERG passent le Rhin en hiver, de Kaub jusqu'à Bâle. Victoire de NAPOLÉON sur BLÜCHER à Brienne, mais il est battu à La Rothière. Il se dégage par une série d'offensives énergiques (Champaubert, Montmirail, Montereau). Le congrès de Châtillon, convoqué sur la demande de METTERNICH pour rétablir la paix, s'achève sans résultats. Par le pacte de Chaumont (mars), les puissances décident d'agir conjointement. Victoires de BLÜCHER à Laon et de SCHWARZENBERG à Bar-sur-Aube.

31 mars 1814 entrée des alliés à Paris. Un gouvernement provisoire (TALLEYRAND) dépose NAPOLÉON.

6 avril 1814 Les généraux de NAPOLÉON l'obligent à abdiquer à Fontainebleau. Il obtient l'île d'Elbe comme résidence et une garde d'honneur de 800 hommes.

En avril 1814, retour des Bourbons et première restauration.

Mai 1814 Premier traité de Paris. Conditions modérées : la France retrouve ses frontières de la fin 1792. Elle garde la Savoie et la Sarre.

Les Cent-Jours (20 mars-22 juin 1815)

L'évolution de la situation en France (mécontentement des demi-solde et excès de la Terreur blanche) incite NAPOLÉON à rentrer en France.

Mars 1815 Débarquement au golfe Juan. Il promet des réformes libérales et fait son entrée à Paris. LOUIS XVIII s'enfuit à Gand. MURAT, qui veut la couronne d'Italie, prend le parti de NAPOLÉON, mais en mai 1815, NEIPPERG le bat à Tolentino. FERDINAND Ier (1816-1825) devient « roi des Deux-Siciles ». NAPOLÉON est proscrit. Les deux armées principales des coalisés avancent vers le sud et l'ouest, commandées par WELLINGTON et BLÜCHER.

Campagne de Belgique. NAPOLÉON n'a que 120 000 hommes. Il vainc BLÜCHER à Ligny, mais les armées anglaise et prussienne font leur jonction.

Juin 1815 Bataille de Waterloo. Anéantissement de la dernière armée de NAPOLÉON. Les alliés occupent Paris. NAPOLÉON se met sous la protection de l'Angleterre. Il est déporté à Sainte-Hélène où il meurt en 1821. Son corps est transféré à Paris (Invalides) en 1840.

Nov. 1815 Deuxième traité de Paris, beaucoup plus rigoureux que le premier : la France cède Sarrebruck à la Prusse, Landau à la Bavière, la Savoie au Piémont. Elle doit payer 700 millions de francs de dommages de guerre, et subir l'occupation de 17 places fortes pendant cinq ans.

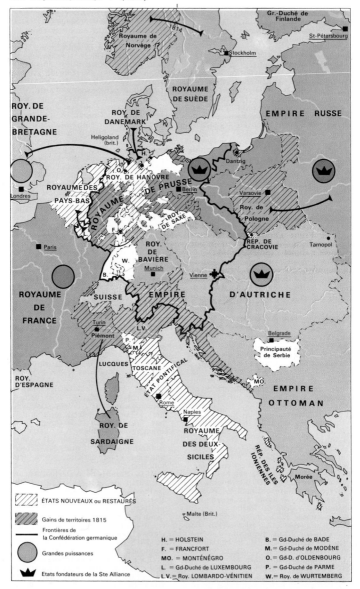

La nouvelle organisation de l'Europe par le Congrès de Vienne (1815)

Le Congrès de Vienne (1814-1815)

Le troisième congrès de paix (p. 251) de la nouvelle réorganisation de l'Europe est en grande partie l'œuvre du prince **Metternich** (1773-1859). Conservateur, il repousse comme dangereuses les idées libérales et nationales. Thèmes principaux du Congrès : **restauration** (retour à l'état politique de 1789); **légitimité** (principe sur lequel s'appuie TALLEYRAND pour justifier les revendications des Bourbons); **solidarité** des princes légitimes devant les mouvements révolutionnaires.

Presque tous les États et princes d'Europe prennent part au Congrès. Les cinq grandes puissances sont représentées par METTERNICH (Autriche), CASTLEREAGH (Grande-Bretagne), ALEXANDRE I er et NESSELRODE (Russie), HARDENBERG et GUILLAUME DE HUMBOLDT (Prusse), TALLEYRAND (France). La question de Pologne et de Saxe provoque presque une guerre. Préoccupés par l'équilibre européen, METTERNICH et CASTLEREAGH refusent l'annexion de la Pologne par la Russie et de la Saxe par la Prusse (traité de Kalisz p. 311). TALLEYRAND, ministre des Affaires étrangères de NAPOLÉON puis de LOUIS XVIII, profite de la crise pour rétablir l'autorité de la France et s'associe au protocole secret austro-anglais contre la Russie et la Prusse. Grâce à l'intervention de METTERNICH et surtout au retour de NAPOLÉON de l'île d'Elbe, les puissances s'accordent sur un compromis.

Juin 1815 Traité de Vienne. Équilibre entre les cinq grandes puissances.

La France revient à ses frontières de 1791, et est surveillée par une ceinture de petits États : royaume des Pays-Bas et royaume de Piémont-Sardaigne agrandi de la Savoie.

La Grande-Bretagne et le Hanovre ont le même souverain. Malte, Ceylan, Le Cap et Héligoland demeurent anglais. L'Angleterre est le véritable vainqueur.

La Russie reçoit « la Pologne du Congrès » qui a ses propres institutions.

L'Autriche renonce aux Pays-Bas autrichiens (Belgique), mais s'agrandit en Galicie, en Italie du Nord et en Dalmatie. Elle exerce sur l'Italie une sorte de primauté politique. État multinational, elle ne fait plus partie de l'Allemagne, mais revendique la direction de la Confédération germanique.

La Prusse se contente du partage de la Saxe et se dédommage avec la Westphalie et les provinces rhénanes. Elle est séparée en deux parties socialement, économiquement et confessionnellement distinctes. Elle assume « la garde du Rhin » contre la France et « s'agrandit à l'intérieur

de l'Allemagne ».

La Suisse voit sa « neutralité perpétuelle » garantie. D'après la nouvelle loi fondamentale (1815), la Confédération se compose de 22 cantons dotés chacun de leur constitution.

La réorganisation de l'Allemagne

Les patriotes avec STEIN, ARNDT, et GOERRES (1776-1848) désirent un État national. L'opposition entre l'Autriche et la Prusse et les revendications de souveraineté des princes empêchent la constitution d'un État unitaire. On ne rétablit ni l'Empire, ni tous les princes légitimes, mais on confirme le Recès de 1803 (p. 303).

Juin 1815 Fondation de la Confédération germanique, sur la proposition de METTERNICH. L'article 2 prévoit le maintien de la sécurité intérieure et extérieure de l'Allemagne, et l'indépendance et l'inviolabilité des États allemands.

1815-1866 Confédération germanique. Elle se compose de 39 membres [35 princes dont les rois de Grande-Bretagne (Hanovre), de Danemark (Holstein), des Pays-Bas (Luxembourg)]. L'Autriche et la Prusse s'y joignent pour une partie de leurs territoires. La Diète fédérale de Francfort (congrès permanent de délégués sous présidence autrichienne) peut devenir assemblée fédérale en cas de graves décisions à prendre. Les décisions, prises à la majorité simple ou des deux tiers n'engagent que la responsabilité des gouvernements. En cas de guerre, une armée fédérale composée de contingents des États assume la protection de l'ensemble.

L'article 13 est une concession au libéralisme.

Échec de l'unité financière, juridique, commerciale, économique (monnaie, poids, mesures), préconisée par HUMBOLDT.

Solidarité des puissances conservatrices

Sous l'influence des idées piétistes et romantiques (MME DE KRÜDENER), ALEXANDRE I er propose de protéger la religion, la paix et la justice au nom de la Sainte Trinité.

Sept. 1815 Fondation de la Sainte Alliance. Les monarques de la Russie orthodoxe, de l'Autriche catholique et de la Prusse protestante s'engagent à gouverner chrétiennement et patriarcalement « suivant les enseignements des Saintes Écritures » (art. 1) et à rester solidaires en matière de politique étrangère. Leur responsabilité devant Dieu leur donne le droit d'intervenir contre tous les soulèvements nationaux et libéraux. Refus de l'Angleterre.

Les idées politiques après 1815
Coexistence des monarchies de type absolutiste et des régimes libéraux. Régime de transition : la **monarchie constitutionnelle. Conservatisme.** On considère l'État, la société, le droit, la civilisation et leurs multiples aspects historiques comme un organisme en évolution que ne peuvent modifier artificiellement les idées, les théories, les constitutions. On défend les institutions et les autorités qui garantissent l'ordre dont on a hérité et qui est voulu par Dieu (union du trône et de l'autel) : monarchie, Église, corporations, famille, propriété.
A l'Ouest, on ne peut ignorer l'évolution due à la Révolution française et à l'essor de la bourgeoisie. CHATEAUBRIAND (fin des « Mémoires d'Outre-tombe », 1841) montre l'impossibilité du retour à l'Ancien Régime. A l'Est, prêtres, fonctionnaires et paysans deviennent les piliers du conservatisme qui régnera en Europe centrale (Autriche et Prusse) jusqu'au milieu du XIXᵉ siècle.
Théoriciens du conservatisme. FRÉDÉRIC DE GENTZ (1764-1832), un Prussien, traduit les écrits de BURKE et devient un champion du conservatisme qui seul garantit l'équilibre européen. Confident de METTERNICH, il soutient sa politique de restauration. Le romantique FRÉDÉRIC VON HARDENBERG, dit NOVALIS (1772-1801), dresse un tableau flatteur de l'organisation médiévale du monde dans « La Chrétienté ou l'Europe » (1799). La théorie romantique de l'État est formulée par Adam Müller (1779-1829) dans ses « Éléments de l'art de gouverner » (1808-1809) : L'État chrétien est un ensemble qui se développe suivant les plans de Dieu, comme un organisme naturel. D'après l'ouvrage du Suisse **Haller** (1768-1854), « La Restauration des sciences politiques », l'État ne se conçoit que du point de vue du patrimoine privé des princes, seuls responsables devant Dieu du maintien de l'ordre établi.
Le légitimisme est illustré par l'œuvre de **de Bonald** et de **de Maistre** (1753-1821) pour qui le droit divin des dynasties est indépendant de la volonté du peuple (roi par la grâce de Dieu). DE MAISTRE justifie les objectifs de la Sainte Alliance (p. 313) et affirme dans « Du Pape » (1810) que la foi catholique et la primauté du pape sont les fondements de l'État (doctrine ultramontaine).
Libéralisme. Il est fondé sur les notions de contrat et de droit naturel que propose le Siècle des Lumières (LOCKE, MONTESQUIEU) et triomphe avec la Révolution française. Les objectifs du libéralisme sont :
1. La **liberté personnelle** que protègent des droits fondamentaux ou droits de l'homme : **liberté d'opinion et d'expression.** Égalité des droits, mais non pas égalité des biens ni d'instruction;
2. Une **constitution** qui limite la puissance de l'État par la séparation des pouvoirs. L'État protège le citoyen et renonce à tout abus de pouvoir;
3. La participation aux affaires de l'État du **citoyen** politiquement majeur par l'**élection de représentants à un Parlement** qui décide des lois et contrôle le gouvernement;
4. La **liberté de l'économie** (opposition à l'intervention de l'État). Méfiance à l'égard du libre échange, notamment en France et en Allemagne.
Le libéralisme est soutenu par la partie éclairée de la bourgeoisie, **il triomphe surtout en Angleterre** et atteindra son apogée au milieu du XIXᵉ siècle.
Ses limites. Le libéralisme ne s'adresse qu'à une partie de la nation. Il ne s'étend pas aux ouvriers qui n'ont pas le droit de se grouper pour défendre leurs intérêts (en France, maintien de la loi LE CHAPELIER).
Théoriciens du libéralisme. En France : Benjamin Constant (1767 - 1830) a exprimé les vœux d'un libéral sous un régime conservateur (hostilité à l'intervention de l'État).
1818-1820 « Cours de politique constitutionnelle ». L'égalité « est une oppression de tous par chacun »; quant à la démocratie, elle n'est pas la liberté mais « la vulgarisation du despotisme ». « De la liberté des Anciens comparée à celle des Modernes » : Alors que dans l'Antiquité la liberté du citoyen se manifestait par l'exercice direct de la souveraineté, aujourd'hui l'homme libre ne cherche pas à participer lui-même au gouvernement, mais se décharge de ce soin sur ses représentants. En revanche le citoyen antique était strictement contrôlé dans sa vie individuelle et familiale par la religion de la cité. Or le citoyen moderne bénéficie de la liberté de conscience.
Tocqueville (1805-1859). Noble libéral, il ne songe pas à une restauration de l'Ancien Régime, comme les gens de son milieu, mais étudie l'évolution démocratique des sociétés, phénomène inévitable à ses yeux.
1835 « De la Démocratie en Amérique » (le danger de la démocratie, c'est la tyrannie de la majorité).
1856 « L'Ancien Régime et la Révolution » (la Révolution a accentué les tendances centralisatrices de l'Ancien Régime. Il y a donc une certaine continuité entre les deux régimes).
L'Église, autrefois solidaire des trônes, doit accepter l'œuvre de la Révolution. C'est ce que désire **Lamennais (1782-1854)** qui montre le

lien entre le libéralisme politique et les libertés de l'Église. Il réclame pour l'Église la liberté d'enseignement et la liberté de presse. Un journal, « L'Avenir » , est fondé en octobre 1830 pour défendre ses idées; mal vu de l'Université car il attaque le monopole d'enseignement et la bourgeoisie au pouvoir voltairienne ou gallicane, « L'Avenir » disparaît à la suite de la condamnation de ses idées par le pape GRÉGOIRE XVI (encyclique « Mirari Vos », août 1832). LAMENNAIS se soumet, mais il manifeste son espoir d'une alliance entre le christianisme et la démocratie dans les « Paroles d'un croyant » (1834), ouvrage condamné par Rome. Il rompt alors avec l'Église et adhère aux idées républicaines.

Les prédications du père LACORDAIRE à Notre-Dame de Paris et les discours du comte DE MONTALEMBERT à la Chambre des Pairs sont inspirés par le catholicisme libéral.

Influence de la philosophie anglaise : **Jérémie Bentham** (1748-1832) (« Introduction aux principes de morale et de législation » 1789); **John Stuart Mill** (1806-1873) (« Sur la liberté » 1859); **Herbert Spencer** (1820-1903) qui étudie le mécanisme du progrès. Tous défendent les principes de l'expérience et de l'utilitarisme qui assureraient « le plus grand bonheur au plus grand nombre » par des réformes libérales et la politique du « Laissez faire ».

Mouvement démocratique. Parmi les libéraux, les démocrates (radicaux ou républicains) se distinguent en insistant sur l'égalité et la souveraineté du peuple (ROUSSEAU). Le droit de la majorité passe avant celui de l'individu, et l'État, organisme unique formé de gouvernants et de gouvernés, doit assurer son triomphe. Sous l'influence des premiers socialistes, le suffrage universel est considéré comme la condition préalable à toute démocratie. Les théoriciens français préconisent une plus juste distribution de la propriété, la suppression des oppositions de classe et des privilèges de l'instruction. Ce mouvement se propage parmi les petits bourgeois et les ouvriers (prolétariat) : au XIXe siècle, il sera à l'origine de l'élargissement du droit de vote dans les nations industrielles, et, au XXe siècle, de l'avènement de la démocratie de masse.

Mouvement des nationalités. Nés de la Révolution française, ils s'épanouissent dans le patriotisme moderne, l'une des forces politiques les plus importantes du XIXe siècle. L'État national souverain est l'expression du droit à l'autodétermination de la nation. Les caractéristiques nationales sont tantôt des données naturelles (territoire) ou des facteurs culturels (langue, religion, mœurs), tantôt des éléments subjectifs (conscience d'une communauté de destin, de sentiment, de volonté). On retrouve dans l'idée nationale moderne ces deux origines : souveraineté du peuple, autonomie et liberté; conception romantique de l'esprit national (Volksgeist). Un mouvement national peut donc se combiner avec toutes les tendances politiques, et atteindre son apogée là surtout où if n'existe pas encore d'État représentatil de l'ensemble de la nation (Allemagne, Italie, Pologne, Hongrie, pays balkaniques, Belgique, Irlande). Ces sentiments nationaux font voler en éclats les empires multinationaux (empire colonial espagnol de l'Amérique du Sud, empire ottoman, monarchie danubienne).

Conceptions fondamentales de la philosophie de l'histoire. Le théoricien fondamental de l'époque est **Friedrich Hegel** (1770-1831). La raison (l'esprit, la pensée) et la réalité (être) sont identiques à « l'esprit absolu ». On distingue clairement dans l'histoire le développement de « l'esprit universel absolu » : dans un dépassement constant des contradictions (thèse et antithèse) en une synthèse supérieure, l'histoire progresse dialectiquement. Les grands hommes croient agir dans leur propre intérêt, mais ils ne sont en fait que les outils qu'emploie la « ruse de la Raison ». « L'esprit objectif » (la réalité) atteint sa plénitude dans l'État intemporel qui seul rend possible la liberté, l'égalité et la civilisation. Il est supérieur à l'individu. La forme d'État la plus parfaite est l'État monarchique. Il garantit la liberté de la personne humaine, la propriété et une administration réglée par des lois.

Importance. Cette conception idéaliste de l'État et du sens de l'histoire vers la perfection de la liberté, de la justice et de la raison, influence fortement les révolutionnaires russes (« Tout ce qui est rationnel est réel ») et se transforme chez les « jeunes hégéliens » comme BRUNO BAUER, LUDWIG FEUERBACH, **Karl Marx** (p. 341) en une critique radicale des conditions existantes. Ranke (1795-1886) exprime l'essentiel de l'**historicisme** en disant que chaque époque est « immédiate à Dieu » et qu'il faut décrire et comprendre chaque événement historique par rapport à lui-même. Après l'échec des révolutions de 1848, le pessimisme d'**Arthur Schopenhauer** (1788-1860) gagne du terrain dans la bourgeoisie allemande. [« Le Monde comme volonté et comme représentation » (1819, 2e vol. 1844)]. Le système hégélien a reçu ses plus fortes attaques de la part du Danois **Kierkegaard**. Taine (1828-1893) applique une méthode scientifique stricte : le **milieu** et le **moment** exercent une **influence déterminante** sur l'être humain.

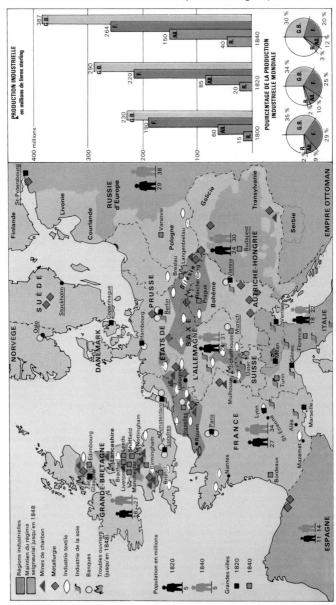

PRODUCTION INDUSTRIELLE
en millions de livres sterling

400 millions

300

200

100

	1800	1820	1840
G.B.	230	290	387
F.	190	220	264
All.	60	85	150
R.	15	20	40

POURCENTAGE DE LA PRODUCTION INDUSTRIELLE MONDIALE

35 % G.B. — 10 % F. — 2 % All. — 2 % R. — 29 %

34 % G.B. — 25 % F. — R. — 3 % All.

30 % G.B. — 20 % F. — All. 12 % — 3 % R.

NORVÈGE
SUÈDE
Oslo
Stockholm
Finlande
St-Pétersbourg
Livonie
Courlande
RUSSIE d'Europe 29 38
DANEMARK
Copenhague
Hambourg
GRANDE-BRETAGNE
Glasgow
Édimbourg
Lancashire
Liverpool
Leeds
Manchester
Sheffield
Nottingham
Birmingham
Bristol
Londres
16 27
Amsterdam
Bruxelles
ÉTATS DE PRUSSE
Berlin
Breslau
Langenbielau
Varsovie
Pologne
Galicie
Transylvanie
SAXE
Reichenberg
Prague
Bohême
L'ALLEMAGNE
Cologne
Munich
24 31
Vienne
24 30
Budapest
AUTRICHE-HONGRIE
Serbie
EMPIRE OTTOMAN
SUISSE
Mulhouse
Schaffhouse
Uster
Berne
Venise
Milan
ITALIE 18 22
Florence
Gênes
Turin
FRANCE
Paris
Rouen
Nantes
Lyon
27 34
St-Étienne
Bordeaux
Alès
Mazamet
Marseille
ESPAGNE 11 14

Population en millions
1820 — 5
1840 — 5

Grandes villes
1820
1840

Régions industrielles
Maintien du régime seigneurial jusqu'en 1848
Mines de charbon
Métallurgie
Industrie textile
Industrie de la soie
Banques
Troubles ouvriers (jusqu'en 1848)

L'essor industriel de l'Europe (1820-1840)

L'industrialisation de l'Angleterre

Au XVIIIe siècle, une modification des structures économiques et sociales prépare la **révolution industrielle** (concept introduit par BLANQUI en 1837, et par F. ENGELS en 1845). Plusieurs facteurs : en 1673 (Test Act), les puritains et les non-conformistes sont exclus de la politique; ils se tournent alors vers l'épargne en vue d'investir. L'**éthique calviniste** (p. 234) imprègne une **nouvelle conception du travail :** L'effort, le sens de l'épargne, le goût du rendement font naître le capital privé investi dans la production en série des grandes usines. (Liberté d'entreprise absolue depuis 1815.)

La **théorie du capitalisme** est faite par **Adam Smith** (p. 285), et **David Ricardo** (1722-1833) fonde l'économie politique classique. Ces théories, fondées sur l'intérêt individuel, conduisent au **libéralisme économique** (et à la recherche du profit) représenté par l'**École de Manchester,** cercles d'industriels du textile parmi lesquels **Richard Cobden** (1804-1865). Les philosophes anglais répandent partout les idées de BACON (p. 246) : la science empirique doit progresser grâce à l'observation et à l'expérience.

Sciences physiques et découvertes techniques vont de pair. Des ouvriers dépourvus d'instruction font des découvertes fondamentales (p. 275) : navette volante : KAY (1733); emploi du coke dans la métallurgie : DARBY (1735); **machine à vapeur : Watt** (1769); Mule-Jenny : CROMPTON (1779); métier à tisser : CARTWRIGHT (1785).

1789 Invention du « tiroir » dans les machines à vapeur.

Depuis 1707 (union de l'Angleterre et de l'Écosse), la Grande-Bretagne est la plus grande aire de **libre échange** en Europe. L'organisation du crédit (Banque d'Angleterre), une flotte puissante et le commerce permettent de gros bénéfices. L'abondance du capital provoque une **révolution dans l'agronomie** (p. 305). Division des « communaux », au profit des paysans, clôture des terres des grands propriétaires aristocrates avec l'aide du Parlement; amélioration du rendement du travail des tenanciers. L'augmentation des revenus de la terre et les progrès de la médecine (hygiène, vaccination) provoquent une **surpopulation.** Dans la misère des masses, l'économiste **Malthus** (1766-1834) voit une loi naturelle : la population augmente suivant une progression géométrique tandis que le rendement du sol n'augmente qu'arithmétiquement. Émigration

(Amérique du Nord, Australie, plus tard Nouvelle-Zélande), désertion des campagnes et apparition d'un **prolétariat.**

Épanouissement de l'industrie. Le nouveau système exige de l'initiative personnelle, du capital pour les machines et les matières premières, des ouvriers et des marchés en vue d'une production en grande quantité. De toutes les couches sociales, naissent les **classes nouvelles :** chefs d'entreprise (capitalistes privés) et prolétaires sans instruction. Ces deux groupes ne possèdent pas de terres, ne sont pas représentés au Parlement et s'opposent par conséquent à la noblesse rurale et au grand commerce. L'exploitation de la main-d'œuvre très abondante (horaires excessifs pour un salaire de misère, travail des femmes et des enfants) favorisent une discipline impitoyable dans les usines. De telles conditions justifient la **théorie des salaires** de RICARDO : le travail est comme une marchandise soumise à la loi de l'offre et de la demande.

Industrie du coton (centre : Manchester/Lancashire). Filatures (à p. de 1790) et tissages (à p. de 1815) demandent un capital de départ réduit et assurent de gros profits grâce à un commerce triangulaire parfaitement organisé : transport des esclaves noirs d'Afrique dans les plantations américaines, importation de coton, exportation des cotonnades en Afrique. Entre 1785 et 1840, les importations s'élèvent de 11 millions à 366 millions de livres alors que le prix du fil a diminué de 95 %. Au blocus continental (p. 299) l'**industrie textile** répond par la recherche de nouveaux marchés en Amérique du Sud et en Inde. Les crises de conjoncture renforcent « l'armée du travail » et font baisser les salaires. D'énormes bénéfices servent à lancer de nouvelles branches industrielles, **mines** et **métallurgie,** qui réclament de gros capitaux, et triomphent vers 1840 grâce à la **révolution des moyens de transport** par le navire à vapeur (FULTON 1807) et la locomotive (STEPHENSON 1814).

1830 Premier chemin de fer Liverpool-Manchester. En 1848, les voies ferrées ont déjà une longueur de 8 000 km.

Conséquences. Jusqu'à la fin du XIXe siècle, l'Angleterre restera le pays dominant au point de vue industriel. Suivant son exemple, mais avec des particularités locales, l'Europe s'industrialise : Belgique Hollande, Suisse, France (à p. de 1825), Allemagne (à p. de 1850), Suède (à p. de 1880).

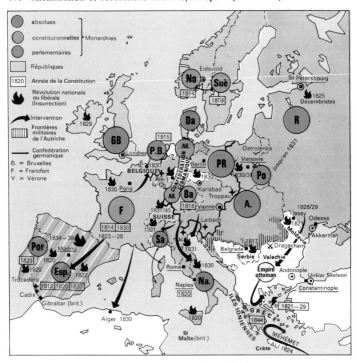

Révolutions libérales et réaction en Europe (1815-1848)

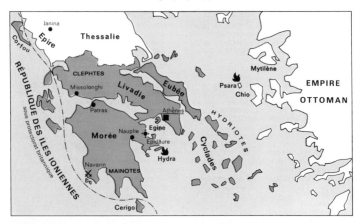

La Grèce en 1829

La politique des Congrès (1815-1822)
Pour garantir le traité de Vienne (p. 313), METTERNICH et le tsar ALEXANDRE Ier s'efforcent d'obtenir la collaboration des grandes puissances à l'occasion de conférences. CASTLEREAGH les soutient malgré les réserves britanniques. Ce « concert des puissances » s'élargit en mai 1818, au Congrès d'Aix-la-Chapelle : entrée de la France dans la Sainte Alliance. Malgré les protestations britanniques METTERNICH en 1820, au Congrès de Troppau, fait accepter le principe d'intervention. La Grande-Bretagne relâche lentement ses liens politiques avec l'Europe (« splendide isolement ») et favorise les mouvements libéraux des petites puissances avec son ministre des Affaires étrangères, CANNING (1822-1827). Deux blocs se forment, l'un occidental, libéral (Grande-Bretagne, France), l'autre, conservateur (Russie, Autriche, Prusse).

Les soulèvements libéraux et nationaux en Europe méridionale
Espagne.
1820 Révolte des libéraux. Sur la proposition de CHATEAUBRIAND et malgré le refus brit. (WELLINGTON) en
1822 le Congrès de Vérone charge la France d'intervenir : prise de Madrid et du fort du Trocadéro (1823). L'occupation française permet à FERDINAND VII une politique de dures représailles. Après sa mort, entre
1834 et 1839, querelles dynastiques des carlistes.
Portugal. Les Cortes proclament en
1821 une constitution libérale qu'accepte JEAN VI à son retour du Brésil (p. 309).
Naples. L'association secrète des **Carbonari**, créée vers 1796, œuvre en faveur d'une révolution nationale.
1820 La révolte de Nola oblige FERDINAND Ier à accorder une constitution.
1821 Congrès de Laibach, qui charge l'Autriche d'intervenir. (Sièges de Novare et de Rieti.) Le soulèvement italien s'effondre. Ses chefs sont condamnés à des années de forteresse ou émigrent. Tous les patriotes italiens s'unissent dans la haine des Habsbourgs.
Serbie. Un fort sentiment national fondé sur les souvenirs de la Grande Serbie et entretenu par l'Église orthodoxe et les chants populaires, renforce les idées modernes de liberté.
1804-1812 Première révolte populaire contre les Turcs avec KARAGEORGES (Georges le Noir). Organisation

polit. autonome avec un sénat et la « Skoupchtina » (chambre).
1815-1817 Seconde révolte. MILOCH OBRÉNOVITCH (1780-1860) obtient l'autonomie interne. La Serbie conserve son indépendance en louvoyant entre la Russie et la Turquie, malgré les luttes intestines entre les dyn. paysannes KARAGEORGÉVITCH et OBRÉNOVITCH.
Grèce. Se souvenant de leur passé, des patriotes grecs constituent en 1814 des « hétairies » (associations secrètes) à Athènes (comte CAPODISTRIA) et à Odessa (prince YPSILANTI) pour se libérer des Turcs. Soutenus par les commerçants grecs de Constantinople (Phanariotes) et l'Église orth., ils organisent des révoltes populaires sur le continent (Clephtes, Mainotes) et les îles de la mer Égée (Hydriotes).
1821-1829 Lutte des Grecs pour la liberté. Général grec au service des Russes, le prince ALEXANDRE YPSILANTI déclenche en
1821 une révolte en Moldavie et en Valachie, qui échoue.
1822 Proclamation de l'indépendance de la Grèce par le Congrès national d'Epidaure, acclamée par tous les Philhellènes conserv. ou lib. (LOUIS DE BAVIÈRE, CHATEAUBRIAND, JEAN PAUL, HÖLDERLIN etc.). Des volontaires europ. (BYRON) s'assemblent à Genève. Des représailles turques (massacres de Chio) répriment durement l'insurrection.
1824 Intervention de la flotte égypt. de MÉHÉMET ALI (p. 373).
1826 Missolonghi tombe après une résistance acharnée. METTERNICH condamne l'insurrection puisque rév., mais le tsar NICOLAS Ier, « gendarme de la réaction », favorise les Grecs, orthodoxes comme lui, à cause de sa haine des Turcs et de ses ambitions polit. (les Détroits).
1827 Traité de Londres. L'Angleterre, la France et la Russie s'accordent sur l'indépendance de la Grèce.
1827 Destruction à **Navarin** de la flotte turco-égypt. par une escadre anglo-franco-russe. Le comte CAPODISTRIA est élu régent et, de Nauplie, organise une administr. grecque. Les Français délivrent la Morée.
1828-1829 Guerre russo-turque.
1829 Traité d'Andrinople. La Russie obtient l'embouchure du Danube et devient protectrice de la Serbie et de la Grèce dont la souveraineté est reconnue en
1830 à la Conférence de Londres.
1832 OTTON Ier DE WITTELSBACH est élu roi.
Conséquences. Dissolution de la Sainte Alliance du fait de l'opposition de l'Autriche et de la Russie dans la question d'Orient.

La Confédération germanique (1815-1848)

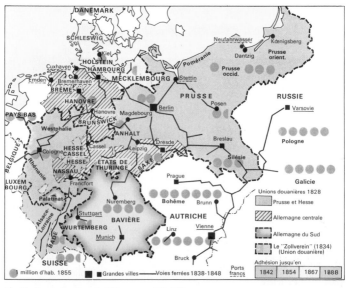

L'unification économique de l'Allemagne : 1828-1888

Réaction et opposition nationale

Noblesse et bureaucratie conservatrice repoussent les idées lib.

1815 Création de l'Association des étudiants allemands à Iena, qui adopte les couleurs de l'empire (noir, rouge, or) et la devise « Honneur, Liberté, Patrie » et s'oppose au système de METTERNICH.

1817 La fête de la Wartbourg, célébrée en souvenir de la Réforme et de la bataille de Leipzig, s'achève par des feux où brûlent les textes de la Constitution fédérale, les écrits et les symboles réact.

1819 Assassinat du poète KOTZEBUE, agent supposé du tsar, par K. L. SAND, qui est exécuté. Sur l'instigation de METTERNICH, ouverture d'un congrès de ministres en

1819 et décisions de Karlsbad : création d'une commission d'enquête centrale, dissolution de l'Association des étudiants; poursuites contre les « démagogues »; surveillance de la presse et des universités.

Les courants politiques

Les souverains de l'ancienne Confédération du Rhin conservent des constitutions sur le modèle français (confirmation du principe monarchique, représentation du peuple en deux chambres) comme dans le Nassau (1814), en Saxe-Weimar (1816), en Bavière, en Bade (1818), en Wurtemberg (1819), en Hesse-Darmstadt (1820). Cette participation du peuple, bien que limitée, favorise surtout au Pays de Bade (VON ROTTECK) le

libéralisme de l'Allemagne du Sud : idées pacifistes et nat. se mêlent aux demandes en faveur d'une administration contrôlée, de l'institution de jurys et d'une économie nat. (FR. LIST). La pression de la réaction donne naissance au

libéralisme de l'Allemagne du Nord, orienté vers l'Angleterre, qui insiste sur l'unité nat. (DAHLMANN). L'historien DROYSEN préconise une direction prussienne.

Une politique catholique s'affirme à Munich (LOUIS Ier, GŒRRES), à Francfort et sur le Rhin.

Le conservatisme trouve son soutien le plus puissant chez le prince héritier de Prusse FRÉDÉRIC GUILLAUME et les frères GERLACH, avec pour organe « La Gazette de la Croix ».

La Prusse et le Zollverein (Union douanière)

1797-1840 FRÉDÉRIC GUILLAUME III tient aux principes fondamentaux de la Sainte Alliance. Par conséquent, poursuites contre les « démagogues » JAHN et ARNDT. Des hommes tels que STEIN, GNEISENAU et SCHLEIERMACHER sont soupçonnés.

1816 Édit de dédommagement des propriétaires terriens qui provoque la formation de grandes propriétés où l'on applique les méthodes rationnelles de culture, mais apparition d'un prolétariat (ouvriers journaliers) qui désertent les campagnes et émigrent.

1817 Union des Églises luthérienne et réformée.

1822 Assemblées provinciales (diètes des huit provinces : prépondérance des conservateurs, officiers nobles et hauts fonctionnaires alliés à l'aristocratie des grands propriétaires). Le problème principal demeure l'amalgame des anciens territoires protestants conserv., à prédominance agricole avec les nouvelles provinces catholiques industr. et libérales (Rhénanie, Westphalie). Les échanges de marchandises entre ces deux moitiés complémentaires suscitent en

1818 une nouvelle loi fiscale et douanière (MAASSEN). Des taxes douanières et des impôts sur la consommation remplacent l'accise. Pour en finir avec les 38 systèmes douaniers allemands, en

1819 **Friedrich List** (1789-1846) fonde l'Association commerciale et industrielle allemande.

1828 Malgré la résistance de METTERNICH, unions douanières limitées. Sur l'initiative de MOTZ (1775-1830) ministre des Finances de Prusse, ces unions partielles deviennent en

1834 le **Zollverein allemand,** union douanière allemande sous la direction de la Prusse. La division économique est enfin surmontée au prix de l'abandon de l'Autriche. Le Zollverein constitue le premier échelon de l'union polit. et de l'industrialisation (p. 330). Sur les plans de FR. LIST, la construction des chemins de fer commence : en

1837 Voie ferrée Leipzig-Dresde.

Préludes aux révolutions (1830-1848)

1834 Conférence ministérielle de Vienne, nouvelles poursuites contre les « patriotes ». Les exilés se retrouvent à Paris (KARL MARX, HEINE). Après l'annulation de l'union avec l'Angleterre, le roi de Hanovre supprime la constitution.

1840 La France évoque la conquête de la rive gauche du Rhin (p. 323) : Chants patriotiques (« La Garde du Rhin », hymne national allemand). Mouvement d'union autour du roi de Prusse.

1840-1861 FRÉDÉRIC GUILLAUME IV accorde une large amnistie. Symboles nationaux : fête de la construction de la cathédrale de Cologne (1842), et fête du millénaire de l'empire (1843).

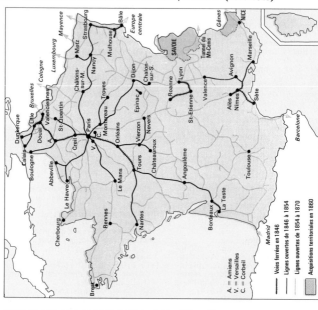

Les chemins de fer de 1830 à 1870

Voies ferrées en 1846

Lignes ouvertes de 1846 à 1854

Lignes ouvertes de 1854 à 1870

Acquisitions territoriales en 1860

A. = Amiens
V. = Versailles
C. = Corbeil

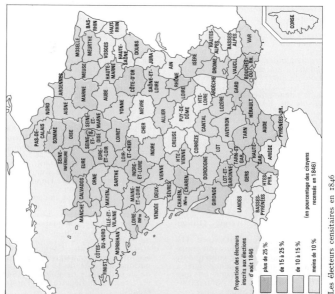

Les électeurs censitaires en 1846

Proportion des électeurs inscrits aux élections d'août 1846

plus de 25 %

de 15 à 25 %

de 10 à 15 %

moins de 10 %

(en pourcentage des citoyens recensés en 1846)

La Restauration (1814-1830)

1814-1824 Louis XVIII, revenu de l'exil « avec le drapeau blanc dans les fourgons de l'ennemi », octroie en 1814 la **Charte constitutionnelle.** Deux chambres sur le modèle brit. (Pairs hérédit.; chambre des députés élus au suffrage censitaire). Initiative des lois réservée à l'exécutif exercé par des ministres responsables devant le roi. Les ventes de biens nationaux, l'égalité des droits (Code civil) et les libertés bourgeoises sont confirmées.

Groupes politiques. Les **ultraroyalistes** (POLIGNAC, VILLÈLE), qui se rattachent à la tradition de l'Ancien Régime. Les **constitutionnels** (ROYER-COLLARD), soucieux de maintenir l'équilibre instauré par la Charte. Les **libéraux** (MANUEL), fidèles à la tradition héritée de la Révolution. Après l'entracte des Cent-Jours (p. 311), en

1815 deuxième restauration : « Terreur blanche » contre les jacobins et les bonapartistes. Élections de la « Chambre introuvable », dissoute en 1816. Épuration (70 000 arrestations); exécution de généraux napoléoniens (maréchal NEY, etc.). Le roi tente d'établir un équilibre entre la révolution et l'Ancien Régime et s'appuie sur les royalistes modérés. Les cabinets de RICHELIEU (1815) et de DECAZES (1818) obtiennent en

1818, au Congrès d'Aix-la-Chapelle, la fin de l'occupation milit. et le retour de la France dans le concert des grandes puissances.

1820 Assassinat du DUC DE BERRY fils du futur CHARLES X. Reprise de la réaction. Loi du double vote favorisant les grands propriétaires fonciers. L'opposition lib. constitue, comme en Italie, des sociétés secrètes. BÉRANGER par ses chansons évoquant NAPOLÉON mort en 1821 rend populaire l'idéal bonapartiste. Par fidélité à la Sainte-Alliance,

1823 intervention en Espagne (p. 319) sur l'initiative de CHATEAUBRIAND (1768-1848), ministre partisan de la Sainte Alliance.

1824-1830 CHARLES X règne en s'appuyant sur l'Église et les ultras (VILLÈLE 1821-1828). Lois sur le sacrilège et la presse, contrôle de l'Église sur l'Université, retour des jésuites, dissolution de la garde nationale, don d'un milliard aux émigrés. A p. de 1828, ministère libéral (MARTIGNAC). Crise avec le ministère réactionnaire POLIGNAC (à. p. de 1829).

1830 Prise d'Alger. Mais les ordonnances de Juillet (dissolution des chambres, censure de la presse, modification du droit de vote) provoquent en

1830 la révolution de Juillet, où

Adolphe Thiers (1797-1877), rédacteur au « National », joue un rôle important. Barricades dans Paris : CHARLES X fuit en Angleterre.

La monarchie de Juillet (1830-1848)

Le parti de la bourgeoisie, plus puissant que les républicains et où militent LA FAYETTE, LAFFITTE, THIERS, GUIZOT, etc. appelle au pouvoir

LOUIS-PHILIPPE Ier, duc d'Orléans (57 ans). Adoption du drapeau tricolore. Titre : roi des Français. Revision de la constitution (responsabilité des ministres, élargissement du corps électoral). C'est le triomphe de la monarchie bourgeoise. Le pays s'industrialise et le grand capitalisme apparaît (mines et chemins de fer). Le « roi bourgeois » arbitre entre les partisans du « mouvement » (libéraux) et ceux de la « résistance » (conservateurs). Il se maintient malgré les soulèvements sociaux violents (1831-1834 à Lyon; 1832-1834 à Paris), et consolide sa situation jusqu'en 1840 avec des ministres autoritaires (1831-1832 : CASIMIR PERIER). Appuyé par le ministre « doctrinaire » GUIZOT (1787-1874), LOUIS-PHILIPPE établit un régime personnel conserv. La bourgeoisie (pays légal) applaudit à la politique de GUIZOT : « Enrichissez-vous par le travail et par l'épargne ». D'après TOCQUEVILLE, le gouvernement ressemble à une société anonyme corrompue qui suborne ses électeurs en leur offrant des avantages matériels (1842 : Loi sur les chemins de fer).

1840 Transfert solennel des cendres de NAPOLÉON aux Invalides. Tentatives de coup d'État de LOUIS-NAPOLÉON à Strasbourg en 1836, à Boulogne en 1840. Condamné à la prison à vie, il s'enfuit en Angleterre en 1846.

Politique extérieure. D'accord avec l'Angleterre (TALLEYRAND-PALMERSTON : entente cordiale en 1830), soutien des mouvements libéraux au Portugal, en Espagne, Belgique. Pendant la crise orientale (p. 363) qui provoque sa chute, THIERS en

1840 recherche des succès de prestige en Égypte (soutien à MÉHÉMET ALI).

1840-1847 GUIZOT veut rétablir les bonnes relations avec l'Angleterre.

1843 Visite officielle de la reine VICTORIA. Expansion coloniale en Afrique et en Océanie. Le maréchal BUGEAUD achève la conquête de l'Algérie (p. 383). A p. de 1846, rapprochement avec les puissances centrales (METTERNICH). L'opposition se renforce : le régime doit compter avec les **républicains** de LEDRU-ROLLIN (1807-1874) et les **bonapartistes,** comme avec les **légitimistes.**

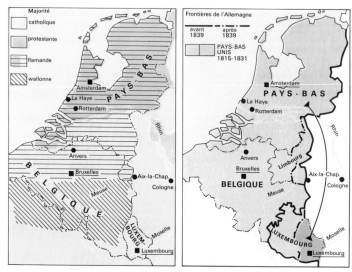

La naissance de la Belgique

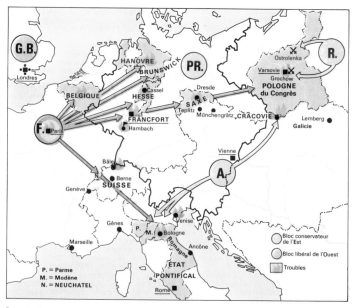

Le retentissement de la révolution de Juillet en Europe

Grande-Bretagne (1815-1848)
La période conservatrice (1815-1830) :
Le manque de respect envers la Couronne croît avec les scandales matrimoniaux du roi dandy GEORGE IV (1820-1830), régent depuis 1811.

1815 Loi pour protéger le cours des céréales (Corn Laws). Les ouvriers durement touchés trouvent un avocat dans le journaliste COBBETT (1762-1835) et organisent des manifestations.

1819 Troubles à Peterloo-Manchester auxquels les « old stupid tories » ou « Ultras » répondent par les « Six Acts », lois qui bâillonnent la presse et la liberté de réunion. Mais les jeunes tories de ROBERT PEEL (1788-1850) gagnent de l'influence.

1829 Suppression du Bill du Test. O'CONNELL fait triompher au Parlement la diminution des impôts pesant sur l'Irlande et réclame l'annulation de l'Union de 1801 (« Repeal ») avec l'Irlande.

La période des réformes (1830-1848) :
1830-1837 GUILLAUME IV.

1832 Réforme électorale. Sur les 200 mandats des « bourgs pourris », 143 sont attribués à des villes nouvelles. L'extension de la « franchise électorale » (droit de vote) aux propriétaires d'immeubles augmente de moitié le nombre des électeurs.

Conséquences. Élections plus régulières, respect de l'opinion publique, union du gouvernement et de la majorité parlementaire. Les partis changent de noms : **conservateurs** et **libéraux.**

1837-1901 **Victoria.** Mariée au prince ALBERT DE SAXE-COBOURG (1819-1861), la reine respecte loyalement la constitution, rehausse le prestige de la Couronne et devient le symbole de « l'ère victorienne » (p. 380).

1838 Les ouvriers, déçus par les premières coopératives, décident de mettre leurs problèmes sur le plan politique en réclamant le suffrage universel, et l'attribution des fonctions publiques à des fonctionnaires rétribués. C'est le programme des chartistes. Échec de l'emploi de la violence.

1838 Fondation de la Ligue Anti-Corn-Law. La solution proposée par R. COBDEN, c'est le libre entrée des céréales d'importation pour faire baisser le coût de la vie (École de Manchester).

1845-1846 Famine en Irlande à la suite d'une maladie de la pomme de terre. Un million de morts; la population passe de 8,3 millions d'hab. à 6,6 millions en 1851, à cause de l'émigration de plus d'un million de personnes surtout vers l'Amérique du Nord.

1846 Suppression des droits de douane sur les céréales et retour à la liberté du commerce. La victoire de l'École de Manchester divise le parti conservateur et confirme l'ascension de la classe des industriels qui comptent exporter sans se heurter à des barrières douanières. Au cours du XIXe siècle, déclin de l'agriculture britannique.

1847 Adoption de la journée de 10 heures dans les usines. Le mouvement chartiste s'affaiblit. Ces réformes permettent à la Grande-Bretagne d'échapper aux conséquences de la crise de 1848 qui ébranle le continent.

La révolution de Juillet et l'Europe
La rév. de Juillet (p. 323) inaugure l'époque de la prédominance bourgeoise dans les monarchies constitutionnelles de l'Europe occ. En Europe centrale et mérid., essor des mouvements nationaux et libéraux. La division entre puissances conservatrices de l'Europe centrale et orientale (renouvellement de la Sainte Alliance) et un bloc occidental libéral (Quadruple alliance de 1834) s'approfondit.

Belgique
1830 Insurrection à Bruxelles après des pétitions sans résultat; bombardement d'Anvers. Un gouvernement provisoire et un Congrès nat. proclament l'indépendance de la Belgique (nov.). Les grandes puissances europ. garantissent en

1831 par le **Protocole de Londres,** l'indépendance et la neutralité perpétuelle du nouvel État.

1831-1865 LÉOPOLD Ier DE SAXE-COBOURG. Il respecte la constitution belge de 1831 (souveraineté du peuple, droits fondamentaux, parlementarisme, principe d'autonomie).

1831-1832 Attaque des Pays-Bas, repoussée avec l'aide française (chute d'Anvers).

Italie. En 1831, vague de révoltes à Modène, à Parme, en Romagne, mais l'aide franç. espérée ne vient pas.

1831-1838 Occupation d'Ancône par les troupes autr. qui étouffent le second foyer d'incendie en Europe. Le Génois **Mazzini** (1805-1872) fonde en

1832 l'association secrète « Jeune Italie » pour réaliser l'unité nat. et un renouveau interne. Devise : « Italia fara da se » (l'Italie se libérera elle-même).

1834 Fondation de la « Jeune Europe ».

Allemagne.
1830-1831 Constitutions en Saxe, Hanovre, Brunswick, Hesse-Cassel.

1832 Fête de Hambach : rassemblement des libéraux.

Pologne.
1830 Insurrection de Varsovie.
1831 PASKIÉVITCH prend Varsovie.
1832 La Pologne devient province russe.
1863 Nouvelle révolte.

AMÉRIQUE DU SUD

Caracas
Panama
Trinité (brit.)
Angostura
Carabobo
Boyacá
VENEZUELA
1811
Georgetown
Paramaribo
Cayenne
Guyane
br. hol. fr.
Bogotá
COLOMBIE
Bomboná
Pichincha
Équateur
Quito
ÉQUATEUR
Amazone
Pará
Maranon
Rio
Negro
Madeira
Ceará
EMPIRE DU BRÉSIL
1822
Bahia
Junin
Callao Lima
PÉROU
Matto
Goias
Ayacucho
1821
BOLIVIE
Grosso
Minas
Gerais
La Paz
1825
São Paulo
PARAGUAY
Paraná
Rio de Janeiro
1811
Asuncion
Tucumán
CHILI
ARGENTINE
URUGUAY
1810/18
1810/16
Valparaiso Chacabuco
Santiago
Buenos
Aires
1828
Montevideo
Valdivia
Ancud

République Unie de Colombie
Zone frontière contestée
1811   Année de l'Indépendance
Campagne de Bolivar 1821-1824
Campagne de San Martin 1817-22
Points d'appui espagnols
jusqu'en 1826
En blanc, les territoires inexplorés

AMÉRIQUE CENTRALE

Texas
1836 indép.
E.-U.
Nouvelle
Orléans
Floride
espagnole
jusqu'en 1819
Bahama (brit.)
MEXIQUE
Tampico
1821
Cuba (esp.)
Vera Cruz
Mexico
YUCATAN
1821-68
REP.
D'HAITI
Porto-Rico
(esp.)
Guadeloupe
(fr.)
Belize (brit.)
1822-44
Jamaique
Martinique
(fr.)
GUATEM.
HONDURAS
Barbados
(brit.)
SAN
SALVADOR
NICARAGUA
Curaçao (hol.)
COSTA RICA
Caracas
PROVINCES-UNIES
DE
NOUV.-GRENADE
Panama
VENEZUELA
1811-19
Angostura

Provinces Unies
d'AMÉRIQUE CENTRALE 1823-1839

La formation des nouveaux États en Amérique du Sud et en Amérique Centrale

La désagrégation de l'empire colonial de l'Espagne et du Portugal
La franc-maçonnerie est « la mère spirituelle de la Rév. ». Fondées par le Vénitien MIRANDA (1754-1816), ses loges s'étendent sur tout le continent. Elles engagent le combat contre l'exploitation coloniale (p. 273). L'Angleterre les favorise pour défendre ses intérêts commerciaux, ainsi que les créoles blancs nés en Amérique qui constituent 10 à 40 pour cent de la population. L'exemple des E.-U. d'Amérique et de la France renforce la volonté d'indépendance. Pendant la domination française dans la métropole, création de conseils municipaux et de juntes locales. La répression milit. de FERDINAND VII (p. 319) exacerbe les revendications modérées des Européens et le désir d'indépendance du prolétariat métis. Les « libérateurs » **Simon Bolivar** (1782-1830) et **San Martin** (1778-1850) profitent de la situation polit. pour mener à bien la séparation.

1823 Doctrine de Monroe contre les projets interventionnistes de la Sainte Alliance (« L'Amérique aux Américains! »). Gênées par les problèmes raciaux, l'ignorance des masses et le sous-développement économique, les républiques dirigées par des chefs milit. ou polit. (caudillos) manquent de stabilité. Les E.-U. et l'Angl. reconnaissent aussitôt ces nouveaux États. (CANNING : « J'appelle le nouveau monde à la vie pour rétablir l'équilibre. »)
1826 Congrès de Panama. Échec du plan de BOLIVAR d'une union sud-américaine, faisant équilibre aux États-Unis du Nord. Triomphe des particularismes, favorisés par le relief et l'étendue.

Vice-royaume de la Nouvelle-Espagne (dep. 1535). Après les premières tentatives de révolte des prêtres HIDALGO en 1810 et MORELOS en 1815, le colonel ITURBIDE assure la liberté du pays :
1821 Proclamation de l'indépendance du **Mexique**. ITURBIDE se proclame empereur, le général SANTA FÉ l'envoie en exil. Il sera plus tard fusillé. Avec le général VICTORIA en
1823 proclamation de la république : les Provinces-Unies de l'Amérique centrale se séparent du Mexique. Malgré les luttes entre fédéralistes et centralistes, SANTA ANNA vainc une armée espagnole et établit un régime dictatorial en 1833.

Vice-royaume de Grenade (dep. 1718). En 1811, le Congrès de Caracas proclame l'indépendance du Venezuela. FRANCISCO DE MIRANDA est commandant en chef, mais les troupes espagnoles sont victorieuses et il capitule (1812). BOLIVAR, nommé dictateur en 1813, échoue lui aussi, mais organise à Haïti une nouvelle armée de cavaliers et de légionnaires angl. et allemands. De 1817 à 1820, il délivre le Venezuela et la Colombie.
1819 Congrès d'Angostura. Proclamation de la **Grande Colombie**, président **Bolivar**. Avec son ami SUCRE, il libère l'Équateur après une difficile traversée des Andes.
1830 La Grande Colombie éclate : naissance de l'**Équateur**, du **Venezuela** et des E.-U. de la **Nouvelle-Grenade** (Colombie dep. 1861).

Vice-royaume de La Plata (dep. 1776).
1811 Indépendance du **Paraguay** sur le Dr. JOSÉ FRANCIA (dictateur 1814-1840).
1816 Proclamation à Tucuman de l'indép. des E.-U. du Rio de la Plata (**Argentine**). SAN MARTIN abandonne sa carrière milit., et devient chef des troupes argentines. Il crée une armée pour la libération du Pérou.
Vice-royaume du Pérou (dep. 1542). Les forces patriotes d'O'HIGGINS et de son rival CARRERA sont battues au Chili en 1814. O'HIGGINS se réfugie chez SAN MARTIN.
1817-1818 SAN MARTIN franchit les Andes en plein hiver. O'HIGGINS est proclamé dictateur. En 1820, un aventurier brit., LORD COCHRANE, transporte au Pérou l'armée de libération sur sa flotte privée.
1821 Le Pérou est le dernier État à devenir indépendant, avec pour protecteur SAN MARTIN. Les troupes de SAN MARTIN et de BOLIVAR font leur jonction. A cause de différends politiques, SAN MARTIN se retire en meurt en exil en Europe. Le Sud du Pérou prend pour président SUCRE et devient en
1825 la République de **Bolivie**.

Le **Brésil** se sépare sans combats de la mère patrie. Le prince héritier portugais, PEDRO, élevé au Brésil, ne retourne pas en Europe à la chute de NAPOLÉON. Il convoque une assemblée nat.
1822 Proclamation de l'indépendance de l'empire du Brésil (empereur PEDRO Ier). Guerre avec l'Argentine à propos de l'Uruguay (1817).
1828 Traité de Montevideo. L'Uruguay devient indépendant. En 1831, l'empereur abdique au profit de son fils PEDRO II.

Antilles. Haïti, franç. dep. 1697, se libère en 1804 et devient république en 1806. En 1808, la partie orientale redevient possession espagnole.
1821 Proclamation de la République dominicaine (occupée par Haïti de 1822 à 1844).

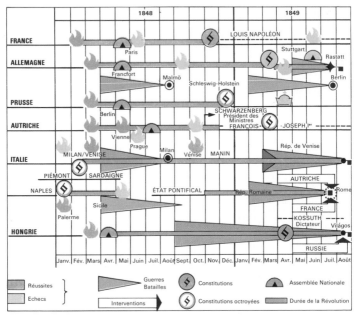

Les Révolutions de 1848 en Europe

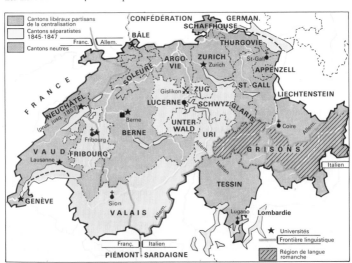

La Suisse au milieu du XIXe siècle

Les révolutions de 1848, en Europe continentale, présentent plusieurs aspects :
En France, c'est une révolution sociale, l'unité nationale étant réalisée depuis la fin du Moyen Age. Un des problèmes essentiels, c'est le « droit au travail » pour les ouvriers. Les Droits de l'Homme de 1789 doivent être complétés avec la naissance du « Quatrième État ».
En Allemagne et en Italie, c'est une révolution nationale (recherche d'une solution unitaire qui tiendrait compte des dynasties régnantes).
En Autriche et en Hongrie, c'est une révolution à la fois nationale et sociale (fin du régime seigneurial).
En Europe centrale, c'est avant tout la bourgeoisie qui revendique et non le prolétariat, peu développé.
Les mouvements révolutionnaires ont explosé de façon dispersée, ce qui a permis aux forces conservatrices de lutter avec succès. La solidarité établie en 1815 par la Sainte Alliance apparaît de nouveau avec l'intervention de NICOLAS Ier contre les Hongrois.
L'Angleterre est restée à l'écart. Elle n'a qu'un problème national (la question irlandaise), et le malaise ouvrier n'a pas de répercussions politiques directes, étant donné l'éloignement de Londres des centres industriels.

Prélude à la révolution
Suisse (1847-1848).
A p. de 1838, essor du mouvement démocr. (revision des constitutions cantonales), opposition entre les cantons lib. qui veulent un État fédéral unitaire et les cantons conserv. qui tiennent à un État fédéral aux associations libres (diètes). L'admission des jésuites provoque en
1844-1845 des coups de main de corps francs (extrémistes) contre Lucerne.
1845 Formation d'une association de défense (Sonderbund) que veut dissoudre la Diète fédérale.
1847 **Guerre du Sonderbund.** Victoire rapide de l'armée de la Diète (gén. DUFOUR) à Gislikon. PALMERSTON fait traîner en longueur une intervention des puissances conservatrices.
1848 **Nouvelle constitution fédérale** (sur le modèle américain). L'Assemblée fédérale est composée d'un conseil national et d'un conseil des Etats (législatif). Le conseil fédéral est élu par l'Assemblée fédérale; c'est l'exécutif. La compétence de la fédération s'étend sur la politique étrangère, l'armée, le commerce extérieur, la monnaie et les routes; celle des cantons sur les questions religieuses, la justice et la presse.

France
La crise économique, prélude de 1848, commence par : a) Une **crise agricole** (1847-1848) : effondrement des cours après une montée en flèche due à la disette (1846-1847). Répercussions sur les achats de textile, d'où crise industrielle (Nord, Normandie); b) Une **crise financière** : devant les événements parisiens, les capitaux se cachent. Raréfaction du crédit et chômage dû à la paralysie des entreprises.
1847 Campagne des banquets (LAMARTINE) pour l'abaissement du cens électoral, contre l'attitude conservatrice de GUIZOT. Cette agitation prépare la révolution de Février.

La révolution en Italie (1848-1849)
Le mouvement patriotique (MAZZINI, GIOBERTI) met son espoir en PIE IX (1846-1878), qui a la réputation d'être libéral. Ses réformes et l'amnistie qu'il décrète sont imitées par d'autres souverains. CHARLES-ALBERT de Piémont (1831-1849) chasse ses ministres réactionnaires. L'écrivain Massimo d'Azeglio (1798-1866) proclame le principe de « la conjuration au grand jour » pour libérer l'Italie.
1847 Insurrections à Messine et Reggio. Les Autrichiens occupent Ferrare.
1848 Troubles à Palerme, Milan, Venise. Naples, sous la pression des Britanniques, obtient une constitution sur le modèle belge, ainsi que la Sardaigne, la Toscane et l'État pontifical.
Mars-août 1848 « Guerre sainte » de CHARLES-ALBERT et des volontaires ital. (p. 333). Après des succès initiaux, les souverains se divisent au sujet du nouvel ordre polit. Capitulation des troupes pontificales à Vicence (juin). Défaites ital. GARIBALDI (p. 349) s'enfuit en Suisse.
Mars 1849 La guerre recommence.
Naples. FERDINAND II (1830-1859), le « Re Bomba », réprime les soulèvements lib. et reconquiert la Sicile (jusqu'en septembre).
État pontifical. PIE IX s'enfuit à Gaëte devant le soulèvement populaire.
Fév. 1849 Proclamation de la République romaine. De ce « centre idéal de la nation » **Mazzini** publie un programme tandis que le pape appelle à l'aide l'Autriche, la France et Naples. **Garibaldi** tient tête à la France et triomphe de Naples à Velletri.
Juillet 1849 Entrée des troupes françaises à Rome. GARIBALDI parvient à s'enfuir à Saint-Marin.
Août 1849 Après une résistance héroïque, Venise capitule (MANIN p. 333). C'est la fin de la révolution.

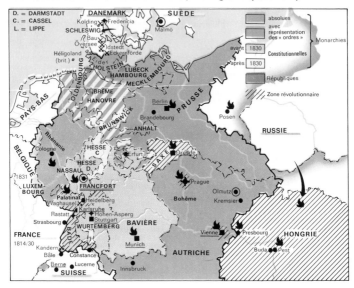

La Confédération germanique en 1848

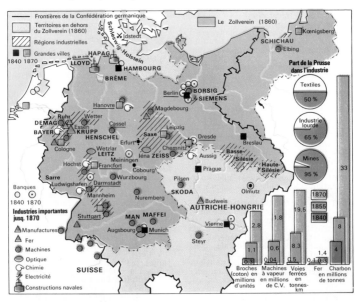

L'essor industriel de l'Allemagne (1840-1870)

La révolution de mars 1848

13 mars 1848 Première révolte de Vienne (p. 333). Le roi de Prusse fait des concessions. Alors que le peuple manifeste pour témoigner sa reconnaissance, la garde du palais tire deux coups de feu. Le peuple croit à une trahison.

18 mars Barricades à Berlin. FRÉDÉRIC-GUILLAUME IV retire les troupes de la ville, forme un ministère lib.

20 mars A Munich, LOUIS Ier abdique en faveur de son fils MAXIMILIEN II (scandale LOLA MONTEZ).

Le problème de l'unité allemande

A la diète de Bade, en février, motions pour la convocation d'un parlement.

5 mars Assemblée de Heidelberg. 51 membres des diètes de l'Allemagne du Sud invitent de leur propre initiative des représentants des institutions politiques de toute l'Allemagne à préparer la convocation d'une assemblée nationale.

31 mars-2 avril Vorparlament (Parlement préparatoire) (env. 500 membres dont 141 Prussiens et 2 Autrichiens seulement). Décision d'inclure dans la Confédération le Slesvig, la Prusse orient. et occ. avec suffrage universel (un député pour 50 000 hab.).

18 mai Réunion du Parlement de Francfort, pour donner une constitution à l'Allemagne (lieu de réunion : l'église Saint-Paul). Parmi les 831 députés, ARNDT, JAHN, J. GRIMM, UHLAND, DÖLLINGER, KETTELER. Le président est HEINRICH VON GAGERN (1799-1880). Sans prévenir les souverains, il impose la nomination comme régent d'empire de l'ARCHIDUC JEAN qui forme en juin un gouvernement d'empire. La Diète se dissout.

Juillet-octobre Étude des droits fondamentaux promulgués en décembre (modèle de toutes les constitutions démocratiques allemandes).

Oct. 1848-mars 1849 Rédaction de la constitution : essai d'une synthèse entre la tradition (empire, monarchie, État unitaire) et le progrès (suffrage universel, représentation populaire).

Problème constitutionnel. Répartition des pouvoirs entre le Reichstag (assemblée) et l'empereur héréditaire (adoptée en mars 1849 par 267 voix contre 263).

Problème fédéral. Au pouvoir central la politique étrangère, l'armée, les décisions économiques communes, mais les différents pays gardent leur autonomie.

Problème national. Division des députés en deux groupes : partisans de la Grande Allemagne (tendance fédéraliste : État fédéral avec la totalité de l'Autriche sous la dyn. cath. des Habsbourgs ou un directoire de sou-verains), et partisans de la Petite Allemagne (État nat. sous la direction des Hohenzollern, et union fédérale avec l'Autriche).

La question du Slesvig-Holstein.

Tandis que les « Danois de l'Eider » (zone frontière) réclament l'annexion du Slesvig au Danemark, le parti allemand veut l'union réelle du Slesvig et du Holstein.

Mars 1848 Incorporation du Slesvig au Danemark par FRÉDÉRIC VII (1848-1863). Soulèvement nat. au Slesvig-Holstein qui entraîne une intervention de l'armée prussienne. Médiation des grandes puissances en faveur du Danemark.

Prusse : Révolution et projets d'unité (1848-1850)

Mai 1848 Assemblée nat. à Berlin. Le parti conservateur (les frères GER-LACH, BISMARCK) intervient dans le conflit entre la majorité de gauche et la Couronne pour défendre les privilèges des ordres et l'autorité royale.

Déc. 1848 Octroi d'une constitution (système électoral des trois classes).

Avril 1849 Le roi refuse la couronne impériale (p. 333). Il veut résoudre la question nat. grâce à une entente entre les souverains.

1850 Parlement d'Erfurt en vue d'une union et d'un projet de constitution. Contre la politique d'unification (RADOWITZ), SCHWARZENBERG (p. 333) s'allie à la Bavière et à la Saxe, etc.

1850 Reculade d'Olmütz. Rétablissement à Francfort d'une fédération sous la direction de l'Autriche.

Slesvig-Holstein:
1850 Traité de Berlin : les duchés demeurent danois.

1852 Protocole de Londres. Union personnelle des duchés (qui sont autonomes) avec le Danemark.

L'époque de la réaction (1850-1862)

1850-1851 Conférences de Dresde pour la réforme de la Diète.

Économie.

1847 Fondation de la Hapag; 1857 : Norddeutscher Lloyd (1803-1873) : engrais artificiels. Justus Liebig

Prusse. Les grands propriétaires fonciers, l'Église protestante et les fonctionnaires soutiennent le système autoritaire du ministère MANTEUF-FEL.

1852-1854 Crise du Zollverein. DEL-BRÜCK (1817-1903) profite de l'occasion pour revendiquer la direction du Zollverein en faveur de la Prusse.

1859 Fondation du « Zentrum » (parti catholique). BISMARCK (p. 351) délégué à la Diète fédérale exige d'être placé sur le même pied que les présidents autrichiens.

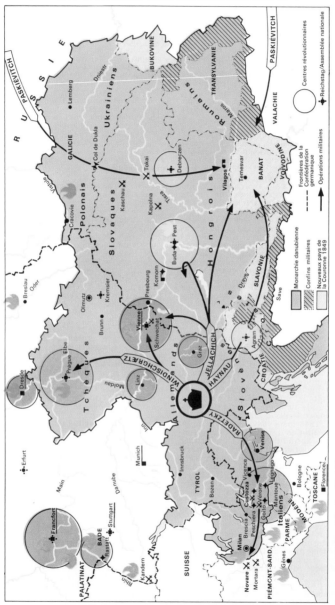

La crise de 1848 dans l'Empire d'Autriche.

La monarchie danubienne (1848-1849)

Mars 1848 Première insurrection à Vienne (étudiants, bourgeois) : METTERNICH s'enfuit en Angleterre. Sa chute provoque des soulèvements nationaux dans tout l'empire. La cour promet une constitution que refusent presque tous les insurgés.

Mai Deuxième insurrection. Convocation d'une Assemblée constituante qui promulgue l'abolition du régime seigneurial.

Oct. Troisième insurrection, soulèvement des troupes envoyées contre la Hongrie. La cour s'enfuit à Olmütz. Les troupes évacuent Vienne (AUERSPERG) mais le maréchal prince ALFRED DE WINDISCHGRÄTZ (1787-1862) brise la résistance de la garde nationale. Ses chefs sont fusillés ainsi que ROBERT BLUM, représentant de l'Autriche au Congrès de Francfort. JOSEPH JELLACHICH (1801-1859), ban de Croatie, se joint aux Autrichiens contre la Hongrie.

Déc. Abdication de FERDINAND Ier, faible d'esprit, au profit de son neveu

François-Joseph Ier (1848-1916).

Mars 1849 Octroi d'une constitution centralisatrice. Des secours militaires russes sauvent la monarchie.

Bohême. Sous la direction de l'historien PALACKY (1798-1876), en juin 1848, ouverture du Congrès slave de Prague pour obtenir l'égalité des droits à l'intérieur de la monarchie danubienne (austro-slavisme). Les chefs du mouvement tchèque (PALACKY, RIEGER) abandonnent les éléments révoltés que WINDISCHGRÄTZ soumet définitivement.

Croatie. Devant les pressions hongroises, l'Assemblée de Zagreb abandonne le plan d'un État yougoslave.

Italie du Nord. Soulèvement de mars à Milan et à Venise en faveur d'une libération nationale grâce au Piémont. Mars-août 1848 « Guerre sainte » contre l'Autriche (p. 329). Le maréchal RADETZKY (1766-1858) est vainqueur à Custozza du roi CHARLES-ALBERT (juillet), il prend Milan et signe l'armistice. Venise proclame la rép. avec MANIN (1804-1857).

Mars 1849 Défaite piémontaise à Novare : abdication du roi. Son fils VICTOR-EMMANUEL II (1849-1878) signe en

août la paix à Milan. Venise capitule. L'Autriche garde la Lombardie et la Vénétie et confirme son hégémonie en Italie.

Hongrie. Des soulèvements provoquent la constitution d'un gouvernement national en l'union personnelle avec les Habsbourgs par l'intermédiaire de l'ARCHIDUC ETIENNE. Les conservateurs s'effacent devant les libéraux [EÖTVÖS (1813-1871), KOS-

SUTH (1802-1894), DEAK (1803-1876).] Suppression du régime seigneurial. KOSSUTH s'efforce de rompre avec l'Autriche.

Sept. 1848 Assassinat de LAMBERG, commissaire de l'Autriche à Pest.

Janv. 1849 Les Autrichiens prennent Pest (WINDISCHGRÄTZ).

Mars 1849 Déposition des Habsbourgs. KOSSUTH devient chef de l'État.

Mai 1849 Rencontre des empereurs à Varsovie. Le tsar NICOLAS Ier offre son aide. Deux armées russes commandées par PASKIÉVITCH battent les Hongrois dans l'Est. Venant de l'ouest, HAYNAU et JELLACHICH passent à l'attaque (Temesvar). Mort du poète PETÖFI (1823-1849). KOSSUTH s'enfuit en Turquie. Il y est interné jusqu'en 1857.

Août Capitulation de Vilagos (gén. GÖRGEY). Répression autrichienne (gén. HAYNAU).

La fin de l'Assemblée nationale (1849)

SCHWARZENBERG refuse l'union restreinte (GAGERN) en exigeant d'y inclure tout l'empire des Habsbourgs. D'où victoire de la tendance dite de la « Petite Allemagne ».

Mars 1849 Par 290 voix, élection du roi de Prusse comme empereur héréditaire. Mais FRÉDÉRIC-GUILLAUME IV refuse de ramasser la couronne « dans le sang et dans la boue ». Rappel des députés autrichiens et prussiens. Dissolution de l'assemblée de Francfort. Constitution du parlement croupion de Stuttgart (mai) que les militaires dispersent en juin. Soulèvements populaires sur le Rhin, à Berlin, à Dresde (RICHARD WAGNER, BAKOUNINE), et surtout dans le Pays de Bade et dans le Palatinat. Chute de la forteresse de Rastatt (juillet).

Déc. 1849 Abdication de l'ARCHIDUC JEAN, régent d'empire.

Causes de l'échec. La rév. a échoué à cause des craintes de la bourgeoisie devant les extrémistes et par manque d'expérience polit.

En Autriche :

1851 Retour à l'absolutisme : système **Bach** (suppression de la constitution, dictature milit. en Hongrie et en Italie).

1798-1860 BRUCK, qui a compris l'importance de Trieste, tente d'intégrer le Zollverein dans un grand ensemble danubien, avec des débouchés sur la Méditerranée.

La défaite en Italie inspire à FRANÇOIS-JOSEPH certaines concessions.

1860 Diplôme d'octobre, d'inspiration fédéraliste, repoussé par les Hongrois et les Allemands.

1861 Patente de Schmerling, qui assure aux Allemands d'Autriche une situation de faveur au Conseil d'empire.

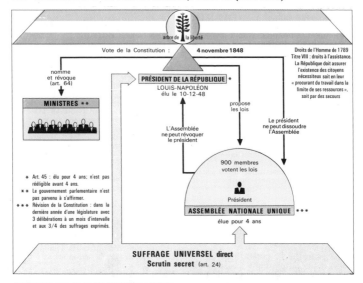

La Constitution de la IIe République (1848)

Le parti de l'Ordre aux élections législatives du 13 mai 1849

24 fév. 1848 Chute de la monarchie de Juillet. Départ de LOUIS-PHILIPPE pour l'exil (fin de la monarchie).

L'échec des démocrates
Gouvernement provisoire groupant des modérés (LAMARTINE, ARAGO, GARNIER-PAGÈS) et des socialistes (LOUIS BLANC, l'ouvrier ALBERT).
Il décide : l'entrée des ouvriers dans la garde nationale; la liberté complète pour la presse et les réunions; le suffrage universel (le nombre des électeurs passe de 250 000 à 9 millions); le cours forcé des billets de banque; l'augmentation des contributions directes de 45 centimes par franc.
26 février Établissement des ateliers nationaux.
23-24 avril 1848 Élections à l'Assemblée nationale. Pas de parti, triomphe des modérés.
4 mai 1848 Nomination d'une Commission exécutive formée de républicains antisocialistes (ARAGO, LAMARTINE, LEDRU-ROLLIN, GARNIER-PAGÈS).
21 juin 1848 La Commission du Luxembourg décide la dissolution des ateliers nationaux.
23-26 juin 1848 Insurrection des quartiers ouvriers de l'Est de Paris. La répression est confiée à CAVAIGNAC. (Mort de Mgr AFFRE sur les barricades.) La Seconde République ne s'en relève pas. Ayant fait fusiller ses partisans en février, elle se laisse dominer par les modérés qui laissent le champ libre à LOUIS-NAPOLÉON BONAPARTE.
4 nov. 1848 Vote de la constitution.
Le président, élu au suffrage universel, n'est rééligible qu'au bout de quatre ans. Ce n'est pas un régime parlem. Les ministres n'ont pas de responsabilités politiques. Les ministères ne peuvent pas être renversés par l'Assemblée.
10 déc. 1848 Élections à la présidence :
5 434 000 voix pour LOUIS-NAPOLÉON, 1 448 000 voix pour CAVAIGNAC (candidat républicain).

Le parti de l'ordre au pouvoir
Mai 1849 Élections à l'Assemblée législative. Gauche 180 députés, droite 500.
13 juin 1849 Échec d'une marche sur l'Assemblée organisée par l'extrême-gauche pour protester contre l'expédition du général OUDINOT à Rome. Conséquences : mesures contre la presse et les clubs.
31 oct. 1849 Les ministres dépendaient directement du président. Le prince-président se sépare de TOCQUEVILLE, ministre des Aff. étrang.
La réaction est marquée par 3 lois :
15 mars 1850 Loi Falloux sur l'enseignement :
Tout Français âgé de 25 ans peut ouvrir un établissement secondaire, à condition d'avoir le baccalauréat ou le brevet.
Dans chaque département, Conseil d'Académie où siègent des ecclésiastiques.
31 mai 1850 Loi électorale : Pour être électeur, il faut être domicilié dans le canton depuis trois ans.
Juin 1850 Loi sur la presse : Le cautionnement devient obligatoire. Droit de timbre.

La marche vers le coup d'État
Janv. 1851 Morcellement du commandement de CHANGARNIER, royaliste, chef de la garnison de Paris.
Juillet 1851 Échec devant l'Assemblée d'une proposition du président qui désirait la prolongation de ses pouvoirs au-delà de son mandat de quatre ans.
Aut. 1851 Proposition du président d'abroger la loi électorale du 31 mai 1850 repoussée par l'Assemblée. LOUIS-NAPOLÉON BONAPARTE se pose en défenseur du suffrage universel.
2 déc. 1851 Coup d'État réalisé par MORNY, ancien orléaniste (THIERS, CAVAIGNAC en prison).
4 déc. 1851 Fusillade des Boulevards (100 morts). Mouvements de protestation dans la Drôme, les Basses-Alpes (l'aspect social des révoltes favorise le ralliement de la bourgeoisie au bonapartisme).
21 déc. 1851 Plébiscite approuvant le coup d'État : 7 439 000 oui; 646 000 non.
3 fév. 1852 Commissions mixtes : 20 000 arrestations; 10 000 déportés en Algérie, Guyane, ou expulsés.

Le bilan de 1848
Avec le suffrage universel, le visage de la France politique en 1848 s'est dessiné :
a) Au point de vue géographique :
Les **républicains avancés** se trouvent dans le Sud-Est.
Les **républicains modérés** se rencontrent dans le Nord, Nord-Est, Normandie.
Les **légitimistes** sont concentrés dans l'Ouest (Bretagne, Anjou, Vendée), dans le Sud-Est du Massif Central, dans le Comtat Venaissin et à Aix.
Les **bonapartistes** forment un îlot, original dans les Charentes et en Corse.
b) Au point de vue social :
Les **républicains** sont formés par les ouvriers, les artisans, les vignerons du Jura et du Midi hostiles à l'influence du clergé.
Les **légitimistes** regroupent, en dehors de la noblesse, le monde rural des pays de l'Ouest.
La grande surprise de 1848 est le **caractère profondément conservateur du suffrage universel**, contrairement à ce que redoutait la bourgeoisie censitaire à la veille de la révolution.

L'émancipation des Juifs au XIXe siècle.

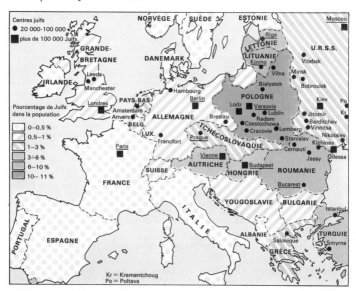

La population d'origine juive en Europe en 1930.

L'émancipation

L'émancipation des Juifs, leur passage de l'état de minorité tolérée, aux droits restreints, à celui de citoyens aux droits égaux, se prépare chez les puritains américains fortement influencés par l'Ancien Testament et pendant le Siècle des Lumières (p. 247). En Allemagne, ses pionniers sont LESSING : « Les Juifs » (1749), « Nathan le Sage » (1779, p. 247), puis le conseiller DOHM qui, dans « De l'amélioration civique des Juifs », explique que les défauts reprochés aux Juifs sont dus à leur sujétion et qu'en leur accordant des droits égaux, on ferait d'eux de bons citoyens; MOÏSE MENDELSSOHN (p. 247), dans son traité « Jérusalem ou du pouvoir religieux et du judaïsme », établit une distinction entre l'attitude spirituelle de la religion juive (monothéisme dans toute sa pureté) et le judaïsme, ensemble de préceptes et de lois précises (révélation du Sinaï : origine de la nation). Avec la « Déclaration des droits de Virginie » (1776) et la « Déclaration des droits de l'homme et du citoyen » (1789), début de l'égalité des droits pour les Juifs.

1791 Attribution par l'Assemblée nationale française du droit de citoyenneté aux Juifs qui prêtent le serment de civisme. La religion juive est reconnue comme une autre religion, les Juifs perdant leur caractère « national ».

1807 Réunion du Grand Sanhédrin pour consulter les communautés juives. **Furtado,** Juif d'origine portugaise, demande l'assimilation au sein de la nation française.

1808 Deux décrets : les Juifs doivent prendre un nom de famille, et, pour exercer un commerce, ils doivent obtenir une autorisation du préfet attestant qu'ils n'ont pas pratiqué l'usure. Les Juifs de Paris, du Midi, d'Italie n'ont pas à demander l'autorisation. Le culte juif est directement subventionné par les communautés. En Europe occ., les Juifs obtiennent presque partout l'égalité des droits (Portugal, 1910). En Europe orient. (Pologne et Russie), oppression (pogroms). En Russie, interdiction d'être agriculteur, et restriction à l'entrée dans les universités. En Europe du Sud-Est, tolérance, à l'exception de la Roumanie et de la Turquie. En 1917 : égalité des droits reconnue en Russie Soviétique, puis dans les nouveaux États de l'Eur. de l'Est. A la suppression des ghettos spirituels, succède celle des ghettos urbains; d'où assimilation (décadence de la tradition et adoption des valeurs culturelles du pays d'accueil) et mouvement réformateur (libéralisme relig.). Après la première guerre mondiale, le contact des Juifs occ. et de ceux qui habitent les anciennes parties, devenues indép., de l'empire russe, provoque une revision du formalisme tradit. juif : MARTIN BUBER (1878-1965). 1870, décret CRÉMIEUX : citoyenneté française accordée aux israélites d'Algérie.

L'antisémitisme

L'antisémitisme est dirigé contre les Juifs, non contre les Sémites; ses causes sont relig., polit. et écon.

Au XIXe siècle, apparaît l'antisémitisme raciste. Précurseurs : le comte de GOBINEAU proclame la supériorité de la race « aryenne » dans son « Essai sur l'inégalité des races humaines » (1853-1855) où toute l'histoire est considérée du point de vue raciste; HOUSTON CHAMBERLAIN, Anglais de naissance, Allemand d'adoption. Pour leurs épigones, aryen = germanique = allemand. Influence sur les doctrines officielles du Troisième Reich.

Le sionisme

A la suite des pogroms russes (1881-1882), un médecin d'Odessa, LÉO PINSKER, réclame dans son « Auto-émancipation » (1882) un foyer nat. pour les Juifs opprimés. Après 1882, les associations « Khovévé Sion » (les Amants de Sion), auxquelles adhère PINSKER, veulent coloniser la Palestine. Sous l'influence de l'affaire Dreyfus (1894), **Théodore Herzl** (1860-1904) publie « L'État juif » (1896) et crée le mouvement sioniste, indépendant des mouvements précédents de l'Est de l'Eur. La question juive se transforme ainsi en problème dont la solution dépend des Juifs eux-mêmes. Au premier Congrès mond. sioniste de Bâle (1897), création d'un organisme politique. Programme de Bâle : création d'un foyer juif de droit public en Palestine. Le sionisme culturel a pour objectif de faire de la Palestine, grâce à un travail de colonisation et de civilisation, un centre spirituel dont le rayonnement guide le judaïsme mondial pour qu'il réalise son unité intérieure, afin que les Juifs puissent attendre la réalisation de l'État que le sionisme politique exige dans l'immédiat. CHAIM WEIZMANN (1874-1952) s'efforce de faire la synthèse des deux tendances, d'où fondation d'un « Office sioniste palestinien » à Jaffa (1907) et d'une université hébraïque (1918).

1905 Les « Protocoles des Sages de Sion », document apocryphe publié en Allemagne par le capitaine MÜLLER VON HAUSEN, ami de LUDENDORFF (p. 399), constituent une réaction haineuse devant le sionisme.

1917 Déclaration Balfour pour la création d'un foyer national juif en Palestine « dans le respect des droits des populations locales ».

L'évolution des idées au XIXᵉ siècle

A l'époque romantique succède le **réalisme** et le **naturalisme**. L'art s'attache à décrire, en suivant le modèle des sciences (« Introduction à la médecine expérimentale », de CLAUDE BERNARD). L'histoire des idées cherche à replacer l'œuvre dans son cadre, en la considérant comme le moment d'une évolution. La religion n'échappe pas à la critique.

Positivisme. D'après **Auguste Comte** (1798-1857), le progrès s'accomplit suivant la « loi des trois états » : dans l'état théologique, le monde est conçu comme un fait surnaturel; dans l'état philosophique, triomphent les idées et les forces abstraites. Ce n'est que dans l'état positif que tous les phénomènes sont enfin conçus comme obéissant à des lois. Savants et industriels unissent la théorie et la pratique scientifiques pour diriger enfin le monde : « Savoir, c'est pouvoir. »

Le « Cours de philosophie positive » (1839-1842) édifie un système des sciences où chaque discipline s'appuie sur la précédente : mathématiques, astronomie, physique, chimie, biologie, sociologie. Les « ingénieurs sociaux » peuvent garantir l'avènement du bonheur grâce à la religion de l'Humanité que COMTE exprime comme suit : « L'amour pour principe, l'ordre pour base et la liberté pour but. »

Cette doctrine influence entre autres STUART MILL et SPENCER (p. 315). TH. BUCKLE (1821-1862) recherche dans l'étude de l'histoire des lois précises. **Renan** (1823-1892) donne une interprétation uniquement « humaine » de la « Vie de Jésus » (1863). En Allemagne, D. F. STRAUSS (1808-1874) écrit lui aussi une « Vie de Jésus » où il déclare que les évangiles sont des mythes. B. BAUER (1809-1882) met en doute l'existence historique de JÉSUS. **Ludwig Feuerbach** (1804-1872) déclare dans « L'Essence du Christianisme » que la religion est une illusion : Les idées ne sont que des images de la réalité et l'homme n'a pas d'immortalité qu'à travers ses œuvres et ses enfants.

Matérialisme. LUDWIG BÜCHNER (1824-1899) expose la théorie selon laquelle tous les phénomènes sont « Force et Matière » (1855). MOLESCHOTT (1822-1893) voit en eux le résultat de processus chimiques. Beaucoup plus important est le matérialisme historique de **Karl Marx** (1818-1883), décrit dans la « Critique de l'Economie politique » (1859). L'histoire se déroule d'après des lois exactes (déterminisme). C'est de l' « infrastructure » de l'homme et de l'histoire (l'être dépend d'abord ses conditions écon. et sociales) que dépend la « superstructure idéologique » (la conscience = art, science, religion, droit, Etat). Les forces productrices (équipement industriel) évoluent dialec-

tiquement (HEGEL p. 315), ainsi que les conditions de la production. La forme de la propriété et la division du travail conditionnent les progrès de la production, mais l'homme est réduit au rôle d'un instrument : c'est « l'aliénation ». La classe possédante réactionnaire veut conserver l'état existant que la classe exploitée veut transformer. Cette **lutte de classes** fait avancer l'histoire et amène inévitablement des révolutions qui suppriment les causes de tension et modifient les superstructures. L'histoire est l'évolution du communisme primitif au communisme final, sans classes, et au sein duquel auront cessé l'exploitation de l'homme par l'homme (p. 340).

Évolutionnisme. Selon Lamarck (1744-1829) l'adaptation au milieu et l'hérédité des caractères acquis sont les facteurs de l'évolution biologique. **Charles Darwin** (1809-1882) élargit cette théorie dans « De l'origine des espèces par voie de sélection naturelle » (1859). Exploitant les matériaux rassemblés au cours de la croisière sur le « Beagle », il explique l'évolution par la « lutte pour la vie » et la sélection des plus aptes sans aucune adaptation à une fin supérieure (principe de finalité). Haeckel (1834-1919) propage cette théorie dans « Histoire de la création d'après les lois naturelles » (1868).

La réaction contre le rationalisme. Opposé à HEGEL, le philosophe danois **Sören Kierkegaard** (1813-1855) attaque le contentement de soi dont fait preuve l'Église établie, et réclame une acceptation absolue de la foi, jusqu'au martyre. La théologie dialectique et l'existentialisme naîtront de ces conceptions. Aussi extrémiste que génial, **Frédéric Nietzsche** (1844-1900) insiste dans ses « Considérations inactuelles » sur la crise spirituelle et le déclin de la civilisation. Il hait le christianisme (« l'opprobre de l'humanité »), les débiles qui se raccrochent à cette « morale d'esclave », les « philistins de la civilisation » et leur bourgeoisie repue. Il écrit « Ainsi parla Zarathoustra » (1883-1885) fondement d'un nouvel humanisme, exaltant le « Surhomme », et qui annonce une nouvelle morale située « Au-delà du bien et du mal » (1886), aura une influence considérable.

Psychologie. La psychologie expérimentale est créée par WUNDT (1832-1920) et RIBOT (1839-1916). DILTHEY (1833-1911) légitime la science de l'esprit et la psychologie structurelle. **Bergson** dans l' « Essai sur les données immédiates de la conscience » (1889) oppose le temps vécu au temps des mathématiciens. L'exploration de l'inconscient par **Sigmund Freud** (1859-1939) marque le début de la psychanalyse. Influences sur la littérature moderne (MARCEL PROUST — surréalisme).

Progrès technique et scientifique
Physique :
1802 Dilatation des gaz GAY-LUSSAC
1808 Polarisation de la lumière MALUS
1815 Théorie ondulatoire de la lumière
                                    FRESNEL
1827 Loi d'Ohm   OHM
1831 Induction électrique FARADAY
1833 Électrolyse   FARADAY
1859 Analyse du spectre
                   KIRCHHOFF/BUNSEN
1838 Ondes électro-magnét.   HERTZ
1895 Rayons X   RÖNTGEN
1895 Théorie des électrons LORENTZ
1896 Rayonnement de l'uranium
                              BECQUEREL
1900 Théorie des quanta   PLANCK
1905 Théorie de la relativité EINSTEIN
1911 Structure de l'atome
                            RUTHERFORD
1913 Structure de l'atome   BOHR
Biologie :
1842 Ovulation périodique BISCHOFF
1848 Fonction glycogénique du foie
          CLAUDE BERNARD
1852 Division cellulaire   REMAK
1865 Lois de l'hérédité   MENDEL
1901 Mutationnisme   DE VRIES
1904 Chromosomes   BOVERI
Chimie :
1818 Poids atomiques   BERZÉLIUS
1827 Aluminium   WÖHLER
1828 Synthèse de l'urée   WÖHLER
1833 Phénol, extraction de
     l'aniline du charbon   RUNGE
1841 Chimie des cultures   LIEBIG
1854 Fabrication de l'aluminium
          SAINTE-CLAIRE DEVILLE
1856 Couleurs synthétiques   PERLIN
1865 Cycle du benzol   KEKULÉ
1869 Classification des éléments
          MEYER/MENDÉLÉEV
1878 Synthèse de l'indigo   BAYER
1898 Radium   CURIE
1909 Caoutchouc synth.   HOFMANN
1913 Synthèse de l'ammoniac
          HABER/BOSCH
Médecine :
1819 Auscultation médiate LAENNEC
1846 Narcose par l'éther   MORTON
1848 Opération de l'appendicite
          HAUCOCK
1858 Pathologie cellulaire   VIRCHOV
1861 Fièvre puerpérale SEMMELWEIS
1867 Traitement antiseptique
     des blessures   LISTER
1882 Bacille de la tuberculose   KOCH
1883 Bacille du choléra   KOCH
1883 Bacille de la diphtérie
          KREBS/LÖFFLER
1885 Asepsie   BERGMANN
1885 Vaccin c. la rage   PASTEUR
1893 Sérum diphtérique   BEHRING
1894 Microbe de la peste KITASATO
Techniques des transports :
1834 Moteur électrique   JACOBI
1867 Dynamo   SIEMENS
1867 Moteur au gaz   OTT/LANGEN
1872 Freins à air comprimé
          WESTINGHOUSE

1876 Moteur à quatre temps
          BEAU DE ROCHAS/OTTO
1879 Locomotive électrique SIEMENS
1884 Moteur à essence
          DAIMLER/MAYBACH
1885 Automobile   DAIMLER/BENZ
1890 Premier bond en avion
          CLÉMENT ADER
1891 Enveloppe pneumatique
          MICHELIN
1897 Moteur Diesel   DIESEL
1900 Dirigeable   ZEPPELIN
1903 Vol   FRÈRES WRIGHT
Transmissions :
1837 Télégraphe   MORSE
1861 Téléphone   REIS
1876 Téléphone   BELL/GRAY
1877 Phonographe   EDISON
1890 Télégraphie sans fil BRANLY
1902 Transmission télégraphique des
     images   KORN
Techniques de l'imprimerie :
1812 Presse rapide KOENIG/HAUER
1869 Héliogravure   ALBERT
1881 Linotype   MEISENBACH
1884 Machine à composer
          MERGENTHALER
Optique/Photographie :
1839 Photographie   DAGUERRE
1871 Plaques au bromure d'argent
          MADDOX/EASTMAN
1895 Cinématographe   LUMIÈRE
Armes :
1835 Revolver   COLT
1836 Fusil à aiguille   DREYSE
1850 Sous-marin   BAUER
1866 Torpille   WHITEHEAD
1867 Dynamite   NOBEL
1883 Mitrailleuse   MAXIM
1911 Char d'assaut   BURSTYN
Procédés techniques, machines :
1864 Acier Martin   MARTIN
1867 Béton armé   MONIER
1876 Frigorifique   LINDE
1879 Lampe à incandescence EDISON
1884 Turbine à vapeur   PARSONS
1885 Tubes sans soudure
          MANNESMANN
1907 Moulage du béton   EDISON
Les sciences nouvelles se développent
conformément aux grandes directions
de la pensée au XIXe siècle.
TÖNNIES (1855-1936) et DURKHEIM
(1858-1917) traitent la **sociologie,**
création de COMTE, comme une science.
MAX WEBER (1864-1920) cherche à
dégager les structures fondamentales
de l'étude des sociétés (exemple : son
étude sur les liens entre le capitalisme
et l'éthique protestante).
Théologie. BAUR (1792-1860) et l'école
de Tübingen étudient la Bible en se
servant des méthodes de la critique
historique. HARNACK (1851-1930) dans
« L'essence du christianisme » (1900)
distingue « le message évangélique »
de la tradition judaïque. L'Église
catholique et les protestants conservateurs se défendent contre la théologie
libérale.

Le socialisme au XIXᵉ siècle

Le mot « socialisme » apparaît en France en 1832 et s'oppose au capitalisme libéral. C'est une réaction contre la doctrine du « Laissez faire, laissez passer » de la fin du XVIIIᵉ siècle (p. 285). Les excès de la révolution industrielle ont montré la nécessité d'une organisation protégeant les plus faibles (les prolétaires). Dans la théorie libérale, ils n'étaient que des instruments de travail; par le socialisme, ils doivent être associés à l'organisation de la production et à la répartition des profits. Avant le XIXᵉ siècle, on décèle des conceptions socialistes dans les « Utopies » de THOMAS MORE (p. 208), etc.

Le socialisme utopique des origines. Il fait appel à l'intelligence et à la bonne volonté des possédants par une critique du système existant et l'espoir d'un monde plus juste. CABET (1788-1856) et WEITLING décrivent un ordre social nouveau, celui que BABEUF (p. 295) a voulu établir par la force pendant la Révolution franç. SAINT-SIMON (1760-1825) et AUG. COMTE (p. 338) voient dans le progrès écon. l'élément moteur de l'histoire : l'industrialisation, le capitalisme et le travail viennent au premier plan dans une nouvelle vision du monde presque religieuse. Pour résoudre le problème social, il faut que les « oisifs » (nobles, militaires, prêtres) cèdent le pas aux « producteurs » (chefs d'entreprise, ouvriers, paysans). ENFANTIN et BAZARD, disciples de SAINT-SIMON, répandent la formule « à chacun selon sa capacité, à chaque capacité selon ses œuvres ». FOURIER (1792-1837) qui a vu dans sa jeunesse les excès de la concurrence et le caractère désuet du petit commerce, propose de fonder des associations coopératives, les phalanstères où les différents tempéraments humains seraient associés. Il prévoit la transformation de la terre par les grands travaux, l'irrigation des déserts, etc. D'après LOUIS BLANC (p. 335), le produit total du travail sera garanti par des « associations de production » (ateliers nationaux, p. 335), au sein desquels les travailleurs, grâce à une administr. autonome et démocr., régleront la production et répartiront le profit (dépenses sociales et investissements).

L'anarchisme. MAX STIRNER (1806-1856) et Proudhon (1809-1865) veulent supprimer l'État et son organisation centralisée. Pour le premier, chaque individu est « unique ». Pour le second, l'Europe doit se reconstituer à partir de la commune jusqu'à la fédération. Il est hostile au principe des nationalités. Bakounine (p. 389) veut faire triompher l'anarchie par des attentats, GEORGES SOREL (1847-1922) grâce à l'action directe des élites prolétariennes (grève générale).

Le socialisme scientifique.

Karl Marx (œuvre principale : « Le Capital » 1867) et Friedrich Engels (1820-1895) proclament dans le « Manifeste communiste » (1847) les principes du matérialisme historique (p. 338) et les lois de l'évolution de la société capitaliste. L'exploitation des salariés assure au propriétaire des moyens de production une plus-value (profit), dont l'accumulation entraîne une augmentation de son capital, ce qui permet le progrès tech. et industriel. Mais ce dernier provoque :

1. Les licenciements d'ouvriers qui viennent grossir « l'armée de réserve industrielle », font pression sur le niveau des salaires, aggravent la paupérisation générale;
2. Une concurrence qui diminue le nombre des chefs d'entreprise, accroît le nombre des prolétaires rendus conscients de leur appartenance à une classe déshéritée;
3. La concentration du capital (formation de monopoles);
4. Des crises de surproduction qui proviennent de l'augmentation des taux de profit et de la baisse du pouvoir d'achat (paupérisation).

Ces contradictions internes amènent le capitalisme au stade de la révolution socialiste : prise de pouvoir et dictature du prolétariat avec « expropriation des expropriateurs ». La socialisation des moyens de production supprime les contradictions de classes; la planification et la répartition de la production par les producteurs garantissent, dans la phase finale du communisme, la justice et la liberté.

Conséquences. Le marxisme sera l'idéologie polit. des partis socialistes de la IIᵉ Internationale (p. 377). Il transforme le prolétariat misérable et anarchique (« Lumpenproletariat ») en un prolétariat conscient.

Le christianisme social. En Angleterre, des écrivains comme KINGSLEY (1819-1875) s'inspirent du socialisme pour inviter les possédants à vaincre la misère des masses. En France, LAMENNAIS (p. 314) et BUCHEZ (1791-1871); en Allemagne, le pasteur STOECKER, FRIEDRICH NAUMANN (p. 386) sont les représentants du christianisme social. L'encyclique « Rerum Novarum » condamne le capitalisme libéral, insiste sur le « bien commun » et sur la solidarité. Mgr KETTELER (1811-1877), évêque de Mayence, réclame des réformes sociales au nom des principes chrétiens. Les « socialistes de la chaire », c'est-à-dire universitaires, réclament l'intervention de l'État afin de résoudre les problèmes sociaux. Influence du Genevois SISMONDI (1773-1842) qui a montré que le capitalisme libéral conduisait aux crises économiques.

Les débuts du mouvement ouvrier

Dépourvue de moyens de production, la classe ouvrière (« quatrième état ») se voit réduite dans l'économie industrielle libérale à vendre sa force de travail. L'insécurité de l'emploi et la misère éveillent chez elle le sens de la solidarité. (MARX : « Prolétaires de tous les pays, unissez-vous! ») Les formes et la puissance des mouvements ouvriers varient suivant la structure et le degré d'évolution des pays industriels. L'Angleterre est au premier plan (p. 317).

Syndicats (en anglais : Trade Unions). Ces associations locales d'ouvriers ou de corps de métiers organisées par profession, s'efforcent d'obtenir de meilleures conditions de travail et de salaire grâce à des conventions collectives sur le taux des salaires, la durée du travail et un minimum de garanties (renvoi, congé, etc.). Création de caisses d'entraide par les syndicats en cas de besoin et pour la formation professionnelle. Le droit de coalition est reconnu en 1824 en Angleterre, en 1864 en France, en 1869 en Allemagne. A la fin du XIXᵉ siècle, l'État et les chefs d'entreprise considèrent les syndicats comme des forces avec qui il faut compter. Employés, fonctionnaires, s'organiseront sur le modèle des ouvriers.

Coopératives. Owen (1771-1858) est le promoteur des mesures d'entraide contre la concurrence des grosses entreprises; dans son usine modèle de New Lanark, il accomplit en précurseur une série de réformes sociales (journée de 10 h 1/2, assurance maladie et vieillesse). **Échec des coopératives de production** [1825-1829, New Harmony (E.-U.)], phalanstères (p. 340) et ateliers nationaux (p. 335) en France, groupements américains à p. de 1844. Au contraire, les idées d'OWEN triomphent avec les **coopératives de consommation à bas prix** (suppression des intermédiaires), distribution de primes et de ristournes. En Allemagne, débuts hésitants : LASSALLE (p. 376) voit dans les coopératives de production la solution du problème social. SCHULZE-DELITZSCH (1808-1893) est le fondateur des coopératives pour les ouvriers, RAIFFEISEN (1818-1888) pour les paysans. A p. de 1854, début du crédit agricole.

L'activité sociale des Églises

France. OZANAM sous la monarchie de Juillet fonde les conférences de Saint-Vincent-de-Paul chargées de visiter les personnes âgées nécessiteuses. ALBERT DE MUN, sous la IIIᵉ République, a recommandé aux élites catholiques d'abandonner leurs positions conservatrices. L'amélioration du sort des ouvriers ne pouvait se faire par la charité privée. Il fallait des lois. **Angleterre.** Le christianisme social (p. 340) et le mouvement d'Oxford (« Le ritualisme » d'EDWARD PUSEY 1800-1882) font pénétrer le christianisme dans les couches populaires. 1844 Association chrét. de Jeunes Gens (Y. M. C. A.) qui visitent les taudis (slums). Création de foyers ouvriers. Dans l'Est de Londres, à p. de 1865 **William Booth** (1829-1912) crée « l'Armée du Salut ».

Allemagne. FLIEDNER (1800-1864) fonde le premier hospice de diaconesses (1836).

1848-1849 Avec WICHERN, FLIEDNER lance le mouvement de la Mission intérieure d'aide aux jeunes, aux vieillards, aux malades et BODELSCHWINGH maintient cette tradition après 1870. Le pasteur STOECKER anime l'Association centrale pour la Réforme sociale.

1882 Associations ouvrières évangéliques. LÉON XIII recommande en 1884 la création d'associations ouvrières catholiques sur le modèle des associations de compagnons cath. fondées en 1846 par KOLPING (1813-1865) (origine des auberges de jeunesse chrétiennes).

La politique sociale des États

Angleterre. Les troubles sociaux dans l'industrie textile forcent la patrie du libéralisme (p. 317) à adopter une législation protectrice :

1833 1ʳᵉ loi sur l'industrie (1842) : interdiction du travail dans les mines pour les femmes; en 1847, journée de dix heures pour les femmes et les adolescents (obligatoire partout à p. de 1850).

France. En 1813, interdiction aux enfants de travailler dans les mines.

Prusse. En 1839, interdiction de faire travailler les enfants de moins de 9 ans (de moins de 12 à p. de 1854).

Allemagne. Après 1871, c'est le pays à la législation sociale la plus avancée.

1872 Association pour la politique sociale, fondée par les « socialistes de la chaire ».

1883 Loi sur les Assurances sociales, imitée en 1894 en France et en 1908 en Angleterre (p. 380).

Pour les milieux conservateurs et les partisans de l'économie libérale, la législation sociale doit essayer de guérir les excès les plus frappants du développement de la libre concurrence. C'est le plus sûr moyen de combattre le socialisme, qui mettrait en cause les rapports de propriété. Au point de vue conservateur, exemple de BISMARCK dans sa lutte contre les socialistes. Au point de vue libéral, exemple de STUART MILL (« Principes d'économie politique », 1885).

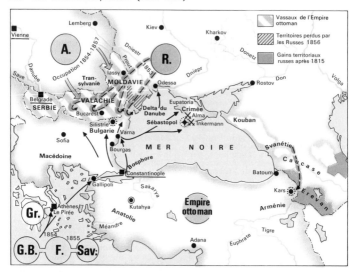

La Guerre de Crimée (1853-1856)

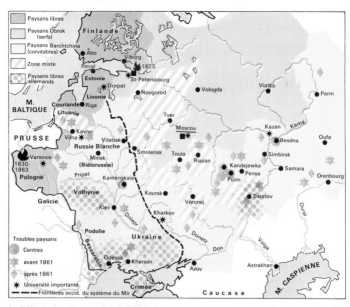

La Réforme du servage en Russie (1861)

La réaction (1815-1855)

1801-1825 Alexandre Iᵉʳ est d'abord favorable à des réformes libérales :

1802 Création de ministères spécialisés responsables devant le Conseil d'État à p. de 1811. Sur la demande du tsar, le secrétaire d'État SPERANSKI (1772-1839) élabore en

1808-1809 un **projet de constitution :** séparation des pouvoirs, conseil impérial et parlement (douma) élu. En 1812 chute de SPERANSKI. Vainqueur de NAPOLÉON (p. 309), ALEXANDRE Iᵉʳ tombe sous l'influence des idées myst. et conserv. (MME DE KRÜDENER). Effrayé par les mouvements révol. (p. 319) **il devient le champion de la réaction.** A l'intérieur règne son favori ARAKTCHÉIEV dont le despotisme bureaucratique culmine dans l'établissement de colonies militaires.

Civilisation. A p. des guerres napoléoniennes, la noblesse s'européanise rapidement (corps des officiers). L'idéalisme allemand (HEGEL, SCHELLING) et le socialisme utopique franç. influencent les intellectuels russes, comme le romantisme de la jeune poésie [POUCHKINE (1799-1837), GOGOL (1809-1852), LERMONTOV (1814-1841)]; GLINKA (1804-1857) compose l'hymne national. En partie par admiration de l'Europe et aussi par patriotisme slave, des associations secrètes luttent à p. de 1816 pour obtenir un régime représentatif, la libération des paysans et le partage des terres. L'association du Nord (MOURAVIEV) et celle du Sud, plus radicale (PESTEL), profitent de la mort du tsar pour en

1825 organiser le soulèvement des décabristes (ou décembristes).

1825-1855 Nicolas Iᵉʳ appuie son autocratie sur l'Église orth. et le nationalisme russificateur. Le comte BENCKENDORFF organise la police secrète de l'État.

Politique étrangère. Buts : **répression** des mouvements révol. en Europe (Pologne p. 325; Hongrie p. 333; Allemagne), **expansion** au Moyen-Orient (p. 389), **partage** de la Turquie. Pour y parvenir, mouv. de bascule entre les puissances conservatrices et libérales, infidélité aux principes de la Sainte Alliance (soutien des Grecs).

1829 Traité d'Andrinople (p. 319). Compromis avec la Prusse et l'Autriche. Les puissances occ. se divisent en

1839-1841 dans la crise orientale (p. 363), et l'Autriche recourt à l'aide russe (p. 333).

1853-1856 Guerre de Crimée, provoquée par les conflits entre les moines grecs et cath. à Jérusalem. NICOLAS Iᵉʳ et NAPOLÉON III interviennent.

Soutenue par l'Angleterre, la Turquie repousse l'ultimatum russe de MENTCHIKOV qui tendait à conférer aux Russes la protection des orthodoxes. Sous le minist. GORTCHAKOV, en 1853 entrée des troupes russes dans les princip. danubiennes.

Oct. 1853 Déclaration de guerre de la Turquie à la Russie.

1854 Intervention des puissances occ. auxquelles en janv. 1855 se joint la Sardaigne. L'Autriche occupe les princip. danub.

Sept. 1854 Débarquement franco-angl. en Crimée. **Siège de Sébastopol** (première guerre moderne de position). Victoires alliées à l'Alma et à Inkermann, mais perte de 118 000 hommes par le choléra et le froid.

1855-1881 Alexandre II.

Sept. 1855 Chute de Sébastopol. Les Russes prennent Kars (nov.).

1856 Traité de Paris. La Russie abandonne le delta du Danube. Neutralisation de la mer Noire. Protectorat europ. sur les chrétiens de Turquie avec garantie de l'empire ottoman et des princip. danub. La déclaration de Paris sur le droit maritime fixe les règles de la guerre navale.

L'ère des réformes (1856-1874)

Cette réforme révèle le retard de l'administr., de l'armée et de l'économie, conséquence du gouv. de NICOLAS Iᵉʳ. Le servage interdit tout progrès, qu'il se présente sous la forme de redevances personnelles (obrok) ou sous la forme de corvées (barchtchina).

1856 Suppression des colonies milit. Amnistie des décabristes. Après des troubles et de longs débats dans les commissions, en

1861 suppression du servage pour plus de 40 millions de paysans, **maintien du système du « mir »** (répartition par la communauté de village des terres cultivables, responsabilité fiscale des communautés villageoises). Promotion de l'instruction primaire et secondaire, adoucissement de la censure de la presse (1865) et statut universitaire (GOLOVNINE, 1863).

1864 Administr. locale (Zemstvos) des gouvernements et des districts; réforme juridique, indépendance des magistrats, débats publics.

1870 Organisation des villes : administr. autonome par conseils municipaux élus par la bourgeoisie.

1874 Service milit. universel de 6 ans (MILIOUTINE).

Conséquences : La croissance démographique de la classe paysanne rend plus dure à supporter l'insuffisance du partage des terres et l'endettement envers les propriétaires.

1863 **Insurrection polonaise** (p. 325).

1866 Un attentat manqué contre le tsar renforce la réaction autocratique.

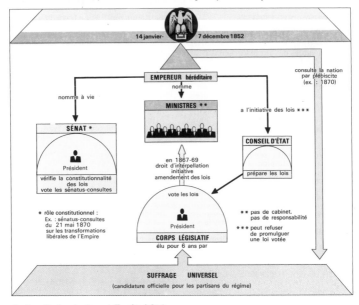

14 janvier- 7 décembre 1852

EMPEREUR héréditaire

consulte la nation
par plébiscite
(ex. : 1870)

nomme à vie

nomme

a l'initiative des lois ***

MINISTRES *

SÉNAT *

Président

vérifie la constitutionnalité
des lois
vote les sénatus-consultes

CONSEIL D'ÉTAT

prépare les lois

en 1867-69
droit d'interpellation
initiative
amendement des lois

vote les lois

* rôle constitutionnel :
Ex. : sénatus-consultes
du 21 mai 1870
sur les transformations
libérales de l'Empire

Président

CORPS LÉGISLATIF

élu pour 6 ans par

** pas de cabinet,
pas de responsabilité

*** peut refuser
de promulguer
une loi votée

SUFFRAGE UNIVERSEL
(candidature officielle pour les partisans du régime)

La Constitution du Second Empire (1852)

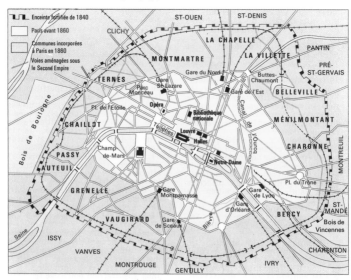

Les transformations de Paris sous le Second Empire

L'empereur et son entourage

NAPOLÉON III (1808-1873), fils de la reine HORTENSE, est fier de se rattacher à la dynastie des Bonaparte par son père LOUIS, roi de Hollande. C'est le fondement de ses conceptions politiques.

Or, le bonapartisme n'avait pas fondé une tradition et l'empereur est mal compris de son entourage. « L'impératrice est légitimiste, MORNY est orléaniste, mon cousin est républicain. » De caractère secret, NAPOLÉON III est mal vu des notables traditionnels. Mais le suffrage universel, où dominent les paysans, lui est favorable.

EUGÉNIE DE MONTIJO, comtesse de Téba (1826-1920), est la fille d'un grand d'Espagne. NAPOLÉON l'épouse le 30 janvier 1853. L'impératrice a une foi religieuse ardente. Hostile aux idées libérales, elle n'a guère joué de rôle politique avant 1858, lorsque l'attentat d'ORSINI eut conduit à la création d'un Conseil privé dont elle faisait partie. Elle réprouve la politique italienne de l'empereur menaçant les intérêts temporels du catholicisme.

Les partisans fidèles du bonapartisme sont les enfants de JÉRÔME (1784-1860), l'ancien roi de Westphalie : Le PRINCE NAPOLÉON, époux de la fille de VICTOR-EMMANUEL Ier, CLOTILDE, représente l'aile gauche du bonapartisme.

La princesse MATHILDE (1820-1904), séparée de son mari le prince russe DEMIDOFF depuis 1844, rêve d'être l'égérie du régime. Elle tient un salon littéraire rue de Courcelles, fréquenté par SAINTE-BEUVE, THÉOPHILE GAUTIER, les GONCOURT alors que VICTOR HUGO, en exil, flétrit le régime (« Les Châtiments »).

L'Empire autoritaire (1852-1860)

Il est marqué :

1. Par le rôle essentiel de trois hommes :

Le duc de Morny (1811-1865), fils de la reine HORTENSE, est le demi-frère de l'empereur. Souvent président du Corps législatif, de 1854 à 1865, il se montre homme d'affaires avisé.

Eugène Rouher (1814-1884), avocat au barreau de Riom, est passé de la République conservatrice à l'Empire.

Le duc de Persigny (1808-1872). Ministre de l'Intérieur de 1852 à 1854, puis de 1860 à 1863, il a pour l'empereur un dévouement fanatique.

2. Par des méthodes antilibérales :

17 fév. 1852 Pour la presse, retour à **l'autorisation préalable.** Élévation du droit de timbre et du cautionnement. Système des « avertissements » : quand un journal publie des nouvelles fausses ou simplement tendancieuses, avertissement. Au bout de trois avertissements le journal risque la suspension.

Candidature officielle des hommes favorables à l'Empire.

Loi de Sûreté générale du 19 février 1858 : Tout individu condamné pour l'un des délits prévus par la loi peut être interné, ou expulsé du territoire français.

L'Empire libéral (1860-1870)

La guerre d'Italie (1859) éloigne les catholiques du régime, car ils sont favorables aux États de l'Église.

23 janvier 1860 **Traité de commerce** conclu entre la France et le Royaume-Uni de Grande-Bretagne et d'Irlande. La bourgeoisie industrielle (textile, métallurgie) est inquiète. Aussi NAPOLÉON III cherche l'appui des libéraux au sens politique du terme.

Décembre 1860 Droit d'adresse accordé au Corps législatif et au Sénat. Cette évolution peut se confirmer. Il faut y aider. C'est la politique d'**Émile Ollivier** (1825-1913).

Il incarne, au contraire de ROUHER, la tendance libérale qui triomphe en 1869. C'est un brillant avocat. Élu en 1857 député républicain, il fait partie du « groupe des cinq ». Il est réélu en 1863 et MORNY, qui a senti son évolution vers l'idée d'un Empire libéral en même temps que sa grande ambition, le fait désigner comme rapporteur de la loi de 1864 sur le droit de grève. Sous sa direction se constitue peu à peu le « Tiers Parti » qui accepte l'Empire, pourvu que se poursuive et s'accélère l'évolution libérale amorcée depuis 1860.

1864 Octroi du droit de grève.

Janvier 1867 Droit d'interpellation accordé au Corps législatif et au Sénat.

11 mai 1868 Loi sur la presse. Elle supprime le régime de l'avertissement, remplace l'autorisation préalable par une simple déclaration, abaisse le droit de timbre. Cependant le cautionnement est maintenu.

10 septembre 1869 Un sénatus-consulte transforme l'Empire en une monarchie constitutionnelle non parlementaire. Le Corps législatif possède l'initiative des lois, vote le budget par chapitres et peut interpeller les ministres.

2 janvier 1870 ÉMILE OLLIVIER est appelé par l'empereur à former le ministère.

20 avril 1870 Le Sénat perd l'autorité constituante qui n'appartient plus qu'à l'empereur et au peuple : « La Constitution ne peut être modifiée que par le peuple sur la proposition de l'empereur. » La responsabilité parlementaire n'est pas prévue.

8 mai 1870 **Plébiscite :** 7 358 000 oui; 1 572 000 non (l'opposition l'emporte à Paris et dans les grandes villes).

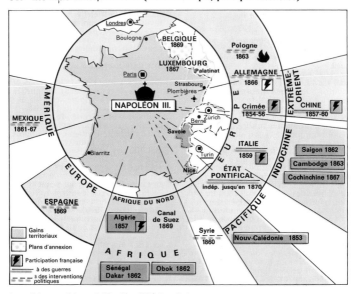

La politique extérieure de Napoléon III (1852-1870)

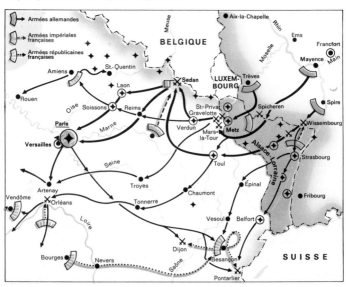

La guerre de 1870

La vie économique sous le Second Empire
Capitalisme et industrialisation sur une grande échelle caractérisent l'époque qui a vu naître les grands rêves de **Jules Verne.**
L'essor des banques.
Grâce aux découvertes de nouveaux filons en Californie et en Australie, l'encaisse de la Banque de France (122 millions 1/2 en 1847) atteint 1 milliard en 1869.
Le Crédit foncier et le Crédit mobilier sont fondés par les **frères Pereire,** saint-simoniens, anciens rédacteurs au « Globe », grands créateurs de chemins de fer.
1863 Fondation du Crédit lyonnais.
1867 Loi sur les sociétés anonymes.
L'essor des transports.
Réseau de chemins de fer réunissant Paris aux grandes villes de province :
1861 Création de la **Compagnie Générale Transatlantique.** Essor du Havre et de Marseille (bassins de la Joliette).
Développement de la sidérurgie.
Acier (introduction du procédé BESSEMER) : production quintuplée. Grande époque du Creusot.
Le développement urbain.
En 1851, la population urbaine représente le quart de la nation française; vingt ans plus tard, près du tiers.
A Paris, œuvre d'HAUSSMANN (1809-1891), qui associe les exigences de la sécurité (démolition des petites rues étroites propices aux émeutes) au sens des grandes percées (av. de l'Opéra). Il a trois objectifs :
1. **Construction d'une ceinture de grands boulevards;**
2. **Extension de Paris jusqu'aux fortifications;**
3. **Développement de la ville vers l'ouest.** D'où la construction du nouveau Louvre, la création de l'Opéra en style palladien (architecte : F. GARNIER).
Solution du problème de l'eau : amenée des eaux de la Dhuys, de la Vanne. Construction d'un réseau d'égouts.
Parcs : parcs Monceau et des Buttes-Chaumont, bois de Vincennes et de Boulogne. **Nombreuses constructions nouvelles :** églises Saint-Augustin, la Trinité; gare du Nord; les Halles. Des quartiers neufs s'élèvent autour de l'Étoile dont s'écartent en cercle les douze voies prévues. Aménagement malheureux de l'île de la Cité : la Sainte-Chapelle est étouffée par le Palais de Justice.
A Lyon, VAÏSSE fait aménager la rive gauche du Rhône et le parc de la Tête-d'Or. A Marseille, construction de Notre-Dame-de-la-Garde.

La politique coloniale
1854-1865 FAIDHERBE fonde Dakar.
1858-1869 Construction du canal de Suez par FERDINAND DE LESSEPS.

1862 Achat d'Obok à la sortie de la mer Rouge.
Politique extérieure. NAPOLÉON III recherche une revision des traités de 1815 en soutenant les mouvements nat. (Balkans, Italie, Allemagne).
1856 Entrevue de Plombières avec CAVOUR.
1859 Guerre de l'unité italienne (p. 349). NAPOLÉON III insiste pour un compromis rapide avec l'Autriche (traité de Zurich).
1860 Annexion par plébiscite de la Savoie et de Nice. En échange, NAPOLÉON III laisse les mains libres à CAVOUR (Toscane et Émilie).
1861 Expédition du Mexique avec le maréchal BAZAINE (1811-1888).
1865 Entrevue de Biarritz avec BISMARCK. Les demandes de « pourboires » de NAPOLÉON III (chemins de fer belges, forteresse de Luxembourg) présentées après Sadowa sont repoussées, « l'aventure mexicaine » échoue devant les protestations des E.-U., l'amitié avec l'Italie est compromise par l'appui milit. prêté à l'État pontifical.

La guerre franco-allemande (1870-1871)
Causes. Craintes françaises d'une hégémonie allemande. Désir de BISMARCK de renforcer l'unité avec les États de l'Allemagne du Sud dans une grande épreuve nationale.
Prétexte. Candidature au trône espagnol et « dépêche d'Ems ». Déclaration de guerre à la Prusse (19 juillet). BISMARCK s'assure la neutralité de l'Angleterre en lui communiquant le projet de compensation de la France en 1866 (projet sur les chemins de fer belges). Offensive victorieuse des troupes allemandes (MOLTKE). La partie de l'armée française qui a échappé à l'encerclement dans Metz prend la direction du Nord.
1ᵉʳ sept. 1870 Bataille de Sedan. Capitulation de MAC-MAHON, NAPOLÉON III est prisonnier. Sur l'initiative de GAMBETTA (1838-1882), le
4 sept. 1870 proclamation de la république et constitution d'un gouvernement de Défense nationale.
Sept. Début du siège de Paris. GAMBETTA s'échappe en ballon et organise la guerre populaire avec des « francs-tireurs ». Échec de l'armée FAIDHERBE au Nord et de l'armée CHANZY à l'Ouest. L'armée BOURBAKI dans l'Est se réfugie en Suisse. Paris capitule (janv. 1871).
Fév. 1871 L'Assemblée nat. à Bordeaux élit THIERS « chef de l'exécutif ». Préliminaires de paix de Versailles : la France perd l'Alsace-Lorraine. Indemnité de guerre : 5 milliards de francs-or et occupation pendant 3 ans de la France de l'Est.
10 mai 1871 Traité de Francfort.

L'achèvement de l'unité italienne (1860-1870)

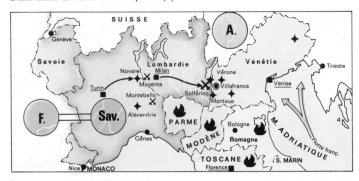

L'intervention française en Italie (1859)

L'unification nationale (1850-1871)

Le comte **Camille Benso de Cavour** (1810-1861), « anglo-saxon d'idées et gaulois de langage » (GIOBERTI), tire les conséquences de l'échec de 1848-1849 (p. 329). « Gentleman farmer » (domaine de Leri) et calculateur réaliste, il se tourne résolument vers les temps nouveaux. Il est coéditeur du journal « **Il Risorgimento** » (1847) qui donnera son nom à la nouvelle époque. CAVOUR, min. depuis 1850 dans le cabinet d'AZEGLIO, devient en 1852 premier min. de **Piémont-Sardaigne** dont il fait un État modèle par sa politique de libre échange, sa réforme de la justice et sa législation sur l'Église (« une Église libre dans un État libre »). Son programme est la réunification de l'Italie sous la direction du Piémont :

1. Renonciation aux bouleversements révolut. (MAZZINI);
2. Rassemblement contre l'Autriche de tous les patriotes. En 1857, fondation de la « Société nationale italienne »;
3. Libération de l'Italie en acceptant l'aide d'autres nations européennes.

1855-1856 Participation du Piémont à la guerre de Crimée pour éveiller l'opinion européenne. CAVOUR s'assure le soutien des puissances occ.

1858 **Entrevue de Plombières.** L'emp. promet une aide milit. contre l'Autriche pour créer un État confédéral ital. sous la présidence du pape. (« L'Italie libre jusq. l'Adriatique »). Le Piémont s'arme et refuse un ultimatum de Vienne qui, après une vaine médiation angl., déclare la guerre.

1859 Guerre franco-piémontaise contre l'Autriche. Après les victoires franç. de Magenta et de Solferino (juin), une menace d'intervention prussienne oblige NAPOLÉON III à signer l'armistice de Villafranca (juillet).

Nov. 1859 Traité de Zurich. Malgré les promesses franç. (libérer l'Italie des Alpes à l'Adriatique), Venise demeure autrich. et la Lombardie revient à la France, qui la donne au Piémont. CAVOUR démissionne pour protester (jusqu'en janv. 1860). Plébiscites à Bologne, en Toscane, à Parme et Modène, en faveur du Piémont. NAPOLÉON « ferme les yeux ».

En 1860 au traité de Turin, il obtient la promesse d'un plébiscite pour Nice et la Savoie qui deviennent françaises le 15 avril 1860.

Italie mérid. Les mazziniens tel CRISPI (1819-1901) organisent des troubles.

Mai-sept. 1860 Expédition des Mille en Sicile et Calabre. Les « chemises rouges » de **Garibaldi** (1807-1882) débarquent à Marsala. Pour s'opposer à l'anarchie et empêcher une attaque sur Rome que protège la France

(dep. 1849), le Piémont intervient et bat à Castelfidardo les troupes pontificales qui capitulent à Ancône (sept.). Entrevue de VICTOR-EMMANUEL II et de GARIBALDI (oct.) qui se démet de sa dictature après les plébiscites en faveur du Piémont en Ombrie, dans les Marches et dans les Deux-Siciles.

1861 Capitulation de Gaète (fév.). Chute des Bourbons de Naples. Le parlement de toute l'Italie, réuni à Turin, déclare Rome capitale et en mars 1861 proclame VICTOR-EMMANUEL II roi d'Italie (jusq. 1878). Le nouvel État est gêné par le manque d'argent, les dettes, la misère et le retard social du Sud (75 p. cent d'illettrés et banditisme). Pour libérer la Vénétie, en

1866 alliance milit. avec la Prusse et **guerre contre l'Autriche.** Défaites de Custozza et de Lissa, mais grâce aux victoires pruss. en Bohême et à l'appui de la France, en

oct. 1866 traité de Vienne : **l'Italie recouvre la Vénétie,** mais renonce au Tyrol du Sud (Trentin) et à l'Istrie, objectifs principaux de « l'irrédentisme ».

États de l'Église : La Curie réactionnaire (Secrétaire d'État ANTONELLI), le parti catholique français et FRANÇOIS II de Naples s'opposent aux réformes lib. et à une entente avec le Piémont.

GARIBALDI rassemble un corps franc, mais son offensive sur Rome (« Rome ou la mort ») s'achève en Calabre en 1862 par la défaite d'Aspromonte.

1864 Convention de septembre entre le Piémont et la France. Retrait des troupes franç. mais le Piémont protégera l'État pontifical. Transfert de la capitale de Turin à Florence.

1864 « **Syllabus errorum** » (répertoire de propositions condamnées). PIE IX (1846-1878) considère le libéralisme comme une erreur et revendique pour l'Église l'autorité suprême sur la société.

1867 Troisième tentative de GARIBALDI sur Rome. Débarquement des troupes françaises qui le battent à Mentana.

1869 Premier concile du Vatican et proclamation en

1870 de l'infaillibilité pontificale lorsque le pape se prononce « en matière de dogme ». Profitant de la défaite franç. dans la guerre franco-allemande (p. 347), le

20 septembre 1870 entrée dans Rome des troupes piémontaises après l'occupation de l'État pontifical.

1871 Le pape refuse la « loi des garanties » qui lui est offerte. Il se considère comme prisonnier, refusant tout compromis. **Rome devient la capitale de l'Italie.**

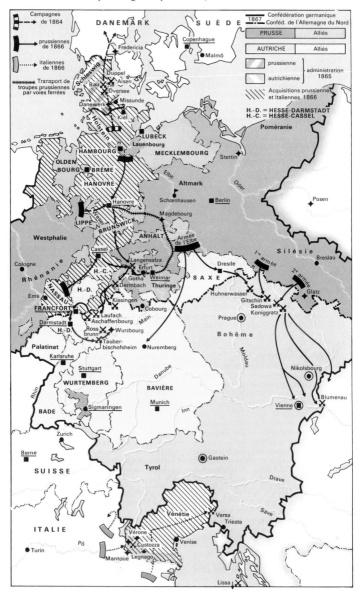

La Guerre des Duchés (1864) et Sadowa (1866)

Prusse : la question de l'armée (1859-1862)

1861-1888 GUILLAUME Ier (61 ans) régent depuis 1858 du fait de la maladie mentale de FRÉDÉRIC-GUILLAUME IV forme un minist. libéral.

1859 Réforme de l'armée [min. de la Guerre ROON (1803-1879)] pour renforcer les troupes d'active et de réserve. La majorité lib. de la Diète est contre cette réforme (service milit. de trois ans).

1862 Conflit constitutionnel. Sur la proposition de ROON, le roi nomme prem. ministre Otto von Bismarck (1815-1898), qui interdit au roi d'abdiquer et est prêt à gouverner même contre la Diète et la constitution. Renforcement de l'armée qui obtient une place de choix dans l'État.

La lutte de la Prusse pour l'hégémonie (1862-1866)

Objectifs de la « Realpolitik » de BISMARCK : prééminence de la politique extérieure, la guerre étant l' « ultima ratio » de la politique; consolidation de la monarchie pour renforcer la Prusse; hégémonie prussienne en Allemagne avec ou contre l'Autriche. Devant l'insurrection pol. (p. 325) BISMARCK approuve la Russie.

1863 Convention militaire d'Alvensleben avec la Russie. L'Autriche (premier min. SCHMERLING) profite du sentiment antiprussien. Échec du plan de réforme confédérale (directoire de souverains, parlement réduit au rôle de conseiller) en

1863 à l'assemblée des souverains de Francfort (président : FRANÇOIS-JOSEPH) du fait que GUILLAUME Ier s'abstient sur le désir de BISMARCK. BISMARCK obtient au contraire la collaboration de l'Autriche dans la guerre contre le Danemark. Cause : La constitution danoise de nov. 1863 avec l'annexion du Slesvig et la séparation du Holstein. Le mouvement nat. réclame l'indépendance des duchés. BISMARCK insiste sur la violation du Protocole de Londres (p. 325) et s'assure la neutralité des grandes puissances.

1864 **Guerre des Duchés.** Prise des fortifications de Düppel. Le Danemark, au traité de Vienne (oct.), cède le Slesvig, le Holstein à la Prusse et à l'Autriche. Cette association est à l'origine du différend austro-prussien que règle provisoirement en

1865 **la Convention de Gastein.** L'Autriche administre le Holstein, la Prusse, le Slesvig. NAPOLÉON III favorise l'alliance de la Prusse avec l'Italie. La Prusse propose une réforme de la confédération avec un parlement

élu, l'Autriche s'y oppose et convoque la Diète pour décider de la question du Slesvig-Holstein. La Prusse répond à cette violation de l'accord de Gastein en occupant le Holstein et en sortant de la Confédération germanique, qui mobilise aussitôt contre elle.

1866 **Guerre austro-prussienne.** Capitulation de l'armée hanovrienne à Langensalza. Victoire décisive de la Prusse (chef de l'état-major : MOLTKE [1800-1891]) à Sadowa (Königgrätz). Préliminaires de paix à Nikolsburg. Au traité de Prague (avec la Prusse) et de Vienne (avec l'Italie), l'Autriche perd seulement la Vénétie. Dissolution de la Confédération germanique. La Prusse annexe les territoires de tous ses adversaires au nord du Main, sauf la Saxe et la Hesse-Darmstadt. BISMARCK a vengé la Prusse de l'humiliation d'Olmütz. C'est seulement après la victoire prussienne que NAPOLÉON III songe à tirer parti de sa neutralité.

La demande de « pourboires » de la part de la France favorise la création d'une alliance défensive des États de l'Allemagne du Sud avec la Prusse.

La marche vers l'unité (1866-1871)

1867 Constitution de la Conféd. de l'Allemagne du Nord. Président confédéral prussien (GUILLAUME Ier), chancelier confédéral (BISMARCK). Conseil confédéral (Bundesrat), Reichstag élu.

1867 Traité de Londres garantissant la neutralité luxembourgeoise. La France (min. des Aff. étr. GRAMONT) craint une hégémonie prussienne. La candidature au trône d'Espagne du prince LÉOPOLD DE HOHENZOLLERN-SIGMARINGEN provoque une crise. Malgré le désistement du prince, NAPOLÉON III, pour des raisons de prestige, exige de GUILLAUME Ier la garantie à cette renonciation (conversation de GUILLAUME et de BENEDETTI à Bad Ems). BISMARCK en publie le compte rendu abrégé de façon blessante : c'est la **dépêche d'Ems.** La France déclare la guerre.

1870-1871 **Guerre franco-allemande** (p. 347) à laquelle, à la surprise de la France, participent les États de l'Allemagne du Sud. BISMARCK utilise l'enthousiasme guerrier contre l' « ennemi héréditaire » pour fonder en

1871 **l'empire allemand** après conclusion de traités avec les États de l'Allemagne du Sud.

18 janv. 1871 Proclamation de **Guillaume Ier empereur d'Allemagne,** au milieu des princes allemands, dans la Galerie des Glaces, à Versailles.

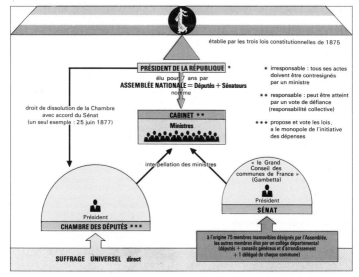

La Constitution de la IIIe République (1875)

Conservateurs et républicains aux élections de 1876

La Commune (printemps 1871)

A la suite du siège :

1er mars 1871 Entrée des Prussiens à Paris. Suppression du moratoire des loyers. Suppression de la solde de la garde nationale.

18 mars 1871 THIERS, chef du gouvernement, veut reprendre les canons parqués à Montmartre. Au cours de l'opération, les généraux LECOMTE et THOMAS sont fusillés par la foule. **Le gouvernement s'installe à Versailles.**

28 mars 1871 Installation à l'Hôtel de Ville du **Conseil de la Commune.**

Avril 1871 Manifeste de la Commune : L'État serait dirigé par une délégation des communes fédérées. Autonomie égale pour toutes les communes. Séparation de l'Église et de l'État.

A la tête de la Commune des « jacobins » comme **Delescluze**, des membres de la Première Internationale comme VARLIN.

22-27 mai Semaine sanglante : Près de 20 000 morts chez les Parisiens. Écrasement de la Commune par les « Versaillais ».

La naissance de la IIIe République (1871-1879)

8 fév 1871. Les élections donnent la majorité aux conservateurs favorables à la paix.

31 août 1871 THIERS est nommé président de la République (régime provisoire).

13 nov. 1872 THIERS exprime ses opinions républicaines, mais « la République sera conservatrice ou ne sera pas ». Opposition des monarchistes. Légitimistes, orléanistes souhaitent la venue au pouvoir du COMTE DE CHAMBORD (petit-fils de CHARLES X).

24 mai 1873 MAC-MAHON président de la République.

30 janv. 1875 Amendement Wallon (art. 2 de la loi du 25 février 1875) : « Le président de la République est élu à la majorité absolue des suffrages par le Sénat et par la Chambre des Députés réunis en Assemblée nationale. Il est nommé pour sept ans. Il est rééligible. » Ainsi une république conservatrice permettrait d'attendre la mort du comte de Chambord, le Sénat jouant le rôle d'une chambre haute.

Printemps 1876 Élections favorables aux républicains.

16 mai 1877 MAC-MAHON renvoie le ministère JULES SIMON. Avant d'user de son droit de dissolution, sommé de « se soumettre ou se démettre » après les élections.

Oct. 1877 Élections favorables aux républicains.

Janv. 1879 Démission de Mac-Mahon.

La république « opportuniste » (1879-1900).

C'est un **régime de centre,** menacé à **droite, par le royalisme** qui tente de profiter des crises (boulangisme, affaire DREYFUS); **à gauche, par le radicalisme** (CLEMENCEAU) qui abandonne les articles les plus révolutionnaires de son programme pour obtenir la séparation de l'Église et de l'État et l'instruction gratuite à tous les degrés.

1879-1887 Présidence de JULES GRÉVY. Triomphe de l' « opportunisme » : les réformes doivent être réalisées progressivement. JULES FERRY (président du Conseil en 1880 et en 1883-1885) déclare en 1885 : « Nous avons conquis le suffrage universel des campagnes, gardons-le bien, ne l'inquiétons pas. »

1880-1881 Vote des lois scolaires : gratuité de l'enseignement primaire. Enseignement obligatoire pour les enfants des deux sexes de 6 à 13 ans. Création des **écoles normales d'instituteurs** (une par département) pour former le personnel laïc destiné à remplacer les congréganistes qui enseignaient jusqu'alors dans les écoles d'État.

Lois sur la liberté de la presse et sur la liberté de réunion.

1887-1889 Crise boulangiste. L'affaire des décorations (vente de rubans de la Légion d'honneur) crée un malaise. Le général BOULANGER rallie les mécontents avec le mot d'ordre « Dissolution et Revision ». Le soir du 27 janvier 1889, BOULANGER, élu à une forte majorité à Paris, refuse de marcher sur l'Élysée. Il se suicide en 1891.

1892 Scandale de Panama : Des députés auraient reçu de l'argent pour autoriser un emprunt en faveur du canal.

Janv. 1898 L'art. de Zola « J'Accuse » ouvre **l'affaire Dreyfus.** Le capitaine DREYFUS aurait été accusé à tort d'avoir transmis des renseignements à l'ambassade d'Allemagne. Division de la France en deux : les **dreyfusards** (justice avant toute autre considération) pour la revision du procès; les **antidreyfusards** (respect à l'armée d'abord, donc pas de revision).

1899 Formation du ministère de concentration WALDECK-ROUSSEAU-MILLERAND-DE GALLIFFET. **Revision du procès Dreyfus à Rennes.**

1900 DREYFUS est amnistié.

Parution de l' « Enquête sur la Monarchie » de MAURRAS.

La république « radicale » (1900-1914).

République dirigée par d'anciens radicaux (BRIAND, CLEMENCEAU). Triomphe de l'anticléricalisme avec COMBES.

1905 Séparation de l'Église et de l'État.

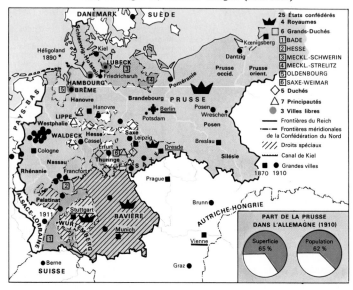

L'Empire allemand (1871-1914)

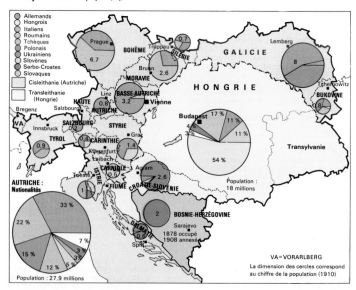

L'Autriche-Hongrie à la veille de 1914

L'empire allemand (1871-1890)

Constitution. Confédération sous l'hégémonie de la Prusse (sur le modèle de la Conféd. de l'Allemagne du Nord, p. 351).

L'empire contrôle les forces armées, les douanes, le commerce.

Le Conseil confédéral **(Bundesrat)** légifère et contrôle. Droit de veto des 17 représentants prussiens.

La **présidence** est confiée à l'empereur d'Allemagne (Couronne de Prusse). Il représente la confédération à l'extérieur, assume le commandement de l'armée, nomme et congédie le **chancelier de l'empire**, seul responsable politique qui est en même temps premier ministre de Prusse et président du Conseil confédéral,

Le **Reichstag** approuve les propositions de loi et vote le budget annuel.

Les partis au Reichstag.

Jusqu'en 1878, BISMARCK s'assure la collaboration des **nationaux libéraux**, des **conservateurs libres** (Deutsche Reichspartei), puis des **conservateurs allemands** à p. de 1878 (parti fondé en 1876) et parfois du **Centre**, que dirige L. WINDTHORST. Les ennemis de BISMARCK sont les **Vieux conservateurs** et les démoc. lib. du **parti du Progrès** puis les **sociaux-démocrates** (A. BEBEL; W. LIEBKNECHT) qu'unit le programme de Gotha; enfin les minorités nat. (Pol., Danois, Alsaciens-Lorrains) et les Guelfes (partisans du Hanovre).

Le Kulturkampf.

1871 Paragraphe « de la Chaire », contre l'utilisation politique des fonctions religieuses.

1872 Loi scolaire. Interdiction de l'ordre des jésuites.

1873-1874 Lois de mai sur la formation des prêtres et sur les limites du pouvoir disciplinaire de l'Église. Préparation d'un compromis sous LÉON XIII (1878-1903). Suppression de la plupart des lois de combat votées avant 1886.

Politique économique et sociale

1878 BISMARCK, converti au protectionnisme après la crise économique de 1873, s'appuie sur les conservateurs en abandonnant les nat.-libéraux. Il rejette sur les sociaux-démocrates (« gens sans patrie ») la resp. d'un attentat contre l'empereur.

1878 Loi sur les socialistes. Suppression de la presse du parti.

Les lois sociales. Assurance maladie (1883), accidents (1884), vieillesse et invalidité (1889).

C'est l'œuvre principale de la polit. intérieure de BISMARCK.

1888 FRÉDÉRIC III (espoir des libéraux) meurt à 56 ans après un règne trop court.

1888-1918 GUILLAUME II. Opposition entre l'emp. (29 ans) et le chancelier (75 ans).

1890 Congédiement de BISMARCK (mort en 1898). Motif : Ambition de l'empereur qui s'oppose à la politique du chancelier sur le socialisme et envers la Russie.

La crise de la monarchie danubienne (1867-1914)

À la suite de la défaite de 1866, en

1867 la Hongrie obtient l'égalité : dualisme austro-hongrois, constitution, administration et législation distinctes, mais armée, finances et politique extérieure communes.

1867 Couronnement de FRANÇOIS-JOSEPH Ier (p. 333) comme roi de Hongrie. Autocrate, il maintient la cohésion de l'État plurinational grâce à l'armée et à la bureaucratie. Des malheurs personnels le frappent : son frère MAXIMILIEN est fusillé en 1867 au Mexique (p. 369); suicide de RODOLPHE, prince héritier (1889); assassinat de l'impératrice ELISABETH (1898) et de FRANÇOIS-FERDINAND (1914 p. 398) prince héritier, dont il avait combattu le mariage morganatique et les plans de réforme.

Autriche (Cisleithanie : 8 nationalités, 17 parlements) souffre des rivalités entre les nationalités.

1879-1893 EDOUARD TAAFE, le « ministre-empereur » (1833-1895) gouverne avec le « cercle de fer » d'une coalition cath. conserv. et slave. Ses méthodes policières minent la constitution.

1882 Réforme électorale qui favorise la petite bourgeoisie. Essor des Jeunes Tchèques (GREGR), du Mouvement allemand (SCHÖNERER) et de l'antisémitisme social-chrétien (VOGELSANG).

1889 **Fondation du parti social-démocrate** où se font jour les tendances nationales (p. 377). Le parti pangermaniste de SCHÖNERER (1842-1921) déclenche en

1897 un mouvement de « séparation avec Rome » et de fusion avec l'Allemagne, tandis que le parti social-chrétien de LUEGER, bourgmestre de Vienne, soutient la monarchie.

1907 Le suffrage universel assure la majorité aux Slaves dans un parlement incapable.

Hongrie (Transleithanie) : hégémonie en polit. étrang. grâce au rôle d'un ami de BISMARCK, GYULA ANDRASSY (1823-1890).

1868 La Croatie obtient son autonomie.

1875-1890 Magyarisation intensive avec le prem. min. K. TISZA (1830-1902).

1876 Suppression de la représentation transylvanienne. ÉTIENNE TISZA prem. min. (1903-1905/1913-1917).

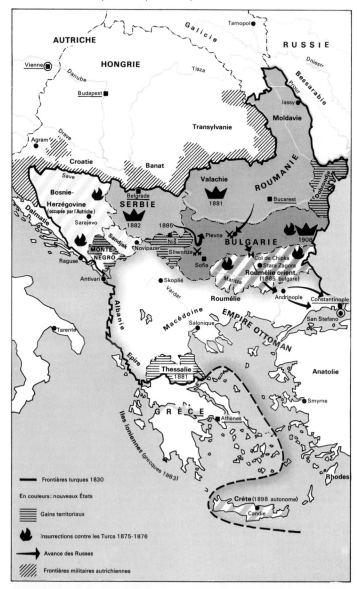

AUTRICHE

RUSSIE

HONGRIE

Galicie

Tarnopol

Vienne

Danube

Tisza

Dniestr

Bessarabie

Prout

Iassy

Moldavie

Transylvanie

Drave

Agram

ROUMANIE

Croatie

Save

Banat

Valachie
1881

Bucarest

Dobroudja

Bosnie-
Herzégovine
(occupée par l'Autriche)

Belgrade

SERBIE

Dalmatie

Sarajevo

1882

1885

Sandjak

Plevna

BULGARIE

1908

Raguse

MONTE-
NEGRO

Novipazar

Nis

Sliwnitza

Col de Chipka

Stara Zagora

Antivari

Sofia

Roumélie orient.
(1885 bulgare)

Skoplié

Maritza

Andrinople

Constantinople

Vardar

Roumélie

San Stefano

Albanie

Macédoine

Salonique

EMPIRE OTTOMAN

Tarente

Epire

Anatolie

Thessalie
1881

Smyrne

GRÈCE

Athènes

Îles Ioniennes (grecques 1863)

Rhodes

—— Frontières turques 1830

En couleurs : nouveaux États

Gains territoriaux

Insurrections contre les Turcs 1875-1876

→ Avance des Russes

Frontières militaires autrichiennes

Crète (1898 autonome)

Candie

Les Balkans (Congrès de Berlin, 1878)

La crise des Balkans (1875-1878)

Pendant la guerre franco-allemande (p. 347), la Russie proclame la neutralisation de la mer Noire (traité de Paris p. 343), qu'elle obtient en 1871, avec l'appui de BISMARCK, à la conférence de Londres.

1875-1876 Les révoltes des vassaux slaves dégénèrent en une guerre serbo-turque. La Russie, après un accord avec l'Autriche sur la libération des Balkans chrétiens, soutient en

1877-1878 la guerre contre l'emp. ott. (premier succès polit. du panslavisme p. 389). Après l'occupation du col de Chipka et la capitulation de Plevna, les troupes russes avancent vers Constantinople.

1878 **Traité de San Stefano.** Les États balkaniques (Bulgarie) s'agrandissent aux dépens de la Turquie d'Europe. L'Autriche et l'Angleterre protestent contre l'accroissement de l'influence russe. BISMARCK, « honnête courtier », agit en médiateur.

1878 **Congrès de Berlin.** La Roumanie, le Monténégro deviennent complètement indépendants comme la Serbie. La Bulgarie garde des liens d'allégeance à l'égard de l'emp. ott. qui reçoit la Macédoine, et la Roumélie orientale devient autonome. La Russie obtient la Bessarabie et une partie de l'Arménie (Kars); l'Angleterre, Chypre; l'Autriche, le protectorat sur la Bosnie et l'Herzégovine.

Conséquences. Début de la rivalité austro-russe dans les Balkans.

Les États balkaniques (jusq. 1908)

Bulgarie.

1870 Le patriarche de Constantinople ne reconnaît pas la création d'un exarchat bulgare (jusq. 1945).

1872 Le comité révolutionnaire bulgare de Budapest organise en 1875-1876 des révoltes générales étouffées dans le sang. Les « massacres turcs » provoquent l'intervention russe. L'Assemb. nat. bulg. se donne une constitution lib. sur le modèle belge, mais choisit pour prince le neveu de la tsarine,

ALEXANDRE DE BATTENBERG (1879-1886). Aidé de conseillers russes, il gouverne ce pays agricole sous-développé. Les import. brit. et autr. ruinent les artisans.

1885 Le prince annexe la Roumélie orientale malgré les protestations russes et serbes. Départ des conseillers russes. Guerre contre la Serbie.

1885 Victoire de Sliwnitza. Des intrigues russes forcent ALEXANDRE à abdiquer.

1887-1918 FERDINAND Ier DE SAXE-COBOURG. STAMBOULOV, le « Bismarck bulg. » (1854-1895), européanise l'administ., l'économie et l'armée malgré les intrigues russes. FERDI-

NAND se réconcilie avec la Russie.

Grèce. Sur la proposition des Anglais, l'Assemb. nat. élit GEORGE Ier DE GLÜCKSBOURG (1863-1913) « roi des Hellènes ».

1863 L'**Enosis** (mouvement pour la réunion de tous les Grecs) réclame à l'Angleterre le retour des îles Ioniennes à la mère patrie. Échec d'une insurrection en Crète (1866). Après l'annexion de la Thessalie (1881), la Macédoine devient une source de conflit entre la Grèce et la Bulgarie. Second soulèvement en Crète qui provoque en

1898 une guerre gréco-turque. Défaites grecques en Thessalie. L'intervention des grandes puissances assure à la Crète l'autonomie polit. sous souveraineté turque. Le chef de l'Enosis, **Venizelos** (1864-1936), proclame son annexion en 1905.

1908 Union de la Crète et de la Grèce.

Roumanie. Les princ. de Moldavie et de Valachie s'unissent en 1858 sous le boyard moldave COUZA.

1861 **Proclamation de l'État roumain.** Nationalisation des biens du clergé, fin du régime seigneurial, réformes législatives. Un coup d'État renverse COUZA. Sur la recommandation de NAPOLÉON III, élection de

CAROL Ier DE HOHENZOLLERN-SIGMA-RINGEN (1866-1914). A p. de 1881 réorgan. de l'armée sur le modèle prussien, construction de chemins de fer, amélioration de l'instruction, découverte de pétrole.

1883 Entrée dans le Duplice (p. 361).

Serbie. Accroissement de population, qui mène à une division excessive du sol, d'où appauvrissement des paysans et dissolution de la communauté familiale.

1860-1868 MICHEL OBRÉNOVITCH s'appuie sur le mouvement grand-serbe (Omladina) pour réunir tous les Slaves du Sud. Mgr STROSS-MAYER (1815-1905) appuie ce mouvement en Croatie.

1868-1889 MILAN OBRÉNOVITCH (14 ans) règne autocratiquement malgré la constitution lib. de 1869. Contre l'opposition des partis radicaux dirigés par PACHITCH (1846-1926), il s'appuie sur l'Autriche.

1882 **Proclamation d'un royaume serbe.**

1885 Guerre malheureuse contre la Bulgarie. Le mouvement d'union des Slaves du Sud (Yougoslaves) se renforce.

1903-1914 PIERRE Ier KARAGEORGÉ-VITCH. Prédominance du parti radical dirigé par PACHITCH, premier min. Politique anti-autr. à laquelle Vienne répond en 1906 en suspendant l'entrée du bétail (83 % des exportations serbes : (« guerre des porcs »). Désir d'un débouché maritime sur l'Adriatique.

La Scandinavie au XIXᵉ siècle

Essai d'unification culturelle grâce à la communauté des langues et des civilisations : c'est le scandinavisme. Sur le plan de la polit. extérieure, c'est un échec, car le Danemark reste seul au moment de la guerre des Duchés (1864).

Danemark (1800 : 0,9; 1900 : 2,5 millions d'hab. = augm. de 177 %).

1814 Traité de Kiel. Perte de la Norvège. Héligoland devient brit. Les « Danois de l'Eider » (zone frontière avec l'Allemagne) veulent une constitution et la séparation du Slesvig et du Holstein (naissance de la question du Slesvig-Holstein) (p. 331).

1844 Mouvement des écoles supérieures populaires du théologien GRUNDTVIG (1783-1872) qui s'appuie sur la mythologie scandinave et sur la Bible.

1843-1863 FRÉDÉRIC VII forme un cabinet constitué de « Danois de l'Eider ». Révolte pop. au Slesvig-Holstein et première guerre des Duchés.

1849 Constitution de juin (suffrage universel, liberté d'entreprise). Les lib. nationaux vainqueurs reprennent la polit. des Danois de l'Eider.

1863 Constitution de nov. et conflit germano-danois sur la succession au trône.

1863-1906 CHRISTIAN IX. La question du Slesvig-Holstein provoque en 1864 la seconde guerre des Duchés (p. 351).

1875-1894 Gouvernement ESTRUP, gouvernement autoritaire qui ne tient pas compte du Parlement dominé par une majorité lib.

1879 BISMARCK refuse au Slesvig du Nord le droit d'autodétermination malgré les accords existants.

1901 Changement de système. Le gouvernement CHRISTENSEN (1905-1919) accomplit un programme de réformes agricoles.

1903 Autonomie de l'Islande.

1912-1947 CHRISTIAN X. Radicaux et socialistes font voter en

1915 une réforme de la constitution parlementaire.

Suède (1800 : 2,3; 1900 : 5,1 millions d'hab. = augm. de 122 %).

1818-1844 CHARLES XIV (Bernadotte).

1844-1859 OSCAR Iᵉʳ s'appuie sur l'Angleterre en favorisant le scandinavisme et l'économie.

1848 Convention milit. avec le Danemark au cours de la guerre des Duchés.

1859-1872 CHARLES XV abandonne le gouvernement au prem. min. DE GEER qui supprime les privilèges polit. de la noblesse et du clergé. En

1866 réforme parlementaire. Le nouveau parti paysan obtient la majorité,

mais ne constitue pas le gouvernement.

1872-1907 OSCAR II. Développement de la sidérurgie et de l'industrie du bois (grâce à la houille blanche) mais misère agricole, d'où émigration massive aux E.-U.

1907-1950 GUSTAVE V. Triomphe du parlementarisme. Contre le « parti du progrès » conservateur (1906), le « parti du rassemblement » et les socialistes (1889) obtiennent en **1909 le suffrage universel.**

Norvège (1800 : 0,9; 1900 : 2,2 millions d'hab. = augm. de 144 %).

1814 Constitution d'Eidsvoll et Convention de Moss : union personnelle avec la Suède, mais opposition du Storting (Parlement) contre le droit de veto du roi de Suède. Essor du commerce du bois et trafic au long cours.

1884-1889 Le ministère SVERDRUP (qui s'appuie sur le radicalisme urbain et le parti paysan) introduit le système parlem. en 1885. Suffrage universel à p. de 1898. Pour défendre les intérêts de la flotte marchande norvég., le Storting exige la création de consulats uniquement norvégiens. OSCAR II s'y refuse.

1905 Dissolution de l'union. Proclamation du prince CHARLES DE DANEMARK comme roi. Il prend le nom de HAAKON VII (1905-1957). En 1907 les puissances europ. reconnaissent le nouveau royaume. Essor du nationalisme norvégien (BJÖRNSON, GARBORG).

Création d'une langue nationale tirée des dialectes de la côte Ouest avec IVAR AASEN (1813-1896).

Finlande (1800 : 0,8; 1900 : 2,6 millions d'hab. = augm. de 225 %).

1809 Parlement de Borga. Confirmation des constitutions finl. de 1772-1789 par le tsar (Finlande : grand-duché aut.). Élection du sénat. Un gouv. gén. représente le tsar.

Sous NICOLAS Iᵉʳ (p. 343), ELIAS LÖNNROT (1802-1884) écrit l'épopée nat., le « Kalévala », à partir de vieux chants finnois. SNELLMAN (1806-1881) crée un mouvement qui prépare un État nat. malgré l'opposition des Finlandais d'origine suédoise, qui ne veulent pas être dominés par les Finnois.

1878 Création d'une armée finlandaise. Mais en

1898 ukase de fév. NICOLAS II réprime le mouvement finlandais et le Landtag perd le pouvoir législatif.

1899-1904 Le gouverneur gén. BOBRIKOV dissout l'armée finl. et le russe devient langue officielle. Pendant la rév. russe, en

1905 annulation de l'ukase du tsar.

Les États ibériques (1840-1914)

En Espagne et au Portugal, lib., répub. et socialistes combattent les monarch. (moderados) et cath. Retard écon. et faiblesse financière qui mettent l'empire colonial en danger.

Espagne (1800 : 11,5; 1900 : 18,6 millions d'hab. = augm. de 62 %).

1843 ISABELLE (1830-1904) est déclarée majeure. Coup d'État.

1847-1849 Seconde guerre carliste, puis soulèvements répub. qui affaiblissent le syst. libéral. Le prem. ministre O'DONNELL (1858-1863) cherche des diversions en polit. extér.

1859-1860 Guerre contre le Maroc, puis participation à l'expédition du Mexique (p. 369).

1868 ISABELLE est détrônée. Les gén. SERRANO (1810-1885) et PRIM favorisent la candidature de LÉOPOLD DE HOHENZOLLERN.

1872-1876 Trois. guerre carliste contre AMÉDÉE DE SAVOIE proclamé roi.

1873 Proclamation de la première république, mais restauration des Bourbons par le gén. MARTINEZ DE CAMPOS (1831-1900).

1874-1885 ALPHONSE XII.

1876 Nouvelle constitution.

1886-1939 ALPHONSE XIII. Jusqu'en 1902, régence de la reine mère MARIE-CHRISTINE D'AUTRICHE. Soulèvement de Cuba (1895), soutenu par les E.-U., puis en

1898 guerre contre les E.-U. d'Amérique (p. 393), qui s'achève par la liquidation de l'empire colonial (sauf en Afrique). Crise intellectuelle et nationale dans la littérature : **Unamuno** (1864-1936), puis **Ortega y Gasset** (1883-1955), etc.

1904 Traité avec la France sur le Maroc.

1909 Campagne contre les Berbères du Rif. Révoltes anarchistes à Barcelone. Politique culturelle libérale en 1910-1912 avec CANALEJAS.

Portugal (1800 : 2,9; 1900 : 5,4 = augm. de 86 %).

1834-1853 MARIA II DA GLORIA. Luttes constantes entre groupes conserv. et lib., puis après 1848 avec les répub. Sous PIERRE V (1853-1861) gouvernement du dictateur SALDANHA, que renverse en

1857 DE LOULÉ.

1890 La Grande-Bretagne envisageant de s'étendre du Cap au Caire est hostile à la réunion de l'Angola et du Mozambique.

1899 Traité de Windsor. Les Anglais garantissent les colonies portugaises.

1906-1908 Dictature de JOÃO FRANCO.

910 Proclamation de la République : Le prem. ministre BRAGA ne peut venir à bout de l'anarchie.

Les petits États de l'Europe (1848-1914)

Suisse (1800 : 1,7; 1900 : 3,3 millions d'hab. = augm. de 94 %).

1856-1857 Médiation franco-brit. dans le conflit avec la Prusse sur Neuchâtel.

Après la bataille de Solférino (p. 349) le Genevois **Henri Dunant** (1828-1920) fonde en

1864 **la Croix Rouge** : protection intern. de tous les blessés en cas de guerre.

1874 **Fondation de l'Union postale universelle** à Berne. Nationalisation de la poste et des chemins de fer (1898).

1874 Revision de la constitution au profit de la Fédération : référendum pour les lois, organisation fédérale de l'armée, des écoles, d'où conflit avec l'Eglise jusq. 1884. Essor des sociaux-démocrates (1887) et de la Ligue paysanne (1897) aux dépens des radicaux-libéraux et du parti du peuple, conserv. et cath. (1894).

Pays-Bas (1800 : 2,1; 1900 : 5,2 millions d'hab. = augm. de 148 %).

1848 Constitution parlem. avec responsabilité minist., contrôle des finances et de l'administr. coloniale par une représentation populaire (États généraux). Le chef des lib. THORBECKE (1798-1872) assure à l'État une évolution libérale sous GUILLAUME III (1849-1890).

1890-1948 La reine WILHELMINE observe loyalement la constitution revisée en 1887. Développement de la législation sociale sous des ministères lib. et cath. conservateurs. A la suite des luttes contre l'Atjeh (province au Nord de Sumatra), essai d'association des élites indigènes à l'œuvre de colonisation.

Belgique (1800 : 3,0; 1900 : 6,7 millions d'hab. = augm. de 123 %). Aux luttes entre lib. et cléricaux s'ajoute le conflit wallon-flamand. Essor industriel et commercial.

1865-1909 LÉOPOLD II. Un des souverains les plus riches du XIXᵉ siècle. Le conflit scolaire provoque la rupture des relations avec Rome en 1880. Le roi acquiert personnellement en

1885 l'État du Congo après avoir financé les expéditions de STANLEY, et le lègue au pays en 1889.

1885 Congrès de Bruxelles : fondation d'un parti marxiste des travailleurs qui devient la « troisième force polit. ».

1894 Etablissement du suffrage universel.

1901-1934 ALBERT Iᵉʳ se rapproche de l'Angleterre à la suite de « fuites » sur le plan SCHLIEFFEN de 1906 (p. 401).

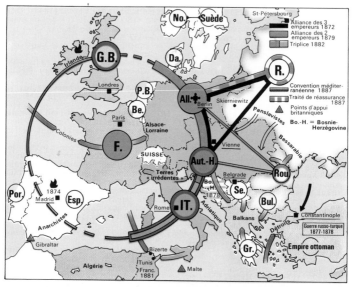

Le système bismarckien

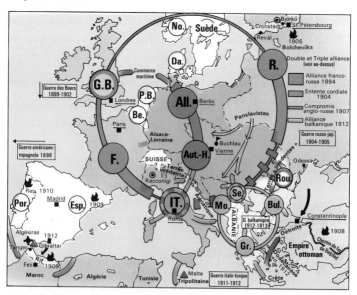

Les systèmes d'alliance en Europe à la veille de 1914

Le système d'alliances de Bismarck (1871-1890)

BISMARCK s'oppose à la polit. de revanche de la France en l'isolant et en favorisant l'État républicain et sa polit. coloniale.

1872 Alliance des trois empereurs contre les dangers révolut.

1875 Crise franco-allemande (réarmement franç.). Intervention brit. et russe (GORTCHAKOV, min. des Aff. étrang. jusq. 1879) à Berlin contre une guerre préventive (projets de MOLTKE p. 347); en revanche rapprochement avec l'Autr.-Hongrie.

1878 Congrès de Berlin (p. 357) : Berlin et Vienne concluent en

1879 la Duplice. La Russie se ravise et en

1881 renouvellement de l'alliance des trois empereurs : neutralité en cas d'attaque d'une 4ᵉ puissance.

1882 Conclusion de la « Triplice » avec l'Italie, qui ne résout pas les tensions entre l'Italie et l'Autr.-Hongrie (p. 395).

1883 Élargissement du système à la Roumanie.

1884 Rencontre des trois empereurs à Skierniewice. Ils ne peuvent régler le différend russo-autrichien dans les Balkans (p. 397).

1885-1887 BISMARCK tente de régler la crise des traités (Bulgarie p. 357; mouv. boulangiste en France) par un

Traité de « contre-assurance » avec la Russie (dans un protocole secret, l'Allemagne s'engage à soutenir la polit. russe des Détroits).

La nouvelle politique allemande (1890-1904)

Après la chute de Bismarck (p. 355), détérioration de la situation int. par suite : a) De l'impulsivité de GUILLAUME II; b) De la surestimation de la puissance allemande (HOLSTEIN, « éminence grise » des Aff. étrang. jusq. 1906). Le traité de contre-assurance n'est pas renouvelé.

1890 Rapprochement franco-russe : visite de la flotte franç. à Kronstadt.

1894 Alliance franco-russe. Essor industr. et ferroviaire russe grâce au capital franç. Début de la polit. d'expansion russe en Extrême-Orient. Motifs : concurrence commerc., dépêche de l'empereur à KRÜGER (1896), et polit. d'expansion en Extrême-Orient (Tsing Tao).

1898 Programme de constructions navales (TIRPITZ). Concession du chemin de fer de Bagdad (1899). Devant l'expansion franç. en Afrique et en

1898 le conflit de Fachoda, les Anglais abandonnent la polit. de « splendide isolement » (CHAMBERLAIN), ce que

Berlin interprète comme un signe de faiblesse.

1899-1902 Guerre des Boers. Révolte des Boxers (1900), compromis brit. avec les E.-U. (Panama p. 393), qui renforcent l'impression qu'a l'Allemagne d'un isolement britannique.

1900 Affaiblissement de la Triple Alliance à la suite de l'accord franco-ital. (le Maroc contre la Tripolitaine).

1902 Alliance anglo-japonaise.

1904-1905 Guerre russo-jap. Retour de la Russie à une politique europ. (Balkans).

La politique de l'Entente (1904-1914)

Ni les crises ni les tentatives de détente ne parviennent à empêcher la formation des deux blocs : Allemagne et Autriche-Hongrie, contre l'Angleterre, la France et la Russie.

1904 Entente cordiale (France-Ang.) avec DELCASSÉ.

1905-1906 Première crise marocaine. Protestation allemande (visite de GUILLAUME II à Tanger) contre la « pénétration pacifique » de la France. La rencontre des deux empereurs à Björkö demeure sans suites.

1906 Conférence d'Algésiras : confirmation de la polit. de « la porte ouverte » (depuis 1880). Succès de prestige, mais isolement de Berlin et renforcement de l'Entente (rencontres des états-majors).

1907 Rapprochement entre l'Angleterre et la Russie déjà liée à la France.

1907 Seconde conférence de La Haye. Réglementation des conflits terrestres. L'Allemagne refuse de désarmer, ce qui renforce la méfiance intern.

1908 Échec des tentatives pour un règlement naval anglo-allemand (BÜLOW); projets de renforcement de la flotte allemande. Visite d'ÉDOUARD VII à Reval. **Constitution de la Triple Entente.**

1911 Seconde crise marocaine (après l'occup. de Fez par les Franç., envoi de la canonnière allemande « Panther » à Agadir) suivie d'un accord : protectorat franç. sur le Maroc contre compensations au Cameroun. L'Italie occupe Tripoli et le Dodécanèse (guerre italo-turque).

1912 Échec des pourparlers navals entre Berlin et Londres. Visite à Saint-Pétersbourg du président de la République POINCARÉ.

1912-1913 Guerres balkaniques à la suite du partage de la Turquie d'Europe (p. 397).

1913 Renforcement des armées all. et russe. Service milit. de trois ans en France.

1914 Assassinat de François-Ferdinand à Sarajevo (p. 398) et déclenchement de la première guerre mondiale.

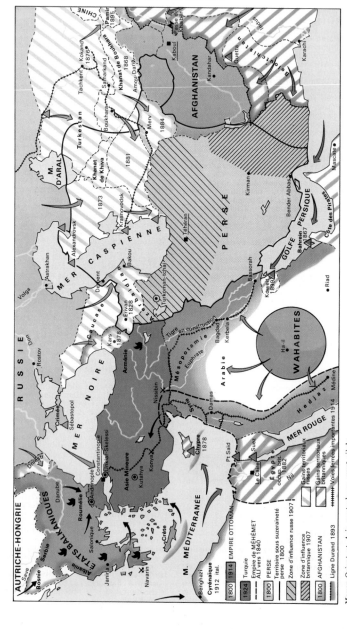

CHINE

Pamir 1895

Passe de Khaiber

Indus

Kaboul

AFGHANISTAN

Kandahar

Quetta

Béloutchistan

Karachi

Kokand 1876

Tachkent

Samarkand

Khanat de Boukhara 1868

Boukhara

Amou-Daria

Merv 1884

Turkestan

M. D'ARAL

Khanat de Khiva 1881

1873

Krasnovodsk

PERSE

Kirman

Mascate

Bender Abbas

GOLFE PERSIQUE

Côte des Pirates

Astrakhan

Alexandrovsk

MER CASPIENNE

Volga

Derbent

Bakou

Azerbaïdjan

Turkoman-tchaï

Téhéran

Bahrein 1867

Bassorah

Koweït 1899

Riad

RUSSIE

Rostov

Don

Caucase

Erivan 1828

Kars 1878

Arménie

Nissibin

Tigre en construction

Bagdad

Kerbela

Mésopotamie

Euphrate

Arabie

WAHABITES

Ha'il

MER NOIRE

Crimée

Sébastopol

Constantinople

Tunkiar-Skélessi

Asie Mineure

Kutahya

Konya

Damas

Syrie

Hedjaz

Médine

MER ROUGE

AUTRICHE-HONGRIE

Save

Bosnie

Serbie

ÉTATS BALKANIQUES

Albanie

Danube

Dniestr

Roumélie

Andrinople

Salonique

Janina

Navarin

Crète

Chypre 1878

Pt Saïd

Suez

Le Caire

Égypte occupée brit. 1882

Nil

M. MÉDITERRANÉE

Cyrénaïque 1912 ital.

Benghazi

Dniepr

Moyen-Orient et Asie centrale au XIXe siècle

Légende :

1800 | 1924 | EMPIRE OTTOMAN
Turquie
Empire de MÉHÉMET ALI vers 1840
1800 | PERSE
Territoire sous suzeraineté perse 1800
Zone d'influence russe 1907
Zone d'influence russe
Zone d'influence britannique 1907
1800 | AFGHANISTAN
Ligne Durand 1893
Gains territoriaux russes
Gains territoriaux britanniques
Voies ferrées importantes 1914

La décadence de l'empire ottoman (1788-1914)
Administration désuète (sandjaks = centres administr., vassaux auton.), corrompue, (affermage des impôts et vénalité); faiblesse de l'armée des janissaires. A p. des guerres russo-turques, **crise persistante.** Des régions se détachent de l'empire, projets de partage des puissances europ. (« question d'Orient »). Mouvements nationaux dans les Balkans et révoltes wahabites en Arabie (secte orth. pour le maintien de la pureté islam.).
1789-1807 SÉLIM III. Les projets de réformes s'arrêtent avec la guerre d'Égypte contre NAPOLÉON (1798).
1803 Retrait des troupes franç. (KLÉBER) et usurpation du pouvoir en Égypte (p. 373) par l'Albanais MÉHÉMET ALI (1769-1849).
1808-1839 MAHMOUD II soumet les beys d'Asie Mineure et de Roumélie, mais subit de lourdes pertes contre la Russie en 1812 et pendant le soulèvement des Grecs (p. 319). Pour le compte du sultan, IBRAHIM PACHA, fils et général de MÉHÉMET ALI, combat les Wahabites de
1813 à 1815 à La Mecque et à Médine. En 1820, leur nouveau royaume de Riad succombe devant les princes de la tribu des Haïl.
1826 Réforme de l'armée et massacre des janissaires.
1831 Campagne de MÉHÉMET ALI qui triomphe à Konieh et en
1833 (traité de Koutaiah) obtient la Syrie.
1839-1841 Crise orientale. Devant une coalition anglo-russo-prussienne, la France (THIERS) doit cesser de soutenir l'Égypte. La Syrie revient à la Turquie. MÉHÉMET ALI devient gouverneur héréd. d'Égypte. Désaccord de la Russie lors du
traité des Détroits, à Londres (1841) : Fermeture des Détroits à toute flotte de guerre en temps de paix.
1839-1861 ABD UL-MEDJID Ier entreprend des réformes juridiques et administr. (Tanzimat).
1853-1856 Guerre de Crimée (p. 343).
1856 Traité de Paris. La Turquie est livrée au capital europ. : droits de douane réduits qui ruinent la production nat. La dette ottomane s'accroît, les revenus du gouvernement sont gagés.
1875 Banqueroute. A p. de 1881, administr. internat. des dettes de l'État. Nouvelles réformes (Suppression de la torture).
1876 Constitution octroyée. Égalité des religions et des peuples.
1876-1909 ABD UL-HAMID II, le « sultan rouge », suspend la constitution et règne despotiquement.
1878 Congrès de Berlin (p. 357).
1890-1897 Révoltes et « atrocités

contre les chrétiens » d'Albanie, ce qui discrédite le régime. L'Allemagne refuse en
1895 le plan de partage brit. de SALISBURY et obtient des concessions de chemins de fer (chemin de fer anatolien et de Bagdad).
1896-1897 Guerre gréco-turque pour la Crète. Victoire turque.
Mouvement « Jeune Turc ». Avant 1870, opposition (étudiants et officiers) contre l'autocratie et l'ingérence étrangère. Des groupes d'officiers (Comité Liberté et Progrès de 1891) et la ligue secrète de MUSTAPHA KÉMAL (Damas 1905, voir Ataturk p. 443) appuient ce mouvement.
1908 Révolte milit. à Salonique d'ENVER PACHA (1881-1922). Crises (p. 397), déposition du sultan.
1909-1918 MAHOMET V. Les Jeunes Turcs prennent le pouvoir.
1911-1913 Guerres pour Tripoli (p. 395) et aux Balkans (p. 397).
1913 Réforme de l'armée sous direction allemande. Construction d'une flotte avec l'aide britannique.
1914 Alliance défensive germano-turque (août). En oct. entrée en guerre.

Perse, Afghanistan (1736-1925)
1736 Conquête de la Perse par le Turkmène NADIR SHAH. Luttes pour sa succession et **dynastie des Kadjars.**
1747 Création de l'Afghanistan par Ahmed Shah Dourrani.
Perse.
1797-1839 FATH-ALI SHAH : perte de territoire contre la Russie
1828 Paix de Turkomantchaï.
1838 Révolte et fuite en Inde de l'Aga Khan, chef des Ismaélites. Influence chiite sur le peuple. Projets de réformes europ. . de NASRAD-DIN (1848-1896). La presse occ. répand les idées ido.
1906 Proclamation d'une constitution que suspend le shah MOHAMMED. L'Angl. et la Russie s'associent en 1907 au sein de la Triple Entente. Partage de la Perse en zones d'influence, renonciation à l'Afghanistan et au Tibet. Après refus des exigences anglo-russes, en
1909 occupation milit. et rétablissement de la constitution.
Afghanistan. Vaines tentatives angl. pour conquérir « la plaque tournante du destin de l'Asie » (guerre afghane).
1818-1834 Pertes à l'Est des territoires orientés vers le bassin de l'Indus. Les souverains utilisent la rivalité anglo-russe pour garder leur indépendance.
1880-1901 ABD ER RAHMAN abandonne à l'Angl. un droit de protectorat.
1893 Fixation du ligne Durand entre l'Inde et l'Afghanistan.

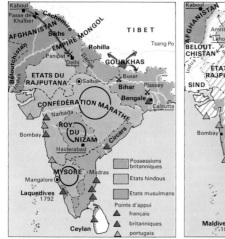

L'Inde vers 1795

L'Inde vers 1818

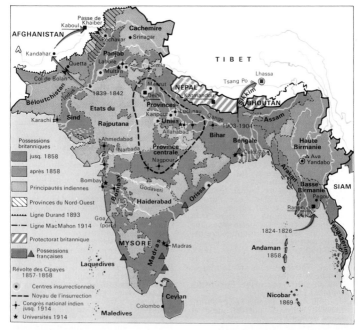

L'Empire des Indes vers 1914

La domination britannique (1750-1858)
La Compagnie des Indes orientales se mêle aux luttes des princes indiens. ROBERT CLIVE fonde l'hégémonie brit.
1757 Victoire de Plassey. En 1764, victoire de Bakshar : les nababs de Bengale et d'Oudh perdent leur pouvoir.
1773 **Regulating Act** (p. 305). Transformation de la Compagnie des Indes, qui sera administrée par l'État. Le premier gouv. brit. WARREN HASTINGS (1773-1784) organise l'administr. et vainc la coalition de ses trois principaux adversaires : la Conf. marathe, le nizam d'Haiderabad et HAIDER ALI, usurpateur de Mysore.
1795-1815 Conquête du Nord de Ceylan. Cet effort vers l'hégémonie se poursuit avec LORD WELLESLEY, gouv. général (1796-1805) : désarmement du nizam (1798); le Mysore devient État vassal (1799); annexion du Karnatak (1801). Effondrement de la Confédération marathe.
1803 Prise de Delhi et d'Agra.
Népal.
1814-1816 Le Népal devient un État vassal.
Inde centrale.
1817-1818 Soumission des Marathes et des États radjpoutes.
Birmanie. Les souverains birmans attaquent le Bengale (1813), conquièrent l'Assam (1822), d'où
1824-1826 Première guerre de Birmanie. Traité de Yandabo : Tenasserim, Arakan et Assam font partie de l'Inde brit.
1852 Annexion du Pégou par les Anglais (sec. guerre birmane).
1891 Annexion de la Birmanie.
Afghanistan. Expansion russe en Asie centrale (p. 389) qui provoque une interv. brit. dans les troubles de succession (prise de Kaboul).
1839-1842 Défaite des Anglais à Kaboul.
Royaume Sikh. Expansion militaire sous RANJIT SINGH (1799-1839).
1809 Traité d'Amritsar. Le Sutley devient la frontière avec l'Inde brit.
1849 Annexion du Panjab (bassin sup. de l'Indus) par l'Angleterre.
Essor de l'empire colonial. Les principautés indiennes sans héritier sont annexées.
1835 Établissement d'écoles supérieures brit. Les langues populaires sont négligées. Le mécontentement grandit contre les étrangers.
1857-1858 Grande révolte des Cipayes. Proclamation du dernier Mogol comme empereur des Indes. Des renforts brit., Sikhs et Gourkhas anéantissent les rebelles.

1858 Dissolution de la Compagnie des Indes. L'Inde devient colonie de la couronne et est gouvernée par un vice-roi.

L'Inde, colonie britannique (1858-1914)
1877 La reine VICTORIA (p. 379) prend le titre d' « impératrice des Indes ». Formation d'États tampons contre la Russie : **Népal** 1816; **Bhoutan** 1865; **Sikkim** 1890.
1876-1887 Annexion du **Béloutchistan**.
1898-1905 LORD CURZON, vice-roi, pacifie les régions frontières de l'Afghanistan (tribus Pathans). Création des provinces du Nord-Ouest (1901) : frontière stratégique de l'Inde.
1903-1904 Expédition au Tibet.
Économie. Mise en valeur du pays grâce aux chemins de fer, à l'irrigation. L'importation des marchandises brit. met fin à l'autarcie villageoise (tissage du coton). Création de grandes plantations de jute (Bengale), de thé (Sud) grâce au capital brit. Développement d'industries purement indiennes (famille TATA).
Mouvement national indien. Les collèges et universités créent une classe supérieure européanisée. Ils cultivent leurs traditions, fondent des journaux nat., des associations nat. Tentatives de renouvellement de la tradition religieuse. RAMMOHAN ROY (1772-1833) enseigne en
1828 le Brahmasamaj (syncrétisme des religions chrét. et indienne); DAYANANDA SARASVATI (1824-1883) préconise dans « l'Aryasamaj » le retour à la doctrine primitive (Véda). Ramakrishna (1836-1886) associe la culture occ. et la piété indienne.
1885 Fondation du Congrès nat. indien en vue de représenter l'Inde devant l'Angleterre.
1892 Droit de vote sous cert. conditions au Parlement central : les Indiens deviennent hauts fonctionnaires dans l'administration des villes, au conseil du vice-roi et dans les provinces. Les famines et la peste (1896-1897), puis la victoire jap. sur la Russie (p. 391) renforcent le nouveau parti extrémiste de **Tilak** (1856-1920). Mécontentement à propos de la division du Bengale (1905) (formation d'une province à majorité musulmane). Boycott des textiles brit., attentats à la bombe. La minorité musulmane adhère à la Ligue musulmane (fondée en 1900) pour défendre ses intérêts.
1911 Transfert du gouvernement central à Delhi, ville du Grand Mogol.
1916 Pacte de Lucknow. Hindous et musulmans demandent ensemble l'autonomie de l'Inde en faisant valoir leur participation à la guerre.

La Chine vers 1860

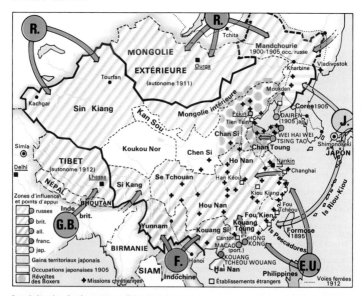

La pénétration des étrangers en Chine jusqu'en 1912

Japon : le shôgunat Tokugawa

Le pays est complètement isolé du monde extérieur et le Shôgun exerce un pouvoir policier qui ne laisse au Tenno (l'empereur) qu'une puissance religieuse. Cette société féodale est hiérarchisée en noblesse de cour, en seigneurs féodaux à résidence obligatoire (Daimyos), en fonctionnaires et en vassaux (Samouraïs), qui dominent le peuple (Hinin). Sous le 5ᵉ Tokugawa, Tsunayoshi (1680-1709), épanouissement de la poésie, du théâtre.

1716-1745 Yoshimune élève le niveau de vie des paysans et taxe le luxe de la caste des Samouraïs. A p. de 1720, entrée des livres europ. Déclin rapide du shôgunat à p. de Ieharu (1760-1786). Endettement et décadence morale des Daimyos et des Samouraïs, misère paysanne.
Le mouvement nat. shintoïste affirme le culte du Tenno aux dépens du shôgunat.
1853-1854 Ouverture du Japon (p. 391).

L'intervention des puissances europ. en Chine

Jusqu'à la première moitié du XIXᵉ siècle, le commerce extérieur est contrôlé par l'État (système du Co-hong).
1840-1842 Guerre de l'opium pour interdire l'importation de la drogue par les Angl. Victoire anglaise.
1842 Traité de Nankin. Cession de Hong Kong et de cinq ports de commerce. A p. de 1844, conclusion de traités « inégaux » et fondation de concessions avec administration, police, douane, tribunaux échappant à la souveraineté chinoise.
1856 Incident de l' « Arrow », jonque battant pavillon britannique et arraisonnée par les Chinois.
1856-1858 En représailles, expédition franco-brit., sac de Canton et expédition contre Pékin.
1860 Traité de Pékin. Établissement d'ambassades europ. Liberté du commerce et des missions chrétiennes; contrôle des douanes.
1858 Traité d'Aigoun fixant la frontière du Nord avec la Russie (vallée de l'Amour).
1860 Abandon à la Russie de ce qui sera la Province maritime (de Khabarowsk à la frontière coréenne). En 1885, reconnaissance du protectorat de la France sur le Tonkin. En 1886, cession de la Birmanie à l'Angleterre.
1894-1895 Guerre sino-japonaise (p. 391); perte de Formose.
1898 Installation de bases militaires européennes en Chine. Port-Arthur (Daïren) à la Russie, Wei Hai Wei à l'Angleterre, Tsing Tao à l'Allemagne. Kouang Tcheou, près d'Hai Nan, à la France.

1900 Révolte des Boxers. Massacre des chrétiens, assassinat de l'ambassadeur d'Allemagne. Expédition punitive sous commandement allemand (comte Waldersee).
1901 Une méfiance réciproque empêche les puissances coloniales de se partager la Chine. Adoption du principe de la « porte ouverte ».

La chute de l'empire mandchou

La guerre de l'opium ouvre la Chine au monde occ. La science et la civilisation europ. remettent en question la structure tradit. de la société chinoise.
1850-1864 Révolte des T'ai-p'ing, secte qui veut édifier un « empire céleste chrétien-taoïste », avec réforme agraire.
1853 Prise de Nankin.
1864-1878 Révoltes musulmanes dans le Yunnan et le Turkestan. Ya Koûb-beg (1865-1877) tente de réunir les populations d'origine turque (Turkestan chinois). Le chancelier Li Hong-tchang (1823-1901) rétablit l'ordre, en partie avec des troupes europ. (major Gordon). Conseil de régence pour Kouang-siu (1875-1908), mais le pouvoir véritable appartient à l'impératrice Ts'eu-hi (1881-1889). Intervention du capitalisme occ. Les articles industr. à bas prix détruisent l'artisanat. Développement du prolétariat dans les grands ports. Inspiré par les œuvres européennes, You-fou (1853-1921) répand les idées occ. Des réformateurs comme K'ang Yeou-wei influencent l'empereur. Contre lui, en 1898 coup d'État réactionnaire (Ts'eu-hi). Internement de l'emp. Exécution des réformistes, accord avec les Boxers.
1905 abandon du vieux système d'examens, réorganisation de l'armée (gén. Yuan Che-k'ai 1859-1916).
1905 Création du Kuo-Min-Tang (parti pop. nat.) par le médecin Sun Yat-sen (1866-1925). Son programme du « Triple démisme » (nationalisme, démocratie, « égalisation des droits sur la terre ») est répandu par les Chinois de l'étranger, les étudiants.
1911 Abdication de la dyn. mandchoue (1912). Sun Yat-sen proclame la Rép. à Nankin, abandonne la présidence à Yuan Che-k'ai pour gagner les militaires à l'unification de l'empire. La Mongolie et le Tibet proclament leur indépendance. La pénétration européenne en Chine a pour objectif l'établissement d'un régime semi-colonial : malgré les conquêtes, prélude à une politique de partage (Break up China). Un gouvernement national chinois est maintenu. Les États-Unis insistent sur le respect de la politique de la « porte ouverte ».

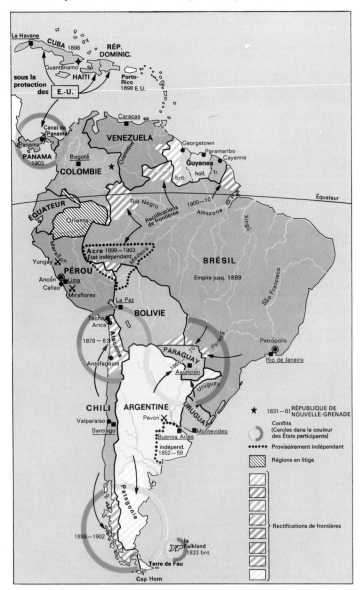

La Havane
CUBA 1898
RÉP. DOMINIC.
Guantánamo
HAITI
sous la protection des E.-U.
Porto-Rico 1898 E.U.

Canal de Panamá
PANAMÁ 1903
Panamá
Bogotá
COLOMBIE
Caracas
VENEZUELA
Orénoque
Georgetown
Paramaribo
Cayenne
Guyanes
holl. fr.
brit.

Équateur

ÉQUATEUR
Oriente
Rio Negro
Rectifications de frontières
1900—10
Amazone
Xingú

Acre 1899—1903
État indépendant
Madeira
Marañon
Yungay
PÉROU
Ancón Lima
Callao
Miraflores

BRÉSIL
Empire jusq. 1889
São Francisco

La Paz
BOLIVIE
Tacna
Arica
1879—83
Atacama
Antofagasta

Paraná
Petrópolis
PARAGUAY
1865
Asunción
Uruguay
Rio de Janeiro

CHILI
ARGENTINE
Pavon
Valparaíso
Santiago
Buenos Aires
indépend.
1852—59
Montevideo
URUGUAY

★ 1831—61 RÉPUBLIQUE DE NOUVELLE-GRENADE

Conflits (Cercles dans la couleur des États participants)

•••• Provisoirement indépendant

Régions en litige

Rectifications de frontières

Patagonie

1899—1902

Is Falkland 1833 brit.

Terre de Feu

Cap Horn

L'Amérique du Sud au XIXᵉ siècle

La présence des caudillos, parvenus au pouvoir [par des pronunciamentos, caractérise le type de ces démocraties autoritaires. La vieille aristocratie créole (blanche) s'affaiblit dans les rég. tropicales et revient parfois en Europe. Dans les États au climat tempéré, la grande bourgeoisie blanche se maintient. On peut établir une différence entre

— États blancs : Argentine, Uruguay;

— États à la pop. métissée : Brésil, Mexique, Antilles et Amérique Centrale;

— États indiens : Bolivie, Venezuela, Colombie, Pérou, Équateur, Paraguay.

A la fin du XIXᵉ siècle, une nouvelle phase commence avec l'afflux du capital anglais et américain : essor de l'immigration, chemins de fer, production de matières premières (salpêtre, zinc, cuivre). En Argentine, au Sud du Brésil, au Chili (États ABC) naissance d'une moyenne bourgeoisie blanche et d'une classe ouvrière. Guerres qui naissent des conflits frontaliers.

Brésil. Sous le gouvernement lib. de

Pedro II 1831-1889 (l'empereur philosophe qui a correspondu avec Renan), essor de la colonisation intérieure, immigration europ., exportation de café.

1888 L'abolition de l'esclavage (influence du positivisme d'Aug. Comte) suscite le mécontentement des planteurs qui renversent l'empire (1889).

Le Paraguay perd de vastes territoires à la suite de la polit. de grande puissance menée par le dictateur Lopez, et sacrifie en

1865-1870 70 p. 100 de sa pop. dans la guerre « des Trois Pays ».

Argentine. Le prés. Rosas (1829-1852) met fin aux troubles internes.

1833 La Grande-Bretagne oblige l'Argentine à lui céder les îles Falkland.

1868-1874 Le prés. Sarmiento (« pédagogue national ») crée des écoles et des universités, favorise l'immigration, les chemins de fer et les transports.

1902 Désaccord avec le Chili et acquisition de la Patagonie par arbitrage. L'Argentine devient la première puissance écon. de l'Amérique latine.

Pérou. Le maréchal Castilla profite de la guerre civile de

1842-1845 pour devenir dictateur.

Bolivie. Lors de la « guerre du salpêtre », elle perd la prov. d'Atacama et l'accès à la mer, mais l'exploitation de riches gisements de zinc compensent cette perte économique (1879-1883).

Chili.

1884 Traité d'Ancon. Le Chili garde l'Atacama et le territoire de Tacna et d'Arica.

1891 Révolution du Congrès. Depuis, gouv. parlementaire.

Colombie (Nouvelle-Grenade). Guerres civiles constantes entre unitaires et fédéraux, lib. et cléricaux. Après la confédération de huit États, en

1861 Proclamation des États-Unis de Colombie.

1903 **Séparation de Panama** à la suite des intrigues des E.-U.

Venezuela. La constitution fédérale s'affermit. En

1861-1868 guerre de la Fédération, mais des dictateurs s'installent malgré tout.

1902 Blocus maritime des puissances europ. pour protéger les créances étrangères contre la politique du prés. Castro.

Équateur. Ami de l'Église, le président Moreno gouverne de

1860 à 1875 Après son assassinat, luttes entre les groupes lib. et cléricaux.

Amérique Centrale. Tentative d'union des cinq États, et échec. Dépendance économique croissante devant les E.-U., ce qui entraîne une sorte de protectorat.

Mexique. A la suite de la révolte et de la guerre du Texas (1846-1848) contre les E.-U., crise grave. En

1848 traité de Guadalupe-Hidalgo : Perte du Texas et de la Californie.

1853 Vente aux E.-U. de l'Arizona du Sud : tout le Nord du Mexique est perdu. En réaction contre le régime clérical du dictateur Santa Anna (p. 327),

1858-1872 Benito Juarez nationalise les immenses propriétés de l'Église.

1858-1861 Guerre civile entre cléricaux et lib. Intervention brit., espagnole et française.

1863 Les Français prennent Puebla et entrent à Mexico. Sur l'initiative de Napoléon III une assemblée de notables proclame l'empire en faveur de l'arch. Maximilien de Habsbourg. Protestation des E.-U. La France retire ses troupes.

1867 Prise de Queretaro par les répub. Maximilien est fusillé sur l'ordre de Juarez. Stabilité intérieure en

1884-1911 avec le prés. Porfirio Diaz, qui s'appuie sur le Japon et l'Angleterre.

Antilles. Interdiction de l'esclavage (1838, col. brit.; 1833, col. espagnoles; 1848, Antilles françaises (Schoelcher).

1844 Nouvelle fondation de la Rép. dominicaine sous prot. espagnole depuis

1861 avec influence grandissante des E.-U. à p. de 1865 (1905-1907, contrôle des finances).

Cuba. Révolte contre l'Espagne (1895), puis guerre entre l'Esp. et les E.-U. en 1898. Les E.-U. prennent à bail la base de Guantanamo pour leur flotte.

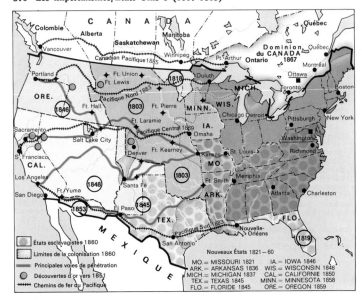

Les États-Unis vers 1850

Légende de la carte :

- États esclavagistes 1860
- Limites de la colonisation 1860
- Principales voies de pénétration
- Découvertes d'or vers 1851
- Chemins de fer du Pacifique

Nouveaux États 1821—60

MO. = MISSOURI 1821
ARK. = ARKANSAS 1836
MICH. = MICHIGAN 1837
TEX. = TEXAS 1845
FLO. = FLORIDE 1845

IA. = IOWA 1846
WIS. = WISCONSIN 1848
CAL. = CALIFORNIE 1850
MINN. = MINNESOTA 1858
ORE. = OREGON 1859

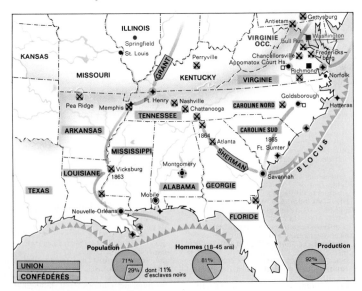

La Guerre de Sécession (1861-1865)

Population 71% / 29% dont 11% d'esclaves noirs

Hommes (18-45 ans) 81%

Production 92%

UNION
CONFÉDÉRÉS

La Conquête de l'Ouest

Entre 1820 et 1860, la pop. passe de 9,6 millions (23 États) à 31,3 millions (33 États), soit 226 % d'augmentation. Progressant vers l'Ouest, les E.-U. acquièrent de nouveaux territoires. Leur puissance politique se renforce.

1819 Achat de la Floride à l'Espagne.

1823 Doctrine de Monroe (p. 327) : Aucune immixtion europ. dans les affaires américaines.

1845 Le Texas entre dans l'Union.

1848 Traité de Guadalupe-Hidalgo. Le Mexique perd tous ses territoires au nord du Rio Grande. Les E.-U. deviennent une puissance dans le Pacifique. Leur frontière Nord est fixée en

1846 par le traité d'Oregon sur le 49ᵉ parallèle.

Entre 1830 et 1860, immigration de 4,6 millions d'Europ. Les Anglo-Saxons dominent toujours (16 %); mais immigration massive d'Irlandais (39 %) et d'Allemands (30 %). La frontière avance sans cesse vers l'Ouest. Le « Homestead Act » (1862) permet d'attribuer des terres gratuites aux immigrants. On voit se succéder trois catégories de colons : le « squatter » (« l'occupant sans titres »); le pionnier et trappeur (chasseur et cow-boy), et enfin le fermier que suivent aussitôt le commerçant, le spéculateur et l'artisan. Les Indiens refoulés sont parqués dans des réserves. « Gold rush » de Californie (1848-1849). Exploitation intensive du sol. Le manque de main-d'œuvre favorise l'industrie des machines agricoles et exige la création de grands marchés industriels.

1862-1869 Premier chemin de fer transcontinental.

L'Ouest voit apparaître un type profondément américain. Le général ANDREW JACKSON, « self made man », prés. de 1829 à 1837, inaugure la prédominance du parti démocrate. Le « héros de La Nouvelle-Orléans » (p. 289) unit agriculteurs et ouvriers contre le capital, supprime toutes les restrictions de suffrage et met au point le « spoil system » (tous les postes administratifs au vainqueur). Ses adversaires recourent eux aussi à ses méthodes.

La guerre de Sécession

L'opposition entre l'Ouest et l'Est disparaît devant le conflit du Nord et du Sud, entre les États industr. et agricoles, entre les Yankees démocrates et les planteurs aristocrates, entre les partisans de la protection douanière et les partisans du libre échange. Invoquant les droits de l'Homme (p. 287), le Nord exige l'abolition de l'esclavage, tandis que le Sud craint pour son monopole du coton.

1820 Compromis du Missouri. Distinction entre les États esclavagistes et les États sans esclaves; mais l'opposition subsiste. A p. de 1830, W. GARRISON, mène dans le « Liberator » une campagne de presse contre l'esclavage. « L'American anti-Slavery Society » aide les nègres à fuir le Sud.

1847 **Fondation de l'État du Libéria** pour les noirs qui veulent retourner en Afrique. Pour empêcher une sécession, en

1850 compromis CLAY : chaque État résout à son gré la question noire. Mais le succès mondial du roman de HARRIET BEECHER-STOWE « La case de l'Oncle Tom » (1852) renforce le courant abolitionniste.

1854 Conflit du Kansas-Nebraska sur l'introduction de l'esclavage dans l'Ouest; **création du parti républicain.** Sa victoire électorale est le signal de la scission : la Caroline du Sud et dix autres États sudistes constituent en

1861 **les États confédérés d'Amérique** (capitale Richmond), président J. DAVIS (1808-1889). Il a pour adversaire

Abraham Lincoln (1861-1865), ancien bûcheron né en 1809 dans le Kentucky, puis avocat, député de l'Illinois et 16ᵉ président des E.-U.

Guerre de Sécession (1861-1865) pour maintenir l'Union. D'abord, lutte de volontaires avec armes modernes (trains blindés, fusils à répétition, cuirassés). Le blocus marit. coupe le Sud du reste du monde. L'Angleterre et la France (qui interviennent au Mexique, p. 369) reconnaissent le Sud, mais la Russie penche pour le Nord. Malgré leur infériorité financ. et industr., les confédérés résistent avec acharnement. Victoires du Sud avec le gén. LEE (1807-1870), le meilleur stratège, qui ne compensent pas la supériorité du Nord en hommes (22 millions d'hab. contre 9 millions dans le Sud dont 3,5 d'esclaves).

1863 Bataille décisive de Gettysburg (Pennsylvanie), remportée par le général GRANT (p. 393) pour le Nord.

1863 Proclamation de Lincoln : Liberté de tous les esclaves. Campagne dévastatrice du gén. SHERMAN à travers la Georgie et la Caroline.

Avril 1865 Capitulation sans condition de LEE à Appomatox. Assassinat de LINCOLN par un Sudiste fanatique.

La guerre civile a coûté cher des deux côtés (plus de 600 000 morts, dont beaucoup à la suite des épidémies dans les hôpitaux et les camps de prisonniers). Le Sud est ruiné (la production du coton est désormais concurrencée par celles de l'Égypte et l'Inde). Conséquence : début de la domination du Nord-Est industriel.

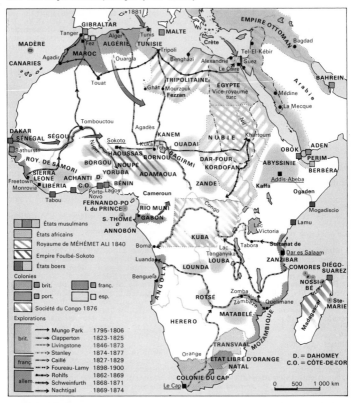

L'Afrique vers 1870

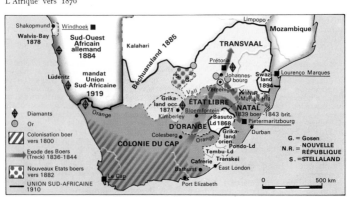

L'Afrique du Sud au XIXᵉ siècle

La décomposition de l'empire ottoman

Égypte. MÉHÉMET ALI (p. 363), pacha en 1806, affermit son pouvoir en exterminant les mamelouks.

1820-1822 Soumission de la Nubie, fondation de Khartoum en 1823. Une intervention europ. lui interdit de dénoncer la suzeraineté de la Porte, mais en 1841, son pouvoir devient héréditaire. Soutien de la France.

1859-1869 Construction du canal de Suez.

1863-1879 ISMAIL PACHA conquiert le Darfour (1874), combat l'Abyssinie, mais dépense énormément d'où en 1875 vente à l'Angleterre des actions du canal de Suez et chute d'ISMAIL.

1881 Révolte nat. (ARABI PACHA, min. de la Guerre) à Alexandrie et interv. brit. Victoire angl. à Tell el-Kébir.

1882 Protectorat sur l'Égypte (p. 379).

Soudan oriental (p. 394). MOHAMMED AHMED (1843-1885) prêche la guerre sainte contre l'Égypte en tant que « Mahdi » (l'inspiré).

1881-1883 Révolte du Mahdi.

1885 Prise de Khartoum. EMIN PACHA repousse les assauts et est libéré par STANLEY en 1888. Contre-attaque brit. de LORD KITCHENER (1850-1916).

1898 Victoire d'Omdurman sur les mahdistes. Le Soudan devient en 1899 un condominium anglo-égyptien.

L'Afrique avant le partage colonial

États islamiques. Au Soudan, système féodal avec groupes de tribus. Dans le Soudan occidental

El Hadj Omar (mort en 1900) fonde un État musulman. En 1854, heurt avec l'expansion franç. sur le haut Niger. 1861 : prise de Ségou, que peut conserver AHMANDOU, fils d'OMAR, mort en 1898.

Royaume des Foulbé (ou Peul). Ces nomades dont l'origine est incertaine conquièrent sous OTHMAN DAN FODIO (1754-1815) les États des Haoussas jusqu'au Kanem. MOHAMAN BELLO (mort en 1837) s'installe à Sokoto et devient le suzerain des Foulbé. La conquête brit. respecte ses droits.

Rabah (mort en 1900) étend sa puissance sur Bornou et Baguirmi. Il est vaincu par les troupes franç.

Afrique orientale. Le centre du commerce des esclaves est le sultanat de Zanzibar. Les chefs noirs concluent avec les Anglais (JACKSON) et les Allemands (PETERS) des traités de protectorat contre les Arabes, chasseurs d'esclaves.

États africains. Des despotes féodaux (Achantis) puisent dans les tribus africaines pour alimenter le trafic des esclaves. Le roi du **Dahomey,** GHETO (1818-1858) crée des corps d'amazones et attaque le Yorouba.

Libéria. Des esclaves américains libérés créent une rép. sur le modèle des E.-U. (capitale Monrovia).

Abyssinie.

1889-1910 MÉNÉLIK II, aidé par les Italiens, se proclame **négus négesti.**

Les puissances coloniales europ. Interdiction brit. du commerce d'esclaves (1807), de l'esclavage (1833), de l'exportation d'esclaves (1841). La France édifie au milieu du XIXᵉ siècle un empire col. avec l'Algérie et le Sénégal (p. 383). LÉOPOLD II de Belgique (p. 359) est le premier à concevoir toutes les possibilités d'exploitation de ces territoires. Pour le compte de la Société du Congo, créée par lui, STANLEY (1841-1904) explore un territoire qu'en

1884-1885 à la Conférence de Berlin, il obtient malgré les revendications brit. et port.

Les États boers de l'Afrique du Sud (1842-1902)

Des luttes intestines et la libération des esclaves dans la col. brit. du Cap (1806-1814) suscitent chez 10 000 Boers conservateurs une émigration massive.

1836-1844 « Grand Trek », vers l'intérieur des terres. Après des luttes contre les Zoulous et l'annexion du Natal (1843) par les Brit., les Boers fondent en

1842 L'État libre d'Orange, et en

1853 le Transvaal (République Sud-Africaine). La découverte des mines d'or attire des immigrants (Uitlanders).

1877 Annexion du Transvaal par les Brit., d'où en

1880-1881 soulèvement des Boers et défaite brit. à Majuba Hill.

1883-1902 Le président KRÜGER gouverne la rép. indépendante. De nouveaux gisements aurifères près de Johannesburg (fondée en 1886) attirent les convoitises des Anglais qui encerclent d'abord le pays de colonies (Bétchouanaland, Rhodésie). CECIL RHODES (p. 379) soutient le raid JAMESON qui échoue en 1896 et dont le but était d'abattre KRÜGER. Des mesures contre les « Uitlanders » provoquent de

1899 à 1902 la guerre des Boers. Au début, succès du gén. SMUTS (1870-1950), de BOTHA et d'HERTZOG au Natal et à Kimberley. Mais la supériorité milit. brit. (KITCHENER) et la dureté des représailles (destruction des fermes, camps de concentration) brisent la résistance boer.

1902 Traité de Vereeniging. La république des Boers perd son indépendance (p. 379). Possibilité de réaliser le rêve de CECIL RHODES : « Du Cap au Caire ».

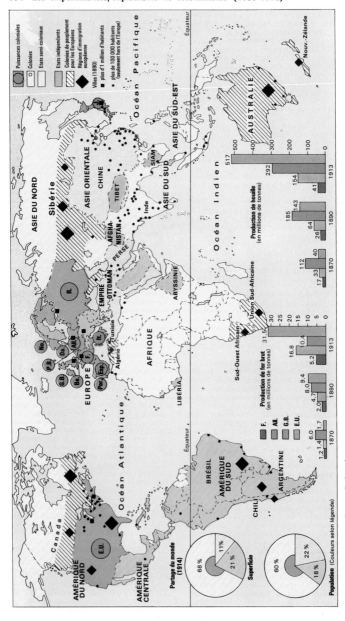

L'Europe à la conquête du monde (1914)

L'impérialisme moderne

Poursuivant leur polit. coloniale des XVIᵉ, XVIIᵉ et XVIIIᵉ siècles, les grandes puissances se partagent le monde économiquement et politiquement. Elles croient décider ainsi de l' « équilibre » internat., de la richesse et de la puissance des nations. Il y a jusqu'au XIXᵉ siècle deux sortes de colonies : a) **Colonies de peuplement**, fondées par des émigrants qui ont fui l'Europe pour des raisons polit. ou relig., ou pour améliorer leur niveau de vie. b) **Colonies d'exploitation** (parfois points d'appui et concessions) productrices de matières premières (Malaisie, Nigéria). Les bénéficiaires sont les compagnies commerciales privées (Chartered Companies) qui font appel à l'État pour protéger leurs intérêts. (Ex : Cecil Rhodes en Afr. du Sud).

L'apogée du grand capitalisme

Essor écon. rapide des pays industriels (E.-U., G.-B., Allemagne; à quelque distance, France et Japon; la Russie et l'Italie ne font que commencer). Progrès techniques et écon. (p. 339), qui donnent naissance à de nouvelles sources d'énergie (électricité, pétrole), et à de nouv. branches industrielles (chimie). La rapidité des transports et des communications (télégraphe, téléphone) favorise le commerce. Essor des investissements de capital qui permettent l'exploitation des nouvelles techniques, la construction des grandes villes, l'aménagement des voies de transports (Soc. franç. du port de Rosario, chemins de fer argentins possédés par l'Angleterre, exploitation des mines du Donetz par des capitaux franco-belges).

Monopoles capitalistes (union et concentration des entreprises en grandes sociétés anonymes). Concentrations horizontales et verticales (de la mine de fer à la production de charpentes métalliques). Des **cartels** se forment (associations qui fixent la production et les prix), tandis que les **trusts** veulent dominer le marché en constituant un monopole.

Capitalisme financier. Création de grandes banques qui offrent des crédits (achats et ventes de valeurs, hypothèques, etc.). Les exportations de capitaux et l'intégration internat. du capital renforcent la puissance de la haute finance dont l'influence polit. s'accroît (banques anglaises en Chine et en Am. du Sud, banques allemandes en Turquie, banques franç. en Indochine).

Conséquences. Augmentation de la production, élévation du niveau de vie général. Au XXᵉ siècle, union de plus en plus étroite de l'économie et de l'État qui devient puissance financière par la nationalisation des services publics (chemin de fer, poste, eau, gaz, etc.). Les problèmes économ. (conflits internat. pour les matières premières, les marchés et les investissements) sont devenus des problèmes politiques.

Politique coloniale. Grâce à leurs colonies, certains pays colonisateurs espèrent vivre en autarcie. D'autres espèrent ravitailler le monde en produits tropicaux (cas de la Hollande avec le système des cultures obligatoires de van Den Bosch entre 1830 et 1850).

Protection douanière. Développement du nationalisme économique (en France politique de Méline). Hobson (« L'Impérialisme », 1902) insiste sur le caractère économ. de la polit. mondiale. Lénine considère l'impérialisme comme le « stade suprême du capitalisme ».

Les fondements intellectuels de l'impérialisme

Nationalisme. Les succès remportés par la « Realpolitik » et l'emploi de la force lors de la création de nouveaux États (Allemagne, Italie) renforcent la conception que seules les grandes nations mues par la volonté de puissance sont destinées à dominer « les peuples inférieurs ». Polit. mondiale fondée sur la paix armée (rôle des flottes de guerre). D'après Mahan [« Influence of sea-power upon history » (1890) « Sentiment d'une mission »], la race blanche, la nation (pangermanisme, panslavisme, p. 389) se sentent appelées à diriger le monde et à l'européaniser. Appuyé par l'armée, la grande et la petite bourgeoisie, l'impérialisme croit propager partout la civilisation occ. Développement des infrastructures (voies ferrées, administration, ports) et exploitation écon. des colonies (plantations, industries), parfois extermination des peuples (Indiens de l'Amérique du Nord) ou bouleversements de leurs traditions (Inde, Chine). Éveil des peuples de couleur (sentiment national), lutte en vue de l'émancipation.

Les méthodes de l'impérialisme.

1. La colonisation avec administration directe de pays colonisé et administré comme la métropole. Exemple : La France en Algérie;

2. Le protectorat : La puissance occupante maintient les cadres locaux en place — l'Angleterre et l'Inde des Princes (au N.-E du Deccan), la France en Tunisie (traité du Bardo) et au Maroc;

3. L'État « semi-colonial » (ex. : l'empire ottoman, la Chine). Apparemment, le pays est souverain, mais en fait il n'est plus maître de sa politique économique (douanes, concessions, politiques d'emprunts entraînant la surveillance des nations européennes et la menace de prise de gages sur les ressources du pays).

Le mouvement ouvrier (1860-1914)
Les syndicats. Le développement des syndicats est lié à celui de l'industrialisation. Ils disposent désormais de caisses centrales, d'organes de presse, de « permanents » appointés. Ils peuvent être indépendants (tendance anarchiste), socialistes, ou chrétiens.
1913 Fédération syndicale internationale (Amsterdam).
Malgré le succès des syndicats, l'opinion prévaut qu'on ne vaincra le capitalisme que par une lutte polit. (MARX.)
Les Internationales ouvrières. Sur le problème de la tactique polit. à suivre, divergences qui conduisent à la formation de groupes : révolutionnaires (marxistes orthodoxes), anarchistes (p. 340), mutualistes (proudhoniens qui réclament l'organisation coopérative de la société), et réformistes (partisans d'une collaboration active dans l'ordre social et polit.).
1864-1876 Première Internationale, créée à Londres, qui comprend tous les socialistes, notamment les proudhoniens. Elle échoue à cause des luttes entre marxistes et anarchistes : controverses entre MARX et BAKOUNINE (p. 389). (Retrait des démocrates de gauche anglais, italiens et suisses, à p. de 1871 Commune de Paris.) Lors du centenaire de la Rév. française en 1889, fondation à Paris de la **Deuxième Internationale** (bureau permanent à Bruxelles) d'inspiration marxiste.
1890 Fête du 1er Mai. 1904, Congrès d'Amsterdam : condamnation du réformisme ; 1912, Congrès de Bâle, la grève générale est considérée comme une arme contre la guerre.

Angleterre. Les associations locales des Trade Unions (p. 341) détiennent le pouvoir syndical. Méfiance à l'égard du socialisme doctrinal de type marxiste.
1868 Création du Trade Union Congress, organisation centrale jusqu'en 1895. Pour favoriser l'élection de candidats libéraux dignes de confiance, les Trade Unions fondent en
1869 la Labour Representation League.
1881 Fédération sociale-démocr., fondée par HYNDMAN, traducteur de MARX, mais qui ne rencontre aucun succès. Des intellectuels socialistes s'assemblent autour de SIDNEY WEBB (1859-1947) et de G. B. SHAW (1856-1950) en
1883 dans la Fabian Society. Leurs idées sur la réalisation progressive d'un socialisme d'État sont adoptées en
1893 par le parti travailliste indépendant (Independent Labour Party) fondé par KEIR HARDIE (1856-1915). Le Comité représentatif des ouvriers de tous les groupes (1900, secrétaire

MACDONALD) est à l'origine en
1906 du Labour Party (parti travailliste) qui soutient d'abord le parti lib. En 1910, l'Australie et la Nouv.-Zélande suivent cet exemple et fondent un parti ouvrier.

États-Unis. Lutte contre le capital sur le plan syndical, d'abord par l'Organisation centrale de tous les ouvriers, dite « **Knights of Labor** » (1869), et en agriculture par la National Farmers' Alliance (1873). Conflits internes et, en
1877 fondation du **Socialist Labor Party.** Les démocr. adoptent en 1891 le programme du People's Party. Sous la conduite de S. GOMPERS (1850-1924), en
1886 l'American Federation of Labor prend un grand essor. Les ouvriers spécialisés jouent un rôle essentiel dans les syndicats (contrairement à l'évolution en Europe) et défendent leurs hauts salaires contre les immigrants dépourvus de formation professionnelle.

Allemagne
1) Le socialisme.
Ferdinand Lassalle (1825-1864) fonde à Leipzig en
1863 l'**Association générale des Travailleurs allemands,** premier parti socialiste. Il voit la solution du problème social dans le suffrage universel et les coopératives de production (p. 340) organisées par l'État. Tandis que BISMARCK sympathise avec LASSALLE, MARX récuse le « socialisme d'État », et ses partisans. WILH. LIEBKNECHT (1826-1900) et AUGUST BEBEL (1840-1913) fondent à Eisenach, en
1869 le parti ouvrier social-démocrate. Sur le programme de compromis de Gotha, les deux partis s'unissent pour fonder en
1875 le parti ouvrier socialiste.
1878 Législation antisocialiste (p. 355), suppression des syndicats et interdiction de leur presse. Le travail continue en secret avec plus d'organisation et de discipline, d'où en
1890 fondation du parti social-démocrate allemand : KARL KAUTSKY (1854-1938) rédige le programme d'Erfurt (purement marxiste), qu'il soutient contre les extrémistes de gauche tels LEDEBOUR (1850-1947) et ROSA LUXEMBOURG, **et contre** les révisionnistes.
2) Le syndicalisme.
1890 Résurrection des syndicats. Les ouvriers de l'industrie, spécialisés ou non, s'organisent en syndicats socialistes libres.
1892 Congrès d'Halberstadt : élection d'une commission générale (CARL LEGIEN) très efficace.

1900 Fusion et création d'une Association générale.
1902 ADAM STEGERWALD (1874-1945) est nommé sec. gén. 1905 Congrès de Cologne. : neutralité envers les partis polit.
Révisionnisme :
ÉDOUARD BERNSTEIN (1850-1932) critique la théorie marxiste de la paupérisation. Cette critique réformiste deviendra de plus en plus importante au sein du parti soc.-démocr., qui en
1914 vote les crédits de guerre à l'unanimité.

France
1) Le socialisme.
Le socialisme français, au début du XXᵉ siècle, finit par vaincre ses maladies de jeunesse :
Faiblesse de la culture théorique malgré l'œuvre de PAUL LAFARGUE (1842-1911), époux de la fille de K. MARX (LAURA), qui traduit en France l'œuvre de son beau-père; force du courant anarchiste (PELLOUTIER, VAILLANT) dont le rêve est de prendre le pouvoir brusquement par la grève générale; esprit relativement conservateur des ouvriers en relation avec le milieu rural (ex. Meurthe-et-Moselle).
Avant 1900, JULES GUESDE, né en 1845, transforme une petite secte en un parti structuré inspiré par le marxisme.
1905 Fondation de la S. F. I. O. rattachée à la IIᵉ Internationale.
Grâce à JAURÈS, universitaire passé de l'opportunisme au socialisme (élu en 1893 par les mineurs de Carmaux), la S. F. I. O., enracinée dans le Nord et dans les régions industrielles du Midi, prend part aux grandes discussions à la Chambre sur les questions internationales.
1912 JAURÈS, au Congrès de Bâle, évoque l'imminence d'une guerre mondiale qui viendrait des Balkans.
1913 JAURÈS prend parti contre la loi militaire (service de trois ans).
Av. 1914 La S .F. I. O. passe de 76 à 103 députés.
Juillet 1914 JAURÈS est assassiné à la veille de la déclaration de guerre.
2) Le syndicalisme.
Retardé par la répression de la Commune, il est longtemps influencé par des éléments anarchistes.
1884 Loi WALDECK-ROUSSEAU autorisant les syndicats. Conditions : avoir pour objet exclusif l'étude et la défense des intérêts économiques, déposer le nom des administrateurs.
1895 Congrès de Limoges. Création de la C. G. T.
1906 Charte d'Amiens. Autonomie du mouvement syndical.

Italie. Coopératives ouvrières et syndicats de Milan forment en 1899 la « Chambre du Travail ».
1891 Encyclique sociale de Léon XIII « Rerum novarum » (p. 340). Les associations cath. s'unissent dans la « **Confédération italienne des Travailleurs** ». Des groupes anarchosyndicalistes font de même. Après un éclatement du parti marxiste des Travailleurs, formation en
1892 du parti socialiste italien. Aux marxistes dirigés par LABRIOLA (1843-1904), s'opposent les intégraux et réformistes (BISSOLA).
1906 Congrès du parti à Rome. Les réformistes obtiennent 20 % des voix aux élections et influencent la polit. sociale (p. 395).
1906 Confédération générale du Travail, organisation plus souple des associations syndicales de l'industrie.

Autriche. Victor Adler (1852-1918) unit les groupes socialistes.
1889 Parti social-démocrate autrichien. Son programme est marxiste (KAUTSKY). Dès 1897, il obtient 14 sièges au Conseil impérial, mais se ramifie en groupes nationaux particularistes.
1899 « Programme de Brunn » : État fédéral démocr. constitué par des peuples autonomes. Avec MAX ADLER (1873-1937) et OTTO BAUER (1882-1932), progrès de l' « austromarxisme » (reconnaissance du droit des peuples à l'autodétermination). A p. de 1913, OTTO BAUER lutte pour l'Anschluss avec l'Allemagne de l'Autriche allemande. Après 1907 (suffrage universel), le parti soc.-démocr. devient le parti le plus puissant.

Pologne. Le **parti socialiste polonais,** fondé en 1892, devient le plus important à la suite de sa lutte pour l'auton. de la Pologne sous la direction de PILSUDSKI (p. 431).
Jusq. 1897 ROSA LUXEMBOURG (p. 427) dirige le « parti social-démocr. du roy. de Pologne ».

Russie. Plékhanov introduit le marxisme.
1898 Fondation du parti ouvrier soc.-démocrate qui se divise en
1903 au Congrès du parti à Londres : **mencheviks et bolcheviks.** Sous la direction de **Lénine** (p. 387) ces derniers fondent leur propre parti en
1912 au Congrès de Prague, et triomphent en
1917 à la Révolution d'Octobre.

Le pacifisme
Conférence de la paix de La Haye (1899-1907). Désarmement, règlement des conflits internationaux.
Cour internationale de Justice de La Haye, fondée en 1901.

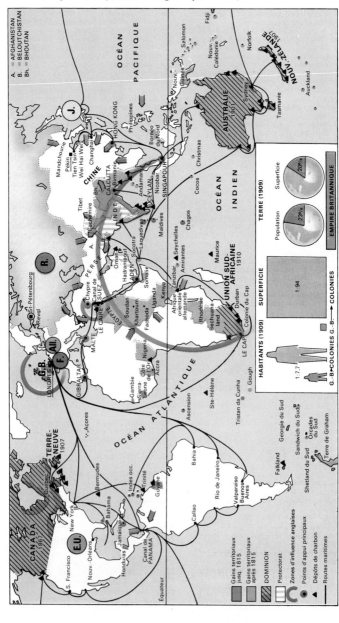

L'Empire britannique jusqu'en 1914

L'empire colonial brit. (1814-1875)
Interdiction de la traite des esclaves.
L'intérêt pour les col. afric. (Gambie, Sierra Leone, Côte de l'Or) diminue et, vers 1865, le succès du libéralisme économique (École de Manchester) fait même envisager leur abandon. Le commerce et l'industrie recherchent des marchés de remplacement en Amérique du Sud, dans les Indes et en Chine. De nouvelles acquisitions servent soit à garantir la sécurité des voies maritimes (Singapour, 1819; îles Falkland, 1833; Aden, 1839) soit à ouvrir de nouveaux marchés (Hong Kong, 1841) soit à accueillir des immigrants (Australie occ. à p. de 1829; Nouvelle-Zélande 1814-1840). Des partisans de la « petite Angleterre » comme WAKEFIELD (1790-1862) préconisent l'autonomie administr. des colonies de peuplement « blanc » (Nouvelle-Zélande), et en
1839 LORD DURHAM (1792-1840) rédige un « rapport sur le Canada » qui introduit le principe d'administration autonome pour les provinces.
1867 Premier dominion : le Canada. Autonomie interne. Un gouv. gén. représente la Couronne. En 1871, la Colombie britannique se rattache au nouvel État qui a désormais une façade sur le Pacifique.

L'empire britannique (1875-1914)
Économie. La population continue à augmenter. Malgré une concurrence grandissante (É.-U., Allemagne, Japon), l'Angleterre tient au libre échange. En 1880, 46 % du tonnage de la marine marchande mondiale est anglais. Le commerce extérieur double de 1880 à 1913 : balance commerciale déficitaire, mais balance des comptes bénéficiaire grâce aux revenus des banques et des assurances.
Conscience brit. d'une mission. Les intérêts écon. et polit. s'allient à la conviction née du puritanisme que l'Angleterre doit promouvoir le progrès et la civilisation dans le monde entier. THOMAS CARLYLE (1795-1881) exalte le rôle de l'Angleterre, nation élue. **Rudyard Kipling** (1865-1936) célèbre le « fardeau de l'homme blanc ».
Politique impériale. DISRAELI (p. 380) attaque en
1872 l'indifférence des lib. (GLAD-STONE) en matière de colonies. En vue de s'assurer la domination de la route marit. des Indes, en
1875 achat des actions égypt. du canal de Suez.
1877 La reine VICTORIA est proclamée impératrice des Indes.
1878 Acquisition de Chypre (Congrès de Berlin, p. 357).
1882 Occupation de l'Égypte qui

devient un protectorat en 1914
Afrique. Dans la concurrence pour le partage de l'Afrique (p. 373), l'impérialisme brit. tend à réaliser la liaison du Cap au Caire. Au Nord, CROMER (1841-1917) s'avance vers le Soudan et se heurte à la résistance des mahdistes (p. 373). Au Sud, **Cecil Rhodes** (1853-1902) emploie la richesse et le pouvoir que lui assure le monopole du diamant et de l'or pour favoriser l'expansion brit., surtout après
1879 et la guerre des Zoulous. La Compagnie sud-africaine, qu'il dirige, acquiert le Betchouanaland (1885), et en
1888-1891 la Rhodésie. Autres territoires brit. : Somaliland (1884), Ouganda (1895), Kenya (1886) : Après la crise de Fachoda (p. 383) en
1899 le Soudan devient un condominium anglo-égyptien.
1890-1896 RHODES devient prem. min. de la colonie du Cap et prépare la conquête des États boers.
1899-1902 Guerre des Boers (p. 373). Après leur défaite, les Boers obtiennent leur autonomie, l'afrikander reste la langue administrative, et les Anglais aident à la reconstruction.
Asie. Rôle stratégique des régions frontières dans les Indes. Occupation d'îles et d'archipels, même de façon partielle.
1885-1892/1895-1902 S'appuyant sur la Triple Alliance (Accord méditerranéen p. 361), SALISBURY (1830-1903) poursuit la polit. dite de « splendide isolement ».
1895-1903 C'est l'époque de JOSEPH CHAMBERLAIN (1836-1914), min. des Col., partisan de la suprématie anglo-saxonne. Il cherche à compenser les dangers de la concurrence par l'expansion dans les territoires encore « libres ». Polit. du « Two Powers standard » : la flotte brit. doit être supérieure aux deux plus puissantes flottes étrangères.
1898-1901 CHAMBERLAIN tombe à propos d'une union défensive, douanière et écon. avec l'Allemagne.
1886 Exposition coloniale à Londres.
1887 Loi sur les marques d'origine commerciales, le nom des pays producteurs doit figurer sur les marchandises (« Made in Germany »).
1887 Conférences coloniales (à. p. de 1907 = conférences impér.) Le statut de dominion est accordé en
1901 au Commonwealth d'Australie, en 1907, à la Nouvelle-Zélande et à Terre-Neuve, ainsi qu'en 1910 à l'Union sud-africaine, qui a pour prem. min. BOTHA, ancien général des Boers.
Souplesse du système des dominions (maintien de l'autonomie locale).

Apogée de l'ère victorienne (1848-1886)
Faire respecter les lois, assurer la
sécurité des personnes, tels sont les
devoirs de l'État conçu selon le modèle
du libéralisme manchestérien. Modernisation de l'administration centrale
et municipale.
1840 Introduction des timbres, puis
des cartes postales.
Politique étrangère. PALMERSTON (prem.
min. 1855-1865) soutient les forces
lib. en Italie, au Danemark et en
Pologne. Longue période de paix
malgré la guerre de Crimée (p. 343)
et la révolte des Cipayes (p. 365).
1851 Première exposition universelle
de l'industr. brit. au « Cristal
Palace ». L'élévation du niveau de
vie favorise l'essor des classes
moyennes. Adaptation de la noblesse
à un nouveau style de parti, de recrutement plus démocratique. Les grandes figures de cette époque sont
Benjamin Disraeli (1804-1881), et
Gladstone (1809-1898) qui après
avoir suivi PEEL s'est tourné vers
le libéralisme pacifique.
1860 **Traité de libre échange** (COBDEN-
MICHEL CHEVALIER) avec la France.
Développement du commerce. DIS-
RAELI, adversaire de PEEL, et devenu
chef du parti conservateur, repousse
la polit. de libre échange et applique
en faveur des ouvriers le programme
de la « démocratie tory ».
1867 Réforme électorale. Droit de
vote pour les petits bourgeois et les
ouvriers spécialisés. GLADSTONE en
profite (quatre ministères jusqu'en
1894).
1884 Troisième réforme électorale. Les
propriétaires obtiennent le droit
de vote : plus de 4 millions d'électeurs.
1874-1880 Minist. DISRAELI. Début
de la polit. impérialiste (p. 379).
En revanche GLADSTONE recherche
la solution de la question irlandaise.
Les émigrants aux E.-U. fondent en
1858 la société secrète des Fenians.
Aux efforts de GLADSTONE répondent
des actes de terreur et des révoltes
paysannes.
1869 Séparation de l'État et de la
High Church et lois agricoles pour
secourir les fermiers irlandais. Le
groupe parlementaire irl. avec
Stewart Parnell (1846-1891) s'efforce
d'obtenir légalement le Home Rule
(autonomie) et fonde en
1879 la Ligue agraire irl. Résistance
passive contre BOYCOTT, l'administrateur anglais dont le nom est
devenu un nom commun.
1882 Assassinats à Dublin de secrét.
d'État brit. (CAVENDISH, BURKE).
Obstruction des Irlandais au Parlement.
1886-1892 Chute de GLADSTONE (refus
du Home Rule).

1900 Création de l'United Irish League,
qui continue la lutte pour la
liberté.

Fin de l'ère victorienne. Les réformes
La décomposition du parti lib. et
la fin de près de vingt ans d'hégémonie des conservateurs expriment
de profonds changements de structure :
1. Réagissant contre la polit. du « Home
Rule », des unionistes lib. (JOSEPH
CHAMBERLAIN p. 379) s'allient aux
conservateurs pour soutenir leur
polit. impériale;
2. L'aristocratie terrienne appauvrie
s'allie par mariages aux familles
de l'industrie. Ces dernières, admises
dans la haute société, deviennent
membres de la High Church et par
conséquent du parti conserv.;
3. Grande crise écon. que provoque la
concurrence des États à protection
douanière (E.-U. d'Amérique, Allemagne, Japon). Essor des syndicats
et des « unions industrielles ».
1881 La Fédération sociale-démocrate
marxiste n'a que peu d'influence,
comparée à la Fabian Society
(1883, p. 376), qui prend part
en
1893 à la fondation de l' « Indepenant
Labour Party », dirigé à p. de
1900 par RAMSAY MACDONALD.
1901-1910 EDOUARD VII (60 ans)
s'intéresse surtout à la polit. étrangère. (Entente cordiale.)
1905 Victoire élect. lib. avec l'aide du
Labour Party. Mesures sociales
(pension de vieillesse, 1908; assurance maladie et chômage, 1911);
développement de la flotte (p. 379)
et réforme de l'armée.
1905-1912 HALDANE (1856-1928), ministre de la Guerre. Ces dépenses
pèsent sur l'État. La Chambre des
Lords repousse en 1909 le budget du
chancelier de l'Échiquier, LLOYD
GEORGE (1863-1945) dans le cabinet
ASQUITH (1908-1916).
GEORGE V (1910-1936) agit comme
médiateur dans le conflit constitutionnel.
1911 **Parliament Act.** La Chambre des
Lords perd son droit de veto dans
les questions financières. La crise
intérieure continue : Suffragettes
[avec Miss PANKHURST (1858-1928)]
qui multiplient les démonstrations
en faveur de l'émancipation des
femmes et du droit de vote féminin.
Grèves dans les mines, les ports et
les chemins de fer. Les Sinn Feiners
(« Nous-mêmes »), association rév.
fondée en 1905, organisent en Irlande
le soulèvement national.
1912 **Loi du Home Rule**, auquel
s'opposent les conservateurs, l'Ulster
prot. et l'armée. Il ne sera appliqué
qu'après la guerre.

L'Église et l'État (IIIe République)
Après 1870, les éléments les plus influents de l'Église sont favorables à une restauration monarchique (Mgr DUPANLOUP, ALBERT DE MUN). Les républicains au pouvoir s'en souviennent et dissimulent souvent la timidité de leurs réformes sociales par la vigueur de leur anticléricalisme.

1880 L'article 7 de la loi sur l'enseignement supérieur retire tout droit d'enseigner aux membres des congrégations non reconnues par l'État.

1890 Le « Ralliement » à la République est recommandé par le pape LÉON XIII aux catholiques français par l'encyclique « Inter sollicitudines ». Le mot d'ordre est : « Accepter la constitution pour changer la législation ».

1901 Loi sur les associations (loi WALDECK-ROUSSEAU) : les congrégations existantes doivent demander une autorisation, sinon elles sont dissoutes d'office (les assomptionnistes sont visés).

Déc. 1905 Séparation : « La République ne reconnaît ni ne salarie aucun culte. » C'est la solution de 1795. Le traitement de l'État est remplacé par le « denier du culte ». Les gallicans craignent que l'Église n'abuse de la liberté.

1906 « Inventaires » : L'État remet à des associations de paroissiens les biens meubles des églises qui devaient être inventoriés.

L'économie
1876 Dans l'arrondissement de Montpellier, un tiers du vignoble est totalement détruit par le phylloxéra qui a frappé tout le vignoble français.

1882 « L'Union Générale » suspend ses paiements. Début du plan FREYCINET : grand développement des lignes de chemin de fer secondaires.

1892 Loi MÉLINE instituant un tarif protecteur, bien accueillie par les secteurs industriels menacés (textile vosgien) et surtout par les paysans inquiets de la concurrence des blés américains.

1907 L'Aude et l'Hérault sont troublés par les émeutes des vignerons groupés derrière MARCELLIN ALBERT. Mutinerie du 17e de ligne.

Socialisme et syndicalisme (p. 377).

Littérature.
1885 Mort de Victor Hugo.
Maurice Barrès (1862-1923). « Les Déracinés » (1897) (la vie de sept jeunes gens du lycée de Nancy transplantés à Paris); « L'Appel au Soldat » (1900) (évocation de la crise boulangiste et pèlerinage le long du cours de la Moselle); « Leurs Figures » (1902) (le monde parlementaire au moment du scandale de Panama); « La Colline inspirée » (1913), évocation d'un « lieu où souffle l'esprit » (Sion-Vaudémont).
Romain Rolland (1866-1944). 1904-1912 « Jean-Christophe » (10 volumes). **Guillaume Apollinaire (1880-1918).** « Alcools » en 1913; en 1914, apparition des premiers « Idéogrammes lyriques ». **Anatole France (1844-1924)** évocateur de la vie locale sous la IIIe République, s'est orienté vers le roman philosophique à la veille de la guerre. « L'Orme du Mail », « Le Mannequin d'Osier » (1897). **Paul Claudel (1868-1955).** Converti au christianisme en 1886. « Le Partage de Midi » (1906), « Les Grandes Odes » (1904-1908), « L'Annonce faite à Marie » (1910). **Marcel Proust (1871-1922).** « A la recherche du temps perdu » paru de 1913 à 1927 : transfiguration du réel par le souvenir. **André Gide (1891-1951).** « Les nourritures terrestres » (1897), « L'Immoraliste » (1902). **Charles Péguy (1873-1914).** « La Tapisserie de Sainte Geneviève et de Jeanne d'Arc » (1912), « Note conjointe » (1914).

Peinture.
Manet (1832-1883). Le naturalisme en peinture. Scandale du « Déjeuner sur l'herbe » refusé au Salon de 1863 (transposition moderne du concert champêtre de Giorgione). **Monet (1840-1926).** Scandale des « Femmes au jardin » refusé au Salon de 1867. Peinture en « plein air ». Développement de l'**impressionnisme.** Puis réaction grâce à la naissance du **cubisme. Cézanne (1839-1906)** met en relief les structures (« Montagne Sainte-Victoire », « Les Joueurs de cartes »). Nouvelle réaction avec le **fauvisme** qui utilise les tons francs **(Derain, Matisse).**

Musique.
Georges Bizet (1838-1875). « L'Arlésienne », musique de scène pour une pièce de DAUDET (1872), « Carmen » (1875) (opéra méditerranéen opposé à l'œuvre de WAGNER). **César Franck (1822-1890),** sensible à l'influence germanique (chromatisme inspiré par « Tristan »). « Quintette pour piano et cordes » (1880); « Sonate pour piano et violon » (1886); « Symphonie en ré mineur » (1888); Trois Chorals pour orgue (1890). **Le « lied » français : Henri Duparc (1848-1933).** Mélodies : « L'Invitation au voyage » (1870), « La Vie antérieure » (1884). **Gabriel Fauré (1845-1924).** « Requiem » (1888), « La Bonne Chanson », cycle de mélodies (1893). **Debussy (1862-1918) :** l'impressionnisme en musique. Réaction contre Wagner : « Prélude à l'Après-Midi d'un Faune » (1894), première audition de « Pelléas et Melisande » (1902) (sur un livret de MAETERLINCK), « La Mer » (1905), poème symphonique, **Ballets russes** (1913-1914) : « Sacre du Printemps », « Petrouchka » de **Stravinsky,** créés à Paris.

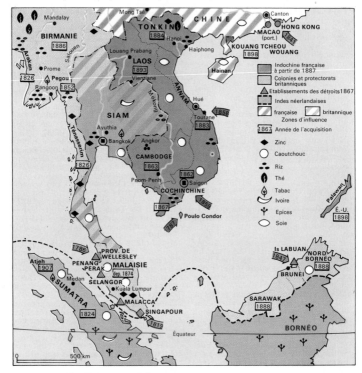

L'Indochine et l'Insulinde au XIXᵉ siècle

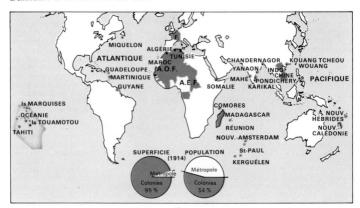

L'Empire colonial français avant 1914

L'expansion coloniale (1830-1870)

Dans la première moitié du XIXᵉ siècle, la France pratique une politique d'assimilation pour les élites de couleur : Sénégal, Réunion, Guadeloupe, Guyane (1818), comptoirs de l'Inde.

Algérie.

1830 Occupation d'Alger sous le gouvernement POLIGNAC peu avant la révolution. Ensuite « occupation restreinte » des ports.

1840 Prise de Constantine. Les tribus berbères s'opposent à cette expansion avec ABD EL-KADER (1807-1883), émir de Mascara. Début de la colonisation en Mitidja (plaine de Blida).

1840-1847 BUGEAUD (1784-1849), gouverneur général en Algérie, conquiert le pays « par l'épée et par la charrue ». Le Maroc qui veut intervenir est écarté par la victoire de l'Isly. ABD EL-KADER, pourchassé par le duc D'AUMALE sur les hauts plateaux (1843), capitule en 1847. Établissement de colons français (13 % de la population en 1906), culture du blé et plus tard de la vigne en Oranie.

Acquisitions en Afrique (Guinée, Gabon 1843-1844) et en Océanie (îles Marquises, Tahiti, 1842). Le général FAIDHERBE (1818-1889) réorganise de 1854 à 1865 le Sénégal, fonde Dakar en 1857, forme les premiers contingents sénégalais pour les expéditions à l'intérieur.

Annam. L'empereur, autorité religieuse très vénérée, est nominalement vassal de la Chine. Administrateurs au Tonkin (dyn. Trinh) et en Cochinchine (dyn. Nguyen), qui exercent le pouvoir polit.

1787 Traité de Tourane. NGUYEN AHN cède l'île Poulo Condor aux Français. Grâce à eux il devient empereur de

1802 à 1820 sous le nom de GIA-LONG, à Hué. Des persécutions de chrétiens amènent des démonstrations de la flotte française et en

1858-1859 la prise de Tourane et de Saigon. 1862, annexion de l'Est de la Cochinchine; 1867, annexion de l'Ouest.

Cambodge. Le Siam et l'Annam se disputent les restes de l'empire khmer. Pour se protéger contre le Siam, NORODOM (1859-1904) se place sous le protectorat français en 1863.

L'empire français (1871-1914)

La politique coloniale française, en donnant des satisfactions au nationalisme, compense la perte de l'Alsace-Lorraine. BISMARCK, craignant la revanche, y est favorable. Les ouvriers, les socialistes et les radicaux (CLEMENCEAU) s'y opposent.

1880-1885 FERRY (1832-1893), prés. du Conseil justifie l'expansion col.

(bases, prestige). Poursuite de l'expansion col. sous FÉLIX FAURE prés. de la Rép. (1895-1899) et HANOTAUX, min. des Aff. étrang. de 1894 à 1896.

Afrique. Formation d'un grand empire colonial.

1881 Le traité du Bardo établit le protectorat français sur la Tunisie malgré l'Italie (p. 395). Pénétration au Sahara à partir de l'Algérie.

1904 Création du gouvernement gén. d'Afrique occidentale franç. Acquisition pacifique de l'**Afrique équatoriale** (gouv. gén. en 1910) grâce à BRAZZA (1852-1905) qui explore le Congo franç., conclut des traités avec les chefs afric. et s'oppose à leur exploitation par des sociétés privées.

1895-1896 Soumission et annexion de **Madagascar** : le gén. GALLIENI aidé par LYAUTEY pratique la méthode de la « tache d'huile ». Le succès de la mission MARCHAND qui veut joindre le Tchad à Djibouti ouvre en

1898 la crise france-anglaise de Fachoda (p. 361). Le gén. KITCHENER exige le retrait des Français. La fierté nat. blessée exige satisfaction, mais DELCASSÉ min. des Aff. étrang. (1898-1905) s'incline et poursuit avec succès une polit. de compromis (p. 361). Lors de la première crise marocaine, ROUVIER, prés. du Conseil, se débarrasse de DELCASSÉ.

1906 Conférence d'Algésiras. L'Allemagne reconnaît la « situation exceptionnelle » de la France au **Maroc.** L'occupation de Fez provoque en

1911 la sec. crise marocaine que termine l'accord franco-all. sur le **Congo.** Le gén. LYAUTEY (1854-1934) gouverne le Maroc en s'appuyant sur les autorités traditionnelles.

1868 **Indochine.** Expédition de F. GARNIER vers le haut Mékong, en vue d'une pénétration en Chine.

1873-1886 Combats avec les « Pavillons Noirs » (restes des rebelles chinois T'ai-p'ing), et avec la Chine au sujet du **Tonkin.**

1883 Protectorat sur l'Annam (traité de Hué) que confirme, en

1885 au traité de T'ien Tsin, la Chine.

1886 Début des expéditions de PAVIE au Laos.

1887 Fondation de l'**Union indochinoise.**

CHOULALONGKORN (1868-1910) reconnaît le protectorat franç. sur le Laos en

1893 au traité de Bangkok. L'Angleterre et la France délimitent leurs zones d'influence et garantissent en

1896 la neutralité du Siam et fixent ses frontières avec l'Indochine.

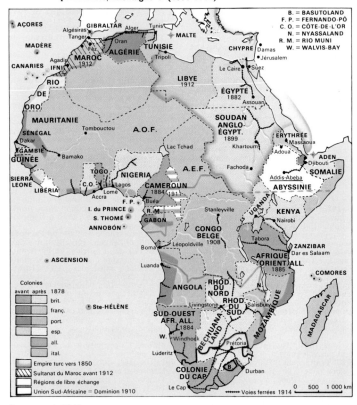

Le partage de l'Afrique avant 1914.

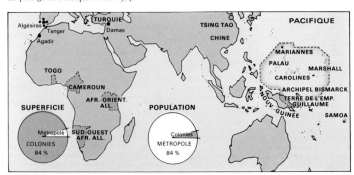

Les colonies allemandes avant 1914.

La politique coloniale de Bismarck (1871-1890)

1882 Fondation de la Ligue coloniale.
1884 Société pour la colonisation all. de CARL PETERS (1856-1918) « inventeur de la polit. mondiale de l'Allemagne ». Conclusion de traités avec les indigènes de l'Afrique du Sud (LÜDERITZ 1883), et de l'Afr. or. (PETERS). BISMARCK redoute les aventures outre-mer.
1884-1885 Conférence de Berlin sur le Congo. Création d'un État congolais neutre sous la souveraineté de LÉOPOLD II de Belgique (p. 359) avec liberté commerciale pour toutes les nations. BISMARCK utilise les circonstances favorables : tension franco-angl. en Égypte, amitié avec l'Autriche, l'Italie, la Russie; accords avec la France. Le protectorat allemand s'étend :
1884 Sud-Ouest africain : traités de délimitation vers l'Angola (1886), vers Le Cap (1890).
1889-1906 Les révoltes des Herreros et des Hottentots sont écrasées.
1884 Cameroun, Togo : NACHTIGAL, haut commissaire d'empire, obtient la reconnaissance des Angl. contre l'abandon de ses revendications (Nigeria).
1884-1885 Col. des mers du Sud : Terre de l'empereur Guillaume (acquise en 1880 de la Société de la Nouvelle-Guinée), îles Marshall, archipel Bismarck.
1885 Afrique orientale all.

La « politique mondiale » de l'Allemagne (1890-1914)

GUILLAUME II (p. 386) revendique une « place au soleil » dans le partage du monde. La nation applaudit à la maxime : « Une politique mondiale pour tâche, une puissance mondiale pour but, et pour instrument, la flotte. »
1891 Création de l'Union pangermaniste (HUGENBERG). Soutien et influence des Aff. étrang. (HOLSTEIN 1837-1909). Surestimant sa puissance, l'All. se lance dans une polit. étrang. aux objectifs dispersés.
Économie. L'All. tend à devenir la plus forte nation industr. europ. : Son commerce extérieur et sa flotte de commerce (Compagnie Hamburg-Amerika : ALBERT BALLIN 1857-1918) concurrencent ceux de l'Angl. Métallurgie, chimie et électricité se concentrent dans des trusts : **Stinnes, Krupp, Stumm, Siemens.**
1890 Traité de Zanzibar avec l'Angleterre. L'échange Zanzibar-Heligoland et l'abandon de l'Ouganda sont fortement critiqués.
1890 Dénonciation du traité de contre-assurance, malgré le désir contraire des Russes (GIERS), ce qui ouvre la voie au rapprochement franco-russe.

1895 L'attitude russo-allemande, hostile au Japon (p. 391) et surtout le télégramme adressé à KRÜGER (p. 379) choquent l'Angleterre. Malgré tout, BÜLOW (1849-1929) croit pouvoir diriger l'All. vers une polit. dite des « mains libres » (1897-1909). Mais l'amiral TIRPITZ (1849-1930) gagne l'esprit de l'empereur et l'opinion publique en réclamant une « politique de la flotte ».
1898 Programme de constructions navales.
1898 Fondation de la Ligue maritime.
Politique au Moyen-Orient :
1898 Discours de GUILLAUME II à Damas qui éveille les susceptibilités angl. et russe. La « Deutsche Bank » obtient la concession de ch. de fer. A p. de
1903 construction de la voie ferrée de Bagdad sur la demande de la Turquie.
Politique coloniale :
1897-1898 Occupation de Tsing Tao. (bail de 99 ans).
1899 Achat des Carolines, des Mariannes et des Palau, que cède l'Espagne. Division des îles Samoa entre l'All. et les É.-U. Après la révolte des Boxers (p. 367), accord du Yang Tsé avec l'Angl. pour garantir la « porte ouverte » en Chine.
1898-1901 Rapprochement germano-britannique qui échoue devant les hésitations brit. (SALISBURY). BÜLOW compte sur l'adhésion brit. à la Triple Alliance. Il cherche à séparer l'Angleterre de la France dans le jeu dangereux de la première crise marocaine.
1905 Débarquement de l'empereur à Tanger. Il salue le sultan en tant que souverain indépendant.
1906 Conférence d'Algésiras, demandée par BÜLOW, où se manifeste l'isolement de l'All. La rivalité croissante des flottes all. et brit. dans la construction des gros cuirassés favorise le compromis anglo-russe. Succès de prestige en
1908 dans la crise bosniaque. Le soutien qu'apporte l'Autr. réduit sa liberté d'action polit. BETHMANN HOLLWEG (chancelier dep. 1909) et le min. des Aff. étrang. KIDERLEN-WÄCHTER recherchent un accord avec l'Angleterre (GREY).
1911 Après l'envoi de la canonnière « Panther » à Agadir (deuxième crise marocaine), abandon du Maroc contre cession d'une partie du Congo.
1912 TIRPITZ s'oppose aux pourparlers en vue d'un compromis (mission de HALDANE à Berlin), en subordonnant les concessions sur les questions navales à une déclaration de neutralité britannique.

L'Allemagne sous Guillaume II (1890-1914)

GUILLAUME II (1859-1941) veut affirmer sa personnalité. Versatile et inconstant, il est convaincu que la grâce divine veille sur lui. Après le congédiement de BISMARCK (p. 355) il décide, sous l'influence de fidèles tels PHILIPPE D'EULENBURG (1848-1929), de faire suivre au pays un « nouveau cap ». Des fonctionnaires impériaux (HOLSTEIN), des politiciens et des historiens attachés à l'État (DELBRÜCK, MEINECKE, etc.) critiquent le régime personnel de l'empereur, mais n'osent porter atteinte au prestige de l'empire, héritage de BISMARCK. L'essor constant de l'écon. dissimule de graves problèmes de polit. intér.

1. **Dépendance financière du Reich** par rapport aux États qui le composent;
2. **Paralysie progressive de la politique impériale** par suite des divergences constitutionnelles (surtout avec la Prusse). Tandis que le suffrage organisé suivant le système des trois classes garantit à la Prusse une évolution conservatrice et réact. le Reich (suffrage universel) doit de plus en plus tenir compte des forces non conservatrices (Centre, libéraux, socialistes);
3. **Aucune évolution constitutionnelle vers le parlementarisme :** sans responsabilité polit., les partis ont tendance à s'émietter (libéraux), à se consacrer aux discussions théoriques (parti socialiste) ou à se laisser tenter par l'opportunisme (parti conservateur);
4. **Tendances militaristes;**
5. **Obstacles à la démocratisation.** La politique révisionniste du parti social-démocrate (p. 377) échoue devant l'union des intérêts des propriétaires fonciers, des industriels et des bourgeois, tout comme l'Association sociale-nationale créée en 1896 par FRIEDRICH NAUMANN (1860-1919) et les autres tentatives (MAX WEBER) pour intégrer les ouvriers dans la nation;
6. **Erreurs politiques** dans la Pologne prussienne (marche de l'Est). Répression des protestations polonaises et de la grève scolaire (1900), lois de colonisation et d'expropriation en faveur des Allemands (1907-1908).

1890-1894 CAPRIVI, chancelier, (1830-1899), prem. min. de Prusse jusq. 1892, cherche à suivre une « voie droite » au-dessus des partis.
1890 Suppressions des lois contre les socialistes.
1890-1891 Lois sociales pour les ouvriers. Réaction négative de la social-démocratie (BEBEL).
1891-1894 Succès d'une polit. de baisse des tarifs douaniers malgré les propriétaires fonciers.

1893 Ligue des agriculteurs. Les libéraux, le Centre et les sociaux-démocrates rejettent les propositions de renforcement de l'armée. Dissolution du Reichstag. L'armée est renforcée.
1894-1900 Le poste de chancelier est confiée à HOHENLOHE. Le Reichstag refuse les lois sur le « bagne » et la subversion, et s'oppose à celles sur la flotte (p. 385).
1895 Ouverture du canal de Kiel. POSADOWSKY, sec. d'État à l'Intérieur, réforme les assurances (1899) et inaugure une nouvelle politique sociale.
1900 Nouveau code civil allemand. Protégé par EULENBURG et HOLSTEIN, BÜLOW (1849-1929) devient chancelier (1900-1909) et s'attire la sympathie de l'emp. et des conservateurs en
1902 en changeant de politique commerciale et en élevant les tarifs douaniers.
1903 A Dresde, congrès du parti social-démocrate où l'on rejette le révisionnisme.
1906 Coalition conservateurs-libéraux qui se désagrège lorsque les libéraux réclament une modification du droit de suffrage en Prusse.
1908 Affaire du « Daily Telegraph » (interview du Kaiser sur les rapports anglo-allemands) : tempête de protestations dans tous les partis. GUILLAUME II est très sûr de lui malgré les révélations scandaleuses du journaliste HARDEN sur le cercle d'amis qui entoure l'empereur. BÜLOW tombe en
1909 sur la question de la réforme financière du Reichstag.
1909-1917 BETHMAN HOLLWEG, (1856-1921) chancelier, min. de l'Intérieur en Prusse dep. 1906.
1910 Échec de la tentative de réformer le système électoral de la Prusse.
1911 Nouveau statut pour l'Alsace-Lorraine, dont l'autonomie est reconnue.
1911 Projet d'une réorganisation des assurances qui étend aux classes moyennes le bénéfice de la protection sociale.
1912 Essor des sociaux-démocrates : ils deviennent le plus grand parti du Reichstag. Poussée vers la gauche du Centre dirigé par ERZBERGER (1875-assassiné en 1921). Les limites du pouvoir civil deviennent manifestes en
1913 avec l'incident de Saverne : à la suite des railleries d'un officier à l'égard des Alsaciens, colère populaire, réprimée militairement. Une interpellation au Reichstag demeure sans effet.
1913 L'armée est portée à 780 000 hommes en raison de la « course aux armements » devenue générale.
1914 Déclaration de guerre et union sacrée des partis.

L'évolution du tsarisme (1874-1914)
Les conséquences de l'ère des réformes (p. 343), l'industrialisation, la famine et la pauvreté grandissantes des paysans provoquent une agitation permanente. HERZEN (p. 389) et le comte TOLSTOÏ (1828-1910) sont pleins d'une foi mystique dans la « simplicité du paysan » et les populistes (« Allez au peuple ») veulent agir. Le peuple reste fidèle à la conception d'un tsar de droit divin. Partisans d'une solution plus efficace dans cette lutte contre le tsarisme,
les nihilistes s'inspirent de l'anarchisme de BAKOUNINE (p. 389). TCHERNYCHEVSKY (1828-1889) dans « Que faire? »(1863), TKATCHOV (1844-1885) etc. mettent au point la théorie et la tactique de la rév. par la terreur. Les associations secrètes comme « Terre et Liberté » (1877) et « La Volonté du Peuple »(1879) distribuent des tracts, organisent des actes de sabotage, des attentats contre le tsar et ses ministres.
1877-1881 Procès contre les nihilistes.
1878 Attentat commis par VERA ZASSOULITCH qui est acquittée.
1881 Assassinat d'ALEXANDRE II.
Les socialistes. En 1879, à la conférence de Voronej, PLEKHANOV (1856-1918), en condamnant l'action individuelle des terroristes, introduit le marxisme dans le mouv. révolut. russe. Il fonde en 1883 le premier groupe social-démocrate « Libération du Travail ».
1881-1894 Alexandre III, slavophile convaincu, rétablit l'autocratie absolue avec l'aide de l'Église et de la police.
1881 Fondation de l'Okhrana (police polit.) qui surveille les écoles et les universités grâce à son système d'agents provocateurs. Paysans et ouvriers sont livrés à l'arbitraire des propriétaires terriens et des capitalistes industriels. Russification brutale dans les régions frontières.
1881-1882 Pogroms contre les Juifs.
1894-1917 Nicolas II reste fidèle à l'autocratie et à l'orthodoxie, influencé par l'impératrice ALEXANDRA (princesse de Hesse-Darmstadt), au caractère exalté jusqu'au mysticisme. En 1896 les fêtes du couronnement à Moscou s'achèvent par la catastrophe de Khodynka (env. 3 000 morts). Troubles en Finlande, Pologne, Ukraine et dans les pays baltes à cause de la russification. Grèves et révoltes rurales provoquent des crises incessantes. La police poursuit le **parti ouvrier social-démocrate**, fondé en 1898 à Minsk et qui se reforme à l'étranger avec PLEKHANOV, VERA ZASSOULITCH, PAUL AXELROD (1850-1928). Dans ses écrits et dans le journal « Iskra » (« L'Étincelle », 1900), **Vladimir Ilitch Oulianov**, dit **Lénine** (1870-

1924) (p. 405), né à Simbirsk, lutte pour la libération des travailleurs : il a étudié le marxisme alors qu'il était déporté en Sibérie et a vécu de 1900 à 1905 dans l'émigration.
1902 PLEHVÉ, min. de l'Intérieur (1846-1904), truffe d'agents provocateurs (AZEF) le **parti social-révolutionnaire** fondé par TCHERNOV (1876-1952) en 1902. Il veut arriver à contrôler le terrorisme par des syndicats ouvriers dont les chefs lui appartiennent [le prêtre GAPONE (1873- assassiné en 1906].
1903 Il attise en Russie du Sud les pogroms contre les Juifs (Kichinev).
1903 La bourgeoisie forme le « parti des Cadets ».
1903 Deuxième Congrès du parti social-démocrate russe à Bruxelles et à Londres. Il se divise en **mencheviks** qui, marxistes orthodoxes, veulent attendre l'évolution du capitalisme et du prolétariat [MARTOV, PLEKHANOV, LÉO BRONSTEIN dit **Trotsky** (1879- assassiné en 1940)]; et en **bolcheviks**, parmi lesquels **Lénine**, qui réclame la dictature du prolétariat qu'exercera un parti.
1904-1905 La guerre russo-japonaise (p. 389) déclenche en
1905 la première rév. russe. A Saint-Pétersbourg, le
22 janvier, « dimanche rouge » : l'armée tire sur un cortège qui, dirigé par le pope GAPONE allait soumettre une pétition au tsar. Vague de grèves, émeutes à Odessa (avec le cuirassé « Potemkine ») et à Kronstadt. Les bolcheviks décident à Londres la formation de conseils (soviets) d'ouvriers et de paysans. TROTSKY se rallie à LÉNINE. Insurrections en Finlande et en Pologne. Le tsar promet en août une « douma » (parlement), et publie
le **Manifeste d'Octobre**, constitution rédigée par DE WITTE (p. 389). Répression milit. de la grève générale.
1906 à 1917 Expérience constitutionnelle sabotée par le gouvernement.
1906 STOLYPINE (prem. ministre)(1862-assassiné en 1911). Un conseil d'État est créé à côté de la première douma lib., « douma de l'espérance populaire » (octobristes modérés et « cadets » radicaux). Pour constituer une classe moyenne paysanne,
réforme de la propriété paysanne (1906-1910). Malgré la suppression du système communautaire du mir (p. 343), le remembrement et les projets de colonisation en Sibérie, le prolétariat agricole se développe.
1907-1912 3e douma (« Douma des seigneurs, des popes et des laquais »), vagues de grèves. A la cour du tsar règne de RASPOUTINE (1872-assassiné en 1916), « homme de Dieu ».

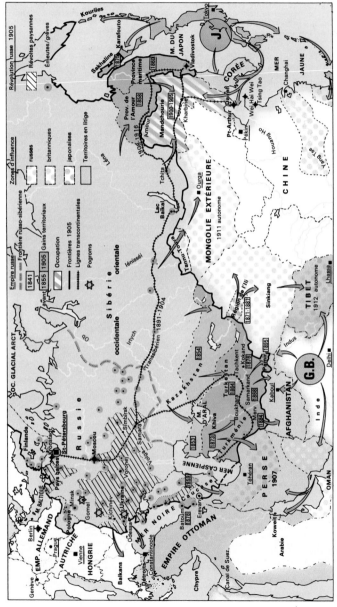

L'Empire russe sous les derniers tsars

L'expansion russe en Asie (XIXᵉ siècle)
Expansion vers l'Est (espaces sibériens).
Recherche de la « mer libre ». Détroits, côte du Pacifique.
Conscience d'une mission religieuse : délivrer Constantinople et les « peuples frères » orthodoxes des Balkans. Ce but ne sera pas atteint : trois tentatives (1828-1829 p. 319), la guerre de Crimée (p. 343), 1877-1878 (p. 357) échouent à cause de la G.-B. et de l'Autriche.
1878 Congrès de Berlin (p. 357). Déception russe.
Asie centrale. A p. de NICOLAS Iᵉʳ (p. 343), les frontières avancent vers la Perse, l'Inde et la Chine.
1830-1859 Guerres contre les peuples montagnards du Caucase.
1864 Annexion du Turkestan, d'où rivalité russo-brit. jusq. 1885 : traité sur la frontière du nord de l'Afghanistan.
Extrême-Orient. Traités avec la Chine.
1858 Cession du territoire de l'Amour, et en 1860, des provinces côtières.
1860 Création du port de Vladivostok.
1867 Vente de l'Alaska aux E.-U.
1875 Acquisition de Sakhaline contre cession au Japon des Kouriles.

L'impérialisme russe (1878-1914)
Messianisme russe. Les cercles littéraires de l'université de Moscou discutent de la mission de la Russie.
Occidentalistes. BELINSKI, TCHADAIEV, SOLOVIEV réclament l'adoption d'une polit. favorable à la liberté et au socialisme. **Michel Bakounine** (1814-1876), anarchiste, croit qu'un avenir meilleur succédera à la destruction de l'État et de l'Église. Il s'échappe de Sibérie, gagne l'Amérique, rencontre à Londres **Karl Marx** et un émigrant russe, **Alexandre Herzen** (1812-1870), dont le journal « La Cloche » fondé en 1857, influence profondément l'opinion publique russe. Déçu par la « religion de boutiquier » et la recherche du profit qui règnent en Europe, HERZEN croit que le système du « mir » (p. 343) permettra d'accomplir la réforme morale nécessaire.
Slavophiles. Contre cet égoïsme occ., KHOMIAKOV, CONSTANTIN AKSAKOV (1817-1860) préconisent l'orthodoxie des anciens Russes, leurs modes de pensée, la fraternité des communautés primitives (mir) des Slaves et du moujik qui souffre.
Panslavistes. Dostoïevski (1821-1881) expose leur idéal en
1867 au **2ᵉ** Congrès panslaviste de Moscou.
1871 NICOLAS DANILEVSKI (1822-1885) annonce le déclin de l'Europe dont la direction sera assumée par une Russie moralement supérieure.
MICHEL KATKOV (1818-1887) préco-

nise dans les « Nouvelles moscovites » un panslavisme autocratique. GIERS min. des Aff. étrang. (1882-1895), tient toutefois à l'alliance des trois empereurs (1881). Mais en
1890 dénonciation du traité existant avec l'Allemagne et en 1891-1894 accord avec la France qui ouvre à la Russie son marché de capitaux.
Economie. Industrialisation à p. de 1881. Expansion du réseau de ch. de fer pour des raisons milit.
1883-1886 Ch. de fer transcaspien;
1891-1904 Transsibérien.
1892-1903 De Witte (1849-1915), min. des Finances, transforme la Russie en « serre du capitalisme ». Les capitaux prêtés par la France sont investis dans de grandes entreprises (armement, charbonnages). Le rythme de développement est rapide. Mais les bénéfices fuient à l'étranger. Les dépenses d'armement provoquent des crises (1899-1903), et l'État endetté exporte à n'importe quel prix des céréales malgré les famines (1891). Les énormes propriétés du clergé restent en jachère. Les paysans libérés sont endettés à jamais. La mauvaise répartition des terres, les impôts, et l'augmentation de la population (entre 1880 et 1914, de 98 à 175 millions d'hab.) favorisent la formation d'un prolétariat.
Extrême-Orient. DE WITTE favorable à une polit. d'expansion écon. redoute la guerre avec le Japon, comme le min. de la Guerre KOUROPATKINE (1898-1904).
1896 Intervention en faveur de la Chine qui concède à la Russie le ch. de fer mandchou.
1898 Port-Arthur est occupé pour 99 ans.
1900 Occupation de la Mandchourie pendant la révolte des Boxers. Surestimant ses propres forces, la Russie provoque le Japon en Corée (Compagnie forestière du Yalou).
1904-1905 Guerre russo-japonaise (p. 391). Défaite de la Russie qui ébranle les fondements mêmes du tsarisme (p. 387).
1905 Traité de Portsmouth (E.-U.). WITTE obtient des conditions modérées : renonciation à la Corée, Port-Arthur, Sakhaline.
1905 Accord de Björkö, entre GUILLAUME II et NICOLAS II. ISVOLSKI, min. des Aff. étrang. (1906-1910), met fin à la rivalité russo-brit. en
1907 par un **accord sur la Perse** (p. 363), revient à une polit. balkanique (les Détroits), soutient le panslavisme serbe (p. 357), se heurte à une forte activité austro-hongr. (min. des Aff. étrang. AEHRENTHAL).
1908 Perte de prestige de la Russie (ISVOLSKI) dans la crise bosniaque. Annexion de la Bosnie-Herzégovine.

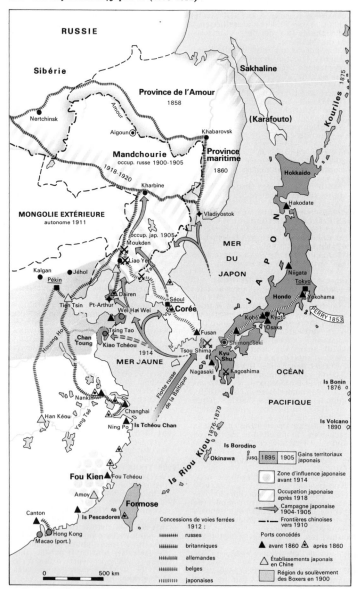

RUSSIE

Sibérie

Sakhaline

Province de l'Amour
1858

(Karafouto)

Kouriles
1875

Nertchinsk

Aigoun

Khabarovsk

Mandchourie
occup. russe 1900-1905

Province
maritime
1860

Hokkaido

1918-1920

Kharbine

Hakodate

MONGOLIE EXTÉRIEURE
autonome 1911

Vladivostok

occup. jap. 1905

Kalgan   Jéhol

Moukden

Liao Yen

MER

DU

JAPON

Niigata

Pékin

Dairen

Séoul

Tokyo

Tien Tsin   Pt-Arthur

Wei Hai Wei

Corée

Hondo

Yokohama

PERRY 1853

Chan
Toung

Tsing Tao

Kiao Tchéou

Fusan

Kobé   Kyoto

Osaka

Houang Ho

1914

Tsou Shima

Shimonoseki

Kyu
Shu

MER JAUNE

Flotte russe
de la Baltique

Nagasaki

Kagoshima

OCÉAN

Nankin

Is Tchéou Chan

Is Riou Kiou 1876-1879

Is Bonin
1876

PACIFIQUE

Han Kéou

Yang Tsé

Changhai

Ning Po

Is Volcano
1890

Is Borodino

Fou Kien   Fou Tchéou

Okinawa

jusq. 1895 | 1905   Gains territoriaux
japonais

Zone d'influence japonaise
avant 1914

Amoy

Formose

Occupation japonaise
après 1918

Canton

Is Pescadores

Campagne japonaise
1904-1905

Hong Kong
Macao (port.)

0   500 km

Concessions de voies ferrées
1912 :

Frontières chinoises
vers 1910

Ports concédés

▲ avant 1860 △ après 1860

russes

britanniques

allemandes

belges

japonaises

△ Établissements japonais
en Chine

Région du soulèvement
des Boxers en 1900

L'expansion japonaise depuis 1875

1854 Ouverture du Japon. Le commodore PERRY croise devant Tokyo et oblige le Japon à signer en
1854 le traité de Kanagawa (près de Yokohama). Concessions (douane, tribunaux pour étrangers) dans deux ports. Suivent des traités de commerce avec les puissances europ. Des réactions hostiles provoquent le bombardement des ports japonais et des humiliations. Le Shôgunat perd le reste de son prestige.
1867 Abdication de KEITI, le dernier shôgun.

L'ère Meïji (1868-1912)
1867-1912 Mutsuhito. Naissance du Japon moderne sous le « gouvernement éclairé de l'empereur » **(Meïji Tenno).** Le Japon reconnaît que son indép. est menacée s'il ne s'adapte pas à l'Europe. Cette transformation totale s'effectue en trois étapes :
1. Suppression de la structure féodale. Les Daimyos du Sud remettent volontairement leurs pouvoirs à l'empereur qui dispose du pouvoir absolu pour réaliser le « programme de la nouvelle ère », publié en 1869.
1871 Suppression définitive de la féodalité. Remplacement des fiefs par de nouveaux districts administratifs. Indemnisation de la noblesse par des pensions. L'État favorise les études à l'étranger. Recours à des techniciens et instructeurs europ.
1872 Service militaire oblig. Réorganisation de l'armée sur les mod. prussien et français. Réformes : enseignement obligatoire, police, presse, droit, poste, chemins de fer, hygiène publique et finances (monnaie : Yen, suivant le système monétaire américain). Fondation de la Banque du Japon. La suppression des pensions des samouraïs et du droit de porter le sabre incitent l'opposition en
1877 à une dernière révolte dirigée par SAIGO TAKAMORI. Dissolution de la caste des samourais après la défaite de Kagoshima.
2. Transformation intérieure par des réformes. Le parti militaire conservateur **(Teiseito)** rejette l'influence occ. après le rétablissement de la puissance impér. Le parti du Progrès **(Kaishinto)** veut élargir l'espace écon. japonais, mais seulement après les réformes d'après le modèle occidental. Le parti radical **(Siyuto)** exige le parlementarisme, qui semble dirigé contre la divinité de l'empereur et le « Conseil des anciens hommes d'État » (Genro : « la puissance invisible derrière le trône »).
1884 Création d'un Sénat composé de membres de la noblesse de cour (Kuge) et des familles Daimyos : neuf titres de noblesse, cinq rangs (de prince à baron).

1885 Premier ministère désigné par l'empereur.
1888 Réunion du premier Conseil d'État (Sumitsuin). Le prince ITO HIROBUMI (1848-1909), rédige en
1889 la première constitution (monarchie const. héréditaire), avec un empereur de caractère sacré à la tête de l'État, une Chambre des députés et un Sénat (chacun de 300 membres), autonomie administr. des villes.
3. L'avènement du Japon comme grande puissance. La population augmente rapidement (1867 : 26 millions; 1913 : 52 millions). Main-d'œuvre abondante. Le Japon participe à l'économie mond. plus vite que prévu grâce au désir d'instruction, aux facultés d'adaptation, à la discipline et à la frugalité du peuple. Des trusts familiaux **(Mitsui, Yasuda, Sumitomo)** contrôlent l'industr. le commerce, les banques. Les clans **Khoshu** (armée) et **Satsuma** (marine) poursuivent des buts impérialistes.
1875 Accord avec la Russie sur l'île Sakhaline (russe) et les Kouriles.
1876 Occupation des archipels Bonin et des Riou Kiou. L'intervention des troupes chin. et jap. dans la révolte Tonglak provoque en
1894-1895 la guerre sino-japonaise. Les forces jap. très supérieures conquièrent Dairen, Wei Hai Wei, le Chan Toung et Séoul.
1895 Traité de Shimonoseki. La Chine cède Formose et les Pescadores, paie une indemnité de guerre et reconnaît l'indép. de la Corée (à p. de 1897, sous protectorat japonais). Dès
1895 construction d'une flotte de guerre (4 cuirassés, 8 navires de ligne). La progression russe en Extrême-Orient suscite une alliance défensive avec la Grande-Bretagne qui durera jusqu'au lendemain de la première guerre mondiale.
1904-1905 Guerre russo-japonaise. Attaque de Port-Arthur. Anéantissement de la flotte russe d'Extrême-Orient.
Les armées jap. forcent Port-Arthur à capituler, occupent la Corée et entrent en Mandchourie.
1905 Victoires de Moukden sur terre et de Tsou Shima sur mer : TOJO anéantit la flotte russe qui avait fait la moitié du tour du monde pour venir de la Baltique.
1905 Traité de Portsmouth (E.-U. d'Amérique). Le Japon obtient le Sud de Sakhaline (Karafouto), Port-Arthur, le protectorat sur la Corée et la Mandchourie du Sud.
1907 Traités d'amitié avec la France et la Russie. Les E.-U. limitent l'immigration jap.
1910 Annexion de la Corée (Khosen).

L'expansion des États-Unis depuis 1867

La Reconstruction
1865-1869 ANDREW JOHNSON poursuit la politique mesurée de LINCOLN. Les républicains extrémistes l'attaquent et l'accusent même de haute trahison. Les Noirs obtiennent la citoyenneté en 1868, le droit de vote en 1870.
1869-1877 Le prés. GRANT considère l'État comme une institution de secours pour les vétérans de guerre. Les E.-U. traversent leur plus sombre période de corruption. Une dictature militaire sur les « rebelles » du Sud (jusq. 1877) protège les agents du Nord (carpetbaggers = aventuriers spéculateurs). Les planteurs sont accablés d'impôts. Les Sudistes luttent contre l'anarchie (sociétés secrètes : Ku-Klux-Klan). Des conditions discriminatoires dans le droit de vote (examens sur le niveau d'instruction) et la ségrégation raciale rejettent les Noirs au rang d'une classe méprisée. Les présidents HAYES, GARFIELD, ARTHUR et CLEVELAND (1877-1889) ne peuvent abolir que lentement « le système des dépouilles ». A partir de 1883 (Civil Service Act), examens d'aptitude pour les fonctionnaires.

Le grand essor industriel
Malgré les crises (1873, 1907), expansion de l'industrie, de la technique et du capital. Entre 1860 et 1914, la population passe de 31,3 millions à 91,9 (y compris 21,9 millions d'immigrants). Le nombre des ouvriers augmente de 700 %, la production de 2 000 %, le capital investi de 4 000 %. Entre 1880 et 1890, quatre nouvelles voies ferrées transcontinentales sont construites; en 1914, 250 000 automobiles sont déjà enregistrées. Parmi les producteurs de fer, de charbon, de pétrole, de cuivre et d'argent, les E.-U. prennent la tête; l'électricité remplace la vapeur; la protection douanière favorise les monopoles. D'énormes trusts se constituent. Ce sont les rois du « big business » : ASTOR (fourrures), **John Rockefeller** (Standard Oil), **Carnegie** (Steel Corp.), **Morgan, Vanderbilt** (chemins de fer) etc. En 1913, 2 % des Américains encaissent 60 % du revenu national. MORGAN et ROCKEFELLER contrôlent à eux deux 20 % du capital américain (341 grandes entreprises avec 22 milliards de dollars de capital). La production en série élève le niveau de vie. Les magnats de l'industrie soutiennent financièrement les universités, les instituts scientifiques. Les organisations ouvrières (American Federation of Labor, 1886; Industrial Workers of the World, 1905) mènent de durs combats pour les salaires (plus de 1 000 grèves par an). Sous la pression

des progressistes (BRYAN, LA FOLETTE) le gouvernement entreprend la lutte contre les monopoles et leurs excès.
1901-1909 THÉODORE ROOSEVELT réforme l'administration et les tarifs des chemins de fer.
1909-1913 TAFT fait triompher la loi antitrusts.
1913-1921 WILSON supprime les barrières douanières, introduit des impôts progressifs et contrôle les trusts.

Intervention dans la politique mondiale
1891 Suppression du « Homestead Act » (p. 371), d'où la fin de la colonisation interne. L'opinion se méfie d'une politique extérieure inspirée par l'impérialisme du dollar.
1867 L'achat de l'Alaska à la Russie pour 7,2 millions de dollars se heurte à des critiques (le commerce des peaux et la découverte des mines d'or rapportent en 1913 81 millions).
1895 Révolte de Cuba, soutenue par des volontaires américains. La presse (PULITZER et HEARST) excite l'opinion publique si bien que « l'incident du Maine » (explosion d'un navire de ligne américain) en
1898 est le signal de la guerre avec l'Espagne et de l'occupation de Cuba. Au traité de Paris, les E.-U. obtiennent Guam et Porto-Rico. MACKINLEY (1897-1901) décrète l'annexion d'Hawaï et des Philippines. TH. ROOSEVELT, TAFT et WILSON s'abandonnent à la politique impérialiste. Menaces constantes d'intervention en Amérique Centrale et en Amérique du Sud pour défendre le capital investi et instaurer un protectorat financier (politique du « gros bâton »). A partir de 1889, les conférences panaméricaines servent les mêmes objectifs, sous le prétexte d'assurer l'unité du continent (sous domination des E.-U.) dans l'esprit de la doctrine de MONROE.
1910 Fondation de l'Union panaméricaine.
Refroidissement des bonnes relations avec l'Allemagne (conflit, puis division de Samoa en 1889; concurrence commerciale) et la Russie (politique de la « porte ouverte » en Extrême-Orient p. 367; médiation dans la guerre russo-japonaise p. 391). En 1850 le traité CLAYTON-BULWER préconise un canal international à Panama. L'entreprise, dirigée par de LESSEPS, s'effondre dans le scandale. Les E.-U. assument la construction du canal (1901). La même année, les E.-U. provoquent la formation du Panama à partir de la Colombie. Les E.-U. achètent les droits de libre disposition de la zone du canal.
1914 ouverture du canal de Panama.

L'expansion coloniale italienne avant 1914

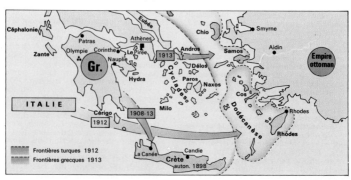

La mer Égée au début du XXᵉ siècle

Aux gloires du Risorgimento succède une période plus terne. Les traditions et les personnalités des partis bourgeois (rad., lib. de gauche et de droite) sont plus importantes que les programmes.
1876 Gouvernement lib. de gauche (DEPRETIS). Déficit constant et tendance à préférer aux réformes internes une politique d'irrédentisme.
1878 Fondation de la ligue « Italia irredenta ».
1879 Instruction obligatoire pour les enfants de 6 à 9 ans.
1882 Extension du droit de vote (env. 20 % des hommes).

L'ère de la « Grande Politique » (1882-1900)
1878-1900 Humbert Ier. Sous la pression du mécontentement causé par l'occupation de Tunis par la France (p. 383), alors que des colons italiens y étaient établis, en
1882 l'Italie entre dans la Triple Alliance (p. 361), politique que gênent pourtant les revendications irrédentistes à l'égard de l'Autriche (Tyrol du Sud, Istrie, Adriatique). Les progrès franç. en Afrique du Nord provoquent à p. de
1887 sous CRISPI (p. 349) un désir d'expansion col. Répression de l'irrédentisme en Europe avec renforcement de la Triple Alliance. Malgré la résistance de l'Abyssinie en
1887-1890 l'expansion, à partir de Massaoua, occupée en 1885, permet la création de la colonie de l'Erythrée.
1889 Traité d'Uccialli. L'Abyssinie devient protectorat avec MÉNÉLIK II comme négus (p. 373).
1889 Annexion de la Somalie italienne.
Évolution intérieure. Forte augmentation de la pop. avec émigration grandissante (1914 : un Italien sur quatre vit à l'étranger).
1887 Polit. de protection douanière exigée par les industries du Nord (avec l'aide du capital étranger). Dans le Sud, scandales bancaires et corruption.
1888-1898 Guerre commerciale avec la France. Mesures d'économie et élévation des impôts décrétées par le « gouvernement fort » de CRISPI, mais qui ne compensent pas les frais exagérés de l'administr. et de l'armement. Hausse des prix et misère paysanne et ouv. Travail des femmes et des enfants; baisse des salaires et augmentation du temps de travail.
1882-1883 Fondation du parti socialiste (BISSOLATI, TURATI, etc.). Apparition de mutuelles et de syndicats.
1894 Dissolution des associations ouv. Attentats anarch. Associations secrètes dans le Sud (**Mafia** en Sicile, **Camorra** à Naples) qui minent l'autorité de l'État. En Sicile, en
1893-1894 famine et révoltes des ligues ouvrières. Surestimant les forces de l'Italie, CRISPI, après l'annulation du traité de protectorat par MÉNÉLIK II, entreprend en
1894 la guerre contre l'Abyssinie.
1896 Défaite d'Adoua. Chute de CRISPI.
1900 Traité secret qui reconnaît les deux sphères d'influence en Afrique du Nord (France : Maroc; Italie : Libye).

L'ère de Giolitti (1900-1915)
1900-1944 Victor-Emmanuel III.
1903-1914 GIOLITTI prem. min.
1905-1906 Nationalisation des chemins de fer; protection ouvrière et assurances sociales, reconnaissance des syndicats.
1906 Création de la « Confédération générale du Travail ». Mais le « giolittisme » recule au profit d'un nouveau « nationalisme intégral ». **Gabriel d'Annunzio** (1863-1938), poète admirateur de NIETZSCHE, inspire le parti nationaliste (1910) qui exige une polit. irrédentiste.
1912 Etablissement du suffrage universel.
1912 Scission des socialistes. Les « réformistes » (BISSOLATI) sont minoritaires par rapport aux « révolutionnaires » de **Benito Mussolini** (p. 458) secrétaire en 1907, puis rédacteur en chef de l' « Avanti » en 1912. Il soulève les masses ouvrières et paysannes.
1914 « Semaine rouge » (grèves).
Polit. extérieure. Compromis avec la France.
1902 Accord de neutralité. L'Italie se détache de la Triple Alliance dans les crises du Maroc (p. 385) et de Bosnie.
1911 Annexion de Tripoli et de la Cyrénaïque, d'où en
1911-1912 guerre contre la Turquie. Difficultés milit. causées par la résistance des Senoussis, et polit. à la suite de la conquête du Dodécanèse malgré les protest. russes et grecques.
1912 Traité de Lausanne. La Libye devient autonome et revient de facto à l'Italie. Conflit au sujet du Dodécanèse.
1912 Promesse de neutralité à la France.
1914 Déclaration de neutralité au début de la guerre mondiale (3 août). Entre les neutralistes (GIOLITTI) et les interventionnistes (D'ANNUNZIO, MUSSOLINI), SALANDRA, premier ministre, représente « l'égoïsme sacré pour l'Italie ».
1915 Traité de Londres (avril). L'Italie obtient de grandes concessions de l'Entente. Dénonciation de la Triple Alliance (3 mai).
23 mai Déclaration de guerre de l'Italie.

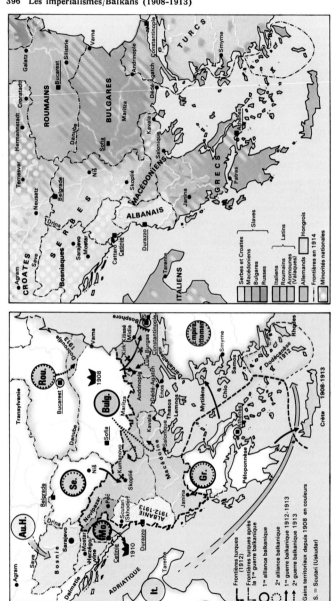

Les peuples des Balkans au début du XXᵉ siècle

Minorités nationales

Serbes et Croates
Macédoniens } Slaves
Bulgares
Russes

Italiens
Roumains } Latins
Aroumounes (Valaques)

Allemands
Hongrois

--- Frontières en 1914

Les guerres balkaniques à la veille de 1914

Frontières turques (1912)
Frontières turques après la 1ʳᵉ guerre balkanique
1ʳᵉ alliance balkanique
2ᵉ alliance balkanique
1ʳᵉ guerre balkanique 1912-1913
2ᵉ guerre balkanique 1913
Gains territoriaux depuis 1908 en couleurs

S. = Scutari (Uskudar)

La crise des Balkans (1906-1913)
Déclin de l'empire ottoman. Apparition des jeunes États nationaux dont les mœurs, la civilisation et la religion sont extrêmement différents. Problèmes de minorités et irrédentisme, troubles perpétuels. Les grandes puissances interviennent directement (Autriche-Hongrie, Italie, Russie) ou indirectement (Allemagne, France, G.-B.).
1908-1909 Crise de Bosnie, que résout en
1908 la rév. des Jeunes Turcs (p. 363) et la transformation de l'empire ottoman en un État constitutionnel avec égalité des droits et droit de vote pour tous les sujets.
Sept. Annexion de la Crète à la Grèce.
VENIZELOS (p. 357), chef du parti lib., dirige le mouvement de la Grande Grèce.
Oct. FERDINAND Ier (p. 357) se déclare tsar d'une Bulgarie indépendante.
Oct. 1908 Annexion de la Bosnie et de l'Herzégovine par l'Autriche malgré les protest. turques. Émotion en Serbie, qui voit la fin de ses projets d'une Grande Serbie et mobilise. La Russie se heurte à la résistance brit. dans la question des Détroits (ouverture du Bosphore et des Dardanelles), se croit jouée par l'Autriche et appuie la Serbie. L'Angleterre (SIR EDWARD GREY min. des Aff. étr.) appuie la Russie et exige une conférence internat. sur la question bosniaque, ce que refuse l'Autriche par crainte d'être mise en minorité. L'Italie redoute tout accroissement de la puissance autrich. Pour maintenir le statu quo dans les Balkans, en
1909 conclusion d'un traité secret à **Racconigi** avec la Russie. La France se tient sur la réserve, car elle ne se croit pas assez forte pour risquer un conflit milit. L'Allemagne (BÜLOW) demeure fidèle à l'Autriche, mais refuse toutefois la guerre préventive que propose le chef d'état-major autrich. [(CONRAD VON HÖTZENDORF (1852-1925)] pour « régler son compte » à la Serbie, mais permet l'envoi d'un ultimatum avertissant la Russie des conséquences de son appui à la Serbie. Au reçu de cette note humiliante (mars), ISVOLSKI démissionne et, nommé ambassadeur à Paris, devient l'adversaire décidé des puissances centrales.
Résultats. Succès de la politique de l'Allemagne (BÜLOW) qui négocie un compromis austro-turc (évacuation par la Turquie du sandjak de Novi-Bazar contre une compensation en argent) mais qui dépend de plus en plus de l'Autriche-Hongrie, son seul allié fidèle. L'entente s'est resserrée, la tension balkanique subsiste.

1910 NIKITA Ier DE MONTÉNÉGRO prend le titre de roi.
1911 Fondation d'une organisation secrète favorable à la Grande Serbie, « Unité ou la Mort » (« Main noire ») par le colonel DIMITRIÉVITCH.
1912-1913 Crise balkanique. La Serbie et la Bulgarie, encouragées par les diplomates russes, s'unissent. En
mars 1912 première Ligue balkanique (contre l'Autriche et en vue d'un partage éventuel de la Turquie d'Europe). La Grèce et le Monténégro se joignent à cette Ligue.
Oct. 1912 Première guerre balkanique. Les quatre alliés déclarent la guerre à la Turquie. Graves défaites turques à Kirk Kilissé, Lüle Burgas et à Andrinople (par la Bulgarie), à Kumanovo (par la Serbie). La situation internationale s'aggrave : la Serbie, encouragée par la Russie, revendique un accès à l'Adriatique; l'Italie s'y oppose. L'Italie veut annexer l'Albanie et demande un renouvellement de la Triple Alliance. La Grèce proteste contre l'occupation du Dodécanèse par l'Italie (1912). L'Autriche-Hongrie s'oppose à toute augmentation de la puissance serbe ou ital. et appuie la Bulgarie. La Russie craint la pression de la Bulgarie sur la Serbie et la Turquie, le min. des Aff. étr. SAZONOV veut protéger le dernier État ami des Balkans et poursuivre sa politique des Détroits. L'Allemagne (BETH-MANN HOLLWEG, chancelier) et l'Angleterre (GREY) unissent leurs efforts pour tenir à Londres une conférence des ambassadeurs.
Mai 1913 Traité de Londres. Cession de tous les territoires turcs à l'ouest de la ligne Enos-Midia et de toutes les îles de la mer Égée. La Bulgarie, qui a été le facteur principal de la victoire et qui surestime sa force, attaque la Serbie pour augmenter sa part.
Juin 1913 Seconde guerre balkanique. L'intervention de la Roumanie, de la Grèce, du Monténégro et de la Turquie au profit de la Serbie bouleverse complètement la situation. L'Autriche-Hongrie menace d'intervenir pour sauver la Bulgarie.
Août 1913 Traité de Bucarest. La Bulgarie perd la Macédoine et la Dobroudja. La Crète revient finalement à la Grèce. L'Albanie devient principauté indép.
Résultats. Déception générale, surtout en Serbie, qui, devant l'opposition de l'Autriche-Hongrie, n'a pu atteindre l'Adriatique. C'est de là que partira en **juillet 1914** l'étincelle qui déclenchera la première guerre mondiale (p. 398). C'est la fin des possessions européennes de l'empire ottoman, héritage des conquêtes du XVIe siècle.

Les causes du conflit
Oppositions dans le système des alliances (Allemagne alliée à l'Autriche-Hongrie, France alliée à la Russie); course aux armements des grandes puissances (1913 : accroissement des forces armées en Allemagne et en France); rivalité marit. germano-anglaise (accord marit. franco-anglais 1912); difficultés intér. de l'État multinational austro-hongrois (demande d'autonomie des Tchèques, problème slave); polit. balkanique de la Russie (p. 397); mobilisations et ultimatums précipités.

La responsabilité de la guerre
La méfiance réciproque, l'illusion fatale nourrie surtout par les Allemands qu'on ne peut éviter une guerre européenne limitée, le peu de liberté de décision dont disposent les hommes d'État européens et le consentement des peuples qui s'arment par mesure de sécurité déclenchent en fin de compte la guerre. Aucun État ne veut renoncer à ses buts polit. et milit. afin de maintenir la paix :
1. **L'Autriche-Hongrie** s'accroche à l'idée impér. supranationale;
2. **La Serbie** veut réaliser son rêve d'unité nationale;
3. **La Russie** redoute un nouvel échec de sa polit. balkanique et doit choisir entre la guerre et la rév. intérieure;
4. **L'Angleterre** hésite entre la neutralité et la belligérance (indécision du cabinet, peur d'encourager les initiatives russes);
5. **La France**, sortie de son isolement grâce à l'alliance russe, considère cette dernière comme un moyen de pression sur l'Allemagne;
6. **L'Allemagne** tient à rester alliée à l'Autriche-Hongrie, pour échapper à un isolement grandissant et croit pouvoir procurer à la monarchie danubienne un succès de prestige. L'état-major exige que la guerre commence en 1914, pour devancer le renforcement de la puissance russe éprouvée en 1905;
7. **La France et l'Allemagne** ne modèrent pas leurs alliés respectifs, la Russie et l'Autriche-Hongrie.

La crise de juillet 1914
28.6 Assassinat du prince héritier autrichien, l'archiduc FRANÇOIS-FERDINAND (né en 1863), et de sa femme par un étudiant bosniaque, PRINCIP, sur l'ordre de la « Main Noire », organisation secrète (aucune participation directe du gouvernement serbe).
6.7 Après s'être assuré de l'appui inconditionnel de l'Allemagne (chèque en blanc), l'Autriche envoie un ultimatum de 48 heures à la Serbie, le

23.7 demandant la suppression des menées anti-autrichiennes et le châtiment des coupables, avec participation des forces autrichiennes.
25.7 La Serbie invoque ses droits d'État souverain pour faire des réserves. Mobilisation partielle. L'Autriche déclare que la réponse serbe est insuffisante. Rupture des relations diplomatiques. Mobilisation partielle en Autriche.
20-23.7 Visite en Russie du président français POINCARÉ et de VIVIANI, président du Conseil. La France assure la Russie de sa fidélité à l'alliance.
25.7 La Russie décide de soutenir la Serbie (conseil de la Couronne de Krasnoïé-Sélo). Malgré des tentatives de médiation anglaises et allemandes (propositions d'une conférence d'ambassadeurs et de négociations directes entre la Russie et l'Autriche-Hongrie),
28.7 **déclaration de guerre de l'Autriche-Hongrie à la Serbie.**
29.7 Mobilisation partielle russe.
30.7 Mobilisation générale russe. Le chef de l'état-major allemand, MOLTKE (p. 401), demande à son collègue autrichien CONRAD VON HÖTZENDORF de mobiliser et déconseille les négociations qu'entreprend le chancelier allemand BETHMANN HOLLWEG (p. 386) à cause de l'attitude menaçante de l'Angleterre : **désaccord entre les chefs politiques et militaires de l'Allemagne.**
31.7 Mobilisation générale en Autriche-Hongrie. L'Allemagne proclame « l'état de danger de guerre » et adresse à la Russie un ultimatum de 12 heures où elle exige la suspension de la mobilisation générale; autre ultimatum à la France qui, dans un délai de 18 heures, doit se déclarer neutre en cas de conflit germano-russe, et remettre en gage les forteresses de Toul et de Verdun. La Russie ne répond pas.
1.8 **Mobilisation allemande et déclaration de guerre à la Russie.** La France refuse l'ultimatum allemand, d'où le
3.8 **déclaration de guerre de l'Allemagne à la France.** La Belgique refuse de laisser passer les troupes allemandes.
3-4.8 Violation de la neutralité belge. L'Angleterre a mobilisé sa flotte le 1.8, assumé le 2.8 la protection des côtes françaises de la mer du Nord. Le
4.8 ultimatum anglais à l'Allemagne où l'Angleterre exige le respect de la neutralité belge, ce qui équivaut à une déclaration de guerre. Suivent les déclarations de guerre de la Serbie à l'Allemagne (6.8), de l'Autriche-Hongrie à la Russie (6.8), de la France à l'Autriche-Hongrie (11.8), de l'Angleterre à l'Autriche-Hongrie (12.8).

L'élargissement des alliances

Le Japon veut occuper Kiao Tchéou et étendre son influence en Chine du nord jusqu'au Yang Tsé Kiang.

23.8.1914 Déclaration de guerre à l'Allemagne : après la conquête des possessions allemandes (p. 385), le Japon répond à la Chine, qui réclamait le retour des territoires allemands, par les « 21 demandes » du 18 janvier 1915. La Chine les accepte le 5.5.1915, et la Chine du Nord devient zone d'influence jap.

3.7.1916 Traité secret russo-japonais : les deux puissances protégeront désormais la Chine.

La Turquie signe un traité avec l'Allemagne (2.8.1914) dirigé contre la Russie et se déclare en état de neutralité armée (3.8.1914).

29.10.1914 Bombardement des villes russes de la mer Noire par les navires allemands « Goeben » et « Breslau ».

2-5. 11.1914 Russes, Anglais et Franç. déclarent la guerre à la Turquie.

L'Italie par opposition à l'Autriche se place aux côtés des Alliés.

26.4.1915 Traité secret de Londres. L'Italie obtient des concessions territoriales pour entrer en guerre : la frontière des Alpes jusq. Brenner, l'Istrie, la plus grande partie de la Dalmatie, la Libye, l'Erythrée, une partie de l'Asie Mineure.

23.5.1915 Déclaration de guerre à l'Autriche-Hongrie (28.5.1915 à l'Allemagne).

6.9.1916 La Bulgarie conclut un traité d'amitié et d'alliance avec l'Allemagne, qui lui accorde la Macédoine serbe. Elle entre en guerre le 14.10. 1915. Lorsque la Grèce et la Roumanie prennent le parti des Alliés, elle revendique aussitôt la Macédoine grecque et la Dobroudja.

La Roumanie se déclare d'abord neutre (3.8.1914).

17.8.1916 Traité avec les Alliés qui lui promettent le Banat, la Transylvanie et la Bukovine.

27.8.1916 La Roumanie déclare la guerre à l'Autriche-Hongrie. Les puissances centrales déclarent la guerre à la Roumanie, isolée car elle ne peut compter sur le soutien efficace de la Russie.

La Grèce demeure d'abord neutre. Après le

6 et 22 juin 1916, blocus des côtes grecques par les Alliés qui met en péril le ravitaillement de la pop. grecque et qui force la Grèce à faire des concessions. Après l'ultimatum de JONNART, haut commissaire franç. (11.6.1917), le

12.6.1917 abdication du roi CONSTANTIN et formation d'un nouveau gouvernement avec le prem. min. VENIZELOS.

27.6.1917 La Grèce entre en guerre aux côtés des Alliés.

Buts de guerre et traités secrets

1. Alliés. La Grande-Bretagne, la France et la Russie s'engagent le 5.9.1914, dans le traité de Londres, à ne conclure aucune paix séparée (19.10.1917 signature du Japon, 30. 11.1915, de l'Italie). Décision de collaborer milit.

18.3.1915 La Grande-Bretagne et la France garantissent à la Russie la possession de Constantinople et des Détroits.

6.8.1915 Conférence de Chantilly : évacuation des Dardanelles. La Grande-Bretagne obtient la possession de la plus grande partie des col. allemandes, la France, le retour de l'Alsace-Lorraine.

16.5.1916 Accords Sykes-Picot. Partage de l'empire ottoman entre la France et l'Angleterre qui contredit les promesses faites par l'Angleterre aux Juifs et aux Arabes.

Février 1917 Accord secret francorusse publié ensuite par le soviet de Petrograd. La France peut prétendre au retour de l'Alsace-Lorraine et à la Sarre. Création d'un État neutre (rép. rhénane) sur la rive gauche du Rhin. La Russie pourrait « fixer en toute liberté et à son gré ses frontières à l'ouest ». Ces concessions sont faites par crainte d'une paix séparée de la Russie avec l'Allemagne. Réticences de BRIAND, min. des Aff. étrang. français.

2. Puissances centrales. Objectifs des pangermanistes, de LUDENDORFF chef de l'État-Major général, et aussi des conservateurs et même de l'aile droite des sociaux-démocrates. Le Reich définit comme suit ses buts de guerre :

1. Une « Mitteleuropa », unité écon., où entreront des États tampons, et des zones d'influence.
2. Après l'échec d'une paix séparée avec la Russie, le

5.11.1916 proclamation d'un royaume indép. de Pologne, mais sans Posen et la Galicie. L'Allemagne favorise la rév. en Russie et espère ainsi obtenir la création d'États tampons du Caucase à la Finlande;

3. Le contrôle milit., écon. et polit. de la Belgique, l'annexion de Liège, d'Anvers, des côtes flamandes et du bassin de Briey riche en minerai de fer;

L'Autriche-Hongrie renonce aux annexions en Pologne, mais désire s'agrandir du côté du Sud-Est, en Serbie, Monténégro et Roumanie. Ce serait le triomphe du « Drang nach Osten ».

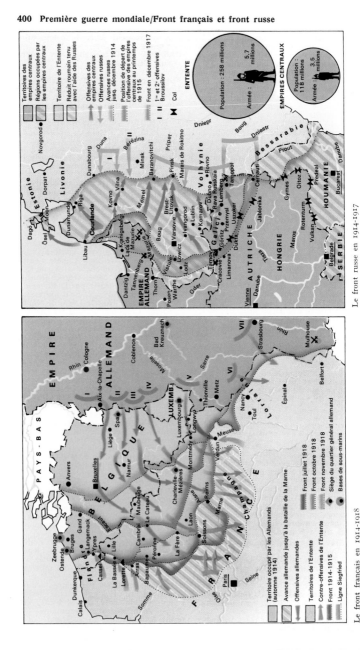

Le front russe en 1914-1917

Le front français en 1914-1918

Le front français (1914-1917)

Le plan allemand, c'est le « plan SCHLIEFFEN » : défensive à l'Est, décision rapide à l'Ouest par l'encerclement de l'armée française au moyen d'une « puissante aile droite ». Devant l'éventualité d'une armée franç. en Alsace-Lorraine, le nouveau chef de l'État-Major général, MOLTKE, modifie ce plan : il affaiblit l'aile droite.

Guerre de mouvement. Alors que la France cherche en vain à libérer la Lorraine annexée (bataille de Morhange 20-22 août) et à reprendre Mulhouse (9-10 août), l'Allemagne envahit la Belgique et fait déferler ses divisions sur la frontière du Nord. Le roi ALBERT réussit à se maintenir autour d'Ypres. L'armée LANREZAC, qui protégeait Charleroi, commence une longue retraite qui va entraîner toutes les armées françaises vers le Sud. L'armée allemande descend alors vers Paris, tandis que l'armée anglaise protège les ports de la Manche. Une poche se forme à l'est de Paris dont les environs sont fortifiés.

6-9.9.1914 JOFFRE et GALLIENI livrent la première bataille de la Marne. Une contre-attaque franç. au nord de Meaux, sur l'Ourcq, bloque l'avance allemande. Entre la 1re et la 2e armée allemande, brèche de 40 km de large.

10-12.9.1914 Retraite des Allemands sur l'Aisne.

10.10-10.11.1914 « Course à la mer ». Échec des tentatives d'encerclement anglo-franç. Leur attaque s'arrête sur le canal de l'Yser et devant Ypres : **la guerre de mouvement devient guerre de position.**

16.2-20.3.1915 Guerre d'hiver en Champagne. Les tentatives de percée échouent :

22.4-25.5.1915 Bataille d'Ypres (apparition des gaz).

9.5-23.7.1915 Bataille de Vimy (troupes canadiennes).

22.9-6.11.1915 Bataille d'automne en Champagne.

21.2-21.7.1916 Bataille de Verdun (« L'enfer de Verdun ») : succès de début pour les Allemands (Mort-Homme, Cote 304, Douaumont et Vaux). Après de grosses pertes, la bataille s'apaise peu à peu.

24.6-26.11.1916 Bataille de la Somme. Échec de la tentative de percée franco-britannique.

24.10-16.12.1916 Les Franç. reprennent les forts de Verdun, grâce en partie à la « Voie sacrée » qui part de Bar-le-Duc et permet le ravitaillement du saillant de Verdun. Les échecs subis de part et d'autre provoquent des changements dans le commandement.

29.8.1916 HINDENBURG et LUDENDORFF assument la direction de l'État-Major général.

3-11.1916 Le général NIVELLE remplace JOFFRE comme généralissime.

22.2-18.3.1917 Retraite des Allemands entre Arras et Soissons sur une position préparée à l'avance, la ligne Siegfried. Échec d'une attaque brit. au printemps dans la bataille d'Arras (2.4-20.5.1917).

6.4-17.5.1917 Offensive NIVELLE. L'armée française ne réussit pas à déborder les positions allemandes du Chemin-des-Dames, entre Soissons et Laon.

15.5.1917 Le gén. PÉTAIN prend le commandement après des mutineries sur le front. Échec en Flandre des tentatives de percée brit. (27.5-3.12.1917).

Le front russe (1914-1917)

Après la bataille de Gumbinnen (19-20.8.1914) et l'évacuation de la Prusse Orientale par les Allemands,

26-30.8.1914 bataille de Tannenberg : encerclement de l'armée russe de la Narev.

En Galicie, les 1re et 4e armées austro-hongroises avancent sur Lublin à partir de Lemberg, mais après les deux batailles de Lemberg (26-30.8-8-12.9.1914), elles doivent battre en retraite à Rawa Russkaïa devant la supériorité russe (5 armées). Perte de la Galicie orientale et lutte pour les cols des Carpates. La 9e armée allemande pénètre dans la boucle de la Vistule à partir de Cracovie, mais doit revenir en haute Silésie pour ne pas être encerclée.

4-22.2.1915 Bataille des lacs de Mazurie (plus de 100 000 prisonniers russes). Les Russes abandonnent la Prusse Orientale.

Décembre 1914-avril 1915 Bataille des Carpates. Les Russes qui menaçaient la Hongrie sont repoussés.

1-3.5.1915 Les batailles de Tarnov et de Görlitz forcent les Russes à évacuer la Galicie et la Bukovine.

A p. du 1.7.1915, offensive austroallemande de la Baltique au San : Prise de Varsovie (5.8), Kovno (18.8.), Brest-Litovsk (25.8) et de Vilna (18.9). En Galicie orientale, l'offensive s'arrête le

6-19.9.1915 à la bataille de Tarnopol.

4.6-15.8.1916 Première offensive BROUSSILOV. Avance en Volhynie et en Galicie. Pertes considérables des Russes, début de la démoralisation de l'armée. Les autres offensives échoueront jusqu'à l'échec final de KERENSKY.

A p. du 19.7.1917 contre-offensive austro-allemande. Reprise de presque toute la Galicie et de la Bukovine.

3.9.1917 Prise de Riga par les Allemands.

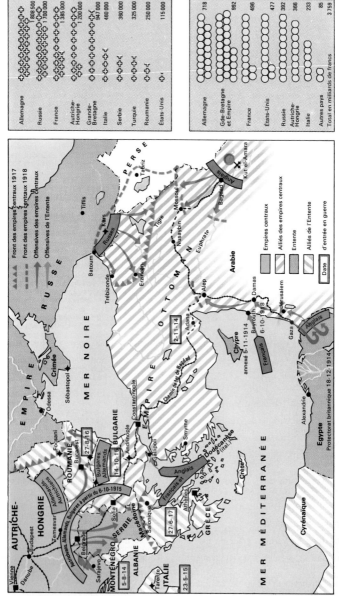

Allemagne		1 808 500
Russie		1 700 000
France		1 385 000
Autriche-Hongrie		1 200 000
Grande-Bretagne		947 000
Italie		460 000
Serbie		360 000
Turquie		325 000
Roumanie		250 000
États-Unis		115 000

Allemagne	718
Gde-Bretagne et Empire	992
France	496
États-Unis	477
Russie	392
Autriche-Hongrie	366
Italie	233
Autres pays	85
Total en milliards de francs	3 759

Les Balkans et le Moyen-Orient (1914-1918). Pertes humaines et matérielles des belligérants

La guerre sur mer

Mer du Nord. Chaque puissance hésite à risquer sa flotte de haute mer.

31.5-1.6 1916 Bataille du Jutland, indécise à cause du repli de la flotte allemande. Par la suite, guerre sous-marine et guerre de mines.

Outre-mer. Après des succès de début (bataille de Coronel 1.11.1914), fin de la guerre de course à la suite de la défaite allemande des îles Falkland (8.12.1914) et de la perte de trois croiseurs.

Méditerranée. Échecs de la flotte française dans l'opération des Dardanelles en 1915.

Guerre sous-marine.

22.9.1914 Torpillage de trois croiseurs anglais.

1914-1915 L'Angleterre et l'Allemagne déclarent que la mer du Nord est territoire de guerre.

22.5.1915 L'Allemagne donne l'ordre d'étendre la guerre sous-marine aux navires de commerce. Le torpillage du « Lusitania » (7.5.1915) et de l'«Arabic» (19.8.1915) déclenche des protestations américaines.

29.2.1916 Aggravation de la guerre sous-marine contre les navires de commerce armés.

4.5.1916 Note de l'Allemagne aux E.-U. : le Reich observera les règles de la guerre de course quand l'Angleterre s'engagera à les observer.

1.2.1917 L'Allemagne déclare la guerre sous-marine sans aucune restriction.

Guerre aérienne. A p. de juillet 1916 (bataille de la Somme) supériorité anglo-franç. Malgré de grands efforts écon., seules quelques unités allemandes peuvent intervenir. La guerre aérienne n'a pas d'importance décisive.

Guerre coloniale. Les petites troupes de protection stationnées dans les colonies allemandes capitulent devant la supériorité des Alliés à l'exception de celles du Tanganyika qui se défendront jusqu'à l'armistice.

Les théâtres d'opération secondaires

Turquie.

5.11.1914 Annexion de Chypre occupée depuis 1878 par l'Angleterre.

18.12.1914 Proclamation du protectorat brit. sur l'Égypte occupée depuis 1881. Expédition des Dardanelles (25.4.1915 débarquement des Alliés à Gallipoli, 9.1.1916 évacuation). Les Détroits demeurent entre les mains des Turcs. Échec d'une attaque turque contre le canal de Suez, dont les Anglais occupent la rive orientale en 1916; après une offensive russe (janv.-avril 1916) en Arménie et en Perse, reprise par les Turcs de l'Arménie turque (août 1916). En Mésopotamie, fin de la première offensive anglaise par la capitulation de Kut el-Amara (29.4.1916), mais la seconde s'achève par la prise de Bagdad (11.3.1917). Lors de la rév. russe, es Anglais occupent la Perse.

Balkans.

6.10.1915 Offensive des puissances centrales contre la Serbie.

9.10.1915 Prise de Belgrade. L'entrée en guerre de la Roumanie entraîne la prise de Bucarest (6.12.1916). Le front de Macédoine tiendra jusqu'en 1918.

Italie.

Juin 1915-mars 1916. Vaines tentatives italiennes de percée dans les batailles de l'Isonzo.

A p. du 14.5.1916 contre-offensive autrichienne dont le succès doit être interrompu à cause de la première offensive russe de BROUSSILOV.

6-9.8.1916 Les Italiens prennent Gorizia.

24-27.10.1917 Lourde défaite italienne à Caporetto, repli des Italiens derrière la Piave, envoi de secours français.

Les tentatives de paix

Sur la demande du prés. des E.-U. WILSON, le colonel HOUSE se rend à Paris, Londres et Berlin (1914-1916). Après sa victoire sur la Roumanie, l'Allemagne adresse aux Alliés, par l'intermédiaire des E.-U., des offres de paix (12.12.1916).

30.12.1916. L'Entente les refuse.

21.12.1916 Note de WILSON aux belligérants pour connaître leurs conditions de paix.

26.12.1916 Le gouv. allemand ne fait aucune offre ferme, mais se déclare prêt à prendre part à une conférence de paix.

10.1.1917 Dans sa réponse, l'Entente réclame le retour de l'Alsace-Lorraine à la France, le rétablissement de la Belgique, de la Serbie et du Monténégro, l'application du principe des nationalités, la libération des Italiens, des Tchèques, des Slovaques, des Roumains, des Yougoslaves, l'expulsion des Turcs hors d'Europe, l'autonomie de la Pologne à l'intérieur de la Russie.

22.1.1917 WILSON proclame la « paix sans victoire ».

29.1.1917 Remise des conditions allemandes de paix par l'ambassadeur à Washington, le comte BERNSTORFF : garanties de sécurité et rectifications de frontières en Belgique et en France. Incorporation de la Pologne dans la zone d'influence allemande, aucune répartition des colonies, réparations pour les dommages causés. Les puissances de l'Entente sont pleinement d'accord, tandis que chez les puissances centrales seule l'Allemagne répond à l'entreprise de médiation de WILSON.

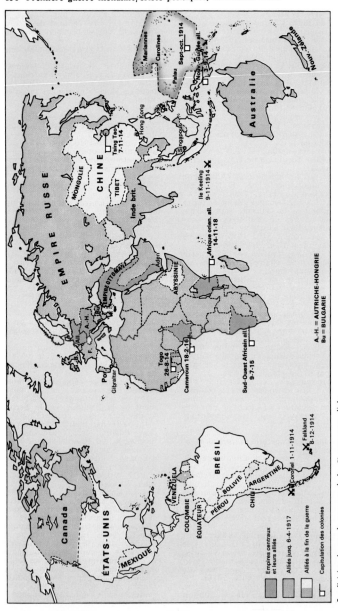

La division du monde au cours de la 1re guerre mondiale

L'entrée en guerre des Etats-Unis
Dès le début de la guerre, les E.-U.
ont fait preuve de sympathie à l'égard des Alliés. Les incidents navals lors de la proclamation par l'Allemagne de la guerre sous-marine illimitée (p. 403) amènent le
3.2.1917 la rupture des relations dipl. Après la publication du télégramme ZIMMERMANN (19.1.1917 tentative allemande pour entraîner le Mexique dans la guerre) par le gouv. anglais, WILSON s'adresse au Sénat (2.4.1917).
6.4.1917 Déclaration de guerre des E.-U. à l'Allemagne, et le 7.12.1917 à l'Autriche-Hongrie.

Crises intérieures chez les belligérants
Fin 1916, le rétablissement de l'équilibre milit. fait disparaître tout espoir d'un règlement rapide.
Angleterre. Le conservateur BONAR LAW et LLOYD GEORGE, de la gauche libérale, renversent le gouv. lib. ASQUITH, auquel ils reprochent un manque d'énergie.
6.12.1916 Formation d'un cabinet de guerre avec Lloyd George : renforcement de l'autorité gouvernementale.
France. Après l'échec de l'offensive de printemps de NIVELLE et sous l'influence des grèves des métallurgistes à Paris et dans les autres centres industriels, **début de mutineries** dans 16 corps d'armée. Le général PÉTAIN (1856-1951) parvient à les maîtriser.
16.11.1917 Formation du ministère CLEMENCEAU. Il luttera pour réaliser le commandement unique au profit de FOCH (entrevue de Doullens au printemps 1918).
L'Autriche-Hongrie ne peut être gouvernée qu'à l'aide de l'état d'exception et de l'état de siège.
21.11.1916 Mort de l'emp. François-Joseph. Son petit-neveu CHARLES Ier lui succède. Le comte CZERNIN devient ministre des Aff. étr. (14.12.1916).
31.5.1917 Réouverture du Parlement austro-hongrois (après une suspension de 3 ans). La politique de réconciliation de CHARLES échoue devant les demandes d'autonomie des Tchèques et des Slaves du Sud.
Allemagne.
9-11.4.1917 Fondation du parti social-démocrate indépendant : lutte contre la poursuite de la guerre, grèves dans l'industrie des munitions. ERZBERGER, député du Centre, réclame le
6.7.1917 une paix de compromis sans vainqueurs ni vaincus.
19.7.1917 Déclaration pacifique des partis de la majorité (sociaux-démocrates, Centre, parti du Progrès). Avec le nouveau chancelier MICHAELIS, qui a succédé à BETHMANN HOLLWEG, l'opposition entre le Reichstag et le commandement milit. s'accentue. Finalement, affaiblissement du gouvernement et triomphe de l'influence polit. du Haut Commandement. Chute de prestige pour GUILLAUME II.

La révolution russe
Après l'échec de la première offensive BROUSSILOV, mécontentement des masses (durée de la guerre, difficultés de ravitaillement), troubles révolutionnaires.
27.2.-12.3.1917 Rév. de février à Saint-Petersbourg (Pétrograd) : des unités milit. passent aux insurgés. **Fondation du Comité exécutif provisoire du Conseil des députés ouvriers.**
28.2.1917 Formation d'un gouv. prov. avec le prince LVOV.
2.3.1917 Abdication de NICOLAS II. Dualité du pouvoir. Le gouv. provis. veut poursuivre la guerre et le Soviet des députés des ouvriers et des soldats de Pétrograd, qui contrôle l'armée, réclame la paix.
3.4.1917 Retour de LÉNINE dans un « wagon plombé » sur l'initiative des Aff. étr. allemandes avec l'accord du Haut Commandement.
4.4.1917 « Thèses d'Avril ». Demande d'une rév. social. (« Tout le pouvoir aux Soviets »), d'une république soviétique, de la nationalisation des banques et du sol.
3-4.7.1917 Échec d'un coup d'État bolchévique à Pétrograd sur l'intervention des milit. LÉNINE s'enfuit en Finlande.
11.7.1917 KERENSKY devient prem. min. (21.7.1917). Après le putsch du gén. KORNILOV (sept. 1917),
10.10.1917 fondation du bureau polit. du parti bolchévique avec LÉNINE, TROTSKY, STALINE, etc.
24-25.10.1917 Révolution d'Octobre à Pétrograd. Arrestation des membres du gouv. provis. Fuite de KERENSKY. L'échec du gouv. provis. a pour causes : la poursuite de la guerre, le refus de partager les terres, la remise à une date ultérieure des élections à l'Assemblée constituante.
26.10.1917 Deuxième Congrès des Soviets de toutes les Russies. **Création du Conseil des commissaires du peuple**, organe de gouvernement, **décrets sur la fin des hostilités** et sur l'**expropriation sans indemnisation des grands propriétaires fonciers** (150 millions d'hectares).
2.11.1917 Octroi du droit de sécession pour tous les peuples de l'ancien empire.
5.1.1918 Début de l'Assemblée constituante. Proclamation d'une république fédérale et démocr. de Russie.
6.1.1918 Dissolution de l'Assemblée constituante par le Conseil des commissaires du peuple.

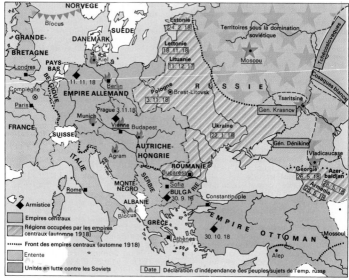

L'année 1918.

La révolution en Allemagne à la fin de la guerre.

La politique de paix de Wilson
8.1.1918 Proclamation des « Quatorze points », par le président WILSON : renonciation à la dipl. secrète; liberté des mers; liberté de l'économie mondiale; limitation des armements; limitation des revendications coloniales; évacuation de la Russie par les puissances centrales; rétablissement de la Belgique; retour à la France de l'Alsace-Lorraine; fixation des frontières de l'Italie d'après le principe des nationalités; autonomie des peuples de la monarchie danubienne; évacuation de la Roumanie, de la Serbie, du Monténégro; indépendance de la Turquie; liberté des Détroits; autonomie des populations arabes, arméniennes, de l'empire ottoman; création d'un État polonais indépendant; fondation d'une Société des Nations.

La paix sur le front russe
9.2.1918 Paix entre un nouvel État ukrainien et l'Allemagne, l'Autriche-Hongrie et la Turquie : reconnaissance de ce nouvel État, autonomie ukrainienne en Galicie orientale (en vue des livraisons de céréales aux puissances centrales). TROTSKY (p. 387) qui représente la Russie aux négociations de Brest-Litovsk (à partir du 22.12.1917) proclame l'arrêt des hostilités sans accepter les conditions de l'Allemagne et interrompt les négociations (10.2. 1918). Les puissances centrales reprennent les opérations (avance par chemin de fer).
3.3.1918 La Russie signe la paix de Brest-Litovsk. Elle renonce à la Livonie, Courlande, Lituanie, Estonie, et Pologne, reconnaît l'indépendance de la Finlande et de l'Ukraine, s'engage à des prestations en nature.
7.5.1918 Traité de Bucarest entre les puissances centrales et la Roumanie.

L'effondrement des puissances centrales
Allemagne. Elle tente un ultime effort avant l'arrivée massive des troupes américaines sur le front. En mai, percée allemande du Chemin-des-Dames au nord de l'Aisne. La Marne est atteinte. Mais FOCH lance la deuxième bataille de la Marne en attaquant au sud de Soissons (18.7.-3.8.1918). Les troupes allemandes ne peuvent plus s'arrêter comme en 1914.
8.8.1918 Attaque de chars sur Amiens (« le jour noir de l'armée allemande »).
Août-sept. Nouvelle retraite des troupes all. sur la « ligne Siegfried ».
14.8.1918 Conférence de Spa. Le Haut Commandement déclare que la poursuite de la guerre n'a plus de sens.

Sept. 1918 HINDENBURG et LUDENDORFF exigent un armistice.
Oct. 1918 Le prince MAX DE BADE (1867-1929) devient chancelier.
3-4.10.1918 Le gouvernement allemand fait à WILSON une offre d'armistice sur la base des 14 points.
29.10.1918 Mutinerie de la flotte allemande à Wilhelmshaven.
7.11.1918 Révolution à Munich. Fuite du roi de Bavière.
9.11.1918 Révolution à Berlin. Proclamation de l'abdication de GUILLAUME II et du Kronprinz. Proclamation de la république par SCHEIDEMANN (1865-1939), social-démocrate. EBERT (p. 427) président du parti social-démocrate, assume la responsabilité des affaires courantes.
10.11.1918 Départ de GUILLAUME II pour l'exil (Hollande). Formation d'un nouveau gouvernement, le « Conseil des députés du peuple », composé de trois socialistes de la majorité et de trois membres sociaux-démocrates. Puis formation d'un Conseil suprême des conseils d'ouvriers et de soldats.
8-11.11.1918 Négociations d'armistice entre FOCH et ERZBERGER.
11.11.1918 Armistice sur la base des 14 points. Évacuation des territoires occupés à l'ouest et de la rive gauche du Rhin, annulation des traités de paix de Brest-Litovsk et de Bucarest. Livraison notamment du matériel de guerre et des sous-marins.
Autriche-Hongrie. Après l'échec de la dernière offensive austro-hongroise sur la Piave (15-24.6.1918), et le rejet par WILSON (14.9.1918) d'une conférence de paix, l'Autriche-Hongrie envisage un armistice comme l'Allemagne (4.10.1918).
17.10.1918 L'empereur CHARLES Ier promet de donner aux peuples de la monarchie danubienne une constitution de type fédéral.
20.10.1918 WILSON exige la reconnaissance de l'indépendance pour tous les peuples de l'Autriche-Hongrie. Après la révolution à Vienne et la création d'une assemblée autrichienne allemande (21.10.1918), dissolution de la monarchie danubienne.
28.10.1918 Proclamation d'indépendance de la Tchécoslovaquie.
28.10.1918 Naissance de la Yougoslavie.
1.11.1918 Sécession de la Hongrie avec le comte KAROLYI.
3.11.1918 Armistice sur le front italien (Villa Giusti).
Bulgarie. Après le succès de l'armée d'Orient en Macédoine (prise du Dobropol, 15-24.9.1918), défaite.
30.9.1918 Armistice.
Turquie. Une fois le front turc percé près de Jaffa en Palestine (19.9.1918), **30.1.1918 armistice** (Mondros).

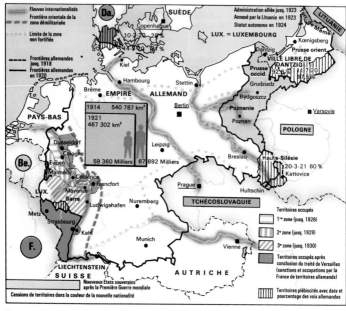

Le sort de l'Allemagne au traité de Versailles

Balkans et Moyen-Orient après 1918

La paix de Versailles

18.1.1919 Début de la Conférence de la Paix au ministère des Affaires étrangères, à Paris. 70 délégués de 27 nations siègent sous la présidence du président du Conseil CLEMENCEAU, sans que les puissances vaincues soient représentées. Pendant les pourparlers des « Quatre Grands » (WILSON, LLOYD GEORGE, CLEMENCEAU, ORLANDO), il est difficile de concilier les 14 points proclamés par WILSON avec les buts de guerre fixés par l'Entente dans les traités secrets.

7.5.1919 Remise des conditions de paix à la délégation allemande. Le comte BROCKDORFF-RANTZAU, ministre des Aff. étrang. de l'Allemagne, tente d'obtenir quelques atténuations.

16.6.1919 Les Alliés, par un ultimatum, exigent la signature du traité presque sans modifications. Devant le danger grandissant d'une avance des troupes alliées sur le territoire du Reich, l'Assemblée nationale allemande donne son accord à la signature par 237 voix contre 138 (démocrates, parti populaire allemand, et parti national allemand).

28.6.1919 Signature du traité (pour l'Allemagne : HERMANN MÜLLER et BELL).

Contenu du traité (440 articles) :
Première partie : Règlement de la Société des Nations et administration des colonies allemandes par les « nations avancées » pour le compte de la S. D. N.
2e et 3e parties. L'Allemagne cède l'Alsace-Lorraine, Posen (qui devient Poznan), la Prusse occ. et Mémel. Dantzig devient ville libre. Plébiscites à Eupen-Malmédy (à la front. belge), dans le Slesvig du Nord, dans certaines régions de la Prusse orient. et en haute Silésie; à Eupen-Malmédy et en haute Silésie, ces plébiscites seront révisés au bénéfice de la Belgique et de la Pologne. Dans le Sud du Slesvig, en Prusse orientale et 15 ans plus tard dans la Sarre, les plébiscites donneront une majorité à l'Allemagne. Pendant 15 ans, la Sarre est placée sous l'administration de la S. D. N., les mines de charbon deviennent franç. Interdiction à l'Allemagne et à l'Autriche de réaliser l'Anschluss (la réunion). La rive gauche du Rhin est divisée en trois zones qui seront évacuées respectivement après 5, 10 et 15 ans.
4e et 5e parties : L'Allemagne renonce à ses droits sur ses colonies. Des commissions alliées surveillent le désarmement allemand : livraison de tout le matériel de guerre. Armée de métier de 100 000 hommes, dissolution du Grand État-Major général, démantèlement de toutes les forteresses jusq.

50 km à l'est du Rhin.
6e et 7e parties : Décisions sur les prisonniers de guerre et la livraison des criminels de guerre.
8e partie : Réparations, fixation des dommages de guerre (art. 231) : « Les gouv. alliés et associés déclarent, et l'Allemagne reconnaît, que l'Allemagne et ses alliés sont les auteurs responsables de toutes les pertes et dommages que les gouvernements alliés et associés ont subis à la suite de la guerre que leur a imposée l'attaque de l'Allemagne et de ses alliés. » Une commission spéciale fixera le montant des réparations. Livraisons (navires au-dessus de 1 600 tonnes, un quart de la flotte de pêche, du bétail, du charbon, des locomotives, des wagons de chemin de fer, des machines, des câbles sous-marins, etc.). La Conférence de Boulogne (21 juin 1920) fixera le montant des dettes : 269 milliards de marks-or, payables en 42 ans.
9e-14e parties : Articles sur les finances, l'économie, le trafic aérien, fluvial, ferroviaire, sur le mécanisme de la S. D. N., sur les sanctions et sur la reconnaissance des modifications territoriales imposées par les vainqueurs à la monarchie austro-hongroise, à la Bulgarie et à la Turquie.

10.9.1919 Traité de Saint-Germain-en-Laye avec l'Autriche :
Cession du Tyrol du Sud jusqu'au Brenner, de Trieste, de l'Istrie et de territoires en Dalmatie, Carinthie et en Carniole. Reconnaissance de l'indép. de la Hongrie, Tchécoslovaquie, Pologne et Yougoslavie. Interdiction du nom « Autriche allemande » et de l'union à l'Allemagne. Armée de métier de 30 000 hommes.

27.11.1919 Traité de Neuilly avec la Bulgarie : cession à la Grèce des territoires côtiers de la Thrace. Armée de 20 000 hommes.

4.6.1919 Traité de Trianon avec la Hongrie. La Hongrie, qui succède à la monarchie danubienne, est traitée en vaincue : cession de la Slovaquie à la Tchécoslovaquie, du Banat à la Yougoslavie et à la Roumanie, de la Transylvanie à la Roumanie; armée de 35 000 hommes.

10.8.1920 Traité de Sèvres avec la Turquie. Le Parlement turc refuse de le ratifier (p. 443). Internationalisation des Détroits, cession à la Grèce de la Thrace (avec Gallipoli), des îles de la mer Égée et de Smyrne; à la France, de la Syrie et de la Cilicie; à l'Angleterre de l'Irak et de la Palestine. Elle assume également le protectorat de l'Arabie (roy. du Hedjaz). Le Dodécanèse et Rhodes redeviennent italiens. L'Arménie est indép. La Tripolitaine revient à l'Italie.

Les problèmes principaux de l'après-guerre en Europe
1. Essor des nationalismes. Le problème des minorités nationales et les questions de frontières demeurent souvent sans solution.
2. Révision des traités. La France s'efforce de maintenir le nouvel ordre par des conférences et par des alliances.
3. Difficultés économiques. La reconstruction économique de l'Europe est freinée par les problèmes des réparations et des dettes de guerre.
4. Nouveaux États. Fragilité des nouvelles démocraties dont les citoyens n'ont pas toujours la maturité nécessaire pour résister à la démagogie facilitée par les nouveaux moyens de propagande (radio à partir de 1920).
5. Désaccords des puissances européennes à l'égard de la révolution russe et de l'Union Soviétique.
6. Faillite de la Société des Nations (p. 413).
7. Entrée dans la vie politique de nouvelles couches sociales.
8. Fin de l'hégémonie de l'Europe sur le monde. Essor des États-Unis et de l'U. R. S. S. Une politique égoïste soumise aux intérêts nationaux et la rivalité des différents pays accélèrent le déclin de l'Europe.
L'Allemagne (p. 427) veut obtenir la révision du traité de paix qu'elle estime injuste et inapplicable.
La France (p. 425) a besoin de sécurité et veut l'hégémonie en Europe, d'où attitude rigide dans la question des réparations et du désarmement.
L'Angleterre (p. 422) veut rétablir un équilibre européen, mais elle est gênée par les problèmes que pose la transformation de l'empire en Commonwealth.
L'Italie (p. 435) se heurte à l'Angleterre et à la France en Méditerranée.
La Pologne (p. 431) et la Tchécoslovaquie (p. 433) forment une partie du cordon sanitaire contre l'U. R. S. S. mais s'opposent sur la question de Teschen (p. 431). Crises internes dues à l'oppression des minorités politiques.
L'Union Soviétique concilie le sens national et l'idéal communiste de révolution mondiale (Komintern).
Les États balkaniques forment deux groupes : Yougoslavie, Roumanie et Grèce veulent le statu quo, Hongrie et Bulgarie réclament la révision des traités (Trianon, Saint-Germain).
9. Le désarmement général échoue devant les exigences des souverainetés nationales.
10. La politique d'expansion de l'Italie fasciste (p. 435) et de l'Allemagne nationale-socialiste (p. 473) accroît le péril de guerre.

Les problèmes extra-européens
1. Les E.-U. pratiquent une polit. isolationniste à l'égard de l'Europe, et hésitent en Amér. Centr. et du Sud entre un « impérialisme du dollar » commandé par les intérêts économiques (p. 453) et la réalisation d'une solidarité panaméricaine.
1923 Traité de Gondra (collaboration de tous les États malgré les tensions existantes), plus tard « polit. de bon voisinage » de ROOSEVELT (p. 463). Les engagements pris dans le Pacifique conduisent en
1921-1922 aux Accords de Washington.
  a) Convention navale : Fixation de l'importance navale des cinq puissances : E.-U. et Grande-Bretagne, 525 000 t chacune ; Japon : 315 000 t ; France et Italie 175 000 t chacune ;
  b) Convention des quatre puissances (E.-U., Grande-Bretagne, France, Japon) qui garantit le statu quo dans le Pacifique. L'Angl. renonce à son alliance avec le Japon (1902) sur la pression du Canada, de l'Australie et de la Nouvelle-Zélande ;
  c) Convention des neuf puissances qui garantit l'indép. de la Chine : polit. de la « porte ouverte » ; **d) Traité du Chan Toung :** Le Japon rend le Chan Toung et Kiao Tchéou à la Chine et retire ses troupes de Sibérie.
1932 Publication de la doctrine des E.-U. par STIMSON, min. des Aff. étrang. : les E.-U. ne reconnaîtront juridiquement aucun changement dû à la force.
2. Le Japon tente d'obtenir la liberté d'émigration : échec à cause de l'opposition des E.-U. et des dominions brit. (Nouv.-Zélande, Australie et Afrique du Sud). La déception du Japon s'accroît : en
1930 **Conférence navale de Londres** qui confirme la proportion 5-5-3 entre les E.-U., la Grande-Bretagne et le Japon. Début de l'expansion du Japon qui en quelques années défie l'U. R. S. S. (Mandchourie), la Grande-Bretagne (possessions à l'est et à l'ouest de l'Inde), l'Australie et la Nouvelle-Zélande (îles du Sud), les E.-U. (Aléoutiennes, Guam, Wake, Philippines), la France (Indochine) et les Pays-Bas (Insulinde).
1934 Le Japon dénonce les accords navals de Washington. Début de la course aux armements.
3. Épanouissement du sentiment national en Chine, aussi bien dans le Kuo-Min-Tang que chez les communistes.
4. Développement de l'anticolonialisme chez les Asiatiques (influence des rév. russe et chinoise) grâce aux intellectuels dont le Komintern (p. 417) soutient le nationalisme (fondation des partis communistes).

5. Après l'entrée de la Grande-Bretagne et de la France au Moyen-Orient (mandats de la S. D. N. p. 444), rivalité des deux puissances (pétrole).

1920 Conférence de San Remo : compromis et participation de la France à l'exploitation des champs pétrolifères de Mossoul. Accord définitif.

1926 Les actions de l'Irak Petroleum Co sont partagées : 52,5 % aux Anglais, 21,25 % aux Français, 21,25 % aux Américains. S. C. GULBENKIAN reçoit 5 % à titre d'intermédiaire.

Réparations et conférences intern. (1920-1933)

Au centre de toutes les conférences intern. se pose jusq. la crise écon. (p. 461) la **question des réparations.** Comme les E.-U. refusent les propositions angl. et franç. d'annuler toutes les dettes de guerre, la France lie cette question au règlement des réparations par l'Allemagne. Après plusieurs conférences en 1920, en

1921 Conférence de Paris, qui fixe les versements de l'Allemagne à 269 milliards de marks-or, payables en 42 annuités.

1921 Conférence de Londres, où l'on repousse les contre-propositions allemandes. Rupture des pourparlers (sanctions p. 427).

1921 Ultimatum de Londres qui exige l'exécution rapide du traité de paix (désarmement) et qui réduit à 132 milliards de marks-or le total des réparations. Au cas où un milliard ne serait pas payé avant 25 jours, menace de l'occupation de la Ruhr. L'Allemagne accepte l'ultimatum (11 mai).

1922 Seconde Conférence de Londres. Refus des nouvelles propositions allemandes.

1923 La Commission des réparations annonce que l'Allemagne n'a pas livré le charbon convenu.

Janvier 1923 Occupation de la Ruhr par la France (p. 427). Après l'échec de la polit. de POINCARÉ dans la Ruhr, relations positives dues à l'attitude conciliante de l'Angl. et au rôle médiateur des E.-U. mus par des intérêts écon. et financiers.

1923 Adresse au Congrès du prés. COOLIDGE : une commission intern. de techniciens élabore en

1924 le plan Dawes : Règlement des paiements des réparations, mais aucun accord sur le délai. L'All. doit payer 5,4 milliards de marks jusq. 1928, et 2,5 milliards par an à p. de 1929 avec, pour gage, les revenus de l'État (douanes, impôts indirects et bénéfices des ch. de fer placés sous contrôle étranger). Garantie d'un prêt de 800 millions de marks-or pour le retour à l'étalon-or et pour régler les premières échéances. Confirmation du plan par un accord de la Conférence de Londres.

1925 Conférence de Locarno. Détente internationale grâce, en partie, à BRIAND qui veut renoncer à la politique d'exécution des traités de POINCARÉ.

Pacte rhénan de Sécurité (France, Grande-Bretagne, Italie, Belgique, Allemagne). L'Allemagne garantit l'inviolabilité des frontières françaises et belges, mais ne s'engage pas à reconnaître les nouvelles frontières avec la Pologne et la Tchécoslovaquie.

1929 BRIAND, qui cherche le rapprochement avec STRESEMANN, propose à l'Assemblée de la S. D. N. de fonder les « États-Unis d'Europe » (union douanière et écon.). Négociations pour la révision du plan Dawes qui mènent à la signature en

1930 du plan Young, à La Haye. L'Allemagne doit payer 34,5 milliards de marks-or en 59 ans, jusq. 1988. Elle obtient le droit de modifier les échéances (moratoire de deux ans), mais en réglant chaque année un tiers de l'annuité. Les créanciers conviennent d'une diminution des réparations au cas d'un allègement de leurs dettes réciproques (première reconnaissance officielle d'un lien entre les réparations et les dettes de guerre). Ce règlement définitif de la question des réparations n'a plus de sens à cause de la crise écon.

1932 Conférence de Lausanne : solution définitive du problème des réparations. L'All. fait un dernier règlement de 3 milliards de Reichsmarks. D'après des calculs allemands, elle a payé 53 milliards, 20 seulement d'après les Alliés. Il est exact que l'Allemagne a reçu plus d'argent de l'étranger, principalement des prêts américains, qu'elle n'a payé de réparations (circulation de l'argent américain).

Les problèmes du désarmement

1933 Première Conférence internationale du désarmement qui échoue devant les exigences de la France (garanties de sécurité, armée de la S. D. N.) et de l'Allemagne (égalité des droits).

1933 Deuxième Conférence internationale du désarmement. La proposition britannique sur une diminution des forces armées (sauf en Allemagne où elles seraient portées à 200 000 hommes) est refusée. SIR JOHN SIMON, ministre britannique des Aff. étrang., fait échouer une solution précipitée de la question de l'égalité en matière d'armement. L'Allemagne quitte la Conférence (octobre).

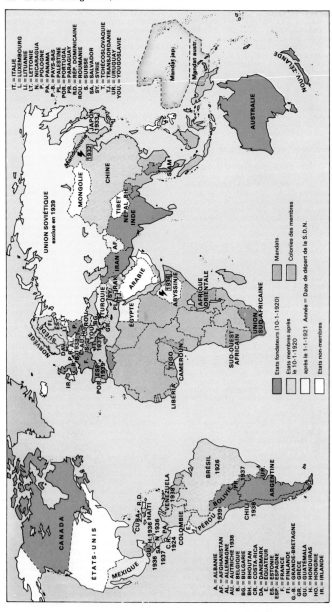

La Société des Nations (S. D. N.)

Légende de la carte :

AUSTRALIE — NOUV-ZÉLANDE — Mandat jap. — Mandat austr. — JAPON 1933 — Mandchourie 1932 — CHINE — SIAM — MONGOLIE — TIBET — NÉPAL — BH — INDE — AF — IRAN — IRAK — SYRIE — PALESTINE — ARABIE — TURQUIE — ÉGYPTE — ABYSSINIE 1936 — AFRIQUE ORIENTALE — SUD-OUEST AFRICAIN — UNION SUD-AFRICAINE — LIBÉRIA — CAMEROUN — TOGO — UNION SOVIÉTIQUE exclue en 1939 — NORVÈGE — SUÈDE — FI — EST — L — P — D — GB — IR — PO — ESP — POR — F — IS — AL — CH — A — IT — HO — YOU — R — BG — GR — T — CANADA — ÉTATS-UNIS — MEXIQUE — GU 1936 — H 1936 HAITI — SA N 1936 — CR — PA — CUBA — R.D — COLOMBIE — VENEZUELA — E — PÉROU 1938 — BRÉSIL 1926 — BOLIVIE 1939 — CHILI 1938 — PR 1937 — ARGENTINE

Mandats

Colonies des membres

Etats fondateurs (10-1-1920)

Etats membres après le 10-1-1920

après le 1-1-1921 Année = Date de départ de la S.D.N.

Etats non-membres

A. = ALBANIE
AF. = AFGHANISTAN
AL. = ALLEMAGNE
AU. = AUTRICHE 1938
B. = BELGIQUE
BG. = BULGARIE
BH. = BHOUTAN
CR. = COSTA-RICA
DA. = DANEMARK
E. = ÉQUATEUR
ES. = ESTONIE
ESP. = ESPAGNE
FI. = FINLANDE
F. = FRANCE
G.-B. = GRANDE-BRETAGNE
GR. = GRÈCE
GU. = GUATEMALA
H. = HONDURAS
HO. = HONGRIE
IR. = IRLANDE

IT. = ITALIE
L. = LUXEMBOURG
LI. = LITUANIE
LT. = LETTONIE
N. = NICARAGUA
P. = POLOGNE
PA. = PANAMA
P.-B. = PAYS-BAS
PL. = PALESTINE
POR. = PORTUGAL
PR. = PARAGUAY
R.D. = RÉP. DOMINICAINE
ROU. = ROUMANIE
S. = SUISSE
SA. = SALVADOR
SY. = SYRIE
T. = TCHÉCOSLOVAQUIE
T.J. = TRANSJORDANIE
UR. = URUGUAY
YOU = YOUGOSLAVIE

Origines et fondation

Pour répondre à la « rév. socialiste » des bolchevistes (p. 405), WILSON proclame le

8.1.1918 les 14 points (« rév. mondiale démocr. »), qu'il expose le 4.7.1918 (discours de Mount Vernon) et le 27.9.1918 (New York). Le 14e point réclame la création d'une S. D. N. en vue de maintenir la paix du monde et de garantir l'inviolabilité territoriale et l'indép. polit. de tous les États. On ne combattra plus l'hégémonie d'un État par l'équilibre des puissances, principe qui a dominé l'Europe des traités de Westphalie à la 1re guerre mondiale, mais par une union d'États qui déclareront que toute guerre viole le droit des gens. Au cours de la conférence de Versailles, on accepte pour bases de travail les plans et les propositions de WILSON et de SMUTS.

28.4.1919 L'Assemblée générale à Versailles adopte le règlement de la Société des Nations.

28.6.1919 Signature des 26 articles du règlement par les fondateurs de la S. D. N. **Ce règlement devient partie intégrante du traité de Versailles.**

16.1.1920 La S. D. N. commence à fonctionner (Genève).

27.8.1928 Pacte Briand-Kellogg (renonciation à la guerre pour résoudre les conflits entre États), signé à Paris par les représentants de 15 nations (STRESEMANN pour l'Allemagne) et par 54 États jusq. fin 1929. Les propositions de KELLOGG, secrétaire d'État aux Aff. étrang. am., sont soutenues par BRIAND.

Organisation

L'Assemblée générale de la S. D. N. qui a lieu une fois par an et où chaque pays dispose d'une seule voix, se compose des représentants de tous les membres. Le **Conseil de la S. D. N.** comprend de 4 à 6 membres permanents auxquels s'ajouteront plus tard 9 membres provisoires, tous choisis par l'Assemblée générale. Parmi les membres permanents se trouvent les représentants de l'Angleterre, France, Italie et Japon (l'Allemagne viendra plus tard). Au départ de l'Allemagne en 1933, son siège reviendra à l'U. R. S. S. (1934). Les deux organismes ont la même compétence (médiation, règlement des conflits), mais le Conseil qui siège plusieurs fois par an a une plus grande activité polit. Le Conseil doit prendre ses décisions à l'unanimité, et, à part quelques exceptions, l'Assemblée de même. Les parties en conflit s'abstiennent de voter. Ces organismes sont appuyés par un **Secrétariat général permanent**, avec un secrétaire général, et dont le siège est à Genève. La **Cour suprême de justice de La Haye**

est associée à la S. D. N. (arbitrage en cas de conflits) ainsi que le **Bureau international du Travail.**

Tâches et objectifs

Organisation mondiale des peuples libres, la S. D. N. veut garantir la paix et favoriser la collaboration internationale en remplaçant la polit. de puissance et la diplomatie secrète des États traditionnels par l'utilisation d'une force collective (sanctions écon. et milit.) contre la nation qui violerait ses engagements (les 2/3 des membres peuvent décider l'application des sanctions) et par de libres discussions publiques à la face du monde entier. Mais la S. D. N. se trouve liée aux traités de Versailles, Trianon, etc. qui ont créé en 1919-1920 le nouveau syst. polit., et elle peut difficilement les modifier par des voies pacifiques à cause du principe de l'unanimité. Ses membres s'engagent à résoudre pacifiquement tous les conflits et en appellent à la S. D. N. s'ils ne peuvent se mettre d'accord. Cette dernière doit rendre son jugement à l'unanimité des voix (sauf celles des parties en conflit). La S. D. N. participe aux mesures d'application des traités de paix (garantie des frontières, désarmement, surveillance de Dantzig, contrôle des territoires sous mandat, administration de la Sarre), à la protection des minorités nat., à l'aide écon. dont bénéficient certains peuples (Autriche, etc.), et à l'aide aux réfugiés. Elle intervient avec succès dans les conflits de Vilna (1920), de Corfou (1923) et de Mossoul (1924), mais échoue dans ses efforts pour assurer la paix (protocole de Genève 1924) et le désarmement (1932-1938). Son utilité est manifeste en ce qui concerne la collaboration économique et technique; ses organismes annexes sont eux aussi efficaces.

Échecs

La S. D. N. est affaiblie par le refus du Sénat américain de la participation des E.-U. Sur 63 États membres, 14 donneront leur démission, deux seront l'objet d'annexions et un sera exclu (U. R. S. S. à cause de son attaque de la Finlande).

1931 Agression du Japon en Mandchourie.

1935 Agression de l'Italie en Abyssinie. La S. D. N. déclare que l'Italie est l'agresseur.

Nov. 1935 Début des sanctions écon. mais l'Italie reçoit du pétrole des E.-U., du charbon de l'Allemagne.

1937 Démission de l'Italie. La S. D. N. reste impuissante devant la polit. d'expansion nat.-socialiste.

18.4.1946 La S. D. N. confie sa mission à l'O. N. U. (se dissout le 31.7.1947).

Les régimes démocratiques (1919-1933)

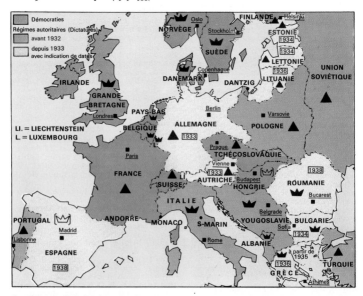

Les régimes autoritaires (1933-1939)

La victoire de la démocratie

La conduite énergique de la guerre a fait considérer comme nécessaires les mesures autoritaires et la mise en sommeil de la vie parlementaire traditionnelle. En France et en Angleterre, il n'y a pas eu de crise de régime après la guerre. En Allemagne, en Italie, en Europe orientale, la guerre a eu des conséquences politiques graves. Les citoyens se résignent plus facilement à un style de gouvernement qui fait moins de cas des libertés traditionnelles. Les dynasties des Habsbourgs, Romanov, Hohenzollern disparaissent comme celle de Turquie. En 1914, il y avait en Europe 17 monarchies et 3 républiques (Suisse, France, Portugal). En 1919, il y a 13 républiques et 13 monarchies. Encore beaucoup de ces dernières deviendront-elles rép. (Espagne, Grèce). Après la révolution russe de 1917, la peur des « rouges » a servi de prétexte à un mépris des traditions libérales et a servi à justifier toutes les formes de dictature. En 1931, il y a encore en Europe 12 États à gouvernement démocratique (6 monarchies, une régence — la Hongrie — et 5 rép.).

Le début des crises

La victoire de 1918 représente un succès pour les nations démocratiques : la France et l'Angleterre. Avec discipline, le régime parlementaire a pu s'adapter au renforcement du pouvoir exécutif, exigé par la conduite de la guerre. Les régimes autoritaires (Allemagne, Autriche-Hongrie, Russie) ont moins bien résisté à l'épreuve, contrairement à ce que l'opinion pensait avant 1914.

Or, la révolution russe, en instaurant une dictature dirigée contre les classes possédantes, va menacer la démocratie libérale. Les partisans traditionnels de cette dernière vont envisager le recours à un régime d'autorité pour faire face aux progrès de l'extrême-gauche. C'est une des causes principales du fascisme en Italie et du nazisme en Allemagne. Aussi la victoire de la démocratie en 1918 est-elle éphémère.

Les causes de la crise des démocraties

1. Transformations sociales. Reconnaissance de l'égalité des droits polit. = avènement des masses (suffrage universel, vote des femmes);

2. Influences psychologiques et sociologiques de la guerre. Culte de la force, appauvrissement d'une partie de la bourgeoisie, déracinement de larges couches sociales;

3. Déception de l'après-guerre (traités de paix);

4. Ruine de l'écon. mondiale et menace sur la tenue des monnaies. Crise mondiale écon. (p. 461);

5. Rivalités politiques entre groupes nationaux opposés dans les États multinationaux : Slovaques contre Tchèques, Croates contre Serbes;

6. Représentation proportionnelle dans beaucoup d'États européens. Conséquence : éparpillement des groupes, aucune majorité parlementaire bien établie. Nombreux deviennent les peuples prêts à s'en remettre à un « guide » et à accepter un parti unique.

« L'avènement des masses » rend souvent le peuple plus sensible aux appels des dictateurs (nationalisme, haine des possédants, critique des élites traditionnelles). Caractéristiques de la dictature : presse dirigée, élections faussées (candidatures officielles), suppression de l'opposition, répression brutale de toute résistance, abandon de la légalité, mépris de l'individu.

Les dictatures en Europe (1922-1936)

Oct. 1922 « Marche sur Rome » de **Benito Mussolini.**

Juin 1923 Formation du gouvernement ZANKOV en Bulgarie après un putsch militaire.

Sept. 1923 Après un putsch milit. en Espagne, le général PRIMO DE RIVERA fonde une dictature milit.

Oct. 1923 MUSTAFA KÉMAL PACHA, le « Ghazi » (KÉMAL ATATÜRK à p. de 1935) est élu premier président de la rép. turque.

Janv. 1925 AHMED ZOGOU, devient président en Albanie avec des pouvoirs étendus.

Mai 1926 Coup d'État milit. de PILSUDSKI en Pologne.

Mai 1926 Coup d'État milit. au Portugal du gén. GOMEZ DA COSTA, chassé par le gén. CARMONA.

Déc. 1926 Régime dictatorial de VOLDEMARAS en Lituanie.

Janv. 1929 Coup d'État d'ALEXANDRE en Yougoslavie.

Février 1930 Régime personnel de CAROL II en Roumanie, puis nouveau coup d'État en 1938 qui assure la dictature royale.

Juillet 1932 Formation du gouvernement SALAZAR au Portugal.

Déc. 1932 La Lituanie devient un État autoritaire à parti unique.

Janv. 1933 **Hitler** prend le pouvoir en Allemagne.

Mars 1933 Coup d'État en Autriche : dictature « austro-fasciste » de DOLLFUSS.

Mars 1934 Dictature en Estonie de CONSTANTIN PÄTS.

Mai 1934 Établissement d'une dictature présidentielle en Lettonie par le coup d'État d'ULMANIS.

Août 1936 Coup d'État du gén. METAXAS en Grèce.

Sept 1936 Le gén. FRANCO devient « caudillo » du gouvernement nationaliste espagnol.

Le marxisme-léninisme

Lénine (p. 387) tente d'appliquer aux réalités polit. de la Russie les théories socialistes de MARX et d'ENGELS.

1. **La théorie de l'impérialisme** [« L'impérialisme, stade suprême du capitalisme » (1915)]. Il s'inspire d'I. A. HOBSON (« L'Évolution du Capitalisme moderne » 1902) et de R. HILFERDING (« Le Capital financier »). Caractéristiques de l'impérialisme : Les monopoles écon. et financiers concentrent le capital dans quelques mains et les exportations de capitaux jouent un rôle déterminant. La politique impérialiste contrôle les rapports internationaux d'un monde divisé en zones d'intérêts et en domaines coloniaux. **Les conséquences sont : a) Les guerres impérialistes ; b) Le triomphe de la révolution prolétarienne** dans un pays retardataire au point de vue industriel (la Russie par exemple). Une fois rompue la « chaîne du capitalisme mondial » à son maillon le plus faible, la révolution mondiale s'étendra aux pays industrialisés ; **c) Le danger présenté par l'avènement d'une « aristocratie ouvrière »** dans les pays capitalistes, aristocratie corrompue par les classes possédantes : cette partie du prolétariat devient alors opportuniste et se transforme en petite bourgeoisie ; **d) L'extension de la lutte des classes au domaine international** grâce à l'alliance des travailleurs révolutionnaires avec les travailleurs exploités des pays coloniaux et semi-coloniaux.

2. **La doctrine d'un nouveau type de parti** [dans « Que faire? » (1902) et « Un pas en avant, deux pas en arrière » (1904)]. Création d'un parti de cadres bien formés, choisis parmi les révolutionnaires de métier (« l'avant-garde du prolétariat »), corps d'officiers de la guerre civile, destiné à promouvoir la conscience de classe et à diriger le prolétariat, constitué sur le principe du « centralisme démocratique » : élection indirecte des organismes directeurs du parti, d'en bas vers le haut ; stricte discipline de parti, direction centralisée. Tâches : lutter contre les « déviations » pour maintenir la pureté des conceptions marxistes-léninistes ; conclusion d'alliances de classe (« front unique », « front populaire », etc.) pour préparer la victoire des révolutionnaires suivant une « doctrine stratégique et tactique »; application pratique de la « ligne générale » du parti, telle qu'elle découle de l' « analyse scientifique » des faits pour une période donnée. Hégémonie du parti sur l'administration de l'État et sur les organisations sociales des masses.

3. **La doctrine de la « dictature du prolétariat »** [dans : « L'État et la Révolution » (1917)]. Il s'agit d'empêcher toute réaction de la bourgeoisie pendant la période de transition du capitalisme au socialisme, et d'accélérer l'avènement d'une société sans classes (communisme).

4. **Le marxisme (p. 340) mène à l'élaboration du matérialisme dialectique,** conception du monde du parti marxiste-léniniste [dans « Matérialisme et Empirio-criticisme » (1908)] : La matière constitue l'unique réalité de l'univers, toutes choses sont liées et se conditionnent réciproquement. Tout mouvement naît de « l'opposition des contraires ». De là naît la synthèse.

Le stalinisme

Staline (p. 465) a voulu compléter le marxisme-léninisme. Les plus importantes de ses thèses idéologiques, dont la valeur est remise en question depuis 1958, sont :

1. **La théorie de « l'édification du socialisme dans un seul pays »** (contrairement à la doctrine de la « révolution permanente » de TROTSKY);

2. **La théorie de la « révolution par en haut »,** grâce à l'initiative et à la puissance de l'État (parti), avec « l'appui d'en bas » (prolétariat), pour réaliser des changements progressifs;

3. **Simplifications dogmatiques du marxisme-léninisme** dans le chapitre 4 de « L'histoire du Parti communiste de l'Union Soviétique » (1938);

4. **Exaltation du patriotisme russe** par « l'amour dû à l'Union des Républiques soviétiques », patrie des travailleurs. De là, la nécessité de protéger et de maintenir « la patrie socialiste ». L'U. R. S. S. devient une famille de peuples sous la conduite du grand peuple russe.

5. **Justification idéologique du nationalisme** dans ses « Lettres sur le langage » (1950). La langue devient chez lui le symbole de la continuité historique du peuple russe et de son « rôle créateur » dans l'État socialiste soviétique (justification du rôle directeur de l'U. R. S. S.). Pendant la « grande guerre patriotique » (p. 483), maintien des aspirations internationales du bolchévisme, malgré l'accent mis sur l'idée nationale.

6. **Au point de vue économique,** STALINE défend la suprématie de l'industrie lourde au détriment des biens de consommation, et fait supporter à l'agriculture (réquisitions) le poids de l'équipement de base. Naissance des grands combinats (charbon + fer). Développement de l'Oural (Magnitogorsk).

L'Internationale communiste

En organisant l'Internationale communiste (le **Komintern**), les communistes veulent conquérir le pouvoir grâce à leur unité idéologique et à leur tactique politique. Leur but est la **révolution mondiale** qui doit partout être dirigée par le parti communiste. Les partis de tous les pays doivent adopter le programme d'action du parti communiste de l'Union Soviétique. Sur l'initiative de LÉNINE, fondation de la IIIᵉ Internationale. Motifs invoqués :

1. Carence dont avait fait preuve la IIᵉ Internationale (fondée en 1889) au cours de la première guerre mondiale;

2. Prise du pouvoir des bolchéviks (p. 405). Dès 1917, dans ses « thèses d'avril » (p. 405), LÉNINE exigeait la fondation d'une nouvelle Internationale qui s'opposerait avec fermeté à la IIᵉ. Après sa « Lettre ouverte » adressée à tous les travailleurs d'Europe et d'Amérique, il lance en

janv. 1919 une invitation officielle à participer à un Congrès à Moscou.

Mars 1919 Fondation de la IIIᵉ Internationale par les délégués à Moscou des partis communistes et socialistes, pour soutenir le gouvernement soviétique menacé par la guerre civile et les interventions étrangères : c'est le « premier échelon de la République internationale des Soviets et de la victoire universelle du communisme » (LÉNINE). Premier président de la IIIᵉ Internationale au Komintern : **Zinoviev** (p. 465).

Juillet-août 1920 Deuxième Congrès du Komintern à Petrograd et Moscou (délégations de 37 pays). Discussions sur les méthodes de la propagande communiste, proposition tendant à créer des centrales comm. secrètes pour préparer la révolution prolét. tout en poursuivant l'action légale par l'intermédiaire des partis comm. officiels. Adoption des **21 points** de Lénine : obligation pour tous les partis comm. d'agir suivant les modèles imposés par le parti comm. russe; défense de la Russie soviét.; discipline absolue, soumission aux ordres du Comité central; lutte contre la social-démocratie qui se divise en aile révolutionnaire et aile réformiste. Président du Comité exécutif permanent (siège : Moscou), ZINOVIEV est chargé d'assurer entre les Congrès la direction tactique du Komintern. Le secrétaire général est KARL RADEK (né en 1885). Tous deux sont membres du Comité central du parti com. de l'Union Sov. (liaison personnelle entre le Komintern et le gouv. soviét.). Après le « miracle de la Vistule » (p. 431), la révolte de Kronstadt (p. 419) et

l'échec de la grève générale en Allemagne (mars 1921), en

juin-juillet 1921 troisième Congrès du Komintern où l'on discute de « l'unité par en haut » (collaboration avec les chefs de la social-démocratie), que le Comité exécutif adopte comme « ligne générale ».

Nov.-déc. 1922 Quatrième Congrès du Komintern. Les forces révolutionnaires étant passées à la défensive, tentative de collaboration polit. avec les socialistes. On soutiendra désormais les revendications all. à l'égard des puissances occ. ainsi que les mouvements nationaux all. **Conséquences** : La Russie soviét. offre à l'Allemagne sa neutralité bienveillante en cas d'une guerre franco-all. (négociation menée par RADEK) : ordre est donné aux comm. all. de participer à la résistance pendant la crise de la Ruhr (ZINOVIEV). STRESEMANN (p. 427) en Allemagne reste maître de la situation. Une dernière tentative révol. échoue avec l'écrasement des insurgés en Saxe et en Thuringe (p. 427). Cet échec et les tentatives révol. en Bulgarie (1922) et en Estonie (1924) obligent le Komintern à battre en retraite et à recourir à des méthodes plus prudentes.

Fév.-mars 1924 Cinquième Congrès du Komintern. Création du « front unitaire par la base » (collaboration avec les ouvriers socialistes) et d'une « unité syndicale internationale ». Grève générale en Angleterre.

Opposé à LÉNINE et à TROTSKY qui voient dans la révol. mondiale le résultat des mouvements révol. dans les différents pays (le destin de la Russie Soviét. dépendant du succès de la révol. mondiale), STALINE impose ses vues : L'histoire et l'évolution de la révol. mondiale deviennent une lutte entre les E.-U. assistés des pays capitalistes et l'U. R. S. S. assistée des pays socialistes (le sort de la révolution mondiale dépendant de l'U. R. S. S.). Il faut donc consolider la puissance de l'U. R. S. S. (« édification du socialisme dans un seul pays »).

Juillet-sept. 1928 Sixième Congrès du Komintern. Proclamation du « Programme de l'Internationale communiste » (primauté de la dictature du prolétariat de l'U. R. S. S., obligation de défendre la Russie Soviét.). Soutien des mouvements nationaux de libération, transformation des guerres impérialistes en guerres civiles.

Juin-août 1935 Septième Congrès du Komintern. Lutte contre le fascisme en collaboration avec les sociaux-démocrates **(front populaire).**

Mai 1943 Dissolution du Komintern.

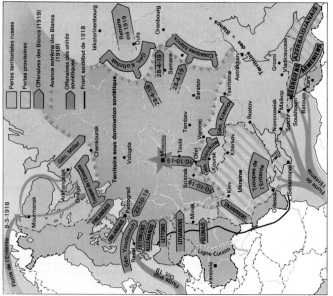

La guerre civile et l'intervention de l'Entente

La fin de la guerre civile (1920/21)

La création de l'Union Soviétique (1918-1924)

Le traité de Brest-Litovsk (p. 407) a pour conséquence les déclarations d'indépendance de la Russie blanche (25.3.1918), de la Géorgie, de l'Arménie et de l'Azerbaïdjan (mai 1918).

Mars 1918 7e Congrès du Parti. Le Comité central reçoit les pleins pouvoirs pour décider de la guerre et de la paix avec « les États bourgeois et impérialistes ».

Juillet 1918 Constitution de la République fédérale socialiste et soviétique : Constitution provisoire qui repose sur le principe de la dictature du prolétariat.

1919 8e Congrès du Parti. Création du Bureau politique **(Politburo),** du Bureau de l'organisation **(Orgburo)** et du secrétariat du parti.

La guerre civile (1918-1919)

Printemps 1918 Formation de groupes « blancs » antibolchévistes, venus d'horizons divers, qui combattent l'Armée Rouge organisée par TROTSKY, commissaire du peuple pour la défense à p. d'avril 1918. Batailles en Sibérie, dans l'Oural et sur la Volga (légion tchèque de l'amiral KOLTCHAK) en Russie mérid. (gén. DENIKINE, KRASNOV, WRANGEL), en Estonie (gén. YOUDENITCH) et en Russie du Nord (gén. MILLER). Pour protéger leurs intérêts, les Alliés débarquent en

1918 à Vladisvostok, Arkhangelsk, et dans les ports de la mer Noire.

Fév. 1919 Les « Blancs » refusent l'offre de médiation du président WILSON : conférence de tous les partis russes. Le maréchal FOCH propose un plan de croisade que refuse le Conseil suprême des Alliés, d'où évacuation des troupes alliées.

Automne 1919 Petrograd est menacée (YOUDENITCH), comme Moscou (DENIKINE) et la Volga (KOLTCHAK), mais en sept. 1919, contre-attaque victorieuse de l'Armée Rouge.

1919-1920 Guerre russo-polonaise (p. 431).

Nov. 1920 Embarquement en Crimée des dernières troupes blanches.

Causes de l'effondrement des « Blancs » :
1. Désunion et tendances réactionnaires pour la restauration (pas de programme agraire);
2. Désaccords des Alliés sur une polit. d'intervention.

Conséquences de la guerre : le centralisme léniniste est menacé en

fév. 1921 par la grève des ouvriers de Leningrad et la **révolte des marins de Kronstadt,** que réprime l'Armée Rouge du gén. TOUKHATCHEVSKI (1893-1937, assassiné par STALINE).

1917-1921 Effondrement du système écon. du « **communisme de guerre ».**

La nationalisation de tous les moyens de production et la planification centrale déclenchent une crise écon. La situation catastrophique du ravitaillement, le chômage et l'effondrement de la prod. industr. et agric. obligent LÉNINE à convoquer le

22.2.1921 une « commission du plan » **(Gosplan** = coordination de l'écon.) et à faire adopter en

1921 au 10e Congrès du parti, la « **Nouvelle Polit. écon. »** (NEP). Retour prov. à des formes écon. capitalistes, impôts en nature des paysans, liberté du commerce intérieur, autorisation des entreprises privées et du capital étranger. Le commerce extérieur, la grande industrie et les grands travaux sont toutefois réservés à l'État. Entre-temps, reconnaissance de l'U. R. S. S. par différents pays :

Mars 1921 Traité de paix et d'amitié avec la Perse (p. 444) et traités de commerce avec la Grande-Bretagne et l'Allemagne.

Avril 1922 Traité de Rapallo (p. 441). Reconnaissance de jure par la Grande-Bretagne, l'Italie et la France (1924).

La dictature du parti communiste se confirme : en

mars 1921 interdiction de toute opposition à l'intérieur du parti. Exclusion des syndicats qui perdent toutes leurs fonctions de contrôle sur l'économie.

1922 **Transformation de la Tchéka en « Guépéou »** (Police d'État). **Staline (p. 465) devient secrétaire général du parti.** Il nomme des secrétaires dignes de la confiance du Politburo.

Déc. 1922 10e Congrès soviétique panrusse = Premier congrès général soviétique : fondation de l'Union des Républiques socialistes soviétiques (U. R. S. S.).

1923 Nouvelle constitution de l'U. R. S. S., ratifiée par le 2e Congrès général. Elle distingue les domaines de l'Union (polit. étrang., commerce ext., planification écon., défense, assurances sociales, etc.) et ceux des républiques qui possèdent officiellement le droit de sécession. L'organe suprême de l'État est le Congrès des délégués des Soviets qui élit parmi ses membres un comité exécutif dont le président représente l'Union (1923-1946 : KALININE). Le Conseil des Commissaires du Peuple (ministres) traite des affaires du gouvernement. Le parti n'est pas mentionné dans la constitution : son organisation centralisatrice se superpose à l'administration décentralisée des États.

21.1.1924 Mort de Lénine qui a pris position contre Staline dont il craint les abus d'autorité.

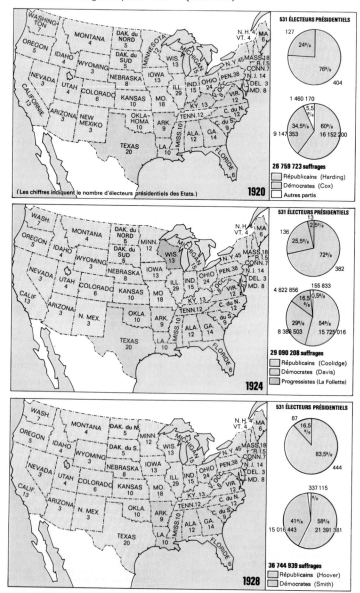

1920

531 ÉLECTEURS PRÉSIDENTIELS
127
24%
76%
404

1 460 170
5,5%
34,5%   60%
9 147 353   16 152 200

26 759 723 suffrages

☐ Républicains (Harding)
☐ Démocrates (Cox)
☐ Autres partis

(Les chiffres indiquent le nombre d'électeurs présidentiels des États.)

1924

531 ÉLECTEURS PRÉSIDENTIELS
13
136   2,5%
25,5%
72%
382

155 833
4 822 856   0,5%
16,5%
29%   54%
8 386 503   15 725 016

29 090 208 suffrages

☐ Républicains (Coolidge)
☐ Démocrates (Davis)
☐ Progressistes (La Follette)

1928

531 ÉLECTEURS PRÉSIDENTIELS
87
16,5%
83,5%
444

337 115
%
41%   58%
15 016 443   21 391 381

36 744 939 suffrages

☐ Républicains (Hoover)
☐ Démocrates (Smith)

Les victoires électorales des Républicains

L'ère du « big business »

En opposition avec l'Europe ruinée, prospérité de l'après-guerre, sous les présidents républicains :

1921-1923 WARREN HARDING (devise électorale : « Retour à la normale »).

1923-1929 La présidence de CALVIN COOLIDGE se caractérise par :
1. Une réaction contre le gouvernement du démocrate WILSON, dont on refuse les réformes inspirées par des raisons morales;
2. L'isolationnisme en polit. étrangère, car l'Amérique se considère comme trompée par Versailles;
3. L'opposition entre la campagne où les Anglo-Saxons protestants dominent et la société industr. des villes modernes conduite par les intellectuels, les techniciens et les économistes. A cela s'ajoute en

1919-1920 la psychose révolutionnaire (« Red scare ») : grèves, attentats à la bombe, actes de violence, suivis de perquisitions, d'enquêtes, d'arrestations d'éléments suspects.

Les présidents rép. ont pour méthode de gouverner le moins possible, ce qui favorise une corruption scandaleuse. Le « big business » prend le dessus. Le représentant principal de ce mouvement est le multimillionnaire MELLON (min. des Finances 1921-1932) qui favorise les grandes fortunes en réduisant l'intervention des pouvoirs fédéraux et en diminuant les impôts. L'immigration est freinée par des lois influencées par la théorie de la « race nordique » (19.5.1921; 26.5.1924).

29.1.1920 Loi sur la prohibition (18e amendement à la constitution). La prohibition de l'alcool divise la population et les partis en deux, et entraîne la recrudescence de la contrebande.

1924-1926 Le Ku-Klux-Klan, reconstitué en 1915, compte dans le Sud et le Middlewest env. 5 millions de membres : lutte au nom de la morale contre les Nègres, les catholiques, les Juifs, les intellectuels et les adversaires de la prohibition.

1920 Vote des femmes.
Le nombre des femmes qui travaillent passe de 2 (1914) à 10 millions (1930).

Protectionnisme (1921, 1922, 1930). Les agriculteurs s'endettent et s'appauvrissent à cause des dégâts causés par l'érosion (« Dust Bowl ») et de la surproduction. Malgré tout, prospérité écon. de l'industrie : augmentation de la production, production en série de biens de consommation, progrès technique (chaîne de montage). La production industrielle double entre 1921 et 1929 (1913 : 15 millions; 1921 : 26 millions d'autos). Forte concentration de l'industr. autom., de l'industr. alimentaire, des banques.

La crise économique (1929-1932)

1929-1933 HERBERT HOOVER (1874-1964). La dépression est le résultat du gonflement monstrueux du crédit.

24.10.1929 « Vendredi noir ». L'effondrement de la Bourse de New York (23-29.10.1929) marque le début de la crise écon. Les actions industrielles tombent de 452 (1929) à 58 (1932) et la production industrielle diminue de 54 %. HOOVER se heurte à l'hostilité du monde des affaires, auquel il fait appel. Les stocks de céréales et de coton augmentent, les surfaces cultivées diminuent. Mesures gouvernementales : élévation des droits de douane, création de la « Reconstruction Finance Corporation », qui doit combattre la polit. déflationniste des banques, mais qui, mal employée, ne sert qu'à consolider les grands établissements bancaires. Ces mesures ne peuvent venir à bout de la crise qui s'est étendue au monde entier : en Europe, le circuit des moyens de paiement s'effondre. Le nombre des chômeurs amér. s'élève à 15 millions.

20.6.1931 Moratoire HOOVER pour toutes les dettes de guerre contractées par les gouv. européens.

La politique extérieure (1920-1933)

19.3.1920 Le Sénat refuse de ratifier le traité de Versailles (p. 409).

25.8.1921 Conclusion d'une paix séparée avec l'Allemagne, refus du règlement de la Société des Nations et de l'article sur les réparations.

12.11.1921/6.2.1922 Accords de Washington. Les E.-U., qui donnent des satisfactions au Japon pour le développement de sa flotte de guerre, insistent sur l'intégrité du territoire chinois (retour du Chan Toung) et sur l'ouverture du marché chinois (principe de la porte ouverte).

Juin-juillet 1927 Conférence des Trois (E.-U., Grande-Bretagne, Japon) sur le désarmement naval (échec).

27.8.1928 Signature du pacte Briand-Kellogg (p. 413).

1929 Plan Young (p. 411). Les Américains s'entremettent pour un règlement des réparations allemandes, condition préalable du règlement à l'Amérique des dettes europ.

Janv.-avril 1930 Conférence navale de Londres entre les E.-U., la Grande-Bretagne, le Japon, la France et l'Italie. Tous, sauf la Grande-Bretagne, désirent accroître leurs forces navales. Ils renoncent à construire de nouveaux cuirassés jusq. 1936 et limitent la construction des sous-marins. Accord entre E.-U., Grande-Bretagne et Japon sur la construction des croiseurs, contre-torpilleurs et sous-marins.

La politique brit. d'après-guerre
Elle est caractérisée par cinq faits principaux :
1. **La situation écon.** (emprunts de guerre, augmentation de la production, concurrence dans le commerce mondial);
2. **Le bouleversement social ;**
3. **La démocratisation totale du suffrage universel** (1918 : vote des hommes à p. de 21 ans, et des femmes à p. de 30; en 1928, vote des femmes à p. de 21 ans);
4. **Le déclin du parti libéral et l'essor du parti travailliste ;**
5. **Les difficultés de la polit. extér.** (tensions avec la France sur le Rhin et dans le Moyen-Orient après 1920, opposition au fascisme et au nat.-socialisme après 1930). **Tendance fondamentale de la polit. extér. brit. :** ne pas s'engager sur le continent (aucun renforcement milit. de la S. D. N.), relations plus étroites avec les dominions et colonies.
Déc. 1918 Aux élections, triomphe de la coalition des libéraux (LLOYD GEORGE, p. 380) et des conservateurs (ANDREW BONAR LAW, p. 405). (Comparer à la Chambre « bleu horizon » en France.)
1919-1922 Vague de grèves dans les mines. Cheminots, dockers et employés des transports exigent des augmentations de salaires. Influence de la rév. russe. Le calme revient grâce à la modération des chefs syndicalistes, HODGES, THOMAS et ERNEST BEVIN (1881-1951). Ce dernier réussit en 1922 à fondre 32 syndicats dans le « Syndicat des ouvriers des transports », le plus grand du monde. Leur action s'appuie sur les dispositions politico-sociales du gouvernement (1919 : Addison Act; 1920 : loi sur les assurances soc.). **Abandon du contrôle gouv. imposé par la guerre et économies dans les ministères. Échec de la polit. écon. libérale** (important chômage). Les conservateurs veulent une protection douanière, les travaillistes un programme modéré de socialisation. Échec polit. en Irlande, avec laquelle la G.-B. conclut un traité de compromis en 1921, en dépit de l'aile droite des conservateurs (p. 446).
1922 Conférence de Cannes. Le conflit franco-anglais continue dans le Moyen-Orient (p. 411).
1922 Conférence de Gênes. Échec du retour de l'U. R. S. S. dans le système écon. mondial.
1921-1922 Conférence de Washington (p. 410). La G.-B. perd son rang de première puissance mondiale et doit renoncer à son hégémonie maritime.
1922 Abandon du protectorat sur l'Égypte (p. 455) et échecs en Inde (p. 445).
Oct. 1922 Congrès conservateur au Carlton Club. Par 187 voix contre 87, les conservateurs décident de se retirer du gouv. de coalition.

La politique des conservateurs (1922-1939)
1922 Formation d'un cabinet conserv. avec BONAR LAW, qu'approuvent les électeurs en nov. (pertes des libéraux, mais gains des travaillistes qui deviennent le plus fort parti d'opposition (His Majesty's Opposition). BONAR LAW démissionne pour raisons de santé.
1923 STANLEY BALDWIN est Premier min., mais dissolution du Parlement quand BALDWIN demande les pleins pouvoirs pour établir un tarif douanier protectionniste afin de lutter contre le chômage. Les conserv. gagnent les nouv. élections en déc. : 258 députés contre 191 aux travaillistes et 158 aux libéraux. Malgré cela en
1924 formation du premier gouvernement travailliste avec Ramsay MacDonald (1866-1937), que soutiennent les libéraux : à cause d'eux, aucun changement polit. à l'intérieur. MACDONALD participe à la conférence de Londres (plan DAWES, p. 411) pour régler la question des réparations et pour mettre fin au conflit de la Ruhr (p. 427).
Fév. 1924 Reconnaissance de jure de l'U. R. S. S. suivie de négociations en vue d'un accord commercial.
Oct. 1924 Publication du « faux Zinoviev » qui établissait un lien entre l'action du Komintern et les mouvements révolut. en G.-B., fin des négociations. Dissolution du Parlement après un vote de défiance.
Oct. 1924 Victoire électorale des conservateurs.
1924-1929 Sec. gouv. Baldwin, conserv.
1925 Stabilisation de la livre.
1926 Grève des mineurs, soutenue par la grève générale des syndicats, mais qui s'achève après 7 mois de lutte. Restriction à la liberté syndicale (loi sur les syndicats 1927).
1926 Traité avec l'Irak. Reconnaissance de l'indépendance irakienne. Conclusion du conflit avec la France sur les territoires pétroliers de la région de Mossoul.
1927 Rupture des relations diplom. avec l'U. R. S. S. Motifs : soutien du mouvement syndical russe aux mineurs brit. en grève et découverte d'une centrale de propagande et d'espionnage (perquisition dans les locaux de l'Arcos, société commerciale soviétique).
1928 Traité avec la Chine. Reconnaissance du gouv. de Nankin.

Les grands problèmes de l'après-guerre
Les traités de paix signés à Versailles, Saint-Germain, Trianon, accordent à la France des territoires (Alsace-Lorraine, mandats en Afrique et au Moyen-Orient) qui lui assurent une situation prépondérante en Europe. La Belgique, le Danemark, la Pologne, la Roumanie, la Yougoslavie et la Tchécoslovaquie y sont favorables.

Politique intérieure de la France. Sans compter les conflits internes dus à la représentation proportionnelle, la France souffre :
1. De la dévastation du Nord qu'il faut reconstruire;
2. Des dettes de guerre (5 milliards de dollars) contractées auprès de l'Angleterre et des États-Unis, provoquant une dévaluation du franc qu'accélère l'endettement du pays (fin 1925 : 300 milliards de F). On compte sur les réparations;
3. De la ruine de la classe moyenne;
4. Des 1 310 000 tués.

Problèmes extérieurs : Échec des discussions avec la G.-B. et les E.-U. sur les traités de garantie et sur les réparations.

La vie culturelle en France (1918-1931)
Paris après la guerre retrouve son rôle international : c'est le grand carrefour des influences européennes. L'après-guerre a été fortement marqué par deux grands mouvements : **Dada**; **le surréalisme.**

1916 **Tristan Tzara** prononce le mot de « **Dada** » le 8 février, à 6 heures du soir, au café Terrasse, à Zurich.
1919 Premier numéro de « Littérature », revue fondée en mars à Paris par **Breton, Soupault, Aragon.**
1922 Après mille tergiversations et des brouilles, échec d'un « congrès Dada » le 5 avril.
1924 Premier « Manifeste du surréalisme », d'**André Breton.** Venant de Suisse, **Francis Picabia** s'installe à Paris et rencontre ANDRÉ BRETON. Le numéro 9 de la revue « 391 », qu'il a fondée à Barcelone en 1917, et transplantée à New York, puis à Zurich, est publié en novembre à Paris. Elle réunira bientôt les noms d'APOLLINAIRE, ARAGON, DESNOS, MAX JACOB, MARIE LAURENCIN, SATIE, SOUPAULT, TZARA, VARÈSE.
1928 « Introduction au discours sur le peu de réalité » de BRETON. L'holocauste des millions de morts rend dérisoire la patrie, la raison, les valeurs sociales traditionnelles. Pendant la guerre, DEBUSSY a écrit ses dernières sonates. PROUST meurt en 1922, MODIGLIANI en 1920. SOUTINE et CHAGALL, israélites, favorables à l'expressionnisme, vont s'installer à Paris. KANDINSKY, formé avant guerre à Munich, et le Hollan-

dais MONDRIAN viennent apporter les leçons de l'art abstrait.

Matisse (1869-1954) : « Nu assis sur fond rouge » (1925), « Odalisque à la culotte rouge » (1922). **Braque** (1882-1963) : « Canéphore » (1926). **Léger** (1881-1955) se lance dans les grands thèmes décoratifs inspirés par le monde moderne (introduction dans le tableau de clefs, de compas, d'outils); « La Joconde aux clés » (1930). **Dufy** (1877-1953) joint le goût de la caricature au sens de la couleur; « Le Paddock à Deauville », 1930.

1924 **Le Corbusier** publie « Vers une architecture » (industrialisation du bâtiment).

Cette joie du bonheur retrouvé peut s'observer dans la **littérature** d'après-guerre :

Jean Giraudoux (1882-1944) : « Siegfried et le Limousin » (1922) avec, en arrière-plan, les rapports franco-allemands.
André Gide : « Si le grain ne meurt » (1921), « Les Faux-Monnayeurs » (1926). Essor de la « Nouvelle Revue Française ». **Roger Martin du Gard** : 1er tome des « Thibault » (1922). Il traduit l'amertume des socialistes et des pacifistes qui ont vu naître le conflit mondial.

En musique :
Maurice Ravel (1875-1937) : « Le Tombeau de Couperin » (1917) (pour piano), « La Valse » (1920) (pour orchestre), « Tzigane » (1924) (pour piano et violon), « L'Enfant et les Sortilèges » (1925), « Boléro » (1928).
Arthur Honegger (1892-1955) : « Le roi David » oratorio (1921), « Pacific 231 » (1923) pour orchestre.

Le public français attaché aux formes classiques ignorera pendant très longtemps l'école dodécaphonique [« Wozzeck » d'**Alban Berg** (1922)].

Grande époque du cinéma muet. Ses possibilités devinées avant 1914 par **Méliès** (« Le merveilleux au cinéma », 1912) s'épanouissent à l'étranger :
Expressionnisme allemand et scandinave : « Le cabinet du docteur Caligari » de **R. Wiene** (1920). **Nosferatu** : « Le Vampire de Murnau » (1922), « La rue sans joie » de **Pabst** (1925). Œuvres des Suédois **Stiller** et **Sjöström** (« La charrette fantôme »1921) et du Danois **Dreyer** (« La Passion de Jeanne d'Arc »).
École soviétique : Le cinéma, art social et politique : « Le cuirassé Potemkine » (1925) et « la Ligne générale » (1929) d'**Eisenstein.**
École américaine : « La naissance d'une nation » de **Griffith** (1915), « Les Dix Commandements » de **C. B. de Mille** (1923). « La ruée vers l'or » de **Ch. Chaplin** (1925).

Toutes ces influences se retrouvent dans les **œuvres françaises :** « Napoléon » d'**Abel Gance** (1927), « Un chapeau de paille d'Italie » de **René Clair** (1927), « Le sang d'un poète » de **Cocteau** (1931).

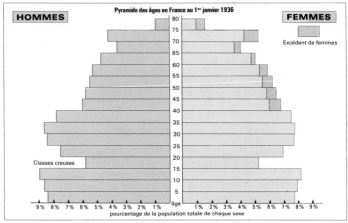

La crise démographique de l'entre-deux-guerres en France

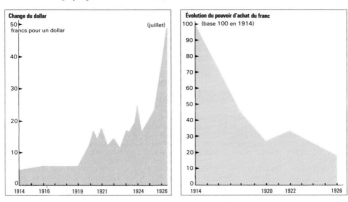

La crise du franc au lendemain de la première guerre mondiale

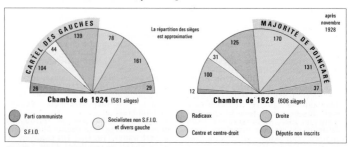

La Chambre de 1924 et la Chambre de 1928

Les conséquences de la guerre

1 310 000 morts. Dans les régions dévastées (Nord, Champagne, Meuse), ruine de la production charbonnière et de la sidérurgie. Les électeurs vont exiger un gouvernement ferme sur la question des réparations. Un élément nouveau apparaît : le rôle des anciens combattants.

Les remous de l'après-guerre

1919 Élection de la Chambre « bleu horizon », conservatrice; nostalgie de « l'Union sacrée » réalisée pendant la guerre (Bloc national, 433 députés, radicaux 86, socialistes 104). Création de la Confédération française des Travailleurs chrétiens (1 500 000 adhérents en 1920) dont les cadres ont été formés avant guerre dans le mouvement « Le Sillon » inspiré par MARC SANGNIER.

17 janvier 1920 Élection de DESCHANEL à la présidence de la République. C'est un personnage de second plan. Malgré son rôle pendant la guerre, CLEMENCEAU est rejeté hors de la vie publique.

Printemps 1920 Grave échec du mouvement syndical (grève des chemins de fer). Les salaires restent très en retard devant la hausse du prix de la vie (phénomène général en Europe).

Décembre 1920 Congrès de Tours. Fondation du parti communiste français rattaché à la IIIe Internationale. Les effectifs du P. C. représentent 44 % des effectifs de la S. F. I. O. en 1922; « L'Humanité » sera le journal du nouveau parti dirigé par MARCEL CACHIN.

Décembre 1921 Création de la Confédération générale du Travail unitaire (C. G. T. U.) soutenue par les communistes. Lutte pendant quinze ans avec la C. G. T. où domine l'influence socialiste. C'est la conséquence directe de la scission de Tours sur le mouvement syndical.

8 mars 1924 Le dollar atteint 28,74 F, la livre 122,60 F à la Bourse de New York. Le gouvernement français de POINCARÉ, isolé à la suite de son action unilatérale dans la Ruhr, doit abandonner ses prétentions car il a besoin d'emprunts souscrits auprès des financiers américains et anglais.

Les essais de stabilisation

Mai 1924 Victoire du Cartel des gauches : 289 députés, (P. C. 25 députés, briandistes 44 députés, bloc national 211 députés). Le groupe radical-socialiste de la Chambre vote dès sa réunion une motion de défiance contre MILLERAND, le président de la République. Le président s'adresse alors à l'ancien ministre des Finances de POINCARÉ, FRANÇOIS-MARSAL. Celui-ci, sans illusion, accepte cependant de tenter l'aventure. Il est accueilli à la Chambre par une motion qui manifeste le refus du Cartel « d'entrer en relation avec un ministère qui, par sa composition, est la négation même des droits du Parlement ». L'échec de MILLERAND, c'est aussi sous la IIIe République l'échec définitif des tentatives destinées à redonner au président de la République le rôle que lui avait attribué l'acte constitutionnel de 1875. EDOUARD HERRIOT (radical) forme le ministère avec le « soutien sans participation » des socialistes. BRIAND aux Aff. étrang. va tourner le dos à la politique de POINCARÉ. Il est conciliant sur la question des réparations et songe à une réconciliation franco-allemande (Pacte de Locarno).

Novembre 1924 Création des Jeunesses patriotes par TAITTINGER, à l'intérieur de la Ligue des patriotes dirigée par le maréchal DE CASTELNAU.

1925 GEORGES VALOIS, ancien militant d'A. F., lance le premier mouvement fasciste français, inspiré par l'Italie mussolinienne : « Le Faisceau », « Journal du nouveau siècle ».

Juillet 1926 Dissociation du Cartel des gauches. La S. F. I. O. retourne dans l'opposition, car elle trouve que les radicaux sont trop timides dans le domaine social.

Août 1926 Lettre du cardinal ANDRIEU condamnant « L'Action française », « catholique par calcul, et non par conviction ». Le journal sera mis à l'Index par PIE XI. Divorce entre « les Lys et la Croix ».

25 juin 1928 Dévaluation Poincaré : Abandon du franc-germinal. Le franc vaudra 65,6 mg d'or; livre sterling : 125 F; dollar : 25 F. Les porteurs d'obligations et de titres de rentes achetés avant guerre sont en partie ruinés. Mais de nombreux capitaux étrangers se réfugient en France et la monnaie nationale devient une des meilleures du monde.

24 avril 1930 Vote des Assurances sociales sous un gouvernement centre droit (TARDIEU).

La société française en 1930

Ruine des rentiers par l'inflation.
Au point de vue démographique, l'après-guerre est marquée par une **crise de la natalité** et par un afflux d'étrangers.
En 1926, 31,4 % des familles ont un enfant unique. Chaque année, 200 000 étrangers s'installent en France. (1 100 000 étrangers en 1911, 2 900 000 en 1931). Ils forment 7 % de la population vers 1930. 30 % des immigrants sont Italiens (maçons, mineurs), 19 % sont Polonais (mineurs dans le Nord et l'Est).

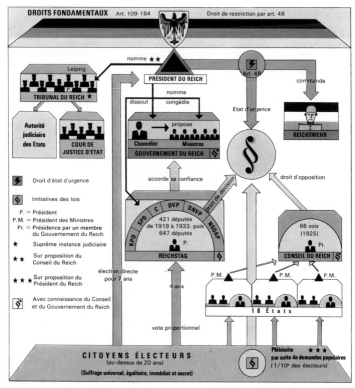

La constitution de Weimar (1919)

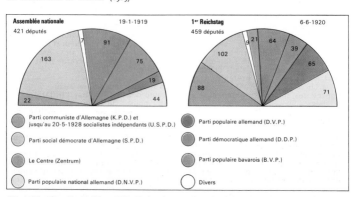

Répartition des sièges à l'Assemblée Nationale et au premier Reichstag

Les débuts de la république (1918-1919)

Échec de l'instauration d'une dictature du prolétariat.

Nov. 1918 Pacte entre EBERT (1871-1925), président du parti social-démocrate et le gén. GROENER (1867-1939), successeur de LUDENDORFF, et accord STINNES-LEGIEN (collaboration entre les syndicats et les chefs d'entreprise). L'extrême-gauche se rassemble dans le parti comm. allemand (Ligue spartakiste nov. 1918-janv. 1919).

Janv. 1919 Révolte spartakiste à Berlin. Les chefs du parti comm., ROSA LUXEMBOURG (née en 1870) et KARL LIEBKNECHT (né en 1871), sont assassinés par les corps francs.

Fév. 1919 Inauguration de l'Assemblée constituante à Weimar.

1919-1925 Friedrich Ebert est élu prés. du Reich par la Constituante.

Constitution de Weimar. Le Reich allemand, dont le **président** est élu par le peuple, est une **république démocr. parlementaire.** Le Parlement se compose d'un **Reichstag** élu au suffrage universel et d'un **Reichsrat** (représentation des « Länder »). le président du Reich se voit accorder les pleins pouvoirs par l'art. 48. La représentation proportionnelle entraîne l'émiettement des partis

Les années de crise (1919-1923)

La bourgeoisie nationaliste et VON SEECKT (1866-1936), chef de l'armée de 1920 à 1926 et fondateur d'une Reichswehr « apolitique », prennent leurs distances à l'égard de l'extrême-droite et de l'extrême-gauche. Troubles (assassinats polit. de EISNER (1867-1919), ERZBERGER (p. 386), et de RATHENAU (1867-1922), min. des Aff. étrang.). Après la mort de RATHENAU, décret du prés. du Reich pour défendre la rép. (1922). Tentative de putsch de KAPP (1920).
La rép. est défendue par le Centre et les soc.-démocrates, ainsi que par les partis modérés bourgeois.
1922 Début de la baisse du mark. Chute de WIRTH.
1922-1923 CUNO (1876-1933) lui succède. L'inflation fait rage. Les Alliés exigent le paiement des réparations.
1923 Occupation de la Ruhr par les troupes franç. et belges (polit. des « gages en nature »), et occupation de Memel par la Lituanie.
Août-nov. 1923 Stresemann (1878-1929) forme le « ministère de la grande coalition ». Il ordonne de cesser la résistance passive dans la Ruhr. Les extrémistes poursuivent leurs attaques contre la rép. :
Oct. 1923 Troubles comm. à Hambourg, en Saxe et en Thuringe.

Nov. 1923 Échec du putsch de HITLER (p. 459) à Munich, à la suite de la tension entre la Bavière et le Reich : le commissaire général bavarois VON KAHR (1862- assassiné en 1934) soutient les forces nationalistes de Munich. **Déclaration de l'état d'urgence dans toute l'Allemagne** (sept. 1923).
Nov. 1923 Stabilisation de la monnaie. Le dollar vaut alors 4,2 milliards de marks-papier.
Succès de politique extérieure :
1921 Traité de paix avec les États-Unis.
1922 Traité de Rapallo avec l'U. R. S. S.

L'évolution de la polit. intérieure (1923-1930)

1923-1924 MARX (1863-1943) (Centre catholique) dirige le gouvernement (STRESEMANN est ministre des Aff. étrang.).
28.2.1925 Mort de Ebert.
1925-1934 Hindenburg est président du Reich.
Mai 1928 Élections au Reichstag : sociaux-démocr. et comm. obtiennent 42 % des mandats.
1928-1930 MÜLLER (1876-1939), chancelier social-démocr., constitue un ministère de « grande coalition ». STRESEMANN demeure ministre des Aff. étrang.
Juillet 1928 Alliance d'HUGENBERG (1865-1951), président du parti populaire national allemand, avec HITLER. Début de la crise écon. (1929).
Mars 1930 Chute du ministère Müller. Fin de la république parlementaire.

La politique étrangère (1923-1930)

Ministre des Aff. étrang., STRESEMANN (p. 411) veut que l'Allemagne reprenne sa position grâce à une révision du traité de Versailles.
Détente dans les relations franco-allemandes avec le succès électoral du Cartel des gauches en France. (Plan Dawes, Conférence de Londres, p. 411.) HERRIOT donne son accord à l'**évacuation de la Ruhr.** STRESEMANN donne satisfaction aux exigences de sécurité de la France en signant en
1925 le pacte de Locarno (p. 411).
1925-1926 Évacuation de la zone de Cologne.
1926 Pacte d'amitié germano-russe (pacte de neutralité, p. 441). **Entrée de l'Allemagne à la Société des Nations.** Conférence de Thoiry entre STRESEMANN et BRIAND.
1927 Fin du contrôle du désarmement.
1928 Pacte Briand-Kellogg (p. 413).
1929-1930 Conférences de La Haye : Adoption du plan Young.
Nov. 1929-avril 1930 Évacuation progressive de la rive gauche du Rhin.
9.9.1929 Dernier discours de STRESEMANN à la S. D. N. en faveur des projets de BRIAND.

Le Saint-Siège
1914-1922 Tentatives de médiation du pape BENOIT XV pour mettre fin à la Grande Guerre. Impartialité peu appréciée par la France.
1915 Interview LATAPIE : « Le Vatican n'est pas un tribunal. »
1922-1939 PIE XI signe le
11.2.1929 les **Accords du Latran** avec l'Italie. Le pape admet de ne plus posséder que la « Cité du Vatican »; versement de 4 milliards de lires par l'État italien.
15.5.1931 L'encyclique « Quadragesimo Anno » sur la question sociale reprend les thèses de LÉON XIII.
20.7.1933 Concordat avec le régime hitlérien (p. 473).
1937 L'encyclique « Mit brennender Sorge » condamne le national-socialisme.
1939-1958 PIE XII observe une stricte neutralité pendant la seconde guerre mondiale.

Suisse
8.3.1920 Après la Déclaration de Londres (13.2.1920) qui confirme la neutralité de la Suisse, entrée à la S. D. N.
Décembre 1937 Le romanche devient la 4e langue de la Confédération.
Mai 1938 Reconnaissance de la neutr. absolue de la Suisse par la S. D. N.

Belgique
Le roi ALBERT Ier (« le Roi Chevalier ») règne jusqu'à sa mort accidentelle en 1934.
30.5.1919 Acquisition du Ruanda-Urundi (ex-Afrique orient. allemande).
7.9.1920 Abandon de la neutralité belge par accord milit. avec la France (d'où participation à l'occupation de la Ruhr en 1923).
20.9.1920 La S. D. N. décide qu'Eupen-Malmédy et Moresnet reviennent à la Belgique.
Polit. intérieure. Gouvernements de coalition (cath.-social.-lib.). La question flamande s'apaise avec la reconnaissance de l'égalité des langues dans tous les usages officiels (1931-1932).
1934-1950 LÉOPOLD III, époux de la reine ASTRID.
1934-1937 Ministère d'union nat. van Zeeland. Succès des rexistes de LÉON DEGRELLE aux élections de 1935.
1936 Dénonciation de l'alliance milit. avec la France et retour à la neutralité. L'Allemagne, la France et la Grande-Bretagne garantissent le territoire et l'inviolabilité de la Belgique (1937).

Pays-Bas
1898-1948 Règne de WILHELMINE.
1933-1939 Ministère de crise H. COLIJN

(mesures financ. contre le chômage). Politique de l'emploi. Répression des mouvements extrémistes. Politique de protection douanière. Aucune dévaluation du florin.

Scandinavie
Les États scandinaves, fidèles à leur politique de neutralité, sont tous orientés vers un socialisme modéré dans la tradition démocratique.
Danemark. Après la perte de 21,7 % (0,3 million de t) de sa flotte de commerce au cours de la première guerre mond., le Danemark obtient par plébiscite le Slesvig du Nord. (10.2.1920 : 75 % des voix pour le Danemark.) Le gouvernement danois de 1920-1942 est socialiste (TH. STAUNING). Développement d'une agriculture et d'un élevage modèles.
31.5.1939 Le Danemark accepte l'offre d'un pacte de non-agression avec l'Allemagne (la Norvège, la Suède et la Finlande refusent).
Norvège. Malgré ses sympathies pour l'Angleterre, la Norvège reste neutre dans la première guerre mondiale, mais perd 49,3 % (1,24 million de t) de sa flotte de commerce. Grave crise de l'après-guerre : effondrement des frets. Les éléments extrémistes du parti socialiste (influence russe) deviennent progressivement plus modérés. Au parti socialiste modéré de I. L. MOWINCKEL succède de
1935 à 1945 le parti socialiste (J. NYG AARDSVOLD).
1920 La S. D. N. reconnaît la suz. de la Norvège sur le Spitzberg.
Suède. Malgré l'insistance des E.-U. et les demandes de secours de la Finlande, la Suède demeure neutre. Aux sociaux-démocr. de H. BRANTING (1920-1923, 1924-1926) succèdent des gouv. conserv. et lib.
1932 Les soc.-démocrates (B. A. HANSSON) combattent la crise écon. mondiale et accomplissent des réformes sociales. Essor de l'industrie de la pâte à papier et des exportations de minerai de fer.

Islande
1.12.1918 Reconnaissance de l'indépendance de l'Islande, union pers. avec le Danemark. D'après la constitution (1920), polit. étrangère dirigée par le Danemark, mais neutralité. Souveraineté du Parlement (Alting).
Collaboration polit. réduite entre les États du Nord (neutralité sans alliance), mais rapprochement par suite de la faiblesse de la S. D. N. et de l'échec des conférences du désarmement.
1930 Pacte d'Oslo : Esquisse d'une union écon. de la Norvège, de la Suède, du Danemark, des Pays-Bas, de la Belgique et du Luxembourg (1933, Finlande).

Finlande

1917 Reconnaissance de l'autonomie finlandaise à l'intérieur d'une fédération russe.

Déc. 1917 Proclamation de l'indép. de la Finlande.

Janv.-mai 1918 Guerre de la Liberté et guerre civile. Les « troupes blanches » commandées par le gén. MANNERHEIM et les Allemands du gén. VON DER GOLTZ luttent contre les « rouges » des comités populaires qui parviennent à occuper Helsinki et le Sud de la Finlande.

11.12.1918 Le gén. MANNERHEIM devient chef de l'État.

14.10.1920 Traité de paix de Dorpat avec l'U. R. S. S. Maintien des frontières de 1914, annexion du territoire de Petsamo. La Carélie orientale revient à l'U. R. S. S.

1921 Reconnaissance de la souveraineté de la Finlande sur les îles Aaland par la S. D. N. et neutralisation des îles (20.10.1929).

La lutte polit. entre la droite et la gauche suscite un mouvement pop. anticommuniste (mouvement Lappo). Interdiction du parti communiste (1930). Réforme agraire (1922) qui dépossède les propr. fonciers, tous d'origine suédoise.

16.2.1931 SVINHUFVUD président.

Fév. 1937 KALLIO (parti paysan) lui succède.

21.1.1932 Pacte de non-agression avec l'U. R. S. S.

Pays baltes

Ces jeunes États doivent à la fois se libérer de leur ancien occupant (Russie) et d'une tutelle germanique que favorisent les « corps francs » formés de débris de l'ancienne armée impériale.

Estonie.

24.2.1918 Proclamation de l'indépendance.

18.11.1918 Prise de pouvoir du gouvernement PÄTS. Lutte contre l'offensive bolchéviste (1918-1919), libération du pays par une armée nouvelle dirigée par LAIDONER avec l'aide des Anglais et des Finlandais.

2.2.1920 Traité de Dorpat avec l'U. R. S. S. La nouvelle constitution parlementaire (août 1920) consacre la naissance du nouvel État. Reconnaissance par les Alliés, réforme agraire radicale qui dépossède les « barons baltes » (d'origine allemande). Répression des tentatives de coup d'État bolchévistes. Le « mouvement des combattants de la liberté » fait triompher en octobre 1933 une nouvelle constitution présidentielle. Le Parlement n'a plus de pouvoir, mais le

12 mars 1934 le coup d'État de PÄTS marque le début de l'État autoritaire.

29.7.1937 Troisième constitution avec des éléments parlementaires et corporatifs autoritaires. Pactes de non-agression avec l'U. R. S. S. (4.3.1932) et l'Allemagne (7.6.1939).

Lettonie.

18.11.1918 Proclamation de l'indép. par le gouv. ULMANIS. Heurt entre les intérêts nationaux lettons et ceux de l'Allemagne (création d'une Livonie pro-allemande). Reprise de Riga aux bolchéviks avec l'aide de corps francs allemands (VON DER GOLTZ) et d'une armée germanobalte. ULMANIS peut se maintenir grâce aux secours de l'Estonie et de la Pologne.

15.2.1922 Proclamation de la constitution définitive. La classe supérieure germano-balte est éliminée. Après la formation du gouvernement par la Ligue paysanne, le

9.4.1930 KVIESIS devient président.

16.5.1934 Coup d'État du prem. min. Ulmanis, qui gouverne autoritairement (« minist. d'union nat. »).

11.5.1936 ULMANIS devient président de l'État. Pactes de non-agression avec l'U. R. S. S. (5.2.1932) et l'Allemagne (7.6.1939).

Lituanie.

11.12.1917 Proclamation d'un État lituanien allié à l'empire allemand. Formation du gouvernement VOLDEMARAS (5.11.1918).

11.11.1918 La Lituanie devient un État libre. Après le départ des troupes allemandes, formation à Dunabourg d'un contre-gouvernement communiste. Suppression de la menace bolchéviste par une offensive des troupes allemandes (mars 1919) et l'avance des Polonais sur Vilna, qui revient à la Lituanie (déc. 1919).

12.7.1920 Traité de Moscou avec l'U. R. S. S., qui rend en août Vilna qu'elle avait occupée en juillet.

7.10.1920 Accord de SUWALKI avec la Pologne, mais coup de main du gén. ZÉLIGOVSKI et perte de Vilna (1922).

15.2.1922 Réforme agraire aux dépens des propriétaires polonais.

28.9.1926 Traité de neutralité russo-lituanien.

17.12.1926 Coup d'État militaire. SMETONA devient président de l'État.

Mars 1939 Cession du territoire de Memel à l'Allemagne.

Le pacte germano-soviétique MOLOTOV-RIBBENTROP entraîne la **disparition des États baltes** (entrée dans l'U. R. S. S. en août 1940).

Ville libre de Dantzig

Sans plébiscite, Dantzig devient ville libre sous contrôle de la S. D. N. Concurrence commerciale de Gdnya, en territoire polonais.

1933 Majorité absolue pour le parti national-socialiste.

Les nationalités en 1914

La Pologne en 1916

La République polonaise (1918-1939)

Le quatrième partage de la Pologne (1939)

L'occupation allemande en Pologne (1941-1944)

La Pologne après 1945

La renaissance de la Pologne

18.8.1914 Le tsar promet à la Pologne son autonomie.

5.11.1916 Proclamation d'un royaume de Pologne par les puissances centrales (p. 399). PILSUDSKI (1867-1935) obtient un siège dans le nouveau gouvernement mais se retire (2.7.1917) et est interné à Magdebourg (jusqu'en novembre 1918).

1917 Fondation d'un comité national polonais à Paris [ROMAN DMOWSKI (1864-1939)].

12.9.1917 Mise en place d'un conseil de régence, sous le contrôle allemand.

3.11.1918 Proclamation de la république. Le conseil de régence se retire. Le pouvoir est confié à PILSUDSKI.

La politique intérieure

1. Question des nationalités Conflit entre les Polonais et les minorités nationales : 100 000 Lituaniens, 1 million d'Allemands, 1,5 million de Ruthènes, 3 millions de Juifs, 4 millions d'Ukrainiens.

2. La réforme agraire (28.12.1925) s'attaque surtout aux grandes propriétés allemandes.

3. La crise du régime républicain. Opposition des « Légionnaires » partisans de PILSUDSKI.

1919 Formation d'un gouvernement de coalition PADEREVSKI sous PILSUDSKI, chef de l'État.

17.3.1921 Adoption d'une constitution parlementaire et le

5.11.1922 victoire élect. des démocr. nationaux. PILSUDSKI se retire.

1922-1926 Président: WOJCIECHOWSKI. Crise écon., lutte contre les minorités et conflits de partis.

12-14.5.1926 Coup d'État de PILSUDSKI avec l'aide des troupes qui lui sont fidèles.

1926-1930 MOŚCICKI (1867-1946) est président. Sans ôter au Parlement tout son pouvoir, PILSUDSKI, prem. min., min. de la Guerre et chef de l'état-major, gouverne en s'appuyant sur les « légionnaires » et l'armée.

17.11.1930 Victoire du bloc gouvernemental lors des élections au Sejm (Parlement), obtenues par la terreur.

23.4.1935 Nouvelle constitution autoritaire qui supprime le système parlem. démocr. Après la mort de PILSUDSKI, le président s'appuie sur le chef de l'armée, RYDZ SMIGLI (1886-1941) général, puis maréchal. La mort de PILSUDSKI affaiblit le « régime des colonels », auquel appartient depuis 1932 le colonel BECK (1894-1944), ministre des Affaires étrangères.

La politique étrangère

La Pologne comprend depuis novembre 1918 la « Pologne du Congrès » et la Galicie occupée.

1918 Elle acquiert la Galicie orientale (y compris Lvow), puis en 1919 le « Couloir de Dantzig » (la plus grande partie de la Prusse occidentale) et la province de Poznan (aux Polonais depuis 1918, v. traité de Versailles p. 409), ainsi qu'en 1920, une partie du territoire industriel de Teschen que lui cède la Tchécoslovaquie. PILSUDSKI lutte pour une fédération « lituanienne, ruthénienne et ukrainienne » sous la direction de la Pologne, et les démocrates nationaux exigent les « frontières de 1772 ».

1919 Les Alliés fixent la « ligne Curzon » d'après la répartition des groupes nationaux.

Avril-oct. 1920 Guerre russo-polonaise. Après s'être allié au gouvernement anticommuniste de PETLIOURA, PILSUDSKI avance sur Kiev. Contre-offensive russe qui est finalement vaincue devant Varsovie par une attaque polonaise en direction du sud, soutenue par le général WEYGAND (1867-1965). Après une alliance militaire avec la France (19.2.1921) et la Roumanie (3.3.1921), le

18.3.1921 traité de Riga. La frontière polonaise est repoussée à environ 250 km à l'est des régions strictement polonaises par leur peuplement.

9.10.1920 Occupation de Vilna par des francs-tireurs sous le commandement du général ZALIGOWSKI. En 1922, la population vote pour la Pologne.

1921 A la suite d'un plébiscite, la haute Silésie est partagée entre l'Allemagne et la Pologne, ce qui envenime les rapports germano-polonais. La Pologne signe en

1934 le pacte de non-agression germano-polonais sans consulter la France qui a garanti ses frontières après 1918.

1934 Les accords de non-agression polono-soviétiques du 25.7.1932 sont prorogés. Profitant des crises déclenchées par HITLER, en

mars 1936 la Pologne obtient grâce à un ultimatum la reconnaissance par la Lituanie de la frontière de Vilna.

Octobre 1938 Annexion du territoire de Teschen après les Accords de Munich (p. 473).

Mars 1939 Les Polonais repoussent les exigences allemandes d'octobre 1938, de janvier en février 1939 : union de Dantzig au Reich, liaison routière et ferroviaire extra-territoriale à travers le couloir de Dantzig. Proclamation de la garantie franco-britannique (Pacte d'assistance du 6.4.1939), et accord militaire avec la France qui ne veut pas renouveler l'expérience malheureuse de Munich.

Avril 1939 HITLER dénonce le pacte d'amitié germano-polonais.

Le problème des États qui succèdent à la monarchie austro-hongroise est de s'adapter à leurs nouvelles frontières (balkanisation de l'Europe centrale) en essayant d'associer leurs économies qui ne sont pas complémentaires.

La république autrichienne

1918 Constitution d'une Assemblée nationale provisoire.

12.11.1918 Proclamation de l' « Autriche allemande », république faisant partie de la république allemande. Après la victoire des sociaux-démocrates aux élections pour l'Assemblée constituante (16.2.1919), K. SEITZ (1919-1920) est élu président de la fédération. Coalition social-démocrate et chrétienne-sociale dirigée par KARL RENNER (1870-1950).

1919 Expulsion des Habsbourgs et traité de Saint-Germain-en-Laye (p. 409).

Le gouvernement de coalition bourgeoise (1920-1932)

17.10.1920 Victoire élect. des chrétiens-sociaux. Formation du cabinet MAYR (jusq. 1.6.1921). L'Autriche est admise à la Société des Nations (15.12.1920). Après les premiers votes en faveur de l'union avec l'Allemagne (24.4.1921 : 98,8 % au Tyrol et 25.5.1921 : 99,3 % à Salzbourg), suppression des autres consultations populaires. La France menace de suspendre son aide.

1922-1924 Mgr SEIPEL, professeur à l'Université (1876-1932), devient chancelier et restaure les finances.

1922 Crédits internat. avec garantie de la S. D. N. L'Autriche doit admettre l'intervention d'une Commission de contrôle de la paix et renoncer pour 20 ans à l'union avec l'Allemagne. Opposition des ligues de défense de la république socialiste et des ligues d'anciens combattants (Heimwehr).

1927 Soulèvement socialiste (incendie du palais de justice).

1928-1938 Présidence de MIKLAS (1872-1956). Une réforme de la constitution (1929) augmente le pouvoir présidentiel (le président sera élu par le peuple).

1931 Projet d'une union douanière avec l'Allemagne (SCHOBER, CURTIUS). Opposition de la France. **Effondrement du Credit-Anstalt de Vienne.**

13.9.1931 Échec en Styrie d'un putsch de la « Heimwehr » (formation patriotique).

La réaction conservatrice (1932-1938)

1932-1934 Chancelier **Dollfuss** (1892-1934 assassiné). S'appuyant sur la ligue provinciale des sociaux-chré-

tiens et sur le Bloc nat. (Heimatblock), il gouverne un an contre l'opposition (socialistes, parti « grand allemand »).

15.7.1932 Accords de Lausanne. Prolongation des prêts de la S. D. N. contre renonciation à l'Anschluss (union avec l'Allemagne) jusq. 1952.

Mars 1933 Avènement d'un régime autoritaire. Suppression de la constitution parlementaire. La loi « des pleins pouvoirs pour économie de guerre » du 24.7.1917 est remise en vigueur. Lutte sur deux fronts (nationaux-socialistes et sociaux-démocrates) :

1933 interdiction du parti national-socialiste. Après des combats de rue à Vienne et dans les grandes villes, en

1934 interdiction du parti social-démocrate et de tous les autres partis.

1934 Adoption d'une constitution inspirée de principes corporatistes.

25.7.1934 Putsch national-socialiste. DOLLFUSS est assassiné. L'Allemagne déclare n'être pour rien dans l'assassinat, alors que des troupes ital. font marche vers le Brenner.

1934-1938 Le chancelier Schuschnigg (né en 1897) ne réussit pas à consolider le régime.

11.7.1936 Accord avec le Reich allemand (compromis avec HITLER). Les mouvements en faveur de la restauration des Habsbourgs échouent à cause de la résistance de HITLER et de la Petite Entente.

12.2.1938 Visite de SCHUSCHNIGG à HITLER à Berchtesgaden. Amnistie des nationaux-socialistes et acceptation du Dr. ARTHUR SEYSS-INQUART (1892-1946 exécuté) comme ministre de l'Intérieur. Le 9.3.1938, SCHUSCHNIGG annonce un référendum pour le 13, mais le

11.3.1938 ultimatum du Reich. SCHUSCHNIGG démissionne. Formation d'un gouvernement par SEYSS-INQUART, et entrée des troupes allemandes en Autriche.

13.3.1938 Anschluss entre l'Autriche et le Reich.

La politique extérieure

L'influence de l'Italie fasciste sur la politique intérieure de l'Autriche commence par un traité d'amitié (1930). MUSSOLINI ne veut pas voir les troupes allemandes sur le Brenner.

1934 Protocole de Rome (p. 441). Après l'échec de l'union douanière avec l'Allemagne, la France (TARDIEU) tente d'inclure l'Autriche dans un ensemble économique danubien sous inspiration française, mais refus de l'Autriche. SCHUSCHNIGG veut rapprocher l'Autriche de l'Italie, mais la formation de l'axe Rome-Berlin fait échouer son projet.

Hongrie

Proclamation de la république. MICHEL KAROLYI, prem. min. dep. le 30.10, devient chef de l'État. Il démissionne pour protester contre les conditions d'armistice (cession de la Croatie, de la Transylvanie, du Banat et de la Slovaquie).

21.3.1919 Gouvernement des Conseils formés par les socialistes et comm. avec BELA KUN (1885- probablement assassiné en 1937 en U. R. S. S.). Une armée hongr. comm. occupe une partie de la Slovaquie, mais est repoussée par des troupes franç. et roumaines. L'amiral HORTHY (1858-1957) devient chef suprême de l'armée. BELA KUN s'enfuit (1.8.1919), Budapest est occupée par les Roumains (août-nov. 1919).

1920-1944 L'amiral Horthy est régent de Hongrie (monarchie avec « vacance du trône »).

4.6.1920 Traité de Trianon. La Hongrie perd 67,8 % de son territoire et 59 % de sa population, ce qui fait d'elle la « petite Hongrie ». L'empereur CHARLES II tente par deux fois de revenir comme roi de Hongrie (1921), mais la Petite Entente s'y oppose.

Politique intérieure. Maintien de la grande propriété seigneuriale qui rappelle les traditions féodales, aucune réforme agraire, antisémitisme (2.4. 1938 lois restrictives qui excluent les Juifs de la vie économique), essor de groupes nationalistes extrémistes, dont les « Croix fléchées » de SZALASI (1897- exécuté en 1946), qui s'allient en octobre 1937 au parti national-socialiste hongrois. Lourdes charges de l'État : réparations et crise mondiale écon. (p. 461). Crise financière aiguë (1931). Prêt de la France à condition de cesser toute propagande contre le traité de Trianon.

Politique extérieure (Alliances p. 441). La politique de révision du traité est soutenue par l'Italie (à partir de 1927). Les plans de la France (organisation commune des pays danubiens) sont repoussés. **Rapprochement avec le Reich.**

1932-1936 GÖMBÖS (1886-1936) premier ministre, extrémiste de droite, antisémite. Détérioration des relations franco-hongroises (entente avec l'Autriche).

1938 Convention de Bled. La Hongrie renonce à l'emploi de la force à l'égard de la Petite Entente. Amitié germano-hongroise.

2.11.1938 Premier arbitrage de Vienne. Après les Accords de Munich, la Hongrie reçoit quelques territoires slovaques (Neuhäusl, Lewenz, Kaschau, etc.).

Mars 1939 Occupation de l'Ukraine carpatique.

Tchécoslovaquie

30.5.1918 Traité de Pittsburg entre Tchèques et Slovaques d'Amérique : autonomie slovaque à l'intérieur de la future Tchécoslovaquie.

Oct. 1918 Formation d'un gouv. à Paris. Président MASARYK (1850-1937), ÉDOUARD BENÈS (1884-1948) prem. min. (1921-1922) puis président (1935-1938, 1945-1948).

28.10.1918 Proclamation de la république à Prague par un Comité national qui confie la présidence du gouvernement à KRAMAR, et la présidence de l'État à MASARYK (1918-1935). Le nouvel État a 930 km de long et est composé de populations diverses : Tchèques 46 %, Allemands 28 %, Hongrois 8 %, Slovaques 13 %, Ukrainiens 3 %, avec également des Polonais et des Juifs. Les Allemands des Sudètes ne réussissent pas à s'unir à l'Autriche. (Les Alliés refusent une consultation populaire, et les troupes tchèques occupent le pays — novembre-décembre 1918.)

29.2.1920 Un comité national élargi accepte la constitution.

Politique intérieure. Le nouvel État, qui s'appuie sur la bureaucratie tchèque, est une démocratie parlementaire (jusqu'en 1939). Les minorités nationales sont intégrées surtout grâce à la loi de réforme agraire (16.5.1919) qui dépossède les gros propriétaires fonciers. Fondation d'une Église tchécoslovaque indépendante de Rome (10.1.1920). **Le souvenir de Jan Huss** est évoqué par une fête nationale, d'où conflit avec le Vatican (jusqu'en 1927). Lutte aussi contre les Allemands des Sudètes surtout après 1933 à cause de l'influence du national-socialisme. Avec HITLER à l'arrière-plan, KONRAD HENLEIN (1898- se suicide en 1945), Führer du « Front national des Sudètes allemands » (parti des Sudètes allemands à partir du 29.4.1935), proclame le « programme de Carlsbad » (24.4. 1938) : autonomie et réparation des préjudices subis depuis 1918.

1938 Accords de Munich : le territoire des Sudètes revient à l'Allemagne. La Slovaquie (6.10.1938) et l'Ukraine subcarpatique (8.10.1938) obtiennent leur autonomie. Les Français ayant refusé d'intervenir et la Petite Entente (p. 441) étant trop faible, démission du président BENÈS.

1938-1945 HACHA (1872-1945) lui succède. Création du protectorat allemand de Bohême et de Moravie (15.3.1939).

Politique extérieure. Avec BÉNÈS (ministre des Aff. étrang. jusqu'en 1935), elle est pro-française, dirigée d'abord contre la Hongrie (restauration des Habsbourgs, demandes de révision) et l'Allemagne (question sudète).

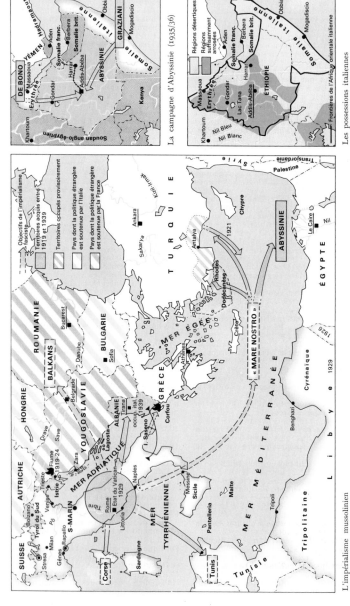

La campagne d'Abyssinie (1935/36)

Régions désertiques

Régions suffisamment arrosées

Frontières de l'Afrique orientale italienne

Les possessions italiennes
en Afrique Orientale

Objectifs de l'impérialisme
fasciste

Territoires occupés provisoirement

Pays dont la politique étrangère
est soutenue par l'Italie

Pays dont la politique étrangère
est soutenue par la France

« MARE NOSTRO »

L'impérialisme mussolinien

La crise de la démocratie (1919-1922)
La déception qu'apporte la conclusion de la Conférence de la paix (p. 409) divise la nation en un parti modéré et un parti nationaliste. Les groupements d'anciens combattants déploient une grande activité polit.

1919 Rassemblement des premiers « Faisceaux de combat » (Squadri) dirigés par BENITO MUSSOLINI (p. 458).

1919 Coup de main de GABRIELE D'ANNUNZIO (p. 395) sur Fiume. Les gouvern. NITTI (mai 1919-mai 1920) et GIOLITTI (mai 1920-juin 1921) ne peuvent maîtriser la crise financière et l'inflation.

1920 Grève socialiste à Milan et Turin. Les fascistes combattent les socialistes par la terreur.

1920 Traité de Rapallo avec la Yougoslavie. Fiume devient ville libre.

1921 Fondation du parti national fasciste (P. N. F). Le mouvement révol. devient donc parti. Pendant les gouv. BONOMI (1921-1922) et FACTA (fév.-oct. 1922), les fasc. profitent de leur puissance pour passer à « l'action directe » : menaces, violences, élimination des fonctionnaires provinciaux en haute Italie. L'industrie et l'armée sympathisent avec le fascisme. Proclamation de la rév. et constitution d'un comité des Quatre : BALBO (1896-1940), DI BONO, DI VECCHI et BIANCHI.

28.10.1922 Marche sur Rome. Le roi charge MUSSOLINI de former un ministère composé de fascistes et de sympathisants.

L'ascension du fascisme (1922-1926)
Nov. 1922 Le Parlement (prorogé jusq. 1924) accorde les pleins pouvoirs au nouveau gouv.

1923 Formation d'une « milice » du parti composée de groupes d'assaut (Squadri) et de Faisceaux (Fasci) qui ne prêtent pas serment de fidélité au roi. Recours constant à la violence. Nouvelle loi électorale qui favorise les nationalistes (deux tiers des mandats), et qui en

1924 assure la victoire des fascistes (65 %). Après l'assassinat du député social. MATTEOTTI (né en 1885) à la suite de son discours sur la « tyrannie de la violence » au Parlement (30.5), les députés de l'opposition se retirent symboliquement « sur l'Aventin » (15.6).

1925-1926 Mesures pour compléter la dictature. Lutte contre la « conjuration antifasciste », francs-maçons et émigrés.

L'État fasciste (1926-1938)
1. Le roi est « chef de l'État », MUSSOLINI, « chef du fascisme ». Une loi sur « les attributions e⁺ les préro-

gatives du chef du gouvernement » (1925), la réunion des pouvoirs exécutif et législatif (1926) garantissent au chef de l'État une puissance illimitée (p. 458).

2. Mise en place d'un système corporatif avec la loi sur les relations collectives du travail, qui constitue des syndicats fascistes (1926).

1927 « Charte du travail ». Les syndicats se fondent dans des corporations au sein desquelles patrons, ouvriers, représentants de l'État et du parti, planifient la production dans l'intérêt de l'État. Ce système corporatif se complète en

1928 par la nouvelle loi électorale. Établissement d'une liste de 400 députés proposés par les différentes corporations et choisis par le **Grand Conseil fasciste.**

1930 Loi sur la réorganisation du Conseil national des Corporations (à p. de 1929) et en

1934 loi sur les corporations et convocation de la première Assemblée nat.

1938 Création de la **Chambre des Faisceaux et Corporations** qui se compose du Duce, des membres du Grand Conseil fasciste, des 150 membres du Conseil national du parti fasciste, des 500 membres du Conseil national et des Conseils des 22 Corporations.

L'impérialisme fasciste (1923-1939)
MUSSOLINI veut l'hégémonie en Adriatique, en Méditerranée, et la reprise de l'expansion coloniale en Afrique.

1923 Traité de Lausanne (p. 443). L'Italie obtient le Dodécanèse. Après l'occupation de Corfou (1923), en

1924 échec d'un accord avec la Yougoslavie malgré la cession de Fiume.

1929 Accords du Latran (p. 428).

1934 Protocole de Rome (p. 441). Première rencontre de MUSSOLINI et de HITLER à Venise (1934). Après le putsch de juillet à Vienne et le consentement du gouvernement LAVAL à la conquête de l'Abyssinie, constitution en

1935 du « Front de Stresa » contre HITLER.

Oct. 1935 Agression ital. en Abyssinie : sous le commandement du maréchal DI BONO, puis de BADOGLIO (p. 487), deux armées ital. prennent l'offensive à p. d. la Somalie et de l'Erythrée.

1936 Annexion de l'Abyssinie. VICTOR-EMMANUEL devient « empereur d'Ethiopie ». Une polit. commune en

1936-1939 dans la guerre civile espagnole (p. 437) prépare « l'Axe Rome-Berlin » (p. 473).

1938 Occupation de l'Albanie (p. 439).

1939 Pacte d'amitié et d'alliance avec l'All. (p. 473).

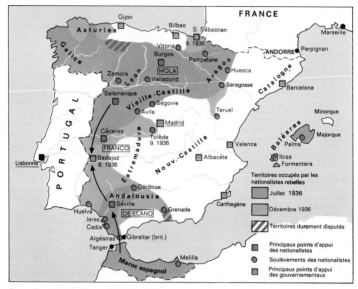

Le soulèvement de Franco (1936)

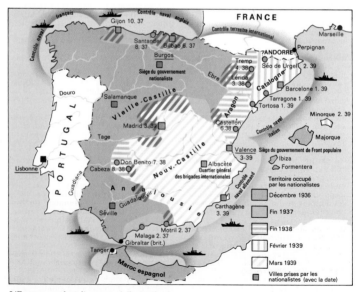

L'Espagne pendant la guerre civile (1936-39)

Espagne

Au cours de la première guerre mondiale, l'Espagne connaît un grand essor écon. à cause de sa neutralité. Toutefois, elle souffre d'une incessante crise polit. Causes : faiblesse de la monarchie constitutionnelle, changements fréquents de gouv. (13 ministères de 1917 à 1923), tendances autonomistes de la Catalogne (Barcelone) et du Pays basque, tensions entre une classe sociale conserv. à tendances féodales (gros propriétaires soutenus par l'Église et l'armée) et une classe ouvrière extrémiste; enfin, révolte d'ABD EL-KRIM dans le Rif.

13.9.1923 Coup d'État milit. du capitaine-général de Barcelone Primo de Rivera (1870-1930) qui constitue avec l'accord du roi ALPHONSE XIII (p. 359) un directoire milit. (huit gén., un amiral); il suspend la constitution de 1876 et confie les ministères à des techniciens.

2.12.1925 Passage du régime milit. à un régime civil avec PRIMO DE RIVERA pour prem. min. : grande activité législative, simplification de l'administration, tentative de réforme agraire (7.1.1929), assainissement écon. et réformes sociales par travaux publics (routes, voies ferrées, trav. d'adduction d'eau). Après un accord avec la France (26.7.1925), liquidation de la guerre du Maroc (1926). L'annexion de Tanger, qui est neutralisé (Accord de Tanger de 1923), échouera. Ses méthodes autoritaires heurtent les intellectuels. La noblesse, le monde des affaires et les officiers ont chacun leurs raisons de mécontentement.

1930 Renvoi de PRIMO DE RIVERA, qui meurt à Paris en exil (16.3.1930).

1931 Élections générales. Victoire des républicains. Le roi ALPHONSE XIII quitte le pays sans renoncer à ses droits sur le trône.

La république est soutenue par la bourgeoisie libérale et les ouvriers socialistes (Catalogne, Pays basque, Asturies).

9.12.1931 Constitution lib. : séparation de l'Église et de l'État; autonomie régionale pour la Catalogne (6.12.1931) et le Pays basque (8.10.1936). La coalition républicaine modérée est menacée sur sa gauche par les socialistes dirigés par LARGO CABALLERO (1869-1946) et sur sa droite par le rassemblement des conservateurs. L'introduction du mariage civil, la mise à la disposition de la nation des grandes propriétés des ordres religieux, heurtent les conservateurs attachés à l'Église.

19.11.1933 Succès des conservateurs. Jusq. 1936 fréquents changements de gouv. Troubles grandissants qui le

1.1.1936 amènent la dissolution du Parlement.

16.2.1936 Victoire du Front populaire (répub., social., comm., syndicalistes).

10.5.1936 MANUEL AZAÑA (1880-1940) devient président de la République. Climat de guerre civile. L'assassinat de CALVO SOTELO, dép. monarch. (13.7.1936), marque le début de la contre-révolution.

La guerre civile (1936-1939)

Juillet 1936 Révolte milit. des généraux SANJURJO, FRANCO (né en 1892), MOLA, QUEIPO DE LLANO, qui s'appuient sur les monarchistes, les cath. et sur la **Phalange** fasciste fondée en 1933 par JOSÉ ANTONIO PRIMO DE RIVERA (1903-1936). Les révoltés sont soutenus par l'Allemagne (« Légion Condor »), l'Italie et le Portugal. Le gouvernement rép. (4.9.1939 gouv. de Front populaire de LARGO CABALLERO; mai 1937 minist. JUAN NEGRIN) est aidé par la France, l'U. R. S. S., et les Brigades internationales (60 000 hommes).

Juillet 1936 Création de la Junte de Défense nationale qui choisit en sept. le gén. FRANCO pour chef de gouvernement de l'État esp.

Mars 1937 La victoire des républicains à Guadalajara permet de dégager Madrid.

Déc. 1938-fév. 1939 Chute de la Catalogne.

Le gouv. de FRANCO est reconnu le 18.11.1936 par l'Allemagne et l'Italie, le 27.2.1939 par l'Angleterre et la France et le 1.4.1939 par les E.-U. L'Espagne demeure neutre pendant la seconde guerre mondiale.

Portugal

Après la suppression de la monarchie (1910), aucun gouvernement stable ne peut se constituer à cause de la faiblesse des partis du centre. Entre 1911 et 1928, il y aura 8 présidents et 44 gouvernements, 20 révolutions et coups d'État.

28.5.1926 Révolte milit. du général DA COSTA. Dissolution du Parlement et suppression de la constitution.

9.8.1926 Élection du général CARMONA qui devient président. Le min. des Finances du nouveau régime est un professeur, **Antonio de Oliveira Salazar**, qui deviendra prem. min. le 5.7.1932, et qui, par des mesures draconiennes, rétablit les finances sans aide extérieure.

19.3.1933 Confirmation de la nouvelle constitution (22.2.1933) par consultation populaire. L'**État nouveau** (« estado novo ») est un État corporatif sur le modèle fasciste. Au cours de la seconde guerre mondiale, le Portugal qui maintient ses relations amicales avec l'Angleterre et reste étroitement lié à l'Espagne fasciste (bloc ibérique) choisit la neutralité.

Les zones instables à l'Est de l'Europe

Roumanie

Grâce à l'acquisition de la Bukovine, de la Transylvanie, de la Bessarabie (1918) puis des deux tiers du Banat (1919), contre l'Armée Rouge hongr., la Roumanie double son territoire et sa population, devient un État à minorités nat. menacé par l'hostilité de l'U. R. S. S., de la Hongrie et de la Bulgarie. BRATIANU (1864-1927), chef des lib. et créateur de la Grande-Roumanie, dirige la polit. intérieure.

1928 MANIU (1873-1951), chef du parti national paysan, devient premier ministre. Il organise des élections libres, mais sans satisfaire les paysans (crise agraire). Après sa démission le roi CAROL, s'appuyant sur les lib., gouverne personnellement (1930-1940). Élimination de MANIU. Lutte contre les groupements de droite antisémites [Garde de fer de CODREANU (1899- assassiné en 1938) = parti nat. chrétien]. Malgré les progrès de la Garde de fer aux élections de 1937, en

1938 constitution du ministère du patriarche CHRISTEA (1868-1939) (« concentration nationale »). La suspension de la constitution, l'interdiction de tous partis, la loi sur le « maintien de l'ordre dans l'État », la condamnation de CODREANU assurent la dictature du roi.

Politique extérieure. Elle est orientée contre l'U. R. S. S. et la Bulgarie (Alliances p. 441), mais sous la pression grandissante des nationalistes, le min. des Aff. étrang. TITULESCU doit se retirer en 1936.

1939 Traité de commerce de la Roumanie avec l'Allemagne (p. 473).

Yougoslavie

Deux tendances contraires président à la fondation de l'État yougoslave : la **création d'une grande Serbie** (PACHITCH), et la constitution d'une **fédération des Slaves du Sud** (TRUMBITCH) plus favorable aux Croates. Les opposants s'accordent en

1917 par la déclaration de Corfou.

1918 **Fondation du royaume des Serbes, Croates et Slovènes.**

1921 Suppression de la constitution de « Vidovdan » : État unitaire, sans égard pour les minorités. Crises de polit. intér. [opposition des Serbes et des Croates, assassinat de STEFAN RADITCH (né en 1871) chef du parti paysan croate (juin 1928), et fondation d'un parlement séparatiste à Zagreb en août 1928]. ALEXANDRE, roi de 1921 à 1934 (assassiné à Marseille) recourt en

1929 à la **dictature :** suspension de la constitution, interdiction des partis, dissolution du Parlement.

1931 **Suppression de la dictature.** Nouvelle constitution avec deux chambres

et élections avec candidatures officielles (listes d'unité du gouvernement). Agitation des paysans croates (Oustachis). Après démission de STOYADINOVITCH, CVETKOVITCH en 1939 devient prem. min. avec cinq min. croates dans son gouv. Il est favorable à l'Axe germano-italien. Le régent PAUL (1934-1941) s'oriente vers une politique opposée en 1941.

Albanie

1921 Confirmation des frontières de 1913 par la Conférence des Ambassadeurs.

1925 AHMED ZOGOU (1895-1951) devient président après des luttes internes, puis roi en 1928. Par l'alliance de Tirana (1927) et grâce à un prêt sans intérêt (1932), l'Albanie dépend de plus en plus de l'Italie.

1939 Occupation de l'Albanie et union personnelle avec l'Italie.

Bulgarie

Polit. intérieure. Le traité de Neuilly (p. 409), le retour des exilés, les revendications sur la Macédoine, une rév. paysanne latente et la tentative de créer une « Grande Slavie du Sud » avec STAMBOULISKI, chef du parti paysan, accélèrent la décomposition intérieure.

1923 Coup d'État des officiers. Dissolution du parti paysan (STAMBOULISKI, son chef, est assassiné) et du parti royaliste.

1934 Régime autoritaire du col. GÉORGIEFF. Le roi BORIS III (1918-1943) prend le pouvoir (janv. 1935) et gouverne en dictateur.

Grèce

Triomphe de la politique du prem. min. VENIZELOS (p. 357) pendant la guerre mond. avec l'acquisition de la Thrace occ. et or. (1919) et de Smyrne (1920).

1920-1922 Guerre gréco-turque (p. 443). **Au traité de Lausanne (1923),** la Grèce ne garde que la Thrace oc. jusq. la Maritza.

Réforme agraire. Répartition aux paysans des grandes propriétés privées et publiques. Parmi ces paysans, nombreux réfugiés venus de Turquie, des pays balkaniques et de l'U. R. S. S.

1924-1935 La Grèce devient république. Lutte entre royalistes et partisans de VENIZELOS.

1928-1932 Stabilité du nouveau gouv. VENIZELOS. Réconciliation avec la Turquie par le traité d'Ankara (1930). Après la tentative de coup d'État de VENIZELOS, en

1935 proclamation de la monarchie : retour du roi GEORGES II.

1936 Le gén. MÉTAXAS devient prem. min. Régime autorit. sans Parlement. La réforme agraire est arrêtée.

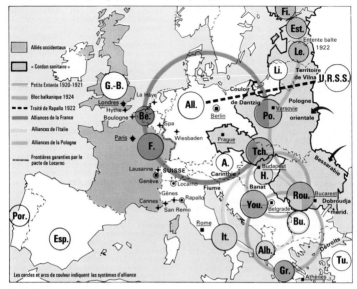

Les alliances européennes (1920-1933)

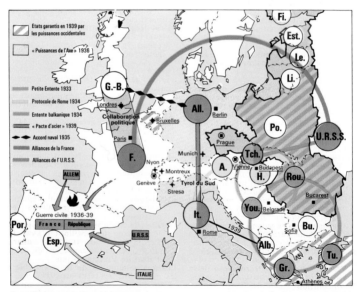

Les alliances européennes (1933-1939)

Les alliances européennes (1918-1930)
France. La France, n'obtenant pas le concours de l'Angleterre pour assurer sa frontière de l'est (question de la rive gauche du Rhin) conclut en
1920 une convention milit. franco-belge. Il n'y a plus d'alliance franco-russe, mais la politique des « alliances de revers » est conservée grâce aux accords avec la Pologne (1921), la Tchécoslovaquie (1924) et la Roumanie (1926).
Petite Entente. Elle groupe les États danubiens qui redoutent le retour des Habsbourgs : Tchécoslovaquie, Yougoslavie et Roumanie. La France y est favorable pour maintenir l'œuvre des traités de 1918, mais n'en fait pas partie. Après la première tentative de retour de l'empereur CHARLES, la Tchécoslovaquie signe en
1921 un traité défensif avec la Roumanie, principal adversaire du révisionnisme hongrois.
1921 Alliance de la Roumanie avec la Yougoslavie, dirigée contre la Bulgarie.
1921 Traité entre la Pologne et la Roumanie. Les deux puissances se promettent une aide réciproque contre une attaque de l'U. R. S. S. qui ne renonce pas à la Bessarabie.
Rapprochement germano-russe. L'Allemagne et la Russie isolées devant le front des vainqueurs de 1918 unissent leur faiblesse pour résister à l'entente des Alliés occidentaux. L'Allemagne forme des officiers de chars et des aviateurs sur le territoire soviét. en échange de l'aide apportée par les spécialistes all. à la construction d'une industrie d'armement.
1922 Échec de la conférence écon. de Gênes entre la Grande-Bretagne et le gouv. soviét. : pour éviter que la Russie soviét. accepte de payer les dettes russes d'avant-guerre contre son adhésion à l'art. 116 du traité de Versailles (réparations), conclusion en
1922 du **traité de Rapallo,** qui règle les rapports russo-all. : aucun dommage de guerre, reprise des relat. dipl., clause de la nation la plus favorisée au point de vue commercial.
1926 Traité de Berlin : neutralité réciproque en cas d'attaque d'un tiers.
Entente baltique. Pour se protéger contre la Russie soviét., la Pologne, l'Estonie, la Lettonie et la Finlande signent en
1922 un pacte de non-agression et de consultation mutuelle que refuse de ratifier le Parlement finlandais devant le risque d'un conflit russo-polonais. La Lituanie n'y participe pas à cause du coup de main pol. sur Vilna (p. 431). Les résultats

politiques sont presque nuls. Seule durera l'alliance est.-lett. de 1923.
L'Italie, après le Pacte adriatique de 1924 qui confirme le statu quo, conclut différents traités :
1926 Traité italo-roumain (reconnaissance du droit de la Roumanie à la Bessarabie), et traité avec l'Albanie, zone d'influence privilégiée pour l'Italie.
1927 Traité avec l'Albanie et avec la Hongrie pour soutenir le révisionnisme hongrois.
1930 Traité d'amitié avec l'Autriche. Le mariage du roi BORIS III et de la princesse italienne GIOVANNA améliore les relations italo-bulgares.

Les alliances européennes (1930-1939)
France. La polit. de l'U. R. S. S. qui signe des traités avec les pays de l'Est de l'Europe et les menaces hitlériennes provoquent en
1932 un rapprochement franco-soviét. et la conclusion d'un pacte de non-agression : en cas d'attaque d'un tiers, les signataires interviendront conjointement. Les relations germano-soviétiques s'aggravent. Après l'échec d'un « Locarno de l'Est », conclusion en
1935 du **pacte d'assistance franco-soviétique,** dirigé contre l'All. et complété par un pacte d'assistance entre l'U. R. S. S. et la Tchécoslovaquie : en cas d'une intervention de la France en faveur de la Tchécoslovaquie, l'U. R. S. S. interviendra elle aussi.
La France et la Petite Entente :
Devant la menace allemande, la diplomatie française, dirigée par BARTHOU jusqu'en 1934, cherche à renforcer ses alliances à l'Est. Mais la Pologne, alliée traditionnelle, reste à l'écart des trois pays danubiens membres de la Petite Entente.
Italie.
1934 Pacte triangulaire du « Protocole de Rome » (Italie-Hongrie-Autriche), qui renforce l'influence ital. dans l'Europe du Sud-Est. Ce révisionnisme oppose l'Italie à l'Angleterre.
Entente balkanique. La peur des revendications soviétiques, de la polit. nationale-social. et du révisionnisme bulgare, expliquent la conclusion en
1934 du Pacte balkanique (Yougoslavie-Grèce-Roumanie-Turquie).
1939 Après le discours de CHAMBERLAIN sur la fin de la « politique d'apaisement », déclarations de garantie franco-brit. en faveur de la Pologne, Roumanie, Grèce, Turquie.
La Roumanie refuse de laisser passer les troupes russes en cas d'attaque allemande contre la Pologne (crainte de perdre la Bessarabie revendiquée par les Russes).

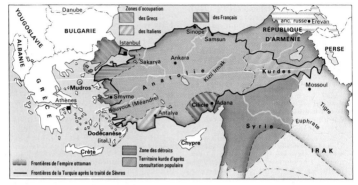

La Turquie au traité de Sèvres (1920)

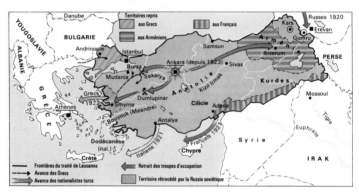

La réaction nationale turque (1920-1922)

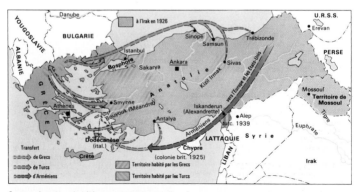

Le transfert des minorités grecques et turques (1919)

Le soulèvement national (1918-1920)
1918 Après l'armistice de Moudros (p. 407), les Alliés entrent dans le Bosphore.
1918-1923 Occupation d'Istamboul, puis d'Antalya et Konya par les Italiens (1919). Les Grecs occupent Smyrne (1919), les Français la Cilicie (1919). De plus, mouvement séparatiste kurde, puis création d'un État arménien (1919). **Mustafa Kémal Pacha** (1880-1938) prend la tête du **mouvement** national turc.
1919 Congrès nationaux d'Erzéroum et de Sivas. Indép. de la Turquie dans ses frontières nat. Élection d'un comité représentatif. Ankara devient le siège du mouvement nat. Après la confirmation du « pacte national » de Sivas par le dernier Parlement ottoman (1920), et le début d'une résistance contre les Français et les Grecs, l'occupation alliée à Istamboul est renforcée.
Avril 1920 Réunion à Ankara de la Grande Assemblée nationale. Le gouv. du sultan réagit en condamnant à mort MUSTAFA KÉMAL.
Août 1920 Traité de Sèvres (p. 409). Le sultan MOHAMMED V (1918-1932) et l'Assemblée nationale refusent la ratification « provisoire ».

La libération de la Turquie (1920-1922)
A l'Est. Victoire de KARA BÉKIR en Arménie, d'où en
1920 traité de Gumru. La Russie occupe Erevan, capitale de l'Arménie, la partie russe de l'Arménie revient à la Russie soviét. qui signe un traité d'amitié avec la Turquie.
1921 Traité de Kars avec les républiques soviét. d'Azerbaïdjan, d'Arménie et de Géorgie : reconnaissance de la frontière du Caucase.
1920-1921 Reprise des massacres des Arméniens comme en 1915. Émigration vers la France et vers les E.-U.
A l'Ouest. Les Alliés accordent au prem. min. grec VENIZELOS (p. 357) un « mandat » pour le « rétablissement de l'ordre en Anatolie » : occupation de Brousse (1920) et d'Andrinople (1920). Avance de l'armée grecque jusq. la Sakarya.
1921 Batailles d'Inonu et de la Sakarya : échec des Grecs.
1922 Percée de MUSTAFA KÉMAL à Dumlü Pünar, et prise de Smyrne.
Oct. 1922 Armistice de Moudania : évacuation de la Thrace orientale.
Au Sud.
1921 Traité d'Ankara : départ des Français.

La République (1923-1945)
Suppression du sultanat (1er nov. 1922).
1923 Traité de Lausanne. La Turquie obtient la Thrace or. jusqu'à la Maritza, les îles d'Imbros et de Ténédos, la région de Smyrne et l'Arménie occ. Les Détroits sont démilitarisés et surveillés par une commission internationale. Les Capitulations sont supprimées, aucune indemnité de guerre. Les garnisons étrangères quittent le pays. Échange de populations : env. 1 350 000 Grecs contre 430 000 Turcs.
1923-1938 Mustafa Kémal (Kémal Atatürk à p. de 1935) devient président de la Rép. turque. Capitale : Ankara. Jusq. 1946, parti unique rép. populaire (fondé en 1923) dont les membres doivent se consacrer à l'État républic., au nationalisme, à la paix sociale, à une économie étatique, à une polit. libre de toute influence religieuse en vue de l'établissement d'une culture révol. Ces réformes (Tanzimat) sont réalisées par la laïcisation de l'administration, de la justice et de l'instruction.
1924 Suppression du califat et des tribunaux religieux.
1925 Dissolution de l'ordre des derviches.
Réformes juridiques. Elles sont inspirées par le code civil suisse (1926), le code pénal ital. (1926), le code de procédure civile suisse (1926).
1928 Suppression de toutes les formules relig. dans la constitution.
Instruction.
1928 Mise en usage de l'alphabet latin et interdiction de l'écriture arabe.
1928 La langue turque sera seule nécessaire pour poursuivre des études supérieures (à l'exclusion de l'arabe et du persan). Fondation d'écoles primaires, secondaires, professionnelles, agricoles, et d'universités (1936 université d'Ankara).
1938-1950 Ismet Inonu (né en 1884) devient le second président turc. Début de démocratisation de la Turquie : fondation de nouveaux partis, autorisation de l'enseignement relig. dans les écoles.
Politique étrangère.
1925 Pacte de neutralité et de non-agression avec l'U. R. S. S. qui s'oppose ainsi au capitalisme occidental.
1930 Traité d'amitié avec la Grèce.
1934 Pacte balkanique (p. 441).
1936 Conférence des Détroits à Montreux. La Turquie obtient de nouveau le droit de fortifier les Détroits.
1937 Signature à Saadabad du Pacte oriental avec l'Iran, l'Afghanistan et l'Irak, qui renforce les relations de la Turquie avec les États orientaux.
1939 Retour à la Turquie du sandjak d'Alexandrette, et signature en
1939 d'un pacte d'assistance turco-franco-britannique. Neutralité turque pendant la guerre mais en
1941 traité d'amitié avec l'Allemagne.
1945 Déclaration de guerre à l'Allemagne.

Le Moyen-Orient

L'adoption des idées europ. (nation, liberté et autonomie gouvern.) renforce le **nationalisme des Arabes**. Les **engagements contradictoires pris par la Grande-Bretagne** pendant la première guerre mondiale rendent difficile toute solution constructive des problèmes d'après-guerre.

1916 Accord entre MacMahon, haut-commissaire brit., et le chérif de La Mecque, Hussein (1853-1931). En échange de son alliance, les Anglais promettent à HUSSEIN l'indép. de l'Arabie.

1916 Accords Sykes-Picot. Répartition des territoires occupés par les Turcs entre la Grande-Bretagne (Mésopotamie, Palestine, Jordanie) et la France (Syrie). Règlement définitif à la conférence de San Remo.

1917 Déclaration Balfour (p. 337).

Syrie et Liban

1918-1920 Émir Fayçal (1883-1933). Le Congrès national le proclame roi de Syrie, mais la France obtient le mandat sur la Syrie (1919), et le chasse après des révoltes sanglantes. Décentralisation administrative : Damas, Alep, État des Alaouites et territoire druse. Révolte en 1925.

1926 Création du Liban, qui possède une importante minorité chrétienne (les maronites).

1936 Projet libéral de VIÉNOT, sous le gouv. LÉON BLUM.

1939 Cession à la Turquie du sandjak d'Alexandrette.

1941 Lutte entre les troupes de Vichy (p. 475) et les Français libres du gén. CATROUX, qui promet l'indépendance aux territoires sous mandat franç. **Autonomie de la Syrie et du Liban.**

Irak

1919 Création d'un mandat brit. sur la Mésopotamie.

1921 L'émir FAYÇAL, ancien compagnon de combat du col. brit. **Thomas R. Lawrence** (1888-1935), devient roi d'Irak.

L'Irak obtient les territoires pétrolifères en litige aux confins de la Syrie, placée sous mandat français.

1930 Traité entre la Grande-Bretagne et l'Irak. Indépendance irakienne, bases aériennes anglaises.

1932 L'Irak entre dans la S. D. N.

1933-1939 Ghazi Ier, roi (1912-1939).

Transjordanie

1921 Hussein (1882-1951) (mort assassiné) devient émir de Transjordanie.

1923 Séparation de la Transjordanie et de la Palestine. État aux frontières factices, la Transjordanie devient l'associé le plus étroit qu'ait la Grande-Bretagne au Moyen-Orient. Création de la Légion arabe commandée par le gén. anglais **Glubb Pacha**.

Palestine

1920 Mandat britannique sur la Palestine en dépit de la Déclaration Balfour.

1936 Guerre civile judéo-arabe.

1937 Juifs et Arabes refusent le **rapport Peel** (division de la Palestine).

1939 Le livre blanc brit. sur la Palestine préconise la restriction de l'immigration juive à 1 500 personnes par mois. Conséquence : immigration illégale.

Arabie Séoudite

1896-1924 Le chérif de La Mecque, HUSSEIN, père du roi FAYÇAL et de l'émir ABDALLAH, devient le rival du souverain du Nedjed **Ibn Séoud (1880-1953).**

1924 Proclamation d'HUSSEIN comme calife. IBN SÉOUD, représentant de la secte des wahabites, lui déclare la guerre, et occupe La Mecque et Médine. Abdication d'HUSSEIN.

1925 ALI, fils d'HUSSEIN, renonce au trône et s'exile.

1926 Proclamation d'IBN SÉOUD roi du Hedjaz et du Nedjed. Ces deux pays constituent en

1932 le royaume d'Arabie Séoudite.

1934 Guerre contre le Yémen, qui s'achève par le traité de Taif.

Perse (Iran à p. de 1935)

Après plusieurs coups d'État, RÉZA KHAN devient en

1925 chah héréditaire de Perse sous le nom de

Réza Chah Pahlévi Ier (1878-1944). Il accomplit des réformes dans l'enseignement, modernise l'agriculture et rétablit les finances de l'État.

Politique extérieure.

1921 Traité avec l'U. R. S. S. qui renonce à tous les privilèges de la Russie contre une promesse de neutralité.

1927 Suppression des Capitulations.

1933 Traité avec l'Anglo-Persian (Anglo-Iranian à p. de 1935) Oil Company. Diminution des territoires concédés et augmentation des royalties versés au gouvernement.

1941 Entrée en Iran des troupes brit. et russes. RÉZA CHAH doit abdiquer en faveur de son fils MOHAMMED RÉZA, né en 1919.

Afghanistan

AMANOULLAH (1919-1929) devient émir. Il se met en guerre contre l'Inde britannique (3e guerre afghane).

1919 Traité de Rawalpindi.

1921 Traité de Kaboul. La G.-B. reconnaît l'indép. de l'Afghanistan. AMANOULLAH est proclamé roi (1926).

Inde

A la fin de la guerre, déception. Les troubles les plus violents éclatent en avril 1919 (bain de sang d'Amritsar : plus de 1 000 morts et blessés).

Déc. 1919 Réformes Montagu-Chelmsford. Division des pouvoirs dans les provinces (« Dyarchie » jusq. 1935). Les autorités brit. gardent le contrôle du domaine réservé : police, impôts, etc.; quant au domaine transféré (agriculture, industrie, enseignement et hygiène, etc.), il passe sous l'administration des ministères indiens.

Gandhi (1869-1948), le Mahatma (la grande âme), prend la tête du mouvement national. Grande influence sur le Congrès national (p. 365). Lutte politique pour l'indépendance (Svaraj). Il célèbre les vieux idéaux indiens : Vérité (Satya), non-violence (Ahimsa) et Purification par l'amour du prochain (Brahmakharya). Le symbole de cette lutte pour l'autonomie devient le rouet (Khaddaz) qui sert à filer individuellement le coton. Pour briser le monopole brit. du sel, recherche indiv. du sel dans la mer.

1920-1922 Première campagne « Satyagraha » contre la collaboration avec l'Angleterre et la constitution. Elle s'achève avec la condamnation de GANDHI à six ans de prison. Gracié en 1924, il reprend son combat pour obtenir des réformes écon. et sociales (jusq. 1936). Ses efforts améliorent le sort de 60 millions de parias (intouchables).

1928 Le Congrès accepte le projet de constitution de **Nehru** (1861-1931). Ultimatum à l'Angleterre : l'Inde doit obtenir le statut de dominion dans un délai de six mois.

1930 Sec. campagne « Satyagraha ». Arrestation de GANDHI et de quelque 60 000 nationalistes.

1931 « Pacte de Delhi » entre GANDHI et LORD IRWIN (vice-roi à p. de 1926) : fin de la désobéissance civile contre la libération des prisonniers polit. Après les trois conférences de la « Table ronde » à Londres (1930-1932), la campagne reprend.

1935 « India Act ». Établissement de la dyarchie dans les régions centrales, autonomie pour les régions provinciales, mais privilèges au vice-roi et aux gouverneurs.

1937 Élections. Le parti du Congrès triomphe dans six provinces sur douze. La nouvelle constitution entre en vigueur. La Birmanie se sépare de l'Inde avec le statut de colonie de la Couronne.

Au cours de la seconde guerre mondiale, échec de la polit. pro-nippone de CHANDRA BOSE (1897-1945). GANDHI mène la 3e campagne « Satyagraha »

(propagande contre la guerre); il est soutenu par NEHRU (1889-1964).

1940 Lutte pour le plan proposé par la Ligue musulmane (p. 365) dirigée par MOHAMMED JINNAH (1876-1947) pour créer un État musulman indép. : le Pakistan.

1942 La Grande-Bretagne avec STAFFORD CRIPPS (1889-1952), offre à l'Inde le **statut de dominion** pour la fin de la guerre. GANDHI réagit en lançant le mouvement : « Anglais, quittez l'Inde. »

Mongolie extérieure

Après la victoire des troupes soviét. sur les Russes blancs (1921), le Parti populaire révol. de Mongolie déclare en **1921 l'indépendance de la Mongolie.**

1924 Proclamation de la République populaire mongole, premier satellite de l'U. R. S. S.; le Nord-Ouest de la Mongolie (Tannu Tuwa), devient la République autonome des Bouriates mongols incorporée à l'U. R. S. S. en 1944.

Tibet

Après la **déclaration d'indépendance,** une attaque chinoise est repoussée pendant la prem. guerre mondiale (1918).

1920 Armistice avec la Chine.

Siam (Thaïlande depuis 1939)

1917 Entrée en guerre aux côtés de l'Entente.

1920 Entrée à la S. D. N. **Nationalisme modéré :** suppression des droits d'extra-territorialité des étrangers et conclusion de nouveaux traités commerciaux avec autonomie douanière, ce qui renforce la position des Thaïlandais contre les Chinois.

1925-1935 Règne de Rama VII Prâjâdhipok.

1932 Coup d'État sans effusion de sang : avènement de la monarchie constitutionnelle.

1935-1946 Rama VIII Ananda Mahinol : révision des traités avec l'étranger.

Indonésie (anc. Indes néerlandaises)

1918 Création du Conseil du peuple, Parlement indonésien-néerlandais (60 députés : 30 Indonésiens, 25 Néerlandais, 5 membres des minorités asiatiques). Le Conseil du peuple devient un organisme consultatif dans le cadre législatif (1925).

1927 Fondation à Bandoung de « l'Indonésie Nationale Perserikatan » (président : SOEKARNO, p. 541).

1940-1941 Échec des négociations néerlandaises et japonaises sur l'introduction de l'Indonésie dans l' « aire de prospérité » de l'Extrême-Orient.

1942 Occupation japonaise des Indes néerlandaises.

Le Commonwealth

La transformation de l'empire britannique aboutit à une union de la Grande-Bretagne et de ses dominions, devenus États autonomes à égalité de droits. Motifs :

1. **Sentiment national croissant** dans les dominions;
2. **Contribution à l'effort de guerre :** formation du Cabinet impérial de guerre qui rassemble le Cabinet de guerre brit., des parlementaires des dominions et les représentants de l'Inde. Rôle des Anzacs (troupes d'Australie et de Nouvelle-Zélande) dans les combats des Dardanelles (1915) et les campagnes du Moyen-Orient contre les Turcs. Rôle des troupes canadiennes sur le front français (Artois).
3. **L'idée d'une communauté d'États** par LIONEL CURTIS (1872-1955), qui crée le nom de « Commonwealth ».

L'égalité juridique des dominions se manifeste par les conférences de paix de 1918-1919 (délégations signant séparément), leur adhésion à titre individuel à la S. D. N., l'octroi de mandats à l'Union Sud-Africaine, à la Fédération Australienne et à la Nouvelle-Zélande. Les conférences impériales de 1921 (discussions sur la polit. extérieure) et de 1923 (reconnaissance du droit des dominions à conclure des traités autonomes) confirment leurs nouvelles responsabilités.

1926 Conférence impériale qui définit le statut des dominions : la Grande-Bretagne et les dominions (Canada, Fédération Australienne, Union Sud-Africaine, État libre d'Irlande, Nouvelle-Zélande et Terre-Neuve) sont des communautés autonomes au sein de l'empire brit., à égalité de droits, aucune n'étant subordonnée à l'autre au point de vue intérieur ou extérieur, mais toutes étant unies par une fidélité commune (allégeance) envers la Couronne et en tant que membres du « British Commonwealth of Nations ».

1931 Le Statut de Westminster, supprime toutes les réserves qui restreignaient le pouvoir législatif des dominions. La collaboration écon. échoue d'abord à la Conférence impériale de 1930, mais se fait sous la pression de la crise mondiale (p. 461) à la Conférence impér. d'Ottawa.

Le **British Commonwealth of Nations** ne fait l'objet d'aucune constitution, mais est uni par la volonté d'agir en commun pour des raisons sentimentales (Couronne), polit. (discussions lors des conférences) et écon. (commerce intern.). En 1931, sept États souverains constituent le Commonwealth, chacun d'eux ayant son Parlement, un gouv. élu et liberté de décision au point de vue polit. extérieur : Grande-Bretagne, État libre d'Irlande, Canada,

Terre-Neuve, Fédération Australienne, Union Sud-Africaine et Nouvelle-Zélande. L'empire colonial brit. demeure sans changement; il se compose des col. de la Couronne et des protectorats (en Afrique, Asie, dans les Antilles et dans le Pacifique).

L'empire brit. s'étend en 1931 sur 15 millions de km² et compte environ 400 millions d'hommes. Il est soumis au Parlement et à la Couronne du Royaume-Uni.

Irlande

1916 Soulèvement de Pâques du Mouvement de Libération, le Sinn Fein. Échec après des combats sanglants à Dublin, la proclamation de la république et l'exécution de ses chefs, dont **Roger Casement** (1864-1916).

1918 Élections au Parlement : le Sinn Fein occupe 73 des 106 sièges irlandais.

1919 Les députés membres du Sinn Fein violent la loi en constituant à Dublin le Parlement irlandais (Dail Eireann). Constitution d'un gouv. clandestin présidé par **Eamon de Valera** (né en 1882).

1919-1921 Guérilla entre les nationalistes irlandais (Sinn Fein et Armée républic. irlandaise) commandés par **Michael Collins** (1890-1922) et les troupes brit. (Blacks and Tans), et qui aboutit au « dimanche sanglant » de Dublin (21.11.1920).

1920 « Ireland Act ». Division de l'Irlande en Irlande du Nord (Ulster) et en Irlande du Sud (Eire), chacune ayant son Parlement particulier. L'Irlande du Sud refuse cette loi.

1921 Traité avec la Grande-Bretagne : L'Irlande (sauf l'Ulster) obtient en tant qu'**État libre d'Irlande** un statut similaire à celui de dominion avec Parlement (Dail) et gouv. indépendants. Les députés du Dail prêtent serment au roi et renoncent à l'Ulster. Les extrémistes du Sinn Fein forment un groupe séparé avec DE VALERA et réclament l'indépendance de la totalité de l'Irlande.

6.12.1922 Proclamation de l'**État libre d'Irlande.** GRIFFITH devient président du Conseil exécutif, puis, après sa mort, COSGRAVE (né en 1880).

1922-1923 Guerre civile.

1932-1945 De Valera est Premier ministre. Élargissement du traité de 1921 grâce au Statut de Westminster.

1936 Accord commercial entre l'Irlande et la Grande-Bretagne.

1937 Proclamation de l'État « souverain, indépendant, démocratique » irlandais par le président **Douglas Hyde** (1938-1945).

1938 Traité avec l'Angleterre qui abandonne son droit sur les ports. Neutralité pendant la seconde guerre mondiale.

Canada

Au début de la première guerre mondiale, le Canada proclame sa solidarité avec l'Angleterre et décide le service militaire obligatoire malgré la résistance des Canadiens français (1917). Env. 450 000 Canadiens combattent en Europe. Le Canada signe le traité de Versailles et devient membre de la S. D. N.

Politique intérieure.

1921 Victoire du parti libéral (président : MACKENZIE KING 1874-1950) sur le parti conservateur (MEIGHEN) et le parti progressiste (T. A. CLEAR).

1921-1930 Ministère KING. Avec le soutien du parti progressiste, réformes (diminution des impôts, indemnités de chômage).

1926-1929 Prospérité économique. Augmentation du prix du blé, ouverture de mines, construction de chemins de fer, essor de la production électrique. Développement de la personnalité politique des provinces.

1929 Crise économique mondiale. Chômage; les exportations et le revenu national diminuent d'env. 50 %.

1930-1935 Ministère conservateur BENNETT, qui gouverne de façon presque dictatoriale. La solidarité des dominions et de la Grande-Bretagne s'affirme par la diminution des droits de douane en Angleterre (Ottawa 1932) sur les produits canadiens.

Janv. 1935 Réformes du ministère BENNETT. Diminution du temps de travail et des salaires, assurances sociales et assurance chômage, crédits aux agriculteurs. Mais en

oct. 1935 victoire des libéraux (« MACKENZIE KING ou le chaos ») et constitution du ministère MACKENZIE KING (1935-1948). Le Comité judiciaire du Conseil privé de Londres déclare que les « réformes » ne sont pas valables au point de vue juridique. C'est tout le système fédéral qui est mis en question. Il est interdit au gouv. central de dresser un plan pour combattre la crise économique.

1937 Mise en place de la commission ROWELL-SIROIS pour enquêter sur les relations de l'État et des provinces : en 1940, elle dépose un rapport détaillé.

Lent rétablissement du pays grâce à un accord commercial avec les E.-U. (1935), au développement des échanges entre les E.-U., le Canada et la G.-B. (« le Triangle de l'Atlantique Nord » 1938) et aux mesures de réarmement (1937-1938).

Politique extérieure. Le principal objectif du Canada est d'empêcher une rupture entre ses deux plus grands partenaires commerciaux, la G.-B. et les E.-U., sur lesquels le Canada pourrait s'appuyer, en cas de crise, car il est convaincu de sa faiblesse

militaire. Le chef des conservateurs, SIR ROBERT LAIRD BORDEN (1854-1937), ainsi que le délégué de l'Union Sud-Africaine SMUTS (p. 455), définissent en

1917 à la Conférence impériale, le statut des dominions « nation indépendante de la communauté impériale, avec droit de vote « pondéré » en ce qui concerne la polit. extérieure ».

1921 Conférence impériale. Le Canada prend position contre le renouvellement de l'alliance anglo-japonaise.

1923 A la Conférence impér., le Canada adopte une position opposée à la centralisation du Commonwealth.

1923 Accord entre le Canada et les E.-U. (sur la pêche au halibut dans le Pacifique) : c'est le premier pas vers l'indép. de la polit. étrangère canadienne. Son isolationnisme contribue à paralyser la S. D. N., mais l'agression de MUSSOLINI en Abyssinie (p. 435) et la politique d'expansion de l'Allemagne (p. 473) mettent fin à cette tendance.

1939 Déclaration de guerre à l'Allemagne.

Terre-Neuve

1933 Abandon du statut de dominion.

Australie

En 1919, l'Australie obtient de la S. D. N. le mandat sur la Nouvelle-Guinée et sur les îles du Pacifique au sud de l'équateur. Sous le gouv. conservateur, politique écon. suivant un plan précis en vue de fortifier l'écon. nationale. Développement de l'exportation (blé, viande, laine), et exploitation des mines de plomb et de zinc, production de bauxite et de charbon. Une forte immigration, la fondation de nouvelles industries et l'essor de l'agriculture prennent fin avec la crise écon. mondiale. Conséquences : recul des exportations (surtout des produits agricoles), adoption de mesures de protection douanière. De 1930 à 1939, l'Australie poursuit une polit. extérieure qui s'appuie fortement sur la Grande-Bretagne.

1934 Plan triennal de réarmement. Tensions avec le Japon contre lequel on décrète également en

1938 l'interdiction d'exportation de minerais de fer et de manganèse.

1939 Déclaration de guerre à l'Allemagne.

Nouvelle-Zélande

A partir de 1907, autonomie très large.

1931 La Nouvelle-Zélande obtient le statut de dominion, qui est finalement confirmé en 1947.

1935-1945 Gouvernement travailliste.

1939 Entrée en guerre aux côtés de la Grande-Bretagne.

Tentatives de restauration et guerre mondiale (1912-1921)
Après l'abdication du gouvern. impérial (12.2) et le refus de SUN YAT-SEN (15.2) (p. 369) d'assumer les fonctions de président de la rép.
Yuan Che-k'ai (1859-1916) devient président (1912-1916).
1912 Création du Kuo-Min-Tang (parti national du peuple) issu de petits groupes autour de SUN YAT-SEN.
1915 « 21 demandes » du Japon.
1916-1926 Lutte des « Seigneurs de la Guerre » en Chine du Nord pour la possession de Pékin. Formation d'un gouv. à Canton.
1917 Le gouv. de Canton choisit SUN YAT-SEN comme généralissime de ses forces armées. En 1918, démission de SUN YAT-SEN qui entreprend la réorganisation du Kuo-Min-Tang.
1917 Entrée en guerre de la Chine dans l'espoir d'une annulation des « traités inégaux », au retour des territoires loués à bail aux Allemands en 1898, que les Japonais avaient conquis.
1919 Démonstration des étudiants de Pékin contre le traité de Versailles. Début du « mouvement du 4 mai » : Lutte contre la situation coloniale de la Chine.

Le Kuo-Min-Tang et le parti communiste (1921-1936)
1921-1925 SUN YAT-SEN, prés. de l'État régional de Canton, est influencé par la rév. russe et la NEP (p. 419). Comme la Russie Soviét. renonce à tous ses droits et concessions en Chine (1920), il accepte la suggestion du représ. soviét. A. JOFFÉ et se déclare prêt en 1923 à collaborer avec les communistes.
1924 1er Congrès du Kuo-Min-Tang. Adoption des « 3 principes du peuple » (p. 369) comme programme polit. du parti : unité du peuple (nationalisme), droits du peuple (démocratie), bien-être du peuple (socialisme). Les communistes entrent dans le Kuo-Min-Tang (1921 fondation du parti comm. chinois). Organisation du parti par un conseiller russe (M. BORODINE), de l'armée sur le modèle russe (gén. BLÜCHER), et fondation de l'Académie milit. de Whampou (directeur milit. : TCHANG KAI-CHEK, direct. polit. TCHOU EN-LAI).
1925 Mort de SUN YAT-SEN : fondation d'un gouv. national à Canton.
1925 Fusillade de Changhaï. Les Anglais tirent sur des étudiants, d'où naissance du « mouvement du 30 mai » qui déclenche **la Révolution nationale (1925-1927).**
1926 Campagne de l'armée révol. commandée par TCHANG KAI-CHEK (né en 1887) contre les généraux du Nord et du Centre. Prise de Hankéou (août) qui devient le siège du gouv. nat. (nov. 1926), puis de Changhaï et de Nankin (mars 1927).
1927 Rupture de TCHANG KAI-CHEK avec le parti comm. et liquidation des comm. à Changhaï.
1927-1936 Hégémonie du Kuo-Min-Tang.
1927 Formation d'un gouv. nat. à Nankin. Exécution des communistes, répression des soulèvements paysans.
1928 Guerre de Tchang Kaï-chek dans le Nord qui se termine par l'entrée de TCHANG KAI-CHEK à Pékin. **Unification de la Chine.** Parti unique.
1931 Succès pendant la « période du gouv. éducateur » : retour à la Chine de quelques concessions étrangères, suppression du droit d'extraterritorialité et des douanes intérieures. Mais à Changhaï les concessions sont maintenues et les douanes maritimes demeurent sous administration étrangère. Appui de la G.-B. et des É.-U. Aucune réforme agraire. Le retour à la tradition conservatrice et la dictature milit. renforcent TCHANG KAI-CHEK.
S'appuyant sur des bandes de paysans (85 % de la population chin.), les communistes établissent des points d'appui au Kiang-si et au Fou-kien grâce à **Mao Tsétoung** (né en 1893) et à TCHOU TÉH (Répartition des terres prises aux gros propriétaires).
Mai 1928 Création d'une armée rouge au Hou Nan.
1930-1934 Échec des cinq campagnes de TCHANG KAI-CHEK pour anéantir les communistes.
1934-1935 « La longue marche » conduit les communistes, sous le commandement de MAO TSÉ-TOUNG, jusqu'à Yénan dans le Chen Si.

La guerre sino-japonaise (1937-1945)
Après l'incident de Moukden (p. 451) création d'un État séparé en Mandchourie. Le Japon occupe le Jéhol (1933).
1936 TCHANG KAI-CHEK est fait prisonnier (armistice entre le Kuo-Min-Tang et les communistes). Puis TCHANG KAI-CHEK est reconnu comme chef unique contre le Japon.
1937 Incident du pont Marco-Polo à Pékin. Début de la guerre sino-japonaise. Collaboration entre le Kuo-Min-Tang et le parti communiste qui a ses propres troupes et sa zone d'influence. Le gouv. nat. s'installe à Tchoung King.
1940 Formation à Nankin d'un gouvernement WANG TSING-WEI « collaborateur » des Japonais.
1943 Les Alliés renoncent aux « traités inégaux ».

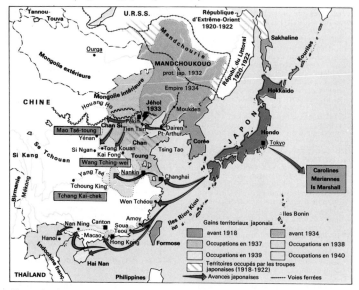

L'expansion japonaise jusqu'en 1941

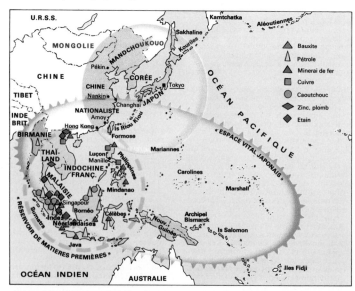

« L'aire de prospérité » du Sud-Est asiatique

La période Taishô (1912-1926)

1912-1926 YOSHIHITO, empereur sous le nom de TAISHO (1879-1926). Au cours de la première guerre mondiale, le Japon renforce sa marine de guerre et sa flotte commerciale. Essor des exportations.

1919 Gain de Tsing Tao et des concessions allemandes en Chine, prise de possession des îles allemandes du Pacifique au nord de l'équateur, par mandat de la S. D. N. **Le Japon devient la 3ᵉ puissance navale du monde.**

1920-1922 Crise économique. La qualité inférieure des produits japonais leur ferme des marchés commerciaux.

Politique extérieure :

1921-1922 Conférence de Washington (p. 410) : le Japon subit une défaite diplomatique.

1924 Lois d'immigration américaines (exclusion des immigrants japonais) qui provoquent un refroidissement des relations nippo-américaines. Rapprochement avec l'U. R. S. S.

1925 **Traité nippo-soviétique.** Les Japonais évacuent le Nord de Sakhaline : reconnaissance par l'U. R. S. S. du traité de Portsmouth (p. 391). La polit. de KIURO SHIDEHARA (1872-1951), qui renonce aux « 21 demandes » à l'égard de la Chine (p. 399), lui vaut la considération de l'étranger, mais provoque la résistance des militaires.

Politique intérieure. Remplacement du pouvoir oligarchique du « Genro » (p. 391) par les militaires, le monde des grandes affaires et le fonctionnariat et par les jeunes générations qui veulent plus de libéralisme et de réformes sociales.

1921 Assassinat d'HARA KEI, premier min. (né en 1856).

1923 Tremblement de terre de Tokyo et de Yokohama. Le gouv. promulgue une « ordonnance pour le maintien de la paix ». Après l'attentat contre HIROHITO, en

1925 établissement du suffrage universel pour les hommes.

La période Showa (à p. de 1926)

HIROHITO, régent depuis 1921 pour YOSHIHITO devenu fou, monde sur le trône (nom d'empereur : SHOWA).

Polit. intérieure : la situation demeure tendue :

1. Peur d'un mouvement ouvrier organisé. Lutte contre les « idées dangereuses » (censure et méthodes policières);
2. Désaffection populaire pour les partis qui se compromettent dans les scandales financiers, à cause de leur corruption et leur participation au capitalisme (en 1940, dissolution des partis, parti unique);
3. Conséquences économiques de la

crise mondiale (p. 461) : échec de la polit. d'expansion écon. du Japon (dévaluation du yen, dumping) à cause des restrictions apportées à l'importation et de la polit. tarifaire des pays affectés par l'excès des offres japonaises. D'où **plan de création d'un grand espace écon.** (conquête de marchés et de sources de matières premières);
4. Augmentation de la population;
5. Activité anti-démocr. de l'armée et de la marine (attentats contre les politiciens libéraux et les officiers modérés), qui se développe après la victoire électorale des libéraux : révolte durement réprimée des militaires à Tokyo (1936);
6. Développement du nationalisme avec le shintoïsme.

1927 **Mémorandum Tanaka.** Le gén. TANAKA (prem. min. 1925-1929) réclame une expansion « positive » : **le Japon doit dominer l'Asie.** Ce sont surtout les milit. qui soutiennent la politique d'expansion par des « incidents provoqués » :

1931 Incident de Moukden (occupation de la Mandchourie).

1932 Création de l'État du Mandchoukouo (empire en 1934).

1933 La S. D. N. adopte le rapport LYTTON : action illégale du Japon en Mandchourie. Le Japon quitte la S. D. N.

Chine : Après l'occupation du Jéhol et du Tchahar, le Japon tente de séparer les provinces chinoises du gouvernement central dans la Chine du Nord.

1936 Pacte antikomintern(p. 473).

1937-1941 Ministère KONOYÉ FUMIMARO (1891- suicidé en 1945) qui tente en vain de contrôler l'armée.

1937 Incident du pont Marco-Polo à Pékin d'où de

1937 à 1945 guerre sino-japonaise : malgré de grands succès milit. et la mobilisation générale du Japon (1938), la Chine ne capitule pas.

1938 **Proclamation de l'ordre nouveau en Extrême-Orient,** par le prem. min. KONOYÉ.

1939 **Les E.-U. annulent le traité commercial de 1911.** Le Japon ne peut plus recevoir de produits stratégiques : essence, ferraille.

1940 Création à Nankin d'un gouvernement chinois collaborateur.

1940 **Pacte tripartite** (p. 473).

1941 Pacte de non-agression avec l'U. R. S. S. Le Japon assure ses arrières en vue de son expansion en Asie méridionale (juillet 1941 : occupation de l'Indochine franç. l'amiral DECOUX est maintenu).

1941-1944 TOJO, prem. min. (1884-1948, exécuté), chef d'état-major de l'armée de Kouang Tong, ne réussit pas à briser la résistance nationaliste.

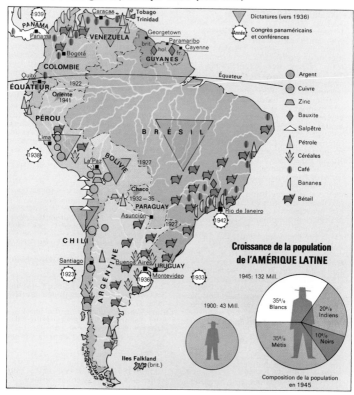

L'Amérique du Sud (1918-1945)

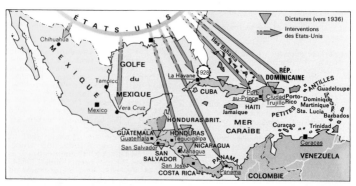

L'Amérique Centrale (1918-1945)

L'évolution pacifique des États de l'Amérique latine est bouleversée par des transformations profondes :
1. **La structure sociale** est modifiée par l'accroissement de la population (rév. démograph.), les migrations intérieures (abandon des campagnes et exploitation de terres nouvelles), les questions raciales (tensions polit. et soc.), l'urbanisation et l'industrialisation.
2. **La structure économique** est dominée par l'héritage de l'époque coloniale et ses monocultures traditionnelles. La faiblesse du capital investi dans l'industrie, l'absence de main-d'œuvre qualifiée expliquent le retard de l'industrialisation. L'agriculture emploie des méthodes périmées (ruine des sols). Les grands propriétaires refusent d'admettre des réformes agraires (latifundia : 1,5 % des propriétés, 64,9 % des terres).
3. **La structure polit.** : crise de la démocratie (révoltes, coups d'État), due à l'inégalité des conditions économiques et sociales, à la formation de partis démocratiques et révol., à l'intervention des militaires dans la politique.
Depuis 1889 Congrès et conférences panaméric. Recherche de l'unité polit.
1923 Conférence de Santiago. Signature du premier traité d'arbitrage.
1928 Congrès de La Havane. Adoption d'un tribunal d'arbitrage obligatoire pour tous les conflits entre États américains.
1933 Congrès de Montevideo. Participation des E.-U.
1936 Conférence interaméric. de la paix à Buenos Aires. Traité entre 21 États américains sur le modèle du pacte Briand-Kellogg (p. 413). On jette les bases d'une défense commune de l'hémisphère, que confirme en
1938 le Congrès de Lima.
1939 Conférence de Panama. Interdiction d'actes de belligérance à l'intérieur d'une zone neutre s'étendant à 300 milles des côtes.
1942 Conférence des ministres des Affaires étrangères à Rio de Janeiro. Décision d'entrée en guerre contre les puissances de l'Axe.
Politique d'intervention directe des E.-U. pendant et après la première guerre mondiale, surtout en Amér. Centr. (Nicaragua, Haïti, Saint-Domingue, Cuba, Panama), politique remplacée sous ROOSEVELT par celle de « bon voisinage » (p. 463), mais le sens de l'indépendance des États de l'Amérique latine est blessé par les investissements du capital yankee.
Guerres.
1932-1935 Guerre du Chaco entre la Bolivie et le Paraguay qui obtient la plus grande partie du territoire contesté.

1941 Incidents de frontière entre l'Équateur et le Pérou ; le
29.1.1942 protocole de Rio de Janeiro qui attribue au Pérou la plus grande partie des régions en litige.

Mexique
Après la rév. (1911), réformes sociales de type révolutionnaire : nationalisation et socialisation, garantie des droits des ouvriers et assistance sociale ; réforme agraire, sécularisation de l'enseignement, réformes économiques, nationalisation des chemins de fer, expropriation des compagnies pétrolières, industrialisation.

Amérique Centrale
Après la crise mondiale (p. 461) et ses conséquences catastrophiques (effondrement des prix des matières premières), troubles et mécontentements qui amènent des dictatures : **Cuba** (1933-1959 BATISTA), **république dominicaine** (1930-1961 TRUJILLO), **Guatémala** (1930-1944 UBICO), **Salvador** (1932-1944 gén. MARTINEZ), **Honduras** (1932-1949 gén. ANDINO), **Nicaragua** (1936-1956 SOMOZA). **Panama** signe un traité avec les E.-U (2.3.1936). Aucune intervention dans la polit. intérieure pour maintenir l'ordre, aucune expropriation, augmentation du loyer annuel du canal : de 250 000 à 450 000 dollars.

Amérique du Sud
Venezuela. Au dictateur GOMEZ (1908-1935) succède CONTRERAS (1935-1941). Constitution à tendance socialiste.
Colombie. Après la domination des conservateurs (jusq. 1930), présidents libéraux.
Equateur. Troubles polit. (1931-1948) provoqués par la crise écon. mondiale.
Pérou. Après la dictature de LEGUIAS (1919-1930), conflit entre la dictature et l'ordre constitutionnel.
Bolivie. Alternance de gouv. civils et de dictatures à partir de 1930.
Chili. A p. de 1920 ALESSANDRI président (1920-1925, 1932-1938) accomplit des réformes soc. avec l'aide du clergé.
Argentine. A p. de 1916, la bourgeoisie (parti radical) progresse aux dépens de la vieille oligarchie. 1930 : conservateurs et militaires renversent les radicaux, élimination du pouvoir de l'oligarchie (1943 : ligue des colonels d'où émerge **Juan Peron**).
Uruguay. La coalition des deux plus grands partis écarte la dictature.
Paraguay. Aucune stabilité gouvernementale à cause de la stagnation écon.
Brésil. Getulio Vargas, dictateur (1930-1945), interdit le communisme et l'intégralisme fasciste et tente de gagner la classe ouvrière par une législation sociale.

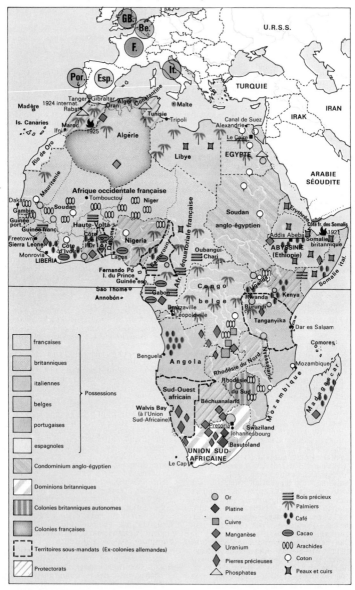

L'Afrique en 1939

I.es États indépendants

Égypte. Après la première guerre mondiale, le **parti Wafd**, né de la délégation que dirigeait à Londres et à la Conférence de la Paix **Zaghloul Pacha** (1860-1927), réclame l'indépendance de l'Égypte.

1922 La Grande-Bretagne proclame l'indépendance du royaume d'Egypte, mais conserve certains privilèges : défense du pays, sécurité de la zone du canal de Suez, règlement de la question du Soudan, stationnement de troupes, politique étrangère.

1917-1936 FOUAD Ier (roi à partir de 1922), lutte contre le Wafd, dissout le Parlement (1928) et règne de façon autoritaire. Au début, échec des pourparlers avec l'Angleterre sur l'autonomie.

1936 Restauration de la constitution de 1923.

1936-1952 FAROUK Ier.

1936 Traité anglo-égyptien. L'Égypte devient indép., mais les troupes brit. stationneront dans la zone du canal pendant vingt ans et le Soudan, d'après le traité de 1899, est placé sous condominium anglo-égyptien.

Abyssinie.

1930 Hailé Sélassié Ier. Après plusieurs incidents de frontière entre les troupes du Négus et les troupes italiennes,

1935-1936 guerre avec l'Italie que la menace « des sanctions » ne fait pas reculer. Entrée des Italiens à Addis Abéba (p. 435).

Libéria.

1925 Contrat avec FIRESTONE (plantations d'heveas). En 1931, plus de la moitié des revenus est consacrée au paiement des dettes extérieures.

1930 La commission d'enquête de la Société des Nations confirme l'existence du travail forcé.

1931 Le Parlement institue le service des dettes. Dès lors, essor économique.

Afrique du Sud.

La politique est dominée par la question des races et les contradictions entre les deux grands partis : le **parti sud-africain**, avec les généraux BOTHA (1862-1919) et SMUTS (1870-1950), son successeur de 1919 à 1924, qui veulent une grande Afrique du Sud à l'intérieur du Commonwealth; le **parti national** que dirige entre 1924 et 1933 le gén. HERTZOG (1866-1942), et qui réclame l'élimination polit. de la G.-B. Statut de Westminster (p. 446), puis

1934-1939 gouvernement de coalition HERTZOG-SMUTS. Les partis fusionnent, pour former le « parti national unifié sud-africain » dont l'objectif est l'indépendance totale.

1934 L'autonomie interne est conquise par « l'Acte sur le Statut de l'Union ».

1936 Loi sur la représentation des indigènes (voix consultative).

1939 Guerre avec l'Allemagne.

Les mandats de la Société des Nations

Mandats B (administrés comme des colonies) : le Tanganyika, une partie du Cameroun et le Togo occ. sont confiés à la Grande-Bretagne. Le Togo or., le reste du Cameroun reviennent à la France, le Rwanda-Urundi à la Belgique. **Mandats C** : L'Union Sud-Africaine administre le Sud-Ouest africain allemand comme partie intégrante de son territoire.

Les colonies

Les colonies angl., franç., port. et belges sont administrées par un gouverneur nommé par la métropole. Dans les colonies brit., collaboration des Africains dans les degrés inférieurs de l'administration y compris celle de la justice. Administration « directe » (blanche) chez les Français, les Belges et les Portugais. Tentatives d'assimilation dans les colonies port. déclarées « partie intégrante du Portugal ». **Économie, commerce.** Transformation due à la disparition du monopole des compagnies de commerce. Des investissements, qui améliorent la situation écon. des colons blancs, restent souvent sans effet sur le sort des indigènes.

Les Africains

Après la première guerre mondiale, essor du nationalisme. Malgré les missions, les écoles, le cadre tribal garde souvent une grande partie de son prestige. On refuse toute activité polit. aux intellectuels afric., mais le développement culturel, joint au sentiment de dignité et au désir d'élévation du niveau de vie, favorise l'émancipation politique.

Afrique du Nord

Tous les habitants des pays de l'Afrique du Nord (Libye, col. ital., protectorats de Tunisie et du Maroc, départements franç. d'Algérie) ont conscience d'appartenir au monde arabo-islamique. Le mouvement du **Destour** réclame l'autonomie pour la **Tunisie.**

1925 Révolte des tribus berbères du Rif au **Maroc**, sous la direction d'ABD EL-KRIM.

1926 Capitulation sans conditions d'ABD EL-KRIM. Un comité d'action nat. marocain, et surtout le parti de l'**Istiqlal** réclament un gouvernement constitutionnel et l'autonomie administrative et juridique.

Algérie. En fév.-mars 1919, réforme de JONNART : augmentation du nombre des musulmans dans toutes les assemblées de l'Algérie. Les maires d'Algérie protestent.

1936 Projet Blum-Violette, abandonné devant l'hostilité des colons.

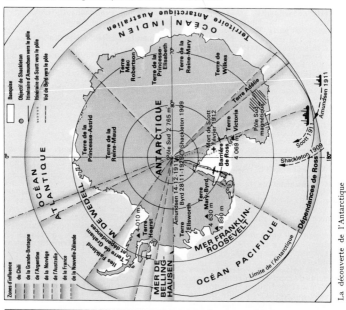

La découverte de l'Antarctique

La découverte de l'Arctique

Inventions

Physique :
1925 Mécanique quantique
HEISENBERG/BORN/JORDAN
1928 Compteur de radiations GEIGER/
MÜLLER
1932 Neutrons   CHADWICK
1932 Cyclotrons   LAWRENCE
1934 Radio-activité artificielle
JOLIOT-CURIE
1938 Fission artificielle de l'atome
HAHN/STRASSMANN

Biologie :
1909 Psychologie animale
MORGAN
1910 Études de la génétique sur la
mouche drosophile   MORGAN
1911 Rôle des vitamines contre le
scorbut   FUNK/TERNUCCI
1912 Études sur la génétique humaine
LENZ
1914 Début de l'étude du « comporte-
tement »   WATSON
1919 Rôle des chromosomes MORGAN
1927 Étude des radiations en génétique
MÜLLER
1928 Théorie des gènes (hérédité)
MORGAN

Chimie :
1921 Assimilation de l'acide carbonique
WARBURG
1922 Synthèse de l'alcool méthylique
à partir de l'hydrogène MITTASCH
1925 Chimie macromoléculaire
STAUDINGER
1925 Essence synthétique à partir du
charbon   FISCHER/TROPSCH
1930 Plastiques à partir de l'acétylène
REPPE
1932 Hydrogène lourd   LIBEY/
BRICKWEDDE/MURPHY
1934 Synthèse de la vitamine C
REICHSTEIN
1936 Caoutchouc synthétique (Buna)
KONRAD/
1938 Perlon   SCHLACK
Nylon   CAROTHERS
1939 Insecticide DDT   MÜLLER

Médecine :
1909 Transmission du typhus exan-
thématique par le pou du corps
NICOLLE
1910 Groupes sanguins   MOSS
1921 Insuline   MACKAD/BENTING
BEST/
1928 Pénicilline   FLEMING
1929 Sondes du cœur   FORSSMANN
1930 Vaccination contre la fièvre
jaune   THEILER
1932 Sulfamides   DOMAGK
1935 Corticostérone   KENDALL/
REICHSTEIN
1939 Cœur artificiel   FIBBONS
1940 Facteur rhésus   LANDSTEINER/
WIEGNER

Transports et communications :
1910 Turbine à hélice   KAPLAN
1915 Avion entièrement métallique
JUNKERS
1922 Autogyre   LA CIERVA

1930 Moteur en étoile   SCHMIDT
1913 Émetteur tubulaire   MEISSNER
1916 Ondes dirigées   BRANLY
1927 Communication par T. S. F. au-
dessus de l'océan   MARCONI
1935 Émetteur d'ondes ultra-courtes
WITZLEBEN

Son et image :
1919 Enregistrement du son sur film
VOGT/ENGL/MASOLLE
1928 Magnétophone   PFLEUMER
1929 Télévision et téléfilm KARVLUS
1932 Télévision   WITZLEBEN

Expéditions

Arctique :
1893-1896 Voyage de NANSEN sur le
« Fram ».
1903-1906 Passage du Nord-Ouest par
AMUNDSEN.
1909 PEARY arrive à proximité du
Pôle le 6 avril.
1921-1924 Expédition « Thulé » de
RASMUSSEN à partir du Groenland
jusq. détroit de Béring.
1926 BYRD vole du Spitzberg au Pôle
et retour en 16 heures.
1926 Vol de NOBILE avec AMUNDSEN
et ELLSWORTH du Spitzberg à
l'Alaska au-dessus du pôle Nord.
1928 Deux vols de NOBILE au pôle
Nord avec le dirigeable « Italia ».
1937-1938 Expédition PAPANINE sur
la banquise dérivante à l'est du
Groenland.
1937-1940 Voyage du brise-glace
« Sedow ».
Exploration du **Groenland** par ERICH-
SEN (1906-1908), MIKKELSEN (1910),
WEGENER (1913-1929-1931).

Antarctique :
1901-1903 Expédition polaire allemande de DRYGALSKI.
1902-1904 Exploration de la Terre
Victoria par SCOTT.
1902-1903 NORDENSKJÖLD à l'est de la
Terre Louis-Philippe.
1902-1903 BRUCE explore la mer de
Weddel.
1908 SHACKLETON arrive à 200 km du
Pôle.
1911 AMUNDSEN arrive au pôle Sud.
1911-1912 SCOTT arrive au pôle Sud.
1911-1912 Sec. expédition allemande
au pôle Sud avec FILCHNER.
1911-1914 MAWSON explore la Terre
Wilkes.
1915 SHACKLETON tente vainement de
traverser l'Antarctique.
1928-1930 Vols de reconnaissance de
l'amiral BYRD, qui survole le pôle
Sud en 1929.
1933-1936 WILKINS et ELLSWORTH
tentent vainement de traverser le
continent.
Des expéditions utilisant les techniques
modernes (camions à chenilles) élar-
gissent nos connaissances sur l'**Asie
centrale** (« croisière Jaune » avec
part. de TEILHARD DE CHARDIN).

Le Duce

Benito Mussolini (né en Romagne en 1883-fusillé en 1945 par les partisans), fils de forgeron, instituteur, puis journaliste socialiste et propagandiste d'extrême-gauche en Suisse, en France et dans le Trentin autrichien (1902-1910). A son retour en Italie, il édite à Forli le journal : « La lutte des classes » puis devient à Milan rédacteur en chef de l'organe du parti socialiste « Avanti » et membre du Comité exécutif du parti socialiste. Il en est expulsé à cause de son nationalisme (p. 395). Il lance son propre journal « Il Popolo d'Italia » grâce à de l'argent étranger (français?) et crée un « Faisceau d'action révolutionnaire », origine du fascisme, en regroupant des socialistes et des syndicalistes (objectif : participation à la guerre aux côtés de l'Entente). Il est au front de 1915 à 1917 et en revient grièvement blessé. Mussolini sera moins influencé par la doctrine marxiste (lutte des classes, internationalisme) que par Nietzsche (« La Volonté de Puissance », culte du surhomme, p. 338), Hegel (p. 315), Sorel (« Réflexions sur la violence » p. 340) et Pareto (1848-1923) (rôle des élites dans la révolution).

L'idéologie

Le **fascisme** (du latin fasces = faisceau de verges dont la hache centrale symbolisait le pouvoir des hauts magistrats romains), est un mouvement antiparlementaire, antidémocr. et national. Tendances impérialistes (renaissance de l'antique tradition romaine) et socialistes. Ce mélange constitue l'idéologie fasciste qui exige des adhérents au mouvement la discipline, la volonté et la foi et glorifie la violence, la lutte et le danger. Les luttes de classes et l'internationalisme doivent disparaître grâce à l'État national, valeur suprême que le citoyen doit servir, en suivant une élite. Refus du pacifisme et du libéralisme dangereux pour l'État.

Le parti

1919 Fondation des premiers « Faisceaux de combat » à Milan. Buts : réforme agraire, suppression du Sénat, confiscation des biens de l'Église, soutien des revendications des anciens combattants, réalisation des « buts de guerre » de l'Italie. La bourgeoisie frappée par l'impuissance parlementaire soutient la lutte des fascistes par peur du bolchevisme.

1921 Congrès national fasciste à Rome. Malgré l'opposition du comte Grandi (né en 1895) et sur la proposition de Mussolini, transformation du « mouvement », c.-à-d. de la ligue de combat révolutionnaire, en un parti :

fondation du **parti national fasciste.** Après la « Marche sur Rome » (p. 435), Mussolini dirige le gouvernement, dans lequel il fait entrer des officiers supérieurs en renom.

Le principe du pouvoir

L'État fasciste autoritaire, totalitaire, hiérarchique et corporatif s'appuie sur le parti unique. Il se manifeste par :

1. **La dictature de Mussolini,** chef du gouvernement (Duce). Il préside le « Grand Conseil fasciste » et nomme le secrétaire et les hauts fonctionnaires du parti fortement hiérarchisé. Du parti dépendent les organisations féminines, les mouvements de jeunesse, les syndicats, les associations professionnelles et la « Milice volontaire pour la Sécurité nationale »;
2. **L'édification d'un État à parti unique** (1926), avec plébiscites (à p. de 1928);
3. **Une nouvelle organisation sociale avec le système corporatif :** union des conceptions syndicales et du principe totalitaire (réunion des ouvriers, des patrons, des représentants de l'État et de ceux du parti dans des corporations professionnelles);
4. **La résurrection de l'Empire romain,** évocation de l'antique tradition de la domination romaine. Intégration des minorités (Tyroliens du Sud, Slovènes d'Istrie). Conquête de l'Abyssinie (p. 435) et de l'Albanie (p. 439). Proclamation de la mer Adriatique comme « mare nostro » (notre mer).

La dictature fasciste est tempérée par la monarchie, la cour et le corps des officiers. Une des caractéristiques du national-socialisme (arrestations massives en vue d'imposer la volonté polit. des dirigeants) sera toujours absente du fascisme où la police secrète jouera un rôle plus discret. Il n'y aura aucun conflit avec l'Église, du fait que le catholicisme est la « religion prédominante » en Italie (Accords du Latran p. 428). Sous l'influence du national-socialisme, polit. raciste (p. 481), à partir de l'été 1938. Des lois sévères interdisent le « métissage » outre-mer.

Mussolini et l'Europe

L'idéologie fasciste est bien accueillie par les milieux conservateurs européens : c'est la première riposte au communisme. Au moment de la guerre d'Éthiopie, de nombreux intellectuels français se prononcent contre d'éventuelles sanctions : la France veut éviter de faciliter le rapprochement entre Hitler et Mussolini, mais l'Angleterre se montre beaucoup plus ferme (intérêts anglais en Méditerranée).

Le Führer

Adolf Hitler (1889- suicidé en 1945), né à Braunau sur l'Inn, en Autriche, d'un père employé aux douanes, quitte très tôt le lycée de Linz (1905), vit à Vienne (1909 à 1913) où il tente en vain d'entrer à l'Académie des Beaux-Arts. Dépourvu de moyens d'existence, Hitler ne trouve qu'occasionnellement du travail et vit en vendant des cartes postales coloriées. Ses conceptions politiques se rapprochent de celles de la petite bourgeoisie viennoise : nationalisme pangermaniste, antisémitisme (Schönerer, Lueger). En 1913 il émigre à Munich et s'engage dans l'armée allemande. De retour à Munich, il fait partie de la section de propagande et de presse du IVᵉ commando de la Reichswehr. Devenu président du parti national-socialiste, il rencontre Ludendorff.

L'idéologie

Le national-socialisme apparaît après 1918 comme mouvement antirévol. et antiparlementaire. Il est inspiré par les lectures les plus diverses d'un autodidacte :

« Volonté de Puissance » de Nietzsche, racisme de Gobineau et de H. Chamberlain, « foi dans le destin » de Wagner, doctrine de l'hérédité de Mendel, « Géopolitique » de Haushofer et néo-darwinisme de Ploetz (1860-1940). A ces divers éléments s'ajoutent les idées de Machiavel, de Fichte, de Treitschke et de Spengler. L'idée dominante est l'antisémitisme : du fait que la « race juive » menace le germanisme d'une lente destruction, Hitler exige qu'on protège son « sang » et son « sol », qu'on anéantisse les Juifs (p. 481), qu'on « fortifie » la race nordique qui doit constituer un « peuple de seigneurs » et dominer les « races inférieures ». Le national-socialisme insiste sur le concept de « Völkische » (national populaire), il réclame l'absorption de l'individu au sein de cette « communauté » et prêche une foi aveugle dans le Führer (« Le Führer ordonne, nous suivons »). Il se sert de l'élan des mouvements de jeunesse, célèbre l'esprit du front (anciens combattants), la camaraderie. Le « mouvement » devient le rassemblement des aigris déçus par la démocr. parlementaire et qui soutiendront les revendications du parti : autarcie écon., polit. extérieure expansionniste (« peuple sans espace »), libération des « chaînes du traité de Versailles » et lutte contre le bolchevisme.

Le parti

Janv. 1919 Fondation du « parti ouvrier allemand », par l'employé de chemin de fer Anton Drexler (1884-1942).

Sept. 1919 Hitler assiste à une réunion du parti ouvrier allemand et s'y inscrit.

1920 Publication du programme du parti (25 points) : droit du peuple au bien-être (« le profit commun passe avant le profit individuel »), droit pour chaque Allemand de décider de son appartenance nationale et égalité de ses droits devant l'État, annulation des traités de paix, exclusion des Juifs de la communauté, libération à l'égard du capitalisme, etc.

Le « parti ouvrier allemand » devient le « parti ouvrier national-socialiste allemand ».

Juillet 1921 Hitler devient le premier président du parti avec pouvoirs dictatoriaux.

1923 Putsch de Munich. Échec de l'insurrection. Hitler est condamné à 5 ans de forteresse qu'il doit accomplir à Landsberg. Il y rédige la première partie de son livre « **Mein Kampf** » (Mon combat), la sec. paraîtra entre 1925 et 1927.

1924 Après 8 mois de détention, Hitler est libéré.

Reconstitution à Munich du parti national-social., organisé sur le principe du « **Führer** ». L'organisation politique est géographique : arrondissements, cantons, cellules, blocs. En plus du parti, organisations paramilitaires qui l'appuient (SA., SS., Jeunesses hitlériennes, etc.) et organisations affiliées (groupements ouvriers, Assistance sociale du parti, groupements professionnels de médecins, professeurs, juristes, fonctionnaires, etc.). Toutes sont organisées hiérarchiquement.

Parmi les collaborateurs les plus proches de Hitler se trouvent pendant cette période de lutte Röhm, Himmler (1900-suicidé en 1945), Goebbels (1897-suicidé en 1945), Goering (1893-suicidé en 1946), Rosenberg (1893-1946 exécuté), Streicher (1885-1946 exécuté), Baldur von Schirach (né en 1907), Ley (1890-suicidé en 1945), Gregor Strasser (1892-1934 assassiné), Otto Strasser (né en 1897).

La propagande est servie par le talent oratoire d'Hitler et de Goebbels, les publications de Rosenberg (« Le Mythe du XXᵉ siècle »), les journaux du parti (« Völkischer Beobachter »). Des moyens spectaculaires sont employés : retraites aux flambeaux défilés paramilitaires. Hitler affirme qu'il arrivera à prendre le pouvoir par des moyens légaux. Soutenu par de vastes couches de population, le national-socialisme accroît sans cesse sa représentation parlementaire (exception : élections du 6 nov. 1932) et il touchera au but : la prise du pouvoir et la constitution du « Troisième Reich » (p. 471).

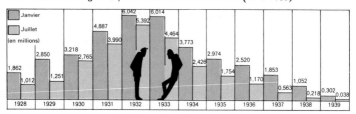

Le développement du chômage en Allemagne (1918-1939)

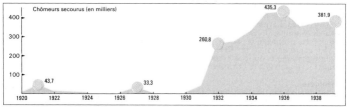

Le chômage durant la crise en France

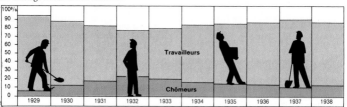

Le développement du chômage dans le monde (1929-1938)

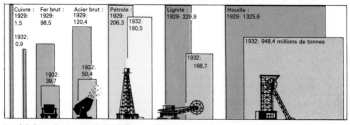

Recul de la production mondiale (chiffres en millions de tonnes)

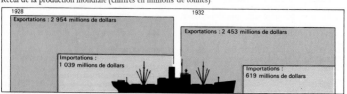

Exportation et importation de l'Amérique latine (1928 et 1932)

Conséquences écon. de la première guerre mondiale

Causes de la crise de l'écon. mondiale :

1. Paralysie des échanges intern. de marchandises, d'où effondrement de l'écon. mondiale;
2. Diminution de la production des biens de consommation et rationnement;
3. Développement de l'industrie de guerre;
4. Essor industriel de pays extra-européens, comme le Japon;
5. Augmentation de la capacité de production des E.-U.;
6. Diminution des avoirs à l'étranger des puissances belligérantes et de leurs réserves d'or;
7. Restrictions à la liberté d'entreprise, développement du travail féminin.

Le **rétablissement rapide du commerce mondial** est gêné par les mesures de protection douanière pour favoriser les écon. nat., l'apparition de nouvelles frontières à la suite de la création d'États nouveaux (6 000 km en 1914, 12 000 en 1920), l'effort autarcique de certains États pour remédier à leurs difficultés de ravitaillement, la réquisition des « biens ennemis », l'abandon de l'étalon or, l'inflation, conséquence des dépenses de guerre.

1922 **Conférence économique mondiale de Gênes** (sans la participation des E.-U.). Pour résoudre les problèmes écon. et financiers, on propose d'abandonner le système de la planche à billets et de revenir à l'étalon or. Les E.-U. adoptent une politique déflationniste, l'Angleterre augmente les impôts. La France, la Belgique et les nouveaux États de l'Europe centr. et or. se laissent aller à une polit. d'inflation. Malgré une réforme financière (1919) l'All., sous la pression en

1921 de l'ultimatum de Londres (p. 411), ne peut régler les réparations. L'inflation prend en Allemagne une allure catastrophique.

1923 Création du **rentenmark**. Stabilisation de la devise dont la valeur est garantie par la propriété foncière. Après le passage à l'écon. de paix (1922), début de la

prospérité écon. (« les années heureuses », de 1922 à 1929). Rapide évolution de la technique (rationalisation, standardisation), essor d'une grande industrie mécan., électr. et chimique, concentration des firmes (souvent avec l'aide de l'État) et création de cartels, de trusts. Cet essor masque les signes précurseurs de la crise : chômage dans les grands pays industr. europ., stagnation et parfois recul des prix du fait qu'une forte production ne laisse que de petits profits (« Profitless prosperity »), rapide montée des cours de bourse surtout aux E.-U., recul de la production du charbon et de l'industrie textile, stagnation du revenu agricole.

Sur le modèle de l'économie de guerre à direction autoritaire, des méthodes écon. socialistes, devant les succès écon. de l'Australie et de la Nouvelle-Zélande, et sous l'influence des plans écon. de l'U. R. S. S. et des dictatures qui surgissent un peu partout, la conception de l'**économie planifiée** gagne du terrain. Le libre échange et le commerce intern. reculent au profit des tendances autarciques. La production dépasse les possibilités financières des acheteurs.

24.10.1929 Effondrement des cours à la Bourse de New York.

Conséquence : Pendant l'été de 1930, crise écon. qui s'étend à presque tous les pays europ. Les exportations europ. aux E.-U. diminuent. Les prix des matières premières non contrôlées par des cartels s'effondrent ainsi que ceux des produits agric. : vague de faillites, chutes successives des prix, chômage et faillite de nombreuses banques :

Mai 1931 le Credit-Anstalt de Vienne; Juillet 1931 la Banque de Darmstadt. Sept. 1931 Abandon de l'étalon or par l'Angleterre.

Avril 1933 Abandon de l'étalon or par les E.-U., puis par tous les autres États (jusqu'en 1936).

Après l'échec de la polit. de déflation, les gouv., pour vaincre la crise, recourent à des programmes de trav. publics (E.-U., Allemagne), à des nationalisations d'entreprises (Angleterre, France), à l'achat de stocks de matières premières à des cours de soutien, à des crédits pour les entreprises ainsi qu'au contrôle des prix et des salaires.

En France, les effets de la crise mondiale se sont fait sentir avec trois ans de retard. La reprise est lente, car le marché intérieur est faible. Déjà très difficile après 1926, l'exportation du blé rencontre de lourds obstacles : de 1933 à 1935, le prix du quintal passe de 22 à 17 francs-or. D'autre part, en 1938, la production d'acier (6 millions de t) est loin d'avoir retrouvé le niveau de 1928 (9,5 millions de t).

L'assainissement des écon. nat. s'obtient finalement par des dévaluations, des mesures douanières, le contrôle des changes et des accords commerciaux bilatéraux, mais les relations écon. internat. demeurent réduites. Malgré l'augmentation de la production industr. qui atteint en 1936 le niveau de 1913, les efforts en vue de l'autarcie (surtout ceux des dictatures) et les tensions internat. s'opposent à un rétablissement complet de l'écon. mondiale avant le déchaînement de la deuxième guerre mondiale.

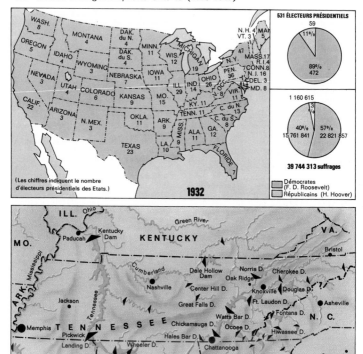

531 ÉLECTEURS PRÉSIDENTIELS

59
11%
89%
472

1 160 615
3%
40%
15 761 841
57%
22 821 857

39 744 313 suffrages

Démocrates (F. D. Roosevelt)
Républicains (H. Hoover)

(Les chiffres indiquent le nombre d'électeurs présidentiels des Etats.)

1932

La victoire électorale de Roosevelt . Les réalisations de la Tennessee Valley Authority

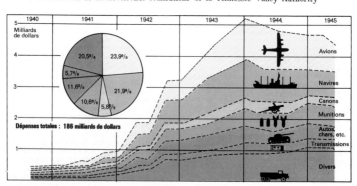

La production d'armements des États-Unis (1940-1945)

L'ère de Roosevelt (1933-1945)

1933-1945 Franklin D. Roosevelt (1882-1945) déclare que la nation est en état de détresse et entreprend de profondes réformes pour surmonter la crise : c'est le **New Deal** (mot à mot : nouvelle donne de cartes). Ces mesures sont fixées par un état-major d'intellectuels (brain trust), qui s'en tiennent au système de l'économie privée.

1933 Les « Cent Jours ». Premier train de réformes, pour soulager les besoins immédiats et remettre l'économie en marche grâce à un rapide assainissement : fermeture des banques (seules celles qui sont « saines » et rattachées au « Federal Reserve System » (75 %) pourront rouvrir); interdiction d'exporter et de thésauriser l'or et les valeurs étrangères; dévaluation du dollar (jusq. 50 %); moratoire pour les dettes des agriculteurs et des propriétaires d'immeubles. Mesures essentielles du New Deal :

12.5.1933 Agricultural Adjustment Act : primes pour la mise en jachère des champs de coton et de tabac.

18.5.1933 Tennessee Valley Authority, sous la direction de DAVID E. LILIENTHAL : planification régionale sur une grande échelle (construction de barrages, de complexes industriels, plan d'irrigation, lutte contre l'érosion par reboisement).

16.6.1933 National Industrial Recovery Act : garantie des intérêts patronaux (limitation de la production, etc.) et de ceux des salariés (fixation de la durée maximale du travail et d'un salaire minimum). Ces mesures ne seront pas renouvelées après le 27.1.1935, car elles sont condamnées par la Cour suprême comme contraires à la constitution.

4.1.1935 Seconde phase du New Deal. Réformes qui renforcent la situation des ouvriers et des cultivateurs et divisent les adversaires du New Deal, dont une partie réclame des mesures plus radicales.

8.4.1935 Lutte contre le chômage. Mise en chantier de travaux publics par H. L. HOPKINS (1890-1946).

5.7.1935 Reconnaissance des syndicats (National Labor Relations Act). Institution d'organismes d'arbitrage et de surveillance. Reconnaissance du droit de grève et de la liberté pour les ouvriers de s'organiser et de négocier.

14.8.1935 Création d'une assurance pour les chômeurs, les invalides, les vieillards et les arriérés (Social Security Act). D'autres lois favorisent la construction de maisons et garantissent aux travailleurs de meilleures conditions de travail. Après sa première réélection (nov. 1936), ROOSEVELT s'efforce de réformer la Cour suprême et de supprimer l'opposition au sein de son propre parti. Mais à partir d'août 1937, début de récession écon. Tout concourt donc à la victoire des républicains aux élections (nov. 1938). Gains : 80 sièges à la Chambre des Représentants et 7 au Sénat.

Politique étrangère :

Malgré la forte résistance des isolationnistes qui, tout en admettant que les E.-U. fassent partie des organisations internat. du travail (1934), s'opposent à leur entrée à la Cour internationale de Justice (1935), ROOSEVELT consacre tous ses efforts à la collaboration internationale.

1.2.1934 Rétablissement des relations diplomat. avec l'U. R. S. S. à cause de l'expansion jap. en Extrême-Orient. La « politique du bon voisinage » remplace en Amérique latine la polit. d'intervention. Accord pour l'indépendance à terme (10 ans) des Philippines, renonciation aux droits amér. sur Cuba, abandon du droit de protectorat sur Haïti. Succès de cette polit. Conférence panaméricaine de Lima : déclaration de solidarité américaine (1938).

22.8.1935 Loi de neutralité (Neutrality Act) : Interdiction de vendre ou de livrer des armes à des nations en état de guerre.

1937 Une loi nouvelle de neutralité permet de livrer des armes à une puissance belligérante qui doit les payer et les transporter (cash and carry).

5.10.1937 Discours de « la Quarantaine » à Chicago. Devant la menace des dictatures, aucune neutralité n'est possible.

A p. de 1939 abandon des lois de neutralité au profit de la Grande-Bretagne et de ses alliés.

5.11.1940 Après sa réélection, ROOSEVELT crée le Conseil nat. de la Défense.

Janv. 1941 Proclamation des « Quatre Libertés » : Liberté de pensée et de parole, liberté de croyance, libération de la misère et de la peur.

Mars 1941 Lend Lease Act (Loi Prêt-Bail) qui permet au président de livrer aux Alliés du matériel de guerre sans paiement comptant.

7.12.41 Agression japonaise de Pearl Harbor : déclaration de guerre au Japon (8.12), que suivent les **déclarations de guerre de l'Allemagne et de l'Italie** (11.12). Les forces armées augmentent de 2 à 12 millions d'hommes (1946).

1945 Mort de Franklin D. Roosevelt (12.4) réélu président pour la 4e fois en nov. 1944.

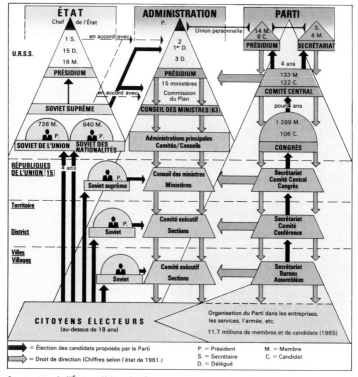

La structure de l'État soviétique (1936)

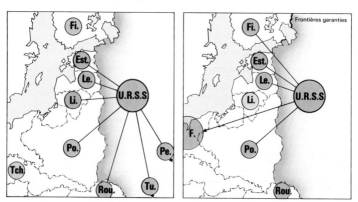

Le pacte oriental de Moscou (1929)

Les pactes de non-agression de l'U. R. S. S. (1932)

La dictature de Staline
1924-1929 Ascension de Joseph Staline (1879-1953) qui devient chef suprême de l'U. R. S. S. en détruisant toute opposition. La « troïka » STALINE, KAMENEV (1883-1936, exécuté), ZINOVIEV (1883-1936, exécuté), parvient en
1925 à ôter à Trotsky (p. 387) son poste de commissaire du peuple à la Guerre. La thèse de TROTSKY, la « révolution permanente », s'oppose à la thèse de STALINE acceptée par le XIVe Congrès du parti, le « socialisme dans un seul pays ». Constitution d'une aile droite qui soutient STALINE, avec RYKOV (1881-1938), BOUKHARINE (1888-1938) et TOMSKI (1880-1936) et d'une aile gauche (KAMENEV), restée fidèle à la révolution universelle.
1927 Exclusion de Trotsky et de Zinoviev du parti et bannissement de TROTSKY à Alma-Ata.
1929 Exil de TROTSKY (assassiné au Mexique en 1940). Après une collectivisation rigoureuse (début en 1928), STALINE liquide l'opposition de droite. BOUKHARINE, TOMSKI et RYKOV sont démis de leurs fonctions (1929) et avouent leurs erreurs.
Nov. 1929 Exclusion de Boukharine du Politburo.
Déc. 1929 50e anniversaire de STALINE : début de la dictature autocratique.
A partir de 1928, les **plans quinquennaux** transforment l'Union Soviét. qui devient un État industr. moderne. La collectivisation des terres est la plus grande révolution agraire jamais accomplie. Elle touche les 3/5 des exploitations et entraîne la mort d'env. 10 millions de personnes (« liquidation des Koulaks » 1932). Création de **kolkhozes** (coopératives) et de **sovkhozes** (fermes d'État). Création d'une industrie lourde par l'exploitation de nouvelles mines de charbon et de fer dans l'Oural, la Sibérie et l'Asie centrale. Combinats pour l'industrie lourde. Électrification. Augmentation du rendement de la main-d'œuvre par le « stakhanovisme » à partir de 1935. Une nouvelle « intelligentsia technique » devient une classe privilégiée bénéficiant de salaires fortement différenciés, et elle constitue le soutien principal du régime.

La constitution de 1936
L'U. R. S. S. est un État fédéral composé de 11 républiques soviét. (Russie, Ukraine, Biélorussie, Géorgie, Arménie, Azerbaïdjan, Kazhakstan, Kirghizistan, Ouzbékistan, Turkménistan et Tadjikistan) qui ont le droit de sécession. L'Union décide de la paix et de la guerre, assume la défense du territoire, dirige les finances, les postes et les communications; elle décide de la polit. étrang. et de la planification écon. Garantie des droits des nationalités. A la tête de l'État, **Conseil de l'union et Conseil des nationalités**, qui ensemble élisent le **Présidium**, le **Conseil des commissaires du peuple** (conseil des ministres), la **Cour suprême de justice** (pour 5 ans) et le **procureur général** de l'État (pour 7 ans). En pratique, il n'y a pas de séparation des pouvoirs.
Les **Conseils** (soviets) s'échelonnent du village à l'Union. Ils sont représentés par le parti communiste et ses organisations annexes et élus tous les quatre ans au suffrage universel direct, par tous les citoyens âgés de plus de 17 ans. La constitution garantit aux citoyens tous les droits démocr. fondamentaux, mais « en accord avec les intérêts des travailleurs » et en vue de « soutenir l'ordre socialiste ». Elle reconnaît la responsabilité et le rôle directeur du parti communiste, qui constitue « l'élément moteur de toutes les organisations politiques des travailleurs ».

Les « grandes purges » (1936-1938)
C'est le règlement de comptes final de STALINE avec ses adversaires de 1924 à 1930. STALINE et ses proches collaborateurs (apparatchiki), KAGANOVITCH (né en 1893), ANDREÏEV, MOLOTOV (né en 1890), JDANOV (1896-1948) liquident tous les vieux révolutionnaires du parti et de l'armée. La dictature est ainsi instaurée. Huit millions de personnes sont arrêtées, cinq à six millions jetées dans les camps de concentration de la Russie du Nord et de la Sibérie, Le N. K. V. D. (Commissariat du Peuple pour les Affaires intér.), dirigé par YAGODA, YEZOV après 1936, et enfin BÉRIA.
1936 Procès des 16 : ZINOVIEV, KAMENEV, etc.
1937 Procès des 17 : RADEK, MOURALOV, PIATAKOV, etc.
1938 Procès des 21 : BOUKHARINE, RYKOV, KRESTINSKI, etc. Avec le procès du maréchal TOUKHATCHEVSKI (1937) commence l'épuration de l'Armée Rouge : 3 maréchaux, 13 généraux d'armée, 16 commandants de corps d'armée sont sacrifiés (1937).

La politique étrangère
1926 Traité de Berlin (p. 441).
1929 Pacte oriental de Moscou avec les États de l'Europe de l'Est.
1930-1939 **Litvinov**, commissaire aux Aff. étrang. poursuit une polit. d'entente avec les nations occ..
1933 Reconnaissance de l'U. R. S. S. par les E.-U. (Motifs : les progrès du Japon en Mandchourie.)
1934 L'U. R. S. S. entre à la S. D. N.
1935 Pacte d'assistance franco-soviét.

Crise économique et réarmement (1929-1935)
Le renversement de la conjoncture et l'augmentation du chômage amènent aux élections de
1929 la victoire du parti travailliste (287 députés contre 216 conservateurs et 59 libéraux). Grâce à ces derniers, constitution du
second ministère MacDonald (1929-1931) (p. 422). Reprise des relations avec l'U. R. S. S. pour des raisons économiques : le commerce anglosoviétique a reculé au profit du commerce germano-soviétique, des firmes de pétrole améric. concurrencent les firmes anglaises sur le marché européen.
1930 Conférence navale de Londres (p. 410). Les conséquences de la crise écon. mondiale (p. 461), les rumeurs sur la détérioration des finances de l'État (rapport MAY), le déficit du budget écrasé par les allocations de chômage (2,5 millions de chômeurs en déc. 1930) provoquent une crise ministérielle.
1931 Démission du gouvernement et constitution d'un ministère MacDonald d'union nationale, que soutiennent les conservateurs et les libéraux. La majorité du parti travailliste entre dans l'opposition avec HENDERSON (1859-1935) et LANSBURY (1859-1940). Le Parlement approuve un budget d'économies et une augmentation des impôts. La dévaluation de la livre permet aux marchandises anglaises de soutenir la concurrence sur les marchés internationaux.
Oct. 1931 Élections qui confirment la polit. du gouv. d'union nat. (472 conservateurs et 65 libéraux contre 46 travaillistes).
1931-1933 Second ministère de coalition constitué par MACDONALD, qui s'appuie sur les conservateurs, les libéraux et 13 « travaillistes nationaux ». Les conservateurs acquièrent le pouvoir avec BALDWIN et NEVILLE CHAMBERLAIN (1869-1940). Le gouvernement renonce à combattre la crise de façon systématique ainsi qu'à la politique traditionnelle de libre échange.
1932 Conférence impériale d'Ottawa. Concessions douanières réciproques dans les échanges commerciaux de la Grande-Bretagne et des pays du Commonwealth (« préférence impériale »). Division des libéraux, le ministre libéral SIR JOHN SIMON (1873-1954) demeure dans le ministère. La crise économique est surmontée grâce au bas prix des matières premières importées. Prêts à intérêts garantis, réduction du taux d'intérêt, conversion des emprunts de guerre de 5 à 3,5 % et stabilisation de la

monnaie grâce à la création d'un fonds d'égalisation. Malgré tout, il y a encore 1,6 million de chômeurs en 1936. Échec d'une tentative d'accord sur une monnaie internat.
1933 Conférence écon. internat. de Londres. La politique extérieure demeure réservée à l'égard du Japon et de l'Allemagne.
1934 Début du réarmement (Royal Air Force) et devant le réarmement de l'Allemagne, proposition en
1935 d'un important programme de défense. A la conférence de Stresa (p. 435), la Grande-Bretagne obtient provisoirement le soutien de MUSSOLINI contre l'Allemagne.

La politique d'apaisement (1935-1939)
1935-1937 Le gouv. d'union nationale Baldwin poursuit une politique d'apaisement. Il cherche à éviter la guerre en négociant, car il recule devant les dépenses d'armement et envisage de satisfaire quelques-unes des revendications de l'Allemagne. Conséquences :
1935 Accord naval germano-brit. (p. 473). Mais sous la pression de l'opinion publique, le gouv. doit changer d'attitude à l'égard de l'Italie : il soutient la polit. des sanctions écon. (p. 413) décrétées par la S. D. N. et parvient ainsi à gagner les élections (oct. 1935). Renvoi de HOARE, min. des Aff. étrang., qui accepte le plan LAVAL (partage de l'Abyssinie p. 467). Son remplaçant, ANTHONY EDEN (né en 1897), abandonne la polit. de la « sécurité collective ». Retour à la polit. d'apaisement, et, par conséquent, réserve de la G.-B. en
1936 lors de la remilitarisation de la Rhénanie (p. 473). Accord italobrit. sur le maintien du statu quo en Méditerranée (1937).
1936 Mort de GEORGE V, roi dep. 1910. ÉDOUARD VIII, né en 1894, doit abdiquer devant la résistance des gouv. de la G.-B. et des dominions à cause de son mariage avec l'Américaine W. W. SIMPSON.
1936-1952 George VI.
1937-1940 Ministère Neville Chamberlain. Poursuite de la polit. d'apaisement. A la suite d'un accord avec l'Italie, EDEN donne sa démission de min. des Aff. étrang. LORD HALIFAX (1881-1959) lui succède.
Avril 1938 Accord italo-brit. Reconnaissance de la souveraineté ital. en Abyssinie. Retrait d'Espagne des volontaires italiens.
Sept. 1938 Accords de Munich (p. 473).
1939 Établissement du service militaire obligatoire.
1940 WINSTON CHURCHILL (1874-1965) constitue un ministère d'union nationale.

La réaction française après 1933

L'avènement de HITLER conduit la diplomatie française à resserrer ses alliances à l'Est (relations avec la Petite Entente et avec la Pologne). Retour à l'alliance franco-russe.

7 juin 1933 Pacte à Quatre (France, Angleterre, Allemagne, Italie).

1934 Voyage de BARTHOU en Europe centrale et orientale. La Pologne, qui ne fait pas partie du Pacte à Quatre, se montre réticente. Le colonel BECK signe un traité de non-agression avec HITLER. A l'automne, assassinat à Marseille du roi ALEXANDRE et de BARTHOU par des Oustachis (nationalistes croates) soutenus par l'Italie. C'est une menace directe contre les alliances traditionnelles de la France établies après 1918 dans l'Europe danubienne.

1935 LAVAL signe à Moscou le pacte franco-soviétique (retour à la politique traditionnelle de la France). Il ne se presse pas de le faire ratifier par les chambres ou de lui donner un contenu militaire. (La Pologne et la Roumanie sont méfiantes.) Conséquences : l'U. R. S. S. autorise le parti communiste français à voter les crédits pour la défense nationale. D'un autre côté, LAVAL, à la Conférence de Stresa, ne veut pas heurter de front MUSSOLINI qui projette la conquête de l'Éthiopie. (Ce serait le jeter dans les bras de HITLER.) Il ne s'associe pas aux sanctions approuvées par l'Angleterre. Celle-ci reste fidèle à l'idéal de la S. D. N. que LAVAL considère comme périmé.

Les hésitations (1936-1939)

La France va assister à l'écroulement du système de sécurité établi après 1918.

1936 L'occupation de la Rhénanie, le début de la guerre civile espagnole ne suscitent pas de réaction française efficace : La solidarité avec la politique anglaise est un des principes de BLUM en politique extérieure. Or, l'aile gauche du Front populaire souhaite l'appui aux républicains espagnols pour faire équilibre aux détachements de « spécialistes » germano-italiens. Le résultat, c'est la politique de « non-intervention » qui reste unilatérale. Des armes et des volontaires passent néanmoins au-delà des Pyrénées pour renforcer le gouvernement républicain.

1938 La France qui n'a pas l'armée convenant à ses alliances abandonne la Tchécoslovaquie à Munich (DALADIER, président du Conseil, ne se fait pas d'illusions sur le caractère précaire de ce règlement). La mobilisation a fait constater les lacunes de l'organisation. La France ne pourra plus compter sur l'armée tchécoslovaque qui a perdu ses lignes fortifiées protégeant le quadrilatère de Bohême.

1939 Devant la disparition totale de son ancien allié en mars, et la force des revendications antipolonaises en Allemagne (question du corridor de Dantzig), la France ne voit de salut que dans le rapprochement avec l'U. R. S. S. Mais la Pologne et la Roumanie ne veulent pas laisser le droit de passage aux troupes russes en cas de conflit, malgré des démarches diplomatiques pressantes. STALINE doute de la bonne foi des démocraties occidentales et le général DOUMENC, chef de la mission française, apprend à Moscou en août 1939 le pacte germano-soviétique qui marque l'effondrement de tout le système français des « alliances de revers ». L'Allemagne échappe à la hantise de la lutte sur deux fronts comme en 1914-1918.

La littérature, les arts

Giono (1895) célèbre le retour à la nature en haute Provence avec un lyrisme d'inspiration païenne : « Le Chant du Monde » (1934), « Que ma Joie demeure » (1935). **Aragon** (1897) publie en 1933 « Les Cloches de Bâle ». **Jules Romains (1885)** évoque la société française contemporaine dans les deux premiers volumes des « Hommes de Bonne Volonté » (1932) : « Le 6 Octobre » et « Le Crime de Quinette ». L'approche du drame de la 2e guerre mondiale est sensible chez **Bernanos** (1888-1948). Après son chef-d'œuvre, « Journal d'un Curé de campagne » (1936), en 1938 « Les Grands Cimetières sous la lune » évoquent les excès du fascisme espagnol. On retrouve cette inquiétude chez **Céline** (1894-1961) : « Mort à Crédit » (1936), « Bagatelles pour un Massacre » (1938).

Chez les **peintres**, le bombardement d'un village basque inspire en 1937 à **Picasso** la fresque de « **Guernica** ». **Dufy** exalte l'histoire de l'électricité dans une grande fresque destinée à l'Exposition internationale (1937).

Le cinéma

Loin de l'expressionnisme allemand et des mises en scène grandioses du cinéma américain, le cinéma français retrace la vie quotidienne : « Marius », « Fanny », « César » (1931-1936) de **Marcel Pagnol**, ou évoque les problèmes nés de la guerre, dans une perspective pacifiste : « La Kermesse héroïque » de **J.** **Feyder** (1935) et la « Grande Illusion » de **J.** **Renoir** (1937) auquel l'idéal du Front populaire inspire « La vie est à nous » (1936) et « La Marseillaise » (1938).

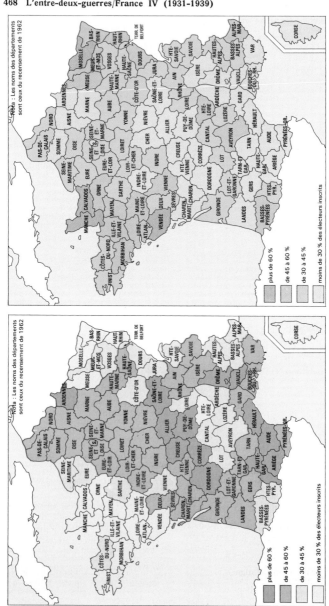

La résistance au Front populaire (élections d'avril 1936)

Le succès du Front populaire (élections d'avril 1936)

Les conséquences de la crise

Juillet 1933 Naissance du néo-socialisme : MARQUET, DÉAT. Abandon de l'idéal internationaliste du parti S. F. I. O. Admiration pour MUSSOLINI.

Noël 1933 Affaire Stavisky : Il se « suicide » après avoir contribué à lancer dans le public « les bons de Bayonne » qui n'avaient aucune valeur. De nombreux petits rentiers sont ruinés.

6 février 1934 Manifestation sur la place de la Concorde (Croix de Feu, Anciens Combattants, Camelots du Roi) pour protester, à l'occasion du renvoi du préfet de police CHIAPPE, contre la corruption gouvernementale. Départ de DALADIER, formation d'un ministère d'union nationale présidé par G. DOUMERGUE, qui doit restaurer la confiance.

12 février 1934 Manifestations. La C. G. T. prend l'initiative d'une grève générale groupant syndicalistes, communistes, socialistes, pour la « défense des libertés ». Premier regroupement depuis la scission de 1920 (prélude au Front populaire) entre socialistes et communistes.

Été 1935 Politique déflationniste de LAVAL.

L'expérience du Front populaire

3 mai 1936 Succès électoral du Front populaire : 149 S. F. I. O., 72 P. C., 109 rad.-soc. + 56 gauches divers, 222 sièges pour la droite. **Ministère L. Blum** (« soutien sans participation » des communistes) qui se trouve devant 1 500 000 grévistes. LÉON BLUM, né à Paris en 1872, ancien élève de l'École normale supérieure, se dirigea vers les études juridiques. Il entra au Conseil d'État. Disciple de JAURÈS avant 1914. Pendant la guerre 1914-1918 chef de cabinet du ministre socialiste MARCEL SEMBAT, combat l'adhésion du parti à la IIIe Internationale au Congrès de Tours en 1920. Leader du parti socialiste depuis cette date. Distingue la « conquête » du pouvoir (révolution) de l' « exercice » du pouvoir (dans le cadre des institutions). Au grand scandale de l'opposition, il crée le « ministère des Loisirs » qui doit développer les œuvres d'éducation postscolaire, les auberges de jeunesse, etc. Si un socialiste, SALENGRO, dirige le ministère de l'Intérieur, les Affaires étrangères (Y. DELBOS) et la Défense nationale (DALADIER) sont confiées à des radicaux.

7 juin 1936 Accords Matignon. Semaine de 40 heures, congés payés, délégués ouvriers, augmentation de salaire de 7 à 15 % pour les petits salaires.

Printemps 1936 Projet BLUM-VIOLETTE d'extension des droits politiques à l'élite algérienne : gradés, diplômés, fonctionnaires. Les parlementaires et les maires d'Algérie annoncent leur démission collective au cas où le gouvernement français donnerait suite au projet. Grandes réformes de structure : nationalisation des chemins de fer (S. N. C. F.). Étatisation de la Banque de France.

Juin 1936 Création à Saint-Denis du parti populaire français, par J. DORIOT, transfuge du P. C. (inspiration fasciste). C'est une autre forme de « néo-socialisme ».

1er octobre 1936 Dévaluation du franc. LÉON BLUM qui s'est défini comme « gérant loyal du capitalisme » ne réussit pas à freiner la fuite des capitaux ou à favoriser leur retour.

4 décembre 1936 Les députés communistes s'abstiennent lors du vote de confiance au gouvernement : ils n'approuvent pas la politique de non-intervention dans la guerre civile espagnole de L. BLUM qui ne veut pas se désolidariser de l'Angleterre.

16 mars 1937 Heurts violents à Clichy entre P. S. F. (LA ROCQUE) et P. C. Cinq morts.

Juin 1937 Démission de L. BLUM devant le refus du Sénat de lui accorder les pleins pouvoirs financiers.

L'abandon du Front populaire

Novembre 1937 DORMOY, ministre de l'Intérieur, dénonce les agissements de la Cagoule, association secrète, responsable de l'assassinat de deux antifascistes italiens, les frères ROSSELLI, et d'attentats provocateurs.

Mai 1938 Nouvelle dévaluation du franc.

Septembre 1938 La crise de Munich a eu de graves répercussions intérieures. Dans le parti socialiste, L. BLUM considère qu'il est temps de s'arrêter dans la voie des concessions. PAUL FAURE est d'un avis contraire. Dans les partis conservateurs, la majorité pense que l'accord donne un répit utile. Une minorité (DE KÉRILLIS) insiste sur le rôle de l'alliance franco-russe.

Novembre 1938 Échec d'une grève pour protester contre l'abandon des 40 heures (considérées comme incompatibles avec l'effort de réarmement).

4 mai 1939 Article de DÉAT dans « L'Œuvre » : « Mourir pour Dantzig. »

Septembre 1939 « Union Sacrée ». Les partis se regroupent derrière DALADIER, chef du gouvernement, à l'exception des communistes désemparés par la nouvelle du pacte germano-soviétique du 23 août 1939.

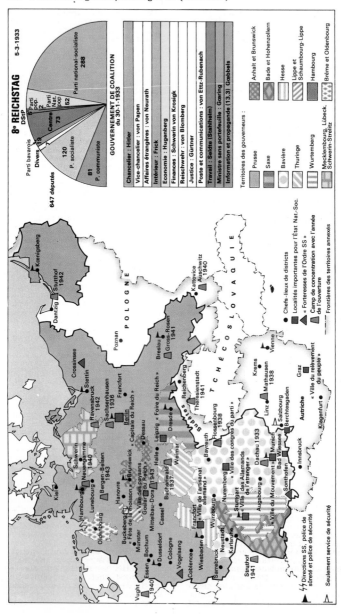

8ᵉ REICHSTAG 5-3-1933

647 députés

- Parti national-socialiste 288
- Centre 73
- Parti 2 Nat. pop. 52
- Parti pop. 5
- DStP 5
- Parti bavarois 19
- Divers 2
- P. socialiste 120
- P. communiste 81

GOUVERNEMENT DE COALITION du 30-1-1933

Chancelier : Hitler
Vice-chancelier : von Papen
Affaires étrangères : von Neurath
Intérieur : Frick
Économie : Hugenberg
Finances : Schwerin von Krosigk
Reichswehr : von Blomberg
Justice : Gürtner
Poste et communications : von Eltz-Rubenach
Travail : Seldte (Stahlhelm)
Ministre sans portefeuille (13.3) : Gœring
Information et propagande (13.3) Gœbbels

Territoires des gouverneurs :
- Prusse
- Saxe
- Bavière
- Thuringe
- Wurtemberg
- Mecklembourg, Lübeck, Schwerin-Strelitz
- Anhalt et Brunswick
- Bade et Hohenzollern
- Hesse
- Lippe et Schaumbourg-Lippe
- Hambourg
- Brême et Oldenbourg

POLOGNE

TCHÉCOSLOVAQUIE

Kœnigsberg
Stutthof 1942
Dantzig
Poznan
Crossinsee
Stettin
Ravensbruck 1942
Sachsenhausen 1936
Gross-Rosen 1941
Breslau
Francfort
Berlin
Dessau
Leipzig « Foire du Reich »
Halle 1943
Dresde
Weimar
Buchenwald 1937
Mittelbau-Dora 1943
Cassel
Goslar « Ville du Reich »
Brunswick
Hanovre
Schwerin 1940
Neuengamme 1943
Hambourg
Lunebourg
Bergen-Belsen
Kiel
Buckeberg « Fête de la moisson »
Münster
Bochum
Essen
Düsseldorf
Cologne
Vogelsang
Coblence
Wiesbaden
Francfort « Ville de l'artisanat allemand »
Würzburg
Bayreuth
Flossenbourg 1938
Reichenberg
Theresienstadt 1941
Kattowice
Auschwitz 1940
Krems
Vienne
Mauthausen 1938
Linz
Salzbourg
Berchtesgaden
Autriche
Graz
Klagenfurt
« Ville du relèvement du peuple »
Innsbruck
Bad Wiessee
Munich
Dachau 1933
Sonthofen
Augsbourg
Nuremberg « Ville des congrès du parti »
Stuttgart « Ville libre »
Sarrebruck
Karlsruhe
Neustadt
Struthof 1941
Wurtemberg
Sudètes
« Ville des Allemands de l'étranger »
« Ville du Mouvement »

Vught 1940
Oldenburg
Strasbourg

- Chefs-lieux de districts
- Localités importantes pour l'État Nat.-Soc.
- « Forteresses de l'Ordre SS »
- Camp de concentration avec l'année de l'ouverture
- Frontières des territoires annexés

⚡⚡ Directions SS, police de sûreté et police de sécurité

↗ Seulement service de sécurité

La « prise du pouvoir » et les conséquences de la dictature hitlérienne (1930-1945)

Le gouvernement de Brüning (1930-1932)

Après la chute du dernier chancelier social-démocrate MÜLLER (p. 427), l'impuissance du Reichstag ne fait que croître. BRÜNING (né en 1885), du Centre catholique, forme un gouvernement soutenu par HINDENBURG. Grâce à l'art. 48, il se maintient contre l'opposition des communistes et des extrémistes de droite (parti populaire allemand et parti national-social.).

Au début, le parti social-démocrate tolère sa politique : lutte contre la crise économique qui s'accélère (augmentation du chômage). Politique de déflation.

Sept. 1930 Élections. Gains des communistes et des nationaux-social.

1932 Réélection de HINDENBURG à la présidence du Reich.

Gouvernements de von Papen et de Schleicher (1932-1933)

30.5.1932 Chute de BRÜNING à la suite des intrigues de la « camarilla » qui entoure HINDENBURG, SCHLEICHER, OSKAR VON HINDENBURG (fils du prés.).

Juin-déc. 1932 Ministère de concentration nationale. Le chancelier est VON PAPEN. Dissolution du Reichstag (4.6.1932), suppression de l'interdiction des SA et SS.

Juillet 1932 Coup d'État en Prusse.

Juillet 1932 Élections au Reichstag. Les nat.-social. deviennent le parti le plus puissant. HINDENBURG ne veut pas d'HITLER comme chancelier. PAPEN est mis en minorité au Reichstag en présentant ses ordonnances sur le « démarrage de l'économie ». Dissolution du Reichstag et en

nov. 1932 nouvelles élections : recul du parti national-social., progrès des communistes.

1932-1933 (28.1) Ministère SCHLEICHER : échec d'une tentative de scission du parti national-social. sur son aile gauche (GREGOR STRASSER, p. 459).

Janv. 1933 Victoire élect. du parti national-social. dans le petit État de Lippe.

La politique extérieure (1930-1933)

1931 La France s'oppose à l'union douanière Allemagne-Autriche.

Juin-juillet 1932 Conférence de Lausanne; fin des réparations.

La prise de pouvoir de Hitler (1933)

4 janv. Accord HITLER-VON PAPEN chez le banquier SCHRÖDER.

22 janv. Conversations VON PAPEN-HITLER-OSKAR VON HINDENBURG.

Le président du Reich accepte de confier à HITLER le poste de chancelier.

C'est la fin du régime de Weimar qui n'a pas réussi à regrouper la nation après la défaite de 1918. La république n'a été qu'un expédient, miné par l'armée et les nazis. .

La Reichswehr a pu constituer un « État dans l'État ». Jusqu'à sa victoire électorale de 1932, le parti national-social., souvent allié aux communistes, s'est opposé à tout travail constructif.

30.1.1933 Prestation de serment d'HITLER et de son gouvernement de coalition et d'union nationale. La « révolution nationale » succède à la « révolution légale » : il consolide son pouvoir à l'aide de l'art. 48.

23.3.1933 Suspension du Parlement : « Loi des pleins pouvoirs ».

Mars-avril 1933 Suppression de l'autonomie des Länder.

Jusqu'en 1936, l'ensemble de la police (police administrative, criminelle, et politique — cette dernière devient la « Gestapo » en 1934) sera placé sous les ordres d'HIMMLER (p. 459). Après l'affaire RÖHM, les SS remplacent les SA. Organisation de l'État SS (organe d'exécution du Führer).

A partir de mai 1933 liquidation et interdiction des partis et des syndicats : constitution du Front allemand du Travail. Dissolution des partis.

1.12.1933 « Loi en vue de garantir l'unité du parti et de l'État ». Le parti national-socialiste devient parti d'État. Le danger d'une « seconde révolution » socialiste et la fusion de la Reichswehr et des SA sont écartés en

juin-juillet 1934 par l'assassinat d'ERNST RÖHM, chef d'état-major des SA, et de ses principaux collaborateurs. Simultanément, liquidation des adversaires politiques (SCHLEICHER et KAHR, p. 427).

2.8.1934 Mort d'HINDENBURG, président du Reich. HITLER assume ses fonctions. La Reichswehr prête serment au « Führer et chancelier du Reich, ADOLF HITLER ».

La politique économique national-socialiste

Pour l'agriculture : maintien du domaine familial. Grands travaux (autostrades). Les « chèques Mefo » permettent à l'État d'échelonner le paiement de ses dettes.

24.10.1934 Entrée de tous les travailleurs dans le Front du Travail.

Le Reich et les Églises

13.3.1933 Création du « Ministère du Reich pour l'éducation du peuple et de la propagande ». Ministre, JOSEPH GOEBBELS. Malgré un concordat (p. 473), l'Église catholique résiste de plus en plus.

Mai 1934 Opposition du pasteur NIEMÖLLER.

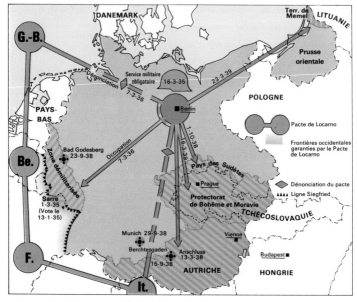

« La conquête de l'espace vital » jusqu'au printemps de 1939

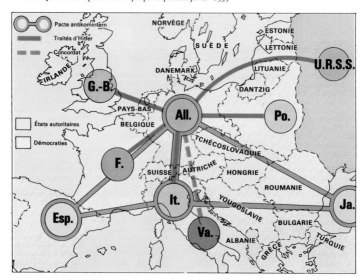

L'activité diplomatique d'Hitler

La politique extérieure
Objectif : Revision du traité de Versailles, premier pas vers « la conquête d'un nouvel espace vital ». HITLER continue à proclamer la volonté de paix de l'Allemagne, mais repousse la « sécurité collective » et préfère des accords bilatéraux.
1933 Concordat avec le Vatican (juillet). Isolement grandissant après le départ de l'Allemagne de la Conférence du Désarmement et sa démission de la S. D. N. (oct.).
1934 Pacte de non-agression avec la Pologne du colonel BECK, premier coup porté au système d'alliances de la France. Après l'échec du putsch nat.-social. de Vienne (p. 432) et le refus du « Locarno de l'est », le vote de la Sarre et son retour dans le Reich constituent les premiers succès de cette polit. (1935).
Mars 1935 Rétablissement du service militaire obligatoire.
Juin 1935 Accord naval germano-britannique. Malgré ce succès, en
mars 1936 dénonciation du pacte de Locarno (p. 411) et remilitarisation de la Rhénanie : c'est la fin de l'organisation de Versailles.
Juillet 1936 Accord avec l'Autriche : rétablissement de relations amicales.
Août 1936 Jeux olympiques à Berlin.
Août 1936 Service milit. de deux ans.
Nov. 1936 Pacte antikomintern. Début de la collaboration de l'Allemagne et du Japon contre l'U. R. S. S. L'Italie s'associe au pacte en janv. 1937, puis accord germano-italien et création de **l'axe Rome-Berlin** (oct.-nov. 1936). Visite de MUSSOLINI en sept. 1937.
Mars 1939 Adhésion de l'**Espagne** au pacte.
La « **conquête d'un nouvel espace vital » devient l'objectif primordial de la politique étrangère du nat.-socialisme :** lors de la session du parti à Nuremberg (sept. 1936), proclamation d'un plan quadriennal d'autarcie économique.
Nov. 1937 Conférence où Hitler dévoile ses buts de guerre (procès-verbal HOSSBACH) : « Conquête d'un nouvel espace vital au moyen de la force. »
1938 Le Führer concentre tous les pouvoirs entre ses mains en créant le « commandement suprême de la Wehrmacht » qui remplace l'ancien État-Major. RIBBENTROP devient ministre des Aff. étrang. et SCHACHT, ministre des Finances, est renvoyé.
1938 Annexion de l'Autriche (p. 432). Un plébiscite approuve en avril l'Anschluss de l'Autriche et du Reich (proclamé le 13 mars).
HITLER ordonne secrètement à la Wehrmacht de se préparer en vue de la destruction de la **Tchécoslovaquie** (30.5.1938). Entrevues de CHAMBER-

LAIN et d'HITLER à Berchtesgaden et à Bad Godesberg (sept.). A la suite d'une médiation italo-brit., le
29.9.1938 conférence de Munich entre HITLER, MUSSOLINI, DALADIER, CHAMBERLAIN : **cession à l'Allemagne du territoire des Sudètes** (1er au 10 oct. 1938). Pacte de non-agression germano-brit. le 30 sept. et déclaration franco-allemande du 6 déc. où l'Allemagne reconnaît expressément ses frontières à l'ouest. L'expansion allemande devrait s'arrêter : HITLER proclame que le territoire des Sudètes est sa dernière revendication territoriale (26.9.1938).
21.10.1938 Ordre secret d'Hitler : « liquidation du reste de la Tchéquie ». Encouragements au séparatisme slovaque. Visite du président de l'État tchécoslovaque HACHA (p. 433) à Berlin, le 15.3.1939, et entrée des troupes allemandes en Tchécoslovaquie (15-16.3.1939).
16.3.1939 Création du « Protectorat de Bohême et de Moravie ».
23.3.1939 Annexion de Memel par l'Allemagne. Traité commercial germano-roumain.

Début de la guerre et alliances (1939-1942)
21.3.1939 L'Allemagne formule ses exigences à l'égard de la **Pologne :** incorporation de Dantzig à l'Allemagne, passage avec droits d'extraterritorialité entre la Prusse orientale et le reste du Reich. Refus de la Pologne et rupture des négociations (26.3). A la suite de la déclaration de garantie franco-angl. à la Pologne (31.3), annulation du pacte de non-agression germano-polonais et de l'accord naval anglo-allemand (28.4).
22.5.1939 Pacte d'amitié et d'alliance avec l'Italie (dit : pacte d'acier).
23 août 1939 Pacte de non-agression germano-soviétique et protocoles secrets sur la détermination des sphères d'influence allemande et soviétique en Europe de l'Est. C'est le prélude de l'**agression allemande contre la Pologne, le 1.9.1939,** malgré le traité d'alliance que la Pologne et la G.-B. viennent de signer (25.8). Des tentatives de médiation échouent à cause de l'ultimatum allemand (envoi d'un plénipotentiaire polonais à Berlin) que repousse la Pologne.
1940 Pacte tripartite entre l'Allemagne, l'Italie et le Japon. Objectif : nouvel ordre européen et asiatique, engagement d'aide réciproque. Jusqu'en 1942, la Hongrie, la Roumanie, la Slovaquie, le Danemark, la Finlande, la Chine de Nankin, la Bulgarie et la Croatie seront associés à ce pacte.
1942 Alliance militaire entre l'Allemagne, l'Italie et le Japon.

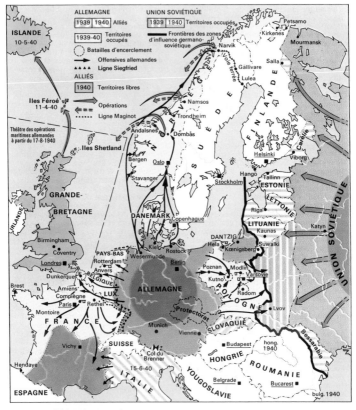

La « guerre éclair » (1939-1940)

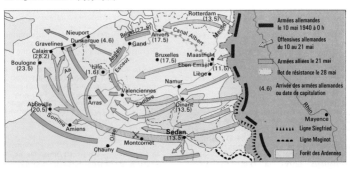

La percée des Ardennes (mai 1940)

La campagne de Pologne (sept. 1939)
Écrasement rapide de l'armée pol.
(1-18.9.1939) grâce à la supériorité
all. en aviation et en blindés. Varsovie
résistera jusq. 27.9 et Modlin jusq. 28.
Conséquences de l'agression : Après
de vaines tentatives de médiation,
MUSSOLINI proclame la « non-belli-
gérance » de l'Italie (2.9). **La G. B.
et la France déclarent la guerre au
Reich** (3.9).

« L'ordre nouveau » à l'Est
1. Partage de la Pologne (oct. 1939).
Retour au Reich de Dantzig (1.9)
et des territoires cédés en 1918
(district Dantzig-Prusse occ. et territoire de la Warthe). **Asservissement
de la Pologne** décapitée par la fermeture des grandes écoles et des universités, et par la mort de ses intellectuels,
décimés par le travail forcé.
2. Relations avec l'U. R. S. S. Entrée
en Pol. de l'Armée Rouge (17.9).
28.9. 1939 Pacte germano-soviétique.
La Lituanie est abandonnée à
l'U. R. S. S. contre des concessions
territoriales (la ligne du Bug sert
de frontière).
11.2.1940 Accord commercial avec
l'U. R. S. S. qui rend inefficace le
blocus britannique.
3. Retour des Allemands installés en
U. R. S. S. à la suite d'accords avec
les pays baltes (oct.-nov. 1939). Ils
favoriseront la « politique d'expansion vers l'Est » et les plans des SS.

La guerre finno-soviétique
Les Finlandais refusent les exigences
soviétiques.
30.11.1939 Agression soviétique contre
la Finlande. Exclusion de l'U. R. S. S.
de la S. D. N. (14.12). Après une
résistance acharnée, la « ligne Mannerheim » est percée. Les puissances
occidentales envisagent une expédition de secours par la Norvège
qui bloquerait en même temps l'envoi du minerai de fer suédois en
Allemagne. L'U. R. S. S. fait preuve
de modération.
12.3.1940 Traité de Moscou. La Finlande cède l'isthme de Carélie, une
partie de la Carélie orientale à l'U.
R. S. S. et lui afferme l'île d'Hangö.
L'U. R. S. S. obtient le droit de passage sur le territoire de Petsamo.

Danemark et Norvège
Pour s'assurer les livraisons de minerai
de fer suédois et élargir ses bases de
départ en vue de la guerre navale
contre l'Angleterre, **attaque combinée**
(mer, air et terre) contre le **Danemark**
le 9.4 (occupé sans combat) et **la
Norvège** (9.4-10.6) dont les forces
capitulent après le rembarquement
du corps expéditionnaire français à
Narvik (3-7.6.1940) (débouché du

minerai suédois sur la côte atlantique).
Le roi HAAKON VII (1905-1957) et
son gouvernement se réfugient à
Londres; constitution d'un gouvernement en exil (5.5.1940). Le chef du
« Rassemblement national », QUISLING
(exécuté en 1945) forme un gouvernement et suspend la constitution.

La défaite française
10.5-4.6.1940 1re **phase (attaque allemande).** Les troupes françaises qui
prévoient une reprise du plan
SCHLIEFFEN de 1914 entrent en Belgique et même en Hollande mais
elles n'ont pas prévu « la percée
des Ardennes » qui coupe l'armée
française en deux. Après capitulation des Pays-Bas (15.5), la prise
du canal Albert (Fort Eben-Emael)
et la percée de la ligne de la Dyle,
15.5 capitulation de la Belgique le
28.5. Arrivée de ROMMEL à Abbeville et formation de la poche de
Dunkerque, mais 335 000 soldats
britanniques et français réussissent
à s'embarquer vers l'Angleterre.
5.6-24.6.1940 2e **phase (« Bataille de
France »).** Percée de la « ligne WEY-
GAND » (vallées de la Somme, de
l'Ailette), occupation de Paris déclarée ville ouverte (14.6). Les Allemands atteignent la côte atlantique
(19.6), franchissent la Loire (16.6),
parviennent à la frontière suisse
(17.6). Encerclement des troupes
de la ligne Maginot.
10.6.1940 Déclaration de guerre de
l'Italie à la France (p. 479).
22.6.1940 Armistice de Compiègne.
Division de la France en **deux zones,**
occupée et libre. Ligne de démarcation : Genève-Dôle-Tours-Mont-de-
Marsan-frontière espagnole. L'armée
franç. est prisonnière, mais la flotte
n'est pas livrée à l'Allemagne.
Conséquences polit. Grande-Bretagne :
formation d'un ministère de coalition
(10.5) avec WINSTON CHURCHILL (1874-
1965). **Pays-Bas :** la famille royale et
le gouv. s'enfuient à Londres, formation d'un gouv. en exil; ARTHUR SEYSS-
INQUART (p. 432) devient « Commissaire du Reich », soutenu par MUSSERT
(1894-exécuté en 1946), Führer des
nat.-socialistes néerlandais. **Belgique :**
internement du roi LÉOPOLD III (1934-
1951). Les « rexistes » (DEGRELLE) soutiennent l'administr. milit. allemande.
France : Après la chute de DALADIER
(p. 467), démission du ministère
REYNAUD. Le maréchal PÉTAIN (p. 405)
constitue un gouvern. (16.6) qui s'installe à Vichy.
**10.7.1940 Pétain devient « chef de
l'État. »**
**24.10.1940 Rencontre d'Hitler et de
Pétain à Montoire.** HITLER demande
à la France d'entrer en guerre à ses
côtés, PÉTAIN refuse.

	1939	1940	1941	1942	1943	1944	1945
Pertes en sous-marins (Allemagne)	9	22	35	85	287	241	153
Tonnage coulé (É.-U.-Gr.-Bret.)	810 000	4 407 000	4 398 000	8 245 000	3 611 000	1 422 000	458 000
Nouvelles constructions (É.-U.) en tonnes brutes	101 000	439 000	1 169 000	5 339 000	12 384 000	11 639 000	3 551 000
Nouvelles constructions (Gr.-Bret.) en tonnes brutes	231 000	780 000	815 000	1 843 000	2 201 000	1 710 000	283 000
Total en tonnes brutes	332 000	1 219 000	1 984 000	7 182 000	14 585 000	13 349 000	3 834 000

La guerre navale (1939-1945).

Total	1939	1940	1941	1942	1943	1944	1945
Bombardiers 18 235	737	2852	3373	4337	4649	2287	
Chasseurs 53 729	605	2746	3744	5515	10 898	25 285	4936
Avions d'assaut 12 359	134	603	507	1249	3266	5496	1104
Avions de reconnaissance 6299	163	971	1079	1067	1117	1686	216
Avions à réaction 1988						1041	947

La production allemande d'avions (1939-1945)

	1940	1941	1942	1943	1944	1945
Bombes (en Tonnes) sur l'Allemagne	10 000	30 000	40 000	120 000	650 000	500 000
sur l'Angleterre	36 844	21 858	3260	2298	9151	761

Les bombardements (1940-1945)

La guerre navale (1939-1945)

La marine de guerre all. opère surtout dans l'**Atlantique**. Malgré les grosses pertes de tonnage infligées aux Anglais, échec du blocus des îles Brit. La marine joue un rôle décisif dans l'occupation de la Norvège et du Danemark, mais ses pertes à Narvik sont telles qu'elle peut à peine soutenir les opérations contre la France (Dunkerque p. 475).

Forces de surface : sabordage devant Montevideo du cuirassé « Graf Spee » (déc. 1939); destruction du « Bismarck » (mai 1941) qui coule néanmoins le cuirassé « Hood ».

1942 Les cuirassés « Scharnhorst » et « Gneisenau », qui ont opéré en 1941 dans l'Atlantique, forcent le pas de Calais avec le « Prinz Eugen » et gagnent la Norvège.

1941-1943 Convois alliés vers Mourmansk pour ravitailler le front russe.

1944 Le cuirassé « Tirpitz » est coulé à Tromsö (nov.). En **Méditerranée**, victoire anglaise (cap Matapan) sur la flotte italienne (mars 1941).

La guerre sous-marine.

1940 L'Allemagne déclare que l'Angleterre est un « théâtre d'opérations » (17.8), et la guerre s'aggrave. Au début, succès des sous-marins allemands qui agissent séparément.

1942 Gros succès devant les côtes américaines (aucune défense contre les sous-marins).

1943 Attaques massives contre les convois de l'Atlantique Nord. En mars 1943, 851 000 t sont coulées. Arrêt en mai 1943 de l'attaque des convois.

Nouvelle tactique alliée : emploi de contre-torpilleurs d'accompagnement, localisation des sous-marins par radar, « support groups » qui rôdent autour des convois. L'invention allemande du « schnorchel » (1944) et celle des torpilles acoustiques demeurent sans effet.

La guerre aérienne (1939-1945)

Au début, supériorité de la Luftwaffe (chef : maréchal GOERING p. 459), qui assure le succès de la guerre éclair par des attaques en piqué (Stukas). Mais elle ne peut empêcher les Alliés d'embarquer à Dunkerque.

1940-1941 Bataille d'Angleterre (aérienne). La Luftwaffe ne peut anéantir la chasse anglaise, ni ses installations au sol, ni l'industrie de guerre brit. L'Angleterre conserve la maîtrise de l'air au-dessus de son sol. Puis supériorité grandissante des forces aériennes alliées (construction de bombardiers, forteresses volantes, à grand rayon d'action). Progrès du radar.

1942 Début des bombardements anglo-améric. à l'aide de bombes explosives et incendiaires sur les objectifs milit. et les quartiers d'habitation des villes allemandes (30-31.5 : 1 000 bombardiers sur Cologne).

1943 Début des raids de jour par grandes unités.

1944 Raids sur les installations pétrolières roumaines de Ploesti (à p. d'avril), et en Allemagne sur les barrages (à p. de mai), et le réseau ferroviaire et routier. Aucune démoralisation du peuple all. La production d'armement continuera à se développer jusqu'au milieu de 1944.

La guerre aérienne alliée culmine : **les 13 et 14 fév. 1945 raid de terreur sur Dresde remplie de réfugiés.** A p. du milieu de 1944, les Alliés ont la maîtrise absolue de l'espace aérien allem. Le Reich multiplie les erreurs : construction du Me 262, chasseur à moteur en étoile, au lieu d'un avion à réaction, etc. De plus, le carburant manque ainsi que les pilotes. **La production des V1 et V2 (V = Vergeltung = représailles) est retardée par** le bombardement anglais de la station d'essais de Peenemünde (août 1943). Le bombardement de Londres commence après le débarquement en Normandie (13.6.1944 par les V1, 6.9.1944 par les V2).

Les économies de guerre

Allemagne. Après Stalingrad (p. 483) et la proclamation de la « guerre totale » (18.2.1943) par GOEBBELS (p. 459, 471), concentration de l'effort de guerre (2.9.43) sous la direction de SPEER (né en 1905). La production culmine d'août à décembre 1944.

La pénurie de matières premières est vaincue par les mesures autarciques d'avant-guerre (buna, carburant synthétique, traitement de minerais pauvres). Mais le pétrole du Caucase demeure hors d'atteinte (1942). Pendant toute la guerre, l'Allemagne manquera de carburant. Main-d'œuvre pour l'économie de guerre : Le Reich recrute environ 9 millions de travailleurs étrangers (Sauckel). Le 30.4.1942 mobilisation de tous les détenus des camps de concentration.

États-Unis. Essor colossal de la production pour remplacer les pertes dues aux sous-marins.

1942 60 000 avions, 6 millions de t de navires marchands.

1943 125 000 avions, 10 millions de t de navires marchands.

Mise au point de modèles standard : cargos « Liberty », pétroliers T. 2.

U. R. S. S. Transfert vers l'intérieur du pays des machines-outils de la région de Moscou. Développement de la production de l'Oural. Maintien de l'activité des usines à proximité du front (Leningrad, usine « Octobre Rouge » à Stalingrad).

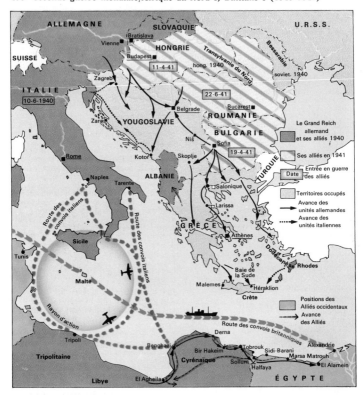

La campagne des Balkans (1941/42)

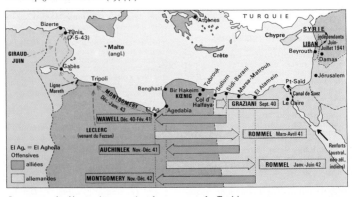

La « guerre du désert » (1941-1942) et la campagne de Tunisie

La guerre du désert (1940-1942)

1940 L'Italie déclare la guerre à la France et à la Grande-Bretagne (10.6) pour participer au règlement de paix.

Sept. 1940 Offensive ital. contre l'Égypte à p. de la Libye.

Déc. 1940 Contre-offensive victorieuse des Brit. qui conquièrent la Cyrénaïque (prise de Tobrouk et de Benghazi, jan.-fév. 1941). Sur la demande de l'Italie, l'armée all. s'installe en Sicile (bombardement de Malte). Après l'entrevue de HITLER et de MUSSOLINI (janv. 1941), intervention de l'**Afrikakorps** (gén. **Rommel**, 1891-1944).

1941 All. et Italiens reprennent la Cyrénaïque, sauf Tobrouk.

1942 Nouvelle offensive italo-all. Prise de Benghazi (29.1) et d'El Gazala (7.2). Capitulation de Tobrouk. Les troupes de l'Axe passent la frontière égypt. (Marsa Matrouk 28.6), mais s'arrêtent à El-Alamein (30.6), devant le barrage établi par la VIIIe armée anglaise (gén. MONTGOMERY).

Oct. 1942 Contre-offensive des Brit. : les puissances de l'Axe perdent la Cyrénaïque.

Malte. Après l'offensive aérienne contre l'île, les Allemands abandonnent la conquête de Malte.

Abyssinie. Les Ital. conquièrent d'abord les Somalies franç. et brit., puis contre-offensive brit. : les Ital. perdent la Somalie ital. et l'Erythrée.

La **conquête de l'Abyssinie** s'achève en 1941 avec la prise d'Addis Abeba (6.4) et la capitulation ital. (16.5). Retour de l'empereur HAÏLÉ SÉLASSIÉ Ier (p. 455).

La guerre dans les Balkans (1940-1941)

Pour des raisons de prestige (échec de l'occupation de Corfou p. 435), et d'équilibre polit. (volonté d'affirmer son indépendance devant HITLER), MUSSOLINI décide en

1940 la conquête de la Grèce (28.10), à partir de l'Albanie. Contre-offensive des Grecs qui occupent le tiers de l'Albanie ; victoire aéro-navale angl. à Tarente (11-12.11) qui affaiblit la flotte ital. Pour remplir ses engagements, l'Angl. s'installe en Crète et débarque 70 000 hommes au Pirée et à Volo à p. de mars 1941.

L'intervention allemande. Malgré les prétentions de l'U. R. S. S. sur les Balkans (p. 483), l'Allemagne élargit sa sphère d'influence. Adhésion des pays balkaniques au Pacte tripartite (1940, p. 473), de la Hongrie (20.11) et de la Roumanie (23.11), mais celle-ci cède à l'U. R. S. S. la Bessarabie et la Bukovine du Nord (28.6), la Transylvanie du Nord à la Hongrie et la

Dobroudja à la Bulgarie (2e arbitrage de Vienne 30.8). ANTONESCO (1882-exécuté en 1946) devient chef de l'État (4.9). La Slovaquie (24.11), la Bulgarie (1.3.1941), la Yougoslavie (25.3.1941) adhèrent à leur tour au Pacte, mais coup d'État à Belgrade (27.3.1941) et traité d'amitié du nouveau gouv. yougoslave avec l'U. R. S. S. (5.4.1941).

Campagne des Balkans (« Opér. Marita ») : Devant les échecs de MUSSOLINI qui portent atteinte au prestige de l'Axe, HITLER décide de passer par la Bulgarie pour atteindre la mer Égée.

Yougoslavie. En 1941, attaque aérienne sur Belgrade (6.4) [prise de Zagreb (10.4) et de la capitale (12-13.4)]. Capitulation de l'armée yougoslave en Bosnie (17.4). Entrée en Yougosl. des troupes ital., hongroises (11.4) et bulgares.

Grèce. Simultanément, offensive contre la Grèce. Rupture de la ligne Métaxas, prise de Salonique (9.4). Capitulation grecque à Salonique (21.4). Les lignes angl. sont percées aux Thermopyles (24.4) et rembarquent (jusq. 30.4). Occupation d'Athènes (27.4), du Péloponnèse et de l'archipel (jusq. 11.5) par les troupes allemandes.

20.5-1.6.1941 Conquête de la Crète par des parachutistes.

Conséquences de la campagne balkanique. L'Angleterre perd son dernier point d'appui sur le continent ; l'armée allemande protège son flanc sud avant d'attaquer l'U. R. S. S. en défendant l'accès des pétroles roumains.

Yougoslavie. Fuite du roi PIERRE II (1934-1941) et constitution d'un gouvernement en exil à Londres. Gouvernement militaire allemand en **Serbie.** Rectification de frontière en faveur du Reich (basse Styrie et Carniole). La **Croatie** devient royaume (roi : AIMON DE SPOLÈTE, de la famille de Savoie) que dirige, en fait, ANTE PAVELITCH (né en 1899) qui s'appuie sur le mouvement fasciste des « Oustachis ». **Grèce.** Tout d'abord administration militaire allemande, puis italienne à partir du milieu de 1941. GEORGES II (1922-1924, 1935-1947) gagne Londres et constitue un gouvernement.

Autres conséquences. Dispersion des forces allemandes sur plusieurs fronts. Une partie sera retenue en Méditerranée. D'autre part, l'attaque prévue contre la Russie est retardée.

Moyen-Orient. En mai 1941, répression en Irak de la révolte de RACHID ALI que l'Allemagne aurait voulu soutenir en utilisant les aérodromes français des protectorats du Levant. Les Anglais occupent la Syrie et le Liban.

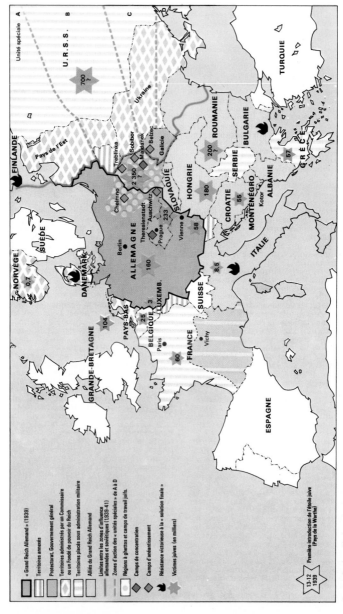

La « solution finale » (1939-1944)

Le problème juif et sa « solution finale »

La polit. du Troisième Reich se fonde sur l'idéologie raciste, le besoin de déplacer la responsabilité de la défaite de 1918 (« criminels judéo-marxistes de novembre »), et surtout l'invention indispensable d'un adversaire : le Juif devient tout simplement l'incarnation du Mal. Après les actes sauvages qui suivent la prise de pouvoir, le

1.4.1933 journée de boycott dirigée principalement contre les commerçants, professeurs, étudiants, avocats et médecins juifs. Les mesures préconisées par HITLER dans « Mein Kampf » sont appliquées systématiquement :

15.9.1935 « Lois de Nuremberg » : a) Les Juifs perdent l'égalité des droits, avec la distinction entre « citoyens » et « ressortissants » de l'État ; b) Loi pour la « protection du peuple et de l'honneur allemands » : interdiction des « mélanges raciaux » et des « unions hors mariage » entre Juifs et citoyens de sang allemand ou apparenté. Les Juifs n'ont plus le droit de hisser le drapeau du Reich ni d'employer des femmes âgées de moins de 45 ans. En 1933, organisation d'État qui représente tous les Juifs et leurs associations, sous la présidence du rabbin BAECK (1873-1956) pour aider les Juifs à émigrer.

1938 Apogée de la polit. nat.-socialiste antijuive avant la seconde guerre mondiale. Enregistrement des associations culturelles juives (28.3). Déclaration des fortunes juives supérieures à 5 000 marks (26.4). Indication du caractère juif des affaires commerciales (14.6). Radiation de tous les médecins juifs (25.7), obligation d'ajouter « Sarah » et « Israël » à tous les prénoms non juifs. Radiation de tous les avocats juifs (27.9), délivrance de nouveaux passeports (5.10) porteurs de la lettre « J ». Expulsion de 17 000 Juifs polon. habitant l'Allemagne (28.10).

7.11.1938 Attentat de GRYNSPAN, 17 ans, contre le conseiller d'ambassade VON RATH, à Paris en signe de protestation.

9-10.11.1938 Pogroms organisés dans toute l'Allemagne (« Nuit de cristal ») : synagogues incendiées, profanation des cimetières, arrestation d'env. 26 000 personnes.

12.11.1938 Le Reich exige des Juifs le règlement d'un milliard d'indemnité. Reconstruction et réparation des dommages causés par la populace, remboursement des sommes versées par les assurances en dédommagement. Élimination des Juifs de la vie économique. Interdiction aux Juifs de visiter les musées et d'utiliser les transports publics. Élimination des Juifs des écoles supérieures.

La « solution finale de la question juive »

1939 Forte émigration à la suite de l'aggravation de la législation, mais qui échoue souvent à cause de la réquisition des fortunes, de l'impossibilité de transférer des devises et de la mauvaise volonté des pays de refuge. Après la déclaration de guerre, HIMMLER (p. 459) prend la direction des forces de police des territoires occupés (SS, SD, etc.).

En Pologne extermination radicale. Relégation au ghetto (ou dans des camps de travail), puis liquidation sur place (jusqu'en 1941) et à partir de 1942, transport dans les camps d'anéantissement.

Dans le reste de l'Europe occupée, déportations après arrestations massives (à Paris, le 16 juillet 1942 au Vélodrome d'Hiver).

En Russie, des « unités spéciales » exterminent les Juifs. 31.7.1941 : GOERING charge le chef SS, HEYDRICH (1904-assassiné en 1942), de la « solution définitive de la question juive ».

20.1.1942 Conférence de Wannsee. Fixation du programme : Séparation des sexes, extermination par des travaux forcés et par la famine. Transport de tous les Juifs européens vers l'Est. Transfert à Theresienstadt des Juifs invalides de guerre.

Dans les camps de concentration d'Auschwitz, Chelmno, Belzec, Sobibor et Treblinka, extermination par fusillade ou gaz de 4 500 000 Juifs européens. Tous les pays alliés ou amis de l'Allemagne s'associent à l'extermination des Juifs par une législation spéciale. Une partie sera sauvée, au Danemark, en France, en Italie, grâce à des dévouements individuels et des organisations diverses.

L'élimination des « vies inutiles »

14.1.1933 Loi pour la « prévention de générations porteuses de maladies héréditaires » (stérilisation de certains malades héréditaires). Pour justifier ces actes arbitraires et criminels (70 000 personnes exterminées jusqu'en août 1941), on donne comme raison l' « incapacité de travailler » ou la nécessité de maintenir la race.

Les massacres de Juifs ont entraîné comme riposte la participation active des Israélites dans les mouvements de résistance et la formation de détachements appuyant l'action de la VIIIe armée contre ROMMEL. (Une victoire allemande aurait favorisé l'antisémitisme du grand mufti de Jérusalem.)

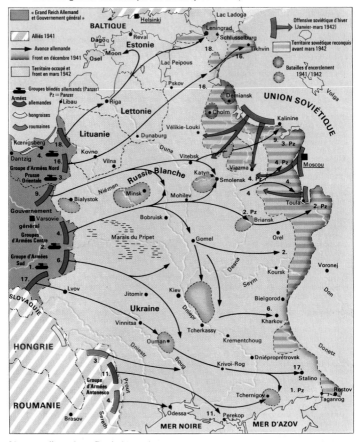

L'attaque allemande en Russie (1941-42)

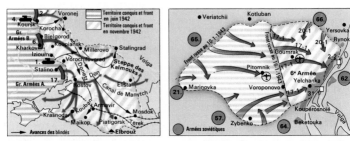

L'offensive de l'été 1942

Stalingrad (hiver 1942-43)

La guerre en Russie (1941-1942)

Lors de la visite à Berlin de MOLOTOV (nov. 1940), RIBBENTROP propose de diviser l'empire brit. (la Perse et l'Inde devenant sphère d'influence soviét.), afin de faire adhérer l'U. R. S. S. au Pacte tripartite. La réponse soviét. demande que la Finlande, la Bulgarie et la Turquie fassent également partie de la sphère d'influence soviétique. Mais le plan de HITLER est double : conquérir à l'Est « l'espace vital » et ensuite porter un coup décisif à la Grande-Bretagne en Iran et dans le Moyen-Orient. Le 18.12.1940, il expose son projet (« Opération Barberousse »), mais n'en conclut pas moins un traité de commerce avec l'U. R. S. S. (10.1. 1941), qui reconnaît en mai 1941 la nouvelle situation polit. dans les Balkans.

22.6.1941 Le Reich attaque l'U. R. S. S. sans déclaration de guerre. La Roumanie, l'Italie, la Slovaquie et la Hongrie participent à l'agression, la Finlande rouvre les hostilités contre l'U. R. S. S. L'Espagne enverra la « Division bleue », et les pays occupés des légions de « Volontaires » (souvent forcés) qui feront partie des « Waffen SS ».

Mesures de défense de l'U. R. S. S. A l'intérieur : STALINE, qui ne croyait pas à l'imminence de l'attaque allemande, appelle le peuple à la « Grande Guerre patriotique ». Constitution d'un Comité de Défense présidé par STALINE, assisté de MOLOTOV, VOROCHILOV, BERIA et MALENKOV. Mobilisation de toutes les forces et application du principe de la « terre brûlée ». Organisation du mouvement des partisans sur les arrières de l'ennemi.

Polit. extérieure : Signature d'un pacte de neutralité avec le Japon (13.4.1941), qui éloigne le danger d'une guerre sur 2 fronts (rôle de SORGE).

1941 Alliance anglo-soviétique (12.7) et offre des É.-U. de livrer du matériel de guerre (30.7). Convention militaire entre l'U. R. S. S. et le gouvernement polonais exilé à Londres (14.8). Constitution d'unités politiques entre les prisonniers de guerre internés en U. R. S. S. Pacte d'amitié et d'assistance entre l'U. R. S. S. et le gouvernement polonais de Londres (4.12). En 1942, l'U. R. S. S. reconnaît le gouvernement français de Londres (escadrille Normandie-Niémen sur le front russe).

Les opérations

Première phase (jusqu'en août 1941). Attaque sur trois directions parallèles. **Au Nord :** Vers les anciens États baltes et Leningrad, les Finlandais reprennent les terres perdues en 1940 et occupent l'isthme Ladoga-golfe de Finlande. **Au Centre :** vers la Russie blanche (Minsk) et Moscou (batailles d'anéantissement après encerclement). **Au Sud :** vers l'Ukraine.

Seconde phase (jusqu'en janv. 1943). Contre les conseils de son état-major, HITLER ne concentre pas ses forces pour l'assaut sur Moscou mais veut conquérir le bassin du Donetz. Après la bataille de Kiev (21.8-27.9), occupation du bassin du Donetz et de la Crimée (sauf Sébastopol). Début du siège de Leningrad.

1941 Bataille de Moscou. Après la double bataille de Viazma-Briansk (oct.), les Allemands approchent de Moscou [16.10 le gouv. soviét. s'établit à Kouibychev sur la Volga, mais STALINE reste à Moscou où est proclamé l'état de siège (19.10)]. L'arrivée de l'hiver et l'épuisement total des troupes all. bloquent les opérations (8.12).

Offensive d'hiver soviét. (à p. du 5.12.1941), grâce à des div. sibériennes. **Au Nord,** les All. doivent se retirer derrière le Volkhov (déc.); **au Centre,** recul jusqu'à Orel (janv. 1942); les Russes avancent dans le secteur de Viazma, Vitebsk et encerclent des forces all. à Demiansk (janv.-avril). **Au Sud,** perte de la péninsule de Kertch, en mer d'Azov. Stabilisation du front de l'est (janv.-avril).

Ordre de HITLER : s'accrocher au terrain et « résister fanatiquement » (16.12). Devant les hésitations de l'état-major, HITLER assume le commandement suprême.

Offensive d'été allemande (1942). Reprise de la péninsule de Kertch (8-15.5); bataille de Kharkov (17-28.5); conquête de toute la Crimée et de Sébastopol (7.6-4.7). L'objectif de l'offensive d'été commencée le 28.6 est la conquête des puits de pétrole du Caucase et la prise de Stalingrad, port fluvial sur la Volga et centre de matériel pour les tanks. Le groupe d'armées A avance jusq. l'Elbrouz (21.8). La 6e armée et la 4e armée blindée investissent les quartiers des usines de la rive gauche de la Volga à **Stalingrad** (1-15.9) et enlèvent 90 % de la ville (16.9-18.11).

Contre-offensive russe (à p. du 19.11. 1942). Les deux ailes de l'offensive russe se rejoignent entre Don et Volga (22.11) et les All. sont encerclés. Le 12.12, échec des efforts de rupture. Les 22-23.12, HITLER interdit toute tentative de percée. « Liquidation » par les Russes de la poche qui est séparée en deux.

31.1.1943 Capitulation des deux groupes d'armées allemandes avec le maréchal von Paulus. C'est le grand tournant de la guerre, avec El-Alamein et la bataille de la mer de Corail.

La résistance peut se présenter sous deux aspects :
— Réseaux de renseignements et filières pour évasions de soldats alliés;
— Constitution de vastes zones d'insécurité pour les troupes d'occupation (maquis).
Les réactions allemandes sont brutales : exemples Lidice, village tchèque anéanti après l'assassinat de Heydrich; **Oradour**, village du Limousin incendié après des attentats contre la division « Das Reich ».

La Résistance en France
Appel du 18 juin. Le général DE GAULLE proclame à Londres : « La France a un vaste empire derrière elle. Elle peut faire bloc avec l'empire britannique. Elle peut, comme l'Angleterre, utiliser sans limites l'immense industrie des États-Unis. » En France, l'opinion conservatrice apprécie la formule « Travail, Famille, Patrie ». Les anciens combattants qui se rappellent Verdun, de nombreux officiers de marine hostiles à l'Angleterre, après le bombardement de la flotte française à Mers-el-Kébir (3-7-1940), soutiennent le Maréchal. Dakar et l'A. O. F. restent fidèles à Vichy (gouverneur DE BOISSON) en fin septembre 1940.
A l'extérieur, Vichy entretient de bons rapports avec les U. S. A., grâce à l'amiral LEAHY. Pratiquant l' « attentisme », Vichy ne s'engage ni contre l'Angleterre ni contre la Russie, espérant garder ses atouts (l'empire, la flotte) pour le jour du règlement final.
En 1940 Ralliement de l'A. E. F. à la France libre (au Tchad, le gouverneur EBOUÉ). Au Cameroun, LECLERC s'empare de Douala et de Yaoundé.
Hiver 1940-1941 L'Organisation civile et militaire (O. C. M.) est fondée. Mouvement de résistance parmi les cadres de l'armée, de l'industrie et de l'administration.
Fin 1941 Début du mouvement « Témoignage chrétien » (intellectuels catholiques) dans la région de Lyon. Début du « Front national » inspiré par le parti communiste. Plus tard, groupes armés (Francs-Tireurs-Partisans : F. T. P.).
A la fin de 1942 tournant décisif. Le Service du Travail obligatoire (S. T. O.), instauré par les Allemands, a fait de la Résistance, jusqu'alors mouvement d'une très petite minorité, un mouvement de masse : pour ne pas partir en Allemagne, les jeunes gens forment des « maquis ».
21 juin 1943 Arrestation à Caluire, près de Lyon, de **Jean Moulin,** délégué du général DE GAULLE auprès de la Résistance.
Février 1944 Les Forces françaises de l'Intérieur (F. F. I.) regroupent toutes les formations militaires.

Mars 1944 Les maquis du plateau des Glières près d'Annecy sont anéantis devant la supériorité des forces allemandes.
Fév.-mars 1944 Combats contre les maquis de l'Ain.
Juin 1944 Combats du mont Mouchet, près de Saint-Flour.
Juillet 1944 Destruction des **maquis du Vercors** par des SS descendus en planeurs.
Pendant les combats de la Libération, les F. F. I. permettent de suppléer l'action des troupes alliées (par exemple, en Bretagne : 20 000 prisonniers en deux mois) ou de paralyser en les retardant les mouvements des troupes allemandes (montée vers le front de Normandie de la division « Das Reich » provenant du Sud-Ouest et accrochée dans le Massif Central).

La résistance dans les autres pays
Formation de mouvements de résistance active au **Danemark** (« Danmarks Frihedsraad »), en **Norvège** (« Milorg ») et aux **Pays-Bas** (« Hetverzet »). Des groupes de résistants national. et comm. se constituent en **Belgique, Grèce** [« Armée de Libération grecque » « Elas »]. Front de Libération (comm.), qui parvient à anéantir l' « armée nat.-démocr. grecque » (anticommuniste). **Pologne** (« Armia Krajova » = armée nationale et « Garde du peuple » comm. qui deviendra plus tard l' « Armée populaire »).
Yougoslavie. Mouvement de résistance pro-occidental (« Tchetniks ») en Serbie occ., commandé par le colonel MIHAILOVITCH, et mouv. comm. en Serbie mérid. sous la direction de TITO (p. 507). Échec des négociations sur leur collaboration (oct. 1941). Les deux organisations luttent contre les Allemands, les Italiens, les Oustachis (p. 479) et aussi entre elles. A p. de 1943, TITO contrôle les districts montagneux de Bosnie, Croatie et Monténégro.

L'antihitlérisme en Allemagne
Formation de cercles actifs de résistance : chez les milit. : gén. BECK; chez les politiques et dipl. : GOERDELER; chez les socialistes et syndicalistes; Cercle de Kreisau; Cercle Solf; la « Rose Blanche »; l' « Orchestre rouge » : H. SCHULZE-BOYSEN.
20.7.1944 Attentat à la bombe du comte von Stauffenberg, au quartier gén. du Führer. HITLER n'est que blessé. Échec du complot à Berlin et à Paris. Les conjurés sont poursuivis : environ 5 000 personnes passent en jugement, sont exécutées ou se suicident. Après l'attentat, HIMMLER devient commandant en chef de l'armée de complément (20.7).

La collaboration alliée (1941-1945)
Buts de guerre. Dès le début des hostilités, les E.-U. ont des sympathies pour la Grande-Bretagne (p. 463) en Europe. Malgré les tensions qui existent entre l'Angleterre et l'U. R. S. S. (Moyen-Orient), les trois puissances s'unissent en 1941 dans le but d'abattre l'Allemagne hitlérienne. STALINE veut avant tout libérer la Russie envahie. CHURCHILL est hostile à tout débarquement prématuré en Europe occidentale.
Alliance « tacite » entre les États-Unis et la Grande-Bretagne. Réarmement accéléré des E.-U. et constitution du « Conseil de la Défense nationale » (p. 463). Dans un discours, ROOSEVELT présente les E.-U. comme « l'arsenal des démocraties ».
1941 Proclamation des « Quatre Libertés » (p. 463).
La loi « Prêt-Bail » entre en vigueur : livraisons de matériel à l'U. R. S. S. (à p. d'août 1941). Abandon de la neutralité améric. : début des conversations d'état-major entre Brit. et Améric. (24.1). Saisie des navires allemands et ital. dans les ports améric. (30.3). Création de bases milit. au Groenland (10.4). Débarq. de forces améric. en Islande (7.7).
14.8.1941 Charte de l'Atlantique, promulguée par ROOSEVELT et CHURCHILL : renonciation à toute acquisition territoriale, en dehors de l'accord des intéressés, droit d'autodétermination pour tous les peuples, participation de tous les États au commerce international, libération de la peur et de la faim, liberté des mers.
1941-1942 Première Conférence de Washington (« Arcadia » 22.12-14.1) entre ROOSEVELT et CHURCHILL. Réunion d'un « Conseil de guerre commun » : défensive à l'égard du Japon, plan de débarq. en Afrique du Nord.
1942 Pacte de Washington (1.1) : déclaration commune des 26 nations en guerre contre les puissances de l'Axe; elles s'engagent à ne conclure aucun armistice séparé. C'est l'origine des Nations unies (p. 499). Traité d'alliance anglo-soviét. (26.5). **Conférence de Washington** (18-26.6) : décision de créer un second front et de mettre au point l'arme atomique. STALINE, qui presse ses alliés d'ouvrir un front en Europe occidentale, est averti de l'opération « Torch » (déb. anglo-améric. en Afr. du Nord).
1943 Conférence de Casablanca (14-24.1) : ROOSEVELT et CHURCHILL décident de débarquer en Sicile. ROOSEVELT exige la « capitulation sans condition » de l'Allemagne. Essai de rapprochement DE GAULLE-

GIRAUD. **Conférence de Washington** (du 12 au 25.5). Projets : libération de la France, réoccupation de la Birmanie, emploi de l'arme atomique et reconstitution du tonnage coulé. **Conversations des ministres des Aff. étrang. alliés à Moscou** (19-30.10) sur la collaboration jusq. la victoire, la participation de l'U. R. S. S. aux hostilités contre le Japon, la fondation d'une organis. internat. et le désarmement général après la guerre. Les criminels de guerre allem. seront jugés, la démocratie rétablie en Italie et en Autriche. **Première Conférence du Caire** (ROOSEVELT, CHURCHILL, TCHANG KAI-CHEK, 22-25.11) sur les opérations contre le Japon, l'indép. de la Corée et le retour de Formose à la Chine. **Conférence de Téhéran** (ROOSEVELT, CHURCHILL, STALINE, 28.11-1.12). Décision de débarquer en France (thèse américaine) sans se soucier des Balkans (thèse anglaise). Accord sur la nouvelle frontière pol. à l'est (ligne CURZON), la Pologne recevant une compensation à l'ouest (territoires allem. jusq. l'Oder).
1944 Conférence de Dumbarton Oaks (U. R. S. S., E.-U., Grande-Bretagne, Chine, p. 499). ROOSEVELT signe le **plan Morgenthau** (démantèlement de l'industr. de l'Allemagne qui doit devenir un pays agric.). **Conversations à Moscou** (CHURCHILL, EDEN, STALINE, 9-18.10) : fixation des sphères d'influence dans les Balkans : Roumanie, Bulgarie, Hongrie du côté soviét., la Grèce du côté brit., la Yougoslavie sous influence mixte brit. et soviét.
Fév. 1945 Conférence de Yalta (CHURCHILL, ROOSEVELT, STALINE). **Déclaration sur l'Europe libérée. Pologne :** Des représ. du gouv. des exilés entrent dans le « Comité de Lublin » (gouv. comm.). Les frontières occ. de la Pologne seront fixées par le traité de paix, la ligne CURZON devient la frontière à l'est. **Politique envers l'Allemagne après la guerre :** destruction du national-socialisme, division de l'Allemagne en zones d'occupation, constitution d'un conseil de contrôle allié doté des attributions gouvernementales, démontage d'usines, réparations. **Yougoslavie :** constitution d'un gouv. de coalition (p. 507). ROOSEVELT en échange des concessions en Europe obtient la promesse d'intervention de la Russie contre le Japon. La Russie obtient la reconnaissance du statu quo en Mongolie extérieure, l'occupation de Daïren, les Kouriles et le Sud de Sakhaline. Accord sur la répartition des sièges au Conseil de Sécurité de l'O. N. U. (p. 499).

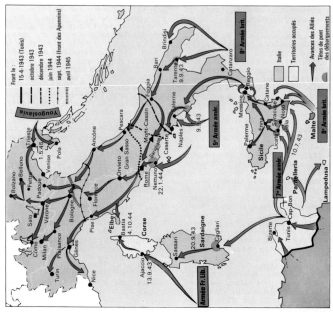

La campagne d'Italie (1943-1945).

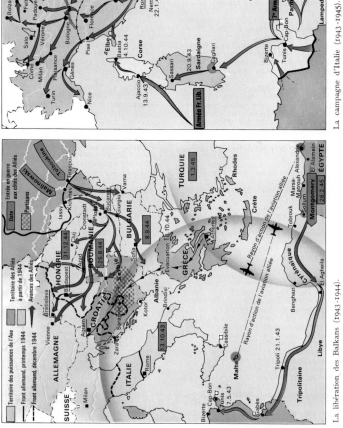

La libération des Balkans (1943-1944).

Afrique du Nord

1942 Début de la contre-offensive brit. de la VIIIᵉ armée, après El-Alamein; conquête de la Cyrénaïque (nov.). Débarq. anglo-américain (nov. opér. « Torch », p. 485), sous les ordres du gén. EISENHOWER (p. 517) au Maroc et en Algérie.

Conséquences milit. et polit. : l'armée française d'Afrique, réorganisée de 1940 à 1942 (général WEYGAND), résiste au début contre les Américains, notamment à Casablanca, puis se joint aux Alliés; armistice signé par l'am. DARLAN, représentant le gouv. de Vichy, arrivé à Alger. Son assassinat l'empêche de constituer un gouvernement. Le gén. GIRAUD, évadé d'Allemagne, devient haut-commissaire en Afr. du Nord. Le gén. DE GAULLE est tenu à l'écart. Profitant des ordres du gouv. de Vichy, Ital. et All. débarquent à Bizerte et à Tunis. Occupation de la « zone libre » franç. Le gouv, PÉTAIN proteste alors que LAVAL, chef du gouvernement de Vichy, en visite auprès de HITLER, est placé devant le fait accompli. Le 27.11, occupation de Toulon : la flotte franç. se saborde (3 cuirassés, 7 croiseurs) pour ne pas désobéir au maréchal PÉTAIN. Le gouv. de Vichy a perdu la disposition de la zone libre, la flotte et l'empire, il n'a plus aucun atout pour résister aux exigences allemandes.

Défaites de l'Axe en Afrique. ROMMEL, poursuivi par MONTGOMERY depuis El-Alamein (23.10.1942), doit évacuer la Tunisie. Les troupes du gén. GIRAUD contribuent à la victoire anglaise : Repli allemand sur la Sicile.

13.5.1943 Capitulation du « groupe d'armées Afrique » : 252 000 prisonniers all. et ital. C'est la perte totale de l'Afrique du Nord et de la Méditerranée. Le flanc sud de la « forteresse Europe » est maintenant largement ouvert.

Italie

1943 **Conquête de la Sicile par les Alliés (10.7-17.8).** Les Brit. débarquent à Tarente et les Améric. à Salerne : les Allemands se retirent au nord de Naples sur une ligne qui barre la péninsule (ligne Gustav). **Chute de Mussolini.** Après l'entretien de MUSSOLINI et de HITLER à Feltre (19.7.1943), le roi VICTOR-EMMANUEL prend le pouvoir sur la demande du Grand Conseil fasciste. MUSSOLINI est congédié et arrêté (25.7). Constitution d'un gouv. dirigé par le maréchal BADOGLIO (1871-1956) sans aucun participant fasciste (26.7). Dissolution du parti fasciste (28.7). Malgré les protestations de fidélité à l'égard de l'Allemagne, conversations secrètes avec les Alliés à Lisbonne, à p. du 3.8. L'armistice signé le 3.9 est proclamé par EISENHOWER le 8.9. Immédiatement, contre-mesures allemandes prévues dans ce cas : occupation de Rome, démobilisation ou internement des troupes ital. BADOGLIO et la famille royale se réfugient en Italie du Sud sous la protection des Alliés. **Déclaration de guerre de l'Italie à l'Allemagne** (13.10). Libération de MUSSOLINI par un coup de main allemand (12.9). Il prend la tête du contre-gouvern. formé le 9.9. **Fondation de la République Sociale Italienne** (République de Salo).

1944 **Débarquement des Américains à Auzio (Nettuno), derrière les lignes allemandes.** Le corps expéditionnaire français (gén. JUIN sous le haut commandement américain) débarque à Naples, fin novembre. Équipé de matériel américain, il livre les combats du « Belvédère » fin janv. 1944. Les « Tabors » marocains forment avec les Français d'Algérie les éléments de choc qui gagnent la bataille du Garigliano (débordement de la ligne Gustav et prise du Mont-Cassin). La percée vers Rome permet de remonter vers le nord jusqu'à Sienne. Le front des Apennins (ligne gothique) tient jusqu. 1945 : offensive alliée du 9 au 14 avril. Les Américains percent le front all. à Bologne (19.4).

28.4.1945 **Capitulation des forces all. en Italie (proclamée le 2.5).** Mussolini est pris par les partisans et exécuté.

Balkans

Roumanie. Entrée des Russes en Roumanie (août 1944). Arrestation du maréchal ANTONESCO (p. 479) : **déclaration de guerre de la Roumanie à l'Allemagne.** Les Russes occupent les puits de pétrole de Ploesti (30.8), puis Bucarest (31.8).
12.9.1944 Armistice de Moscou.

Bulgarie
28.10.1944 Armistice de Moscou.

Grèce. Évacuation du pays par les troupes allemandes.

Yougoslavie
1944 Occupation de Belgrade (18.10) par les partisans de TITO (p. 507) qui établit une liaison avec l'Armée Rouge à p. du 6.9.

Hongrie
1944 L'amiral HORTHY, qui avait demandé l'armistice, est déporté en Allemagne et remplacé par FERENC SZALASI (p. 433). Un contre-gouvern. formé par le gén. DALNOKI déclare la guerre à l'Allemagne (23.12).
20.1.1945 Armistice de Moscou.

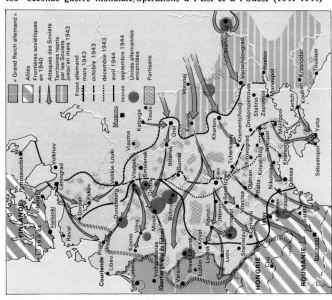

Le front de l'Est (1943/44)

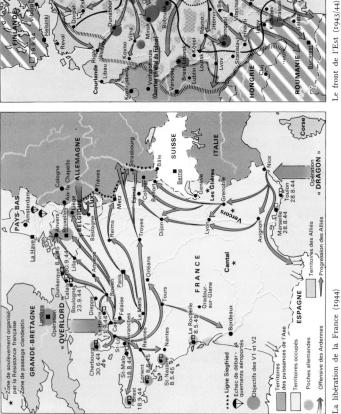

La libération de la France (1944)

La domination allemande à l'Est

1941 Un ministère de l'Est dirigé par Rosenberg prend en charge l'administration des terres russes occupées. Création d'un « Commissariat du Reich » pour les territoires de l'Est et de l'Ukraine, en vue d'une exploitation impitoyable.

1942 « Plan général pour l'Est » de Himmler : 80 à 85 % des Polonais, 65 % des Ukrainiens, 75 % des habitants de la Biélorussie et 50 % des Tchèques seraient refoulés au-delà de l'Oural. Décret sur le « traitement à appliquer aux populations étrangères » (6.5.1941) et décret des Commissaires (13.5.1941) qui prévoit la liquidation sans jugement des commissaires politiques faits prisonniers.

Réaction en U. R. S. S. Rassemblement de toutes les forces nationales, rétablissement d'unités d'élite (« la Garde »). Staline devient maréchal, retour à la hiérarchie militaire (hommes de troupe, sous-officiers et officiers). Conclusion de la paix entre le parti et l'Église par le choix comme patriarche du métropolite Sergius ; **dissolution du Komintern**, pour apaiser les craintes de Roosevelt et de Churchill d'une victoire du communisme mondial.

1943 Découverte des fosses de Katyn (4 000 officiers polonais fusillés). Le gouvernement polonais de Londres qui suspecte l'U. R. S. S. réclame une enquête de la Croix-Rouge, d'où annulation par l'U. R. S. S. de l'accord polono-soviétique de 1941, et établissement de relations diplomatiques avec le « Comité politique de Lublin » (communiste). Fondation de la « Ligue des Officiers allemands » par des communistes, des officiers et soldats prisonniers. En 1941, conclusion d'un accord d'assistance mutuelle et d'amitié entre l'U. R. S. S. et le gouvernement Bénès (tchécoslovaque) exilé à Londres, en vue d'une collaboration après la guerre.

1944 Convention sur l'occupation de la Tchécoslovaquie par l'Armée Rouge qui complète les accords précédents.

La libération de l'Europe (1943-1944)

A l'Est, après Stalingrad, rétablissement du front sur le Don (janv.-mars 1943). L'armée allemande du Caucase se retire en Ukraine en passant par Rostov et évacue la tête de pont du Kouban (jusqu'au 7.10).

5-13.7.1943 Gigantesque **bataille de chars autour du saillant de Koursk.** La supériorité soviétique s'affirme. Sacrifice des unités allemandes qui reçoivent l'ordre de tenir le front à tout prix. Réduits à la défensive, les Allemands se battent pour Narva au Nord (à partir du 6.10), perdent au centre Briansk (17.9), Smolensk (24.9) et Gomel (25.11) et au Sud le bassin du Donetz (sept.). Les Russes arrivent sur le Dniepr (oct.) et isolent la Crimée (1.11).

1944 Au Sud, les Soviets reconquièrent l'Ukraine méridionale et la Galicie (mars). En avril-mai, les Allemands évacuent la Crimée. Dans les pays baltes, les Allemands sont sur la défensive (janv.-avril). A partir du 6 juin, offensive d'été soviétique : anéantissement de 25 divisions allemandes (Minsk 2-7). Les Russes percent le front des Balkans et avancent sur la Vistule.

1-8.5.10 Insurrection et écrasement de l'armée polonaise clandestine du général Bor-Komorowski à Varsovie. L'Armée Rouge attend sur la rive droite de la Vistule. Le groupe d'armées Nord est encerclé ; l'armée soviétique atteint la Prusse Orientale (oct.). **Finlande :** offensive soviétique dans le détroit de Carélie (10.6). Les Finlandais signent un armistice à Moscou (19.9). Les Allemands se retirent de Laponie en Norvège du Nord.

A l'Ouest, débarquement de Normandie pour constituer le second front réclamé par l'U. R. S. S. (p. 485).

6.6.1944 Débarquement allié (opération « Overlord ») sur la côte du Calvados (général en chef : Eisenhower). « Guerre des haies » : Conquête du Cotentin (14.6), prise de Cherbourg (30.6) par les Américains. Le 25.7 le général Patton réussit la percée d'Avranches ; entrée des Anglais à Caen (9.7), et la guerre de mouvement commence. Anéantissement des blindés allemands dans « l'enfer de Falaise » (16.8). Avance sur Paris qui veut se libérer elle-même (19.8). Capitulation de la garnison allemande en présence du général Leclerc. Le général de Gaulle fait son entrée dans la ville (25.8). Les Alliés libèrent le Nord de la France, la Belgique et la ligne des Vosges (entrée du général Leclerc à Strasbourg en novembre).

15.8.1944 Débarquement en Provence sur la côte des Maures. Les Américains remontent la vallée de la Durance. Les Français prennent Toulon et Marseille. Offensive franco-américaine vers le nord. Prise de Belfort, Mulhouse et Colmar par le général de Lattre de Tassigny.

Offensive allemande des Ardennes vers la Meuse (à partir du 16.12). Elle échoue devant la résistance américaine (Bastogne) et la supériorité de l'aviation alliée.

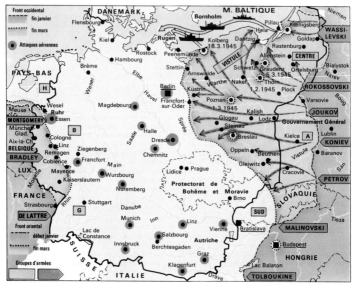

L'effondrement du front de l'Est (janvier-mai 1945)

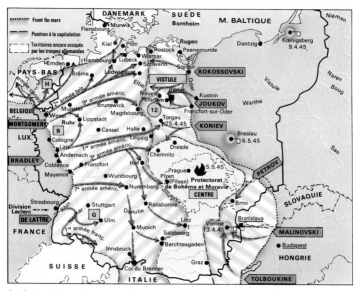

La fin du « Grand Reich » (avril-mai 1945)

Derniers efforts de défense allemands

1944 Mobilisation de tous les hommes valides de 16 à 60 ans (« Volksturm »). Constitution à l'arrière du front de tribunaux qui répriment sur place tout recul des troupes. Mouvement « Loup-Garou » (résistance derrière les lignes alliées).

L'avance russe sur Berlin

12.1 Début de la grande offensive soviétique à partir de la haute Vistule (Baranov). Le centre du front allemand est percé : Perte de la haute Silésie jusqu'à l'Oder. La Prusse Orientale est isolée.

26.2 Percée soviétique de la basse Vistule jusqu'à la côte de Poméranie (Kolberg). Les Soviétiques débouchent sur le golfe de Stettin et la baie de Dantzig (30.3). Les populations civiles tentent de fuir les Russes en se réfugiant à l'Ouest (rôle de la marine dans l'évacuation des civils). La résistance s'organise autour des villes qui forment autant de petites forteresses.

16.4 Début de la grande offensive soviétique à partir de l'Oder et de la Neisse. Les pointes des blindés soviétiques se rejoignent à l'Ouest de Berlin qui est encerclé (24.4).

25.4 Les troupes américaines et soviétiques font leur jonction à Torgau sur l'Elbe.

2.5 Capitulation de Berlin.

Au Sud-Est. Prise de Budapest (13.2) et avance russe sur Vienne qui tombe après des combats de rues (13.4). Les troupes soviétiques et anglo-américaines font leur jonction en Styrie. L'Armée Rouge occupe Bratislava puis Brno en direction de Prague.

5.5 Soulèvement à Prague contre la garnison allemande.

20.3 Les partisans de TITO attaquent les troupes allemandes en Yougoslavie (p. 487). Exemple unique d'un pays libéré par ses partisans.

La guerre à l'Ouest

Après la défaite des Allemands à Houffalize (16.1) dans les Ardennes belges, établissement d'une tête de pont américaine à Remagen (7.3), d'où effondrement rapide du front allemand.

Au Nord, les Anglais franchissent le Rhin à Wesel (24.3), occupent la vallée de l'Ems, isolant ainsi la Hollande. Avançant en Westphalie, ils parviennent sur l'Elbe (19.4), en Holstein et dans le Mecklembourg (2.5).

Au Centre, après l'encerclement de 21 divisions allemandes dans la poche de la Ruhr et leur capitulation (14.4) les Américains atteignent l'Elbe au nord de Magdebourg (11.4-14.4) et à Torgau (voir plus haut).

Au Sud. Partant de Mayence, les Américains progressent en direction de la Tchécoslovaquie (ligne de démarcation prévue entre eux et les Russes : Karlovy-Vary-Budejowice-Linz). L'aile gauche de la 7e armée américaine prend Wurzbourg (11.4), Nuremberg (16-20.4) et Munich (20.4) tandis que l'aile droite arrive sur le Brenner où elle rencontre les troupes américaines venant d'Italie (4.5). Les Français après avoir passé le Rhin au nord de Karlsruhe (1.4) et à Strasbourg (15.4) traversent la Forêt-Noire, le Danube et finissent par arriver en Autriche (Vorarlberg) (armée DE LATTRE DE TASSIGNY).

La défaite totale

HITLER, réfugié dans le blockhaus de la Chancellerie, dirige les derniers combats. Prenant contact avec les Alliés par l'intermédiaire du comte BERNADOTTE et à l'insu de HITLER, HIMMLER offre aux Alliés une capitulation partielle (23.4) que ces derniers refusent publiquement par radio (28.4). Dans le même but, GOERING demande à HITLER s'il doit assumer le gouv. du Reich (23.4). HITLER rédige son testament polit. : GOERING et HIMMLER sont chassés du parti; **le grand amiral Doenitz devient président du Reich et chef suprême de la Wehrmacht; Goebbels sera chancelier.**

30.4 Suicide de Hitler.

2.5 DOENITZ charge le comte SCHWERIN VON KROSIGK de former un ministère de transition, qui s'installe près de la frontière danoise (3.5). Dissolution du parti nat.-social. HIMMLER perd tout pouvoir (5.5). Après la capitulation de Berlin, de l'armée d'Italie (p. 487) et du groupe d'armées Sud-Ouest (4.5),

4.5 capitulation des forces armées de Hollande, d'Allemagne du Nord-Ouest, du Danemark et de Norvège, remise par l'amiral VON FRIEDEBURG au Q. G. de MONTGOMERY à Lünebourg.

7.5 Signature de la « capitulation sans condition » par le gén. Jodl au Q. G. d'Eisenhower à Reims.

8.5 Répétition de la capitulation au Q. G. soviét. à Berlin devant le maréchal Joukov.

La capitulation générale entre en vigueur le 9.5.

23.5 Déposition et arrestation du gouvernement DOENITZ.

Emotion considérable à la suite de la découverte, par les troupes alliées, des camps de concentration (Auschwitz par les Soviétiques, Bergen-Belsen par les Anglais).

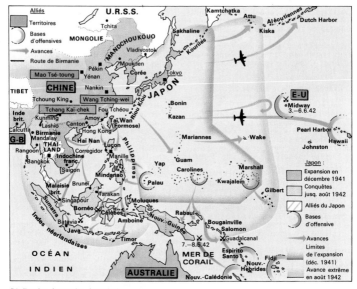

L'offensive japonaise (1941/42)

La contre-offensive alliée à partir de 1942

L'expansion japonaise (1941-1942)
Le pacte antikomintern (p. 473), puis le pacte avec l'U. R. S. S. (p. 451) donnent au Japon les mains libres dans le Pacifique. En Chine, après la mise en place du gouv. de Nankin (p. 449), le Japon s'étend vers le Sud. Les Alliés ne peuvent l'empêcher de couper la route de Birmanie ni d'occuper le Nord de l'Indochine franç. (sept. 1940). **Conséquences :** isolement de la Chine de TCHANG KAÏ-CHEK, les sources de matières premières de Malaisie et d'Indonésie sont menacées. Réaction des E.-U. : Promulgation de la « Quarantaine » (p. 463) et annulation du traité commercial (p. 451). L'embargo sur le pétrole et les ferrailles affaiblit le réarmement du Japon. Ses avoirs sont bloqués aux E.-U., en G.-B. et aux Indes néerl. Échec des pourparlers américano-jap., les E. U. demandent au Japon d'évacuer la Chine et l'Indochine.
1941 Agression de Pearl Harbor. (p. 463). Destruction d'une partie de la flotte améric. 3 porte-avions améric. qui se trouvaient en haute mer échappent au bombardement. Déclaration de guerre des E.-U. et de la G.-B. (8.12). L'Allemagne et l'Italie déclarent la guerre aux E.-U.
1941-1942 Offensives jap. simultanées dans trois directions.
Vers le Sud : Opération contre les Philippines et les Indes néerl.
1942 La conquête des Philippines (MacArthur p. 513) s'achève, après les débarq. jap. à Luçon et Mindanao, par la prise de Manille (2.1) et de l'île de Corregidor (6.5). **Conquête des Indes néerlandaises** (11.1-8.3) : occupation des Célèbes, de Bornéo et d'Amboine (janv.). Débarq. sur les côtes de Sumatra. Après la victoire navale jap. du détroit de Macassar (24-27.1), occupation de Timor, de Java et des îles de la Sonde (27.2-1.3). Les Hollandais capitulent (8.3).
Vers l'Ouest :
1941 Les cuirassés brit. « Prince of Wales » et « Repulse », sont coulés (12.12.) Alliance du Japon et de la Thaïlande. Prise de Hong Kong (25.12) et de Singapour (15.2). Conquête de la Birmanie. La Chine nat. est isolée (avril 1942). Menace sur l'Inde. Création d'une armée indienne (projapon.) en Birmanie par l'ancien prés. du Congrès nat. indien SUBHAS CHANDRA BOSE.
Vers l'Est :
Offensives en éventail en direction de l'Océanie. Prise de Guam et de Wake (respectiv. 10 et 20.12.1941). Offensive contre l'archipel Bismarck, la Nouvelle-Guinée et les îles Salomon (janv.-mars 1942). Débarq. dans les Aléoutiennes (juin 1942). Succès prodigieux obtenus en 6 mois grâce à l'emploi combiné des fantassins, des marins et des aviateurs.
Conséquences polit. et écon. : En 1942, le Japon est maître de territoires qui comptent 450 millions d'hab. et de grandes richesses (95 % de la prod. mondiale de caoutchouc brut, 90 % de la quinine, 70 % du zinc et du riz). Il dispose de pétrole et de minerais importants (bauxite, chrome, etc.). Il suscite des mouvements nationalistes dirigés contre la domination europ. [constitution d'un gouv. allié aux Philippines, reconnaissance de l'indépendance de la Birmanie (1943), du Vietnam et de l'Indonésie (1945)].

Contre-offensive alliée (1942-1945)
1942 Bataille de la mer de Corail : arrêt de la progression jap. dans le Sud (7-8.5); bataille navale des îles Midway (3-7.6) qui affaiblit la marine jap. (perte de 4 porte-avions). **Débarq. des Améric. à Guadalcanal** (7.8). C'est le début de la contre-offensive des Améric. et des Australiens. Les Alliés conquièrent l'île après plusieurs mois de combat (8.2.43).
1943 Grande offensive alliée dans le Pacifique. Le gén. MACARTHUR débarque en Nouvelle-Georgie (1.7), Nouvelle-Guinée (4.9), Bougainville (1.11) et en Nouvelle-Bretagne (15.12). Rabaul est isolée.
1944 Progression améric. dans le Pacifique central (amiral NIMITZ) : reprise des Aléoutiennes (mai-août 1943), conquête des îles Gilbert et Marshall (nov. 1943-mars 1944), des Mariannes, Saipan et Guam (juin-juillet). Jonction avec les forces de MACARTHUR. Bataille nav. du golfe de Leyte (oct.).
1944-1945 Conquête des Philippines (oct.-février) : occupation de Manille (4.2) et de la totalité de Luçon (24.2).
1944-1945 Reprise de la Birmanie par les Anglo-Améric. et les Chinois. Anéantissement de 3 armées jap. Réouverture de la route de Birmanie.
19.2.1945 Débarq. améric. au Japon.
Guerre aérienne. Offensive appuyée par des raids contre les villes et les centres industriels au Japon à partir de la Chine et des îles du Pacifique, ou à l'aide des porte-avions. A partir de 1943, supériorité aérienne absolue des Alliés.
1945 Première bombe atomique sur Hiroshima (6.8), **seconde bombe sur Nagasaki (9.8). L'U. R. S. S. déclare la guerre au Japon (8.8).** L'Armée Rouge entre en Mandchourie et en Corée. Occupation des Kouriles et de Sakhaline.
2.9.1945 Capitulation du Japon.

Conséquences de la guerre

Pertes en hommes. Cette guerre, la plus grande de l'histoire, a coûté le plus d'hommes, environ 55 millions de morts, 35 millions de blessés, 3 millions de disparus. Jamais les pertes civiles n'avaient été aussi importantes : 1,5 million par les attaques aériennes, sans compter les morts des maquis et des camps (5 millions de Juifs, p. 481). On évalue le nombre des **civils tués entre 20 et 30 millions,** dont 7 millions de Russes, 5,4 millions de Chinois, 4,2 millions de Polonais, 3,8 millions d'Allemands. Les **pertes militaires** ont été : 13,6 millions de Russes, 6,4 millions de Chinois, 4 millions d'Allemands, 1,2 million de Japonais. Du côté occidental, les pertes ont été beaucoup moins considérables : 300 000 Américains et 326 000 Britanniques. **Coût de la guerre :** On l'estime à 1 500 milliards de dollars, dont 21 % pour les E.-U., 20 % pour la G.-B., 18 % pour l'Allemagne, 13 % pour l'U. R. S. S. et 4 % pour le Japon. **Économie.** Vif redressement de l'économie mondiale après 1945. Dès 1948, la production et le commerce internat. atteignent le niveau de 1939 et augmentent après la guerre de Corée. L'Europe perd son rôle de direction, les régions sinistrées et les destructions industrielles paralysent d'abord sa reconstruction. **L'Europe occ.** rattrape son retard grâce à l'aide améric. **(plan Marshall,** p. 521). Son rétablissement est complet en 1950. En **Europe de l'Est,** planification obligatoire de l'industrie : préférence accordée à l'industrie lourde aux dépens de la production agric. et du niveau de vie général. **Politique.** Pour garantir la paix du monde, création de l'O. N. U. (p. 499). A la frontière de la zone d'occupation anglo-améric. s'élève un système de **pays satellites** (p. 507); les frontières de la **Pologne** sont déplacées vers l'ouest (p. 508); la **question allemande** n'est pas résolue. Malgré ses pertes effroyables, l'U. R. S. S. libérée des pressions all. à l'ouest et japonaise à l'est, prend rang de puissance mondiale (p. 503). Les succès communistes en Chine semblent renforcer la thèse de LÉNINE sur la supériorité du système communiste sur le capitalisme. L'U. R. S. S., pleinement consciente de sa force, revendique la direction totale du bloc de l'Est. Les E.-U. (p. 517), qui assurent la protection de l'Occident, ne reconnaissent le danger qu'au fur et à mesure que disparaît leur sentiment de sécurité (perte du monopole atom. p. 550). Le **conflit Est-Ouest** devient la « guerre froide » polit. et idéologique entre le communisme et le capitalisme allié à la dém. parlementaire de l'Ouest : elle s'exprime par la propagande, la polit. de prestige, les alliances supranationales (p. 515), la rivalité techn. et économ. (conquête de l'espace p. 551), l'aide aux pays en voie de développ. (p. 539); des conflits locaux (p. 513). Cette division favorise la prise de conscience polit. et les efforts vers l'indépendance des **peuples de couleur** (p. 539). De nouveaux États se créent (Israël p. 537, Congo p. 547) dont l'apparition augmente les rivalités internationales. La solidarité du Tiers Monde (nations sous-développées indépendantes des deux blocs) pose de nouveaux problèmes. **L'équilibre de la terreur** (p. 550) crée un **besoin de coexistence,** et c'est l'origine d'une détente (crise de l'O. T. A. N à l'Ouest et conflit Moscou-Pékin à l'Est).

Traités de paix :

1945 Conférence des ministres des Aff. étrang. de Moscou, qui règle entre autres le retrait des troupes soviét. de Chine et la nouvelle organisation polit. du Japon et de la Corée. Elle invite tous les Alliés à la **Conférence de la Paix de Paris (juil.-oct. 1946).** Après la Conférence des ministres des Aff. étrang. de New York (nov.-déc. 1946), en

1947 signature des **traités de paix de Paris** avec la **Finlande** (perte de la Carélie p. 507), l'**Italie** (réparations, pertes des colonies et de Trieste), la **Hongrie** (frontières de 1937), la **Roumanie** (cession de la Bessarabie et de la Bukovine à l'U. R. S. S.) et la **Bulgarie.** Trieste devient État libre sous le contrôle de l'O. N. U. (p. 507). Sous le gouvernement de MAC-ARTHUR (p. 513), le Japon est démilitarisé et doté d'une constitution démocratique (p. 511). La conquête du pouvoir par les comm. en Chine accélère la signature en

1951 du traité de San Francisco avec le Japon (signée par 49 États, sauf l'U. R. S. S. et l'Inde). Le Japon revient à ses frontières de 1854. **Autriche.** La question du traité de paix est débattue sans succès dans les conférences internationales jusqu'à ce que le chancelier RAAB (p. 519) parvienne à dissiper les doutes soviétiques.

1955 Traité de paix avec l'Autriche : l'occupation par les quatre puissances prend fin.

La question allemande après 1945

Cette question (division, réunion, statut politique, frontières), problème fondamental de la politique internationale, reflète tout le conflit Est-Ouest. **En 1945, Accords de Potsdam :** Les quatre puissances occupantes s'engagent à signer la paix avec la totalité de l'Allemagne, mais ne peuvent se mettre d'accord sur le droit de l'Allemagne à décider de son sort.

Après la signature des traités de paix de Paris (p. 494), en

1947 Conférence à Moscou des min. des Aff. étrang., mais aucun accord sur l'Allemagne. La doctrine TRUMAN (p. 517) et le plan MARSHALL accentuent les désaccords. La Conférence de Londres (nov.-déc.) ajourne la question allemande.

1948 Conférence des six puissances à Londres (p. 527) : la zone occ. allemande est liée écon. à l'Europe de l'Ouest. Le bloc de l'Est (p. 507) s'est constitué entre-temps et proteste à la Conférence des min. des Aff. étrang. de Varsovie (juin).

Blocus de Berlin (p. 531), au cours duquel en

1949 à la Conférence des min. des Aff. étrang. à Washington, les puissances occid. signent le statut d'occupation de l'Allemagne de l'Ouest. La Conférence des min. des Aff. étrang. de Paris refuse la proposition soviét. (VYCHINSKI) de créer un gouv. central sans élections libres.

La guerre de Corée (p. 513) fait passer au second plan les questions allemande et autrichienne à la Conférence des trois puissances de Londres (1950). La Conf. des min. des Aff. étrang. à New York donne sa garantie à la Rép. féd. allemande et à Berlin-Ouest : réarmement de la Rép. féd. allemande, seule habilitée à représenter toute l'Allemagne auprès des Alliés de l'Ouest. Naissance de l'O. T. A. N.

1951 Conférence des min. des Aff. étrang. de Washington (sept.) : création d'une armée europ. avec participation de l'Allemagne de l'Ouest.

1952 Création de la Communauté économique européenne avec participation de l'Allemagne (mai, p. 529). Après la mort de STALINE, en

1954 échec de la Conf. des min. des Aff. étrang. à Berlin (janv.-fév.). Plan Eden : élection d'une assemblée nat. pour toute l'Allemagne, constitution, formation d'un gouv., traité de paix. Plan Molotov : traité de paix avec les délégués des deux Allemagnes, élections gén. ensuite. Après le refus de l'armée europ. par la France, l'All. fédérale signe en oct. 1954 les Accords de Paris (entrée de l'All. fédérale dans l'O. T. A. N., dans l'Union de l'Europe occ., renonciation à l'armement atomique). En nov.-déc., le bloc de l'Est déclare à la Conf. de Moscou que la réunion de l'Allemagne est ajournée sine die.

1955 Pacte de Varsovie (p. 515), mais la conclusion du traité de paix avec l'Autriche (p. 494) fait luire un peu d'espoir de détente.

Oct.-nov. 1955 Conférence des min. des Aff. étrang. à Genève qui n'apporte aucun résultat. L'U. R. S. S se raidit ensuite sur la

théorie des deux États (réunion seulement après accord des deux parties de l'Allemagne, celle de l'Est gardant son caractère socialiste).

En 1956, KROUCHTCHEV réprime la révolte hongroise pour couper court à tout appel à l'Occident, de la part des révoltés, mais la France et l'Angleterre subissent une grave perte de prestige dans la crise de Suez (p. 535).

1958 Ultimatum de Berlin (nov. p. 531). KROUCHTCHEV annule le statut des 4 Puissances et réclame la démilitarisation de la « Ville libre de Berlin ». Les puissances occ., l'O. T. A. N. et la Rép. féd. repoussent cette

théorie des trois Allemagnes, exigent le maintien des accords internat., mais se déclarent prêts à négocier.

1959 Projet de traité de paix soviét. : neutralisation, reconnaissance de la frontière Oder-Neisse et de la « Ville libre de Berlin ».

Mai-août 1959 Conférence des min. des Aff. étrang. à Genève avec participation d'observateurs des deux Allemagnes. Plan de paix échelonnée proposé par l'Ouest : a) Unité de Berlin avec élections libres; b) Commission électorale (25 membres de la Rép. féd., 10 de la Rép. démocr.); référendum sur la loi électorale; c) Élections à une assemblée nat. (constituante); d) Signature d'un traité de paix. GROMYKO, min. soviét., s'en tient au projet soviét. Visite de KROUCHTCHEV aux E.-U. (sept.) : accord de Camp David sur de nouvelles négociations. Rencontre à Paris d'EISENHOWER, DE GAULLE, MACMILLAN, ADENAUER (déc.). Ils y invitent KROUCHTCHEV, qui quitte brusquement la Conférence au sommet de Paris (1960) en exploitant l'affaire de l'U2, mais tient un discours modéré à Berlin-Est.

1961 Entretien KROUCHTCHEV-KENNEDY à Vienne (juin), où KROUCHTCHEV reprend les exigences soviét. Nouvelle crise berlinoise (août p. 531) provoquée par ULBRICHT, nouvelle tension internat. A Berlin-Ouest, le vice-prés. JOHNSON reprend le thème des Trois Libertés fondamentales proclamées par KENNEDY : protection militaire, liberté d'accès, liberté de vie et d'action des Berlinois de l'Ouest.

1964 Conclusion d'un traité d'amitié avec la Rép. démocr. allemande, auquel les Alliés occ. répondent par une déclaration sur l'Allemagne (responsabilité des quatre puissances occupantes et autodétermination du peuple allemand).

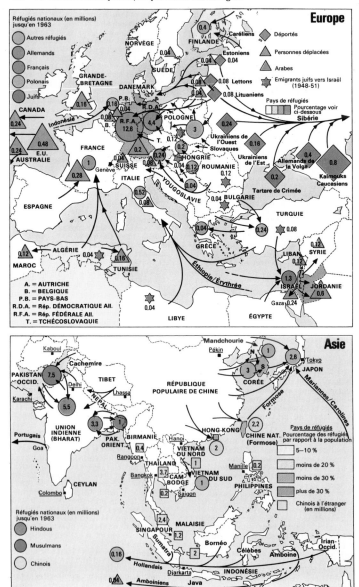

Europe

Réfugiés nationaux (en millions)
jusqu'en 1963

- Autres réfugiés
- Allemands
- Français
- Polonais
- Juifs

Déportés
Personnes déplacées
Arabes
Émigrants juifs vers Israël
(1948-51)

Pays de réfugiés
Pourcentage voir
ci-dessous

NORVÈGE
FINLANDE
Caréliens
0.4
0.04
Estoniens
0.04
SUÈDE
0.04
GRANDE-BRETAGNE
DANEMARK
0.08 Lettons
0.08
0.08 Lituaniens
CANADA
0.16
P.B.
0.16
R.D.A.
B.
0.04
R.F.A.
12.6
4.4
POLOGNE
Sibérie
Indonésie
0.24
3
0.24
Ukrainiens de l'Ouest
Slovaques
0.48
0.24
T. 0.12
0.16
0.4
0.8
AUSTRALIE
E.U.
FRANCE
0.2
0.24
HONGRIE
Ukrainiens de l'Est
Allemands de la Volga
Kalmouks
Caucasiens
0.28
1
SUISSE
0.04
0.04 0.12
ROUMANIE
0.2
0.2
Genève
ITALIE
0.12
Tartare de Crimée
ESPAGNE
0.52
0.08
YOUGOSLAVIE
0.04
BULGARIE
0.04
TURQUIE
GRÈCE
0.04
0.24
0.08
0.12
ALGÉRIE
0.04
0.16
LIBAN
SYRIE
MAROC
0.12
TUNISIE
0.12
1.3
JORDANIE
ISRAËL
0.8
Gaza 0.24
A. = AUTRICHE
B. = BELGIQUE
P.B. = PAYS-BAS
R.D.A. = Rép. DÉMOCRATIQUE All.
R.F.A. = Rép. FÉDÉRALE All.
T. = TCHÉCOSLOVAQUIE
0.04
LIBYE
ÉGYPTE
Éthiopie/Érythrée

Asie

Mandchourie
Pékin
Kaboul
Cachemire
N
1
S
2.6
Tokyo
PAKISTAN OCCID.
7.5
TIBET
Delhi
RÉPUBLIQUE POPULAIRE DE CHINE
3
CORÉE
JAPON
Karachi
5.5
NÉPAL
Lhassa
Formose
Mariannes/Carolines
UNION INDIENNE (BHARAT)
3.3
1
HONG-KONG
2.2
CHINE NAT. (Formose)
Pays de réfugiés
Pourcentage des réfugiés par rapport à la population
Portugais
Goa
PAK. ORIENT.
BIRMANIE
Hanoï
0.4
2
5–10 %
CEYLAN
Rangoon
VIETNAM DU NORD
Manille
0.2
moins de 20 %
THAILAND
1
Colombo
Bangkok
3.7
VIETNAM DU SUD
PHILIPPINES
moins de 30 %
CAMBODGE
1
Saïgon
plus de 30 %
0.2
Chinois à l'étranger
(en millions)
Réfugiés nationaux (en millions)
jusqu'en 1963
2.4
MALAISIE
Irian Occid.
- Hindous
- Musulmans
- Chinois
SINGAPOUR
1.2
Sumatra
Bornéo
Célèbes
Amboine
0.16
2
Hollandais
Djakarta
INDONÉSIE
0.04
Amboiniens
Java

Réfugiés et transferts de population après 1945

le « siècle des réfugiés »
Allemagne.
1939-1944 Dans le dessein d'acquérir « l'espace vital » (p. 473), établissement de populations allemandes.
1940-1941 Immigration forcée des Pol. dans le « Gouvernement général ». A la suite du manque de main-d'œuvre, immigration d'environ 9 millions de travailleurs. Anéantissement des Juifs (p. 481).
Europe du Sud-Est. Modification des frontières et transfert de populations en Transylvanie (Hongrois, Roumains), et dans la Dobroudja (Roumains, Bulgares). 1941 : les Serbes fuient la Croatie et la Slovénie.
Finlande. Après la « Guerre d'Hiver » (p. 475), en
1940 évacuation de la Carélie. Les Finlandais qui reviennent après l'armistice avec l'U. R. S. S. devront finalement quitter le pays en 1944.
U. R. S. S.
1940-1941 Transfert de 2 millions de Pol. de l'Est en Russie du Nord.
1941 Déportation en Sibérie des Allemands et autres « populations peu sûres » (Estoniens, Lituaniens, Kalmouks, Caucasiens), continuée après les hostilités pour « renforcer le peuple soviétique ».

Réfugiés et personnes déplacées
1945 Les Allemands de l'Est refluent vers l'Ouest à l'arrivée de l'Armée Rouge.
1945 Conférence de Potsdam (p. 527), qui sanctionne l'expulsion de presque tous les Allemands de l'Est, de Tchécoslovaquie (Sudètes), et de Hongrie.
1946-1947 Expulsion des minorités ital. de Yougoslavie, des min. turques de Bulgarie et de Grèce (1950-1952).
1948-1952 Émigration des Juifs de l'Europe de l'Est.
Conséquences. Environ 30 millions d'Europ. (dont 60 % d'All.) perdent leur foyer. Dès lors, les frontières ethniques coïncident presque avec celles des États de l'Est et du Centre de l'Europe. Pour secourir les « personnes déplacées » (déportés, réfugiés, etc.), en
1945 création de l'U. N. R. R. A. (aide aux réfugiés) par l'O. N. U.
1951 Création d'un poste de haut commissaire des Réfugiés à l'O. N. U.

Le problème des réfugiés après 1945
Les différentes causes de transferts de population sont :

1. L'expansion communiste :
Chine. Effondrement du gouvernement du Kuo-Min-Tang.
1949 Fuite à Formose du gouvernement de Tchang Kai-chek.

Hong Kong. La population passe de 1 à 3,7 millions d'hab. (1964) : la misère des réfugiés ne diminue pas malgré tous les efforts.
1962 Fuite massive hors de Chine (p. 511), et retour des Chinois expulsés du Sud-Est asiatique (Indonésie).
Corée. 1950-1953 Fuite de plusieurs millions de personnes pendant la guerre de Corée (p. 513). L'O. N. U. et les E.-U. aident le Sud à construire de nouv. industries malgré l'instabilité polit.
Vietnam. 1954 Les cath. émigrés au Sud parviennent à s'y installer grâce à l'augmentation de la superficie des rizières.
Tibet. 1959 Révolte contre la Chine et fuite de 20 000 Tibétains avec le Dalaï Lama.
Hongrie. 1956 Révolte (p. 509) : 200 000 personnes s'enfuient vers l'Autriche, mais 40 % reviennent après amnistie.
Allemagne. Émigration continue des Allemands de l'All. de l'Est. Cette protestation silencieuse s'achève en 1961 à la construction du mur de Berlin.
2. La décomposition des empires col. :
1945 Défaite du Japon. Retour des Japonais de Corée, Sakhaline, Mandchourie, et du Pacifique Sud. Ils ne retrouvent du travail qu'avec l'essor écon. dû à la guerre de Corée.
1952-1953 Départ des Hollandais d'Indonésie, puis de Nouvelle-Guinée (1962), par crainte des excès nationalistes.
1954-1962 Guerre d'Algérie (p. 547) : dans des camps maroc. et tunis., les réfugiés musulmans attendent de revenir en Algérie.
1962 Retour en France des rapatriés européens (vers le Midi en majorité).
1960 Indépendance du Congo (p. 547). Départ des Belges.
3. Le fanatisme religieux en Inde :
1947 L'indépendance s'accompagne d'un déferlement de haine entre hindous et musulmans. Accueil difficile des réfugiés à cause d'une surpopulation déjà existante.
1950 Accord sur les minorités entre l'Inde et le Pakistan, mais nouveaux troubles religieux.
4. La création d'Israël (p. 537) :
A force d'énergie et d'aide étrangère (israélites américains et réparations allemandes, p. 529), essai de fusion des Juifs venus de tous les horizons.
1948 Guerre de Palestine. Le problème des réfugiés arabes demeure ensuite sans solution : vivant dans des camps administrés par l'O. N. U. (zone de Gaza), ils espèrent, comme les États qui les ont accueillis, que l'État d'Israël n'aura qu'une existence éphémère.

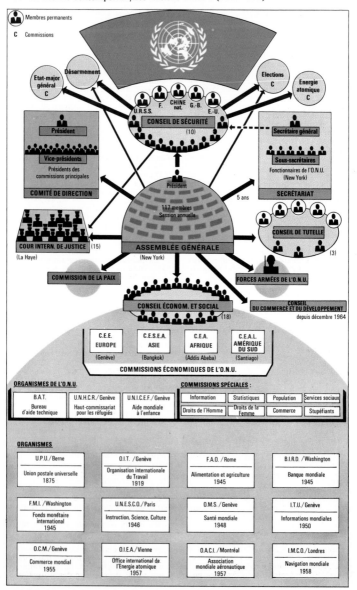

Membres permanents

C Commissions

Désarmement

Etat-major général C

Elections C

Energie atomique C

U.R.S.S. F. CHINE nat. G.-B. E.-U.

CONSEIL DE SÉCURITÉ (10)

Secrétaire général

Président

Vice-présidents

Présidents des commissions principales

COMITÉ DE DIRECTION

Sous-secrétaires

Fonctionnaires de l'O.N.U. (New York)

SECRÉTARIAT

Président

117 membres
Session annuelle

5 ans

COUR INTERN. DE JUSTICE (15)

(La Haye)

ASSEMBLÉE GÉNÉRALE

(New York)

CONSEIL DE TUTELLE

(3)

COMMISSION DE LA PAIX

FORCES ARMÉES DE L'O.N.U.

CONSEIL ÉCONOM. ET SOCIAL (18)

CONSEIL DU COMMERCE ET DU DÉVELOPPEMENT

depuis décembre 1964

| C.E.E. EUROPE (Genève) | C.E.S.E.A. ASIE (Bangkok) | C.E.A. AFRIQUE (Addis Abeba) | C.E.A.L. AMÉRIQUE DU SUD (Santiago) |

COMMISSIONS ÉCONOMIQUES DE L'O.N.U.

ORGANISMES DE L'O.N.U.

| B.A.T. Bureau d'aide technique | U.N.H.C.R./Genève Haut-commissariat pour les réfugiés | U.N.I.C.E.F./Genève Aide mondiale à l'enfance |

COMMISSIONS SPÉCIALES :

| Information | Statistiques | Population | Services sociaux |
| Droits de l'Homme | Droits de la Femme | Commerce | Stupéfiants |

ORGANISMES

U.P.U. /Berne Union postale universelle 1875	O.I.T. /Genève Organisation internationale du Travail 1919	F.A.O. /Rome Alimentation et agriculture 1945	B.I.R.D. /Washington Banque mondiale 1945
F.M.I. /Washington Fonds monétaire international 1945	U.N.E.S.C.O./Paris Instruction, Science, Culture 1946	O.M.S. /Genève Santé mondiale 1948	I.T.U. /Genève Informations mondiales 1950
O.C.M. /Genève Commerce mondial 1955	O.I.E.A. /Vienne Office international de l'Energie atomique 1957	O.A.C.I. /Montréal Association mondiale aéronautique 1957	I.M.C.O. /Londres Navigation mondiale 1958

L'Organisation des Nations Unies (à la fin de 1965)

Les Nations unies (O. N. U.)
Création : proclamation des **Quatre Libertés fondamentales** en 1941 par le prés. ROOSEVELT (p. 463) dans son message au Congrès. Elles sont reprises dans la Charte de l'Atlantique (p. 485).
1943 La Conférence des min. des Aff. étrang. de Moscou décide de créer « une organisation intern. pour le maintien de la paix ».
Août-octobre 1944 Conférence de Dumbarton Oaks, où les E.-U., l'U. R. S. S., la Grande-Bretagne et la Chine mettent au point les statuts et les complètent à la conférence de Yalta (p. 485) : les membres permanents du Conseil de Sécurité auront droit de veto. Après les délibérations de la conférence de San Francisco (avril-juin 1945), le **26 juin 1945, fondation de l'O. N. U.**, dont la **Charte** (111 articles) est signée par les représentants de 50 États. Après sa ratification par la Pologne — 51e État fondateur — le 15 oct., **mise en vigueur de la Charte le 24 oct. 1945** (« **Journée des Nations unies** »).
Objectifs. Assurer la paix du monde, protéger les droits de l'homme dans le monde entier (art. 1).
Les principes. Les membres souverains de l'O. N. U. s'engagent :
1. A assurer la paix du monde par des moyens pacifiques (recommandations, enquêtes, médiations, arbitrages — art. 35), par des sanctions polit. ou écon. (art. 41), ou l'engagement des forces armées (art. 42) mises à leur disposition par les membres. Aucun accord n'a jusqu'ici été réalisé sur le désarmement;
2. A reconnaître le droit de défense des États (art. 51), même au moyen de pactes régionaux de sécurité;
3. A ne pas intervenir dans les affaires intérieures des États;
4. A remplir loyalement leurs obligations envers les Nations unies (art. 2), particulièrement à renoncer à la menace ou à l'emploi de la force.
Tous les États peuvent être membres de l'O. N. U., pourvu qu'ils reconnaissent la Charte et soient prêts à en remplir les obligations.
Organisation.
Conseil de Sécurité. Ses décisions deviennent obligatoires quand elles sont prises par 7 voix sur 11. Son accord est nécessaire pour toute action polit., modification des statuts, acceptation de nouveaux membres. Le Conseil de Sécurité est souvent impuissant à cause du droit de veto des 5 membres permanents (1946-1964 : 103 vetos de l'U.R.S.S.).
Assemblée générale. Elle siège — en dehors des sessions extraordinaires — une fois par an de sept. à déc., à New York depuis 1952. Ses décisions (prises à la majorité des deux tiers) ne sont obligatoires que pour ceux qui les ont votées. Chaque membre peut envoyer 5 délégués, mais ne dispose que d'une voix (avec l'Ukraine et la Biélorussie, l'U. R. S. S. en dispose pratiquement de 3). L'Assemblée générale élit pour deux ans les membres non permanents du Conseil de Sécurité, le secrétaire général et les membres de tous les conseils, entre autres ceux de la Cour intern. de Justice. L'action des comités et commissions (pour le maintien de la paix et particulièrement pour les mesures collectives) est coordonnée par le Comité directeur. Le **budget** des Nat. unies et les contributions de ses membres sont fixés annuellement (les plus grosses participations sont celles des E.-U. env. 32 %, l'U. R. S. S. 15 %, la Grande-Bretagne 7 %, la France et la Chine nat. 5 % chacune). l'Assemblée générale a acquis en 1950 par la résolution « Unis pour la paix », le droit de décider de la préparation des troupes et du matériel nécessaires pour protéger un pays contre un agresseur, au cas où le Conseil de Sécurité serait paralysé par le veto d'un de ses membres.
Élu pour cinq ans sur la recommandation du Conseil de Sécurité, le **secrétaire général, chef du Secrétariat** (env. 4 500 fonctionnaires), est à la tête de toute l'administration. Il prend part aux sessions du Conseil de Sécurité sans avoir droit de vote.
Le Conseil économique et social (et ses commissions régionales) s'occupe de l'élévation du niveau de vie général en s'appuyant sur les recommandations de l'O. N. U. et des commissions spécialisées. Les États jadis soumis aux mandats de la S. D. N., à condition de ne pas être devenus entre-temps indépendants tels le Togo, le Cameroun, la Somalie et le Tanganyika, dépendent du **Conseil de tutelle**, tandis que la **Cour intern. de justice** (15 juges choisis pour 9 ans) décide des conflits d'après les rapports des experts.
1945 **Banque Internat. pour la Reconstruction et le Développement** et **Fonds monétaire international**, tous deux à Washington, ont une grande importance.
Organisations mondiales dans le cadre de l'O. N. U., notamment :
— L'UNESCO, chargé du développement culturel et de la lutte contre l'analphabétisme à l'échelle mondiale (siège à Paris);
— La F. A. O., chargée des problèmes du développement agricole (lutte contre les parasites, augmentation des rendements, siège à Rome).

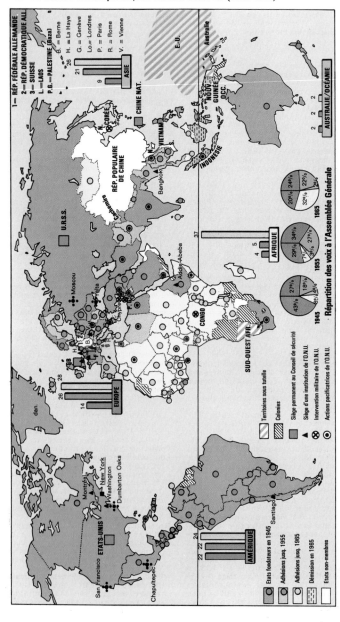

L'Organisation des Nations Unies (à la fin de 1965) : les États membres

D'abord succès du Conseil de Sécurité dans le maintien d'un statu quo assez mal délimité en 1945. En 1946, évacuation de l'Iran par les troupes soviét. (p. 505); 1947 : règlement de la question de Trieste (p. 507); limitation des conflits de Palestine (p. 537), d'Indonésie (p. 541) et du Cachemire (p. 543); commissions écon. en Europe, Amér. latine, Asie, Moyen-Orient (Afrique 1958). Déception améric. devant l'impossibilité de collaborer avec l'U.R.S.S. Des vetos soviét. constants (p. 503) paralysent toute polit. commune.

1946 L'Assemblée générale (Sec. général Trygve Lie (Norvège), né en 1896, n'a qu'une importance morale, ses résolutions reflétant l'opinion universelle.

1946 Première assemblée générale (Londres-New York); contrôle de l'énergie atom. (p. 550), question des réfugiés, condamnation du fascisme et boycott de l'Espagne (jusq. 1950).

1947 2ᵉ assemblée générale (New York) : commissions de l'O. N. U. pour la Corée (élections générales), les Balkans (conflits frontaliers) et la Palestine.

1948-1949 3ᵉ assemblée générale (Paris-New York) : condamnation des assassinats massifs (génocide). Déclaration des droits de l'Homme.

1949 4ᵉ assemblée générale (New York) : Évolution vers l'autonomie dans les territoires sous administration de l'O. N. U.

Les difficultés de l'O. N. U.

1950 Crise coréenne (p. 513). En l'absence de MALIK, représ. soviét. qui proteste ainsi contre le refus d'admettre la Rép. populaire de Chine, le Conseil de Sécurité condamne la Corée du Nord en tant qu'agresseur. Intervention des troupes américaines (MACARTHUR) mandatées par l'O. N. U.

Conseil de Sécurité. Conflits et problèmes internat. (désarmement p. 550) qui demeurent sans solution. 1951 : conflit pétrolier anglo-iranien (p. 505); 1957 : Cachemire; 1958 : Liban (observateurs de l'O. N. U.); 1959 : Laos (commission d'enquête malgré protest. soviét.).

Assemblée générale. Grâce à la résolution « Unis pour la paix » (déc. 1950, p. 499), intervention dans la polit. mondiale, mais l'Assemblée ne peut qu'émettre des recommandations. Les E.-U. cherchent à l'utiliser contre la polit. soviét. (refus constant de la candidature de la Chine dep. 1953). Le bloc de l'Est (All. de l'Est, Hongrie) interdit l'entrée de son territoire aux commissions de l'O. N. U. La France déclare que la guerre d'Algérie

(p. 547) est une question interne. L'Union sud-africaine n'a plus de délégués dep. 1955 à cause de la condamnation portée contre sa polit. raciste (apartheid, p. 545).

1950-1951 5ᵉ assemblée générale : assistance aux pays sous-développés; libération des prisonniers de guerre.

1953 Secrétaire général : Dag Hammarskjöld (Suède) : l'O. N. U. devient un élément important de la décolonisation.

1956 Convention de Genève pour lutter contre l'esclavage; session extraordinaire de l'assemblée gén. en raison de Suez et de la crise hongroise (nov.); arrêt des hostilités en Égypte (p. 535); aide aux réfugiés hongrois; création d'une troupe de police de l'O. N. U. (gén. BURNS-Canada) pour rétablir l'ordredans la zone du canal de Suez, et en 1957 dans le conflit de Gaza. Arbitrage des conflits frontaliers entre Syrie et Israël.

L'O. N. U., forum des jeunes États
De nouvelles admissions transforment la composition de l'O. N. U. Entre les blocs de l'Est et de l'Ouest, le tiers monde constitue une troisième force. Ce bloc neutre voit sa valeur reconnue par les E.-U. (KENNEDY) et l'U.R.S.S. (KROUCHTCHEV). — Sur la demande du Congo (LUMUMBA), le Conseil de Sécurité confie à HAMMARSKJÖLD en 1960 la pacification du Congo : emploi de la police de l'O. N. U. (juillet) mais sans usage de la force. Devant les reproches soviét., l'Assemblée générale, dans une session extraordinaire, témoigne sa confiance au Secrétaire général.

1960-1961 15ᵉ assemblée générale : admission de 17 nouveaux membres. KROUCHTCHEV réclame en vain une revision des statuts (système de la troika = remplacement du Secrétaire gén. par trois représentants de l'Ouest, de l'Est, et du Tiers Monde.

1961 U Thant (Birmanie), Secrétaire gén. (réélu en 1966).

1962-1963 Action contre le Katanga (TSCHOMBÉ), avec participation des E.-U. Session extraordinaire sur la crise financière déclenchée par les membres qui n'approuvent pas l'action de l'O. N. U. au Congo.

1964 Intervention d'une troupe de l'O. N. U. à Chypre (p. 522). Arrêt de l'intervention au Congo (juin) à cause des difficultés financières.

1964-1965 19ᵉ assemblée générale : L'Indonésie se retire à cause de l'élection de la Malaisie au Conseil de Sécurité (janv.).

1965 20ᵉ assemblée générale : visite du pape PAUL VI.

1967 U THANT encourage le regroupement des nations africaines.

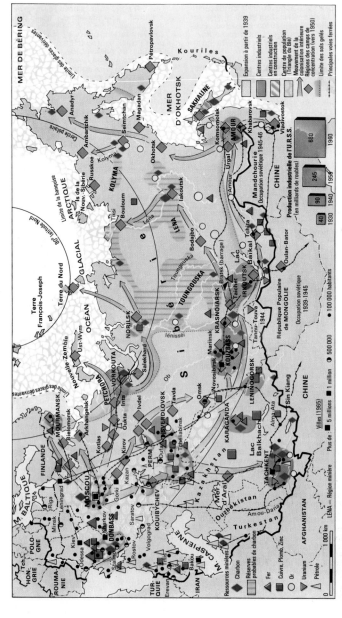

MER DE BÉRING

Kouriles

MER D'OKHOTSK

SAKHALINE

Pétropavlovsk

Magadan

Seimtchan

Anadyr

Ambartchik

Cercle polaire

Okhotsk

Russkoe

KOLYMA

Iakoutsk

Iles de la Nouv.-Sibérie

Khabarovsk

Komsomolsk

Vladivostok

AMOUR

Ourgal

Mandchourie Occupation soviétique 1945-46

CHINE

Tissi

Bouloun

Léna

Bodaïbo

LÉNA

Tchita

Léna

Limite de la banquise

Terre François-Joseph

OCÉAN GLACIAL ARCTIQUE

80° latitude Nord

Terre du Nord

Toungouska

Bratsk (barrage)

Taïchet

Lac Baïkal

IRKOUTSK

Oulan-Bator

République Populaire de MONGOLIE

Occupation soviétique 1939-1945

Tannu-Touva 1944

NORILSK

KRASNOIARSK

TOUNGOUSKA

Iénisséi

Ust-Wym

Nouvelle-Zemble

Limite des glaces dérivantes

VORKOUTA

Salekhard

Inta

PETCHORA

Ob

Mariinsk

Novosibirsk

KOUZBASS

Sin Kiang

CHINE

MOURMANSK

Bielomorsk

Archangelsk

Kotlas

Oukta

Ivdel

Tavda

Omsk

SVERDLOVSK

Tcheliabinsk

KARAGANDA

LENINOGORSK

Lac Balkhach

Alma-Ata

TACHKENT

FINLANDE

M. BALTIQUE

Riga

Leningrad

Minsk

Kirov

PERM

Kazan

Oufa

KOUIBYCHEV

Kazakhstan

Mer d'Aral

Ouzbékistan

Amou-Daria

Turkestan

POLO-GNE

MOSCOU

Gorki

Saratov

Volgograd

AFGHANISTAN

HON-GRIE

Kiev

DONBASS

Rostov

Stalino

Odessa

Kharkov

ROUMA-NIE

Tbilissi

Bakou

M. CASPIENNE

Erevan

TUR-QUIE

IRAN

Production industrielle de l'U.R.S.S.
(en milliards de roubles)

680
1960

245
1958

90
1940

40
1930

Légende:
- Expansion à partir de 1939
- Centres industriels
- Centres industriels en construction
- Centre de population (Triangle du Blé)
- Mouvement de la colonisation intérieure
- Régions des camps de concentration (vers 1950)
- Limite des sols gelés
- Principales voies ferrées

Villes (1965) : • 100 000 habitants | ○ 500 000 | ■ 1 million | Plus de : ■ 5 millions

LÉNA = Région minière

Ressources minières :
- Charbon
- Fer
- Cuivre, Plomb, Zinc
- Or
- Uranium
- Pétrole

Réserves probables de charbon

0   1000 km

La puissance économique de l'U. R. S. S. après 1945

Staline (1945-1953)
Fêté et redouté, « guide génial de l'humanité », le **maréchal Staline** (p. 465) exerce un pouvoir absolu après une victoire chèrement acquise (25 millions de sans-abri, plus de 20 millions de morts). Sa police secrète dirigée par BERIA (1899, liquidé en 1953) surveille l'administration. La multiplication des dirigeants du parti leur ôte tout pouvoir réel. JDANOV (p. 465) s'occupe de la polit. culturelle : exaltation du rôle de STALINE, patriotisme soviét. (p. 483) et « réalisme socialiste ».
1946 Nouvelle constitution, réorganisation du gouvernement. STALINE, prem. ministre, min. de la Défense (1947 BOULGANINE) et premier secrétaire du Comité central, gouverne en despote l'administr., le parti et l'armée. Après la mort de JDANOV, la « troïka » MALENKOV, BERIA, KROUCHTCHEV écarte en 1949 les « réactionnaires » du groupe JDANOV. Remplacement aux Aff. étrang. de MOLOTOV par VYCHINSKI (1883-1954).
Économie. Planification bureaucratique et établissement de normes de production, emploi des prisonniers de guerre et institution des « camps de rééducation », exploitation des satellites (réparations, livraisons de matières premières, prestations en travail); priorité à l'industrie lourde.
1946-1950 4ᵉ plan quinquennal (MALENKOV) : suppression des dégâts causés par la guerre (programme de constructions de logements), équipement hydro-électrique de la Volga; reconstruction industrielle dans l'Ouest; essor des industries transférées à l'Est pendant la guerre; exploitation du Grand Nord; accroissement des surfaces cultivées.
1950 Création du rouble-or. Les grands kolkhozes et l'expérience des agrovilles ne parviennent pas à satisfaire les besoins.
1951 Proclamation du passage du socialisme au communisme.
1951-1955 5ᵉ plan quinquennal : grands travaux (Dniepr) pour augmenter la production d'électricité et irriguer les terres; étude d'armes modernes (bombe atomique et fusées).
Politique extérieure. Transformation en **satellites** des pays occupés pendant la guerre, à l'aide de conseillers soviét., de partis frères de celui de Moscou, d'alliances bilatérales, du Kominform et du **Comecon** (p. 507). Le « rideau de fer » garantit la sécurité du **bloc de l'Est.** Soutien aux partis comm. (Syrie, Liban p. 535), et à leurs révoltes (Grèce p. 505).
1948 Grave revers avec la rébellion de Tito. Justification de l'offensive

polit. menée contre les capitalistes :
1. **Obstacles à la politique de l'O. N. U.** (veto);
2. **Offensive de paix :**
1949 1ᵉʳ Congrès mondial de la Paix (Paris, Prague).
1950 Fondation du Conseil mondial de la Paix. Congrès où l'on réclame le désarmement, la fin de la menace atomique, la solution de la question allemande, le tout dans le sens soviétique;
3. **Guerre froide** contre l'Ouest : à p. de 1946 tensions au sujet de la Pologne et de la Hongrie, de la polit. des réparations et de l'Allemagne (p. 527). Tentative d'intervention en Iran (Azerbaidjan). Pression sur la Turquie.
1947 Conférence de Paris sur le plan Marshall (p. 521) : dès lors abandon de la polit. de collaboration avec l'Ouest.
1948-1949 Première **crise de Berlin** (p. 531), mais recul devant les risques milit., et déplacement de l'activité vers l'est.
1949 Accord commercial et culturel avec la Corée du Nord. Première visite à Moscou de MAO TSÉ-TOUNG.
1950 Pacte d'aide écon. et d'assistance avec la Chine (p. 511). Soutien indirect à la Corée du Nord (armes, conseillers). En
1950-1951 crise de Corée (p. 513).
Résultats. 1. Expansion en Europe (satellites) de la puissance soviét., mais éclatement de l'unité comm. (Yougoslavie); isolement (accord polit. et milit. des puissances occ.);
2. Crise de structure écon. : malgré l'augmentation de la production et du potentiel de guerre, décalage entre les réalisations grandioses et le niveau de vie qui reste longtemps médiocre;
3. Prix de revient souvent élevés dans les combinats (handicap des distances), rigidité de l'appareil administratif.
1952 XIXᵉ Congrès du parti comm. MALENKOV, héritier présomptif de STALINE.
Mars 1953 Mort de Staline, ce qui empêche une nouvelle vague d'épurations (prétendu complot des médecins juifs, antisémitisme). Le présidium du parti (Comité central) assume collectivement la succession stalinienne. Président de l'État : VOROCHILOV (né en 1881); prem. min. MALENKOV (né en 1902); premier secr. du Comité central (à p. de sept.) : NIKITA KROUCHTCHEV (né en 1894).
A la mort de STALINE, revirement progressif de l'opinion, qui conteste l'abus des méthodes autoritaires, les dépenses de prestige et met en cause le rôle du disparu dans l'imprégnation soviétique devant l'agression hitlérienne.

L'Union Soviétique (1953-1965)
MALENKOV (l'État) et KROUCHTCHEV (le parti) annoncent un régime plus libéral (« Le dégel », titre d'un roman d'ILYA EHRENBOURG, 1891-1967).
1953 Chute de Beria (juillet) : la police secrète est soumise au parti. **Malenkov, prem. min.**, annonce le changement d'orientation : progrès des biens de consommation, meilleurs prix pour les livraisons des kolkhozes; amnistie; suppression des camps de travaux forcés. KROUCHTCHEV insiste sur la priorité de l'industrie lourde.
1954 MALENKOV tombe à propos de l'exploitation des nouvelles terres (Sibérie occ., Kazakstan).
1955 Boulganine, prem. min. (min. de la Défense JOUKOV, à p. de 1957 MALINOVSKI mort en 1967).
Première déstalinisation : discours secret de KROUCHTCHEV en
1956 au XXᵉ Congrès du parti, sur le culte de la personnalité et le dogmatisme de STALINE, dont les ouvrages et les monuments disparaissent. Protestations en Géorgie (Tiflis). Mouvements de « libération » dans le bloc de l'Est (p. 509).
1957 Exclusion du groupe antiparti (MALENKOV, MOLOTOV, KAGANOVITCH, etc.). Les remplacent au Comité central KOZLOV, BREJNEV et KOSSYGUINE en 1960.
1958 Démission de Boulganine (mars). NIKITA KROUCHTCHEV, premier secrétaire du parti et prem. min. demeure seul à la tête de l'État.
1957-1958 Réformes pour augmenter le niveau de vie. 1. **Réorganisation de l'économie :** suppression des ministères spécialisés pour toute l'Union au profit de 104 conseils écon. régionaux (sovnarkhozes); **2. Agriculture :** suppression des stations de tracteurs (M. T. S.), augmentation de la taille des kolkhozes et des sovkhozes (fermes d'État); recherche du rendement dans l'agriculture et de l'élevage (culture du maïs fourrager); **3. Enseignement :** essai d'association du travail manuel et des études.
1959 XXIᵉ Congrès du parti : plan septennal en vue de rattraper les E.-U. dans la production par tête d'habitant. Critique des communes populaires chinoises. Le **conflit avec Pékin s'aggrave.**
1960 Conférence à Moscou des 81 partis comm. : un idéologue chinois, TENG HSIA-FING, rejette la **thèse de Krouchtchev sur la coexistence pacifique,** et défend la théorie stalinienne « des deux camps ».
Seconde déstalinisation : condamnation officielle de STALINE, en
1961 au XXIIᵉ Congrès du parti : nouveau programme d' « édification du communisme » (jusq. 1980).

1962-1963 Crises agricoles, revision des objectifs des plans.

Politique de coexistence pacifique
1953-1956 Phase de détente pour vaincre l'isolement polit. (p. 503); conclusion de la guerre de Corée; participation aux conf. internat. sur l'Allemagne (p. 495) et l'Indochine. Abandon en
1955 de Porkkala (Finlande) et de Port-Arthur (Chine); **Autriche** (p. 494). Réconciliation avec la Yougoslavie dont on accepte la « voie particulière vers le socialisme ». Démobilisation de 1 200 000 soldats.
1955 Voyage de KROUCHTCHEV et BOULGANINE en Asie du Sud-Est.
1956 XXᵉ Congrès du parti : dénonciation officielle des excès du stalinisme, coexistence pacifique, stratégie de la rév. mondiale à l'âge atomique :
1. Pas de guerres internat., mais soutien à des guerres de libération « limitées » et aux rév. populaires;
2. Renforcement de la compétition dans le domaine économique;
3. Unité d'action avec les peuples de couleur, « troisième force »;
4. Efforts en direction de l'Occident. KROUCHTCHEV surestime les possibilités soviét. (succès spatiaux, p. 551) et les forces révolut. des nouveaux États. Il croit au « raz de marée » comm. (égalité atomique, infériorité améric. dans les fusées). Il va intervenir au Moyen-Orient (domaine réservé des Occidentaux), par des prêts (financement du haut barrage d'Assouan), des envois de matériel militaire à l'occasion de la crise de Suez (p. 535).
1958 Ultimatum de Berlin : annulation du statut des Quatre puissances. Théorie des trois Allemagnes. Simultanément, **politique de visites et de conférences au sommet :**
1959 Visite off. aux États-Unis; 1960 Autriche, France, Inde, Indonésie.
1960 Échec de la Conférence au sommet de Paris (p. 495) sous le prétexte de l'incident de l'U2 (espionnage américain). L'O. N. U. refuse tout changement de constitution (proposition de la « troïka » p. 501).
Oct. 1962 la Russie renonce à l'envoi de fusées à Cuba (p. 549) devant l'attitude de KENNEDY.
1964 Accord sur l'arrêt des expériences atomiques : rupture ouverte avec la Chine qui reproche à KROUCHTCHEV sa trahison idéologique.
Oct. 1964 Chute de Krouchtchev et changement de gouvernement : KOSSYGUINE prem. min.; BREJNEV, premier secrétaire du Comité central. La politique de coexistence pacifique avec l'Occident est maintenue.

Grèce, Turquie, Iran
1947 La **doctrine Truman** libère les gouvernements de ces États de la menace de l'U. R. S. S. (p. 503). Ils entrent dans le système d'alliances occidentales.

Grèce.
1944 Retour du gouv. exilé (arch. DAMASKINOS); interv. brit. contre les troupes comm. de l'E. A. M. jusq. l'armistice (1945).
1947-1964 PAUL Ier. Une nouvelle armée gouvernementale lutte avec l'aide des Américains contre la rép. communiste de l'E. A. M., installée dans le Nord (soutien de TITO).
1949 Fin de la guerre civile avec le prem. min. PAPAGOS (1893-1955).
1952 Victoire électorale de PAPAGOS.
1955-1964 KARAMANLIS, prem. min. Avec la question de Chypre, tension avec la Turquie et menace de conflit.
1964 CONSTANTIN II (né en 1940). L'union du Centre (PAPANDRÉOU prem. min.) a la majorité.
1965 Crise antimonarchiste. Manifestations, complot d'officiers de gauche (Aspida). Renvoi de PAPANDRÉOU.

Turquie. L'U. R. S. S. réclame en 1946 une revision des frontières (Kars, Ardahan) et du statut des Détroits.
1947 Accord d'aide avec les E.-U. (armes, crédits). Alliance avec les E.-U. et participation à la guerre de Corée (p. 513). Après la victoire de 1946, fondation du parti démocr.
1950 BAYAR (né en 1884) prés. de l'État. MENDERES (1894-1961 exécuté), prem. min., cède aux tendances réactionnaires et religieuses.
1955 Conflit de Chypre.
1960 Manifestations d'étudiants et rév. militaire du Comité du Front national.
1961 Le gén. GURSEL (1895-1966), prés., proclame le « retour au kémalisme » et punit de mort les membres du gouv. MENDERES. Référendum sur la **constitution de la deuxième république** (retour aux lois de KÉMAL ATATURK (p. 443) pour l'européanisation de la Turquie).
1961-1965 Coalition du prem. min. INONU (p. 443). Amnistie des partisans de BAYAR.
1962-1963 Échec de tentatives de putsch. 1963 : plan quinquennal d'assainissement des finances par l'accroissement des exportations.
1964 Intervention milit. dans le conflit de Chypre (p. 522). Déçus par les Occidentaux, les Turcs se rapprochent de l'U. R. S. S., mais sans renoncer à leurs alliances et à leurs engagements.

Iran. Profitant de l'occupation soviétique, le parti communste **Tudeh** constitue un gouvernement autonome en Azerbaïdjan et au Kurdistan.

1946 Retrait des troupes brit., puis soviét.
1949 Attentat comm. contre **Mohammed Réza Chah Pahlevi** (chah dep. 1941). Les réformes sont difficiles : corruption, sectes relig.; les masses incultes restent loin derrière une intelligentsia inquiète et une couche de propriétaires réactionnaires (« 200 familles »).
1951 Nationalisation des pétroles par MOSSADEGH, prem. min.
1952 La Grande-Bretagne riposte par le blocus du pétrole (Anglo-Iranian Oil Co.) : banqueroute de l'État.
1953 Conflit constitutionnel : MOSSADEGH décide seul le retrait du chah, dissout le Parlement, mais est soutenu par l'armée.
1954 Accord pétrolier avec un consortium internat. contre dédommagement de l'Anglo-Iranian (700 millions de dollars). Malgré une inflation galopante et l'agitation illégale du parti Tudeh, les États-Unis aident le régime du chah.
1960-1961 Troubles d'étudiants. Les propriétaires fonciers s'opposent aux réformes sociales et politiques.
1963 Référendum sur la **réforme foncière.**

Scandinavie.
1951 Conseil nordique pour la collaboration cult., polit. et sociale.

Danemark. Autonomie interne des îles Féroé (1948) et du Groenland (1953). Gouvernement social-démocr. (1955-1960, HANSEN, prem. min.; KRAG, prem. min. dep. 1962). A p. de 1953, une seule chambre (Folketing).

Islande.
1944 Suppression du lien personnel avec le Danemark et proclamation de la république.
1951 Accord milit. avec les E. U. dans le cadre de l'O. T. A. N.
1958-1961 Extension des eaux territoriales (zone des 12 milles) d'où conflit avec la Grande-Bretagne.

Norvège. Adhésion à l'O. T. A. N. et abandon de la polit. de neutralité avec GERHARDSEN (prem. min. à p. de 1945) mais refus de stocker des armes atomiques.
1957 OLAF V (né en 1903).
1965 Premier gouv. libéral (non socialiste) dep. 1935.

Suède. Neutralité. Polit. social démocr. (prem. min. ERLANDER depuis 1946), qui associe le capitalisme privé et le développement du socialisme.

Finlande.
1946 Prés. PAASIKIVI (1870-1955), et KEKKONEN (né en 1900) dep. 1956.
1948 Pacte d'assistance, 1950 accord commercial avec l'U. R. S. S.
1952 Fin des réparations.
1958 Le parti comm. est le plus important. La Finlande réussit à éliminer tout conflit avec l'U. R. S. S.

Le Bloc de l'Est après 1945

Les satellites de l'U. R. S. S.
1945 La Prusse du Nord-Est, l'Ukraine subcarpatique et les territoires pol. de l'Est sont incorporés dans l'Union Soviétique.
1947 Traité de Paris (p. 494); les frontières soviétiques sont rectifiées aux dépens de la Finlande (Carélie) et de la Roumanie (Bessarabie). La **soviétisation** des États satellites s'accomplit en six étapes :
1. Les minorités comm. rassemblent les groupements nat. de résistance dans un « front patriotique »;
2. Fondation d'un « gouv. provisoire »; les comm. exilés et formés à Moscou occupent les postes clefs du gouv.;
3. Constitution d'un gouv. de coalition à direction bourgeoise après des élections relativement libres. Le parti comm. s'assure le ministère de l'Intérieur, et par conséquent le pouvoir policier. Réformes agraires, nationalisations;
4. Mise à l'écart de la majorité (bourgeoise) parlementaire par des accusations portées contre les hommes polit. hostiles. Formation d'un **parti unique socialiste** à direction comm., politique « de bloc » et nouveau gouv. de coalition avec les partis (« compagnons de route »);
5. Formation d'un gouv. comm. que ratifient des élections dirigées (liste unique de candidats). Simultanément, persécution des Églises et **épuration** du parti comm.; procès spectaculaires contre les « déviationnistes » (titistes, etc.);
6. Alignement sur le modèle soviétique pour coordonner l'ensemble des travaux des partis communistes, en
1947 fondation du **Kominform** (Bureau d'information). Jusqu'en 1948, traités d'amitié et d'assistance avec l'U. R. S. S., et traités des satellites entre eux. Collaboration écon. et planification commune en
1949 avec le **Conseil d'Entraide écon. (Comecon p. 520).**
1955 **Pacte de Varsovie.** Collaboration milit., communauté du commandement (maréchal KONIEV; GRETCHKO depuis 1960). Phase du dégel, déstalinisation à p. de
1956 **XXᵉ Congrès du parti comm. de l'Union Soviét. (p. 504) :** les satellites se voient reconnaître le droit de suivre « leur propre voie » vers le socialisme. Réhabilitation des condamnés polit. et recherche de contacts avec la Yougoslavie. Dissolution du Kominform, rejet du « culte de la personnalité », décentralisation de l'économie.
1956 **Révoltes en Pologne et Hongrie. Yougoslavie.**
Maréchal Josip Broz, dit Tito (né en 1892), prem. min. en 1945, président en 1953, obtient dès mars 1945 le

départ des troupes soviét, forme un gouv. de coalition avec des exilés polit. et conclut avec l'U. R. S. S. un pacte d'assistance (annulé en 1949).
Élections à l'Assemblée nationale. Les listes uniques du « Front de Libération populaire » obtiennent 90 % des voix.
1945 **Proclamation de la Rép. populaire fédérative yougoslave** (État constitué par 6 pays et 2 régions auton.).
1946-1947 Soviétisation à l'aide de la police polit. (RANKOVITCH) et des services secrets : exécution des adversaires polit. Nationalisation de l'industrie et du commerce; création de banques d'État; introduction de la sécurité sociale. Industrialisation, mais résistance à la collectivisation forcée.
1948 **Rupture avec Moscou, qui empêche la formation d'une fédération balkanique** avec la Bulgarie et l'Albanie. Le blocus écon. soviét. oblige TITO à conclure en
1949 **des traités commerciaux avec les pays occ.** D'après lui, chaque pays doit suivre « sa propre voie vers le socialisme » (réaction de Moscou : mise au pilori du titisme révisionniste).
1950 Administration auton. des entreprises par des conseils de travailleurs.
1952 Aide financ. et milit. des E.-U.
1953 Plan décennal pour le développement de l'agriculture : suppression de la collectivisation forcée.
1954 Renvoi et en 1957 condamnation de MILOVAN DJILAS (né en 1911), compagnon d'armes de TITO. Ses écrits (« La Nouvelle Classe », « Anatomie d'une Morale ») critiquent la dictature du parti.
1955 Visite de KROUCHTCHEV et BOULGANINE pour améliorer les relations polit., mais nouvelle tension depuis
1958 au Congrès de la « Fédération des comm. yougoslaves » à Lioubliana. Collaboration économique avec l'Ouest.
Polit. extérieure. Objectif : annexion de l'Istrie et de Trieste.
1947 Traité de paix de Paris : l'Istrie revient à la Yougoslavie, Trieste est ville libre sous contrôle de l'O. N. U.;
1954 Accord final : à l'Italie revient la zone A (ville et port de Trieste) à la Yougoslavie la zone B (toute l'Istrie).
1954 **Pacte d'amitié balkanique** avec la Grèce et la Turquie.
1956 Rencontre à Brioni avec NASSER (p. 535) et NEHRU (p. 543). Depuis, **Tito représente la polit. de coexistence pacifique et d'indépendance entre les deux blocs.**

États européens du bloc de l'Est (1945-1965)

Albanie

1945 **Enver Hodja** (né en 1908), chef du parti comm., constitue un **gouvernement de Front populaire.** Après la rupture avec Tito (p. 507) l'Albanie, auparavant satellite yougosl., s'oriente vers Staline. Aucune déstalinisation, prise de parti pour la Chine contre Moscou.

1959 Visite de Krouchtchev et attaques des partis comm. europ. qui n'interrompent pas la collaboration avec la Chine.

1961 Rupture des relations diplom. avec l'U. R. S. S.

Bulgarie

Le « Front patriotique », dirigé par l'ancien secr. gén. du Komintern Dimitrov (1882-1949), exige en

1946 la suppression de la monarchie par plébiscite. Un nouveau gouv. avec Dimitrov à sa tête écrase l'opposition :

1947 Dissolution du parti agrarien (exécution de son chef Petkov). 17 des 40 membres du Comité central du parti, y compris Kostov (1897-1949, réhabilité en 1956), sont sacrifiés.

1951 Grandes épurations.

1965 Tentative de putsch « titiste » contre Chivkov, chef du gouv. et secr. gén. du parti dep. 1954.

Pologne

Malgré les protestations du gouv. pol. de Londres, transformation en

1945 du Comité de Lublin soutenu par l'U. R. S. S. en « gouv. provisoire » qui administre les territoires all. de l'Est. Un « gouv. d'unité nat. » reconnu par les puissances occ. approuve la restitution à l'U. R. S. S. des territoires pol. de l'Est. Le déplacement des frontières vers l'Ouest provoque des transferts de population (p. 497). Jusqu'en

1947 lutte contre les groupements de résistants favorables au gouv. de Londres. Répression de l'opposition conduite par les chefs communistes Gomulka (né en 1905) et Josef Cyrankiewicz (né en 1911) prem. min. dep. 1947.

1947 Victoire électorale truquée du « bloc démocr. » (80 %) : le « Staline pol. », Bierut (1922-1956), devient président. Arrestation des chefs bourgeois; Mikolajczyk, chef du puissant parti agrarien, s'enfuit à Londres (oct.). Mise au ban du groupe comm. national de Gomulka (arrêté en 1949).

1948 Communistes et socialistes constituent le parti uni des Travailleurs.

1949 **Mise au pas de l'armée.** Un maréchal soviét. né en Pologne,

Rokossovski, devient min. de la Déf. Le peuple refuse la soviétisation, le sentiment nat. renforce la position de l'Église cath. L'État reconnaît l'autorité ecclés. mais exige qu'elle soit loyale.

1953 Procès spectaculaires de Cracovie : arrestation du cardinal Wiszynski, né en 1901.

1954 Congrès du parti, en présence de Krouchtchev, où l'on décide de suivre « une voie moyenne ».

1956 **Insurrection de juin à Poznan,** réprimée par l'intervention des troupes soviét. (répression modérée).

« **Printemps polonais d'octobre »** **(1956)** : réélection de Gomulka au Comité central du parti (malgré la visite immédiate de Krouchtchev, Molotov, Mikoyan, etc.). Épurations dans le parti et l'administration; suppression des entreprises agric. nationalisées, constitution de conseils d'ouvriers. Réhabilitation du cardinal Wiszynski. Retrait de Rokossovski.

1957 **Victoire élect. de Gomulka.** Gomulka réussit à appliquer une polit. écon. assez indépendante. Augmentation de la production industr., mais difficultés agricoles.

Roumanie

La soviétisation commence sous la pression des Russes (Vychinski, min. des Aff. étrang.), presque sans communistes.

1944 Échec du Front populaire, constitué par les comm. [Gheorghiu-Dej (1901-1965)] et le parti libéral (Bratianu). Constitution d'un Front démocr. (socialistes, comm.) et d'un Front d'ouvriers agricoles sous la direction de Groza (1884-1958), qui commence une réforme agraire.

1946 Le Front démocr. obtient 89 % des voix. Bratianu parvient à s'enfuir.

1947 **Interdiction du parti agraire.** Condamnation de Maniu, L' « incarnation du stalinisme », Anna Pauker (née en 1897), remplace le ministre des Aff. étrang. libéral, Tartaresco. Le roi Michel abdique (déc.).

1948 **Fondation du parti unitaire** (sec. général Gheorghiu-Dej). A p. de

1951 premier plan quinquennal pour l'industrialisation socialiste.

1952-1958 Président : Groza; prem. min. Gheorghiu-Dej (chef de l'État jusq. 1965).

1962 Arrêt de la collectivisation. Grand essor du commerce avec les pays occ. (E.-U., Allemagne féd.). Industrialisation accélérée (pétrochimie, aciéries de Galatz).

1964 Rapprochement franco-roumain, dans le cadre de la politique de dégel Est-Ouest préconisée par le général de Gaulle.

Tchécoslovaquie
Alliée de l'U. R. S. S. depuis 1943. A Londres, BÉNÈS (p. 433), prés. du gouv. en exil, négocie avec l'Union Soviét. le rétablissement de l'État. Cession de l'Ukraine subcarpatique (p. 507); autonomie limitée pour la Slovaquie.
1945 Le gouv. des exilés se rassemble à Prague (prem. min. FIERLINGER, socialiste). **Bénès devient prés. de l'Etat, Jan Masaryk** (1888-1948 suicidé?), **min. des Aff. étrang.**, le comm. GOTTWALD (1896-1953) vice-prés. du Conseil des ministres. Début de l'expulsion des Allemands des Sudètes (jusq. fin 1946). L'État confisque les biens et les « fortunes ennemies » (Allemands, Hongrois et collaborateurs, plus de 30 % de la population). Nationalisation des mines et de l'industrie. Retrait des troupes soviét. et améric. (déc.).
1946 Victoire élect. du parti comm. (38 %). BÉNÈS et MASARYK croient à un gouv. démocr. du Front national présidé par GOTTWALD.
1947 Pacte d'assistance avec la Pologne après avoir liquidé le conflit de Teschen. Après avoir obtenu l'accord des partis pour participer à Paris à la Conférence du plan Marshall (p. 521), le gouv. renonce sur un ultimatum de Moscou.
Fév. 1948 Coup d'État communiste, déclenché par la démission de 12 ministres pour protester contre les infiltrations comm. dans la police (NOSEK, comm., min. de l'Intérieur). Le chef syndicaliste ZAPOTOCKY (1884-1957) fait pression sur BÉNÈS par une série de grèves et de démonstrations contre les « comploteurs ». Sur la demande de BÉNÈS, GOTTWALD constitue un nouveau gouv. Mise au pas de la presse, de la radio et de l'administration. Élections faussées par la « liste unique ». BÉNÈS signe la nouvelle constitution (démocratie populaire) et se retire. **Gottwald lui succède, Zapotocky devient chef du gouv.**
1949 Arrestation de Mgr BERAN.
1951-1952 Épurations dans le parti comm.
1957 Novotny (né en 1904), président de l'État.
1962-1963 Mise à l'écart des staliniens : amnistie des condamnés polit., puis réhabilitation.
1965 Réformes économiques (prix, distribution). Conclusion de traités commerciaux.

Hongrie
1945 Réforme agraire. Confiscation de tous les biens appartenant à l'Église, à des Allemands ou à des fascistes. Le manque de rentabilité des petites entreprises agric. amène la collectivisation agraire. Victoire élect. du parti des petits propriétaires en nov. : 245 sièges sur 409, mais les communistes, avec seulement 70 mandats, ont 4 ministres dont IMRE NAGY (1896, probablement exécuté en 1958) à l'Intérieur, GEROE (né en 1899) au Commerce, et RAKOSI (né en 1882), min. sans portefeuille.
1947 Écrasement du parti des petits propriétaires à cause de leurs « complots » : procès spectaculaires contre 220 membres du parti : FERENCZ NAGY (né en 1903), prem. min., s'enfuit en Suisse.
1948 En dehors du parti socialiste, il ne demeure que des partis fantômes. L'Église résiste au « programme des Quatre Points » (nationalisation des écoles). JANOS KADAR (né en 1912), min. de l'Intérieur, persécute les prêtres. Le cardinal JOSEF MINDSZENTY (né en 1892) est condamné à mort, puis gracié (prison à vie). Industrialisation et collectivisation poussées avec rigueur. Procès contre les « titistes » parmi eux, KADAR est emprisonné de 1950 à 1953).
Après la mort de STALINE, en **1953 proclamation de la « nouvelle ligne » par Imre Nagy,** mais les staliniens de RAKOSI le renversent. L'agitation s'accroît chez les intellectuels et les étudiants.
1956 RAKOSI doit abandonner la direction du parti à GEROE. Démonstrations de masse à Budapest et en **oct. 1956, insurrection populaire.** Les étudiants exigent le retrait des troupes soviét., la suppression de la police secrète, des élections libres, la liberté de la presse, etc. Le gouv. recourt à l'aide soviét. Chocs sanglants : ouvriers, étudiants et troupes hongr. commandées par le col. MALETER repoussent d'abord l'Armée Rouge. NAGY, prem. min., constitue un ministère d'union des partis et annonce que la Hongrie se retire du Pacte de Varsovie (p. 507). De nouvelles unités soviét. interviennent, un contre-gouvernement KADAR se met sous leur protection. Émigration de 170 000 personnes. NAGY et MALETER tombent entre les mains des Russes. Le cardinal MINDSZENTY se réfugie à l'ambassade américaine.
1957 Tribunaux spéciaux, qui répriment les grèves et les démonstrations. L'O. N. U. condamne l'U. R. S. S. et confirme la légitimité du gouv. NAGY (juin).
1961 Arrêt de la collectivisation. Expansion de l'industrie lourde avec le second plan quinquennal.
1962 Déstalinisation. Le parti poursuit RAKOSI et GEROE.

La guerre civile en Chine (1945-1950)

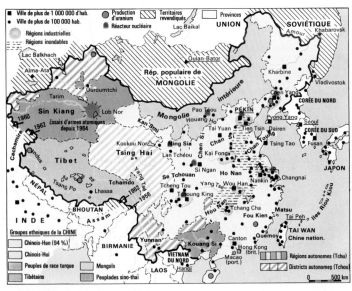

La République populaire de Chine (1965)

Chine

Avec l'aide des Américains, les troupes du Kuo-Min-Tang occupent les grandes v les. TCHANG KAI-CHEK installe une dictature militaire.

1945 Traité avec l'U. R. S. S. qui obtient Port-Arthur (jusq. 1955). Échec des négociations avec le parti comm. pour constituer un gouv. de coalition.

1947 La guerre civile s'aggrave. Malgré la loi d'aide à la Chine, les E.-U. ne peuvent empêcher dans le Nord-Est de la Chine les progrès des comm. que l'occupation soviét. (1945-1946) a favorisés.

1949 Grande offensive comm. en Chine méridionale : prise de Nankin. Proclamation de la Rép. populaire chinoise (sept.). Le gouv. et l'armée du Kuo-Min-Tang s'enfuient à Formose.

1950 Conquête de Haïnan. Succès de prestige en Corée et en Indochine (p. 513). Les E.-U. s'opposent à l'entrée de la Chine comm. à l'O.N.U. (p. 501), organisent un **blocus écon.** autour d'elle et garantissent l'indép. de la **Chine nationaliste** (Taiwan-Formose) gouvernée par TCHANG KAI-CHEK.

1950 Pacte d'assistance mutuelle avec l'U. R. S. S.

1950-1956 Réforme agraire en quatre temps : nouvelle répartition du sol, aide mutuelle, coopératives, kolkhozes. Réforme monétaire (1955). **Rééducation du peuple.** Formation des cadres du parti et des fonctionnaires. Introduction de l'alphabet latin (1956).

1953 Premier plan quinquennal.

1954 Nouvelle constitution : reconstruction de l'État sur le principe de la « centralisation démocr. » : **Conseil central** (56 membres) sous la présidence; du chef du parti comm. MAO TSÉ-TOUNG.

1957 Discours **libéral** des « **Cent Fleurs** », qui déclenche une série de critiques. Ensuite le « bond en avant » vers le communisme :

1958 Création des Communes populaires. La vie familiale s'efface devant les dortoirs et les réfectoires. Augmentation de la production d'acier par l'emploi de petits hauts fourneaux. Le « **grand bond en avant** » s'achève en catastrophe économique.

1959 Programme atomique. LIU SHAO-CHI (né en 1898) devient président de l'État. MAO demeure chef du parti, CHEN-YI devient min. des Aff. étrang.

1960 Retrait des techniciens soviét. à la suite du **conflit idéologique avec Moscou** (p. 504).

1961-1963 Troubles contre-révolutionnaires.

Rupture déclarée avec le parti

comm. soviét. à p. de la crise cubaine (p. 549). KROUCHTCHEV est accusé de trahir le marxisme-léninisme et la révol. mondiale.

1963 Programme des « Vingt-cinq points ». Tentative de division des partis communistes.

1964 Explosion de la première bombe atom. chinoise. Malgré la chute de KROUCHTCHEV, aucun rapprochement idéologique.

Polit. extérieure. Revendication des territoires qui appartenaient à la Chine avant les « traités inégaux ».

1950 Occupation du Tibet (1951 : autonomie interne). Orientation asiat. de la polit. : rapprochement avec l'Inde (p. 543), initiative de la conférence de Bandoung (p. 539), réconciliation avec le Japon. Menace de conflit mondial : en

1957 offensive contre Formose. Bombardement de Quemoy (1958).

1959 Révolte au Tibet. Fuite du Dalaï Lama. Conflit frontalier avec l'Inde et en

1962 offensive sur l'Assam (Ligne Mac-Mahon) et le Cachemire (Ladakh).

1963-1964 Voyages en Afrique et en Asie de TCHOU EN-LAI, prem. min., et CHEN-YI, min. des Aff. étrang. Rapports économiques avec l'Occident.

1964 La France reconnaît la Rép. popul. de Chine.

1965 Revers en polit. étrangère (révoltes antichinoises en Indonésie, au Ghana, etc.).

1967 Émeutes antisoviétiques à Pékin à la suite de la campagne des « gardes rouges » contre le « révisionnisme ».

Japon

1945-1950 Gouv. milit. améric. du général MACARTHUR (p. 513). Procès contre les criminels de guerre. Rapatriement des Japonais établis à l'étranger.

1946 Constitution sur le modèle améric.

1949-1954 Deuxième ministère YOSHIDA : à cause de la tension entre l'Est et l'Ouest, les E.-U. veulent se faire un allié du Japon.

1951 Traité de San Francisco. Le Japon perd toutes ses conquêtes depuis 1854, conclut un traité milit. avec les E.-U. et recouvre sa souveraineté (1952). A partir de

1954 réarmement.

1955 HATOYAMA (1883-1959), prem. min. : polit. pacifique, réforme administr. et fiscale.

1956 Fin de l'état de guerre avec l'U. R. S. S.

1960 Pacte de sécurité avec les E.-U.

1960-1964 IKEDA (né en 1899), prem. min. Le Japon est premier constructeur de bateaux, 3e prod. d'acier dans le monde (47,5 millions de t en 1966).

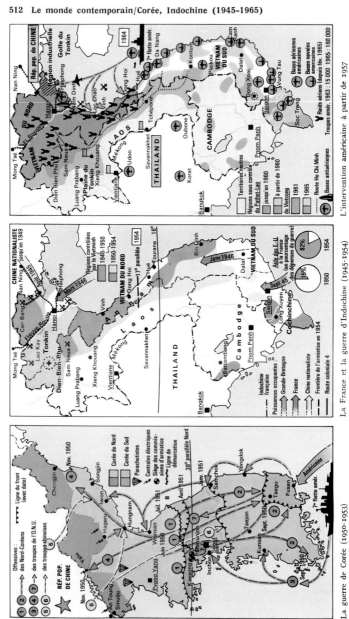

L'intervention américaine à partir de 1957

La France et la guerre d'Indochine (1945-1954)

La guerre de Corée (1950-1953)

Zones critiques du conflit Ouest-Est en Asie

Corée. En 1945, suivant les accords signés précédemment, occupation soviét. et améric. de la Corée.

1948 Au Sud, élection d'une Assemblée nationale : SYNGMAN RHEE (1875-1965) devient prés. de la **Rép. de la Corée du Sud** (août). Sept. : proclamation de la **Rép. popul. de la Corée du Nord**, prem. min. : KIM IL-SOUNG (né en 1912). Les deux gouv. revendiquent toute la Corée.

1950-1953 Guerre de Corée, déclenchée par une agression de la Corée du Nord. La Corée du Sud demande du secours. Le prés. TRUMAN (p. 517) ordonne aux troupes améric. d'intervenir. Le Conseil de Sécurité de l'O. N. U. (p. 501) déclare que la Corée du Nord est l'agresseur et demande aux membres de l'O. N. U. d'appuyer la Corée du Sud. L'armée de l'O. N. U. (formée par 15 nations), commandée par le gén. améric. MACARTHUR (1880-1964) est d'abord repoussée jusqu'à la tête de pont de Pusan. En sept. elle avance jusq. la frontière chinoise, d'où intervention de « volontaires chinois »(nov.). Guerre de position sur le 38e parallèle. Montée du prix des matières premières (boom de Corée).

1951 MACARTHUR réclame les mains libres pour détruire les bases de ravitaillement en territoire chinois. TRUMAN craint une nouvelle guerre mondiale et le remplace par le gén. RIDGWAY.

1953 Armistice de Panmunjon : division de la Corée (voir plus bas).

Corée du Nord. Reconstruction avec des crédits soviétiques.

1958 Fin de la collectivisation de l'agriculture.

Corée du Sud. Les Américains aident à sa reconstruction.

1953 Pacte de sécurité avec les E.-U. qui soutiennent le régime autocrat.

1960 Démission de SYNGMAN RHEE.

Indochine.

1945 Désarmement des troupes franç. de Vichy par les Japonais (mars).

Ho Chi-Minh (né en 1894), chef du parti comm. et du Vietminh créé en 1941 (mouvement de libération), proclame à Hanoï la **Rép. démocr. du Vietnam.** Les Brit. occupent la zone Sud et Saïgon. Un corps expéditionnaire franç. (général LECLERC) combat le Vietminh.

1946 Les troupes franç. remplacent les Brit. au Sud. La France négocie le retrait des Chinois en étant conciliante sur la question du chemin de fer du Yunnan. HO CHI-MINH accepte le retour des troupes franç. au Tonkin contre la reconnaissance de la Rép. du Vietnam dans le cadre de l'Union franç. Le haut commis-

saire franç. l'amiral THIERRY D'ARGENLIEU sabote cet accord en fondant unilatéralement la **Rép. de Cochinchine** (juin). Les « ultras » franç. veulent résoudre par la force le problème du Vietnam (bombardement d'Haïphong par la flotte française).

1946-1954 Première guerre d'Indochine. Des troupes d'élite franç. occupent le delta du fleuve Rouge, et luttent, mais sans succès, contre les partisans du gén. GIAP.

1948 Impuissance du gouv. fantoche de l'ex-empereur BAO DAI (né en 1913).

1953 Le Vietminh pénètre au Laos et sépare l'Indochine en deux. Évacuation de Lang-Son à la frontière chinoise. **Désastre de Cao-Bang.** L'espoir d'une victoire franç. s'estompe après la mort du gén. DE LATTRE DE TASSIGNY. Le prés. EISENHOWER refuse d'intervenir militairement.

1954 Capitulation du camp retranché de Dien Bien Phu.

1954 Conférence des ministres des Aff. étrang. à Genève [représ. de la Chine : TCHOU EN-LAI (p. 511), pour la France : MENDÈS FRANCE]. Éclatement de l'Indochine en trois États indép. : **Laos, Cambodge et Vietnam** que divise le 17e parallèle.

Laos. Combats entre le Pathet Lao (comm.) et les troupes gouvernementales.

1960 Formation d'un gouv. neutraliste.

1962 La Conférence de Genève décide après plusieurs sessions la **neutralisation** du Laos.

Vietnam du Nord. Essor industriel avec l'aide du bloc de l'Est; polit. orientée vers la Chine comm.; soutien du Viet-Cong dans sa lutte pour la « libération du Vietnam contre les impérialistes américains ».

Vietnam du Sud. NGO DINH DIEM (1901-1963) prem. min., gouverne avec l'aide des Améric. à p. de

1955 avec des moyens dictatoriaux. Lutte contre les sectes bouddhistes, les comm. Il refuse la consultation populaire prévue pour la réunification par les accords de Genève.

1957 Sec. guerre d'Indochine Les partisans du Viet-Cong n'abandonnent pas l'idée d'unité. Le gouv. réplique par la création de « villages de défense » (1961). Manifestation des bonzes (bouddhistes) contre la dictature (suicide par le feu).

1963 Coup d'État militaire : mort de Diem. Les Américains interviennent directement pour éviter l'effondrement du Vietnam du Sud.

1964 Bombardement des bases de ravitaillement du Vietnam du Nord.

1965 Dictature militaire du gén. KY.

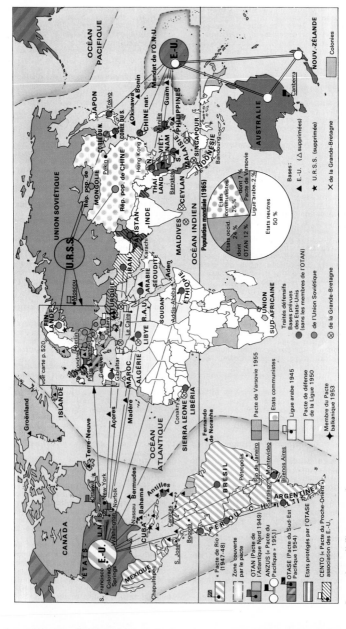

Les systèmes d'alliances en 1965

Le monde se divise en deux blocs : Les E. U. veulent défendre l'entreprise privée et la démocratie libérale. L'U. R. S. S. s'attache à défendre ses nouvelles frontières par un glacis d'États satellites.

Les alliances à l'Ouest :

Organisation des États américains, expression de la polit. panaméric. Ses dispositions fondamentales sont contenues dans l'Acte de Chapultepec (1945), étudie en

1947 à la Conférence de Pétropolis (pacte de Rio), et signé en

1948 à la Conférence de Bogota : devoir d'assistance en cas d'agression; arbitrage pacifique des conflits entre membres, ou sanctions, par le moyen de la Conférence interaméric. (Conférence des min. des Aff. étrang. pour consultation; Conseil de défense).

1962 Conférence de Punta del Este : exclusion de Cuba. Interventions au Nicaragua, au Honduras, à Cuba, en Rép. dominicaine, etc.

Organisation du Pacte de l'Atlantique Nord (O. T. A. N. p. 520) signé pour 20 ans en 1949 à Washington à cause de la tension Est-Ouest.

Objectif : Défense des libertés démocr. par la défense collect. et une collaboration polit. et écon.

Organismes civils : Secrétariat et Conseil représentatif permanent (Paris) qui exécute les décisions du Conseil de l'O. T. A. N. — Organismes milit. : Commission des chefs d'Etat-Major.

Accords entre les E.-U. et la G.-B. (bases aériennes et de fusées) dans le cadre de l'O. T. A. N. :

Politique de l'O. T. A. N. : 1950 Essai de création d'une armée europ. (p. 521).

1952 Adhésion de la Turquie et de la Grèce, en 1955 de l'Allemagne fédérale.

1957 Armement atomique confié à chaque membre (têtes nucléaires sous contrôle américain).

1958 « Force de protection » europ. (30 divisions), armement nucléaire sous contrôle américain. La France refuse d'incorporer à l'O. T. A. N. sa flotte méditerranéenne. Pour renforcer la défense, en 1961, sous-marins américains avec fusées Polaris.

1962 Organisation de forces conventionnelles en vue d'une « dissuasion échelonnée ».

1963 Controverses sur la constitution d'une force atomique multilatérale munie de fusées Polaris.

1966 La France retire ses troupes de l'O. T. A. N. Transfert de l'État-Major europ. dans le Benelux (S. H. A. P. E.)

Pacte du Pacifique, signé en 1951 à San Francisco contre les attaques jap. ou toutes agressions dans le Pacifique. — Organisme : Conseil consultatif (une session par an).

Pacte de l'Asie du Sud-Est signé à Manille en 1954 en vue de protéger même les États non signataires du Pacte (p. e. le Vietnam du Sud). Consultation en cas d'infiltration comm., manœuvres communes. — Organisation : Conseil ministériel permanent et Secrétariat exécutif (Bangkok); état-major milit.; service de détection et de surveillance de la subversion communiste.

1958 Prise de contact entre l'O.T.A.N. et les membres signataires du Pacte de Bagdad (voir plus bas). En 1965, la France rappelle tous ses officiers détachés dans les états-majors communs.

1955 Extension du **Pacte de Bagdad** à l'Irak (l'Irak le dénonce en 1959, p. 532). Aucune obligation d'assistance; collaboration dans les domaines polit. et milit. — Organismes : Conseil ministériel permanent (Ankara) et état-major depuis 1958. En 1959, adhésion indirecte des E.-U. au moyen d'accords bilatéraux de sécurité. 1961 : nomination d'un chef d'état-major américain.

Pactes bilatéraux des E.-U. dans le Pacifique : 1953 avec la Corée du Sud (assistance obligatoire); 1954 avec la Chine nationaliste (qui s'engage à ne pas intervenir sur le continent sans l'accord des E.-U.); en 1961, avec le Japon.

Les alliances à l'Est : Complétant les traités milit. bilatéraux, le

Pacte de Varsovie (p. 244) en 1955 est la réaction de l'U. R. S. S. aux Accords de Paris (p. 529); durée prévue : 20 ans. Objectif : assistance automat. en cas d'agression. Organisation : Commission de conseillers polit., Secrétariat et Grand État-Major communs (Moscou).

Traité d'alliance avec la Rép. popul. mongole (1946).

Les alliances dans le Tiers Monde :

La Ligue arabe (p. 535) fondée en 1945 au Caire : pacte de non-agression en vue d'une collaboration étroite. Ses décisions ne lient pas ses membres. Organisation : Conseil des chefs d'État (dep. 1964); Secrétariat général au Caire; Conseil des min. des Aff. étrang. pour coordonner la polit. étrang. des États arabes. Adhésion de la Libye (1953), du Soudan (1956), de la Tunisie, du Maroc (1958), de Koweit (1959).

Un pacte de défense collective existe depuis 1950, dans le cadre de la Ligue : il est dirigé surtout contre Israël.

États-Unis et Union Soviétique en 1965

Les États-Unis après 1945

1945-1952 Harry Truman (né en 1884), prés. Les E.-U. ont alors le monopole de la bombe atomique (p. 550); ils veulent diriger la polit. mondiale avec l'aide de l'O. N. U. (p. 499), selon les principes de la Charte.

Polit. étrangère. Dès le début du conflit Est-Ouest (p. 495), la polit. de l' « endiguement » (« Containment ») remplace la collaboration avec l'U. R. S. S.

1947 Doctrine de Truman (p. 505). Le prés. garantit à tous les peuples leur indépendance grâce à l'aide milit. et écon. améric.

Conséquences. Soutien à la Grèce et à la Turquie (p. 505), plan Marshall (p. 521), pont aérien de Berlin (p. 531), Conseil de Sécurité, fondation de l'O. T. A. N.

1946 Indépendance des Philippines (p. 541) et à p. de 1949 programme de stabilisation écon. au Japon, pour arrêter les progrès du communisme en Asie. Après sa réélection, TRUMAN proclame en

1949 le programme des Quatre Points (p. 539) : les E.-U. assument une responsabilité mondiale; d'où

1950-1953 guerre de Corée (p. 513) : mesures prises par l'O. N. U. contre les agresseurs nord-coréens.

1950 État d'urgence (décembre) : réorganisation des forces démobilisées dep. 1945. Pacte de l'Asie du Sud-Est.

1951 Traité de paix avec le Japon (p. 511) : la position améric. se renforce en Asie. Programme nouveau pour le Moyen-Orient (mars 1950), qui prévoit une aide technique, des apports de capitaux, des secours aux réfugiés ainsi que des relations commerc. et culturelles.

Politique intérieure.

1947 Loi Taft-Hartley (contre le veto du prés.) : les syndicats n'ont plus le monopole de l'embauche (« closed shop »). Le prés. acquiert le droit de faire précéder les grèves d'un « délai de réflexion ». Contre les conservateurs républicains et les démocr. du Sud, le prés. veut une véritable démocratie sociale et économique :

1949 Proclamation du « **Fair Deal** » qui doit garantir les progrès du New Deal (p. 463).

1951 XXIIᵉ amendement. Les fonctions du président réélu peuvent être prorogées deux fois. Effondrement de la Chine nat. (p. 511), tandis que les Soviets acquièrent l'arme atomique. Réactions de panique. Procès contre les dirigeants comm. et les intellectuels de gauche (affaire HISS), procès d'espionnage (FUCHS, JULIUS et ETHEL ROSEN-

BERG). Le sénateur MACCARTHY (Wisconsin) entreprend de combattre les « activités antiaméric. ». Malgré le prés., le Congrès adopte la loi MACCARRAN-NIXON (1950 : enregistrement de toutes les organisations crypto-comm.) et la loi MACCARRAN (1952 : revision des conditions d'immigration). Une commission d'enquête (KEFAUVER) établit que les gangsters contrôlent les syndicats : exclusion des dockers (1954), et des employés des transports de l'A. F. L. (1955 fusion de l'A. F. L. et de la C. I. O.).

1953-1960 Eisenhower (né en 1890), rép., est président.

Nouvelle polit. étrang. (FOSTER DULLES (1888-1959) min. des Aff. étrang., (remplacé en 1959 par CHRISTIAN HERTER) : partant du principe que l'opposition du comm. et de l'Amérique sera durable, espoir lointain de refouler le communisme grâce à des pactes milit. (p. 515) et l'aide à l'étranger.

1953 Armistice en Corée (p. 513). Les E.-U. défendent Formose (p. 511), mais s'abstiennent en Hongrie (p. 509), et pendant la crise de Suez (p. 535).

1957 Doctrine Eisenhower (p. 535). Garantie milit. accordée aux États du Moyen-Orient qui la demandent, contre toute attaque comm.

1959 Voyage en U. R. S. S. et en Pologne du vice-prés. NIXON. **Visite de Krouchtchev** (sept.) : conversations EISENHOWER-KROUCHTCHEV au **Camp David** sur les possibilités de solution des problèmes internat.

1960 Les voyages d'EISENHOWER en Amérique du Sud et en Extrême-Orient révèlent l'existence de sentiments anti-américains. Les rapports avec Cuba (p. 549) se détériorent.

Polit. intérieure. MACCARTHY, prés. d'une commission permanente d'enquête, terrorise les fonctionnaires du min. des Aff. étrang. et les intellectuels (cas OPPENHEIMER). Un blâme officiel du Sénat met fin à ses activités.

Le problème noir. Pour le Tiers Monde il est difficile de se rallier aux E.-U. avec la ségrégation qui règne dans les États du Sud, d'où efforts vers l'intégration.

1954 La Cour suprême prend position contre les entorses au principe d'égalité (jugements contre l'utilisation de moyens de transport séparés), malgré l'opposition du Sud. Troubles et terreur racistes (Little Rock-Arkansas), qui amènent l'intervention des troupes fédérales.

1957 Le Sénat vote par 72 voix contre 18 la **loi pour la protection du droit de suffrage des Noirs.**

États-Unis (1961-1965)

1961-1963 John F. Kennedy, prés.
démocrate (1917-assassiné en 1963), est élu avec 50,1 % des voix contre RICHARD NIXON, rép. (né en 1913).

Nouveau style polit. de l'ère Kennedy. La fonction présidentielle est transformée : un « brain trust » de conseillers travaille sous la direction personnelle du prés.; des savants, des spécialistes sont appelés auprès du président, ex. : DEAN RUSK (né en 1909) aux Aff. étrang., MAC NAMARA (né en 1916), à la Défense. ADLAI STEVENSON devient ambassadeur à l'O. N. U. Augmentation du budget pour financer l'aide aux pays en voie de développement, les programmes spatiaux et l'armement.

Polit. étrang. contre l'offensive soviétique :
1. Renforcement de la force de frappe : combinaison des armes nucléaires et conventionnelles;
2. Apaisement des susceptibilités des alliés des E.-U. en leur accordant un droit de codécision.
1962 Offre d'une collaboration atlantique avec une Europe unie;
3. Programme d'aide étendue, avec priorité à l'aide milit., coordonnée avec l'aide internat.
1962 Crise du Congo : les E.-U. déclarent qu'ils ne permettront aucune intervention unilatérale. En raison de la doctrine TRUMAN (p. 505) et de l'aide apportée par les États du Pacte de l'Asie du Sud-Est, armistice au Laos (mai). Déclaration de Berlin [juin : « les trois Libertés fondamentales » (p. 495)]. Envoi de conseillers milit. au Vietnam du Sud. Après la rupture des relat. écon. avec Cuba par le gouv. EISENHOWER (janv. 1961), tentative d'invasion (baie des Cochons) et **crise** (oct. p. 549), puis détente (p. 504) : téléph. direct Washington-Moscou et accord sur l'arrêt des expériences atomiques (p. 551).

Économie. Messages présidentiels invitant à développer l'esprit de compétition. Diminution des droits de douane pour les articles provenant des pays du Marché commun (« Kennedy round », p. 521). Lutte anti-inflationniste et maintien du prix de l'acier.

Polit. intérieure. Opposition des races. A p. de
1962 troubles provoqués par la résistance des gouverneurs des États sudistes qui estiment que leurs droits sont lésés par la polit. fédérale et les décisions de la Cour suprême.
1963 « Programme des droits civiques » proclamé par les prés. Une démonstration massive (200 000 Noirs et Blancs réunis à Washington) le soutient (« National Association for the

advancement of colored people » dirigée par le pasteur LUTHER KING).
22.11.1963 Assassinat du prés. Kennedy au cours d'un voyage à Dallas. Enquête contestée. La thèse de l'attentat individuel résiste mal à de nouvelles recherches.
1963 Lyndon B. Johnson (né en 1908), prés., poursuit d'abord la polit. étrang. de KENNEDY.
1964 Soutien aux alliés. Augmentation de l'aide milit. au Vietnam du Sud (p. 513).
1965 Intervention dans la guerre civile de Saint-Domingue (p. 549). L'opinion craint un « nouveau Cuba ». « La doctrine Johnson » est mal reçue à l'O. N. U. et à l'Organisation des États américains où beaucoup contestent la réalité du danger communiste.

Polit. intérieure. Pour mettre fin à la discrimination raciale :
1964 Loi sur les droits civiques, la mesure la plus importante prise en faveur de l'égalité juridique des Noirs depuis leur libération par LINCOLN (p. 371). **Lutte contre la misère :**
1964 Loi pour garantir le progrès écon. de tous les citoyens (reprise du projet du prés. KENNEDY). Rêve d'une « grande société » difficile à concilier avec les exigences militaires de la guerre du Vietnam.

Canada (1945-1967)

Au cours de la seconde guerre mondiale, ce pays s'industrialise fortement. Essor écon. après guerre dû à une forte demande en matières premières et en céréales ainsi qu'à une puissante vague d'immigration et à la découverte de minerais de fer, d'uranium et de gisements de pétrole. Les libéraux de MACKENZIE KING (1874-1950) et de SAINT-LAURENT réclament un relâchement des liens du Commonwealth. **1941 Terre-Neuve** devient une 10e province.
1957 Victoire conservatrice. Le ministère DIEFENBACKER (né en 1895) veut l'indépendance et la neutralité.
1963 Conflit avec les E.-U. sur la dotation en armes atomiques. Le premier min. LESTER PEARSON (né en 1897) lutte pour l'égalité des droits des Canadiens français, la diminution des investissements améric. et la participation à la défense nucléaire.
1964 Visite de la reine ELIZABETH II; démonstrations des Canadiens franç. qui veulent l'autonomie des territoires qu'ils habitent; d'où mouvement renforcé en faveur d'une revision de la constitution.
1967 Exposition universelle à Montréal. Le gén. DE GAULLE encourage les revendications autonomistes de l'État de Québec (« Vive le Québec libre! »).

Europe méridionale (1945-1965)

Espagne. Isolement polit. du **régime franquiste** (p. 437). L'idéal monarchiste ou républicain reste vivant, selon les régions. Le conflit Est-Ouest incite les E.-U. à réviser leur attitude hostile.

1953 Traité des bases avec contre-partie d'aide écon. et milit. Perte des possessions au Maroc (1956). Agitation des étudiants contre la censure et le manque de liberté polit. Troubles sociaux dep. 1962 : grèves (parfois avec l'accord du clergé). Essor écon.

Portugal. SALAZAR (p. 437), prem. min., gouverne dictatorialement.

1951 Traité avec les E.-U. qui bénéficient de bases.

1961 Perte de Goa (Inde p. 543). Troubles en Angola et Mozambique; l'O. N. U. condamne la polit. coloniale du Portugal. Opposition démocr. latente.

Italie. A la fin de la guerre, les comités de libération et les partis divisés luttent pour s'assurer le pouvoir. Épuration dirigée contre les fascistes. Formation d'un grand parti démocrate-chrétien.

1945-1953 De Gasperi (1881-1954), prem. min. démocr.-chrétien. Après des élections législatives et un référendum, le

18 juin 1946, proclamation de la rép.

1947 Traité de paix (p. 494). Paiement de réparations, perte de l'Istrie, des colonies et de la flotte. Réforme monétaire (EINAUDI) qui endigue l'inflation.

1948 Einaudi (1874-1961), prés. de la rép. Majorité parlementaire absolue pour les démocr.-chétiens (D. C. I.). DE GASPERI fait une polit. favorable à l'intégrat. europ. malgré les grèves et l'opposition de gauche [comm. dirigés par **Togliatti** (1893-1964), et socialistes de gauche (P. S. I.) de **Nenni** (né en 1891)].

1949 Crise agraire dans le Sud (révoltes en Calabre) : confiscation partielle des grandes propriétés. Réforme agraire et création de nouveaux villages, pour favoriser la formation d'une classe de petits propriétaires. Essor du commerce extérieur.

1951-1952 Union de tous les socialistes avec **Saragat.** Succès électoraux des adversaires de la démocratie chrétienne. A p. de

1953 changements fréquents de gouvernements (PELLA, SCELBA, SEGNI, etc.).

1960 Fanfani (dém.-chrétien), prem. ministre (né en 1908), pratique en

1962 l'« ouverture vers la gauche » (coalition dém.-chrétienne avec les sociaux-démocrates de SARAGAT).

1963 Progrès élect. des communistes. ALDO MORO (D.C.) constitue un gouv. centre-gauche. Soc., soc.-dém., républicains : stabilisation de la monnaie, de la balance des paiements et du commerce extér. Émigration vers le Nord de la main-d'œuvre du Sud.

1964 Saragat, prés. de la rép. (né en 1898).

La question du Haut-Adige.

1948 Statut d'autonomie accordé par les Italiens, mais qui s'applique à la région Bolzano-Trente seulement (Bolzano-ville est exclu). Protestations du parti du peuple contre l'italianisation.

1960 Plainte autrichienne à l'O. N. U.

1964 Les deux min. des Aff. étrang., KREISKY et SARAGAT, décident de créer une commission mixte d'experts pour mettre fin au conflit.

1967 Graves attentats à la frontière du Brenner.

Autriche.

1945 Gouvernement provisoire (avril) de RENNER, sous le contrôle des puissances occupantes : division de Vienne en 4 secteurs (juillet). Vienne est le siège du **Conseil allié.** Après les élections au Conseil national, les partis s'unissent sous le chancelier LÉOPOLD FIGL.

1946 La loi alliée sur l'unanimité nécessaire pour annuler les lois autrich. permet une certaine liberté d'action. Nationalisation de l'industrie lourde, des mines, des banques.

1947 Une loi contre l'inflation provoque le retrait du parti comm. du gouv. de coalition. La stabilité polit. due à un système de coalition (jusq. 1965) et les concessions soviét. après la mort de STALINE permettent au chancelier **Raab** (1953-1961) [1871-1964], de conclure le

15 mai 1955, le traité d'État (p. 494) : suppression de l'occup. contre des réparations en nature (jusq. 1964) et neutralité volontaire (oct.). Depuis, essor écon. (exp. industrielle, tourisme).

1961-1964 Controverses à l'occasion du retour d'OTTO DE HABSBOURG, héritier du trône (autorisation pour un seul voyage en 1966).

1966 Victoire électorale du parti popul. autrichien qui met fin à l'ère des coalitions (gouv. du parti avec JOSEF KLAUS, chancelier dep. 1964).

1967 Désir de l'Autriche, membre de la zone de libre échange, d'entrer dans le Marché commun (proximité de l'Allemagne), mais opposition soviétique qui rappelle les engagements de neutralité.

Suisse. Observant une stricte neutralité, le pays sert de refuge pour les capitaux étrangers (activités charitables pour les réfugiés, villages d'enfants Pestalozzi). Elle siège au Conseil de l'Europe dep. 1963.

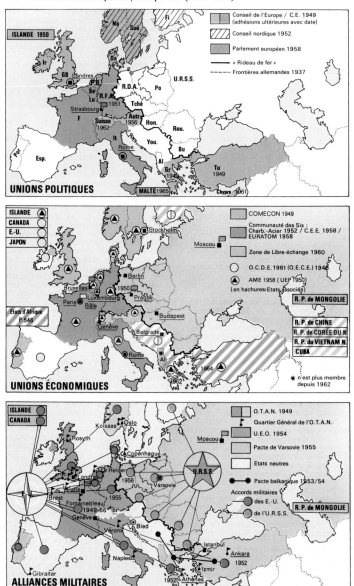

UNIONS POLITIQUES

Conseil de l'Europe / C.E. 1949
(adhésions ultérieures avec date)

Conseil nordique 1952

Parlement européen 1958

« Rideau de fer »

Frontières allemandes 1937

ISLANDE 1950

No, Sué, Fi, Ir, GB, Londres, P.-B., Be, Lu, R.F.A., Strasbourg, R.D.A., Po, U.R.S.S., 1951, Tché, F, Suisse, Autr. 1956, 1962, Hon., Rou., It, Rome, You., Bu, Pou, Esp., Al, Gr 1949, Tu 1949, MALTE 1965, Chypre 1961

UNIONS ÉCONOMIQUES

ISLANDE, CANADA, E.-U., JAPON

COMECON 1949

Communauté des Six :
Charb.-Acier 1952 / C.E.E. 1958 /
EURATOM 1958

Zone de Libre-échange 1960

O.C.D.E. 1961 (O.E.C.E.) 1948

AME 1958 (UEP 1950)
(en hachures:États associés)

R. P. de MONGOLIE

R. P. de CHINE

R. P. de CORÉE DU N

R. P. du VIETNAM N.

CUBA

* n'est plus membre
depuis 1962

Stockholm, Moscou, Bruxelles, Berlin, 1950, Luxembourg, Prague, Paris, Bâle, Budapest, Genève, Belgrade, Rome, Ath, 1964, 1962

États d'Afrique P. 546

ALLIANCES MILITAIRES

ISLANDE, CANADA

O.T.A.N. 1949

Quartier Général de l'O.T.A.N.

U.E.O. 1954

Pacte de Varsovie 1955

États neutres

Pacte balkanique 1953/54

Accords militaires
des E.-U.
de l'U.R.S.S.

R. P. de MONGOLIE

Koisaas, Oslo, Rosyth, Moscou, Copenhague, Den Helder, Londres, 1956, Varsovie, U.R.S.S., Paris, Brest, 1955, Fontainebleau, 1949-66, Genève, Bled, Vérone, Istanbul, Naples, Ankara 1952, Izmir, Gibraltar, 1952, Athènes, E.-U.

Les politiques d'intégration européenne depuis 1945

L'intégration politique

Après 1945, les idées de CHURCHILL (discours de Zurich 1946) rejoignent celles de R. SCHUMAN.

1949 Création à Londres du Conseil de l'Europe. Organismes : à Strasbourg, Assemblée consultative (délégués des parlements), Conseil des ministres des Aff. étrang. **Convention des Droits de l'Homme.**

L'intégration militaire

1948 Pacte d'assistance de Bruxelles (États du Bénélux, G.-B., France).

1949 L'O. T. A. N. (p. 515). Sur la proposition de CHURCHILL et de PLEVEN, prés. du Conseil, le conseil de l'O. T. A. N. devant la crise coréenne (p. 513) décide la création d'une **Communauté de Défense europ.** avec participation allemande, ce qu'utilise le chancelier ADENAUER pour « dédouaner » moralement l'All. (p. 529).

1952 Traité de Paris sur une force europ. occ. liée à l'O. T. A. N. (plan PLEVEN), que la France refuse de ratifier.

1954 Nouveaux Accords de Paris (p. 529). Pacte de Bruxelles en vue d'une union de l'Europe de l'Ouest (contingents nationaux sous commandement de l'O. T. A. N.). **Organismes :** Conseil des ministres, commission permanente ; Parlement de l'Europe dans le cadre du Conseil de l'Europe.

1955 Pacte de Varsovie (p. 507).

L'intégration économique

Plan Marshall : Dans le cadre de la doctrine TRUMAN (p. 505), GEORGE C. MARSHALL (1880-1959), min. des Aff. étrang. des E.-U., propose, en **1947 un programme de reconstruction europ. :** les E.-U., livreront matières prem., marchandises, et capitaux, partie en crédits, partie en dons. L'U. R. S. S. refuse cet « instrument de l'impérialisme du dollar », la Pologne et la Tchécoslovaquie acceptent d'abord d'assister à la Conférence du Plan Marshall à Paris (juillet-sept.), puis se récusent.

1948 Organisation europ. de coopération écon. (O. E. C. E.), à Paris, chargée de répartir les dons et crédits améric. (env. 14 milliards de dollars jusq. 1952).

Conséquences à l'Est :

1949 Création du Comecon (p. 507).

Autres organismes à l'Ouest :

1950 Union europ. des Paiements : la Banque des règlements internat. de Bâle convertit les différentes devises des pays membres. Organisation des Transports (1953), Centre europ. de Recherche nucléaire (1954), Energie nucléaire (1957), Eurovision (1962), Recherches spatiales (1962), etc.

1958-1959 Négociations à l'O. E. C. E. au sujet d'une zone europ. de libre-échange ; échec.

1959-1960 Création d'une petite zone de libre-échange, sur proposition brit., pour garantir les sept membres contre le Marché commun.

1959 Accord monétaire europ., élargissement de l'Union europ. des Paiements : libre convertibilité étendue aux transferts de capitaux et de moyens de paiement.

1961 Organisation de Coopération et de Développement écon. (O. C. D. E.), qui remplace l'O. E. C. E. : promotion du commerce internat. et coordination de l'aide occ.

Communauté européenne des Six. En vue de maintenir l'union existante (contrôle de la Ruhr, p. 529) SCHUMAN, min. français des Aff. étrang., propose en

1950 un Marché commun du charbon, du fer et de l'acier, pour 50 ans (plan SCHUMAN).

1951 Création de la Communauté européenne du Charbon et de l'Acier (C. E. C. A.), à Luxembourg. Organismes : Haute Autorité (9 membres) juridiquement souveraine, nommée pour six ans par le **Conseil des ministres** (droit de veto).

1957 Traités de Rome sur l'utilisation de l'énergie atom. (Euratom) et la **formation d'une Communauté économique européenne (C. E. E.)** autour d'une union douanière qui sera réalisée en 1968.

Organismes. Le **Conseil des ministres** (représentant les États et définissant les grandes lignes d'action) nomme pour 4 ans la **Commission exécutive** (9 membres, prés. HALLSTEIN jusqu'en 1967), siégeant à Bruxelles et désirant établir des relations diplomatiques.

1958 Un **Parlement europ.** (Strasbourg) contrôle la commission.

1961-1963 Négociations sur l'entrée de la G.-B. Échec à la suite d'un veto franç. Essor écon. favorable, mais difficultés au sujet des produits agricoles, malgré tout, en

1963 Baisse des tarifs douaniers, douanes extérieures communes et négociations dans le cadre de l'Union europ. des Paiements avec les E.-U. (« Kennedy round ») sur une réduction gén. des tarifs douaniers.

1965 Crise du Marché commun. Hostilité du gén. DE GAULLE à la supranationalité. La France menace de rompre si le Marché commun agricole ne suit pas les progrès du Marché commun industriel. La crise est surmontée.

1967 Nouvelle candidature de la Grande-Bretagne au Marché commun, malgré la situation spéciale de son agriculture et la tenue de la livre.

Grande-Bretagne (1945-1965)
Bien que faisant partie des vainqueurs, la G.-B. n'a plus sa place parmi les très grandes puissances : endettement (14 milliards de dollars), pertes en capital, dévaluation.
1945-1951 Gouvernement travailliste de Clement Attlee (né en 1883). BEVIN (p. 422) min. des Aff. étrang., puis, à p. de 1950, MORRISON (1888-1965). Collaboration étroite avec les E.-U. en Allemagne (p. 515); traité des bases stratégiques en 1948; participation en Corée, médiation en Indochine (p. 513); réserve à l'égard de l'Europe (p. 521).
Politique d'austérité (SIR STAFFORD CRIPPS (1889-1952) min. des Finances; mesures d'économie en vue d'un rétablissement financier; rationnement jusq. 1950, restriction des importations; recherche de capitaux (prêts améric.) pour augmenter les export. et amortir les dettes.
1946 Programme de restrictions et en 1949 dévaluation de la livre (2,80 doll. au lieu de 4).
Politique sociale. Nationalisation de la Banque d'Angleterre (1945), des compagnies aériennes, des charbonnages (1947), des transports, de l'énergie, et, en 1951, de la métallurgie (redevenue privée en 1953). Les Assurances sociales (1946) deviennent **obligatoires** en
1948 d'après le **plan Beveridge** (1942) : service de santé, allocations familiales. Hausse des bas salaires.
Commonwealth. Transformation en une association de partenaires égaux en
1947 pour l'Inde (p. 543), l'Asie du Sud-Est (p. 541), l'Afrique (p. 545).
1948 Abandon du mandat sur la Palestine (p. 537).
L'Irlande se sépare officiellement de l'Union brit., le statut polit. de l'Irlande du Nord est garanti.
1949 Rép. irlandaise (Eire); prés. depuis 1959, DE VALERA (p. 446).
1951-1964 Gouvernement des conservateurs.
1951-1953 3e minist. CHURCHILL (EDEN aux Aff. étrang.). Amélioration écon., augmentation des revenus et des réserves d'or.
1952 Elizabeth II (née en 1926).
1954 Cession à l'Égypte de la zone du canal de Suez (p. 535).
Chypre : la majorité grecque (orthodoxe), soit 80 %, dirigée par l'arch. MAKARIOS (banni en 1956) désire l'union avec la Grèce (Enosis); la minorité turque réclame la division de l'île.
1954 Guérilla des Grecs (col. GRIVAS) qui refusent les plans d'autonomie turc et britannique.
1959 Accord de Londres : bases milit. brit., les trois puissances garantissent l'autonomie :

1960 **Rép. de Chypre** (prés. **Makarios**).
1963-1964 Après revision de la constitution, guerre civile : interv. des nationalistes grecs et turcs; envoi de troupes de l'O. N. U. Ce conflit et la crise de Suez (p. 535) ébranlent le **ministère** Eden (1955-1957); SELWYN LLOYD min. des Aff. étrang. (jusq. 1960).
1957-1963 Minist. Harold Macmillan.
1957 Suppression de la conscription; diminution des forces armées et équipement atomique (Conférence de Nassau, p. 551), combattu par la « Ligue pour le désarmement atom. ».
1959 Victoire élect. des conservateurs (365 sièges sur 630). Au Congrès travailliste de Blackpool, HUGH GAITSKELL (1906-1963), chef de l'opposition, s'oppose à HAROLD WILSON (né en 1916) en demandant une réforme du parti.
1960 Congrès de Scarborough : division du parti travailliste sur les questions atom. et les points d'appui pour sous-marins nucl. a.méric.
Économie. Fortes importations, export. de capital, arrêt des investissements. Crise des chantiers navals et de l'industr. autom.
1963 La France s'oppose à l'entrée de la G.-B. dans la C. E. E.
1964 Victoire travailliste (5 sièges de majorité); **minist. Harold Wilson**; mesures énergiques pour améliorer la balance des paiements (taxes à l'import., Conseil national des prix et des revenus, soutiens étrangers en faveur de la livre, etc.). Difficultés de concilier les exigences des industries en crise et les revendications des syndicats.

Les États du Bénélux après 1945
Les trois gouv. exilés projettent dès 1944 une union douanière.
1948 Union douanière. 1958 : union écon. 1960 : union des passeports, 1964 : cour de justice commune.
Belgique. Crise (grève gén.) au retour de LÉOPOLD III qui abdique au bénéfice de son fils.
1951 BAUDOUIN Ier (né en 1930). PAUL-HENRI SPAAK (né en 1889) min. des Aff. étrang. En
1960 échec de la grève générale déclenchée contre le programme d'économies destiné à combattre le contrecoup de la perte du Congo (p. 545). Demeurent en suspens la question flamande et la crise économique des charbonnages wallons.
Pays-Bas. Enormité des dettes de guerre et des destructions (ports, navires, maisons), et charge représentée par le retour des Hollandais d'Indonésie (p. 541).
1948 Juliana (née en 1901) **reine.**
Luxembourg. Siège de la C. E. C. A.
Dep. 1964 Jean, grand-duc (né en 1921).

La naissance de la IVᵉ République
25 août 1944 Le général DE GAULLE entre dans Paris libéré.

Né en 1890, ancien élève de Saint-Cyr, professeur à l'École de guerre, spécialiste de l'arme blindée, il a écrit « Vers l'armée de métier » et « Le Fil de l'Épée » où il défend la guerre de mouvement contre les conceptions défensives de l'État-Major. Secrétaire d'État à la Guerre dans le gouvernement de P. REYNAUD en 1940 (p. 484).
2 septembre L'Assemblée consultative part d'Alger pour la métropole.
29 octobre Amnistie de THOREZ, secrétaire général du parti communiste.
23 novembre Le général LECLERC entre à Strasbourg qui connaîtra des heures difficiles lors de la contre-offensive de VON RUNDSTEDT dans les Ardennes : le général DE GAULLE refuse l'abandon de la ville. Le 2 février 1945, l'Alsace est libérée.
16 janvier 1945 Ordonnance de nationalisation des usines Renault.
15 février Ratification du pacte franco-soviétique.
22 février Création des comités d'entreprise.
2 mars DE GAULLE annonce la nationalisation de toutes les sources d'énergie et de crédit. Augmentation des salaires.
5 avril Démission de MENDÈS FRANCE (ministre de l'Économie nationale) devant la course des salaires et des prix et devant le refus de suivre sa proposition d'échange des billets et de blocage des comptes.
8-9 mai Fête de la Victoire. Libération de La Rochelle, de Saint-Nazaire, de Lorient et de Dunkerque.
8-10 mai Troubles dans le Constantinois.
15 octobre Exécution de PIERRE LAVAL.
17 octobre Statut du fermage.
21 octobre Référendum constitutionnel et élections à l'Assemblée constituante.
Le général DE GAULLE demande au pays de répondre « oui-oui », c'est-à-dire de ne pas limiter les pouvoirs et la durée de l'Assemblée chargée de donner une constitution à la IVᵉ République.

Le tripartisme
Aux élections (au scrutin de liste et à la représentation proportionnelle à l'échelon départemental), communistes et socialistes ont la majorité absolue avec 302 représentants. Le M. R. P. obtient 23,6 % des voix. Le noyau du parti est formé par les démocrates-chrétiens. C'est l'élément de droite du tripartisme, dont la S. F. I. O. occupe le centre et le parti communiste la gauche. C'est le seul parti non marxiste.

Les dirigeants du M. R. P. sont :
Georges Bidault, ancien président du C. N. R.
Francisque Gay (1885-1963). Journaliste (« L'Aube »).
Maurice Schumann (né en 1911).
Mai 1945 Un référendum rejette le projet de constitution. M. R. P., modérés, radicaux ont craint la « dictature de la majorité, sinon du prolétariat ». Le M. R. P. pense avoir ainsi évité le « coup de Prague ». Tous les socialistes n'ont pas suivi les consignes de leur parti : inscrits 25 829 425 — abstentions : 20,37 % ; 10 584 359 non (53 %) — 9 454 034 oui (47 %).
Novembre 1945 DE GAULLE, élu à l'unanimité des votants (555) chef du gouvernement.
Décembre 1945 Nationalisation de l'Institut d'émission (Banque de France). Nationalisation des quatre principales banques de dépôt.
20 janvier 1946 Démission du général de Gaulle.
28 mai 1946 LÉON BLUM et JEAN MONNET signent des accords financiers avec les États-Unis (remises de dettes — 2 774 millions de dollars — nouveau crédit gouvernemental de 300 millions de dollars remboursables en 35 ans, à 2 % d'intérêt, crédit de 650 millions de dollars consenti par l'Export-Import Bank) pour aider le redressement économique.
16 juin 1946 Discours du général de Gaulle à Bayeux. Il définit une constitution (celle de 1958 en sera très proche) : il faut des institutions qui « compensent les effets de notre perpétuelle effervescence ».
13 octobre 1946 Référendum adoptant le projet de la deuxième constitution : 9 263 416 oui — 8 143 931 non. Le président de la République est élu pour sept ans. Il désigne le président du Conseil.
10 novembre Élections à l'Assemblée nationale : P. C. 28,6 % des voix — M. R. P. 26,3 % des voix — socialistes 17,9 % des voix. Le parti communiste (qui obtient le plus grand nombre de voix) a considérablement amélioré sa position grâce aux sacrifices consentis pendant la guerre et à son sens de l'organisation (nombreuses associations parallèles pour les femmes, la jeunesse, les anciens combattants, etc.).
Le parti socialiste a perdu des voix dans ses régions traditionnelles : Nord, Centre, Languedoc, au profit du P. C. En revanche, il a gagné des positions vers l'Ouest et en Franche-Comté. Dans le Sud-Ouest, il tend à prendre la relève du radicalisme, qui était un élément fondamental de la IIIᵉ République.

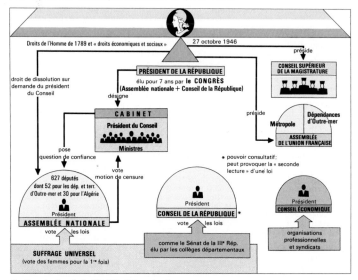

La Constitution de la IVᵉ République (1946)

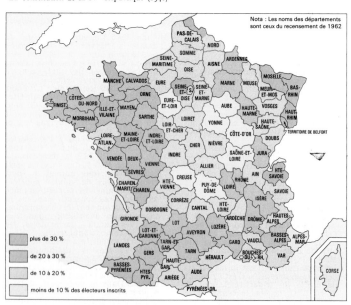

Le M. R. P. aux élections législatives de 1946

17 janvier 1947 Installation à l'Élysée du premier président de la IVᵉ République, VINCENT AURIOL.

Avril 1947 **Naissance du R. P. F.** (Rassemblement du Peuple français). Il agira « dans le cadre des lois » « pardessus les différences d'opinion ». Les crédits du **Plan Marshall** permettent la mise en route du **plan Monnet**.

La fin du tripartisme

Mai 1947 Les communistes ont voté contre le gouvernement. Dissentiments à propos de la guerre d'Indochine qui commence. RAMADIER retire aux ministres communistes leur délégation de pouvoir. Le parti communiste entre dans l'opposition. Le régime va évoluer vers la droite. Le M. R. P. sera considéré comme à gauche par les indépendants et paysans qui vont recueillir les voix de la droite classique (industriels, grands propriétaires terriens).

Novembre 1947 Ministère ROBERT SCHUMAN (M. R. P.) qui restera ministre des Aff. étrang. jusqu'en 1952. Originaire de Metz, il accède au gouvernement à 60 ans. **C'est l'artisan du rapprochement franco-allemand.**

Avril 1949 Signature du Pacte atlantique.

9 mai 1950 **Plan « Schuman » : Communauté européenne du Charbon et de l'Acier** (p. 521).

17 juin 1951 Élections législatives : scrutin majoritaire avec apparentements institué pour favoriser la « troisième force » (parti socialiste, M. R. P., radicaux, U. D. S. R.). Recul du P. C. Triomphe de l'alliance M. R. P. - parti socialiste. Essor du R. P. F. favorable aux thèses du général DE GAULLE.

Sept. 1951 **Loi Marie-Barangé :** subvention de l'État aux écoles privées (accord radicaux-M. R. P.).

Essai de stabilisation

Mars 1952 Formation du gouvernement PINAY (indépendant); volonté d'arrêter l'inflation, amnistie fiscale.

Mai 1952 Lancement d'un emprunt (3,5 %) à garantie or. Succès.

Décembre 1952 Fin du gouvernement PINAY (démission sans vote de défiance).

Avril 1953 Net recul du R. P. F. aux élections municipales.

Juin 1953 Après 36 jours de crise ministérielle, J. LANIEL, indépendant, est investi. Une vague de grèves paralyse les services publics pendant le mois d'août (P. T. T., S. N. C. F., E. D. F.).

17-23 décembre 1953 Élection de RENÉ COTY, dernier président de la IVᵉ République.

7 mai 1954 **Chute de Dien Bien Phu** après 56 jours de résistance.

Juin 1954 Arrivée au pouvoir de MENDÈS FRANCE qui remplace LANIEL à la tête du gouvernement. Il signe (en juillet) les Accords de Genève qui mettent fin à la guerre d'Indochine.

30 août 1954 Rejet de la C. E. D. à la satisfaction des communistes et des gaullistes.

1ᵉʳ novembre 1954 **Début de la guerre d'Algérie** (dans les Aurès).

6 février 1955 Chute du gouvernement MENDÈS FRANCE à la suite d'un débat sur l'Afrique du Nord. Le discours libéral de MENDÈS FRANCE à Carthage promettant l'autonomie interne à la Tunisie (juillet 1954) est considéré comme un encouragement à un développement de la révolte en Algérie.

Juin 1955 Retour de BOURGUIBA à Tunis.

Novembre 1955 Entretiens PINAY-BEN YOUSSEF. Le sultan du Maroc est rappelé d'exil de Madagascar : le terme d'indépendance est envisagé.

Janvier 1956 Élections législatives anticipées. Apparition du **poujadisme** (11,41 % des voix exprimées) soutenu par le petit commerce et les artisans. Effondrement des députés gaullistes au profit du Front républicain (soc. + rad.). Poussée communiste. Gouvernement GUY MOLLET.

La crise finale

6 février 1956 GUY MOLLET est injurié à Alger (au monument aux morts).

Mars 1956 Reconnaissance de l'indépendance du Maroc et de la Tunisie.

Octobre 1956 Arrestation, dans un avion marocain, du leader nationaliste algérien BEN BELLA.

Fin octobre-début novembre GUY MOLLET et CH. PINEAU, socialistes, engagent la France dans la **crise de Suez** (p. 535).

Septembre 1957 Présentation de la loi-cadre sur l'Algérie.

30 septembre-5 novembre 1957 Crise ministérielle conclue par la formation de l'avant-dernier gouvernement de la IVᵉ République (gouvernement GAILLARD).

Février 1958 **Incident de Sakiet** (bombardement en territoire tunisien). La France accepte les bons offices des États-Unis.

Avril 1958 Chute du gouvernement GAILLARD. La crise ministérielle durera jusqu'au 13 mai (gouvernement PFLIMLIN).

La IVᵉ République a connu un **essor économique** (énergie, chemins de fer) et un relèvement démographique très sensible.

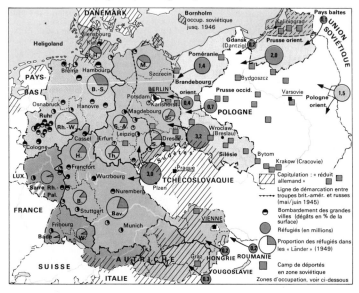

L'Allemagne (Printemps 1945)

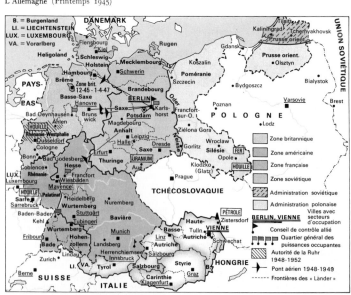

La division de l'Allemagne (1945)

L'Allemagne après la capitulation
Malgré les conférences de Téhéran et de Yalta, les **puissances occupantes** n'ont aucune unité de vues sur l'Allemagne.
1945 Déclaration des Quatre, à Berlin : Le commandement milit. de chaque zone assume le pouvoir gouvernemental. Constitution du **Conseil de contrôle allié :** retrait des troupes amér. et brit. du Mecklembourg, de la Saxe, de la Thuringe : occupation et administr. communes de Berlin (p. 531). **Conférence de Potsdam (Staline, Truman, Churchill-Attlee et min. des Aff. étrang.), et accords de Potsdam** (juillet-août) :
1. Suppression du nationalisme et du militarisme all.;
2. Division de l'Allemagne en 4 zones d'occupation jusq. signature de la paix, plus deux territoires sous administr. soviét. et polonaise, et statut spécial pour Berlin. Transplantation des Allemands de Pologne, Hongrie et Tchécoslovaquie;
3. Mise en place d'autorités locales et centrales all. sous surveillance des Alliés (décisions à l'unanimité);
4. Contrôle de l'industrie par le maintien de l'unité écon.; dissolution des cartels, des syndicats patronaux, des trusts. **Réparations et démontages** d'usines. Le gouv. franç. qui n'a pas été invité, ne reconnaît pas les autorités centrales all. et réclame le contrôle de la Ruhr.
Administr. autonome de la Sarre sous administration franç. Union écon. avec la France.
Dénazification. Interdiction du parti nat.-soc. Internement de ses chefs, qui sont écartés de toute fonction officielle. Enquêtes et poursuites engagées contre environ 6 millions d'anciens membres du parti.
1945-1946 Procès de Nuremberg. Des juristes alliés examinent le cas de 24 grands criminels de guerre. La garde du Führer, la **Gestapo,** le **Service de Sécurité** et les **SS** sont déclarés « **organisations criminelles** ». Procès contre les juristes du parti, les médecins SS, les gardiens de camps de concentration, les diplomates, les généraux, les industriels, les grands fonctionnaires.
Autorisation des partis. En 1945, constitution des partis comm., socialiste, chrétien-démocr. (chrétien-social en Bavière). Dans la zone soviétique, fusion des comm. et soc. dans le parti socialiste unifié.
Reconstitution des « Länder » (jusq. 1946 dans toutes les zones).
1945 11 administr. centrales dans la zone soviét. **Conseil des « Länder »** à Stuttgart pour la zone amér. **Conseil consultatif** (1946) chez les Brit.
Polit. écon. des Alliés. En vue de l'augmentation de la production (charbon, agriculture), en
1945 travail obligatoire des hommes et des femmes. Confiscation de la flotte de commerce, des brevets, des biens all. à l'étranger, des mines et des trusts (Krupp, I. G.-Farben); réquisition des spécialistes et des savants. **Réforme agraire** dans la zone soviét. (oct.) : confiscation sans indemnité et répartition des propriétés de plus de cent hectares.
1946 Plan industriel du Conseil de contrôle : Démontage des usines jusq. 50 % de la capacité d'avant-guerre. En zone soviét., 213 firmes (25 % de la capacité) deviennent propriété soviét. Le veto franç. qui s'oppose à la constitution d'une administr. centrale et la crainte d'un chaos écon. amènent un **changement de la polit. brit. et amér. :** James F. Byrnes, min. des Aff. étrang. (né en 1879) exige dans son discours de Stuttgart (sept.) l'unification écon. et l'élection d'un gouv. all.
1947 Constitution de la bizone, mais protestations franç. et soviét. (janv.). Le **Conseil écon.** de Francfort prépare l'administration de la bizone. En zone soviét., nationalisation des mines et création d'une commission écon. allemande (mai). Le parti socialiste unifié convoque un **Congrès du peuple all.** pour « l'unité et la paix juste » (le parti chrétien-démocr. de la zone Est et tous les partis des zones occ. refusent de s'y rendre).
1948 Conférence des Six à Londres qui recommande l'intégration de l'Allemagne de l'Ouest dans l'Europe occ. Rédaction d'une constitution, contrôle internat. de la Ruhr. D'où dissolution du Conseil de contrôle : l'U. R. S. S. ne prend plus part aux séances. Le 2ᵉ Congrès du parti socialiste unifié décide la création d'un **Conseil général du Peuple allemand.**
Juin 1948 Réforme monétaire en zone occ. (10 marks anciens = 1 mark-ouest). Le gouv. milit. soviét. répond par un échange de billets sur la même base (le mark-est) et le **blocus de Berlin.**
Sept. 1948 Réunion à Bonn du Conseil parlementaire (65 membres désignés par les Länder). Président : **Konrad Adenauer** (1876-1967), ancien maire de Cologne, président du parti chrét.-démocr.).
Mai 1949 Proclamation de la « Loi fondamentale de Bonn », ratifiée par tous les Länder, à l'exception de la Bavière.
Zone soviétique. Transformation du parti socialiste unifié en un parti de cadres regroupant les associations.

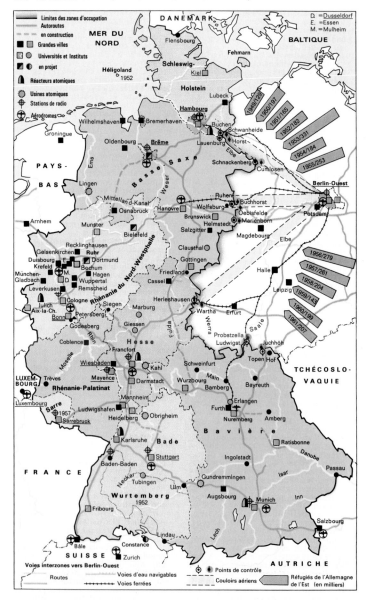

Limites des zones d'occupation
Autoroutes
en construction
Grandes villes
Universités et Instituts
en projet
Réacteurs atomiques
Usines atomiques
Stations de radio
Aérodromes

D. = Dusseldorf
E. = Essen
M. = Mulheim

MER DU NORD
DANEMARK
BALTIQUE
Flensbourg
Fehmarn
Schleswig-
Héligoland 1952
Holstein
Kiel
Lubeck
Wilhelmshaven
Bremerhaven
Hambourg
Buchen
Schwanheide
Oldenbourg
Brême
Lauenburg
Horst
Schnackenberg
Cumlosen
PAYS-BAS
Groningue
Lingen
Mittelland-Kanal
Osnabrück
Hanovre
Wolfsburg
Buchhorst
Berlin-Ouest
Ruhen
Brunswick
Helmstedt
Oebisfelde
Marienborn
Potsdam
Arnhem
Munster
Bielefeld
Salzgitter
Magdebourg
Elbe
Recklinghausen
Ruhr
Dortmund
Clausthal
Gottingen
Halle
Gelsenkirchen
Duisbourg
Bochum
Krefeld
Hagen
München-Gladbach
Wuppertal
Remscheid
Friedland
Leipzig
Leverkusen
Cassel
Cologne
Siegen
Herleshausen
Julich
Aix-la-Ch.
Marburg
Wartha
Erfurt
Bonn
Petersberg
Giessen
Godesberg
Probstzella
Ludwigst
Juchhöh
Coblence
Hesse
Francfort
Topen Hof
TCHÉCOSLO-VAQUIE
Wiesbaden
Kahl
Schweinfurt
LUXEM-BOURG
Trèves
Mayence
Darmstadt
Wurzbourg
Bamberg
Bayreuth
Luxembourg
Rhénanie-Palatinat
Mannheim
Main
Erlangen
Sarre 1957
Ludwigshafen
Furth
Amberg
Sarrebruck
Heidelberg
Obrigheim
Nuremberg
Karlsruhe
Bade
Bavière
Ratisbonne
Baden-Baden
Stuttgart
Ingolstadt
Danube
Passau
FRANCE
Tubingen
Ulm
Gundremmingen
Augsbourg
Wurtemberg 1952
Munich
Salzbourg
Fribourg
Lindau
SUISSE
Bâle
Constance
Zurich
AUTRICHE

Groningue, Arnhem — PAYS-BAS / BAS

Basse-Saxe
Ems
Weser
Fulda
Werra
Saale
Rhénanie du Nord-Westphalie
Rhin
Moselle
Neckar
Lech
Isar
Inn

1949/129
1950/137
1951/165
1952/182
1953/331
1954/184
1955/253
1956/279
1957/261
1958/204
1959/143
1960/199
1961/207

Voies interzones vers Berlin-Ouest
Routes
Voies d'eau navigables
Voies ferrées
Points de contrôle
Couloirs aériens
Réfugiés de l'Allemagne de l'Est (en milliers)

La République Fédérale Allemande

La République fédérale allemande (R. F. A.)

Constitution de la R. F. A.

La **constitution de Bonn** (p. 527) est considérée comme provisoire jusqu'à proclamation d'une constitution pour la totalité de l'Allemagne (art. 146). **Le pouvoir législ.** : **Bundestag**, où les grands partis sont représentés (clause des 5 % pour écarter les petites formations). Le **chancelier fédéral** a une position très forte devant le Bundestag.

Août 1949 Élections du premier Parlement fédéral (chr.-démocr. 139, socialistes 131 s.). THEODOR HEUSS (libéral, 1884-1963) devient **prés. fédéral.**

1949-1963 Konrad Adenauer (C. D. U. p. 527), chancelier, constitue un gouv. de coalition (C. D. U. / C. S. U. - S. P. D. - F. P. D. - Parti all.). Allégement du statut d'occupation par l'intégration dans un système d'alliances occ. Opposition des socialistes **Schumacher** (1895-1952) et **Ollenhauer** (1901-1963) qui craignent que la réunification ne soit retardée.

Nov. 1949 Accord de Petersberg. Participation de la R. F. A. aux organisations occ.

1950 Loi contre le réarmement. A la suite de la crise coréenne (p. 513), prévision d'une contribution à la défense générale dans le cadre d'une armée europ. Conférence des min. des Aff. étrang. (New York) qui garantit la R. F. A. et Berlin-Ouest.

Oct. 1950 HEINEMANN, min. de l'Intérieur (né en 1899), démissionne pour protester contre la polit. de remilitarisation.

Mars 1951 Révision du statut d'occupation. Suppression de l'état de guerre (en 1955 seulement par l'Est), fin des démontages et des entraves à l'industrie. La Rép. fédérale prend en charge les dettes extérieures de l'Allemagne. Jusq. 1955, ADENAUER est min. des Aff. étrang.

1952 La R. F. A. entre dans la C. E. C. A. (p. 521). Violents conflits internes à propos de la contribution à la défense commune.

Oct. 1954 Accords de Paris. L'Allemagne est autorisée à lever des troupes dans le cadre de la défense occidentale. Entrée de la R. F. A. dans l'Union de l'Europe occ. et à l'O. T. A. N. (p. 521) tout en renonçant aux armes ABC. Accord franco-all. sur la Sarre : autonomie sous contrôle de l'Union de l'Europe occ.

1956 Un référendum repousse cet accord.

1957-1959 Retour de la Sarre à l'Allemagne fédérale.

Partis et associations :
1949 Union des 16 syndicats dans la Fédération des Syndicats all. Tendance au regroupement en deux grands partis (C. D. U. / C. S. U. — S. P. D.).

1956 Interdiction du parti communiste.

Polit. écon. et sociale. Essor de « l'écon. de marché » avec **Ludwig Erhard** (né en 1897), min. des Finances. A p. de la guerre de Corée (p. 513), hausse des revenus et des prix tandis que le chômage décroît.

1950 Fin du rationnement. L'État favorise la construction de logements sociaux. Loi sur l'aide aux victimes de la guerre.

1950 Charte des réfugiés (pas de dommages de guerre). La Fédération des Syndicats lutte pour que les ouvriers participent au « **miracle écon. allemand** » (polit. de hausse des salaires, plein emploi, diminution des heures de travail).

1957 Crise de débouchés du charbon (subventionné p. de 1962). Mesures contre la « surchauffe » écon.

1963 Diminution du taux de croissance du revenu national brut : augmentation des importations, des salaires, des prix et des dépenses publiques. Malgré l'afflux des travailleurs étrangers (1964 : plus de un million), manque de main-d'œuvre.

Polit. intérieure. Afflux de réfugiés de l'Allemagne de l'Est.

1952 Création du Land de **Bade-Wurtemberg.** Modifications de la constitution qui permettent en

1956 la création de la Bundeswehr dans le cadre de l'O. T. A. N. [Strauss (né en 1915) min. de la Défense]. Conscription (12 mois, 18 dep. 1962). Controverses sur l'armement atom. et la défense aérienne.

1958 Procès contre les excès antisémites et les criminels des camps de concentration.

1959 Prés. fédéral : Heinrich Lübke (C. D. U.).

1963 Premier ministère ERHARD (coalition C. D. U. / C. S. U. - F. D. P.).

1965 Prolongation du délai de prescription pour les crimes des nazis. Second minist. ERHARD.

Polit. étrangère. Réparation des crimes des nazis :

1953 Traité avec Israël, et avec les pays europ. à p. de 1959.

1955 Visite off. d'ADENAUER à Moscou : libération de prisonniers all., rétablissement de relations diplomat. **Doctrine Hallstein** (rupture des relations avec les États qui reconnaissent la R. D. A. : en 1957, la Yougoslavie). (Pour la polit. europ., voir p. 521, pour le problème allemand, voir p. 495).

1963 Traité d'amitié franco-allemand.

1965 Crise du Moyen-Orient. Livraison secrète d'armes à Israël, visite d'ULBRICHT en Égypte.

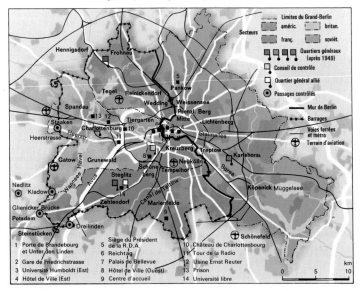

Berlin après 1945

Légende du plan de Berlin :

Limites du Grand-Berlin
Secteurs : améric., britan., franç., soviét.
Quartiers généraux (après 1949)
Conseil de contrôle
Quartier général allié
Passages contrôlés
Mur de Berlin
Barrages
Voies ferrées et métro
Terrain d'aviation

1 Porte de Brandebourg et Unter den Linden
2 Gare de Friedrichstrasse
3 Université Humboldt (Est)
4 Hôtel de Ville (Est)
5 Siège du Président de la R.D.A.
6 Reichtag
7 Palais de Bellevue
8 Hôtel de Ville (Ouest)
9 Centre d'accueil
10 Château de Charlottenbourg
11 Tour de la Radio
12 Usine Ernst Reuter
13 Prison
14 Université libre

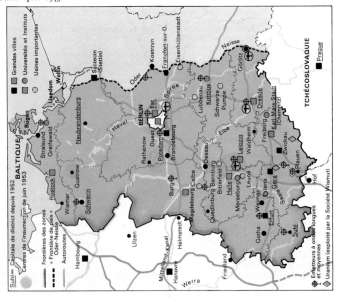

La République Démocratique Allemande depuis 1952

Berlin (1945-1965)
1945 En vertu du « Statut des Quatre », entrée des troupes améric., brit. et franç. (juillet); administration des quatre secteurs par l'Etat-Major allié.
1946 **Le parti socialiste unifié est autorisé dans tout Berlin**. Guerre des nerfs soviét. : contrôles, restrictions au trafic postal et commercial.
Première crise de Berlin (réaction soviét. à la réforme monétaire).
1948-1949 **Blocus de Berlin**. Barrages, arrêt de toutes les importations passant par la zone soviét. (ravitaillement, charbon) à destination de Berlin-Ouest. le gén. Lucius Clay, gouverneur milit. améric., organise le « pont aérien » (jusq. 927 avions par jour avec 6 393 t de marchandises).
1948 **Division de Berlin** (nov.). Fondation de l'Université libre. Nouvelles élections municipales à Berlin-Ouest : Reuter (1889-1953), socialiste, devient maire. Il obtient l'aide de l'Ouest pour la « ville du front de la guerre froide ».
1949 **Levée du blocus (mai)**. Le réseau des communications et d'approvisionnement est coupé en deux (sauf les trains). **Berlin-Est devient la capitale de la R. D. A.** (oct.). **Reconstruction de Berlin-Ouest** : grâce au plan Marshall (p. 521), en
1950 aide financière de la R. F. A. **Constitution de Berlin-Ouest** : territoire fédéral au statut spécial (sous aut. des quatre puissances), Sénat (président : le maire Reuter), et Chambre des députés.
1955 Grande coalition (S. P. D.-C. D. U.) avec Willy Brandt (né en 1913).
Seconde crise de Berlin.
1958 **Ultimatum de Krouchtchev** (nov. p. 495) : retrait de toutes les troupes, création avant six mois d'une « ville libre de Berlin », ce qui signifie la remise à la R. D. A. du contrôle de tous les accès. Moscou cède devant l'attitude ferme des puissances occ. et des Berlinois.
1963 **Visite officielle de Kennedy, président des E.-U.**

La République démocratique allemande (R. D. A.)
Oct. 1949 Proclamation de la R. D. A. par le Conseil du peuple (p. 527). Wilhelm Pieck (1876-1960) devient président de l'État, Otto Grotewohl (1894-1964), prem. min. Le gouv. milit. soviét. confie toutes les tâches administratives au nouveau gouvernement.
Constitution. Droit au travail et à la sécurité sociale. Propriété collective des entreprises, économie planifiée.
Interdiction des « provocations au boycott » (art. 6). Dans cette **république populaire** sur modèle soviét., il n'y a ni tribunal constitutionnel, ni indépendance de la justice, ni opposition. Le parti socialiste unifié, l'administr. et l'État obéissent au principe de la « centralisation démocr. ». Un **Conseil d'Etat** remplace en 1960 le prés. Cet organisme peut promulguer des lois même sans le consentement de la Chambre du Peuple (élue sur liste unique).
Le **parti socialiste unifié** a un droit absolu de contrôle et de direction. Concentration du pouvoir dans les mains de **Walter Ulbricht** (né en 1893), cofondateur du parti comm. allemand (parti soc. unifié), réfugié en U. R. S. S. de 1938 à 1945.
1953 Après la mort de Staline, proclamation de la « ligne nouvelle » pour l'amélioration des conditions de vie. A Berlin-Est
le 17 juin 1953 **révolte populaire :** manifestations, libération de prisonniers polit. Dure répression soviét. : arrestations, tribunaux d'exception, exode accéléré des populations.
1954 **L'U. R. S. S. reconnaît la souveraineté de la R. D. A.** Création d'une police (les « Vopos ») et en
1956 de l'**armée nationale populaire** dans le cadre du « Pacte de Varsovie » (p. 507).
1957 Loi pénale sur la « désertion de la République » (départ de la R. D. A. sans autorisation).
Août 1961 Construction du mur de Berlin et renforcement de la surveillance des frontières.
Économie. Construction d'une industrie lourde. Dès
1952 nationalisation sur le modèle soviétique.
1959 Plan septennal avec une socialisation accélérée.
1960 **Collectivisation forcée.**
Polit. extérieure. Dépendance absolue à l'égard de l'U. R. S. S. surtout dans le problème allemand (p. 495) : intégration polit. et écon. dans le bloc de l'Est.
1950 **Traité de Görlitz avec la Pologne.** Reconnaissance de la « frontière de paix » Oder-Neisse.
1955 **Traité de Moscou.** Suppression de la Haute Commission soviét.
1959 Visite officielle de Krouchtchev, qui déclare que le refus de signer la paix avec les deux États allemands pourrait mener à la conclusion d'une paix séparée entre l'U. R. S. S. et la R. D. A.
1964 **Traité d'amitié avec l'U. R. S. S.** Berlin-Ouest est considérée comme unité polit. auton. (théorie des trois États).

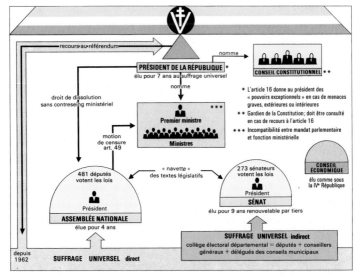

La Constitution de la Ve République (1958)

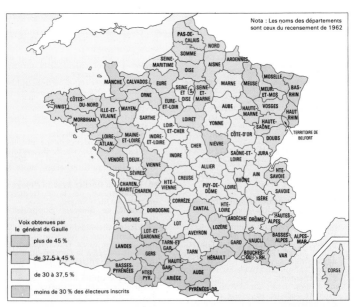

Les élections présidentielles du 5 décembre 1965

La crise du 13 mai

13 mai 1958 P. PFLIMLIN est investi. 274 voix pour, 129 voix contre.

A **Alger**, création d'un Comité de Salut public.

15 mai 1958 Le général DE GAULLE publie son premier communiqué annonçant : « **Je me tiens prêt à assumer les pouvoirs de la République.** »

29 mai 1958 Message du président COTY au Parlement annonçant que, devant le péril de la patrie et de la République, il a décidé de faire appel « au plus illustre des Français ».

1er juin 1958 L'investiture est accordée par 329 voix contre 224.

4 sept. 1958 Projet de constitution, élaboré par M. DEBRÉ. Renforcement de l'exécutif. Incompatibilité entre les fonctions ministérielles et un mandat de député.

Le problème algérien

23 oct. 1958 Le général DE GAULLE offre « la paix des braves » en Algérie.

30 nov. 1958 Élections législatives qui permettent au parti favorable au nouveau régime (U. N. R.) de venir en tête.

21 déc. 1958 Le général de Gaulle est élu président de la République et de la Communauté.

16 sept. 1959 Le général DE GAULLE propose l'autodétermination aux populations d'Algérie.

19 sept. 1959 « Rassemblement pour l'Algérie française » constitué par G. BIDAULT.

24-25 janv. 1960 Début de la semaine des Barricades. Manifestation à Alger, aux cris de « Algérie française ».

1er février 1960 Reddition des insurgés.

2-3 février 1960 Le gouvernement obtient l'octroi de pouvoirs spéciaux (441 voix contre 75) pour trouver une solution au problème algérien.

Août 1960 Indépendance des anciennes colonies françaises d'Afrique occidentale et équatoriale.

8 janv. 1961 Référendum sur l'autodétermination en Algérie (17 447 669 oui, contre 5 817 775 non).

21-26 avril 1961 Les généraux CHALLE, JOUHAUD, ZELLER et SALAN s'emparent du pouvoir à Alger. DE GAULLE riposte : mise en vigueur de l'art. 16. Le contingent, en Algérie, se montre réservé.

20 mai 1961 Réunion de la conférence d'Evian (France-F. L. N.).

22-23 nov. 1961 La « nuit bleue » : L'Organisation de l'Armée secrète commet 18 attentats au plastic.

18 mars 1962 Conclusion des Accords d'Evian. Il y aura un référendum en Algérie.

19 mars 1962 Cessez-le-feu proclamé en Algérie.

8 avril 1962 Référendum en faveur du gouvernement.

22 août 1962 Attentat manqué contre le général DE GAULLE (Petit-Clamart).

Les nouvelles orientations

Au point de vue intérieur : Renforcement des pouvoirs du président qui dirige le « domaine réservé » (diplomatie, armée). Au point de vue extérieur : Indépendance relative à l'égard des E.-U., rapprochement avec le Tiers Monde.

28 oct. 1962 Référendum en France concernant l'élection du président de la République au suffrage universel : 13 150 516 oui, 7 974 538 non.

juin 1963 La France retire sa flotte de l'O. T. A. N., prélude au retrait pur et simple de l'organisation (1966).

Février 1965 La France critique la position privilégiée du dollar dans les échanges internationaux (Gold Exchange Standard).

Mai-juin Échec d'un regroupement du centre gauche (M. R. P. + S. F. I. O.) pour faciliter une candidature anti-gaulliste aux élections présidentielles de décembre (tentative de G. DEFFERRE).

Décembre Election du général DE GAULLE à la présidence après un premier tour conduisant au ballotage avec F. MITTERRAND (gauche). Elimination de J. LECANUET (centre droit).

1966 Constitution de trois grandes formations en vue des élections législatives de mars 1967 : l'Union démocratique pour la Ve République, appuyée par les Ind. gaullistes; **à gauche** : la Fédération (radicaux, socialistes), P. S. U., P. C.; **au centre droit** : Le Centre démocrate (regroupe anciens indépendants + anciens M. R. P.); en plus, **à droite** : Alliance pour les Libertés et le Progrès (TIXIER-VIGNANCOUR).

Mars 1967 Elections législatives : La majorité pour les partisans du général DE GAULLE n'est obtenue que de justesse (U. D.-Ve : 200; républ. ind. : 44; P. D. M.   41; F. G. D. S. : 121; P. C. : 73; 3 non-inscrits).

Les problèmes économiques

Le gouvernement prépare l'entrée de la France dans le Marché commun.

27 déc. 1958 Dévaluation du franc de 17,55 %.

Sept. 1963 Le ministre des Finances, GISCARD D'ESTAING, lance le « plan de stabilisation ».

Juillet 1964 Situation difficile des secteurs industriels de pointe. La Société Bull (électronique) doit accepter la fusion avec la soc. am. Général Electric.

1er juillet 1967 Entrée en vigueur du Marché commun agricole pour les céréales.

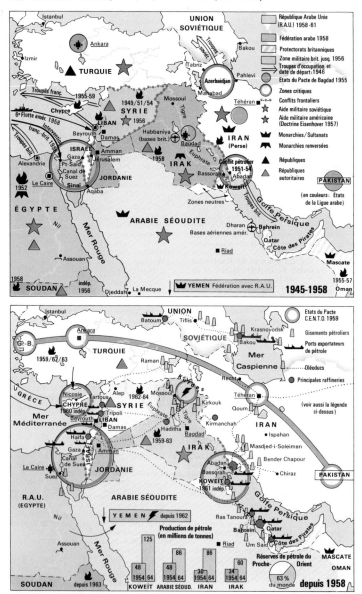

Le Moyen-Orient après la deuxième guerre mondiale

Le Moyen-Orient, foyer de crise (1945-1965)

Après le retrait des troupes brit. et franç. et la cessation du mandat brit. sur la Palestine (p. 537), les États du Moyen-Orient constituent la **Ligue arabe** (p. 515), unis par la même religion, la même langue, le même passé et le sentiment anti-israélien. Le **mouvement panarabe** et les plans d'union ne parviennent pas à s'imposer aux rivalités des chefs d'État et aux tensions entre l'antique classe supérieure (noblesse féodale monarchiste) et les nouvelles élites [intelligentsia républic. (officiers)], entre les riches États pétroliers (Koweit, Arabie Séoudite) et les pays pauvres (Égypte, Jordanie, Syrie), entre les tendances conservatrices (Frères musulmans) et les mouvements socialistes (parti Baas).

Égypte. Suivi par les masses urbaines, le parti Wafd (p. 455) crée des troubles antibrit. dans la zone du canal (incorporée à l'Égypte par traité en 1954).

1952 Révolte milit. contre la monarchie corrompue et le régime du Wafd : abdication de FAROUK (1920-1965).

1953 Proclamation de la rép. par le gén. NÉGUIB, déposé ensuite par le Conseil de la Révolution.

1954 Le colonel Nasser (né en 1919) prend le pouvoir, prem. min. d'abord, puis prés. à p. de 1956 : réforme agraire, et industrialisation pour supprimer la misère du peuple (socialisme arabe). Polit. panarabe contre Israël, avec la Syrie et l'Arabie Séoudite.

1956 Crise de Suez : Les E.-U. (DULLES, min. des Aff. étrang.) refusent de financer le **barrage d'Assouan.** Pour pouvoir financer elle-même le projet, l'Égypte en

juillet 1956 nationalise le canal de Suez contre dédommagement des actionnaires (en majorité brit. et franç.) et la garantie de libre navigation. Après l'échec de trois conférences à Londres entre les utilisateurs du canal, l'Inde et l'U.R.S.S. approuvent la mesure égypt. **Attaque israélienne** (oct. p. 537) et action milit. franco-brit. (occupation du canal pour obtenir des dommages et intérêts) que condamnent les E.-U. et l'O. N. U. (nov.). Retrait des troupes alliées sous la menace soviét. Les troupes de l'O. N. U. occupent la zone du canal.

Conséquences. Grave défaite de l'Occident et gain de prestige soviét. : **l'U. R. S. S. joue un rôle actif dans le Moyen-Orient.** Aide milit. et écon. à l'Égypte (barrage d'Assouan) et à la Syrie.

1957 Doctrine Eisenhower : offre de l'aide améric. contre les agressions comm. NASSER s'affirme comme chef du monde arabe.

1958 Rép. Arabe Unie (R. A. U.): union avec la Syrie (prés. KOUWATLI) et union fédérale avec le Yémen. Revendications égypt. sur le Soudan, où les désaccords entre Arabes et Noirs du Sud provoquent en

1958 l'avènement d'un gouv. milit.

1958 Crise du Liban. Une insurrection panarabe met en péril le pays. Le prés. chrétien CHAMOUN (1952-1958) réclame l'intervention des troupes améric., malgré les protest. soviét. Elles évacuent Beyrouth après l'élection légale du gén. FOUAD CHEHAB (1958-1964), un chrétien qui rétablit l'égalité entre chrétiens et musulmans.

Irak. Disparition de la monarchie pro-occidentale.

1958 Putsch milit., assassinat de FAYÇAL II. Fin de l'union avec la Jordanie. Dénonciation du Pacte de Bagdad (p. 515). Le gén. KASSEM, prem. min., réprime une contre-révolution, accepte l'aide soviét. et revendique en

1961 Koweit, l'État pétrolier protégé par les Brit. et garanti par la Ligue arabe.

1962-1964 Révolte des Kurdes. BARZANI réclame l'autonomie.

1963 Révolte milit. (armée et parti Baas) : liquidation de KASSEM; les troubles se prolongent.

1964 Tendances favorables à l'union avec la R. A. U. (parti démocr.-socialiste).

Jordanie. Le roi HUSSEIN I er (dep. 1952) licencie le gén. GLUBB PACHA, chef de la Légion arabe, annule le traité d'assistance britannique. de 1946, mais en

1958 lors d'une tentative de subversion inspirée par NASSER, réclame de nouveau l'aide brit.

Syrie. Troubles constants dep. 1944 et conflits frontaliers avec tous ses voisins.

1961 Révolte milit. et séparation d'avec la R. A. U. (tutelle égypt.). Le Baas et les partisans de NASSER reviennent au pouvoir en

1963 grâce à un coup d'État.

R. A. U.-Égypte. Neutralité de NASSER entre l'Est et l'Ouest (p. 507). Il soutient au Yémen le gouv. révolut. de SALLAL (né en 1920) :

1962-1965 Guerre civile au Yémen où l'Égypte envoie des troupes et des armes, mais les partisans de l'Imam se maintiennent grâce à l'aide de

l'Arabie Séoudite, où existe un régime autocratique (rois successifs : IBN SAOUD (1953-1964) et FAYÇAL. Gros revenus du pétrole.

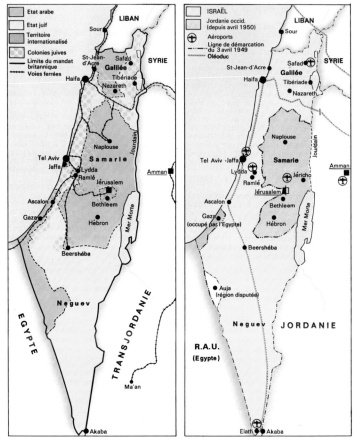

Le plan de partage des Nations Unies

Israël après 1949

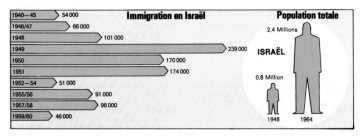

La croissance de la population d'Israël jusqu'en 1964

Le problème de la Palestine (1933-1948)

A p. de 1939, l'immigration juive se renforce. Elle est organisée par l'**Agence juive**, l'**Histadrout** (syndicat unitaire avec ses propres entreprises, colonies et écoles), et le **Fonds national** (d'acquisition de terres). En 1939, un tiers de la population et 12 % du sol sont juifs. Malgré leur division en partisans du grand mufti HUSSEIN de Jérusalem (né en 1895) et du roi ABDALLAH DE JORDANIE (p. 444), les Arabes résistent de plus en plus.

1936-1939 Guerre civile. Les Brit. appuient alternativement Arabes et Juifs (**Haganah** = unités auton. de protection). Les deux partis repoussent toutes les offres de compromis, tel en

1937 le plan de partage PEEL.

1939 Polit. du « **Livre blanc** ». Le gouv. brit. cède aux pressions arabes : restriction de l'immigration et des achats de terre pour maintenir une majorité arabe. Résistance des terroristes juifs (**Irgoun**). L'Agence juive prend parti pour les alliés et fait de la Palestine un de leurs centres d'approvisionnement. Au contraire, les Arabes penchent pour les puissances de l'Axe (grand mufti de Jérusalem).

1942 Une brigade de volontaires juifs fait partie de la VIIIᵉ armée brit. Après la guerre, les Brit. reviennent à la polit. du « Livre blanc » : mesures contre l'immigration illégale (tragédie de « l'Exodus »), renvoi et concentration à Chypre, des Juifs qui réussissent à forcer le blocus. Alternance des actes de terrorisme juif et arabe.

1946 Une commission anglo-améric. décide d'ouvrir les frontières à 100 000 immigrants. BEVIN, min. des Aff. étrang., ne trouve aucune solution (conférence de Londres sur la Palestine). La Ligue arabe se déclare prête à la guerre (p. 515). BEVIN soumet le problème à l'O.N.U.

1947 Une commission spéciale de l'O. N. U. préconise le partage de la Palestine, qu'acceptent l'Assemblée gén. et l'Agence juive. Mais refus des Arabes dont « l'armée de libération » occupe la Galilée et attaque la vieille ville de Jérusalem.

1948 Les Brit. abandonnent leur mandat (mai), retirent leurs troupes et leur administration.

L'État d'Israël

14 mai 1948 Proclamation de la naissance du nouvel État par le Conseil national juif (prés. BEN GOURION). Grâce à leur supériorité aérienne, les Israéliens repoussent l'offensive arabe, qu'interrompt la médiation de l'O. N. U. Une partie de la population arabe s'enfuit (p. 497). Les terroristes israéliens assassinent le délégué de l'O. N. U., le comte BERNADOTTE. Après une campagne dans le Néguev (prise d'Elath), en

1949 **convention bilatérale d'armistice** (fév. à juin) : division de Jérusalem, les territoires à l'ouest du Jourdain reviennent à la Jordanie, la bande côtière de Gaza à l'Égypte. La ligne du front devient la frontière du nouvel État.

Construction de l'État. Les élections au Parlement (Knesset) apportent une majorité aux socialistes du Mapaï.

1948-1963 David Ben Gourion (né en 1886), prem. min. (sauf de 1953 à 1955 : MOSCHE SCHARETT).

1949-1952 Weizmann, prés. de la Rép. (p. 337). Afflux de Juifs du monde entier. Création du nouvel hébreu (Ivrith); essor de l'agriculture, villages coopératifs et **kibboutzim** à propriété collective. Conquête du désert, reboisement. Travaux d'irrigation grâce à l'aide étrangère.

1952 Accord sur les réparations avec la R. F. A. (3,5 milliards de marks). Pour protéger les frontières, entretien d'une armée moderne : conscription et service du travail pour tous, hommes et femmes.

1952 Présidents de la Rép. : BEN ZVI (1884-1963), puis SCHASAR (né en 1889).

1954 Fondation de l'Université hébraïque à Jérusalem.

1956 Réunion du Congrès mondial sioniste (prés. GOLDMANN, né en 1894) : adresse à l'Europe de l'Est qui refuse les autorisations d'émigrer. Boycott arabe (blocus du canal de Suez et du port d'Elath), attaques de commandos égyptiens chargés des sabotages. L'Égypte bénéficie de l'aide soviét.

1956 Israël attaque l'Égypte (oct.). Défaite des troupes égyptiennes, déblocage du port d'Elath (en rapport avec l'affaire de Suez, p. 535). Après décision de l'O. N. U. (p. 501),

1957 les forces de l'O. N. U. occupent les territoires conquis par Israël (Sinaï, bande de Gaza).

1960 Rencontre à New York de BEN GOURION et d'ADENAUER qui promet une aide milit. et écon. Enlèvement en Argentine de l'ancien chef SS **Adolf Eichmann**, responsable du massacre de plusieurs millions de Juifs.

1961 Procès Eichmann à Jérusalem. Il est exécuté en 1962.

1962 Nouvelle polit. écon. afin d'équilibrer la balance commerciale toujours déficitaire : hausse des tarifs douaniers, accord avec le Marché commun (1964).

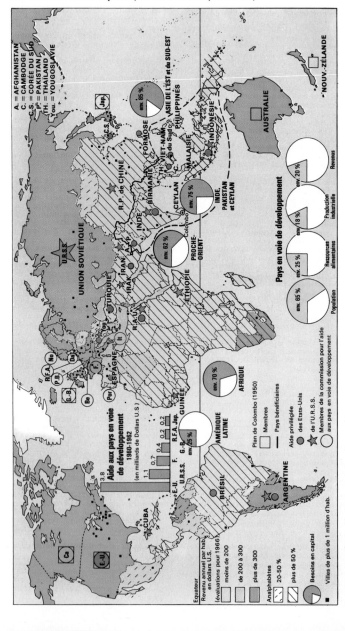

Les pays en voie de développement dans le monde

L'émancipation du Tiers Monde
Évolution extérieure. Après 1945, presque tous les peuples colonisés se dégageront des liens avec leur métropole à la suite de :
— L'application des Droits de l'homme à l'Afrique et à l'Asie;
— L'affaiblissement des grandes puissances europ. (guerres mondiales);
— La conception de ROOSEVELT d'une collaboration démocr. de tous les peuples (Charte de l'Atlantique p. 485), incarnée dans l'O. N. U. devenu le forum des jeunes États (p. 501). Malgré leurs différences polit., l'unité des nations de couleur s'affirme dans la lutte contre le « colonialisme blanc » et le désir de former une troisième force (influencée par le socialisme) entre l'Est et l'Ouest.
1955 Conférence de Bandoung. 29 pays afro-asiatiques condamnent le colonialisme, la discrimination raciale et les armes atomiques.
1957 Première conférence de solidarité du Caire. 43 États (dont l'U. R. S. S.) proclament la nécessité de la coexistence pacifique. Motions contre la pol. interventionniste et raciste (Conférence de Conakry, 1960), le **néo-colonialisme** (domination écon.) (Bandoung 1961).
Évolution intérieure.
Le problème principal des jeunes États est d'échapper au sous-développement.
Problèmes politiques. Adaptation superficielle des institutions europ. (constitution, parlement, administr., armée). Derrière cette façade, les vieilles formes sociales subsistent : sociétés secrètes, sectes, tribus. Opposition entre les modes de vie urbaine et les traditions du village; différences ethniques, relig., linguistiques; abîme entre la couche supérieure cultivée et la masse des analphabètes. D'où **instabilité polit.** : révolutions, luttes entre les races (p. 497), haines religieuses (hindous-musulmans), interventions milit. (Chine au Tibet), guerres (Inde-Pakistan). L'orgueil nationaliste, les partis, les syndicats et l'armée sont les soutiens de ces nations nées souvent du hasard des anciennes frontières coloniales (balkanisation de l'Afrique p. 545). L'Etat a tendance à devenir autoritaire (dictature milit., « démocr. dirigée »), soit sous une direction traditionnelle (Ethiopie, Arabie), soit avec des dirigeants de culture occ., officiers, chefs populaires nationalistes, ou comm. formés à Moscou ou en Europe. Des aspirations supranationales apparaissent.
Problèmes sociaux et économiques. La caractéristique commune des pays en voie de dévelop. est la prédominance de l'agriculture :

— **Structure seigneuriale** avec caste supérieure des propriétaires et travailleurs agricoles presque indigents. La famille demeure leur unique soutien social. En dehors du cadre familial naît un extrémisme polit. dans les faubourgs misérables des villes;
— **Retard technique et industriel** (rendement très faible). Les bénéfices des grandes entreprises partent souvent à l'étranger ou n'enrichissent qu'une petite caste hostile à toute réforme;
— **Explosion démographique,** misère, faim, maladies (40 millions d'hommes meurent chaque année de faim). Le progrès écon. ne vient pas à bout de la misère puisqu'il ne peut y avoir formation de capital;
— **Rendement insuffisant de l'économie et du travail :** faiblesse du marché intérieur.
Aide au développement. La question sociale (p. 341), que l'Europe a connue au moment de la rév. industrielle, devient un problème mondial : opposition entre les nations riches et les nations pauvres. Mêlé au conflit Est-Ouest, ce problème menace la sécurité générale et la paix universelle. L'aide, conçue comme un appoint à l'effort de chaque pays, comprend :
1. **L'envoi de capitaux,** dons, secours (en cas de catastrophe), investissement privé à ri calité privilégiée, crédits à long terme concédés généralement par plusieurs institutions : Banque mondiale (1945), etc., et organisations de l'O. N. U.; **plan de Colombo** dans le cadre du Commonwealth (1950, élargi en 1955); Marché commun et O. C. D. E. (p. 521);
2. **L'envoi de cadres :** experts, conseillers; formation d'ingénieurs, de médecins, d'enseignants; bourses, etc.;
3. **L'envoi de matériel :** industries, communications, transmissions, écoles, etc.;
4. **Le système des prix garantis** par des traités de commerce à long terme. Concevant d'abord leur aide au point de vue militaire (contre des points d'appui), les É.-U. entraînent les autres pays : en
1949 programme des Quatre Points de Truman. L'U. R. S. S. n'augmentera son aide qu'avec KROUCHTCHEV :
1955 « Visites diplom. » des Soviétiques sous le signe de la coexistence pacifique avec des objectifs clairement polit. : accords bilatéraux, aide technique et en personnel. L'aide occ., bien que beaucoup plus importante, a des effets souvent moins spectaculaires, faute de coordination (crédits dispersés).

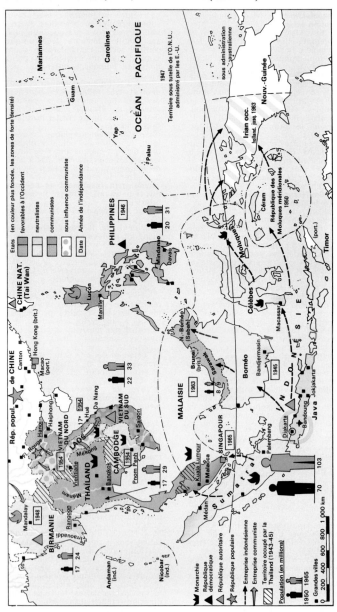

Le Sud-Est asiatique (1945-1965)

La fin du colonialisme

Les Japonais sont souvent accueillis en libérateurs. Pendant leur occupation, ils favorisent les mouvements nationalistes (Indochine, Indonésie). Leur départ déclenche des mouvements révolut. dont les élites élevées en Occ. prennent la tête. Une fois l'indép. obtenue, elles se trouvent devant les graves problèmes du sous-développement. L'U. R. S. S., la Chine sont souvent citées en exemple pour la rapidité de leur développement.

Indonésie

Guérilla contre les troupes holl. dirigées par le gouv. VAN MOOK (1942-1948). **Soekarno** (né en 1901) proclame les « Cinq principes » de la lutte nationale : foi en Dieu, amour de l'humanité, nationalisme, démocratie, justice sociale.

1945 Proclamation de la Rép. indonésienne par SOEKARNO et HATTA (né en 1902).

1946 Traité de Linggadjati. Union avec la Rép. orient. indonésienne sous protectorat néerl.

1947-1948 Devant la pression de l'O. N. U., arrêt à Java des opérations de police néerl., et pourparlers.

1949 Conférence de la Table ronde à La Haye. Création des États-Unis d'Indonésie dans le cadre de l'Union néerl. Prés. SOEKARNO (réélu « à vie » en 1963); prem. ministre : HATTA.

1950-1952 Décomposition de la Rép. des Moluques, soutenue par les Pays-Bas.

1954-1956 Dissolution de l'Union avec les Pays-Bas.

1957-1958 Révoltes à Sumatra, etc. contre le gouv. central et la « démocr. dirigée » de SOEKARNO.

1959 Établis. de la dictature avec l'aide de l'armée en utilisant sa haine contre le parti comm. orienté vers la Chine (chef : AIDIT).

1961-1962 Conflit avec les Pays-Bas à propos de l'Irian occ.; médiation de l'O. N. U. et accord de New York : l'Irian occ. sera administré par l'Indonésie jusq. 1969, où aura lieu un plébiscite.

1964 Menace de guerre contre la Malaisie. Envoi de partisans à Malacca et dans le Nord de Bornéo.

1965 L'Indonésie se retire de l'O. N. U. Putsch milit. contre SOEKARNO pour diminuer son pouvoir. Anéantissement du parti comm. Répression et démonstrations anticomm. qui font plus de 300 000 morts.

1966 le gén. SUHARTO devient prem. min.

Philippines

1946 Proclamation de l'indépendance, mais grande influence des E.-U.

(aide financière, traités milit. 1946-1951). Régime autoritaire.

1946-1954 Présidents : ROXAS et QUIRINO.

1949-1952 Soulèvement des Huks comm., armée populaire créée en 1942 contre les Japonais : pillage de villes dans Luçon. Les E.-U. promettent leur aide contre des réformes qu'accomplit entre 1953 et 1957 le prés. MAGSAYSAY, et qui sont poursuivies après 1961 par le prés. MACAPAGAL.

Malaisie

Opposition entre groupes ethniques (Malais 50 %, Chinois 40 %, Indiens 10 %), qui rendent difficile la constitution d'un État. 9 sultanats et col. brit. s'associent en

1948 dans la **Fédération malaise.** Avec l'aide de troupes brit., en

1954 guérilla contre les partisans comm. (Chinois). Avec le Nord de Bornéo, Brunei et Sarawak,

1957 création de la Fédération malaise **(prince Abdul Rahman,** prem. min.), qui entre dans le Commonwealth. **Singapour** obtient l'auton. interne et demeure une base brit.

1963 Proclamation de la Fédération de Malaisie. Lutte contre les comm. chinois et les « commandos » indonésiens. Après plusieurs conflits entre Chinois et Malais, en

1965 Singapour se retire de la Fédération. Son prem. min. est LEE KUAN YEW.

Thaïlande

Retour des territoires occupés de 1943 à 1945. Gouv. milit. autoritaire. En polit. étrangère, rapprochement avec les E.-U. (bases milit.).

1947 Dictature du maréchal PHIBUL SONGGRAM, qu'admet en

1950 le roi BHUMIBOL ADULYADET.

1957 Coup d'État du maréchal THANARAT : suppression de la constitution, interdiction des partis polit.,

1959 Constitution provisoire, avec pleins pouvoirs pour THANARAT, chef du gouvernement.

Birmanie

Le gouv. brit. d'ATTLEE accorde l'auton. à la Ligue de la Liberté (créée en 1944 contre les Japonais). Les nationalistes assassinent AUNG SAN et les autres chefs de la Ligue.

1948 Rép. socialiste de Birmanie (prem. min. U NU).

1948-1954 Guerre civile contre les comm.

1958 Dictature anticomm. du gén. NE WIN.

1962 Coup d'État de l'armée (gén. NE WIN). Dictature de NE WIN, prés. du Conseil révolut., suppression du Parlement.

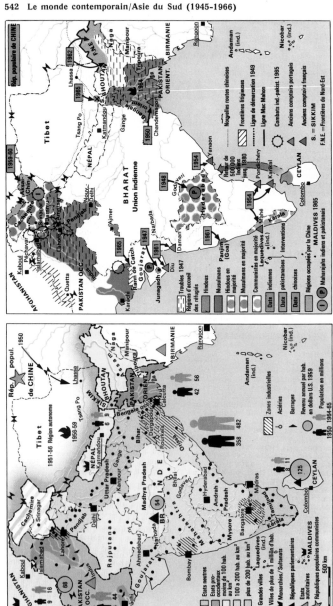

Conflits indo-pakistanais

La péninsule indienne (1965)

L'Inde indépendante (1945-1965)
Le gouv. travailliste d'ATTLEE tient les promesses faites pendant la guerre.
1947 Proclamation de l'indép. Crises entre hindous et musulmans : massacres, fuite et transfert des minorités relig. (p. 497).
1948 Assassinat de Gandhi.

Union indienne (Bharat)
1947-1964 Nehru (p. 445), prem. min. et min. des Aff. étrang., réorganise l'administration.
1948 Annexion de la principauté musulmane d'**Hyderabad.**
1950 Constitution de la Rép. de l'Union indienne : 27 États fédérés (14 dep. 1966), dotés chacun d'un gouv. et d'un parlement, 6 territoires, et un protectorat : Sikkim. Président : **Prasad** (1884-1963), **Radhakrishnan** dep. 1962.
1951-1952 Victoire élect. du parti du Congrès (75 %). Le plus grand problème est la **surpopulation** : programme nat. de lutte contre la faim.
1951 Premier plan quinquennal pour le ‧développement de l'agriculture.
1955 Réforme agraire.
1956 2ᵉ plan quinquennal. Développement des ind. minières. Construction d'une sidérurgie lourde avec l'aide étrang. (Rourkela, Bhilai, etc.), développement de l'enseignement. Malgré tous ces efforts, diminution du revenu par tête (la population augmente annuellement d'environ 15 millions). Propagande contre les traditions relig. (vaches sacrées), les préjugés (castes), l'ignorance (contrôle des naissances). Troubles relig. (1964), luttes linguistiques dans le Sud (1965), catastrophes naturelles. Assam, le Naga, les Sikhs réclament l'autonomie.
1958 Dissolution du prem. gouv. comm. du Kérala.
Politique étrangère. Grâce à la « neutralité active » de NEHRU, l'Inde assume la direction du Tiers Monde au cours des crises mondiales.
1954 Visite officielle de TCHOU EN-LAI, min. des Aff. étrang. de Chine : proclamation des « **Cinq principes de la coexistence** » : souveraineté, égalité des droits, poursuite de la paix, renonciation à l'agression et aux interventions armées.
1955 Visite officielle de NEHRU à Moscou. Reconnaissance des Cinq principes. L'Inde bénéficie désormais de l'**aide écon.** des deux blocs.
1959 Conflit frontalier avec la Chine, qui ne reconnaît pas la ligne MAC-MAHON et occupe des territoires dans le Tibet (p. 511).
1961 Occupation ṁilitaire de Goa.
1962 Offensive chin. à la frontière tibétaine, qui révèle la faiblesse de l'armée indienne.

Cachemire. Ce problème envenime les rapports avec le Pakistan.
1947 Le maharadjah du Cachemire signe un accord avec le Pakistan, successeur de l'autorité britannique. Mais ensuite, il prend parti pour l'Inde, d'où révolte des musulmans et intervention de l'Inde.
1948 L'armistice négocié par l'O. N. U. confirme la **division de fait.** (Le Pakistan conserve la région de Gilgit.)
1963 A la requête de l'Inde, arrestation du cheik ABDULLAH qui demande l'autonomie du Cachemire.
1957 Malgré la résolution de l'O. N. U., annexion à l'Inde de la partie du Caˆhemire occupée par les Indiens. Les Chinois occupent le plateau Aksaï-Chin, ce qui aggrave le conflit.

Pakistan. Opposition entre le Pakistan oriental et le Pakistan occ. (langue populaire : l'ourdou).
1954 Défaite élect. de la Ligue musulmane, gouv. de salut public, réformes constitutionnelles, mais l'armée renverse le gouv. gén. GHULAM. La **polit. étrang.** demeure inchangée : orientation vers l'Ouest (p. 515).
1956 Proclamation de la Rép. islamique (membre du Commonwealth), mais l'opposition s'aggrave entre le Pakistan occ. et le Pakistan oriental.
1958 AYOUB KHAN (né en 1908) prend le pouvoir.
1960 Accord avec Inde sur l'utilisation des eaux de l'Indus.
1963 Traité sur les frontières avec la Chine. Tensions avec l'Inde à propos du Rann de Catch. Après un apaisement provisoire, opérations de commandos musulmans en Cachemire.
1965 Guerre avec l'Inde. Médiation de l'O. N. U., initiative soviét. en
1966 à la Conférence de Tachkent (mort du prés. SHASTRI).

Ceylan. Cette colonie brit. obtient en
1948 le statut de dominion (SENANAYAKÉ 1884-1892, prem. min.).
1954 Conférence de Colombo : les États de l'Asie du Sud-Est décident de collaborer politiquement.
1956 Le gouv. de front popul. (extrême-gauche) et neutraliste de S. BANDARANAIKE (1899-assassiné en 1959) exige le départ des troupes brit.
1960 SIRIMAWO BANDANARAIKE, sa veuve, continue comme prem. min. la polit. du parti de la Liberté.

Afghanistan. Sous le roi MOHAMMED SAHIR, lente modernisation.
1955 Traité d'assistance avec l'U.R.S.S. et aide milit. soviét. Neutralité et liberté à l'égard des blocs. Construction de routes vers le Nord par les Russes et vers le Sud-Ouest par les Américains.

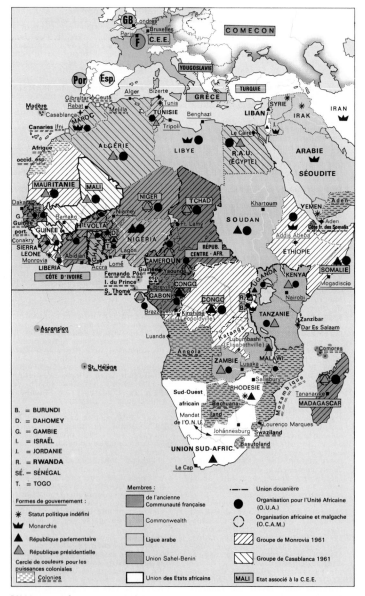

L'Afrique en 1965

L'Afrique nouvelle
Après 1945, l'Occident ne tient qu'en partie ses promesses. L'**Union franç.** (1946) garantit « l'égalité des droits et des devoirs » tant dans la mère patrie que dans les anciennes colonies (art. 107). Le gouv. brit. d'ATTLEE est favorable à des réformes. **Partis.** En Côte d'Ivoire, **Houphouet-Boigny** (né en 1905) fonde en 1946 le Rassemblement démocr. africain (R. D. A.), avec **Sekou Touré** (né en 1922) en Guinée, et **Modibo Keita** (né en 1915) au Mali. **Léopold Sédar Senghor** (né en 1906) dirige le bloc démocr. du Sénégal.
1949 Nkrumah (né en 1909) fonde le parti de la Convention du Peuple au Ghana.
1954 Au Tanganyika, Union nationale africaine de **Julius K. Nyerere.**
Syndicats. Les sections afric. des syndicats europ. s'appuient sur les fonctionnaires et les employés.
1956 Fusion dans l'Union générale des Travailleurs africains (U.G.T.A.) fondée à Konakry par SÉKOU TOURÉ; influence communiste.
Associations secrètes. Se rattachant à d'antiques traditions tribales, elles cherchent à atteindre le pouvoir par **la** terreur.
1952-1954 Au **Kenya,** les **Mau-Mau** (Kikouyou) veulent reprendre aux colons britanniques les meilleures terres où ils se sont installés.
Fédérations.
1953 Fédérations de l'Afrique occ. brit. et du Nigéria (1954).
1953 Fédération de l'Afrique centrale qui échoue à cause des privilèges des Blancs, que combat BANDA.
1964 Scission du **Malawi** (Nyassaland) avec BANDA, prem. min., et de la **Zambie** (KAUNDA, prem. min. né en 1924). Malgré l'opposition brit. (WILSON p. 522), SMITH, prem. min., proclame en
1965 l'indépendance de la Rhodésie. Nouvelle constitution qui réserve le pouvoir aux Blancs. Condamnation par l'O. N. U. l'O., U. A., le Commonwealth, etc.
1958 La Guinée refuse l'entrée dans la Communauté franç. proposée par DE GAULLE.
1959 Confédération du Mali, qui éclate en 1960.
Nouveaux États.
1957 Le **Ghana** devient le premier État noir indépendant. NKRUMAH, prem. min., est partisan du « neutralisme actif » et d'une polit. panafric. Sa dictature et son orientation polit. (U. R. S. S., Chine) provoquent sa chute en 1966.
1958 La Guinée de SEKOU TOURÉ, prem. min., est également appuyée par le bloc des pays comm.
1960 « **Année afric.** » Le Cameroun, le Congo-Brazzaville, le Gabon, le Tchad, la Rép. centrafricaine, accèdent à l'indépendance et coordonnent leur polit. douanière et écon. dans l'**Union des Rép. centrafricaines.**
Union Sahel-Bénin, constituée par le Togo, la Côte d'Ivoire, le Dahomey, la Haute-Volta, le Niger. Deviennent également indép. le Nigéria, le Sénégal, le Mali, Madagascar, la Somalie, la Mauritanie, le Congo-Léopoldville (p. 547), puis suivent en
1961 la Sierra Leone et le Tanganyika, qui forme la **Tanzanie** avec Zanzibar (1964). En 1962, l'Ouganda, le Ruanda, le Burundi; en 1963, le Kenya; en 1965-1966 la Gambie anglaise.
Mouvement panafricain. Après 1945 les intellectuels afric. (KENYATTA, NKRUMAH) veulent prendre la direction de l'émancipation polit. de l'Afrique.
1958 Première Conférence des États indép. d'Afrique à Accra. 1960 Tunis, 1961 Le Caire. Les partis révolut. et les extrémistes dirigent le mouvement. A p. de 1961, deux groupes : les 7 « **États de Casablanca** » (neutralistes et révolut.) et les 21 « **États de Monrovia** », (modérés). Sur l'initiative de l'emp. HAILÉ SÉLASSIÉ Ier (p. 455), en
1963 Conférence au sommet d'Addis Abeba. Création de l'**Organisation pour l'Unité de l'Afrique (Ö. U. A.),** avec commission d'arbitrage en cas de conflits, et **Commission de libération** pour les territoires encore assujettis (Dar es Salam 1964).
1964 Conférence de l'O. U. A. au Caire. Résolution en faveur des rebelles du Congo (p. 547). La polit. extrémiste de l'O. U. A. provoque la création en
1965 de l'Organisation africaine et malgache (Ö. C. A. M.).
Afrique du Sud. Après la victoire électorale du « Front national », en
1948 F. MALAN (1874-1954), prem. min., s'oriente vers la politique de ségrégation pour permettre la domination de 3 millions de Blancs sur 11 millions de Noirs. STRIJDOM (1951-1958) et, à p. de
1958 F. VERWOERD (1901-1966 assassiné) poursuivent la polit. de l'**apartheid** contre le « parti du Progrès » et l'opposition bantoue, qui s'unissent dans le « **Congrès national africain** » (prés. LUTHULI, prix Nobel de la Paix en 1960).
1959 Congrès panafricain, dirigé par M. SOBUWKE (né en 1924). Troubles sanglants à Sharpeville en 1960.
1961 Retrait du Commonwealth.
1963 Création de l'État bantou du **Transkei.**

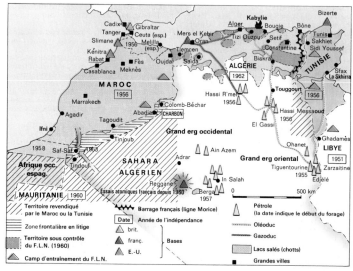

Le Maghreb en 1960

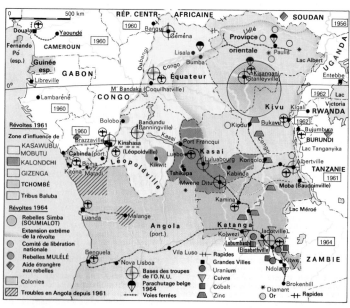

La crise congolaise (1960-1965)

L'Afrique du Nord (Maghreb)

Maroc. Intéressés par la situation stratégique et les ressources minérales du pays, les É.-U. promettent au sultan **Mohammed V** (1927-1961) l'indépendance que le parti de l'**Istiqlal,** fondé en 1944, ne cesse de réclamer.

1951 La France concède aux E.-U. des bases milit. (jusq. 1963), s'appuie sur les Berbères de l'Atlas (EL GLAOUI) et exile le sultan à Madagascar (1953). Le nouveau sultan installé par la France, BEN ARAFA, n'est pas reconnu par les musulmans.

1955 Retour de MOHAMMED V.

1956 Proclamation de l'indépendance après les accords de La Celle-Saint-Cloud (PINAY). Retour de Tanger et du Maroc espagnol. Le parti de l'Istiqlal se divise : l'Union nationale (U. N. F. P.) avec BEN BARKA refuse la monarchie et exige une réforme démocr. (constitution).

1960 MOHAMMED V assume le pouvoir et revendique Ifni, le Rio del Oro et la Mauritanie.

1961 HASSAN II (né en 1930) se heurte à l'Algérie. En

1963 conflit de frontières. Médiation d'HAILÉ SÉLASSIÉ (p. 455). Crise écon. et régime personnel du roi.

1965 Dissolution du Parlement.

Tunisie. Le gouv. franç. donne satisfaction au parti du **Néo-Destour,** fondé en 1934 par **Habib Bourguiba** (né en 1903).

1954 Autonomie interne accordée par MENDÈS FRANCE. L'opposition de SALAH BEN YOUSSEF (assassiné en 1961) rejette la polit. pro-occ. de BOURGUIBA.

1956 **Indépendance.** L'Assemblée nat. proclame en

1957 la république (BOURGUIBA prés.).

1961 **Conflit de Bizerte.** La France accepte l'évacuation.

1964 « Rachat » des propriétés étrangères. En polit. étrang., BOURGUIBA, adversaire de NASSER, représente la tendance modérée.

Algérie.

1946 Le **Mouvement de Libération nationale** (MESSALI HADJ, FERHAT ABBAS né en 1899) réclame des réformes.

1947 Statut (administr. autonome). BEN BELLA, KRIM BELKACEM, KHIDER, etc. organisent le « Front de **Libération nationale** » **(F. L. N.),** qui combat le Mouvement nat. algérien (M. N. A.).

1954-1962 **Guerre d'Algérie.** Extension du terrorisme. Tentatives d'assimilation; échec de la « pacification ».

1958 Putsch à Alger (gén. SALAN et MASSU) qui provoque la chute de la IVᵉ Rép. et porte CHARLES DE GAULLE au pouvoir (p. 533).

1958 Le gouv. algér. (FERHAT ABBAS) exilé au Caire établit des relat. diplomat. avec plusieurs pays étrang.

1959 DE GAULLE accorde aux Algériens le droit à l'autodétermination.

1961 BEN KHEDDA, prem. min., et le G. P. R. A. (Gouv. provisoire) adoptent une tendance plus dure. Terreur F. L. N. et O. A. S., cette dernière dirigée par SALAN. Premiers pourparlers franç. avec le G. P. R. A., qui échouent sur la **question du Sahara** (utilisation du pétrole découvert après 1945. Prod. 32 millions de t en 1966).

1962 **Accords d'Evian.** Garanties pour les Franç. d'Algérie contre l'indép. complète. Après des élections (F.L.N. parti unique), proclamation de la **Rép. démocr. populaire d'Algérie;** le prés. BEN BELLA fait triompher sa polit. contre ses adversaires, malgré des révoltes en Kabylie (AIT AHMED).

1965 Coup d'État du Conseil révolut. avec le col. BOUMEDIENNE (né en 1925) : chute de BEN BELLA.

Libye. Placée sous mandat des Nations unies, en 1951, indép. avec le roi MOHAMMED IDRIS ES SENOUSSI. Essor de la production de pétrole (72 millions de t en 1966).

La crise du Congo (1960-1965)

Sous la direction de Patrice Lumumba (1925-1961 assassiné), mouvement de libération nationale.

1959 Troubles à Léopoldville.

1960 Gouvernement central. Prés. KASAWUBU (né en 1917), prem. min. LUMUMBA (juin). Émeutes des troupes congolaises (juillet). Fuite des officiers, fonctionnaires, techniciens belges. La province minière du Katanga, demeurée calme avec **Moïse Tschombé,** prem. min., proclame son indép. Contre l'intervention des troupes belges débarquées par avion, LUMUMBA réclame l'aide de l'O. N. U. Il est renversé en sept. par le col. MOBUTU.

1961 Assassinat de LUMUMBA lors de sa fuite vers Stanleyville, siège du contre-gouvernement de son partisan GIZENGA (né en 1925).

1962 Sous la pression de l'Occident, TSCHOMBÉ, prem. min., accepte le plan de pacification de l'O. N. U.

1963 L'O. N. U. intervient au Katanga.

1964 Retrait des troupes de l'O. N. U. pour des raisons financières. Le prés. KASAWUBU nomme TSCHOMBÉ prem. min. du gouv. central. Avec l'aide des E.-U. et des mercenaires blancs (p. 547), TSCHOMBÉ réprime les révoltes des Simba et des Mulélé.

1965 Des troupes gouvern. écrasent les révoltes. **Coup d'Etat** de MOBUTU (nov.), qui dépose KASAWUBU et se proclame prés. de l'Etat.

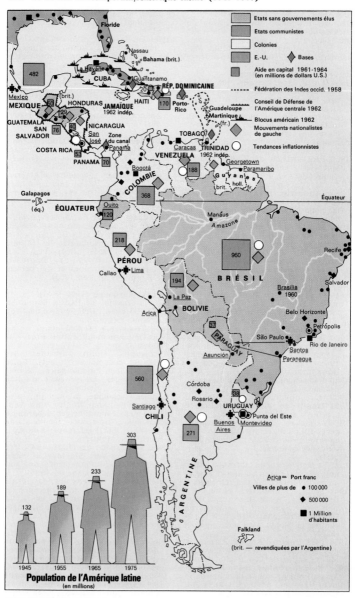

Etats sans gouvernements élus

Etats communistes

Colonies

E.-U.   ◆ Bases

Aide en capital 1961-1964
(en millions de dollars U.S.)

- - - - - Fédération des Indes occid. 1958

Conseil de Défense de
l'Amérique centrale 1962

Blocus américain 1962
Mouvements nationalistes
de gauche

○ Tendances inflationnistes

Floride

Nassau
Bahama (brit.)

La Havane
CUBA
Guantanamo
RÉP. DOMINICAINE
482
Mexico
(brit.)
MEXIQUE
HONDURAS
JAMAÏQUE
1962 indép.
HAÏTI
170 Porto-
Rico
Guadeloupe
(fr.)
Martinique
GUATEMALA
SAN
SALVADOR
76
NICARAGUA
San
José
Zone
du canal
Panama
TOBAGO
Caracas TRINIDAD
1962 indép.
VENEZUELA
COSTA RICA
53
PANAMA
70
Bogotá
188
Georgetown
Paramaribo
COLOMBIE
368
Guyanes
brit. holl.

Galapagos
(éq.)
ÉQUATEUR
Quito
120
Équateur

Manáus
Amazone

218
PÉROU
Recife
960

Callao Lima
BRÉSIL
Salvador
Brasilia
1960
194
La Paz
Belo Horizonte
BOLIVIE
Petrópolis
Arica
87
São Paulo
Rio de Janeiro
PARAGUAY
Santos
Asunción
Paranagua

560
Córdoba
Rosario
38
Santiago URUGUAY
CHILI
Punta del Este
Buenos Montevideo
271 Aires

303

233
189
132

Arica = Port franc
Villes de plus de ● 100 000
                   ◆ 500 000
                   ■ 1 Million
                     d'habitants

Falkland

(brit. — revendiquées par l'Argentine)

A R G E N T I N E

1945 1955 1965 1975
Population de l'Amérique latine
(en millions)

L'Amérique latine (1965)

Amérique latine

L'Amérique latine après la seconde guerre mondiale a tout d'abord profité du prix élevé des matières premières provoqué par le conflit. D'ambitieux projets virent alors le jour (Argentine de Peron, Brésil de Vargas). Puis le retour à des cours normaux entraîna une crise d'adaptation. Alors apparurent la gravité des problèmes agraires (répartition très inégale du sol), le retard de l'industrialisation et la fragilité de la vie politique inspirée par les principes hérités de l'Europe du XIXᵉ s. L'intervention de l'armée dans la vie politique tendit à se généraliser.

Argentine

1946-1955 Présidence de JUAN DOMINGO PERON. Aidé par son épouse EVA DUARTE, il s'appuie sur les ouvriers contre les grands propriétaires fonciers. C'est le « justicialisme » orienté vers le nationalisme, et le développement d'un puissant mouvement syndical. Des plans quinquennaux financés par des taxes sur les exportations agricoles sont destinés à développer une industrie nationale. L'hostilité des propriétaires fonciers, des cadres de l'armée, de l'Eglise entraîne la fin du péronisme.

1955 Un coup d'Etat militaire renverse Peron (3 000 morts).

Brésil

1954 Suicide du président GETULIO VARGAS, au pouvoir depuis 1930, à la suite des révélations du journaliste LACERDA.

1955-1960 Présidence de JUSCELINO KUBITSCHEK, soucieux du développement du Brésil de l'intérieur.

1959 Création de la « Surintendance pour le développement du Nord-Est » (SUDENE) dirigée par CELSO FURTADO.

Avril 1960 Inauguration de la nouvelle capitale Brasilia (urbaniste : L. COSTA; architecte : O. NIEMEYER).

Avril 1964 Un coup d'Etat militaire chasse le président GOULART.

Chili

1957 Création du parti social-chrétien inspiré par l'exemple des démocrates-chrétiens de l'Europe occidentale.

Septembre 1964 L'élection d'EDUARDO FREI à la présidence de la République fait triompher ce parti qui a mis à son programme : la nationalisation des mines de cuivre, possédées par des sociétés américaines et une réforme agraire.

Amérique Centrale et Caraïbes

La proximité des Etats-Unis favorise une intervention directe dans la vie politique (Guatemala, République Dominicaine) qui contribue à renforcer le prestige du Cuba de FIDEL CASTRO.

Guatemala

1951 JACOB ARBENZ élu président de la République se heurte à la société américaine « United Fruit », menacée d'expropriation partielle.

1954 L'intervention armée de CASTILLO ARMAS, préparée au Honduras, force JACOB ARBENZ à l'exil et arrête tout projet de réforme agraire.

République Dominicaine

1961 Assassinat du dictateur TRUJILLO au pouvoir depuis 1930.

1963 Succès aux élections de JUAN BOSCH et du P.R.D. (Parti révolutionnaire dominicain).

1964 Débarquement de « marines » pour soutenir un coup d'Etat de l'armée hostile au P.R.D.

1966 Election à la présidence de JOAQUIN BALAGUER.

Cuba

1952-1958 Dictature de FULGENCIO BATISTA.

26 juillet 1953 Echec de l'assaut de FIDEL CASTRO contre la caserne Moncada à Santiago de Cuba.

Novembre 1956 Débarquement de FIDEL CASTRO, exilé au Mexique, qui réussit à gagner la Sierra Maestra, d'où il organise la guérilla.

8 janvier 1959 Entrée de FIDEL CASTRO à La Havane. Nationalisation des grandes exploitations sucrières, des filiales d'industries américaines. Devant l'opposition des Etats-Unis, FIDEL CASTRO se rapproche de l'U.R.S.S. pour échapper au blocus américain.

1961 Echec du débarquement de Cubains anti-castristes à la baie des Cochons.

22-28 octobre 1962 Crise des fusées. Le président KENNEDY obtient de KHROUCHTCHEV le démantèlement des bases de fusées contre l'engagement tacite de ne pas tenter d'assaut direct contre Cuba où les Etats-Unis gardent la base de Guantanamo.

Le succès du mouvement castriste à Cuba a servi d'exemple à de nombreux mouvements de guérillas rurales en Amérique latine. Mais ils échouèrent : mort en Colombie du prêtre CAMILLO TORRES (1966). Mort en Bolivie en octobre 1967 de CHE GUEVARA, compagnon (d'origine argentine) de Fidel Castro. Au Pérou, échec vers 1965 de l'E.L.N. (Armée de libération nationale). Mais, en Uruguay, le mouvement des « Tupamaros » né en 1963, se développe en pratiquant la guérilla urbaine (enlèvement d'hommes politiques, attaques de dépôts d'armes).

Amérique latine

La crise de l'énergie à partir de 1973 a eu des conséquences très différentes selon les pays. Le Mexique (65 m de t en 1977), le Venezuela (116 m de t) l'Equateur (8,5 m de t) ont été favorisés. Le pétrole peut alors financer les frais de développement. Le Brésil, en revanche, fut nettement freiné dans sa croissance rapide du début des années 70. De là, le développement d'entreprises hydro-électriques gigantesques comme le complexe d'Itaipu sur le Parana dont les travaux ont commencé en 1974, ou le barrage sur la rivière des Tocantins dans le bassin de l'Amazone. Les inégalités sociales sont dénoncées par de nombreux membres de l'Eglise catholique (DON HELDER CAMARA au Brésil). Aussi, les questions agraires restent essentielles, là où la pression démographique se conjugue avec l'insuffisance des terres cultivables (Pérou, Chili, Mexique).

Argentine

1966-1973 Le gouvernement est dominé par les généraux ONGANIA, LEVINGSTON et LANUSSE.

29 mai 1969 Emeutes de Cordoba (le « Cordobazo ») regroupant ouvriers et paysans contre le régime.

Mai 1970 Assassinat du général ARAMBURU, adversaire des péronistes, par les Montoneros qui se placent à l'extrême gauche du péronisme.

Mars 1973 Grand succès des péronistes aux élections au profit d'Hector Campora qui prépare le retour de son chef.

Juin 1973 Peron retourne officiellement à Buenos Aires, âgé de 77 ans.

1er juillet 1974 Mort de PERON.

1975 La guérilla révolutionnaire règne dans les environs de Tucuman.

1976 L'armée en la personne du général VIDELA reprend le pouvoir après la déposition d'ISABEL PERON, troisième épouse du « leader ». Persistance des tentatives de guérilla urbaine menées par les Montoneros.

Brésil

1968 Cinquième acte institutionnel modifiant la Constitution.
Le régime s'appuie sur le parti de rénovation nationale (ARENA).

1977 Le général GEISEL, président depuis 1974, s'oppose aux pressions de Washington pour maintenir son accord atomique avec l'Allemagne de l'Ouest.

Chili

4 septembre 1970 SALVADOR ALLENDE est élu président (36,3 % des voix) contre les conservateurs (34,9 %) et la démocratie chrétienne (27,8 %). Soutenu par une coalition socialocommuniste, il espère réaliser dans la légalité des réformes socialistes. Il se heurte à la coalition de l'extrême gauche (M.I.R.) favorable aux occupations de terre et de la droite aidée par une grève des chauffeurs de camions.

11 septembre 1973 Soulèvement de l'armée. ALLENDE meurt à son poste au palais présidentiel de la Moneda. C'est la fin de l'Unité populaire. La junte militaire présidée par le général PINOCHET prend le pouvoir. Le mouvement de nationalisation des terres et des entreprises est arrêté.

Septembre 1976 Assassinat d'ORLANDO LETELIER, ancien ambassadeur du gouvernement Allende aux Etats-Unis.

Printemps 1978 Tension des relations entre la Bolivie et le Chili peu pressé de favoriser l'accès de la Bolivie à la mer. Bons rapports avec l'Argentine du général VIDELA.

Cuba

1968-1978 Resserrement des liens avec l'U.R.S.S. au point de vue économique. Aide annuelle se montant à 2 millions de dollars. Appui cubain à la politique extérieure soviétique.

1975 Intervention des troupes cubaines en Angola.

Printemps 1977 Tournée africaine de FIDEL CASTRO (Algérie, Libye, Ethiopie, anciennes colonies portugaises). Il déclare « Nous sommes un peuple latino-africain. »

Printemps 1978 Participation des troupes cubaines aux côtés de l'Ethiopie (campagne de l'Ogaden contre la Somalie). 30 000 soldats cubains servent en Afrique.

Mexique

1971-1976 Présidence d'ECHEVERRIA.

1976 Occupation illégale de terres dans l'Etat de Sonora.

Septembre 1976 Aggravation de la crise économique : dévaluation de 100 % du peso fixé depuis 1954 à 12,5 pesos = 1 dollar.

Décembre 1976 JOSÉ LOPEZ PORTILLO devient président.

Pérou

30 octobre 1968 Coup d'Etat de l'armée contre le gouvernement de FERNANDO BELAUNDE TERRY. Le général VELASCO arrive au pouvoir.

1971 Fondation du Sinamos, destiné à fournir les cadres de l'économie socialisée. Réforme agraire. Généralisation des nationalisations.

1974 Second souffle de la révolution militaire. Renforcement de l'intervention de l'Etat. Régime populaire non marxiste.

24 décembre 1977 Mort du général VELASCO.

Juin 1978 Elections générales pour une Assemblée constituante.

Les étapes à partir de 1957

La seconde moitié du XXᵉ siècle a vu la réalisation des rêves de JULES VERNE et des projets d'ESNAULT-PELTERIE (1881-1957). La puissance des fusées, étudiées à l'origine pour des utilisations militaires, va permettre d'échapper à l'attraction terrestre. Dans une première étape, après l'essai sur des animaux (la chienne Laïka), est établie la possibilité de vie humaine en état d'apesanteur. Dans une deuxième étape, il devient possible de placer des engins dans le champ d'attraction d'autres planètes, puis de les y faire atterrir.

Oct. 1957 Mise sur orbite de **Spoutnik I**, le premier satellite du monde.

1958 Fondation de la N.A.S.A. (Organisation améric. pour l'exploration de l'espace). Le 1ᵉʳ satellite améric. **Explorer I** est mis sur orbite, à partir de la base spatiale de Cap Canaveral (Kennedy) en Floride.

12 avril 1961 : YOURI GAGARINE (U.R.S.S.) à bord de **Vostok I** effectue un vol de 1 h 43 mn en orbite terrestre, à partir de la base de Baïkonour en Asie Centrale.

5 mai ALAN SHEPPARD (U.S.A.) à bord d'une cabine Mercury (15 mn 22 s pour un vol balistique).

16 juin 1963 VALENTINA TERECHKOVA (U.R.S.S.) première femme cosmonaute (Vostok VI, 70 h 50 mn).

18 mars 1965 PAVEL BELAYEV et ALEXEI LEONOV premier Soviétique à accomplir une « marche dans l'espace » (Voskhod II, 26 h 2 mn).

3 juin JAMES MacDIVITT et EDWARD WHITE, premiers Américains à accomplir une marche dans l'espace (Gemini IV, 97 h 58 mn).

15 décembre WALTER SCHIRRA et THOMAS STAFFORD (U.S.A.) (Gemini IV, 25 h 51 mn). Réussite du premier rendez-vous spatial entre Gemini VI et Gemini VII. Cette expérience permet de prévoir l'utilisation de stations-relais.

La course vers les planètes

Septembre 1968 Zond V fait le tour de la Lune.

11 octobre Apollo 7 : 1ᵉʳ vol de la série « Apollo ».

21 décembre Apollo 8 : 1ᵉʳ vol piloté circumlunaire.

1969

Mercredi 16 juillet Cap Kennedy, à lancement, à 13 h 32 (heure française), de l'équipage d'Apollo 11 vers la Lune.

Lundi 21 juillet ARMSTRONG descend du « L.M. » à 3 h 50 (heure française), foule le sol lunaire et ramène des échantillons minéralogiques.

1970

25 avril Mise sur orbite du 1ᵉʳ satellite chinois (173 kg).

Décembre Envoyé par la fusée Luna XVII le véhicule Lunakhod I permet à l'U.R.S.S. de participer à l'exploration de la Lune sans risquer l'envoi d'équipages.

Mise au point de stations orbitales, laboratoires de l'espace par les U.S.A. et l'U.R.S.S.

13 novembre 1973 - 8 février 1974 3ᵉ mission Skylab (U.S.A.) 84 jours en apesanteur pour G.P. CARR, W.R. POGUE et E.Q. GIBSON.

18 décembre - 26 décembre 1973 Mission Soyouz 13 (U.R.S.S.) : mise en place de stations pour servir de relais entre la Terre et de nouvelles explorations spatiales.

Décembre **Jupiter** est observé par la sonde américaine Pioneer 10.

Juillet 1974 Mission Soyouz 14 : deux Russes rejoignent le laboratoire orbital Saliout 3.

17-19 juillet 1975 Rendez-vous spatial de cosmonautes russes et américains dans un sas disposé entre Apollo et Soyouz 19.

20 juillet 1976 La sonde américaine Viking I se pose sur Mars, suivie le 4 septembre par Viking II.

Avril 1978 Lancement par l'U.R.S.S. du 1 000ᵉ satellite d'observation Cosmos.

Europe

Décembre 1974 La France et l'Allemagne lancent le satellite de télécommunications « Symphonie » grâce à une fusée américaine.

Avril 1973 Après de nombreux échecs, abandon du programme Eldo destiné à mettre au point un lanceur de satellites indépendant des U.S.A.

Mise en veilleuse de la base française de Kourou en Guyane.

L'E.S.R.O. (Organisation européenne de recherche spatiale) met au point à partir de 1975 un laboratoire spatial SPACELAB, qui sera utilisé dans un programme spatial américain.

Novembre 1977 Le satellite européen d'observation météorologique Meteosat est lancé grâce à une fusée de la N.A.S.A.

Espace

2 novembre 1978 Le record de vie dans l'espace est battu. Les cosmonautes KOVALENOK et IVANTCHENKO reviennent sur terre après 140 jours passés dans l'espace.

Décembre 1978 Exploration de Vénus grâce aux sondes américaines Pioneer Vénus 1 et Vénus 2 et aux sondes soviétiques Venera 11 et 12. Découverte de la richesse en argon de l'atmosphère vénusienne.

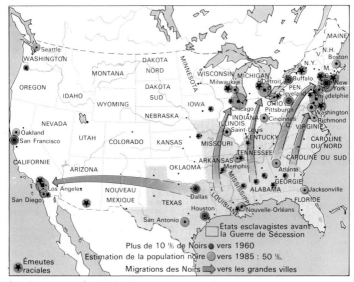

Le problème noir aux États-Unis.

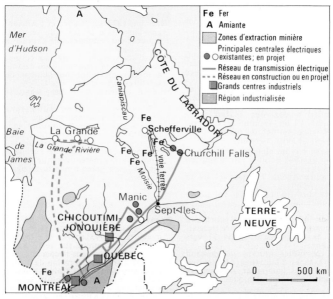

Le Québec.

Etats-Unis

1968 Agitation universitaire contre la guerre du Vietnam et pour l'application des droits civiques dans le Sud (notamment l'inscription sur les listes électorales).

4 avril Assassinat du leader noir MARTIN LUTHER KING.

5 novembre Election de RICHARD NIXON, candidat républicain, à la Présidence des Etats-Unis.

1969 Rencontre du président NIXON et du président THIEU (Sud-Vietnam) à Midway. Les soldats américains seront rappelés aux Etats-Unis. Le Sud-Vietnam devra assurer lui-même sa défense.

Juillet 1971 Visite de NIXON et d'HENRY KISSINGER à Pékin pour rencontrer MAO TSE TOUNG.

15 août 1971 Le dollar ne sera plus convertible en or au cours de 35 dollars l'once d'or fin. C'est la dévaluation du dollar et la confirmation officielle d'un double marché de l'or.

5 novembre 1972 Réélection triomphale du président NIXON qui l'emporte sur le candidat démocrate, G. MACGOVERN. Henry Kissinger, secrétaire d'Etat, entame des pourparlers de paix avec le Nord-Vietnam.

1973

7 février Une commission enquête sur une effraction commise le 27 juin 1972 pendant la campagne présidentielle, à l'immeuble Watergate, quartier général du parti démocrate à Washington.

Octobre : Démission du vice-président SPIRO AGNEW accusé de fraude fiscale.

1974

8 août R. Nixon, après avoir fait agir la C.I.A. contre le F.B.I., finit par reconnaître sa responsabilité et démissionne sous la pression de la Cour suprême. GERALD FORD lui succède.

20 août NELSON ROCKEFELLER est nommé vice-président.

5 novembre Les démocrates obtiennent la majorité des 2/3 à la Chambre des Représentants.

Janvier 1976 Accords de la Jamaïque; la thèse américaine sur le nouvel ordre monétaire triomphe : abandon des parités or des monnaies. Généralisation des taux de change flottants.

Automne 1976 Attribution du prix Nobel d'Economie à Milton FRIEDMAN, inspirateur de l'Ecole de Chicago, hostile à l'Etat-Providence.

Janvier 1977 Election à la présidence du candidat démocrate, JIMMY CARTER, originaire du Sud (Georgie). Difficile mise sur pied d'une politique de l'énergie destinée à freiner la consommation intérieure. CYRUS VANCE remplace HENRY KISSINGER.

Z. BRZEEZINSKI est nommé directeur du Conseil national de sécurité (réorganisation de la C.I.A.).

7 novembre 1978 Léger glissement à droite aux élections législatives; grand succès du mouvement d'Howard JARVIS contre l'augmentation des taxes.

18 novembre Massacre de Jonestown en Guyana. Plus de 900 morts américains, fidèles de la secte du Temple du Peuple dirigée par le révérend JONES.

Crise du dollar

1977 La masse des dollars détenus par des non-résidents (eurodollars, pétrodollars, etc.) atteint 450 milliards. Balance commerciale avec les pays arabes déficitaire de 8 milliards de dollars.

Avril 1978 Inquiet devant la prolifération de l'arme atomique, le Congrès américain demande un contrôle plus étroit sur le retraitement de l'uranium enrichi fourni à l'Europe par les Etats-Unis (menace d'embargo).

1978 Le Sénat américain ratifie le traité sur le canal de Panama. Le général TORRIJOS et ses partisans obtiennent satisfaction. Les Etats-Unis abandonneront leur souveraineté sur la zone du canal en l'an 2000. Réduction des effectifs militaires américains jusqu'à cette date, où la défense du canal sera assurée par Panama.

Mai 1978 Vente d'avions de chasse aux deux camps opposés au Moyen-Orient : Israël - Egypte, Arabie Séoudite.

Canada

Juin 1968 Election de PIERRE ELLIOTT TRUDEAU (parti libéral) comme premier ministre de la Confédération. Progrès du bilinguisme : partout où la population francophone atteint ou dépasse 10 %, les services publics devront être bilingues.

Avril 1969 Au Québec, victoire électorale du parti libéral (R. BOURASSA), favorable à la francophonie, mais hostile à l'indépendance.

Octobre 1972 Réaction électorale des anglophones qui votent massivement pour le parti conservateur (notamment dans l'Ontario et en Colombie britannique).

1974 Revanche de P.E. TRUDEAU qui obtient la majorité absolue aux élections.

1976 Jeux Olympiques organisés à Montréal, grâce au maire JEAN DRAPEAU.

Novembre 1976 Le Parti québécois (RENÉ LEVESQUE) favorable à la rupture du lien fédéral, remporte les élections au Québec. Préparation d'un référendum sur l'indépendance qui serait favorisée par des ressources exceptionnelles en électricité (Hydro-Québec).

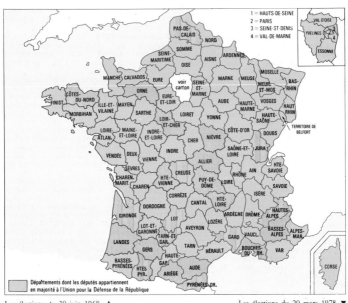

1 = HAUTS-DE-SEINE
2 = PARIS
3 = SEINE-ST-DENIS
4 = VAL-DE-MARNE

Départements dont les députés appartiennent
en majorité à l'Union pour la Défense de la République

Les élections du 30 juin 1968 ▲   Les élections du 20 mars 1978 ▼

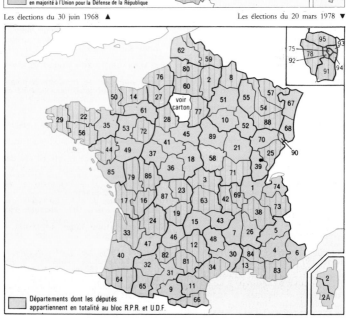

Départements dont les députés
appartiennent en totalité au bloc R.P.R. et U.D.F.

La crise de mai 1968
22 mars. Naissance, à la Faculté des
Lettres de Nanterre, du mouvement
contestataire animé par Cohn-
Bendit.
**3-13 mai. L'insurrection étudiante et
ses conséquences**
Chassés de la Faculté de Nanterre
qui est fermée, les étudiants portent
leur agitation à la Sorbonne, fermée
à son tour. De là les émeutes de la
nuit du 10 au 11 mai, rue Gay-
Lussac : barricades, voitures incendiées. La réaction de la police
entraîne un mouvement de solidarité
chez les syndicats ouvriers qui demandent une cessation de travail
pour le 13 mai.
14-22 mai : La paralysie de la nation
Un mouvement de grèves avec occupation d'usines commence à Nantes
(Sud-Aviation) et à Flins (Renault).
Il s'étend bientôt à tout le pays,
services publics compris. Le 20 mai
il y a sept millions de grévistes.
La « révolution culturelle »
L'occupation de l'Odéon, l'enthousiasme des milieux intellectuels de
gauche (de J.-P. Sartre à Godard),
la grève des théâtres ont permis de
parler d'une mise en question de la
société contemporaine décrite par le
sociologue germano-américain Mar-
cuse comme une « société de consommation ».
23 mai-30 mai : De Gaulle et la crise
23 mai. Une motion de censure contre
le gouvernement est repoussée à
la Chambre.
24 mai. Discours du général de Gaulle
annonçant un référendum sur la
participation.
25 mai. Ouverture des négociations
gouvernement-syndicats, rue de Gre-
nelle : Augmentation de 35 % du
S. M. I. G. et du S. M. A. G. Reconnaissance des droits syndicaux dans
l'entreprise. Les syndicats consultent
leurs sections de base qui envisagent
une grève longue qui s'orienterait
vers des objectifs politiques. « Dix
ans : c'est assez » proclament les
ouvriers C. G. T. qui défilent dans
Paris le 29 mai.
30 mai. Proclamation de la dissolution
de l'Assemblée nationale.
La conclusion de la crise
23 juin. Élections très favorables aux
partisans du général de Gaulle.
Bilan économique
Hausse des salaire : 12,5 % en moyenne.
Pertes d'or et de devises du 1er mai
au milieu de juillet : 1,5 milliard
de dollars.
Bilan politique
Remplacement de M. Pompidou par
M. Couve de Murville au poste de
premier ministre. Entrée au ministère de l'Éducation nationale de
M. Edgar Faure qui veut faire

Partis et tendances	Sortants	Élus		Total	Gains ou pertes
		1er tour	2e tour		
P.C.F.	73	6	28	34	— 39
P.S.U.	3	—	—	—	— 3
Fédération . .	118	—	57	57	— 61
U.D -Ve Rép. et U.D.R. . . .	197	124	170	294	+ 97
Rép. Indép. . .	43	28	36	64	+ 21
Centre P.D.M. .	42	5	22	27	— 15
Divers. . . .	9	3	6	9	—
	485	166	319	485	

triompher les principes d'autonomie
et de participation dans l'Université. Des conseils élus administreront
les unités d'enseignement.
23 novembre. Refus par le général de
Gaulle d'une dévaluation du franc.
27 avril 1969. Référendum portant sur
la suppression du Sénat et l'organisation de conseils régionaux nommés par le gouvernement. Le général
de Gaulle, qui avait annoncé son
départ en cas de rejet du projet, se
retire le lendemain.
— Inscrits 29 392 390
— Exprimés 22 908 855
— Oui. 10 901 753
— Non. 12 007 102
28 avril-15 juin. M. Poher, président
du Sénat, assure la présidence
intérimaire, pendant que se déroule
la campagne électorale, où il se porte
candidat contre M. Pompidou.
**1er juin : 1er tour des élections prési-
dentielles**
Pompidou 10 051 783
Poher 5 268 163
Duclos. 4 808 285
2 juin.
Paris. Le comité central du P. C. donne
une consigne d'abstention pour le
2e tour.
15 juin. Élection présidentielle :
M. Pompidou est élu avec 58,21 %
des suffrages exprimés, contre
41,79 % à M. Poher. Abstentions :
31,15 %.
20 juin. M. Pompidou nomme M. Chaban-Delmas premier ministre.
8 août. Dévaluation du franc de 12,5 %.
Les quatorze pays de la zone franc
(Afrique Noire) s'alignent.
9 novembre 1970. Mort du général de
Gaulle.
1972
Avril Référendum sur l'entrée de la
Grande-Bretagne dans le Marché
Commun. Le « Oui » l'emporte.
6 juillet M. Messmer est appelé par
M. Pompidou au poste de premier
ministre, en remplacement de M. Chaban-Delmas.

France
Mars 1973 A ffaiblissement de la majorité issue des élections de juin 1968.
Progrès des socialistes qui ont adopté au Congrès d'Epinay en 1971 le projet d'une alliance électorale avec les communistes et les radicaux de gauche autour du Programme commun (juin 1972).

1974
2 avril Mort du président GEORGES POMPIDOU qui disparaît au moment où la crise économique va se développer. Il avait directement favorisé l'entrée de la Grande-Bretagne dans le Marché commun. En France, grande époque des équipements collectifs. Inauguration de l'autoroute Paris-Marseille. Lancement du R.E.R., de la Défense, du Centre Beaubourg près des Halles.
8 avril F. MITTERRAND est candidat unique de la gauche, alors que la majorité est divisée entre gaullistes et giscardiens.
5 mai : 1er tour des élections. J. CHABAN-DELMAS est éliminé, F. MITTERRAND (43,24 %) arrive devant V. GISCARD d'ESTAING (32,60 %).
19 mai 2e tour : élection de V. GISCARD D'ESTAING à la présidence de la République (13 396 203 voix, soit 50,81 %) contre F. MITTERRAND (12 971 604 voix, soit 49,19 %).
27 mai **Jacques Chirac** est nommé premier ministre.
28 juin La majorité électorale est fixée à 18 ans.
20 décembre Vote de la loi autorisant l'avortement proposée par **Simone Veil.**

1976
25 août Démission de J. CHIRAC; le 27, formation du nouveau gouvernement par **R. Barre.**
Septembre Plan Barre, destiné à lutter contre l'inflation. Blocage des prix, freinage de l'augmentation des rémunérations, développement des exportations pour payer « la facture pétrolière ».

1977
13 et 20 mars : Elections municipales. L'Union de la Gauche totalise 52 % des voix.
Succès de la majorité à Paris (CHIRAC, premier maire de Paris depuis la Révolution). Progrès sensible des socialistes dans l'Ouest (Rennes, Brest, Angers, Nantes).
Eté 1977 Le P.C. lance une campagne pour « l'actualisation » du Programme commun.
22 septembre Rupture de l'Union de la Gauche (discussions sur l'extension des nationalisations, l'augmentation du S.M.I.C., etc.).
Georges Marchais, au nom du P.C., attaque **F. Mitterrand** accusé de pencher vers la social-démocratie.

1978
12 mars La majorité (R.P.R. de J. Chirac + U.D.F. de J.-P. Soisson) résiste de justesse à la poussée de la gauche qui a souffert de ses divisions.
13 mars Réconciliation éclair entre les partenaires de la gauche.
20 mars La majorité l'emporte avec 91 sièges d'avance sur l'opposition.

Partis ou tendances	sortants	Elus		Total	Gains ou pertes
		1er tour	2e tour		
P.C.F. ...	74	4	82	86	+ 12
P.S.	95	1	103	104	+ 9
Radic. de g.	13	—	10	10	— 3
Div. oppos.	2	—	1	1	— 1
R.P.R. ...	173	31	119	150	— 23
P.R.	61	16	55	71	+ 10
C.D.S. ...	28	6	29	35	+ 7
Maj. prés.	17	6	10	16	— 1
Radicaux	7	3	4	7	— 1
M.D.S.F.	6	1	8	9	+ 2
C.N.I.P.	8	—	1	1	— 5
P.S.D. ...	4	—	1	—	— 3
Divers ...	3	—	—	—	— 3
	491	68	423	491	

(Les rangs R.P.R. à C.N.I.P. sont regroupés sous l'étiquette U.D.F.)

4 septembre Robert FABRE, du Mouvement des radicaux de gauche, accepte une mission sur les problèmes de l'emploi qui lui est confiée par le président de la République.
Octobre-novembre Le P.C. fait campagne contre l'admission dans l'Europe des 9 des Etats méditerranéens (Espagne, Grèce, Portugal).
6 décembre J. CHIRAC au nom du R.P.R., condamne la politique européenne du président de la République.

1979
Janvier Lutte de tendances au sein du P.S. MITTERRAND et DEFFERRE sont menacés par un regroupement ROCARD, MAUROY. Le C.E.R.E.S. reste fidèle à l'alliance avec le P.C.

Economie
7 mars 1977 Mise en service de la première centrale nucléaire à l'uranium enrichi (Fessenheim en Alsace).
31 août 1977 1 200 000 chômeurs.
21 octobre 1977 Vente du paquebot « France ».
22 novembre 1977 1er vol commercial régulier Paris-New York par Concorde.
Juin 1978 Retour à la liberté des prix industriels. Hausse des tarifs des sociétés nationalisées.
31 janvier 1979 1 350 000 chômeurs.

La Grande-Bretagne
18 juin 1970 Aux élections, défaite de H. WILSON. Conservateurs : 331 sièges, travaillistes : 287, libéraux 6, divers : 5.
E. HEATH forme le gouvernement.
1971 Débat sur l'entrée dans le Marché commun.
5 février D.-Day : adoption de la monnaie décimale. Le parti travailliste comme le parti conservateur sont divisés sur l'entrée de la Grande-Bretagne dans le Marché commun.
1972
28 octobre Les Communes ratifient le projet d'entrée dans le Marché commun, par 112 voix de majorité. Forte opposition des Trade-Unions et de la majorité travailliste.
1974
10 février-8 mars Grève des mineurs.
28 février Elections générales : travaillistes : 301 sièges, conservateurs : 296, libéraux : 14, divers : 24.
10 octobre HAROLD WILSON, Premier ministre travailliste, n'obtient qu'un demi-succès à la suite de nouvelles élections générales : travaillistes : 319, conservateurs : 276, libéraux : 13, divers : 27.
Juin 1975 Un référendum approuve l'entrée de la Grande-Bretagne dans le Marché commun (67,2 % de voix pour).
16 mars 1976 HAROLD WILSON démissionne de son poste de Premier ministre. Il est remplacé par JAMES CALLAGHAN.
Juin 1976 Reprise des activités de l'I.R.A. (9 morts à Belfast le 5 juin). La « Marche de la Paix » de 20 000 femmes catholiques et protestantes (en août) n'empêchera pas la recrudescence de la lutte entre l'I.R.A. et la Grande-Bretagne en 1977.
1977-1978 Coalition travaillistes + libéraux placée devant le réveil du nationalisme gallois et écossais. Droit de dévolution : une partie des attributions des Communes sont confiées à des parlements locaux à Edimbourg et à Cardiff.
9 mai 1978 Le gaz du gisement de Frigg, en mer du Nord, arrive, par pipeline, à Saint-Fergus en Ecosse.
Septembre-octobre Profitant des divisions à l'intérieur du parti conservateur (opposition entre Mme THATCHER et M. HEATH), M. CALLAGHAN repousse l'échéance électorale en 1979.
Novembre Le parti libéral est affaibli par le scandale du procès de J. THORPE compromis dans une affaire de mœurs.

République fédérale allemande
1968 Agitation étudiante en Allemagne. Mouvement « d'opposition extra-parlementaire ». Attentat contre RUDI DUTSCHKE (RUDI LE ROUGE).
Décembre 1966-1969 Grande coalition KURT KIESINGER (C.D.U.) WILLY BRANDT (S.P.D.). Crise de la « doctrine Hallstein » selon laquelle tout gouvernement qui entretient des relations diplomatiques avec Bonn doit s'abstenir de faire de même avec la R.D.A. La Syrie, l'Irak enfreignent cette recommandation.
1969 GUSTAV HEINEMANN (S.P.D.) devient président après le départ d'HENRI LUBKE, avant la fin de son mandat.
Octobre 1969 Formation, après les élections, d'un gouvernement de coalition WILLY BRANDT (S.P.D.) et WALTER SCHEEL (F.D.P.). Au Bundestag : 224 socialistes + 30 libéraux contre 242 chrétiens démocrates. Début de l'« Ostpolitik » (Politique d'ouverture à l'Est) inspirée par Egon Bahr. Réévaluation du mark (9 %).
Novembre 1969 L'Allemagne fédérale renonce à l'arme nucléaire (Traité de non-prolifération).
19 mars 1970 Rencontre d'Erfurt entre WILLY BRANDT et WILLY STOPH qui représente la R.D.A., suivie de l'entrevue de Cassel (21 mai).
Août 1970 Traité de Moscou : Reconnaissance par l'Allemagne fédérale des frontières issues de la défaite de 1945.
Décembre 1970 Traité de Varsovie : reconnaissance de la ligne Oder-Neisse.
Décembre 1972 Signature, à Berlin-Est, du « Traité fondamental » par lequel l'Allemagne fédérale reconnaît l'existence juridique de la R.D.A.
Novembre 1972 Elections qui assurent le maintien de la coalition socialistes-libéraux.
Septembre 1973 Admission comme Etat membre de l'O.N.U. de la République fédérale et de la R.D.A.
Mai 1974 Affaire de l'espion Guillaume. WILLY BRANDT, qui l'avait laissé pénétrer dans son entourage immédiat, doit remettre sa démission. Gouvernement d'HELMUT SCHMIDT, socialiste appuyé par les libéraux.
Mai 1975 Procès à Stuttgart des membres du groupe BAADER-MEINHOF (Fraction Armée Rouge) dont les chefs se suicident en prison.
Avril 1977 Assassinat du procureur général du procès de Stuttgart, SIEGFRIED BUBACK.
Septembre 1977 Assassinat d'HANNS MARTIN SCHLEYER, président de la Fédération patronale Ouest-Allemande.
Janvier 1979 Echec des négociations syndicats-patronat dans la sidérurgie après quarante jours de grève.

Italie

Décembre 1971 Election du président LEONE à la tête de la République.

15-16 juin 1975 Forte avance du Parti communiste italien aux élections régionales et provinciales (32,4 % des votes). Plus de 40 % en Emilie-Romagne, Toscane, Ombrie. Le Parti communiste aspire à gouverner avec la Démocratie chrétienne : ce serait « le compromis historique ».

Juin 1976 Aux élections législatives, le P.C.I. est distancé par la Démocratie chrétienne qui obtient 4 % de voix d'avance.

Développement de l'opposition « extra-parlementaire » et des « noyaux prolétariens armés ». Liens avec l'agitation universitaire. Troubles à l'université de Rome (février 1977).

1977 73 enlèvements; 50 victimes d'émeutes dans la rue.

1978

Printemps Procès des Brigades Rouges à Turin. Enlèvement du président du Conseil ALDO MORO (16 mars) retrouvé mort le 9 mai.

Juin Démission du président de la République, LEONE, accusé de malversations.

8 juillet Election de Sandro PERTINI (socialiste) à la présidence de la République.

10 août Le général Charles-Albert DALLA CHIESA est chargé de la lutte contre les Brigades Rouges. De nombreuses cellules sont découvertes.

27-30 octobre Conférence de Bologne réunissant les responsables du P.C.I. : mise en cause de la politique du « Compromis historique » avec la Démocratie chrétienne.

Décembre Relance de l'action politique des partis de gauche (P.C.I., P.S.O., Parti radical) en faveur de l'abrogation du Concordat, à la suite des déclarations de Jean-Paul II, condamnant l'avortement.

Vatican

1978

6 août Mort du pape PAUL VI.

26 août Le cardinal Albino Luciani, patriarche de Venise, est élu pape. Il prend le nom de JEAN-PAUL Ier.

29 septembre Mort du pape JEAN-PAUL Ier après 33 jours de pontificat.

16 octobre Le cardinal polonais Karol Wojtyla est élu pape. Il prend le nom de JEAN-PAUL II.

Janvier 1979 Voyage de Jean-Paul II en Amérique latine.

Espagne

Juillet 1969 JUAN CARLOS BOURBON est choisi par le général Franco comme successeur.

Juin 1973 Le premier ministre CARRERO BLANCO est assassiné par des terroristes basques de l'E.T.A.

Novembre 1975 Mort du général FRANCO.

1976 Le premier ministre ADOLFO SUAREZ conduit l'évolution vers la démocratie. Il favorise un parti modéré : U.C.D. (Union du Centre Démocratique).

Juin 1977 Elections législatives favorables au centre. Retour de J. TARADELLAS à la tête de la généralité de Catalogne.

Octobre Pacte de la Moncloa. Les partis s'engagent à modérer leurs revendications et à collaborer à la rédaction d'une constitution. La gauche se réorganise avec SANTIAGO CARRILLO pour le P.C. et FELIPE GONZALEZ pour le P.S.

6-7 décembre 1978 Référendum sur la Constitution. 15,7 millions de oui sur 26,8 millions d'électeurs inscrits. 1,4 million votent non, notamment au Pays basque et dans les milieux conservateurs. Une monarchie parlementaire avec deux chambres est établie. Garantie du droit à l'autonomie pour les régions (Pays basque, Catalogne). Droit de grève, droit de vote à 18 ans.

1979

Janvier Attentats de l'organisation basque E.T.A. contre des officiers supérieurs.

1er mars Elections législatives pour remplacer l'Assemblée constituante.

Portugal

Septembre 1968 Mort du président SALAZAR à la tête du pays depuis 38 ans. M. CAETANO lui succède.

25 avril 1974 Révolution des » œillets ». Coup d'Etat militaire portant au pouvoir le Mouvement des Forces Armées (M.F.A.) favorable à la décolonisation et à des réformes démocratiques.

30 septembre 1974 Démission du général SPINOLA inquiet des progrès de l'extrême gauche.

25 avril 1976 Elections générales où triomphent les socialistes de MARIO SOARES et les centristes (P.P.D.). Les communistes d'ALVARO CUNHAL n'obtiennent que 12,5 % des voix. Effacement du M.F.A. au profit d'un gouvernement parlementaire dirigé par MARIO SOARES.

1978

Juillet Renvoi du gouvernement de Mario SOARES (socialiste) par le président Antonio Ramalho EANES après l'échec de la coalition entre les socialistes et les démocrates-centristes.

29 août Investiture du gouvernement de M. NOBRE DA COSTA sans consultation des partis politiques.

Décembre Alberto Mota PINTO, réformiste, devient premier ministre, à la suite de l'aggravation de la situation économique. Taux d'inflation : 23 %. Déficit de la balance des paiements : 1 milliard 500 millions de dollars.

Grèce
Décembre 1968 Le premier ministre G. PAPADOPOULOS, à la suite du coup d'Etat militaire du 21 avril 1967, et de l'exil du roi Constantin (13 décembre 1967), concentre entre ses mains tous les pouvoirs.
Juillet 1974 Chute du régime militaire. CARAMANLIS devient premier ministre.
Décembre 1974 Abolition de la monarchie par référendum.

Chypre
Juillet 1974
Coup d'Etat de N. SAMPSON favorable au rattachement de l'île à la Grèce. Débarquement des troupes turques qui occupent 40 % de l'île
Juin 1975
Proclamation d'un Etat autonome turc chypriote.

Belgique
17 avril 1977 Succès de Leo TINDEMANS (social-chrétien flamand) aux élections.
1978
2 mars Approbation du « Pacte d'Egmont » par la chambre : la Belgique, en dehors du pouvoir central, aurait trois gouvernements locaux (Wallonie, Flandre, Bruxelles) et trois assemblées régionales.
Août Mise en cause de ce compromis par le Conseil d'Etat, entraînant une dissolution de la chambre.
17 décembre Elections générales confirmant les résultats de 1977, avec une baisse du parti flamand Volksunie, favorable au fédéralisme.

Suisse
Mai 78 Condamnation de l'avortement à la suite d'un référendum.
Décembre 1978 La création d'une police fédérale antiterroriste est repoussée par référendum.

Danemark
Février 1977 Elections générales : sociaux-démocrates : 65 sièges; libéraux : 21 sièges, sur un total de 179 sièges.
Aout 1978 Anker JOERGENSEN (soc.), premier ministre, forme un gouvernement de coalition avec Henning CRISTOPHERSEN (lib.).

Autriche
5 novembre 1978 Référendum national sur l'achèvement de la cen-

trale nucléaire de Zwentendorf. Le chancelier KREISKY (soc.) est désavoué.
1979 Un nouveau complexe urbain, « la ville de l'O.N.U. », abrite l'Agence Internationale pour l'Energie et l'Organisation mondiale pour les réfugiés.

Marché commun (1968/1978)
(Voir p. 521, Marché commun 1957)
Les progrès de l'intégration
Difficultés croissantes avec les « changes flottants » pour créer une monnaie européenne, envisagée avant la crise (1972). Trop grande disparité entre les monnaies à forte réserve de change (DM, Fl. hollandais) et les monnaies menacées (lire). Conférence de Brême pour renforcer la solidarité entre les monnaies européennes.
Evolution vers la supranationalité mal vue par la Grande-Bretagne et une partie de l'opinion française (R.P.R., P.C.).
Coordination de l'action antiterroriste (Brigades Rouges, Fraction Armée Rouge, I.R.A. irlandaise).
1979 En juin, élection d'un Parlement européen au suffrage universel. Les partis politiques français profondément divisés.

Elargissement de la Communauté
25 septembre 1972 Par référendum, la Norvège rejette l'entrée dans le Marché commun (opposition des pêcheurs et des agriculteurs du Nord aux vœux de la capitale et de ses environs).
20 octobre 1972 Par référendum, le Danemark ratifie l'entrée dans le Marché commun, pour favoriser les exportations agricoles vers l'Allemagne et la Grande-Bretagne.
1er janvier 1973 Entrée de l'Irlande qui suit celle de la Grande-Bretagne (1972).
1977 Après la disparition de leurs régimes autoritaires, l'Espagne, le Portugal, la Grèce présentent leur candidature.
5 décembre 1978 Sommet européen de Bruxelles. Création d'une monnaie européenne : l'écu. L'Italie et l'Irlande demandent une aide supplémentaire pour se rattacher à l'écu. La Grande-Bretagne a peur de maintenir la livre à un niveau trop élevé, ce qui nuirait à ses exportations. Elle s'abstient.
Janvier 1979 La France subordonne son entrée dans le nouveau système monétaire à la suppression des montants compensatoires qui freinent ses exportations agricoles vers l'Allemagne. Opposition du ministre allemand de l'Agriculture, MERTL (libéral).

U.R.S.S.

Juillet 1968 Annonce de la « Doctrine Brejnev ». La souveraineté des Etats communistes est limitée par les intérêts de la communauté socialiste, fondement de l'intervention russe en Tchécoslovaquie, le mois suivant.

1972 Mesures pour freiner l'émigration des juifs soviétiques vers Israël.

Février 1974 Exil de Soljenitzyne, auteur de « l'Archipel du Goulag ».

Août 1975 Acte final d'Helsinki : l'U.R.S.S. obtient la reconnaissance par l'Occident des frontières issues de la 2ᵉ guerre mondiale. Les Puissances occidentales essaient de faire reconnaître les droits d'expression de l'individu dans l'Europe de l'Est et en U.R.S.S. (circulation des hommes et des idées).

1977 Pour le 60ᵉ anniversaire de la révolution d'Octobre, nouvelle constitution, modifiant celle de 1936. Article 6 : « Le P.C. de l'Union soviétique est la force qui dirige et oriente la société soviétique, c'est le noyau central de son système politique. » Les compétences fédérales sont illimitées.

N.V. PODGORNY est évincé de son poste de président du Présidium du Soviet suprême au profit de Leonid BREJNEV, secrétaire général du Comité central du Parti communiste de l'Union soviétique.

Critique de l'« Eurocommunisme » par M. A. SOUSLOV et B. N. PONOMAREV, chargé des rapports avec les partis communistes des pays situés hors du camp socialiste.

1978 Conférence de Belgrade sur la sécurité et la coopération en Europe. L'influence soviétique s'affirme en Afghanistan, au Yémen du Sud (Aden), en Ethiopie, en Angola. Livraisons d'armes à la Libye.

Ascension politique de M. Constantin TCHERNIENKO à la fois secrétaire du Comité central et membre du bureau politique, arrivé à la cinquième place de la hiérarchie après MM. Brejnev, Kossyguine, Souslov et Kirilenko.

Europe de l'Est

Tchécoslovaquie

Printemps 1968 La libéralisation du régime communiste en Tchécoslovaquie est marquée par le départ de M. NOVOTNY et l'arrivée de M. DUBCEK, à la tête du parti communiste. La conférence de Bratislava regroupant tous les pays de l'Est au début du mois d'août se termine par un compromis.

21 août Intervention militaire des troupes du pacte de Varsovie en Tchécoslovaquie.

22 août Le parti communiste tchécoslovaque prend en main la résistance contre les troupes « d'occupation ». Union du peuple autour de ses dirigeants, SVOBODA, président de la République, DUBCEK, SMRKOVSKY, président de la Chambre.

26 août Compromis de Moscou et reconnaissance du gouvernement DUBCEK.

5 octobre La Tchécoslovaquie devient un Etat fédéral. Politique de « normalisation ». DUBCEK est évincé au profit de HUSAK, d'origine slovaque. Le parti est repris en main par les éléments fidèles à Moscou.

16 janvier 1969 : Suicide par le feu de l'étudiant JAN PALACH.

Janvier 1977 Charte 77, regroupant l'opposition des « dissidents » tchèques demandant la liberté d'expression dans le cadre du socialisme.

Pologne

Décembre 1970 Hausse des prix des denrées alimentaires avant Noël. Révoltes ouvrières provoquant le départ de GOMULKA; GIEREK le remplace.

Février 1976 Amendements à la constitution de 1952. Affirmation du rôle dirigeant du P.O.U.P. (Parti ouvrier unifié polonais). Lien privilégié avec l'Union soviétique. Lettre de protestation de 101 signataires (écrivains, artistes).

Roumanie

Août 1978 Accueil chaleureux réservé au président chinois HUA KUO-FENG.

Décembre Le président CEAUCESCU refuse d'accroître la participation financière de son pays aux dépenses militaires du Pacte de Varsovie. Tension avec l'U.R.S.S.

Yougoslavie

1978 Tension germano-yougoslave. Refus allemand de livrer à la Yougoslavie des terroristes coupables de crimes contre des agents diplomatiques du gouvernement de Belgrade.

Albanie

Juillet 1978 Interruption officielle de l'aide économique et militaire chinoise.

12 novembre 1978 Election de l'Assemblée du Peuple qui renouvelle sa confiance à Mehmet CHEHU, chef du gouvernement. Tension albano-yougoslave à propos de la province autonome de Kosovo, peuplée d'Albanais et rattachée à la république de Serbie, une des six républiques de la Yougoslavie.

Guerre du Vietnam

L'extension de la guerre au Cambodge.

1970

18 mars Destitution du prince NORO-
DOM SIHANOUK. Le général LON NOL
prend l'initiative de la lutte contre
les partisans vietcong.

30 avril Intervention américaine contre
les « sanctuaires » du Vietcong installés à proximité des frontières du
Sud-Vietnam.

1er juillet Les soldats américains quittent le Cambodge conformément aux
promesses du président R. NIXON.

1971

Politique américaine de vietnamisa-
tion. Les fantassins américains
rentrent chez eux. L'armée sud-
vietnamienne échoue dans sa campagne contre la piste Ho Chi-minh
dans le Sud-Laos.

1972

30 mai Offensive du Nord-Vietnam sur
tous les fronts contre les positions
évacuées par les troupes américaines
(Hauts Plateaux, Hué). L'offensive
de Giap est arrêtée par les bombardements de l'U.S. Air Force.

1973

28 janvier Cessez-le-feu au Vietnam
du Sud, conclusion des entretiens
KISSINGER-LE DUC THO.

26 février - 2 mars Conférence de Paris
qui confirme l'évacuation du
Vietnam du Sud par les troupes
américaines.

1975

Janvier Offensive d'hiver du Vietcong
aidé par le matériel lourd venant
du Nord-Vietnam.

30 avril Chute de Saigon.

1976

25 avril Election d'une assemblée
unique pour le Nord et le Sud.

1978 : Retour en Chine des minorités
chinoises du Sud-Vietnam (Cholon).
Entrée de la République du Vietnam dans le COMECON.

Automne 1978 Départ massif de
réfugiés (20 000 par mois) vers la
Thaïlande, Singapour, Hong-Kong
sur des bateaux de fortune. Fermeture progressive des frontières des
pays du Sud-Est asiatique, relayés
par les Etats-Unis et l'Europe occidentale.

17 février 1979

Pour répondre à diverses « provocations » vietnamiennes le long de leur
frontière commune, les Chinois lancent une attaque massive et pénètrent en territoire vietnamien. La
capitale provinciale de Laocia est
occupée.

Laos

Décembre 1975 Après l'abdication du
roi, le Laos devient une République
populaire, présidée par le prince
SOUPHANOUVONG, chef du Pathet-Lao

Cambodge (Kampucha)

Avril 1975 Les Khmers rouges s'emparent de Phnom-Penh, la capitale. La
population est envoyée dans les
campagnes. Orientation pro-chinoise
du nouveau régime.

Printemps 1978 : Conflit frontalier
(Bec de canard) avec le Vietnam
soutenu par l'U.R.S.S.

Janvier 1979 Attaque massive des
divisions vietnamiennes marchant
sur Kratie, puis sur Phnom-Penh
qui tombe le 8 janvier.

Le gouvernement de M. POL POT est
directement menacé par un mouvement de libération (F.U.N.S.K.)
soutenu par Hanoi.

Bangladesh

25 mars 1969 Démission du maréchal
AYOUB KHAN, chef de l'Etat pakista-
nais. Le général YAHYA KHAN proclame la loi martiale. Répression
aggravée dans le Pakistan oriental.

1971

17 avril Proclamation de la République
populaire du Bangladesh (ex-
Pakistan oriental).

17 décembre Guerre indo-pakistanaise.
L'armée pakistanaise capitule à
Dacca.

20 décembre Le maréchal YAHYA
KHAN, chef du Pakistan, est remplacé par ALI BHUTTO, favorable à la
réconciliation avec l'Inde.

8 août 1972 Soutenu par l'U.R.S.S., le
Bangladesh demande son admission
à l'O.N.U. Il se heurte au veto de la
Chine qui ne veut pas reconnaître ce
« protectorat indien ».

Août 1975 Assassinat du cheikh
MUJIBUR RAHMAN, fondateur du
pays.

Mars 78 Arrivée massive de réfugiés
musulmans, venant de l'Arakan,
province de Birmanie.

Juin 78 Le général Ziaur RAHMAN,
vainqueur du coup d'Etat de
novembre 1975, remporte les élections contre le général OSMANI,
soutenu par l'ancien parti majoritaire, la ligue Awami.

Pakistan

1977

Mars-avril Les élections à l'Assemblée nationale sont contestées par
l'opposition. Extension des troubles.

Juillet L'armée commandée par le
général ZIA UL-HUQ prend le pouvoir. ALI BHUTTO est arrêté et
inculpé de meurtre. Il est condamné
à mort.

Inde

26 juin 1975 : Etat d'urgence proclamé.

Mars 1977 INDIRA GANDHI perd les
élections. MORARJI DESAI, nouveau
premier ministre.

Zone de tension dans les Mers du Sud. Alliances dans le Pacifique.

Chine

1968 Dans l'été s'achève le vaste mouvement de la révolution culturelle qui a consisté à chasser les cadres du parti dans toutes les provinces pour les remplacer par des comités révolutionnaires lesquels échapperaient aux tendances modérées qui entraînent la dégénérescence de l'idéal communiste. Parti en 1966 du nord-est du pays, des provinces côtières, le mouvement a glissé vers l'intérieur (troubles de Wuhan en 1967) pour atteindre finalement le Yunnan, le Foukien, le Tibet et le Sinkiang.

2 mars 1969 Combat entre Chinois et Russes à la frontière nord de la Mandchourie (île Damansky). Dans le tiers monde, la Chine cherche à instaurer un réseau de partis marxistes-léninistes, situés à gauche des partis communistes inspirés par la IIIᵉ Internationale (Moscou).

26 octobre 1971 Entrée de la Chine à l'O.N.U.

1972
18 février   Rencontre NIXON-MAO TSÉ-TOUNG à Pékin.
25-30 septembre   Rencontre, à Pékin, de CHOU EN-LAI et du nouveau chef du gouvernement japonais TANAKA. La Chine obtient la rupture entre Tokyo et le gouvernement nationaliste de Formose.

Janvier 1975 Convocation, pour la première fois depuis la Révolution culturelle, du Congrès national du peuple, pour ratifier la révision de la constitution de 1954. Mort de TCHANG KAI-CHEK.

1976 Mort de CHOU EN-LAI et de MAO TSÉ-TOUNG.

1977 Le président HUA KUO-FENG, successeur de Mao, affirme sa volonté de lutter contre « la bande des Quatre » inspirée par la dernière épouse du président défunt, CHIANG CHING. Son adjoint, TENG HSIAO-PING, insiste sur la nécessité du progrès technique compromis par les troubles de la « Révolution culturelle ». Aide au Kampucha (ancien Cambodge).
12 août   Traité de paix et d'amitié sino-japonais : clause « anti-hégémonique » faisant allusion à l'U.R.-S.S. Traité ratifié le 23 octobre.
16 décembre   Normalisation des rapports diplomatiques entre Pékin et Washington qui échangent des ambassadeurs.
18-22 décembre   Réunion du plénum du Comité central à Pékin. Affirmation de la primauté de « l'édification économique » liée aux quatre « modernisations » : agriculture, industrie, culture technique et armements.

Economie

1968-1978 Développement industriel très rapide de nouvelles nations exportatrices (textile, électronique), Corée du Sud, Taiwan (Formose), Hong-Kong, Singapour.

Afghanistan

Juillet 1973 Proclamation de la République à la suite du coup d'Etat du premier ministre MOHAMED DAOUD KHAN contre la monarchie.

Avril 1978 Coup d'Etat. MOHAMED DAOUD est assassiné. Formation d'un gouvernement favorable à l'U.R.S.S., dirigé par TARAKI.

Février 1978 Assassinat de l'ambassadeur des Etats-Unis.

Taïwan

Décembre 1978 Le président CHIANG CHING-KUO, fils de Tchang-Kaï-chek, proteste contre la politique américaine en Extrême-Orient qui conduit à l'isolement diplomatique de la Chine nationaliste. L'ambassade américaine est fermée.

Japon

7 décembre 1978 M. OHIRA succède à M. FUKU DA au poste de premier ministre.

Corée du Sud

Décembre 1978 Nouveau mandat présidentiel de M. PARK CHUNG-HEE.

1976 L'armée Bangsa Moro est soutenue par la Libye.

1977 Développement des insurrections musulmanes dans l'ouest de Mindanao et dans les îles Sulu.

Décembre Référendum sur le maintien de la loi martiale approuvant la politique du président MARCOS.

Singapour

Aout 1977 Le premier ministre LEE KUAN YEW demande une plus grande intégration au sommet des puissances du Sud-Est asiatique à Kuala-Lumpur. Opposition à la signature de traités bilatéraux avec le Vietnam.

1978 Le parti d'action populaire (P.A.P.) organise une société bilingue (anglais + chinois, malais, tamoul au choix).

Sri Lanka

Juillet 1977 Victoire du parti de l'Unité nationale (M. JAYEWAR-DENE) sur la coalition de gauche de Mme Sirima BANDARANAIKE. Révision constitutionnelle en faveur de l'exécutif.

Février 1978 M. JAYEWARDENE devient le premier président chargé de l'exécutif. L'Assemblée ne peut le forcer à démissionner. Renforcement de la lutte contre les terroristes favorables au séparatisme tamoul.

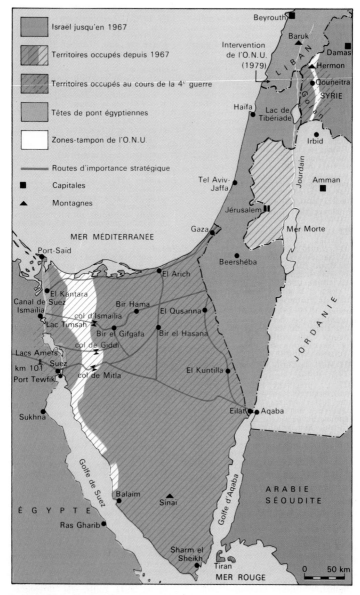

Israël jusqu'en 1967

Territoires occupés depuis 1967

Territoires occupés au cours de la 4ᵉ guerre

Têtes de pont égyptiennes

Zones-tampon de l'O.N.U.

Routes d'importance stratégique

Capitales

Montagnes

Beyrouth

Baruk

Damas

Intervention
de l'O.N.U.
(1979)

L I B A N

Hermon

Qouneitra

SYRIE

Haifa

Lac de
Tibériade

G O L A N

Irbid

MER MÉDITERRANÉE

Tel Aviv-
Jaffa

Amman

Jourdain

Jérusalem

Gaza

Mer Morte

Port-Saïd

El Arich

Beershéba

El Kantara

Canal de Suez

Ismaïlia

col d'Ismaïlia

Bir Hama

El Qusanna

JORDANIE

Lac Timsah

Bir el Gifgafa

Bir el Hasana

col de Giddi

Lacs Amers

km 101

Suez

col de Mitla

El Kuntilla

Port Tewfik

Eilat

Aqaba

Sukhna

Golfe de Suez

Golfe d'Aqaba

ARABIE
SÉOUDITE

Balaïm

Sinaï

É G Y P T E

Ras Gharib

Sharm el
Sheikh

Tiran

MER ROUGE

0   50 km

Le Moyen-Orient en 1978.

Le Moyen-Orient
1967
5-10 juin Guerre entre Israël et les nations arabes.
Devant la fermeture du détroit de Tiran et l'alliance de NASSER avec HUSSEIN de JORDANIE, Israël riposte par une offensive éclair (conquête de la rive droite du Jourdain et de la vieille ville de Jérusalem. Réouverture du détroit de Tiran) : l'U.R.S.S., qui soutient les Arabes, demande devant l'Assemblée générale de l'O.N.U. le retour des armées israéliennes sur leur ligne de départ. Le canal de Suez est bloqué. Crise intérieure en Egypte : suicide en septembre du maréchal AMER.

22 novembre Résolution des Nations unies enjoignant à Israël le retrait des territoires occupés et le retour aux frontières antérieures au 5 juin.

1968-1969
Développement des actions de guérilla de l'organisation palestinienne El Fatah dans les territoires occupés. Exploitation par Israël du pétrole égyptien du Sinaï. Echec de la mission de M. JARRING, mandaté par l'O.N.U.

28 septembre 1970 Mort du président NASSER. ANOUAR EL SADATE lui succède.

1972
18 juillet Le président SADATE demande à l'U.R.S.S. le rappel de ses 20 000 « conseillers militaires ».

5 septembre Un commando de l'organisation palestinienne « Septembre noir » pénètre dans le pavillon israélien aux Jeux Olympiques de Munich. Pris comme otages, onze sportifs israéliens sont tués.

6-22 octobre 1973
Guerre du Kippour
6 octobre L'armée égyptienne franchit le canal de Suez et s'empare de la ligne fortifiée Bar Lev, en profitant du jour férié du Yom Kippour (Grand Pardon) chez les juifs. Les forces syriennes attaquent en même temps sur le Golan.

15 octobre L'armée israélienne établit une tête de pont sur la rive égyptienne du Canal, au nord du lac Amer.

22 octobre Cessez-le-feu imposé à Israël par Henry Kissinger qui redoute une intervention russe.

25 octobre Arrêt des hostilités alors que la IIIe armée égyptienne est isolée sur la rive orientale du Canal.

11 novembre Signature par Israël et l'Egypte du plan de paix proposé par M. Kissinger.

21 décembre Conférence de la paix à Genève, réunissant les belligérants sous les auspices des U.S.A. et de l'U.R.S.S.

18 janvier 1974 Accord du kilomètre 101 prévoyant le retrait des troupes israéliennes à l'est du canal (30 km). Les forces de l'O.N.U. forment une zone tampon comme sur le front syrien.

5 juin 1975 Réouverture du canal de Suez.

Le Moyen-Orient et le pétrole
16-17 octobre 1973 Réunis à Koweït, les représentants de dix Etats arabes décident d'utiliser l'arme du pétrole dans la guerre du Kippour. Le prix du baril double.

23 décembre 1973 Réunion de Téhéran. Le prix du pétrole fixé à Koweït double encore : il a quadruplé en trois mois.

1977 Inauguration du pipe-line Sumed reliant Suez à Alexandrie, de la mer Rouge à la Méditerranée.

1978 Bahrein (capitale Manama) devient une grande place financière et industrielle (aluminium et chantiers navals).

17 décembre 1978 Conférence de l'O.P.E.P. à Abu Dhabi.
Après trois ans de stabilité le prix du pétrole est augmenté de 14,5 %.
La dépréciation du dollar, les menaces qui pèsent sur les exportations iraniennes, favorisent un taux de hausse supérieur à celui souhaité par l'Arabie Séoudite.

La question palestinienne
1974
26-29 octobre Conférence de Rabat réunissant les chefs d'Etats arabes. L'Organisation de Libération de la Palestine (O.L.P.) est seule habilitée à établir un « pouvoir national » sur les territoires qu'Israël libérerait.

13 novembre Yasser ARAFAT, chef de l'O.L.P., prend la parole aux Nations Unies. L'O.L.P. obtient un statut d'observateur permanent.

1975
Septembre Accord égypto-israélien sur le Sinaï.

Janvier 1976 Liban
La guerre civile ravage Beyrouth. Opposition entre les milices chrétiennes et la résistance palestinienne.

8 mai Election à la présidence de la République de M. ELIAS SARKIS.

Juillet : Intervention des troupes syriennes qui attaquent les camps palestiniens.

Juillet 1978 : Intervention des troupes syriennes qui attaquent les quartiers chrétiens de Beyrouth.

1977
Mai Aux élections législatives israéliennes, victoire du parti Likoud opposé aux socialistes. M. BEGIN devient premier ministre.

19-21 novembre Visite du président SADATE à Jérusalem. Discours à la

Knesset (Parlement) où l'Egypte reconnaît l'Etat d'Israël, mais demande la création d'un Etat palestinien.

1978

Mars A la suite d'un attentat palestinien commis près de Tel-Aviv, mais préparé dans le sud du Liban (Fatahland) occupé par les Palestiniens, Israël envahit cette région jusqu'au fleuve Litani. Intervention des casques bleus de l'O.N.U. pour rétablir « la souveraineté libanaise ».

Avril Israël refuse d'évacuer les territoires occupés depuis 1967. Installation de colonies militaires sur la rive droite du Jourdain ainsi qu'au nord du Sinaï.

Israël

18 septembre 1978 Accords de Camp David entre BEGIN et SADATE qui doivent conduire à la signature de la paix entre Israël et l'Egypte en décembre. L'Egypte doit recouvrer le Sinaï mais renoncer à l'état de belligérance avec Israël. Le prix Nobel de la paix est décerné à BEGIN et à SADATE.

8 décembre Mort de Madame Golda MEIR.

14 mars 1979 La « mission de paix » du président CARTER au Caire et à Jérusalem débouche sur un accord pour la signature du traité de paix entre l'Egypte et Israël.

Iran

8 septembre 1978 « Vendredi noir » à Téhéran. Mises à sac des principales banques, des agences de voyage, etc. Loi martiale proclamée dans la capitale et dans onze villes d'Iran pour six mois.

Octobre L'ayatollah KHOMEINY, réfugié en France, prêche le retour aux traditions islamiques en haine de l'occidentalisation accélérée inspirée par le chah.

6 novembre Mise en place d'un gouvernement militaire présidé par le général Gholam Reza AZHARI, qui fait arrêter l'ancien premier ministre, HOVEYDA.

Décembre Le chaos s'installe en Iran. Paralysie générale de la vie économique (transports, banques). Grève générale dans l'industrie pétrolière.

Les événements de la Révolution
Janvier-février 1979

13 janvier Sous la pression des émeutes et des manifestations populaires, création d'un conseil de régence sous la présidence de M. TEHRANI.

16 janvier Départ pour l'étranger du chah et de l'impératrice. L'ayatollah KHOMEINY lance de France où il est réfugié des appels à la révolte au peuple iranien. L'armée semble le seul

rempart pour maintenir la dynastie. Des milliers d'Iraniens manifestent leur soutien à l'ayatollah.

21 janvier Démission de M. TEHRANI.
M. Chapour BAKHTIAR, nommé premier ministre le 3 janvier, essaie de résister au chaos.

1er février Retardé par la fermeture des aéroports, l'ayatollah KHOMEINY arrive à Téhéran. Il déclare illégal le conseil de régence et nomme, face à M. BAKHTIAR, son premier ministre, M. BAZARGAN.

Dans les jours qui précèdent la chute du cabinet présidé par M. BAKHTIAR, nombreux troubles dans tout le pays.

11-12 février Téhéran est aux mains des insurgés. Le pouvoir légal disparaît au profit des partisans de l'ayatollah KHOMEINY, le Majlis (Parlement) se dissout de lui-même. L'armée se rallie au nouveau régime. Reconnaissance du gouvernement de M. BAZARGAN par de nombreux pays. Dans les jours qui suivent, des opérations de commando de l'extrême gauche (attaque de l'ambassade des États-Unis) favorisent un rapprochement entre les religieux et l'armée malgré l'épuration qui frappe les généraux (plusieurs sont fusillés). Le nouveau régime marque sa rupture avec la politique étrangère du chah en expulsant les diplomates israéliens.

19 février Accueil triomphal du chef de l'O.L.P., M. Yasser ARAFAT.

Irak

2-5 novembre 1978 Sommet de Bagdad réunissant les chefs du « front du refus » hostiles aux accords de Camp David : Yasser ARAFAT, chef de l'O.L.P., HASSAN EL BAKR, président de l'Irak, HAFEZ EL ASSAD, président de la Syrie.
Réconciliation Syrie-Irak.

Turquie

Décembre 1977 Progrès des extrêmes aux élections. Succès du Parti de l'Action nationale du colonel TURKES.

Janvier 1978 Bulent ECEVIT (Parti républicain du peuple) devient premier ministre, après la défaite de Suleyman DEMIREL.

Mars Prêt du F.M.I. de 450 millions de dollars. Dévaluation de la livre turque de 30%.

Décembre Proclamation de l'état de siège dans 13 départements pour deux mois, après les troubles de Kahramanmaras (100 morts).

République du Sud-Yémen

Juillet 1978

Assassinat du président SALIM¹ROHAYI ALI à Aden. ALI HASANI, très favorable à l'U.R.S.S. lui succède. La Ligue Arabe refuse toute relation avec le nouveau gouvernement.

Afrique du Nord
Algérie
19 juin 1965   Le colonel BOUMEDIÈNE prend le pouvoir après avoir chassé BEN BELLA qui dirigeait le nouvel Etat depuis l'indépendance.
1970-1974   Premier plan quadriennal.
7 avril 1971   L'Algérie nationalise les sociétés pétrolières d'origine française.
1972 Réforme agraire.
27 juin 1976   Charte nationale algérienne proclamant la fidélité à l'islam, religion d'Etat, et au socialisme. En politique extérieure, « engagement total avec le peuple palestinien ».
27 décembre 1978   Mort du président BOUMEDIÈNE.
31 janvier 1979   Le congrès du FLN désigne le colonel CHADLI comme candidat à l'élection présidentielle.
février   Election du colonel CHADLI.

Maroc
16 août 1972   Le roi HASSAN II, rentrant de France en avion, est attaqué en vol par des chasseurs de l'armée royale. Le général OUFKIR, ministre de l'Intérieur, impliqué dans le complot, se « suicide ».
14 novembre 1975   Accord tripartite de Madrid sur le partage de l'ancien Sahara espagnol entre le Maroc et la Mauritanie. L'Algérie ne reconnaît pas cette solution.

Sahara occidental
Novembre 1975   Malgré les protestations de l'Algérie, accord tripartite entre l'Espagne, le Maroc et la Mauritanie, faisant suite à la « Marche Verte » organisée par le roi HASSAN II en octobre.

Libye
1969
Septembre   Le souverain IDRISS Ier est chassé par un coup d'Etat dirigé par le colonel KADHAFI et le commandant JALLOUD.
Décembre   Signature de la charte de Tripoli, prévoyant l'Union des Républiques Arabes (Libye, Egypte, Soudan).
Mai 1970   Le colonel KADHAFI décide la nationalisation des entreprises étrangères.
Août 1973 : Echec de la réunion Libye-Egypte.
Janvier 1974 : Echec de la réunion Libye-Tunisie.
Mars 1977   Congrès de Sebha. Proclamation de la « démocratie directe » par la création de « conseils populaires de base ».
Décembre 1977   Conférence de Tripoli, regroupant la Libye, la Syrie, l'Irak, l'Algérie, le Sud-Yémen et l'Organisation de la Libération de la

Palestine : dénonciation de la politique égyptienne.
Mai 1978   Suppression de la propriété locative. Maintien de l'occupation de la bande d'Aouzou au nord de la République du Tchad.

Afrique noire
Tchad
Août 1968   Début de rébellion dans le Tibesti. Le président TOMBALBAYE fait appel à l'intervention de détachements français.
Avril 1975   Coup d'Etat; le président TOMBALBAYE est tué, remplacé par le président FÉLIX MALLOUM.
Printemps 1978 : Succès de la rébellion du Frolinat, soutenu par la Libye, dans le nord du pays.
29 août 1978   M. Hissène HABRÉ, ancien chef des rebelles toubous, est nommé premier ministre du général Félix MALLOUM, président de la République.
Février 1979   Lutte sanglante pour le pouvoir entre H. HABRÉ et F. MALLOUM.

Nigeria
La guerre du Biafra
30 mai 1967   Sécession du Nigeria oriental qui prend le nom de Biafra et rompt les relations avec Lagos.
Janvier 1970   Capitulation sans condition du réduit biafrais.
1er octobre 1978   Levée de l'interdiction qui pesait sur les partis politiques à condition qu'ils soient présents dans les 2/3 des 19 Etats, comme le Parti nigérien de l'unité (U.P.N.) dirigé par Obafemi Awolowo et le Parti du peuple nigérien (N.P.P.) dirigé par Aljahi WAZIRI.

Rhodésie
11 novembre 1965   Proclamation unilatérale d'indépendance, par IAN SMITH, porte-parole de la minorité blanche.
2 mars 1970   Constitution républicaine. Rupture complète avec la Grande-Bretagne.
24 novembre 1971   La Grande-Bretagne reconnaît à Salisbury l'indépendance de la Rhodésie.
Mars 1978   Développement de la guérilla soutenue par l'ex-Mozambique.

Soudan
25 mai 1969   Coup d'Etat au profit d'une junte d'officiers.
Octobre 1971   MOHAMMED NEMEYRI est élu président.

Zaïre
28 novembre 1965   Le lieutenant général MOBUTU, élu par le Congrès chef de l'exécutif, après le coup d'Etat qui renverse le président KASAVUBU.

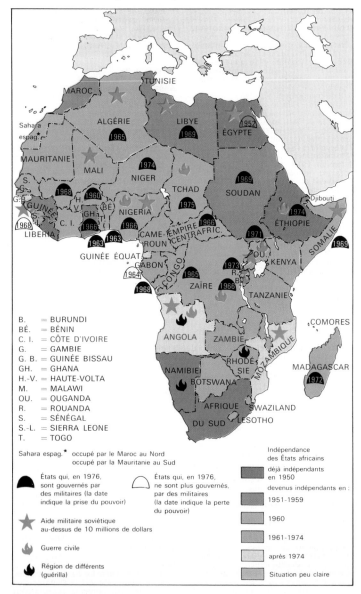

Le pouvoir des militaires en Afrique.

Avril 1977 Invasion du Shaba (ancien Katanga) par des rebelles partis d'Angola. Aide des troupes marocaines au président MOBUTU.

Mai 1978 Intervention franco-belge à Kolwezi à la suite d'une nouvelle invasion.

La décolonisation portugaise en Afrique

24 septembre 1973 Indépendance de la Guinée-Bissau.

25 juin 1975 Indépendance du Mozambique.

5 juillet 1975 Les îles du Cap-Vert accèdent à l'indépendance.

Angola

Novembre 1975 Les deux camps rivaux, M.P.L.A. d'un côté, U.N.I.T.A. et F.N.L.A. de l'autre, proclament chacun l'indépendance. Triomphe en février 1976 du M.P.L.A. présidé par Agostinho NETO après de violents combats.

9 décembre 1978 Destitution du premier ministre Lopo de **Nascimento** et de nombreux responsables de la vie économique par Agostinho NETO après une session extraordinaire du Comité central du Mouvement Populaire de Libération de l'Angola. (M.P.L.A.)

Ethiopie

12 septembre 1974 L'empereur HAÏLÉ SÉLASSIÉ est déposé par l'armée qui forme une junte (Derg.)

21 mars 1975 Abolition de la monarchie. Le colonel MENGITSU, qui s'appuie sur l'U.R.S.S., prend la tête du gouvernement.

Août 1975 Mort de HAÏLÉ SÉLASSIÉ. Dès 1975, de violents combats se déroulent en Erythrée entre maquisards et forces éthiopiennes.

1977 Affrontements entre l'Ethiopie et la Somalie qui a rompu avec l'U.R.S.S.

Janvier 1978 Grâce à l'armement soviétique, les troupes éthiopiennes reconquièrent l'Ogaden occupé par les troupes somaliennes.

20 novembre 1978 Traité d'amitié et de coopération liant pour vingt ans l'Ethiopie à l'Union soviétique.

Djibouti

Juin 1977 Indépendance de Djibouti (ex-Territoire français des Afars et des Issas). M. HASSAN GOULED est élu président de la nouvelle république.

Union Sud-Africaine

Octobre 1976 Indépendance du Transkei (Etat Bantou) inclus antérieurement dans l'Union. Parlement autonome à Umtata, la capitale.

4 novembre 1977 Résolution de l'O.N.U. décrétant l'embargo sur les armes à destination de l'Afrique du Sud.

10 avril 1978 Rupture avec l'Union. Tension entre les deux premiers ministres, KAISER MATANZIMA et VORSTER, partisan de la politique des « Bantoustans, Etats noirs entourés par une Afrique blanche ».

Namibie (Sud-Ouest Africain)

1975-1978 Développement du mouvement Swapo exigeant l'indépendance (fin du protectorat de l'Union Sud-Africaine). Attentats nombreux dans la « bande de Caprivi ».

4-8 décembre 1978 Elections organisées par l'Afrique du Sud sans participation du parti nationaliste Swapo dont les militants sont réfugiés en Angola. Victoire des modérés du parti de la Turnhalle. Opposition de l'O.N.U.

Zambie

Décembre 1978 Le président Kenneth KAUNDA est réélu dans ses fonctions pour 5 ans. Soutien affirmé aux nationalistes rhodésiens du Front patriotique.

Guinée

Février 1976 Reprise des relations diplomatiques avec la France (interrompues en 1965).

Décembre 1978 Visite officielle du président de la République française à Conakry.

Ghana

Janvier 1979 Retour à la vie des partis autorisé par la junte militaire du général ARUFFO.

Gabon

Décembre 1978 Inauguration du premier tronçon du chemin de fer transgabonais : Libreville - N'Djolé sur l'Ogoué.

C.E.A.O. (Communauté Economique de l'Afrique de l'Ouest, regroupant les Etats francophones de l'ancienne AOF).

Juin 1977 Création d'un Fonds de solidarité et d'intervention où les quote-parts sont fixées au prorata de la richesse des Etats. (700 millions francs CFA pour la Côte-d'Ivoire, 500 millions pour le Sénégal, 200 millions pour le Niger, 100 millions pour la Mauritanie, le Mali, et la Haute Volta.

Océan Indien

Madagascar

Mai 1972 Emeutes à Tananarive. Le président TSIRANANA abandonne ses pouvoirs au profit d'un régime militaire dominé par le général RAMANANTSOA, puis par le président RATSIRAKA.

L'origine des armes atomiques : Après la découverte de la fission de l'atome (1938, Otto Hahn, né en 1879), des physiciens (Albert Einstein 1879-1955) demandent au président Roosevelt de faire fabriquer une **bombe A** puisque l'Amérique est menacée. En 1942 Fermi construit le premier réacteur à Chicago. A partir de 1943, sous la direction de Robert Oppenheimer (1904-1966), plus de 150 000 savants et techniciens travaillent à ce projet.

Fusées
Au cours de la seconde guerre mondiale, la technique des armes à fusées fait de gros progrès (« Nebelwerfer » allemands, « orgues de Staline »). Construction à Peenemunde des fusées à longue trajectoire, V1 et V2 (p. 477). Après 1945, Werner von Braun aide les Etats-Unis à mettre au point des **fusées intercontinentales** munies de bombes A, et qui peuvent atteindre tous les points de l'écorce terrestre. L'U.R.S.S. bénéficie aussi du concours de techniciens allemands. Les conséquences sont considérables :
1. **Economiques :** seuls de très grands pays peuvent participer aux progrès de ces techniques;
2. **Techniques :** développement de nouveaux moyens de transport (avions à réaction, navires à propulsion atomique), nouvelles branches industrielles (électronique, cybernétique);
3. **Militaires :** transformation de la stratégie : rôle de la « dissuasion ». Collaboration internationale.
4. **Politiques :** coexistence, du fait de « l'équilibre de la terreur » depuis que l'Amérique a perdu le monopole de l'arme atomique.

Le développement des armes atomiques
1945 L'explosion de la 1ʳᵉ **bombe A** (Las Vegas, E.-U.), bombes A sur Hiroshima (uranium 235 : 20 000 t de T.N.T.) et Nagasaki (plutonium 239) = 152 000 morts et 150 000 blessés (p. 493).
1946 1ʳᵉ série d'expériences des E.-U. (Bikini, Pacifique). Création de la **Commission de l'Energie atomique** pour la planification, la direction et le financement de la technique atomique.
Plan Baruch Destruction de toutes les armes et contrôle international de l'énergie nucléaire (refus de l'U.R.S.S.).
1949 1ʳᵉ explosion soviétique (prof. Kourtchatov).
Une fusée à deux étages (V2, plus Corporal) atteint 400 km d'altitude.
1950 Appel du Conseil mondial de la Paix (Stockholm) pour l'interdiction de toutes les armes A.
1951 1ʳᵉ **bombe américaine à l'hydrogène** (Eniwetok, Pacifique) et 1ʳᵉ **bombe A britannique.**

1953 Essai de la 1ʳᵉ **bombe soviétique à hydrogène.**
1954 Bombe H américaine d'une puissance de 15 millions de t de T.N.T. (750 fois la bombe d'Hiroshima). Lancement du 1ᵉʳ **sous-marin atomique américain** (Nautilus).
Conférence des 5 puissances à Londres Sur l'initiative de l'O.N.U. : discussions sur la réduction des armements, des forces armées et des expériences atomiques.
1957 Essai de la **bombe britannique à hydrogène** (île Christmas-Pacifique).
Oct. Plan Rapacki : les Polonais proposent que l'Europe centrale soit dépourvue d'armes atomiques.
1960 Explosion de la 1ʳᵉ **bombe atomique française** (Reggane, Sahara). De Gaulle confirme que la France constituera sa « force de frappe ». Les Etats-Unis équipent leurs sous-marins atomiques de fusées Polaris.
1961 Explosion d'une superbombe soviétique de 50 millions de t de T.N.T. (2 500 fois la bombe d'Hiroshima); expériences souterraines aux E.-U.
Août 1963 Accord sur l'arrêt des explosions nucl. Interdiction des explosions atom. dans l'espace, dans l'atmosphère et sous l'eau. La France et la Chine refusent de signer.
1964 Explosion de la 1ʳᵉ **bombe A chinoise** (Sinkiang).
Helsinki 1969-1970 Début des pourparlers américano-russes pour arrêter la course aux armements nucléaires (SALT).
18 mai 1974 L'Inde fait exploser sa 1ʳᵉ bombe atomique. A partir de 1970, mise au point par les E.-U. de fusées à ogives multiples (M.I.-R.V.). L'U.R.S.S. possède en 1975 des engins comparables (SS 17, 18, 19).
1975 : Le cap des mille explosions nucléaires est franchi.
23 novembre Réunion à Vladivostok de Gerald Ford et de Leonid Brejnev pour mettre au point un accord sur la surveillance des sites de lancement. Les puissances nucléaires (à l'exception de l'Inde) développent, en revanche, une flotte de sous-marins nucléaires lance-fusées.
Juin 1977 Abandon par les E.-U. d'un projet de bombardier supersonique au profit d'appareils munis de missiles de croisière (« cruse missile ») porteurs de charges nucléaires miniaturisées et dotées d'un guidage autonome.
Printemps 1978 Négociations USA-URSS concernant l'engagement de ne pas fabriquer la bombe à neutrons (bombe antipersonnel). Certains membres de l'O.T.A.N. soulignent le rôle égalisateur de cette arme devant la supériorité écrasante des forces du Pacte de Varsovie en tanks (3 contre 1).

Europe occidentale
France
La crise, consécutive aux chocs pétroliers, est marquée par la montée du chômage.

1973 400 000
1981 1 846 000
1986 2 400 000 chômeurs

Mars 1979 Succès de la gauche aux élections cantonales.

Mai 1979 « L'union de la gauche au sommet étant abandonnée, il faut rechercher l'union de la gauche à la base. » Tel est le thème du 23ᵉ Congrès du P.C.F.

10 octobre 1979 « L'affaire des diamants » éclate : le président BOKASSA (République centrafricaine) a donné au président GISCARD D'ESTAING, au cours d'une visite officielle, des diamants non taillés qui auraient été conservés à titre privé.

3 octobre 1980 Attentat, rue Copernic, devant une synagogue : quatre morts. Il a été commis, saura-t-on plus tard, par des Palestiniens.

19 octobre 1980 Michel ROCARD présente sa candidature au Parti socialiste pour être son candidat lors des élections présidentielles de mai 1981.

24 janvier 1981 Le candidat officiel du Parti socialiste est François MITTERRAND. Michel ROCARD s'est désisté. En fin de compte, huit candidats vont se présenter contre M. GISCARD D'ESTAING à la présidence de la République. Parmi eux, deux appartiennent à la majorité présidentielle : MM. Jacques CHIRAC et Michel DEBRÉ.

Avril 1981 A la fin du septennat de M. GISCARD D'ESTAING, M. Raymond BARRE a réussi à maintenir le pouvoir d'achat de la population active alors que l'inflation est relativement élevée (13,6 %). M. MITTERRAND, principal candidat de l'opposition, axe sa campagne sur l'inflation et le chômage. Il promet une réduction très importante du chômage dès 1982, la retraite à 60 ans, la réduction du temps de travail, le relèvement des bas salaires et la suppression de la peine de mort.

26 avril 1981 Premier tour de l'élection présidentielle :
28,31 % pour Valéry GISCARD D'ESTAING
25,84 % pour François MITTERRAND (P.S.)
17,99 % pour Jacques CHIRAC (R.P.R.)
15,34 % pour Georges MARCHAIS (P.C.F.)

10 mai 1981 Deuxième tour :
51,75 % pour François MITTERRAND
48,24 % pour Valéry GISCARD D'ESTAING
15,93 % d'abstentions.

21 mai 1981 Pierre MAUROY est nommé Premier ministre.

14 juin 1981 Élections législatives (1ᵉʳ tour)
37,51 % pour P.S. et M.R.G.
20,80 % pour R.P.R.
19,20 % pour U.D.F.
16,17 % pour le P.C.

21 juin 1981 Deuxième tour :
Sur 481 sièges :
285 pour le P.S. et apparentés
88 pour le R.P.R.
64 pour l'U.D.F.
44 pour le P.C.

28 juin 1981 Formation définitive du gouvernement MAUROY. Il comprend quatre ministres communistes. M. DELORS est ministre de l'Économie et des Finances.
La commission BLOCH-LAINÉ est chargée de faire le bilan économique et social du gouvernement précédent. Son rapport sera beaucoup moins défavorable que ce qui était attendu par les socialistes.

17 juillet 1981 Durée du travail ramenée de 40 à 39 heures pour le même salaire. Généralisation de la cinquième semaine de congés payés.

18 septembre 1981 La Chambre des députés vote la suppression de la peine de mort.

22 septembre 1981 Inauguration du T.G.V. Paris-Lyon.

4 octobre 1981 Réajustement du cours du franc par rapport au mark de 8,5 %. (Franc = − 3 % ; D.Mark = + 5,5 %).

18 décembre 1981 a) Nationalisation de neuf groupes industriels, conformément au Programme commun de 1971. La sidérurgie (Usinor, Sacilor) était déjà très fortement endettée, sans espoir de se dégager.
Dans l'industrie chimique, trois grands groupes passent sous le contrôle de l'État : Saint-Gobain, Rhône-Poulenc, Péchiney-Ugine-Kuhlmann.
Dans l'industrie électrique, la Compagnie Générale d'Électricité et Thomson-Brandt sont visés.
b) Nationalisations dans le secteur bancaire : trente-six banques et deux compagnies financières (Suez et Paribas).
Les actions industrielles et bancaires correspondant aux titres nationalisables sont remboursées pour la somme globale d'environ 35 milliards.

15 janvier 1982 Régularisation de la situation de 150 000 immigrés clandestins.

27 janvier 1982 Promulgation de deux ordonnances inspirées par le rapport AUROUX sur le règlement du travail à temps partiel et le recours au travail temporaire.

25 mars 1982 Le contrôle des changes est rendu beaucoup plus strict, alors que le franc est attaqué sur les marchés extérieurs.
Recensement : population totale : 54 335 000 habitants, 3 680 000 étrangers.

12 juin 1982 Nouvelle dévaluation du franc accompagnée d'une réévaluation du mark. (Franc = − 5,5 % ; D.Mark = + 4,25 %).

13 juin 1982 Blocage des prix et des salaires.

29 juillet 1982 Loi sur la communication

audio-visuelle : fin du monopole de la radio-télévision, permettant l'essor des radios libres.

9 août 1982 Attentat terroriste rue des Rosiers à Paris (6 tués, 22 blessés) commis par les Palestiniens.

20 décembre 1982 Les avortements seront remboursés par la Sécurité sociale.

20 janvier 1983 Discours de François MITTERRAND devant le Parlement de la République fédérale d'Allemagne à Bonn : mise en garde contre tout désarmement unilatéral alors que les fusées SS. 20 sont installées au-delà du rideau de fer.

6-13 mars 1983 Élections municipales : la gauche perd une trentaine de villes de plus de 30 000 habitants. L'augmentation constante du chômage s'ajoutant au déficit du commerce intérieur, au déficit budgétaire et au sentiment que la vie quotidienne n'a pas changé explique la déception des électeurs par rapport aux promesses de 1981.

21 mars 1983 Troisième dévaluation du franc. Réévaluation du mark. (Franc = – 2,5 % – D.Mark = + 5,5 %).
Forte réduction de l'allocation de devises pour les voyages à l'étranger.

11 septembre 1983 Élection municipale de Dreux perdue par le P.S. Première grande poussée du Front national, le parti de droite de M. LE PEN dont l'un des thèmes les plus mobilisateurs est la limitation drastique de l'immigration.

18 janvier 1984 M. MITTERRAND considère comme une priorité la baisse des prélèvements fiscaux et sociaux au cours de l'année.

12 février 1984 L'organisation autonomiste « Union du Peuple corse » dirigée par Edmond SIMEONI décide de ne plus siéger à l'Assemblée régionale corse.

4 mars 1984 Plus de 500 000 personnes défilent à Versailles pour marquer leur attachement à l'école libre menacée par le projet de loi SAVARY.

17 juin 1984 Élections européennes (43,28 % d'abstentions)
Liste de Mme Simone VEIL (R.P.R. + U.D.F.) = 42,8 % des suffrages exprimés
Liste de M. JOSPIN (P.S.) = 20,7 % des suffrages exprimés
Liste de M. MARCHAIS (P.C.) = 11,2 % des suffrages exprimés
Liste de M. LE PEN (F.N.) = 10,9 % des suffrages exprimés
La liste de Mme Simone VEIL obtient 41 élus, celle de M. JOSPIN 10 élus, le P.C. et le Front national, chacun 10 élus. Confirmant l'élection de Dreux, la percée du parti de M. LE PEN nourrit le débat politique.

24 juin 1984 Paris. Manifestation de quelque 1 500 000 personnes contre le projet de loi SAVARY sur l'enseignement privé.

12 juillet 1984 M. MITTERRAND annonce le retrait du projet de loi SAVARY, sous la pression des manifestations considérables qu'il suscitait.

17 juillet 1984 Démission du gouvernement MAUROY. Laurent FABIUS, 34 ans, est nommé Premier ministre. « Moderniser et rassembler », tels sont les thèmes de son discours-programme.

18 juillet 1984 Le Parti communiste refuse de participer au nouveau gouvernement dont il conteste l'orientation.

19 juillet 1984 Le nouveau gouvernement comprend notamment Pierre BÉRÉGOVOY au ministère clé de « l'Économie, des Finances et du Budget ».

13 décembre 1984 Raymond BARRE (U.D.F.) confirme dans un meeting à Toulouse son hostilité à une cohabitation, en cas de victoire de l'opposition en 1986, entre un gouvernement issu de l'opposition libérale et la présidence de la République assurée par M. MITTERRAND, socialiste.

Janvier 1985 Le mouvement terroriste dissous « Action directe » annonce sa fusion avec la « Fraction armée rouge » allemande. L'ingénieur en chef de l'Armement René AUDRAN est assassiné devant son domicile par « Action directe ».

3 avril 1985 Les prochaines élections auront lieu au scrutin proportionnel considéré comme le plus propre à limiter les pertes du parti socialiste lors des prochaines élections législatives. Protestations du R.P.R. et de l'U.D.F. qui redoutent de perdre des sièges, sur leur droite, au profit du Front national.

4 avril 1985 Michel ROCARD, en désaccord avec cette réforme du mode de scrutin, démissionne de son poste de ministre de l'Agriculture.

10 juillet 1985 Attentat à Auckland, en Nouvelle-Zélande, contre le *Rainbow Warrior,* bateau du mouvement écologiste « Greenpeace » prêt à partir pour le centre d'essais nucléaires français de Mururoa. Un membre de l'équipage est tué. L'enquête fera apparaître la responsabilité directe des services secrets français (S.D.E.C.E.). C'est une affaire retentissante, l'opinion estimant qu'une telle action n'avait pu être entreprise sans une autorisation donnée à un très haut niveau.

20 septembre 1985 Charles HERNU, ministre de la Défense nationale, impliqué dans l'affaire du *Rainbow Warrior,* est contraint de donner sa démission.

16 mars 1986 Élections législatives.
Avec 43 % des voix, la coalition R.P.R. + U.D.F., regroupant le parti républicain (P.R.) et le centre des démocrates sociaux (C.D.S.), l'emporte de justesse (2 sièges de majorité). Le Parti socialiste (32 %), aidé par les radicaux de gauche, limite ses pertes (206 sièges). Le parti communiste arrive à égalité avec le Front national (10 à 11 % des voix). Chacun recueille 35 sièges. Au total l'opposition a recueilli 55 % des voix, mais les partis du centre-droit (U.D.F. + R.P.R.) refusent de s'allier ou de négocier avec le Front national. Dès

lors, celui-ci votera tantôt pour, tantôt contre le gouvernement.

20 mars 1986 Jacques CHIRAC (R.P.R.) constitue un gouvernement de coalition avec l'U.D.F. Édouard BALLADUR (R.P.R.) est nommé ministre d'État, chargé de l'Économie, des Finances et de la Privatisation. Le ministre de l'Intérieur (M. PASQUA) et le garde des Sceaux (M. CHALANDON) viennent également du R.P.R. François LÉOTARD (P.R.) devient ministre de la Culture et de la Communication. M. MONORY (C.D.S.) est chargé de l'Éducation nationale. M. GIRAUD est à la Défense nationale.

6 avril 1986 Le régime de « cohabitation » entre un président de la République et un Premier ministre appartenant à des partis opposés s'instaure pour la première fois dans l'histoire de la Ve République.

Le franc est dévalué de 3 %, le mark est réévalué de 3 %.

Avril 1986 Le gouvernement entreprend de réaliser son programme de « désétatisation » : dénationalisations, privatisation de deux chaînes de TV, création d'une 5e chaîne privée, libération du contrôle des changes, libération des prix, etc. Pour lutter contre le chômage, il décrète une importante réduction des charges sociales pour les moins de 25 ans. Mais l'action du gouvernement sera souvent freinée par le président de la République et par le Conseil constitutionnel.

7 mai 1986 Mort de Gaston DEFFERRE, maire de Marseille.

Septembre-octobre 1986 Le ministre de l'Éducation, M. MONORY, décide des mesures qui lui valent l'hostilité des puissants syndicats, la F.E.N. et le S.N.I., proches de l'opposition socialiste.

17 novembre 1986 Assassinat de Georges BESSE, directeur général de la Régie Renault, par « Action directe ». Le mouvement terroriste tentera le 15 décembre d'assassiner M. Alain PEYREFITTE, ancien garde des Sceaux, tuant son chauffeur à sa place.

27 novembre 1986 Une grande manifestation de lycéens et d'étudiants, déclenchée par l'U.N.E.F empêche l'examen par l'Assemblée nationale de la loi DEVAQUET, visant à mieux orienter les étudiants et à valoriser les diplômes. Il est prévu une plus grande autonomie pour les universités qui pourraient augmenter les droits d'inscription et créer en leur sein des établissements spécifiques. Mais les manifestants en font une loi instaurant « la sélection » et l'inégalité des diplômes.

Fin novembre - début décembre Le gouvernement réalise la privatisation du groupe Saint-Gobain, dont les actions sont achetées par un million de Français. Ensuite viendra Paribas.

4 décembre 1986 Manifestation dans toute la France de plusieurs centaines de milliers de lycéens et d'étudiants qui se termine à Paris par des heurts avec le service d'ordre. Mort d'un étudiant. Vives attaques de l'opposition contre M. PASQUA, ministre de l'Intérieur. Les manifestants réclament le retrait sans conditions de la loi DEVAQUET.

6 décembre 1986 M. DEVAQUET présente sa démission.

8 décembre 1986 Son projet est retiré par le Premier ministre soucieux de maintenir la cohésion gouvernementale et d'apaiser les esprits. M. CHIRAC décide de retarder la présentation devant le Parlement de projets « de société » susceptibles de déclencher une campagne de l'opposition (Code de la nationalité, privatisation des prisons). C'est la « pause » dans l'activité réformatrice du gouvernement.

15-20 décembre 1986 Déclenchement à la veille de Noël d'une grève de la SNCF décidée par des conducteurs de la « base » et non par les syndicats. Ce sera la grève la plus longue (elle ne se dénouera qu'au début de janvier 1987) depuis 1968, le gouvernement se refusant à céder sur les salaires afin de ne pas compromettre toute sa politique économique, notamment la lutte contre l'inflation qui a été ramenée à 2,1 % en 1986.

Allemagne fédérale

5 septembre 1980 Victoire de la coalition socialiste et libérale du chancelier SCHMIDT aux élections législatives.

1er octobre 1982 Le chancelier Helmut SCHMIDT, social-démocrate, est renversé par le Parlement qui élit Helmut KOHL (C.D.U.).

6 mars 1983 Les élections confirment le pouvoir de la coalition chrétienne et libérale : C.D.U./C.S.U.-F.D.P.

Mai-juin 1984 Après une vague de grèves dans la métallurgie, instauration de la semaine de 38 heures et demie.

Novembre 1986 Les sociaux démocrates perdent la majorité à Hambourg, après un grand scandale immobilier (Neue Heimat).

Belgique

9 avril 1980 Démission du gouvernement VAN DEN BOEYNANTS.

18 mai 1980 Formation du gouvernement MARTENS.

5 août 1980 Vote de la loi régionale qui oriente le pays vers le fédéralisme.

Septembre 1983 Grève générale contre la politique d'austérité du gouvernement MARTENS.

30 décembre 1983 Affaire des « Fourons » : nomination d'un maire francophone dans une commune rattachée à la province flamande du Limbourg.

Pays-Bas

Automne 1981   L'aggravation du chômage provoque une crise politique d'un mois entre Joop DEN UYL, ministre socialiste, et Fons VAN DER STEE, ministre chrétien-démocrate. La baisse du prix du gaz naturel rend difficile la poursuite de la politique sociale.

Mai 1986   La politique du Premier ministre Ruud LUBBERS (chrétien-démocrate) sort renforcée des élections législatives.

chrétiens-démocrates	54
socialistes	52
libéraux	27
démocrates '66	9
divers droite	5
divers gauche	5

Novembre 1986   Achèvement du plan Delta en Zélande, décidé en 1953, après des inondations catastrophiques.

Grande-Bretagne

1979-1983   Le nombre des chômeurs augmente de 2 millions pour atteindre 3 100 000.

3 mai 1979   Victoire des conservateurs sur les travaillistes aux élections législatives. L'inflation est de 10 % par an.

5 mai 1979   Mme THATCHER qui a succédé à Edward HEATH à la tête du parti conservateur forme le gouvernement. Geoffrey HOWE, fidèle au document « the right approach to the Economy » d'octobre 1977, devient chancelier de l'Échiquier. L'objectif est de casser l'inflation, de diminuer les dépenses de l'État, de lutter contre les syndicats tout-puissants avec le monopole de l'embauche (clause du « closed shop »).

10 novembre 1981   Michael FOOT remplace James CALLAGHAN à la tête du parti travailliste.

11-13 avril 1981   Émeutes de Brixton, dans la banlieue sud de Londres. Heurts entre la police et des immigrés antillais.

18 mars 1982   La souveraineté de l'Argentine est affirmée sur la Géorgie du Sud.

1er-2 avril 1982   Des commandos argentins s'emparent de Port-Stanley, capitale des îles Falkland (Malouines), par surprise.

5 avril 1982   Mme THATCHER envoie la flotte pour rétablir la souveraineté britannique sur les îles, situées à 7 000 km au sud de l'île de l'Ascension, dernière escale avant l'objectif.

21 mai 1982   Malgré les pertes dues à l'utilisation par les Argentins du missile français Exocet, les Anglais réussissent à débarquer à San Carlos, dans l'île orientale des Falkland.

14 juin 1982   Entrée des forces britanniques à Port Stanley, ce qui entraîne la démission du chef de l'État argentin, le général GALTIERI. L'autorité de Mme THATCHER sort renforcée de cette épreuve. Elle décide de construire un aérodrome aux Falkland pour éviter toute nouvelle surprise et mieux surveil-

ler l'Atlantique Sud, où le *général Belgrano,* seule unité importante de la flotte argentine, a été coulé dès le début des hostilités. La souveraineté anglaise a été rétablie sur la Géorgie du Sud.

9 juin 1983   Mme THATCHER remporte un triomphe aux élections législatives (397 sièges sur 650). L'opposition est affaiblie par la radicalisation du parti travailliste (influence croissante de Wedgwood BENN) et la division de l'opinion en faveur de « l'alliance » : union des sociaux démocrates de Roy JENKINS et des libéraux.

Mars 1984-mars 1985   Grève des mineurs des charbonnages. Pour réduire le déficit de cette très importante industrie nationalisée, Mme THATCHER a confié à un Américain, MAC GREGOR, la réorganisation des puits par des fermetures et des concentrations. Grâce au pétrole, aux importations de Pologne, et aux stocks accumulés pendant les années de mévente, l'industrie arrive à se passer des mineurs conduits par M. SCARGILL, favorable à l'intransigeance.

1985-1986   Fidèle à son idéal de désengagement de l'État dans la vie économique, Mme THATCHER dénationalise British Gas, British Airways, la Compagnie nationale des autobus, Rolls Royce et les télécommunications. Ces entreprises doivent être rentables sans le soutien des contribuables.

31 mars 1986   Abolition du Conseil métropolitain du grand Londres, présidé par un travailliste d'extrême gauche : M. LIVINSTONE.

15 avril 1986   Mme THATCHER, soutenue par Sir Geoffrey HOWE, passé à la tête du ministère des Affaires étrangères en juin 1983, repousse les attaques de l'opposition travailliste dirigée par Neil KINNOCK.

Alors que la France et l'Italie avaient refusé le droit de survol pendant le raid américain sur Tripoli en Libye, Mme THATCHER a autorisé le passage des bombardiers américains qui ont pris leur envol dans le bassin de Londres.

27 octobre 1986   Révolution dans les méthodes de travail à la cité de Londres : c'est le « Big-Bang ».

Décembre 1986   La livre sterling, pétromonnaie, qui a dépassé 13 francs, est tombée à 9,30 francs.

Irlande

Mars-août 1981   Vague de grèves de la faim parmi les militants de l'IRA en prison. Mort de Bobby SANDS.

1er avril 1982   Plan Prior transférant à l'Ulster une partie des responsabilités du gouvernement de Londres.

12 octobre 1984   Attentat de l'IRA contre Margaret THATCHER à Brighton.

15 novembre 1985   Accord anglo-irlandais de Hillsborough sur l'Irlande du Nord.

Italie
30 juin 1981   M. SPADOLINI, président du Conseil.

3 septembre 1982   Assassinat à Palerme du général DALLA CHIESA, coordinateur de la lutte contre la Mafia.

26-27 juin 1983   Grave défaite électorale de la Démocratie chrétienne (32,9 % des voix).

4 août 1983   Bettino CRAXI, président du Conseil.

11 juin 1984   Mort d'Enrico BERLINGUER, chef du parti communiste.

Vatican 1979-1986
Par une bonne partie de ses quelque soixante voyages, le pape JEAN-PAUL II a montré l'intérêt que l'Église porte au Tiers Monde et à la misère résultant du sous-développement. Mais il s'est soucié aussi de rappeler que le clergé ne doit pas mélanger l'aide aux pauvres et la lutte des classes.

25-31 janvier 1979   Voyage du pape au Mexique et inauguration de la 3ᵉ Conférence de l'épiscopat d'Amérique latine à Puebla.

Février 1981   Voyage aux Philippines où l'Église prend ses distances à l'égard du président MARCOS.

10 mars 1983   Visite en Haïti où les excès du régime sont dénoncés.

Les vieilles nations catholiques sont encouragées à rester fidèles :
Voyage en Pologne (juin 1979)
Voyage en Irlande (octobre 1979).

13 mai 1983   Attentat contre le pape commis place Saint-Pierre par un militant turc qui aurait séjourné en Bulgarie.
Jean-Paul II a maintenu la tradition de l'Église des mœurs et de la doctrine (réserves à l'égard de la « théologie de la libération »).

25 janvier 1983   Promulgation par JEAN-PAUL II du nouveau code de droit canonique. L'accès au sacerdoce et au diaconat reste réservé aux hommes, ce qui entraîne une opposition affirmée aux Pays-Bas et aux États-Unis. La peine d'excommunication est renouvelée contre l'avortement.

Mars 1983   Le cardinal Joseph RATZINGER, préfet de la congrégation romaine pour la Foi, met en garde l'épiscopat péruvien contre la théologie de Gustave GUTIERREZ.

Septembre 1984   Le père brésilien Leonardo BOFF est invité à Rome pour défendre son livre *Église, charisme et pouvoir.*

Avril 1986   Voyage du pape au Brésil après la réconciliation du père BOFF avec le Saint-Siège.

Octobre 1986   Voyage du Pape à Lyon et à Ars. JEAN-PAUL II rappelle que les catholiques doivent être accueillants aux immigrés. Il rappelle aussi que l'Église condamne l'avortement. Enfin, il dit aux prêtres que, du fait du sacerdoce, ils ne sont pas des hommes comme les autres.

Espagne
23-24 février 1981   Échec du coup d'État tenté par le lieutenant colonel TEJERO, nostalgique du franquisme.

28 octobre 1982   Victoire aux élections législatives des socialistes dirigés par Felipe GONZALEZ qui devient président du Conseil.

1ᵉʳ janvier 1986   Entrée de l'Espagne dans la Communauté économique européenne.

12 mars 1986   L'Espagne décide par référendum de rester dans l'O.T.A.N.

22 juin 1986   Nouvelle victoire électorale des socialistes. Herri BATASUNA, la branche politique de l'organisation séparatiste basque E.T.A., obtient cinq sièges au Parlement. Les terroristes de l'E.T.A. continuent de multiplier les attentats.

Portugal
1985-1986   Procès d'Otelo de CARVALHO, ancien animateur de la « révolution des œillets » en 1974, accusé de soutenir l'action terroriste du groupe F.P. 25.

16 février 1986   Élection de Mario SOARES à la présidence de la République, grâce aux voix des socialistes et des communistes.

Grèce
5 mai 1980   Constantin CARAMANLIS est élu président de la République.

18 octobre 1981   Victoire du PASOK (mouvement socialiste panhellénique) aux élections législatives.
Andreas PAPANDREOU devient Premier ministre.

Juin 1985   Nouvelle victoire du PASOK.

Octobre 1986   L'opposition conservatrice (Parti de la Nouvelle Démocratie) victorieuse à Athènes, au Pirée, à Salonique.

C.E.E. vers l'Europe des Douze
1981   Entrée de la Grèce dans le Marché Commun.

25-26 juin 1984   Conseil européen de Fontainebleau. Réduction de la contribution britannique à la demande de Mme THATCHER.

1ᵉʳ janvier 1986   Entrée de l'Espagne et du Portugal dans la Communauté, malgré les réserves de la Grèce. La C.E.E. comprend 320 millions de consommateurs.

Novembre 1986   Le Parlement français ratifie « l'Acte unique » prévoyant la libre circulation des capitaux et des travailleurs, et la liberté d'établissement pour les professions libérales.

Suède

8 octobre 1982 Succès des sociaux-démocrates aux élections.

28 février 1986 Assassinat du Premier ministre Olof PALME, membre très influent de la IIe Internationale socialiste. Ingvar CARLSSON lui succède.

Norvège

1er octobre 1981-Avril 1986 Kaare WIL-LOCH, conservateur, devient Premier ministre.

2 mai 1986 Mme Gro Harlem BRUND-TLAND, socialiste, lui succède.

Autriche

Mai 1983 Démission du chancelier KREISKY, socialiste.

8 juin 1986 Élections présidentielles en faveur de l'ancien secrétaire général de l'O.N.U. Kurt WALDHEIM, malgré une campagne lui reprochant ses activités dans l'armée allemande pendant la Seconde Guerre mondiale.

23 novembre 1986 Élections législatives sans majorité nette du parti socialiste sur le parti populiste. Montée du parti libéral de Joerg HAIDER.

Yougoslavie

4 mai 1980 Mort du maréchal TITO.

Mars-avril 1981 Violentes manifestations à Pristina dans le Kossovo, proche de l'Albanie.

Février 1986 Branko MIKULIC devient Premier ministre.

Albanie

Avril 1985 Mort d'Enver HODJA. Ramiz ALIA est nommé à sa succession, par le congrès du Parti du travail albanais.

Turquie

Septembre 1980 Le Premier ministre Süleyman DEMIREL est démis de ses fonctions. Prise du pouvoir par l'armée. Le général EVREN préside le Conseil national de sécurité.

Novembre 1982 Approbation populaire de la nouvelle Constitution.

Décembre 1983 Turgut OZAL est nommé Premier ministre après le triomphe du P.M.P. (Parti de la Mère Patrie) aux élections. Il oriente la politique économique vers la liberté des échanges et le rapprochement avec le Marché Commun.

Europe de l'Est

U.R.S.S.

9 janvier 1980 Andreï SAKHAROV, prix Nobel de la Paix en 1975, physicien de renom et défenseur des droits de l'homme, est assigné à résidence à Gorki.

Juillet 1980 Les jeux Olympiques de Moscou sont boycottés par les États-Unis et leurs alliés occidentaux en représailles de l'invasion de l'Afghanistan par les troupes soviétiques.

17 décembre 1980 Mort d'Alexis KOSSY-GUINE.

4 mars 1981 Après le XXVIe Congrès du P.C. soviétique, l'U.R.S.S. presse le gouvernement polonais de réprimer plus fermement le mouvement Solidarité.

Été 1981 Mauvais départ du XVe plan quinquennal.
Récolte de céréales particulièrement mauvaise (149 millions de tonnes) ce qui entraîne de fortes importations des États-Unis, du Canada et de l'Argentine.

26 janvier 1982 Mort de Michel SOUSLOV, ancien adversaire de KHROUCHTCHEV.

Février 1982 L'U.R.S.S. fournira à la France 8 milliards de m^3 de gaz naturel par an.

10 novembre 1982 Mort de Leonid BREJ-NEV.

16 juin 1983 Youri ANDROPOV est élu chef de l'État.

9 février 1984 Mort de Youri ANDROPOV.

13 février 1984 Élection de Constantin TCHERNENKO au secrétariat général du P.C.U.S.

10 mars 1985 Mort de Constantin TCHER-NENKO.

11 mars 1985 Mikhaïl GORBATCHEV est élu secrétaire général du P.C.U.S.

19 novembre 1986 Loi sur le « travail individuel » rétablissant l'initiative privée dans l'artisanat, le commerce et les services.

28 novembre 1986 Plan d'ouverture de l'éventail des salaires pour encourager la recherche de qualifications.

Pologne

31 août 1980 Au terme de la longue grève des chantiers navals, accords de Gdansk. Triomphe de Lech WALESA et du mouvement Solidarité (Solidarnosc) qui sera officiellement fondé en septembre. Cette revendication de la liberté syndicale est refusée par le pouvoir.

13 décembre 1981 Le général JARUZELSKI dirige la répression : proclamation de « l'état de guerre ».

5 octobre 1983 Lech WALESA, prix Nobel de la paix.

31 mai 1986 Arrestation de Zligniew BUJAK, responsable clandestin de Solidarité.

Moyen-Orient

Égypte

6 octobre 1981 Assassinat du président SADATE par des éléments ultra-conservateurs du Djihad (la guerre sainte). Hosni MUBARAK lui succède.

25 avril 1982 L'Égypte récupère la dernière portion du Sinaï encore occupée par Israël, conformément aux accords de Camp David.

Février 1986 Insurrection d'éléments de la police au Caire dans le quartier des pyramides.

Octobre 1986 Troubles à Assiout, foyer de l'intégrisme musulman.

Israël

1ᵉʳ juillet 1981 Menahem BEGIN du parti Likhoud est réélu à la tête du gouvernement : son programme est d'évacuer le Sinaï et de multiplier les implantations de colons en Cisjordanie.

30 août 1983 Démission de M. BEGIN, après le demi-échec de l'invasion du Liban par l'armée israélienne.

Juillet 1984 Élections indécises : une coalition travaillistes-Likhoud arrive au pouvoir.

1ᵉʳ octobre 1985 Raid israélien contre le quartier général de l'O.L.P. à Tunis.

Octobre 1986 Comme convenu deux ans à l'avance, S. PERES du parti travailliste s'efface en faveur de Y. SHAMIR du parti Likhoud à la tête du gouvernement.

Liban

Avril-juin 1981 Les troupes syriennes encerclent Zahlé, position clé de la Bekaa.

4 septembre 1981 Assassinat de l'ambassadeur français au Liban, Louis DELAMARE.

6 juin 1982 L'armée israélienne (100 000 h.) envahit le sud du Liban. C'est l'opération « Paix pour la Galilée » qui se poursuit vers le nord.

Juillet-août 1982 Bataille de Beyrouth, dont les soldats palestiniens sont chassés.

Septembre 1982 Bechir GEMAYEL, élu président de la République libanaise le 23 août, est assassiné dans un attentat. Les camps palestiniens de Chabra et de Chatila sont envahis par les miliciens libanais phalangistes qui massacrent les réfugiés palestiniens.

17 mai 1983 Accord israélo-libanais prévoyant le retrait des Syriens et des Israéliens du territoire libanais. Opposition de la Syrie.

Octobre 1983 Attaques terroristes contre les quartiers généraux américain et français.

Juin 1985 Évacuation israélienne du Liban dont la frontière avec Israël est protégée par l'armée chrétienne du Liban Sud et surveillée par la F.I.N.U.L.

Septembre 1986 Soutenu par l'Iran, le groupe Hezbollah, formé de chiites, attaque des soldats français de la F.I.N.U.L.

Syrie

Février 1982 Milliers de morts à Hama. Révolte des musulmans intégristes contre le gouvernement où les alaouites sont nombreux.

Juin 1982 L'armée syrienne qui se sent menacée par l'invasion israélienne du Liban reçoit un très important armement soviétique pour tenir la plaine de la Bekaa.

10 février 1985 Hafez-el ASSAD est réélu pour 7 ans président de la République.

28 décembre 1985 Accord de Damas, sous l'autorité de la Syrie, entre les milices libanaises : chiites, druzes et chrétiennes. Rejet par le président libanais Amine GEMAYEL.

Iran

1ᵉʳ février 1979 Retour à Téhéran de l'ayatollah KHOMEINY. Medhi BAZARGAN est chargé du gouvernement provisoire. Chapour BAKHTIAR doit partir pour lui laisser la place.

9 avril 1979 Amir Abbas HOVEYDA, ancien Premier ministre, est condamné à mort et exécuté.

4 novembre 1979 L'ambassade américaine à Téhéran est envahie par les étudiants islamiques qui tiennent le personnel diplomatique (59 personnes) en otage. Ils exigent que le chah, soigné à New York, leur soit livré.

Janvier 1980 Élection de Bani SADR à la présidence de la République.

27 juillet 1980 Le chah Reza PAHLEVI meurt au Caire.

Septembre 1980 Début de la guerre contre l'Irak.

20 janvier 1981 Les 59 otages américains sont libérés.

Juin 1981 La déchéance de Bani SADR est votée par le Parlement. Il se réfugie en France.

Février 1984 Renforcement des contrôles des autorités islamiques sur le droit de présentation des candidats.

25 février 1984 Répression accrue contre les militants du parti Toudeh. Exécution d'officiers supérieurs.

1984-1986 Soutien accru aux militants chiites libanais dirigés par Nabih BERRI et regroupés dans les milices AMAL.

Arabie Saoudite

Juin 1982 Mort du roi KHALED, remplacé par le prince FAHD.

1985 La production du pétrole tombe à 2 millions de barils par jour, 20 % de la production de 1980.

Novembre 1986 Démission du cheik YAMANI, porte-parole de l'O.P.E.P., cartel pétrolier ébranlé par la baisse des prix. Hisham NAZER, ancien ministre du Plan, lui succède.

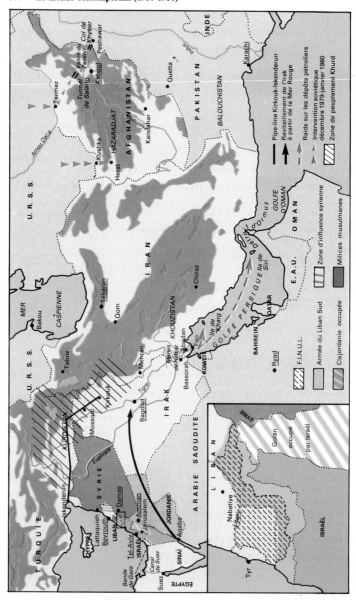

Les conflits du Moyen-Orient 1980-1986

Bahrein
Décembre 1986   Inauguration de la chaussée monumentale reliant l'île à l'Arabie Saoudite.

La guerre du Golfe
22 septembre 1980   Saddam HUSSEIN, à la tête de l'Irak, met en cause l'accord de 1975 avec l'Iran. L'armée irakienne envahit le sud-ouest de l'Iran (province du Khouzistan). Destruction de la raffinerie d'Abadan.
Juin 1982   L'Irak évacue les territoires conquis, repris par l'Iran.
1982-1984   Guerre d'usure. Le Koweït et l'Arabie Saoudite soutiennent Saddam HUSSEIN contre l'Ayatollah KHOMEINI alors que la guerre s'enlise (guerre des marais d'Huwaiza).
1984   Commencement des attaques aériennes sur le terminal pétrolier de l'île de Kharg pour interdire les exportations iraniennes.
Février-mars 1986   Bataille de Fao, conquis par l'Iran qui ferme ainsi à l'Irak son débouché sur le Golfe Persique.
Mai-juillet 1986   Bataille de Mehran, conservée par les Iraniens.
Août 1986   Attaque aérienne sur l'île de Sirri, à 250 km à l'ouest de la sortie du Golfe Persique, qui servait de point de transbordement pour les pétroliers.
Décembre 1986   Au terme de l'année 1986, on évaluait à au moins un million de morts les pertes humaines engendrées par cette guerre.

La guerre d'Afghanistan
2 janvier 1980   Grâce à un pont aérien, l'armée soviétique occupe Kaboul après l'assassinat du Premier ministre AMIN, remplacé par Babrak KARMAL.
14 mars 1980   Accord soviéto-afghan sur la présence d'un contingent militaire soviétique à titre « provisoire ».
30 octobre 1982   Attaque contre les troupes soviétiques dans le tunnel de Salang. Plusieurs centaines de tués.
1982-1986   Plus de trois millions d'Afghans quittent leur pays pour se réfugier, notamment, dans le nord-ouest du Pakistan.
4 mai 1986   M. KARMAL est remplacé par M. NAJIBULLAH, ancien chef de la police secrète afghane.

Afrique
L'Afrique, contrairement à l'Asie, a vu sa situation alimentaire s'aggraver dans les années 80. Il y a d'abord la désertification qui touche 1,5 million d'hectares autour du Sahara. L'élevage extensif, le déboisement intensif favorisent la progression des sables. Le Sénégal, le Mali, le Niger, le Tchad, le Soudan sont directement menacés ainsi que le pourtour de l'Éthiopie. Il y a ensuite des causes humaines dont les guerres civiles sont responsables : c'est le cas de l'Ouganda, du Mozambique et de l'Erythrée. Ces différentes causes peuvent se conjuguer dans les pays du Sahel. Il en est ainsi au Tchad notamment. Le problème du sort des populations réfugiées devient alors dramatique.

Algérie
20-23 avril 1980   Émeutes de Tizi-Ouzou chez les étudiants berbères.
12 janvier 1984   Réélection pour 5 ans du président CHADLI BENDJEDID.
Janvier 1986   Nouvelle charte nationale soulignant le rôle du secteur privé.
Novembre 1986   Émeutes d'étudiants à Constantine et à Sétif.

Maroc
Août 1980   Pour écarter les troupes du Front Polisario, le Maroc construit un mur défensif englobant Smara dans le Sahara occidental.
13 août 1984   Traité d'union à Oujda entre HASSAN II et le colonel KADHAFI qui s'engage à ne plus aider le Polisario.

Tunisie
26 janvier 1980   Émeutes à Gafsa à la suite de l'irruption d'un commando.
Septembre 1985   Rupture avec la Libye qui renvoie le personnel tunisien.
1er octobre 1985   Le quartier général de l'O.L.P. réfugié à Tunis est écrasé par un raid aérien venu d'Israël.
Novembre 1986   Rupture avec BOURGUIBA et son ancien héritier présomptif, le Premier ministre M'ZALI.

Libye
1980-1986   Le colonel KADHAFI pratique une politique de soutien aux fractions les plus radicales du mouvement palestinien.
Août 1981   Des chasseurs américains abattent deux avions libyens au large des côtes libyennes, à l'occasion de manœuvres de la flotte américaine.
1981-1986   Prise de position, dans la guerre civile qui ravage le Tchad, contre les forces du Sud (Hissène HABRÉ). Glissement des forces armées en direction du lac Tchad.
26 septembre 1985   Rupture des relations diplomatiques avec la Tunisie.
15 avril 1986   Bombardement aérien lancé par les États-Unis sur Tripoli et Benghazi, en représailles de la complicité libyenne engagée dans de nombreux attentats, notamment contre une discothèque américaine à Berlin-Ouest.

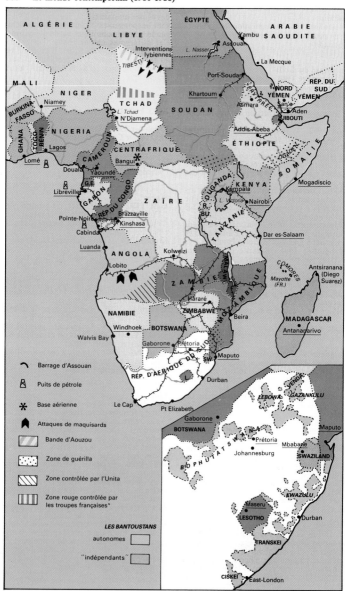

ALGÉRIE

LIBYE

ÉGYPTE

ARABIE SAOUDITE

Interventions lybiennes

TIBESTI

L. Nasser

Yambu

Assouan

La Mecque

MALI

NIGER

TCHAD

L. Tchad

N'Djamena

Port-Soudan

SOUDAN

Khartoum

NORD YÉMEN

RÉP. DU SUD YÉMEN

Asmara

San'a

Aden

DJIBOUTI

Niamey

BURKINA FASSO

NIGERIA

GHANA

TOGO

BÉNIN

Lagos

Lomé

CAMEROUN

CENTRAFRIQUE

Bangui

ÉTHIOPIE

Addis-Abeba

OGADEN

SOMALIE

Douala

Yaoundé

G.E.

Libreville

GABON

RÉP. DU CONGO

ZAÏRE

OUGANDA

KENYA

Kampala

L. Victoria

Nairobi

Mogadiscio

Pointe-Noire

Brazzaville

Kinshasa

R.

BU.

Cabinda

TANZANIE

Luanda

ANGOLA

Kolwezi

Dar es-Salaam

Lobito

ZAMBIE

COMORES

Mayotte (FR.)

Antsiranana (Diego Suarez)

MALAWI

Hararé

ZIMBABWE

MOZAMBIQUE

Beira

NAMIBIE

Windhoek

BOTSWANA

MADAGASCAR

Antananarivo

Walvis Bay

Gaborone

Prétoria

Maputo

RÉP. D'AFRIQUE DU SUD

SW.

L.

Durban

⌒ Barrage d'Assouan

⚒ Puits de pétrole

✳ Base aérienne

⚑ Attaques de maquisards

▨ Bande d'Aouzou

⦂ Zone de guérilla

▧ Zone contrôlée par l'Unita

▥ Zone rouge contrôlée par les troupes françaises*

LES BANTOUSTANS

autonomes ☐

"indépendants" ☐

Le Cap

Pt Elizabeth

Gaborone

BOTSWANA

LEBOWA

VENDA

GAZANKULU

Prétoria

Mbabane

Johannesburg

SWAZILAND

BOPHUTATSWANA

Maputo

KWAZULU

Maseru

LESOTHO

Durban

TRANSKEI

CISKEI

East-London

Tensions et conflits en Afrique 1980-1986

Tchad
22 mars 1980   Bataille à N'Djamena entre les forces armées du Nord (F.A.N.) et les forces armées tchadiennes (F.A.T.). Les F.A.N. vont à partir de 1982 tendre la main à la Libye.

10 août 1983   Opération « Manta » : intervention aéroportée française pour soutenir le gouvernement d'Hissène HABRÉ et enrayer la pénétration libyenne.

Novembre 1986   Au sommet de Lomé (Togo), Hissène HABRÉ reçoit la promesse du soutien logistique français en cas de rétablissement de la souveraineté tchadienne sur le Nord. Goukouni WEDDEYE, ancien chef des F.A.N., est retenu prisonnier à Tripoli.

Éthiopie
Février 1982   Opération « Étoile Rouge » : offensive des troupes de MENGISTU HAILE MARIAM, contre la guérilla au nord de l'Érythrée qui lutte pour son indépendance.

1984-1986   Transfert de 600 000 villageois du Nord vers le Sud et l'Ouest devant les menaces de famine.

Soudan
6 avril 1985   Chute du maréchal NEMEIRY, renversé par l'armée. SADEK EL MAHDI devient Premier ministre.

1986   Intensification de la guérilla dirigée par John GARANG dans le Sud.

Ouganda
Mai 1981   L'armée tanzanienne évacue le pays après avoir réinstallé au pouvoir le président OBOTE, successeur d'AMIN DADA.

Juillet 1985   OBOTE est renversé.

29 janvier 1986   Le chef de l'Armée Nationale de Résistance (N.R.A.), MUSEVENI, prend le pouvoir.

L'Afrique de l'Ouest
Guinée
26 mars 1984   Mort de Sekou TOURÉ.

3 avril 1984   Prise de pouvoir par des officiers, dont Lansana CONTE qui devient président.

Janvier 1986   Remplacement du sily par le franc guinéen.

Liberia
12 avril 1980   Coup d'État contre le président William TOLBERT qui est tué. Fin du pouvoir des afro-américains. Le sergent-chef K. DOE dirige le pays.

15 octobre 1985   Élections contestées en sa faveur.

Haute-Volta
7 décembre 1981   Le colonel ZERBO est chassé du pouvoir.

4 août 1983   Le capitaine SANKARA devient Premier ministre et instaure une dictature.

4 août 1984   La Haute-Volta devient le BURKINA FASSO.

Décembre 1985   Conflit armé avec le Mali.

Ghana
31 décembre 1981   Coup d'État du capitaine RAWLINGS qui renverse le président LIMANN.

Janvier 1983   Retour des 500 000 émigrés du Nigeria.

1984-1985   Effondrement de la monnaie, le cédi.

Nigeria
1980-1983   Présidence de Shehu SHAGARI, soutenu par les Haoussas du Nord.

Juillet 1981   Émeutes de Kano (plus de 1 500 morts).

17 janvier 1983   Expulsion des immigrés par centaines de milliers.

31 décembre 1983   Le général BUHARI prend le pouvoir.

27 août 1985   Après un autre coup d'État, arrivée au pouvoir du général Ibrahim BABANGIDA.

1er octobre 1985   « État d'urgence économique » : réduction des importations et des salaires du secteur public. Flottement de la monnaie, le naira.

Cameroun
4 novembre 1982   Démission du président de la République M. Ahmadou AHIDJO. Paul BIYA lui succède.

6 avril 1984   Échec de la révolte de la Garde républicaine.

L'Afrique au sud de l'Équateur
Angola
1980-1986   Intensification de la guérilla conduite par l'U.N.I.T.A., mouvement de libération anticommuniste dirigé par Jonas SAVIMBI. Paralysie du chemin de fer du BENGUELA. M. SAVIMBI semble contrôler, en 1986, le tiers du pays. Le gouvernement de Luanda est toujours activement aidé par l'U.R.S.S. et Cuba.

Mozambique
Mars 1984   Accord de Nkomati : pacte de non-agression avec l'Afrique du Sud. Poursuite de l'action des maquis sur l'axe Mutare-Beïra.

10 octobre 1986   Mort du président Samora MACHEL, dans un accident d'avion.

Zimbabwe

Juillet 1985   Victoire de la ZANU, parti du premier ministre Robert MUGABE aux dépens du parti ZAPU de Joshua NKOMO.

Octobre 1986   Sommet des « non-alignés » dans la capitale Harare : proclamation de l'urgence de mesures contre l'Afrique du Sud.

Afrique du Sud

Avril 1981   Montée de l'extrême droite (H.N.P.) aux élections législatives.

4 décembre 1981   Le Ciskei est le 4ᵉ Bantoustan à recevoir l'« indépendance ».

Novembre 1983   Création par référendum de deux nouvelles Chambres, une pour les métis, l'autre pour les Indiens.

1984   Attribution du prix Nobel de la paix à l'évêque anglican noir Desmond TUTU favorable aux sanctions économiques contre Pretoria.

Novembre 1986   Départ des grandes sociétés américaines (I.B.M., G.M.) et anglaises (Barclays).

Madagascar

Novembre 1982   RATSIRAKA est réélu président de la République.

Décembre 1984   Troubles des Kung-Fu.

Amérique du Nord

Canada

20 mai 1980   Près de 60 % des Québécois repoussent le projet de « souveraineté-association » avec Ottawa présenté par René LEVESQUE.

16 juin 1984   Pierre Elliott TRUDEAU abandonne le gouvernement.

4 septembre 1984   Triomphe de Brian MULRONEY à la tête des conservateurs.

Septembre 1985   René LEVESQUE abandonne la présidence du parti québécois.

États-Unis

28 mars 1979   Accident à la centrale nucléaire d'Harrisburg.

15 juillet 1979   Devant le deuxième choc pétrolier, le président CARTER présente son troisième plan d'économie d'énergie.

15 août 1979   André YOUNG, premier ambassadeur noir des États-Unis auprès de l'O.N.U., est contraint à la démission pour avoir donné audience à un représentant de l'Organisation de Libération de la Palestine.

28 avril 1980   Cyrus VANCE, qui n'a pas été informé de la préparation du raid entrepris le 25 avril pour tenter de libérer les otages américains prisonniers à Téhéran, démissionne de son poste de secrétaire d'État auprès du président CARTER.

Novembre 1980   Élection présidentielle. M. CARTER est battu par Ronald REAGAN, républicain, ancien gouverneur de Californie, à la Présidence. Le Sénat est

dominé par une majorité de républicains. REAGAN a obtenu 43 millions de voix contre 35 à M. CARTER.

30 mars 1981   Attentat contre REAGAN.

24 avril 1981   Levée de l'embargo sur l'exportation de céréales en direction de l'U.R.S.S. Satisfaction dans le Middle-West.

13 août 1981   Réforme fiscale (allégement d'impôts) pour favoriser l'entreprise et l'investissement individuel. Mise en place d'une nouvelle politique économique : moins d'argent à l'État, plus d'argent aux particuliers. La loi du marché doit s'imposer : liberté des tarifs anciens, concurrence dans le domaine des télécommunications, etc. C'est ce que l'économiste français SORMAN appellera « la révolution conservatrice ».

25 octobre 1983   Débarquement des troupes américaines sur l'île de la Grenade, après l'assassinat du Premier ministre, Maurice BISHOP.

Novembre 1984   Ronald REAGAN est réélu avec 59 % des voix.

Février 1985   Le dollar dépasse le cours de 10 francs.

Septembre 1985   Accord du Plaza Hotel à New York. M. James BAKER, secrétaire d'État au Trésor, demande l'appui des cinq plus grandes puissances financières du monde pour faire baisser le dollar.

28 janvier 1986   Explosion en vol de la navette « Challenger ». Réorganisation de la NASA.

15 avril 1986   Raid sur Tripoli (voir Libye).

11-12 octobre 1986   Rencontre REAGAN-GORBATCHEV à Reykjavik sur le désarmement. REAGAN n'abandonne pas son projet de « guerre des étoiles » destiné à détruire dans l'espace les fusées adverses.

Novembre 1986   Élections au Congrès favorables aux démocrates soutenus par les agriculteurs du Middle-West ruinés par la baisse des prix du blé et du maïs.

Après l'heureux retour d'otages qui avaient été détenus au Liban, le scandale du projet « Recovery » éclate : des armes modernes et des pièces détachées ont été envoyées en Iran et les profits de l'opération ont servi à financer les opérations des « contras » au Nicaragua. Ni le Département d'État, ni le Congrès ne furent tenus au courant. Démission de l'amiral POINDEXTER, conseiller du Président pour les questions de sécurité.

Début d'une affaire qui secoue la présidence et l'opinion publique.

Le dollar est à 6,50 F après avoir dépassé 10 F peu de mois auparavant.

Amérique latine

Mexique

Août 1982   Le président José Lopez PORTILLO suspend les paiements des intérêts de la dette. Le Mexique est au bord de la faillite.

1983 Le nouveau président, Miguel de La MADRID, obtient le soutien du Fonds Monétaire International grâce à un plan sévère d'économies.

Dans l'État de Chihuahua, le règne du P.R.I. (Parti Révolutionnaire Institutionnel) est menacé par les nombreux succès du P.A.N. (Parti d'Action Nationale).

19-20 septembre 1985 Tremblement de terre à Mexico. Plus de 5 000 morts. 40 000 blessés. 150 000 sans abri.

Salvador
24 mars 1980 Assassinat de Mgr Oscar ROMERO, archevêque de San Salvador.
6 mai 1984 Élection du président José Napoléon DUARTE (démocrate-chrétien). Échec des pourparlers avec le F.M.L.N. (Front de Libération Nationale Farabundo MARTI).

Nicaragua
Mai 1983 L'O.N.U. charge le « groupe de Contadora » (Mexique, Venezuela, Panama, Colombie) d'apporter une solution à la guerre civile qui oppose les « contras » au gouvernement officiel d'inspiration marxiste.
Août 1986 Le Sénat américain approuve l'octroi d'une aide de 100 millions de dollars aux « contras » luttant contre les sandinistes. Protestations du président ORTEGA.

Haïti
18 décembre 1983 Appel de l'épiscopat en faveur de plus de justice sociale à la suite de la visite du pape JEAN-PAUL II en mars.
Mai 1984 Émeutes de la faim à Gonaïves et à cap Haïtien.
7 février 1986 Le président Jean-Claude DUVALIER est contraint d'abdiquer. Il part en exil en France. Le général NAMPHY assure l'ordre public.

Jamaïque
1980 Edouard SEAGA, de tendance modéré, remplace Michael MANLEY, de tendance socialiste, au poste de Premier ministre.
Octobre 1981 Rupture avec Cuba.
Octobre 1983 Dissolution de l'Assemblée au moment de l'intervention des États-Unis à Grenade.

Surinam
Février 1980 L'ex-lieutenant colonel Desi BOUTERSE s'empare du pouvoir.
1982 Les Pays-Bas, ancien colonisateur, suspendent leur aide.

Automne 1986 Desi BOUTERSE est menacé par la révolte de Ronnie BRUNSWIJK. L'état d'urgence est proclamé dans l'est et le sud du pays.

Brésil
Septembre 1982 Suspension du service de la dette (90 milliards de dollars). Négociation avec le F.M.I.
Janvier 1985 Élection de Tancredo NEVES à la présidence. Fin du régime des militaires dominé par le général J.B. FIGUEIREDO.
Mars 1985 José SARNEY, ancien vice-président, assume la présidence à la mort de Tancredo NEVES.
Février 1986 Lancement du « plan cruzado » contre l'inflation galopante : blocage des prix. Abandon du cruzeiro et création d'une nouvelle monnaie.
Novembre 1986 Succès du Parti du Mouvement Démocratique Brésilien (P.M.D.B.) soutenant le Président SARNEY aux élections à l'Assemblée constituante.

Uruguay
1980 Deuxième traité de Montevideo consacrant la naissance de l'Association latino-américaine d'intégration (ALADI) regroupant tous les pays d'Amérique latine.
18 janvier 1984 Grève générale contre le régime militaire représenté par le gouvernement du général ALVAREZ.
1er mars 1985 Le président Julio Maria SANGUINETTI entre en fonction : rétablissement du régime civil.

Paraguay
1983 Mise en service du barrage géant d'Itaipu sur le Parana.
Mai 1985 Le général Alfredo STROESSNER célèbre ses trente et un ans de gouvernement malgré les problèmes agraires et la montée du syndicalisme.

Argentine
Avril-juin 1982 Guerre des Falkland (îles Malouines) contre la présence de la Grande-Bretagne qui réussit à reprendre Port-Stanley.
Décembre 1983 Instauration du gouvernement ALFONSIN (du parti radical), mettant fin au pouvoir des généraux (Jorge VIDELA, Roberto VIOLA, Léopold GALTIERI).
Mars 1984 Échec du gouvernement devant le Parlement. Les sénateurs péronistes l'empêchent de réaliser la réforme des syndicats.
Juillet 1985 Lancement du Plan Austral pour lutter contre l'inflation. Création d'une nouvelle monnaie : l'austral, rattaché au dollar.

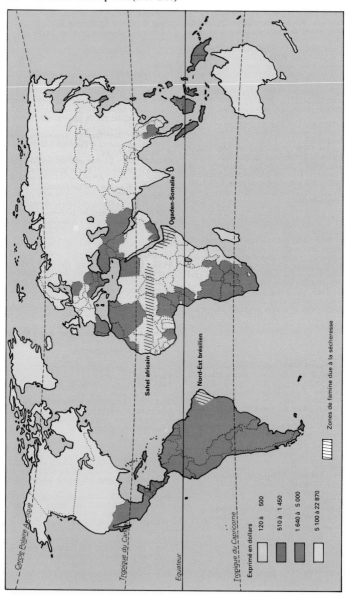

Produit national brut par habitant

Décembre 1985   Condamnation à la prison perpétuelle du général VIDELA et de l'amiral MASERA.
Novembre 1986   Conflit avec l'Angleterre qui veut réglementer la pêche dans un cercle de 150 milles autour des îles Falkland.

Colombie
Mai 1982   Belisario BETANCOURT est élu président.
Juin 1982   Suppression de l'état de siège pour préparer l'amnistie en faveur des guérilleros du mouvement M 19. Ils gardent leurs armes.
Avril 1984   Assassinat du ministre de l'Intérieur par la mafia des stupéfiants.
Novembre 1985   Affaire du palais de justice de Bogota occupé par les guérilleros du M 19. L'armée intervient. Massacre des magistrats.
13 novembre 1985   Catastrophe d'Armero : 23 000 morts disparaissent sous un fleuve de boue.
Mai 1986   Virgilio BARCO est élu président.

Pérou
18 mai 1980   Retour au régime civil. Élection de Fernando BELLAUNDE TERRY à la présidence.
30 décembre 1982   Devant les progrès du mouvement de guérilla « Sentier lumineux », d'inspiration maoïste, proclamation de l'état d'urgence dans sept provinces.
1er juin 1985   Alan GARCIA, du parti A.P.R.A. (Alliance populaire révolutionnaire américaine) est élu président.

Chili
11 mai 1985   Première journée de manifestation *(protesta)*, dix ans après l'avènement du général PINOCHET.
26 août 1985   Accord entre les partis non marxistes, pour envisager la transition vers la démocratie.

Asie
Inde
Janvier 1980   Triomphe d'Indira GANDHI aux élections contre la coalition conservatrice du Janata.
Février 1983   Rajiv GANDHI, son fils, est nommé secrétaire national du parti du Congrès.
6 juin 1984   Les forces armées s'emparent du Temple d'Or d'Amritsar, sanctuaire des Sikhs.
31 octobre 1984   Assassinat d'Indira GANDHI par deux gardes du corps sikhs.
Décembre 1984   Élections législatives. Triomphe électoral de Rajiv GANDHI, Premier ministre dès la mort de sa mère.

24 juillet 1985   Accord entre Rajiv GANDHI et LONGOWAL, chef du parti Akali Dal, qui réunit les Sikhs modérés du Pendjab.
Août 1985   Assassinat de LONGOWAL.

Sri Lanka
Novembre 1982   J.R. JAYEWARDENE est réélu président pour 6 ans. Il refuse la création d'un État séparé dans les provinces du Nord et de l'Est (État d'Eclam) réclamé par le Front Uni de Libération Tamoul (T.U.L.F.).
Juillet 1983   Émeutes anti-tamouls à Colombo.
14 mai 1985   Attaque de la ville d'Anuradhapura par des Tamouls qui ont la majorité dans les provinces de Jaffna, Mullaitivu, Mannar et Vavuniya.
Novembre 1986   Les autorités indiennes dispersent les camps d'entraînement des guérilleros tamouls dans l'État de Tamil Nadu (capitale Madras).

Pakistan
19 décembre 1984   Référendum approuvant massivement la politique d'islamisation du général ZIA UL HAQ.
30 décembre 1985   Le général ZIA UL HAQ proclame la levée de la loi martiale.
10 avril 1986   Retour d'exil de Benazir BHUTTO, fille de l'ancien Premier ministre Ali BHUTTO, exécuté en 1979.

Bangladesh
Mai 1981   Assassinat de Ziaur RAHMAN qui avait succédé au premier chef du nouvel État, Mujibur RAHMAN.
Mars 1982   Le général ERSHAD prend le pouvoir avec l'aide de l'armée.
Mai 1985   Cyclone entraînant dix mille morts.

Indonésie
1980-1986   Le président SUHARTO s'appuie sur le parti Golkar qui s'inspire de l'idéologie officielle, le Pancasila, aux « cinq principes », dont l'unité nationale et la justice sociale.
12 septembre 1984   Procès des émeutiers de Tanjung Priok, proches de l'intégrisme islamique.
1986   Annexion du Timor oriental plus de dix ans après l'invasion du territoire par les troupes indonésiennes. Continuation de la résistance des guérilleros du Fretilin. Résistance à l'islamisation par les catholiques formés à l'époque de la colonisation portugaise.

Vietnam
1979-1986   Exode de centaines de milliers de réfugiés qui gagnent la haute mer *(boat-people)* pour être, dans le meilleur des cas, dirigés sur Hong-Kong ou la Thaïlande.

Mai 1981, avril 1982, avril 1983 Attaques chinoises sur la frontière nord du Tonkin.

1983 Extension à l'industrie du « système des trois intérêts » (État, collectivités, individus) préalablement expérimenté dans le domaine agricole.

1983-1986 Politique antinataliste pour une population qui dépasse 60 millions.

Septembre 1985 Dévaluation de 90 % de la monnaie nationale, le dong.

Cambodge (Kampuchea)

7 janvier 1979 Les Khmers rouges sont chassés de Pnom-Penh par l'armée vietnamienne qui confie le pouvoir à un conseil révolutionnaire du peuple présidé par Heng SAMRIN. L'O.N.U. ne reconnaît pas le nouveau gouvernement, défendu par l'U.R.S.S. et attaqué par la Chine dans les instances internationales.

15-17 décembre 1979 POL POT, dont la politique de terreur systématique a laissé les plus douloureux souvenirs, est remplacé par Khieu SAMPHAN à la tête des Khmers rouges. Leurs maquis se réfugient le long de la frontière thaïlandaise.

9 juillet 1982 Dans cette « zone neutre libérée », formation d'un gouvernement de résistance à l'occupation vietnamienne présidé par l'ancien souverain du Cambodge, le prince SIHANOUK, qui avait été chassé par ZON NOL.

Janvier-février 1984 Raids des Khmers rouges sur Battambang et sur Siem Reap.

15 février 1985 Le quartier général des Khmers rouges à Phnom-Malai est occupé par les forces vietnamiennes.

Laos

1979-1986 Lutte contre les maquis anticommunistes animés par les populations Méos, avec intervention des troupes vietnamiennes.

22-23 février 1983 Conférence au sommet des pays d'« Indochine » à Vientiane, regroupant des délégués du Laos, du Vietnam et du Kampuchéa, tous trois dans l'orbite soviétique.

Chine

25 janvier 1981 Procès de la « Bande des quatre ». Jiang QING, veuve de Mao ZEDONG, est condamnée à mort avec un sursis de deux ans.

Septembre 1982 Présentation du XIIe congrès par Deng XIAOPING. Chute de Hua GUOFENG.

4 décembre 1982 Entrée en vigueur de la nouvelle Constitution.

1983 Année de contrôle des membres du parti : nécessité de la réinscription individuelle.

26 septembre 1984 Déclaration sino-britannique sur le retour de Hong-Kong à la Chine en 1997. « Deux systèmes cohabiteront dans le même pays. »

Octobre 1984 Réforme d'ensemble du système économique. Introduction d'une certaine liberté des prix.

1985 Abolition du système de livraison de quotas obligatoires à l'État.
Développement du petit commerce privé.
Ouverture grandissante à l'implantation de firmes étrangères.

Décembre 1986 Événement historique : de grandes manifestations étudiantes se déroulent à Shanghaï, puis à Pékin. Au départ, elles semblent avoir l'aval de Deng XIAOPING qui cherche à libéraliser contre la fraction dure du P.C. Mais le gouvernement y porte un coup d'arrêt quand les étudiants réclament la liberté de la presse.

Japon

1981 Le gouvernement de Zenko SUZUKI (libéral-démocrate) s'engage à limiter l'exportation des voitures vers les États-Unis.

26 novembre 1982 Yasuhiro NAKASONE devient Premier ministre.

Juillet 1986 Réélection triomphale. Record absolu du cours du yen : moins de 150 yens pour un dollar. Le revenu moyen de 121 millions de Japonais rattrape celui de 242 millions d'Américains.

12 août 1986 Succès de la première fusée spatiale japonaise.

Taïwan

30 novembre 1983 Déclaration du président REAGAN : « Les États-Unis considèrent la République populaire comme le seul gouvernement légal de la Chine. »

6 décembre 1986 Pour la première fois, le parti unique Kuomintang du président Chiang CHING-KUO, fils de Tchang KAÏ CHEK, est ouvertement défié aux élections par un parti d'opposition.

Corée du Sud

1er septembre 1983 Destruction d'un Bœing 747 de la Korean Air Lines avec 269 personnes par un avion soviétique. Grande émotion dans le monde.

9 octobre 1983 Attentat de Rangoon contre le gouvernement sud-coréen (quatre ministres tués), exécuté par un commando originaire de la Corée du Nord.

Janvier 1985 Adversaire du gouvernement de CHUN DOO HWAN, KIM DAE JUNG rentre en Corée.

Automne 1986 Troubles universitaires violents à Séoul.

Philippines

21 août 1983 Assassinat de Benigno

Aquino, opposant au régime du président Marcos.

7 février 1986 Élection présidentielle contestée.

25 février 1986 Cory Aquino, appuyée par les États-Unis, est reconnue présidente. Marcos se réfugie à Hawaï. Le général Juan Ponce Enrile, partisan de la fermeté contre les maquis communistes, est nommé ministre de la Défense.

Novembre 1986 Assassinat de Rolando Olalia, président du Parti du Peuple (N.G. Bayan) et du K.M.U. (Kilusan Mayo Uno), mouvement syndical de gauche. Le général Enrile quitte le gouvernement après une tentative de coup d'État.

Océanie

Australie

5 mars 1983 Victoire du parti travailliste dirigé par Robert Hawke.

Août 1985 Traité de Barotonga (îles de Cook) pour la dénucléarisation du Pacifique Sud, regroupant treize pays, objectif majeur du parti travailliste australien (A.L.P.).

Nouvelle-Zélande

14 juillet 1984 Victoire du parti travailliste dirigé par David Lange. Refus d'accueillir dans les ports néo-zélandais tous les navires à propulsion atomique ou dotés d'armes atomiques.

10 juillet 1985 Sabotage du bateau *Rainbow Warrior* appartenant au mouvement écologiste et antinucléaire « Greenpeace », par des agents français dans le port d'Auckland. Hostilité croissante de l'opinion contre les essais atomiques de Mururoa, en Polynésie.

Nouvelle-Calédonie

18 septembre 1981 Assassinat d'un leader indépendantiste, Pierre Declercq.

31 juillet 1984 Adoption d'un statut évolutif avec un référendum dans les cinq ans.

Janvier 1985 Edgar Pisani, délégué du gouvernement, présente un plan conduisant à l'indépendance, bien accueilli par Tjibaou, leader du F.N.L.K.S., mais récusé par la population de souche européenne. Celle-ci réclame un référendum d'autodétermination, sachant que les indépendantistes seraient minoritaires.

Printemps 1986 A l'issue de la défaite des socialistes aux élections législatives, M. Pons (R.P.R.), nouveau ministre du DOM-TOM, réforme le plan Pisani. L'objectif est d'aboutir au référendum d'autodétermination auquel participeraient tous les habitants de l'archipel.

Catastrophes écologiques

3 décembre 1984 Fuite de gaz toxique à l'usine Union Carbide à Bhopal, en Inde. 2 000 morts environ.

25 avril 1986 Première grande catastrophe atomique : explosion d'un réacteur à Tchernobyl (U.R.S.S.). Retombées radioactives sur la Scandinavie et l'Europe occidentale.

1er novembre 1986 Incendie aux usines Sandoz à Bâle (Suisse). Le Rhin perd sa faune pour des années à la suite du rejet de produits chimiques.

Armement atomique
Équilibre stratégique

En matière de forces conventionnelles (blindés, infanterie), la puissance des armées du pacte de Varsovie l'emporte largement sur les armées du pacte Atlantique. Ainsi s'explique l'intérêt porté par les puissances occidentales aux fusées nucléaires tactiques à moyenne portée, dites « euromissiles ».

Décembre 1979 Le conseil des ministres de l'O.T.A.N. décide de déployer en Europe occidentale 164 missiles « Cruise », missiles à moyenne portée pouvant se déplacer de 20 à 60 mètres au-dessus du sol pour échapper aux radars adverses.

Novembre 1981 Ouverture des négociations américano-soviétiques à Genève sur les euro-missiles. Les États-Unis proposent l'« option zéro » qui entraînerait le démantèlement des fusées à portée moyenne américaines et russes de part et d'autre du rideau de fer. L'U.R.S.S. se refuse à séparer l'armement atomique de la Grande-Bretagne et de la France de l'armement atomique des États-Unis : les puissances atomiques occidentales doivent être incluses dans la négociation.

23 mars 1983 Le président Reagan annonce le lancement d'un programme de lutte contre les fusées stratégiques à longue portée de l'adversaire par des rayons lasers. C'est le projet de « guerre des étoiles ».

14 novembre 1983 Arrivée des premières fusées Pershing en Grande-Bretagne.

22 novembre 1983 En Allemagne fédérale, le Bundestag approuve l'installation de fusées Pershing de moyenne portée pour répondre aux SS 20 installés en Europe de l'Est. La multiplication des satellites militaires en orbite géostationnaire permet d'obtenir d'excellentes photographies des sites de lancement de chaque camp.

1979-1986 Mise au point dans chaque camp de bombes à neutrons destinées à tuer en épargnant les constructions. Les recherches se poursuivent sur les leurres destinés à tromper les radars adverses et sur les avions sans pilote. Le sous-marin atomique reste l'arme stratégique par excellence, étant beaucoup moins vulnérable que les bases de lancement fixes installées à terre.

Europe occidentale

Union européenne
1989 Élection du Parlement européen.

9-10 décembre 1991 Sommet de Maastricht Le chancelier KOHL et le président MITTERRAND évitent la rupture avec John MAJOR, représentant le Royaume-Uni.

7 février 1992 Signature des accords de Maastricht. Ils fixent les étapes de la marche vers la monnaie unique avec la création dès 1994 d'un Institut monétaire européen (I.M.E.).
La Communauté s'engage à « réduire l'écart entre le niveau de développement des diverses régions ». Création d'un fonds européen de développement régional.

Mars 1992 M. Delors demande 140 milliards supplémentaires pour le budget communautaire (augmentation de 30 % sur cinq ans). Fortes réticences de la Grande-Bretagne, de l'Allemagne et de la Belgique.

21 mai 1992 Réforme de la PAC.

22 mai 1992 Création de l'Eurocorps.

2 juin 1992 Référendum danois sur le traité de Maastricht. Le « non » l'emporte.

Juillet-août 1992 Crise du SME.

Septembre 1992 La France ratifie le traité de Maastricht.

1er novembre 1992 Avec l'entrée en vigueur du traité de Maastricht, la CEE devient l'Union européenne.

1er janvier 1993 Entrée en vigueur du Marché commun européen

18 mai 1993 Les Danois approuvent sous conditions le traité de Maastricht.

2 août 1993 La Grande-Bretagne ratifie le traité de Maastricht.

Janvier 1994 Entrée en vigueur de l'Union économique et européenne.

13 novembre 1994 La Suède dit « oui » à l'Union européenne.

27 novembre 1994 Les Norvégiens refusent par référendum l'adhésion de leur pays à l'Union européenne.

5-6 décembre 1994 Création de l'OSCE (Organisation pour la sécurité et la coopération en Europe), 52 États-membres.

1er janvier 1995 L'Autriche, la Suède et la Finlande entrent dans l'Union européenne qui compte désormais 15 pays.

23 janvier 1995 Le Luxembourgeois Jacques SANTER remplace le Français Jacques DELORS à la présidence de la Commission européenne.

6 mars 1995 Accord d'union douanière des Quinze avec la Turquie.

26 mars 1995 Entrée en vigueur de la convention de Schengen signée par 7 des quinze pays de l'Union européenne (Allemagne, Belgique, Espagne, France, Luxembourg, Pays-Bas, Portugal).

L'Autriche y adhère le 28 avril.

Novembre 1995 La France réintègre le comité militaire de l'OTAN.

Décembre 1995 L'ECU devient l'Euro.

14 janvier 1997 Le conservateur espagnol José Maria Gil-Robles devient président du Parlement européen

Avril 1998 Désignation des États membres participant à la monnaie unique (prévision).

1999 L'Euro est la monnaie unique de l'Union (prévision).

2002 Disparition du franc (prévision).

France
La crise, consécutive aux chocs pétroliers, est marquée par la montée du chômage :

1973 :   400 000
1981 : 1 846 000
1986 : 2 400 000
1992 : 2 900 000
1993 : 3 000 000
1997 : 3 081 100

Le premier septennat de François Mitterrand

24 janvier 1981 Le candidat officiel du Parti socialiste sera François MITTERRAND ; Michel ROCARD s'est désisté.
En fin de compte, huit candidats vont se présenter contre Valéry GISCARD D'ESTAING à la présidence de la République.

26 avril 1981 Premier tour de l'élection présidentielle :
28,31 % pour Valéry GISCARD D'ESTAING
25,84 % pour François MITTERRAND (P.S.)
17,99 % pour Jacques CHIRAC (R.P.R.)
15,34 % pour Georges MARCHAIS (P.C.)

10 mai 1981 Deuxième tour :
51,75 % pour François MITTERRAND
48,24 % pour Valéry GISCARD D'ESTAING
15,93 % d'abstentions.

21 mai 1981 Pierre MAUROY est nommé Premier ministre.

14 juin 1981 Élections législatives, premier tour :
37,51 % pour le P.S. et M.R.G.
20,80 % pour le R.P.R.
19,20 % pour l'U.D.F.
16,17 % pour le P.C.

21 juin 1981 Deuxième tour :
Sur 481 sièges :
285 pour le P.S. et apparentés
88 pour le R.P.R.
64 pour l'U.D.F.
44 pour le P.C.

24 juin 1981 Formation définitive du gouvernement MAUROY.
Il comprend 4 ministres communistes. Jacques DELORS est ministre de l'Économie et des Finances.

17 juillet 1981 Durée du travail ramenée de 40 à 39 heures pour le même salaire.

Généralisation de la cinquième semaine de congés payés.

18 septembre 1981 La Chambre des députés vote la suppression de la peine de mort.

22 septembre 1981 Inauguration du T.G.V. Paris-Lyon.

4 octobre 1981 Réajustement du cours du franc par rapport au mark de 8,5 % (franc = -3 %, mark = +5,5 %)

18 décembre 1981 Vague de nationalisations :

a) *Dans le secteur industriel,* neuf groupes sont touchés, conformément au Programme commun de 1971.

La sidérurgie (Usinor, Sacilor) était déjà très fortement endettée, sans espoir de se dégager.

Dans l'industrie chimique, trois grands groupes passent sous le contrôle de l'État : Péchiney-Ugine-Kuhlmann.

Dans l'industrie électrique, la Compagnie Générale d'Électricité et Thomson-Brandt sont visées.

b) *Dans le secteur bancaire,* trente-six banques et deux compagnies financières (Suez et Paribas).

Les actions industrielles et bancaires correspondant aux titres nationalisables sont remboursées pour la somme globale d'environ 35 milliards de francs.

15 janvier 1982 Régularisation de la situation de 150 000 immigrés clandestins.

27 janvier 1982 Promulgation de deux ordonnances inspirées par le rapport Auroux sur le règlement du travail à temps partiel et le recours au travail temporaire.

12 juin 1982 Nouvelle dévaluation du franc accompagnée d'une réévaluation du mark (franc = -5,5 %, mark = +4,25 %).

9 août 1982 Attentat terroriste rue des Rosiers (6 tués, 22 blessés) commis par les Palestiniens.

20 décembre 1982 Les avortements seront remboursés par la Sécurité sociale, sous certaines conditions.

21 mars 1983 Troisième dévaluation du franc, réévaluation du mark (franc = -2,5 %, mark = +5,5 %).

Forte réduction de l'allocation de devises pour les voyages à l'étranger.

11 septembre 1983 Élection municipale de Dreux perdue par le P.S.

Premier succès du Front national de M. LE PEN qui fait campagne pour limiter l'immigration.

17 juin 1984 Élections européennes (43,28 % d'abstentions) :

42,80 % des suffrages exprimés pour la liste de Simone VEIL (R.P.R. + U.D.F.)

20,70 % des suffrages exprimés pour la liste de Lionel JOSPIN (P.S.)

11,20 % des suffrages exprimés pour la liste de Georges MARCHAIS (P.C.)

10,90 % des suffrages exprimés pour la liste de Jean-Marie LE PEN (F.N.)

La liste de Mme VEIL obtient 41 élus, celle de L. JOSPIN (P.S.) 10 élus, le P.C. et le Front national, chacun 10 élus.

24 juin 1984 Manifestation à Paris (1 500 000 personnes) contre le projet de loi Savary sur l'enseignement privé. Il est retiré.

17 juillet 1984 Démission du gouvernement MAUROY.

Laurent FABIUS est nommé Premier ministre à 34 ans.

Sans la participation de ministres communistes, il forme un gouvernement dans lequel Pierre BÉRÉGOVOY occupe le poste clé de ministre de l'Économie, des Finances et du Budget.

4 avril 1985 Démission de Michel ROCARD, ministre de l'Agriculture.

Il est contre l'introduction du scrutin proportionnel pour les prochaines élections législatives.

20 septembre 1985 Démission de Charles HERNU, ministre de la Défense nationale, impliqué dans l'attentat contre le *Rainbow Warrior,* bateau du mouvement écologiqe Greenpeace, coulé dans le port d'Auckland.

16 mars 1986 Élections législatives.

Avec 43 % des voix, la coalition R.P.R. + U.D.F., regroupant le Parti républicain (P.R.) et le Centre des démocrates sociaux (C.D.S.) l'emporte de justesse (2 sièges de majorité).

Le Parti socialiste (32 %) aidé par les radicaux de gauche, limite ses pertes (206 sièges).

Le Parti communiste arrive à égalité avec le Front national (10 à 11 % des voix).

Chacun recueille 35 sièges.

Au total, l'opposition a recueilli 55 % des voix, mais les partis du centre-droit (U.D.F. + R.P.R.) refusent de s'allier ou de négocier avec le Front national.

Dès lors, celui-ci votera tantôt pour, tantôt contre le gouvernement.

20 mars 1986 Jacques CHIRAC (R.P.R.) constitue un gouvernement de coalition avec l'U.D.F. Édouard BALLADUR (R.P.R.) est nommé ministre d'État, chargé de l'Économie, des Finances et de la Privatisation.

Le ministre de l'Intérieur (M. PASQUA) et le garde des Sceaux (M. CHALANDON) viennent également du R.P.R.

François LÉOTARD (P.R.) devient ministre de la Culture et de la Communication.

M. MONORY (C.D.S.) est chargé de l'Éducation nationale, M. GIRAUD est à la Défense nationale.

6 avril 1986 Le régime de « cohabitation » entre un président de la République et un Premier ministre appartenant à des partis opposés s'instaure pour la première fois dans l'histoire de la Ve République. Le franc est dévalué de 3 %, le mark est réévalué de 3 %.

Avril 1986 Le gouvernement entreprend de réaliser son programme de « désétatisation » : dénationalisations, privatisation de deux chaînes de TV, création d'une 5e chaîne privée, libération du contrôle des changes, libération des prix, etc. Pour lutter contre le chômage, il décrète une importante réduction des charges sociales pour les moins de 25 ans. Mais l'action du gouvernement sera souvent freinée par le président de la République et par le Conseil constitutionnel.

7 mai 1986 Mort de Gaston DEFERRE, maire de Marseille.

Novembre-décembre 1986 Manifestations de lycéens et d'étudiants contre la loi Devaquet, réforme universitaire qui est retirée.

Le deuxième septennat de François Mitterrand

24 avril 1988 Premir tour de l'élection présidentielle :
34,09 % pour François MITTERRAND
19,94 % pour Jacques CHIRAC
16,54 % pour Raymond BARRE
14,39 % pour Jean-Marie LE PEN
6,76 % pour André LAJOINIE

8 mai 1988 Deuxième tour :
54,01 % pour François MITTERRAND
45,98 % pour Jacques CHIRAC
15,94 % d'abstentions.

10 mai 1988 Démission de J. CHIRAC.
Michel ROCARD est nommé Premier ministre à sa place. C'est la fin de la « cohabitation ».
Le gouvernement de Michel Rocard (mai 1988-mai 1991) n'a pas la majorité à la chambre et doit souvent recourir à l'article 49/3.

5 juin 1988 Premier tour des élections législatives :
37,52 % pour le P.S. + M.R.G.
37,67 % pour le R.P.R. + U.D.F.
11,32 % pour le P.C.
9,65 % pour le F.N.

12 juin 1988 Deuxième tour :
sur 575 élus
275 pour le P.S.
132 pour l'U.D.F.
131 pour le R.P.R.
27 pour le P.C.F.
1 pour le F.N.

30 novembre 1988 L'aggravation de la crise économique et sociale entraîne, au nom de la solidarité, la création du R.M.I. (revenu minimum d'insertion) pour lutter contre la marginalisation. Il est alimenté par un impôt supplémentaire sur le patrimoine.

1989 Conflit dans les prisons.
Agitation en Corse.

Juillet 1989 Projet de loi relatif au séjour des étrangers.

16 novembre 1989 Création de la C.S.G. (contribution sociale généralisée).

Janvier-mars 1990 Mouvement de grève dans les hôpitaux.

Août-septembre 1990 Agitation du monde rural qui souffre de la baisse des cours.

Octobre 1990 Émeutes de banlieue à Vaulx-en-Velin.

1991 La France participe à l'opération militaire au Koweït.

Août 1990/janvier-février 1991 Dans le cadre des résolutions du Conseil de sécurité, la France participe à la guerre contre l'Irak pour la libération du Koweït.
Envoi de la Division Daguet en Arabie Saoudite.
M. CHEVÈNEMENT, ministre de la Guerre, donne sa démission dès le commencement des hostilités.

Mars-juin 1991 Incidents violents dans les banlieues.

15 mai 1991 Michel ROCARD est remplacé par Mme Édith CRESSON : maintien de la rigueur monétaire.
Difficultés de la politique industrielle (Bull, Thomson).

Juin 1991 Plan visant à réduire le déficit de la Sécurité sociale.
Projets de loi sur la réforme hospitalière et sur la ville.

29 septembre 1991 Deux cent mille agriculteurs manifestent à Paris, inquiets devant l'évolution de la politique agricole commune (P.AC.). Une succession d'affaires contribue à une désaffection à l'égard du pouvoir socialiste.

Octobre 1991 Scandale du sang contaminé.
Édith CRESSON annonce de nombreuses délocalisations d'organismes publics.

22 mars 1992 Élections régionales (en % des voix) :
33 % pour l'U.P.F. (R.P.R. + U.D.F.)
(39,9 % aux rég. de 86)
18,3 % pour le P.S. (30 aux rég. de 86)
13,9 % pour le F.N. (9,7 aux rég. de 86)
8 % pour le P.C. (10,2 aux rég. de 86)
7,1 % pour Génération Écologie
6,8 % pour les Verts (2,3 aux rég. de 86)

2 avril 1992 Pierre BÉRÉGOVOY, Premier ministre.

Mars 1993 Victoire électorale de l'alliance R.P.R.-U.D.F. aux législatives. Avec plus de 480 sièges pour la droite, le gouvernement dispose à l'Assemblée de la plus forte majorité depuis 1958.
Édouard BALLADUR, Premier ministre, inaugure la seconde cohabitation.

1er mai 1993 Suicide de Pierre BÉRÉGOVOY.

Mai 1993 Mesures économiques en faveur de la rigueur budgétaire et de l'augmentation des prélèvements.
Projet de loi sur le Code de la nationalité.
Loi sur les privatisations.

1994 Le PCF abandonne le centralisme démocratique, Robert HUE remplace Georges MARCHAIS à la tête du parti.

Décembre 1994 Prise d'otages à bord de l'Airbus d'Air France par un commando islamiste.

23 juin 1994 Loi sur la bioéthique.

Mai 1995 Jacques CHIRAC élu président de la République avec 52,64 % des voix. Alain JUPPÉ, Premier ministre.
Le président Jacques CHIRAC annonce la reprise des essais nucléaires.

Juin 1995 Les élections municipales marquent une avancée du FN (Front national) dans les grandes villes (ex : Toulon).

Juin-septembre 1995 Vague d'attentats : attentat à la station de RER Saint-Michel (juin), attentat place Charles-de-Gaulle, attentat devant l'école juive de Villeurbanne (août), attentat du métro Maison-Blanche (septembre).

Septembre 1995 Lionel JOSPIN, Premier secrétaire du PS.

Octobre 1995 Alain JUPPÉ rend public son plan de financement de la Sécurité sociale.

Novembre-décembre 1995 Vaste mouvement de grèves et de manifestations.

8 janvier 1996 Mort de François MITTERRAND, président de la République de 1981 à 1995.

22 février 1996 Annonce de la réforme du service militaire qui doit se traduire par l'abandon de la conscription en 2002.

Octobre 1996 Regain de violence en Corse.

19-23 octobre 1996 Voyage de Jacques CHIRAC en Israël, à Gaza et au Liban.

Décembre 1996 Loi DEBRÉ, durcissement des lois PASQUA relatives à l'immigration.

Avril 1997 Affaire des écoutes de l'Élysée.

21 avril 1997 Jacques CHIRAC annonce la dissolution de l'Assemblée nationale.

1er juin 1997 Victoire de la gauche aux élections législatives (en % des suffrages exprimés) :
38,85 % pour le P.S. (245 sièges),
3,76 % pour le P.C. (37 sièges),
4,13 % pour les D.G. (29 sièges),
1,62 % pour les Verts (8 sièges)
23,65 % pour le R.P.R (140 sièges)
20,98 % pour l'U.D.F. (109 sièges)
1,41 % pour les D.D. (8 sièges)
5,6 % pour le F.N. (1 siège)

2 juin 1997 Lionel JOSPIN est nommé Premier ministre.

L'Allemagne fédérale, la RDA et la réunification allemande

Octobre 1988 Première visite d'Helmut KOHL à Moscou.
Déclaration sur « l'ouverture d'un nouveau chapitre » dans les relations germano-soviétiques.

Été 1989 Fuite massive de l'Est vers l'Ouest grâce aux ambassades de la République fédérale à Prague, à Varsovie et à Budapest.

7 octobre 1989 40e anniversaire de la fondation de la R.D.A. Visite de GORBATCHEV à Berlin-Est.

18 octobre 1989 Démission d'Erich HONECKER, remplacé par Egon KRENZ à la tête de l'État. Willi STOPH est Premier ministre.

8 novembre 1989 Renouvellement du Politburo. Hans MODROW devient Premier ministre.
Vague de manifestations conduites par des pasteurs et des artistes comme Kurt MASUR. Rôle croissant de l'Église luthérienne, comme à Saint-Thomas de Leipzig.

9 novembre 1989 Chute du mur de Berlin et du « rideau de fer » sur le territoire allemand.

4 février 1990 Après l'expulsion d'Egon KRENZ, Gregor GYSI prend la tête d'un nouveau parti, le P.D.S., héritier de l'ancien parti au pouvoir.

Avril 1990 Après les premières élections libres, gouvernement de coalition dirigé par Lothar de MAIZIÈRE.
Marche vers l'unification prévue pour le 3 octobre.
Fusion des anciens partis de la R.D.A. dans ceux de la R.F.A. : C.D.U., S.P.D., F.D.P.

1er juillet 1990 Union monétaire entre Allemagne de l'Ouest et Allemagne de l'Est.
Le mark oriental est échangé au cours du DM.

12 septembre 1990 Les anciennes puissances occupantes perdent tous leurs droits, notamment à Berlin.

3 octobre 1990 Fusion politique entre l'Allemagne de l'Ouest et Allemagne de l'Est : 5 Länder nouveaux.

14 novembre 1990 Signature du traité germano-polonais confirmant la ligne Oder-Neisse.

2 décembre 1990 Victoire d'Helmut KOHL, premier Chancelier de l'Allemagne réunifiée.

1991 Climat politique troublé par les révélations provoquées par l'ouverture des archives de la Stasi (police secrète de l'ancienne R.D.A.).
Procès d'Erich MIELKE. Mandat d'arrêt contre Erich HONECKER.
Climat économique aggravé à l'Est par la montée du chômage.
Vague de privatisations par l'organisation TREUHAND dirigée par Birgit BREUEL.

20 juin 1991 Transfert du gouvernement et du Bundestag à Berlin (par 338 voix contre 320).

Août 1995 Les dernières troupes soviétiques quittent l'Allemagne.

Avril 1997 Helmut KOHL, premier chancelier allemand à être resté aussi longtemps au pouvoir, annonce son intention de briguer un cinquième mandat en 1998.

Autriche
Juillet 1989 Acte de candidature à la C.E.E.

1992 Le chancelier F. VRANITZKY, socialiste, et Aloïs MOCK, ministre des A. E., du parti conservateur, prévoient un référendum sur l'entrée dans l'Europe.

9 octobre 1994 Échec du SPÖ (Parti socialiste d'Autriche) et de l'ÖVP (parti populaire d'Autriche). Franz VRANITZKY réélu chancelier.

28 janvier 1997 Le social-démocrate Viktor KLIMA remplace Franz VRANITZKY.

Belgique
1987 Gouvernement de coalition chrétiens-démocrates et socialistes dirigé par M.W. MARTENS.

Janvier 1988 Début de la grande bataille boursière dirigée par M. Carlo DE BENEDETTI pour le contrôle de la Société Générale de Belgique.

Novembre 1991 Triomphe des petits partis aux élections : montée des Verts et du Vlaams Blok, partisan de l'indépendance de la partie flamande.

1992 Jean-Luc DEHAENE (chrétien-démocrate flamand) reconstitue un gouvernement de centre-gauche pour réaliser une nouvelle avancée vers le fédéralisme.

1993 Mort du roi Baudouin.

14 octobre 1996 La « marche blanche » provoquée par le dessaisissement du juge d'instruction Jean-Marie CONNEROTTE dans l'affaire du pédophile DUTROUX est le plus grand rassemblement qu'ait connu la Belgique depuis 1945.

Chypre
1996 Les plus violents heurts entre Grecs et Turcs, depuis 1974.

Danemark
1988 Gouvernement SCHLÜTER.

21 septembre 1994 Affaiblissement de la coalition de centre-gauche aux élections législatives

Espagne
Juillet 1991 Le roi Juan CARLOS préside le sommet ibéro-américain de Guadalajara du Mexique.

Novembre 1991 Felipe GONZALEZ insiste, avant Maastricht, sur la nécessité de transferts sociaux croissants vers l'Europe du Sud.

Avril 1992 Inauguration de l'exposition universelle de Séville, rattachée à Madrid par T.G.V.

3 mars 1996 Victoire du Parti populaire (P.P., opposition conservatrice) de José Maria AZNAR.

Finlande
Avril 1991 Formation du cabinet Esko AHO, centre-droit (centriste, conservateur, libéral suédois, chrétien).

Appui économique à l'Estonie.

1992 Disparition du Pacte d'amitié et de coopération Finlande-U.R.S.S., qui datait de 1948.

6 février 1994 Martti AHTISAARI remplace Mauno KOIVISTO.

19 mars 1995 Élections législatives

13 avril 1995 Le social-démocrate Paavo LIPPONEN succède à Esko AHO (parti du centre).

Grande-Bretagne
Septembre 1988 Discours de Mrs. THATCHER à Bruges (Belgique) contre une Europe fédérale et pour une Europe des patries.

Avril 1990 Instauration de la *poll tax*, impôt local, par Mrs. THATCHER qui continue une politique de privatisation.

Novembre 1990 John MAJOR succède à Mrs. THATCHER au poste de Premier ministre.

Janvier-février 1991 Participation à la libération du Koweït.

Mars 1991 Annonce de la suppression de la *poll tax*, très impopulaire, pour avril 1993.

1992 Malgré l'essor des filiales de l'industrie automobile japonaise (Nissan, Toyota), aggravation de la crise économique.

Neil KINNOCK à la tête du parti travailliste soutient des positions européennes modérées.

Développement du courant nationaliste écossais favorable à la sécession (S.N.P.).

9 avril 1992 Élections législatives. Victoire du parti conservateur avec 322 sièges contre 276 au parti travailliste. John Major conserve son poste de Premier ministre.

1er mai 1997 Élections législatives. Victoire du Parti travailliste avec 421 sièges contre 163 aux conservateurs et 46 aux libéraux-démocrates. Le travailliste Tony BLAIR devient Premier ministre.

Grèce
1987 Le gouvernement socialiste (Pasok) de M. PAPANDRÉOU est ébranlé par le scandale de l'escroc Georges KOSKOTAS

ISLANDE

NORVÈGE

FINLANDE

SUÈDE

ESTONIE

LETTONIE

DANEMARK

LITUANIE

RUSSIE

BIÉLORUSSIE

RUSSIE

IRLANDE

ROYAUME-UNI

PAYS-BAS

POLOGNE

BELGIQUE

ALLEMAGNE

LUXEMBOURG

RÉP.
TCHÈQUE

UKRAINE

SLOVAQUIE

MOLDAVIE

FRANCE

LIECHTENSTEIN

SUISSE

AUTRICHE

HONGRIE

SLOVÉNIE

ROUMANIE

ITALIE

CROATIE

VOÏVODINE

BOSNIE-
HERZÉGOVINE

SERBIE

BULGARIE

MONTÉNÉGRO

KOSOVO

PORTUGAL

ESPAGNE

ALBANIE

MACÉDOINE

TURQUIE

GRÈCE

CHYPRE

Union européenne

Pays liés par un accord d'association

Pays de l'AELE, membres de l'Espace
économique européen

Pays liés par un accord européen

Pays prochainement liés
par un accord européen

Pays lié à l'Union par un
accord douanier

L'Europe en 1997

(Banque de Crète).

1981-1990 La Grèce a reçu plus de 18 milliards de dollars de la Communauté européenne.

Avril 1990 Victoire électorale très courte du parti « Nouvelle Démocratie » présidé par M. MITSOTAKIS.

15 janvier 1996 Andréas PAPANDRÉOU démissionne de ses fonctions de Premier ministre. Costas SIMITIS (Pasok) est élu.

22 septembre 1996 Élections législatives : le Pasok de Costas SIMITIS remporte 41,5 % des suffrages (162 sièges sur 300).

Irlande
1985 Accord anglo-irlandais qui donne à l'Irlande le droit de regard sur l'Ulster. Opposition de Ian Paisley, du parti démocratique unioniste.

Février 1992 La Cour suprême autorise le voyage en Angleterre pour une jeune fille de quatorze ans violée, qui, d'après la loi, ne peut se faire avorter en Irlande.

31 août 1994 Cessez-le-feu annoncé par l'IRA.

10 mai 1995 Premiers pourparlers directs entre le Sinn Fein et le gouvernement britannique.

Italie
Juin 1988 Achille OCCHETTO devient secrétaire général du P.C.I.

3 février 1991 Les événements d'U.R.S.S. conduisent le P.C.I. à se transformer en P.D.S. (Parti démocratique de gauche) au Congrès de Rimini.

5 avril 1992 Élections législatives précédées par les « sorties » du président COSSIGA contre la D.C. d'ANDREOTTI et le P.D.S., touché par des révélations sur le rôle de Togliatti durant la Deuxième Guerre mondiale. Essor dans le Nord de la Ligue lombarde du sénateur Umberto BOSSI et du mouvement pour le référendum de Mario SEGNI.

27 mars 1994 L'homme d'affaires Silvio BERLUSCONI accède à la présidence du Conseil à l'issue des élections législatives remportées par la droite.

13 janvier 1995 Après une longue crise gouvernementale, L. DINI succède à S. BERLUSCONI.

Avril 1996 La coalition de centre-gauche remporte les élections législatives anticipées. La ligue d'Umberto BOSSI obtient 10% des voix. Romano PRODI devient président du Conseil.

Mi-septembre 1996 Umberto BOSSI proclame « l'indépendance » de la Padanie.

Malte
Mai 1987 Victoire du Parti national sur les travaillistes. Premier ministre : Édouard FENECH ADAMI.

Juillet 1990 Demande d'adhésion de Malte à la Communauté européenne.

22 février 1992 Le Parti national garde le pouvoir grâce aux élections perdues par les travaillistes.

Norvège
1986 Mme Gro HARLEM BRUNDTLAND, socialiste, Premier ministre.

Octobre 1989 J. SYSE, modéré, lui succède.

17 janvier 1992 Mort du roi Olav V, son fils Harald lui succède.

Portugal
Octobre 1991 Anibal CAVACO SILVA, du parti social-démocrate, gagne les élections et reste Premier ministre. Il guide l'entrée du Portugal dans l'Europe communautaire depuis 1986.

1er janvier 1992-30 juin 1992 Le Portugal préside la C.E.E. Antonio GUTERRES devient chef du parti socialiste.

Septembre 1995 Le parti socialiste portugais remporte les législatives.

14 janvier 1996 Le candidat socialiste Jorge SAMPAIO remporte l'élection présidentielle.

Suède
15 septembre 1991 Le Parti social-démocrate est battu aux élections par une coalition du centre-droit (conservateurs, libéraux, centristes et chrétiens-démocrates).
Carl BILDT, conservateur, forme le gouvernement. Il est favorable à une entrée rapide de la Suède dans le Marché commun.

18 septembre 1994 Progrès de la gauche aux élections législatives et locales.

6 octobre 1994 Le social-démocrate Ingvar CARLSSON forme son gouvernement.

22 mars 1996 Göran PERSSON devient Premier ministre.

Vatican
Juin 1987 Voyage triomphal de Jean-Paul II en Pologne.

Mai 1988 Les Européens deviennent minoritaires au Sacré Collège, après la nomination de vingt-cinq nouveaux cardinaux.

Mars 1991 Reconstitution de l'Église catholique ukrainienne de rite byzantin. Retour du cardinal LUBACHIVSKY à Lvov.

1er mai 1991 Encyclique *Centesimus Annus* en souvenir du centenaire de *Rerum Novarum* publiée par Léon XIII.

8 décembre 1992 Promulgation officielle du nouveau catéchisme.

6 août 1993 Encyclique *Veritatis splendor,* sur les questions éthiques.

25 mai 1995 Encyclique *Ut unum sint* (Pour que tous soient un) pour l'unité avec les autres Églises chrétiennes.

14 avril 1996 Appel avec l'islam modéré.

Mai 1996 Visite en Slovénie.

Juin 1996 Premier voyage du pape en Allemagne réunifiée.

22 septembre 1996 Voyage (contesté) du pape en France pour le 1500ᵉ anniversaire du baptême de Clovis.

19 novembre 1996 Visite du pape Jean-Paul II à Cuba, c'était le dernier pays d'Amérique latine à ne pas l'avoir encore reçu.

U.R.S.S. et États héritiers

1987 ELTSINE, partisan de GORBATCHEV, est chassé du Politburo après avoir mis en cause le système politique et critiqué vivement ses collègues.

10 février 1990 GORBATCHEV reçoit Helmut KOHL à Moscou, il accepte la réunification.

14 mars 1990 GORBATCHEV est élu président de l'URSS pour 5 ans.

1990 Putsch de Moscou.

29 mai 1990 Après le départ d'Andreï GROMYKO et d'Egor LIGATCHEV, ELTSINE est élu président du Soviet suprême de la Russie, puis, le 12 juin 1991, premier président élu au suffrage universel de la Fédération de Russie.

18 août 1991 Les menaces sur le maintien de la Fédération, les grèves des mineurs, la fin du Comecon en juin 1991, conduisent les conservateurs regroupés autour de Gvennadi IANAEV à interner GORBATCHEV dans sa résidence d'été en Crimée.

20-21 août 1991 ELTSINE resté à Moscou défend la légalité, réfugié au Parlement de Russie (Maison Blanche).

L'armée hésite puis recule. Échec du putsch. GORBATCHEV est libéré mais politiquement très affaibli. Ses collaborateurs l'ont trahi.

1ᵉʳ décembre 1991 Référendum en Ukraine en faveur de l'indépendance suivi par l'indépendance du Kazakhstan proclamée par le président Noursoultan NAZARBAEV.

8 décembre 1991 Fin de l'U.R.S.S. Accords de Minsk.

Boris ELTSINE, Leonid KRAVTCHOUK, Stanislas CHOUCHKEVITCH, présidents de la Russie, de l'Ukraine et de la Biélorussie, créent la C.E.I. (Communauté d'États indépendants). Les structures fédérales de l'ancienne U.R.S.S. disparaissent.

21 décembre 1991 Réunion d'Alma-Ata au Kazakhstan.

La création de la C.E.I. est approuvée par toutes les républiques. La Géorgie n'en fait pas partie.

25 décembre 1991 Démission de GORBATCHEV de la présidence de l'U.R.S.S.

Disparition de la Banque du commerce extérieur (V.E.B.) de l'ancienne U.R.S.S.

2 janvier 1992 M. Andreï NECHAYEV, ministre des Affaires économiques, se lance dans la libération des prix sans accord avec les partenaires de la C.E.I., notamment pour le pétrole et le gaz.

Février 1992 M. Yegar GAIDAR, ministre des Finances, veut obtenir la convertibilité du rouble et payer régulièrement la part russe de la dette soviétique antérieure à 1992.

Octobre 1993 Violence et confusion à Moscou. Les nostalgiques de l'ex-U.R.S.S. se rassemblent autour du général ROUTSKOÏ et occupent la mairie. Boris ELTSINE ordonne l'entrée dans Moscou de divisions d'élite de l'armée et proclame l'État d'urgence.

Juin 1996 Alexandre LEBED, 3ᵉ au premier tour des élections présidentielles avec 15 % des voix, se rallie à ELTSINE qui le nomme secrétaire du Conseil de sécurité.

3 juillet 1996 Boris ELTSINE remporte le second tour de l'élection pésidentielle.

17 octobre 1996 Alexandre LEBED, soupçonné de fomenter un coup d'État par le ministre de l'Intérieur Anatoli KOULIKOV, est limogé par Boris ELTSINE.

6 novembre 1996 Alexandre LEBED crée son parti.

23 décembre 1996 Absent de la scène politique depuis sa réélection en juillet, pour cause de maladie, Boris ELTSINE reprend ses fonctions.

Arménie-Azerbaïdjan-Géorgie

Février-mars 1992 L'effondrement du pouvoir fédéral permet l'essor des nationalismes, notamment dans le Caucase. La Géorgie est en conflit avec le territoire autonome des Ossètes. L'Arménie défend avec les armes le territoire du Nagorny-Karabak entouré par la république d'Azerbaïdjan. L'ancienne armée de l'U.R.S.S., passée sous l'autorité de la C.E.I., évacue ces territoires menacés par la guerre civile.

Juillet 1993 Guerre civile en Géorgie.

21 juin 1994 Forces d'interposition russes entre les séparatistes d'Abkhazie et les autorités géorgiennes.

Pays Baltes

Ces trois États ont dénoncé les effets du pacte MOLOTOV-RIBBENTROP du 23 août

1939 qu'ils n'ont jamais reconnu.
Mars 1990 La Lituanie proclame sa souveraineté.
5 mars 1991 Les États baltes font sécession avec l'Union soviétique.

Estonie
28 juillet 1989 Déclaration d'indépendance.

Lituanie
11 mars 1990 Déclaration d'indépendance. Élection de Vytautas LANDSBERGIS au poste de président du Parlement.
Janvier 1991 Intervention des parachutistes soviétiques à Vilnius (Lituanie) et à Riga (Lettonie).
6 septembre 1992 L'indépendance des trois Républiques baltes est reconnue par le Conseil d'État de la C.E.I.

Kurdistan
Mai 1994 Le début de la guerre entre les deux grandes formations kurdes, l'Union patriotique du Kurdistan (U.P.K.) et le Parti démocratique du Kurdistan (P.D.K.), transforme le conflit contre le régime de Bagdad en guerre fratricide.

Ukraine
24 août 1991 Déclaration d'indépendance votée à la quasi-unanimité par le Soviet suprême ukrainien.
1er décembre 1991 Référendum populaire : plus de 90 % des électeurs choisissent l'indépendance. Leonid KRAVTCHOUK est élu président de la République ukrainienne avec 62 % des voix.
30 décembre 1991 Sommet de la C.E.I. (Communauté des États indépendants) à Minsk consacrant l'indépendance de l'Ukraine. Accord de principe sur la répartition des forces terrestres.
Janvier 1992 Conflits avec la Russie sur l'attribution définitive de la Crimée et le lancement d'une monnaie indépendante du rouble.

La guerre en Tchétchénie
Décembre 1994 Début du soulèvement en Tchétchénie.
Janvier 1995 Poursuite de la guerre en Tchétchénie.
Août 1996 Alexandre LEBED signe l'accord qui met fin au conflit en Tchétchénie.
8 septembre 1996 Évacuation des troupes russes de Tchétchénie. La guerre a fait 60 000 morts en moins de deux ans.
19 octobre 1996 Le chef d'état-major des indépendantistes tchétchènes Aslan MASKHADOV est nommé Premier ministre du gouvernement de coalition.

23 novembre 1996 Décret ordonnant le retrait complet des troupes russes de Tchétchénie.
12 mai 1997 Accord de paix signé par B. ELTSINE et A. MASKHADOV mettant fin à un conflit multiséculaire entre la République musulmane du Caucase et la grande Russie.

États héritiers de l'Europe de l'Est

Albanie
Été 1990 Exode de 20 000 Albanais vers Bari et Brindisi.
1991 Victoire des communistes aux élections en Albanie.
Février 1992 Émeutes de Pogradec, écrasées par l'armée sous les ordres du Premier ministre, Vilson AHMETI.
22 mars 1992 Consultation électorale au milieu des émeutes de la faim : triomphe du parti démocratique de Sali BERISHA.
Février 1997 À la suite de l'effondrement de sociétés financières détenues par la mafia, la population lésée se soulève dans le Sud. Intervention européenne (France, Espagne, Roumanie, Grèce et Turquie) sous direction italienne.

Bulgarie
1989 300 000 Bulgares d'origine turque fuient en Turquie. Todor ZHIVKOV, chef du P.C. bulgare depuis 1945, est chassé du pouvoir, puis arrêté.
Juillet 1990 Élection à la présidence de la République de M. Jeliou JELEV, du parti de l'Union des forces démocratiques.
Octobre 1991 Élections législatives :
110 sièges pour l'Union des forces démocratiques
106 pour les anciens communistes (parti socialiste)
24 députés représentent la minorité turque.
16 décembre 1994 Élections législatives anticipées pour la 3e fois en 4 ans.
125 sièges pour le Parti socialiste bulgare, 69 sièges pour l'Union des forces démocratiques. La minorité turque perd son rôle de force charnière.
Début 1997 Succession de violentes manifestations pour obtenir la démission du gouvernement, aboutissant à de nouvelles élections (avril) et à la défaite des anciens communistes.
21 mai 1997 Ivan KOSTOV, libéral, est nommé Premier ministre.

Hongrie
1987 Karoly GROSZ, Premier ministre, doit assurer la transition après le départ de KADAR, imposé par l'U.R.S.S. après l'in-

surrection de 1956.

Janvier 1989 Réhabilitation d'Imre NAGY, fusillé en 1956.

3 mai 1989 Démantèlement des barbelés entre l'Autriche et la Hongrie.

Septembre 1989 Adoption du multipartisme en Hongrie.

Octobre 1989 Effondrement de l'État-parti. La Hongrie devient une « république ». Ce n'est plus une démocratie populaire.

25 mars 1990 Premières élections libres en Hongrie.

Avril 1990 Élections libres. Succès du groupe « Forum » et des « Démocraties libres ».

Mai 1990 Joseph ANTALL, Premier ministre.

Mai 1991 Départ des dernières troupes soviétiques.

Mai 1994 Retour des socialistes (ex-communistes) au pouvoir à l'issue des élections législatives.

Novembre 1996 Peter STOÏANOV devient président. Il est opposé au P.S.B., parti ex-communiste.

Pologne

Octobre 1978 Élection du cardinal WOJTYLA de Cracovie à la dignité pontificale.

Octobre 1984 Assassinat du père POPIELUSZKO.

Septembre 1988 M. MESSNER cède la place de Premier ministre à M. RAKOWSKI.

Février-avril 1989 Pourparlers de la table ronde aboutissant à des élections « libres » (avec un quota de 65 % de voix pour le gouvernement).

Août 1989 T. MAZOWIECKI, journaliste catholique, devient Premier ministre.

Décembre 1989 La Pologne est officiellement une république et non une « démocratie populaire ».

1ᵉʳ janvier 1990 Mise en route d'une vague de privatisations et de libéralisation des prix organisée par le ministre des Finances, Leszek BALCEROWICZ.

9 décembre 1990 Lech WALESA est élu président de la République.

Novembre 1991 29 partis au Parlement, à la suite des élections législatives.
Nouveau gouvernement dirigé par J. OLSZEWSKI.

17 février 1992 Démission du ministre des Finances Karol LUTKOWSKI.

Novembre 1995 Lech WALESA perd la présidence face à un ex-communiste.

Roumanie

1988 CEAUCESCU lance la politique de « systématisation » ou de regroupement de villages.

Décembre 1989 Aggravation des conditions de vie (chauffage, ravitaillement). Les manifestants de Temisoara sont écrasés par la milice. L'émeute gagne Bucarest d'où CEAUCESCU s'enfuit pour être rattrapé et sommairement exécuté à Tirgoviste, le soir de Noël, avec sa femme.

4 janvier 1990 Le Premier ministre Petre ROMAN annonce la réorientation de la politique économique.
Abandon des grands travaux.

20 mai 1990 Premières élections libres en Roumanie.

14 juin 1990 Le président ILIESCU fait écraser l'agitation étudiante par des milliers de mineurs armés de barres de fer.

23 février 1992 Défaite électorale du F.S.N. (Front de salut national), parti du Président.

16 septembre 1996 Le traité proclamant l'inviolabilité des frontières avec la Hongrie et la garantie des droits de la minorité hongroise de Roumanie met fin à 5 ans de pourparlers.

3 novembre 1996 Victoire de la Convention démocratique de l'opposant Emil CONSTANTINESCU sur la démocratie sociale, ralliée au président Ion ILIESCU.

17 novembre 1996 Le chrétien-démocrate Emil CONSTANTINESCU est élu à la présidence.

Tchécoslovaquie

1977 Vaclav HAVEL, écrivain, fonde avec ses amis dissidents la charte 77 concernant le respect des droits de l'Homme.

1988 Anniversaire de l'invasion de 1968. Fondation de l'association d'opposants « Forum civique ». Formation de gouvernements associant des communistes comme ADAMEC et CALFA à des opposants.

29 décembre 1989 Vaclav HAVEL est élu président de la République tchécoslovaque.

1990 Création de la République fédérative des Tchèques et des Slovaques.

1991 Les dernières troupes d'occupation soviétiques quittent le pays.

7 octobre 1991 Traité germano-tchécoslovaque (Genscher-Dienstbier) effaçant les effets de Munich. Réserves de la Slovaquie dont les nationalistes restent favorables à l'indépendance.

1993 La Tchécoslovaquie se scinde en deux républiques indépendantes.
La République tchèque est sous l'égide de Vaclav HAVEL et la Slovaquie sous celle de Vaclav KLAUS.

Yougoslavie et États héritiers

19 novembre 1988 Troubles dans la province autonome du Kosovo, située en

République de Serbie. Hostilité entre la population albanaise et les Serbes.

Dérèglement du système fédéral au profit de la Serbie.

25 juin 1991 La Croatie, puis la Slovénie proclament leur indépendance. Slobodan MILOSEVIC, président de la Serbie, s'y oppose.

Juin 1991 Début de la guerre de Yougoslavie.

18 juillet 1991 L'armée fédérale se retire de la Slovénie, mais non de la Croatie. Durs combats à l'est, à Osijek et à Vukovar, qui durent jusqu'en décembre. Dubrovnik est gravement touché.

8 septembre 1991 Référendum à 95 % de voix favorables à l'indépendance de la Macédoine, dont la Grèce redoute les revendications territoriales au nord de Salonique.

23 décembre 1991 L'Allemagne reconnaît officiellement l'indépendance de la Slovénie et de la Croatie.

15-16 janvier 1992 L'Europe des Douze reconnaît l'indépendance de la Slovénie et de la Croatie.

Février 1992 Accord entre Serbes et Croates pour accueillir les forces de l'O.N.U. sur la ligne de feu, après les missions de lord CARRINGTON et de Cyrus VANCE.

1er mars 1992 Référendum en Bosnie-Herzégovine sur l'indépendance. Troubles à Sarajevo. Les Serbes fidèles à l'idée de « grande Serbie » s'abstiennent. La Fédération yougoslave est morte.

Septembre 1992 La Serbie et la Croatie proclament leur indépendance.

11 février 1994 Ultimatum de l'OTAN aux Serbes de Bosnie

26 mai 1995 Les Serbes de Bosnie répondent aux raids de l'OTAN en prenant plusieurs centaines de casques bleus en otage.

Juin 1995 Conférence de Londres sur la guerre en Bosnie.

Juillet 1995 L'enclave de Srebrenica tombe. Ratko MLADIC et Radovan KARADZIC sont inculpés de crime contre l'humanité.

Août 1995 Le marché Tarkala à Sarajevo est bombardé par les Serbes : représailles des forces de l'OTAN.

Novembre 1995 Signature des accords de paix de Dayton

14 décembre 1995 L'accord de paix de Dayton ne règle pas le sort de Brcko ; une cour d'arbitrage international a un an pour statuer.

19 mars 1996 Réunification de Sarajevo.

9 septembre 1996 Reconnaissance mutuelle de la Croatie et de la République fédérale de Yougoslavie (RFY, Serbie, Monténégro).

14 septembre 1996 Victoire des partis nationalistes lors des premières élections d'après-guerre en Bosnie.

1er octobre 1996 Levée des sanctions commerciales imposées à la Serbie et au Monténégro par l'O.N.U. depuis 1992.

3 octobre 1996 Alija IZETBEGOVIC, président de Bosnie, et Slobodan MILOSEVIC, président de Serbie, signent, à Paris, la normalisation des relations entre leurs pays.

9 novembre 1996 La présidente de la République serbe de Bosnie, Biljana PLAVSIC, limoge le général Ratko MLADIC.

17 novembre 1996 Au deuxième tour des élections municipales, l'opposition conquiert une quarantaine de mairies, dont celle de Belgrade. Mais commission électorale et tribunaux annulent les résultats. Début des manifestations.

26 novembre 1996 Importante manifestation à Belgrade réclamant la démission de Slobodan MILOSEVIC pour non-respect des résultats des élections municipales. À la tête de l'opposition : Zoran DJINDJIC, Vesna PESIC et Vuk DRASKOVIC.

27 novembre 1996 Troisième tour, boycotté par l'opposition.

Le général Ratko MLADIC annonce sa démission et remet « tous ses pouvoirs » à son suppléant le général Manojlo MILOVANOVIC.

27 décembre 1996 L'OSCE confirme la victoire de l'opposition dans 14 des 18 grandes villes, dont Belgrade.

13 janvier 1997 Plus de 300 000 manifestants dans la capitale lors du Nouvel an orthodoxe.

11 février 1997 Le Parlement serbe vote une loi reconnaissant les victoires de l'opposition.

14 février 1997 La cour repousse sa décision concernant la ville de Brcko au 15 mars 1998. D'ici là, un « superviseur » américain doit veiller au retour dans Brcko des réfugiés musulmans et croates.

Relations internationales

Janvier 1990 Création de la BERD.

1990 Convention des Nations unies sur les droits de l'enfant.

Conférence intergouvernementale sur l'Union économique et monétaire.

Novembre 1993 Négociation du GATT, Uruguay Round.

Juin 1995 Lors de son sommet à Halifax, le G7 devient le G8 avec l'entrée de la Russie.

17 décembre 1996 Le Ghanéen Kofi ANNAN devient secrétaire général de l'ONU et remplace M. BOUTROS-GHALI.

L'ex-Bosnie-Herzégovine

Situation de la péninsule balkanique en Europe

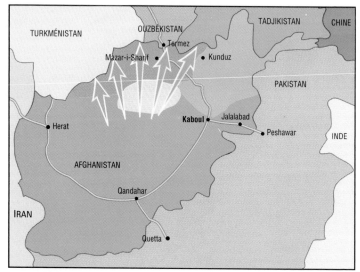

L'Afghanistan

Progression des Talibans au **24 mai 1997** (90 % du territoire)
Contre-offensive du général Massoud le **1ᵉʳ juin 1997** : les Talibans perdent le contrôle de Mazar-i-Sharif et d'une partie de Kaboul

Principaux axes routiers

Zones contrôlées par :
les Talibans (pachtouns)
les partisans du commandant Massoud (tadjiks)
les partisans de Rachid Dostom (chef des Ouzbeks) avant de céder à la progression des Talibans
les Hazaras (Afghans de souche mongole), partisans du Hezb-é Wahdat (chiites pro-iraniens) avant de céder à la progression des Talibans

Moyen-Orient

Afghanistan
Avril 1988 Accord entre le gouvernement afghan et l'U.R.S.S. sur l'évacuation par étapes des troupes d'invasion.

Février 1989 Continuation des combats entre les troupes du gouvernement de Kaboul et les résistants des maquis.

Mars 1990 Échec du putsch dirigé contre le gouvernement de NAJIBULLAH. Développement de zones indépendantes de Kaboul comme celle d'Ahmed Shah MASSOUD, au sud du Tadjikistan, dominée par les sunnites, ou celle de la région d'Hazarajat dominée par les chiites, au centre du pays.

Avril 1992 Chute du président NAJIBULLAH, instauration d'un pouvoir islamique partagé entre les chefs des différentes factions victorieuses.

27 septembre 1996 Les Talibans prennent Kaboul et assassinent Mohammed NAJBILLAH, dernier président du régime communiste. Application de la charia (loi islamique).

Octobre 1996 Contre-offensive du commandant MASSOUD. Les Talibans l'emportent sur les forces ouzbèques du général DOSTOM et s'emparent de la province de Badghis.

24 mai 1997 Les Talibans contrôlent 90% du territoire afghan, mais la contre-offensive du général Massoud est un succès.

Arabie Saoudite
1987 Massacre à La Mecque. Des pèlerins iraniens révoltés sont écrasés par les miliciens saoudiens, dans la cour de la Grande Mosquée.

1991 Participation à la guerre contre l'Irak. Menacé par l'invasion du Koweït, l'émir JABER se réfugie dans le royaume voisin d'où la contre-offensive américaine est partie.

1ᵉʳ mars 1992 Promulgation par le roi FAHD d'une « loi fondamentale du pouvoir » : institution d'un conseil consultatif « Majlis al-Choura ».

28 décembre 1993 Mise en place du conseil consultatif. Résultat limité.

26 septembre 1994 L'arrestation de Safar Al-Hawali, prédicateur contestataire, provoque des manifestations.

Octobre 1994 Création d'un Haut-Conseil aux affaires religieuses et d'un Haut-Conseil pour l'orientation islamique.

16 février 1995 Prorogation de l'accord de Taëf (1934) sur le Yémen.

Janvier 1996 Le roi FAHD malade cède la place à son dauphin ABDALLAH.

Égypte

1987 Le président MOUBARAK est réélu.

Janvier 1991 Dans la crise de la guerre du Koweït, l'Égypte prend le parti de l'Arabie Saoudite en envoyant un contingent qui fait partie de la coalition anti-irakienne.

Novembre 1991 M. BOUTROS-GHALI, vice-Premier ministre, secrétaire général des Nations-unies. C'est le premier Africain titulaire de ce poste.

8 juin 1992 Assassinat de l'écrivain Farag FODA considéré comme la bête noire des islamistes

21 octobre 1992 Premier attentat contre des touristes (1 mort, 2 blessés).

14 octobre 1994 Le prix Nobel de littérature Naguib MAHFOUZ est blessé par un militant islamiste.

27 juin 1995 Attentat contre le président Hosni MOUBARAK.

Le conflit israélo-palestinien

9 décembre 1987 Dans les territoires occupés depuis 1967, la guerre des Pierres contre les soldats d'Israël (Intifada) commence.

Décembre 1988 Le droit à l'existence d'Israël est reconnu par M. ARAFAT au nom de l'O.L.P.

1990 Fusillade de l'Esplanade du Temple.

Janvier-février 1991 Israël reçoit sans riposter de nombreux missiles irakiens pendant la guerre du Koweït.

Novembre 1991 Conférence de la paix à Madrid entre Israël et les puissances arabes voisines (Syrie, Liban, Jordanie, Palestine).

Février 1992 Poursuite des pourparlers à Washington. Les États-Unis ne donneront leur garantie pour dix milliards de dollars de prêts destinés à loger des centaines de milliers d'immigrants juifs russes que si les implantations dans les territoires occupés s'arrêtent.

16 décembre 1992 Expulsion de 415 islamistes palestiniens dans les territoires occupés.

Août 1993 Palestiniens et Israéliens parviennent à une « déclaration de principe » pour un régime d'autonomie des territoires occupés. La Knesset rétablit la légalité des contacts entre Israël et l'O.L.P. Accord de Washington entre RABIN et ARAFAT.

Juillet 1995 Signature à Taba d'un accord entre Israël et l'O.L.P.

28 septembre 1995 Ytzhak RABIN et Yasser ARAFAT signent à Washington un accord intérimaire sur l'extension de l'autonomie de 7 villes de Cisjordanie dont Hébron où l'armée israélienne doit effectuer un retrait partiel.

4 novembre 1995 Assassinat d'Ytzhak RABIN à Tel-Aviv.

18 avril 1996 Bombardement israélien à Cana (Liban) d'un poste de la Finul : 102 morts, 105 blessés. Réprobation générale dans le monde.

24 avril 1996 Suppression de la charte de l'O.L.P. de 1964, des articles contraires à la reconnaissance entre Israël et l'O.L.P.

29 mai 1996 Élection de Benyamin NÉTANYAHOU, leader du Likoud (droite), comme premier ministre des Israéliens

4 septembre 1996 Yasser ARAFAT et Benyamin NÉTANYAHOU se rencontrent pour la première fois à Erez, point de passage entre la bande de Gaza et Israël et se serrent la main.

8 octobre 1996 Première visite publique de Yasser ARAFAT en Israël, sur l'invitation du chef de l'État juif Ezer WEIZMAN.

15 novembre 1996 La Cour suprême d'Israël autorise la torture de détenus palestiniens.

10 décembre 1996 Le gouvernement israélien donne son feu vert à l'édification de la première cité résidentielle réservée aux citoyens juifs, en plein cœur du secteur arabe de Jérusalem.

Août 1998 Échéance du dernier retrait de l'armée israélienne d'une région rurale non encore définie de la zone C (voir carte). A l'issue de ce retrait, les Palestiniens estiment qu'ils devraient contrôler 90 % de la Cisjordanie, les Israéliens qu'ils devraient maintenir sous leur autorité de 40 à 50 % du territoire !

Iran

Août 1988 Armistice dans la guerre Irak-Iran. M. Hachemi RAFSANDJANI, commandant en chef par intérim des forces armées iraniennes, a accepté la résolution 598 du Conseil de sécurité du 20 juillet 1987.

Janvier 1989 Pendant la guerre du Koweït, l'Iran sert de refuge à une centaine d'avions irakiens, les meilleurs (bombardiers 50-24 soviétiques). Hostilité à l'égard de tout démembrement de l'Irak au profit de la Turquie, ou de la Syrie.

4 juin 1989 Mort de l'Ayatollah KHOMEINY. Hachemi RAFSANDJANI prend la présidence. Soutien accordé aux fondamenta-

Mer Méditerranée

Djenine

Tulkarem

Naplouse

Kalkilya

Tel-Aviv

Ramallah

Jéricho

Jérusalem

Bethléem

Mer Morte

Gaza

Hébron

ISRAËL

Beersheba

JORDANIE

Zone A : autonome, contrôlée par l'Autorité palestinienne.
Elle couvre depuis le 17 janvier 1997, les trois quarts d'Hébron

Zone B : localités dans lesquelles l'Autorité
palestinienne exerce les pouvoirs civils et Israël, la sécurité

Zone C : colonies juives, zones de sécurité militaire et terres
inhabitées, sous le contrôle d'Israël

ÉGYPTE

Israël et les territoires palestiniens

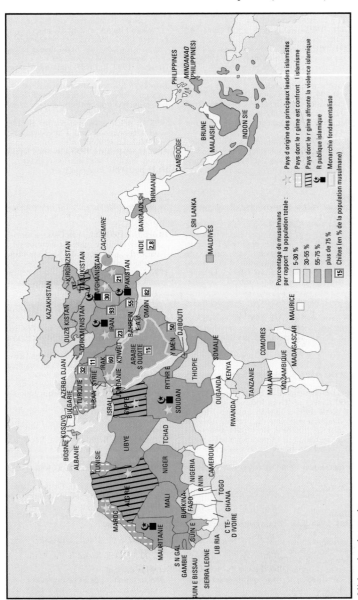

L'islam dans le monde

Pourcentage de musulmans
par rapport à la population totale :

5-30 %

30-55 %

55-75 %

plus de 75 %

15 Chiites (en % de la population musulmane)

★ Pays d'origine des principaux leaders islamistes

Pays dont le régime est confronté à l'islamisme

Pays dont le régime affronte la violence islamique

République islamique

Monarchie fondamentaliste

listes musulmans notamment à Beyrouth et à Khartoum au Soudan.

Août 1991 Assassinat en France de Chapour BAKHTIAR.

1991-1992 Interêt croissant pour les ex-républiques musulmanes de l'U.R.S.S. défunte. Réarmement progressif.

30 avril 1995 Imposition d'un embargo américain unilatéral.

Avril 1997 Tension entre l'Europe et l'Iran à la suite de la mise en cause de l'Iran dans l'assassinat de leaders kurdes.

Mai 1997 Tremblement de terre. Environ 4 000 morts.

25 mai 1997 Victoire de Mohammed KHATAMI, hodjatoleslam (rang intermédiaire dans le clergé chiite), mais candidat d'ouverture.

Irak
La guerre du Koweït (deuxième guerre du Golfe)

2 août 1990 Sadam HÜSSEIN fait occuper le Koweït par les troupes irakiennes. Le Conseil de sécurité de l'O.N.U. exige l'évacuation. Devant le refus de S. HÜSSEIN, constitution d'une force internationale (États-Unis, Grande-Bretagne, France, Arabie Saoudite, Égypte, Syrie) pour libérer le Koweït.

17-28 janvier 1991 Offensive aérienne des Alliés.

28 janvier-3 février 1991 Offensive terrestre victorieuse. La mission de l'O.N.U. ne comprend pas l'occupation de l'Irak. S. HÜSSEIN réussit à écraser une révolte des Kurdes au nord-ouest et des chiites à l'est.

Février 1992 L'Irak reste toujours soumis au blocus. Fusées et armes chimiques échappent encore au contrôle de l'O.N.U.

1993 Cessez-le-feu en Irak.

14 avril 1995 L'O.N.U. autorise l'Irak à vendre à nouveau du pétrole, mais en quantité limitée et alors que l'embargo a été reconduit le 13 mars précédent.

31 août 1996 Intervention de l'armée irakienne à Erbil dans le Kurdistan irakien.

4 septembre 1996 Des frappes américaines contraignent l'Irak à retirer ses avions de la zone d'exclusion aérienne.

Liban
Mai 1988 L'armée syrienne occupe les quartiers de Beyrouth tenus par les groupes chiites.

1989 Accords de Taëf, en Arabie Saoudite, engageant le Liban à entretenir des relations « fraternelles » avec la Syrie. La Constitution serait rééquilibrée en faveur des musulmans.

Mai 1991 La prépondérance de la Syrie au Liban est consacrée par le traité de Damas.

Août 1991 Départ du général AOUN, obligé de quitter l'ambassade de France après s'y être réfugié pendant dix mois.

Février 1992 Intervention israélienne de représailles dans le Sud-Liban : le chef du Hezbollah, MANSAWI, est tué.

Octobre 1992 Rafic HARIRI devient premier ministre.

Juin 1995 L'insoumission des F.L. persiste jusqu'à cette date en dépit de la loi sur le désarmement des milices adoptée en mai 1991.

1995 Le débat passionné sur les élections présidentielles aboutit à la reconduction de M. Elias HRAOUI.

Août et septembre 1996 Élections législatives. Victoire des partis au pouvoir.

10-11 mai 1997 Visite du pape.

Turquie
Novembre 1989 Turgut OZAL devient président de la République. Premier ministre : Y. AKBULUT.

20 octobre 1991 Suleïman DEMIREL devient Premier ministre après sa victoire sur le parti du président de la République Turgut OZAL.

1992 Lutte d'influence avec l'Iran concernant les anciennes républiques musulmanes de l'ex-U.R.S.S. comme la Turkménie. Revendications des Kurdes dans le sud-est avec le P.K.K. (Parti des travailleurs kurdes).

24 janvier 1993 Assassinat par des islamistes du journaliste Ugur MUMCU, symbole du kémalisme.

24 décembre 1995 Élections législatives. Le Refah (Parti de la prospérité islamiste) arrive en tête avec 21% des voix.

7 juin 1996 Nomination au poste de Premier ministre de Necmettin ERBAKAN du Parti de la prospérité.

Yémen
22 mai 1990 Réunion de la République populaire du Yémen du Sud avec la République du Yémen du Nord.

1991 Pendant la guerre du Koweït, sympathies pro-irakiennes.

21 mai 1994 Ali SALEMAL-BIDI proclame la naissance de la République démocratique du Yémen.

7 juillet 1994 Fin de la crise sécessionniste. Chute d'Aden.

Afrique

Afrique du Sud
1986 Instauration de l'état d'urgence. Sanctions économiques des pays occidentaux.

Août 1988 Nelson MANDELA, chef du

Congrès national africain, A.N.C., sort de prison pour être hospitalisé.

Septembre 1989 Le président DE KLERK succède à BOTHA.

Février 1990 Nelson MANDELA est libéré. Triomphe pour l'ethnie Xhosa.

Méfiance et hostilité de l'ethnie zoulou, de Mangosuthu BUTHELEZI, du parti Inkatha.

Juin 1990 Fin de l'état d'urgence. Permanence des luttes tribales.

Avril 1991 La fin de l'apartheid est annoncée et réalisée en juin.

19 février 1992 Élection partielle de POTCHEESTROOM.

Succès du Parti conservateur du pasteur Andries TREURNICHT, favorable à l'apartheid.

Mars 1992 Le président DE KLERK consulte par référendum la population blanche sur la poursuite de sa politique. Il est approuvé.

Mai 1994 Le parlement sud-africain élit Nelson MANDELA à la présidence de l'État.

11 octobre 1996 Premier procès de responsables de l'apartheid : acquittement du général Magnus MALAN, l'ancien ministre de la Défense accusé d'avoir commandé un massacre de civils.

10 décembre 1996 Le président Nelson MANDELA signe le texte de la nouvelle Constitution, mettant définitivement fin à la période de l'apartheid.

Afrique francophone

12 janvier 1994 14 pays africains décident de leur propre chef la première dévaluation du franc CFA dont la parité était garantie depuis 1958 par la France.

Algérie

Octobre 1988 Émeutes à Alger, réprimées par l'armée fidèle au président Chadli BENDJEDID.

Février 1989 Nouvelle constitution qui met fin au régime du parti unique, le F.L.N. Le F.I.S. (Front islamique du salut) s'organise.

Juin 1991 Élections annoncées, puis vite reportées. Émeutes. État de siège proclamé. Les dirigeants du F.I.S. sont arrêtés.

26 décembre 1991 Premier tour des élections législatives, favorables au F.I.S. (188 sièges sur 430).

12 janvier 1992 Elles sont annulées sans attendre le deuxième tour prévu pour le 16 janvier. Après la démission de Chadli BENDJEDID, un Haut Comité d'État (H.C.E.), présidé par Mohamed BOUDIAF, concentre tous les pouvoirs le 14 janvier.

Arrestation de plusieurs milliers de militants du F.I.S.

4 mars 1992 Le F.I.S. est interdit. Des camps de sûreté sont créés au Sahara.

29 juin 1992 Assassinat du président BOUDIAF.

Mars 1993 Multiplication des attentats islamistes.

16 novembre 1995 Pour la première fois depuis 1962, les Algériens élisent leur chef de l'État. C'est le président sortant Liamine ZÉROUAL qui est élu.

21 mai 1996 Assassinat de sept moines trappistes à Tibehirine, reconnu par le GIA quelques jours plus tard.

5-6 novembre 1996 Massacre de Sidi el-Kébir.

28 novembre 1996 Lors d'un référendum, attirant 90 % des votants, le projet de révision de la Constitution visant à instaurer l'islam religion d'État, à interdire les partis religieux et régionaux et à accroître les pouvoirs du président de la République, est approuvé par 85,81 % des bulletins, truqués selon l'opposition.

23 avril 1997 Le plus gros attentat perpétré par les islamistes depuis 5 ans : 93 morts dans l'Algérois.

Angola

30 janvier 1986 Jonas SAVIMBI, chef des maquisards du mouvement Unita, puissant dans le sud-est du pays, reçoit la promesse d'aide militaire du président REAGAN.

20 juillet 1988 Accord entre le président José Eduardo DOS SANTOS, l'Afrique du Sud et Cuba sur le retrait parallèle des troupes étrangères intervenant dans le pays.

Mai 1991 Instauration d'un régime multipartite. José Franco VAN DUNEM devient Premier ministre.

8 février 1995 L'O.N.U. envoie 7 000 casques bleus pour appliquer les accords de paix de novembre 1994

1er mars 1996 Eduardo DOS SANTOS et Jonas SAVIMBI décident la formation d'un gouvernement d'union nationale.

Burkina Faso

1987 Le président Th. SANKARA est destitué au profit de Blaise COMPAORÉ.

Décembre 1991 Réélection de Blaise COMPAORÉ.

Février 1995 Fin du cycle électoral mis en place en 1991. Victoire de l'ODP-MT, le Mouvement du travail qui l'emporte devant le PDP, le Parti pour la démocratie et le progrès.

Cameroun
Avril 1991 30 tués sur le campus de Yaoundé.
13 novembre 1991 Déclaration tripartite gouvernement et partis de l'opposition sur un projet de réforme de la constitution.
1992 Forte opposition au président Paul BIYA à Bamenda dans le nord-ouest du pays et dans les faubourgs de Douala.
2 mars 1992 Consultation électorale favorable au président Paul BIYA.

Comores
Septembre 1995 Les troupes françaises font échec au coup d'État de Bob DENARD aux Comores.

Congo
20 janvier 1992 Coup d'État des militaires qui renversent le gouvernement d'André MILONGO nommé en février par une conférence nationale réunie à Brazzaville.
Novembre 1993-février1994 Émeutes. Des centaines de morts, des milliers de réfugiés.
23 janvier 1995 Joachim OPANGO reconduit au poste de Premier ministre.

Côte-d'Ivoire
Février 1992 Graves émeutes à Abidjan dirigées contre le général Robert GUEÏ à la suite des violences commises par l'armée à l'université de Yopougon en mai 1991.
Mars 1992 Procès contre Laurent GBAGBO, secrétaire général du F.P.I. (Front patriotique ivoirien).
9 décembre 1993 Mort de Félix HOUPHOUËT BOIGNY, l'un des pères de l'indépendance.

Djibouti
Novembre 1991 Mobilisation générale contre l'offensive des Afars. Menace de guerre civile alors que le mouvement Frud organise la lutte contre le président Hassan GOULED.
26 décembre 1994 Signature d'un accord de paix, mais de nombreux problèmes demeurent.

Éthiopie
1988 Succès de la guérilla dans les provinces de l'Érythrée et du Tigre.
Une famine dévastatrice s'étend.
Mai 1991 Le lieutenant-colonel MENGUISTU, chef de l'État depuis février 1977, quitte son pays pour se réfugier au Zimbabwe, Addis-Abeba est libérée.
Le président Meles ZENAWI prépare les élections pour mars 1992.
L'Érythrée est pratiquement indépendante.
Le Front démocratique révolutionnaire du peuple éthiopien (F.D.R.P.E.) s'oriente vers la décentralisation fondée sur un « fédéralisme ethnique ».
Juin 1994 Victoire du F.D.R.P.E aux élections législatives, mais l'opposition boycotte les élections.

Gabon
Mai 1990 Intervention militaire française.
13 octobre 1994 Premier gouvernement ouvert à l'opposition.

Guinée
Décembre 1991 Fin du régime militaire.
Promulgation d'une constitution.
19 décembre 1993 Le général Lansana CONTÉ devient le premier président élu.

Guinée-Bissau
3 juillet 1994 Premières élections multipartites de l'histoire du pays. Victoire du P.A.I.G.C., l'ancien parti unique.

Libéria
15 septembre 1994 Coup d'État des partisans de feu le président Samuel K. Doe.
Le conflit n'est pas seulement tribal comme le prouve l'alliance contre-nature du N.F.P.L. (Front national patriotique du Libéria) de Charles TAYLOR et du L.C.P. (Conseil libérien de paix) pour permettre à Charles TAYLOR de reconquérir un accès sur la façade maritime.
2 janvier 1996 Roosevelt JOHNSON, chef de la branche krahn du Mouvement uni de libération (Ulimo-k) commet des massacres au nord-ouest de Monrovia et remet en cause les accords de paix du 19 août.
6-7 avril 1996 Combats, pillages à Monrovia à la suite de l'arrestation du chef de guerre Roosevelt JOHNSON.

Libye
14 avril 1986 Tripoli et Benghazi sont bombardées par l'aviation américaine en représailles contre un attentat dans une discothèque berlinoise où deux soldats américains ont été tués.
28 août 1991 Inauguration de la première tranche de travaux du projet « grand fleuve artificiel » destiné à ravitailler la côte en eau douce.
Mars 1992 Les recherches sur les origines

de deux catastrophes aériennes dues à des attentats à la bombe (Lockerbie en décembre 1988, la chute du DC 10 d'U.T.A. dans le désert de Niger) conduisent vers les services secrets libyens.

Madagascar
1991 Pendant six mois, le président Didier Ratsiraka est contesté par des foules hostiles à l'achèvement de son troisième septennat. Formation d'un gouvernement de transition dirigé par M. Razanamasy.
1993 Le Pr Albert Zafy succède à Didier Ratsiraka et affirme vouloir tenter l'ouverture et la démocratisation.
5 septembre 1996 Le Pr Albert Zafy empêché d'exercer le pouvoir est remplacé par Norbert Ratsirahonana, président par intérim.
Janvier 1997 Retour de Didier Ratsiraka à la présidence de la république. Il est élu avec 50 % d'abstentions et 50,7 % des suffrages.

Maroc
Août 1988 Le Maroc accepte le plan de l'O.N.U. sur un cessez-le-feu dans l'ancien Sahara espagnol revendiqué par le front Polisario, soutenu par l'Algérie.
Un référendum est envisagé, sous les auspices de l'O.N.U., pour fixer l'attribution définitive du territoire.
3 mars 1992 Le roi Hassan II annonce une révision de constitution.
8 juillet 1994 Le roi Hassan II en appelle à l'ouverture aux partis d'opposition pour un gouvernement d'unité nationale.

Mauritanie
Décembre 1984 Prise de pouvoir par le colonel Maaouya Ould Taya.
Mars 1992 Élections. Lutte entre le P.R.D.S. (Parti républicain démocrate et social), parti du président, et l'U.F.D. (Union des forces démocratiques) d'Ahmed Ould Daddah.
25 janvier 1995 Mokhtar Ould Daddah, le « père de l'indépendance » mauritanienne exilé en France, lance un appel à l'unité nationale et tente de renforcer l'opposition.

Mozambique
1984-1988 Suite au désengagement de Prétoria, la guérilla cherche d'autres soutiens et parvient à mobiliser une partie de la population rurale
1988-1992 La RENAMO (Résistance nationale mozambicaine) connaît une désaffection croissante des civils à son égard.

27-28 octobre 1994 Premières élections pluralistes du pays qui ramènent au pouvoir l'ancien parti unique le FRELIMO.
9 décembre 1995 Fin du mandat de l'O.N.U.

Namibie
Juillet 1988 Accord entre l'Afrique du Sud, l'Angola et Cuba.
Après le départ des forces cubaines d'Angola, l'Afrique du Sud promet de retirer des troupes de Namibie.
Mars 1990 Indépendance de la Namibie dirigée par la SWAPO.
8 décembre 1994 Succès de la SWAPO aux élections législatives.

Niger
12 mars 1992 Journées de trouble : Niamey au pouvoir des militaires engagés dans des combats difficiles avec les Targui du sud du Sahara.
9 octobre 1994 Rapprochement entre le gouvernement et les Targui.
12 janvier 1995 Victoire de l'opposition aux élections législatives. Cohabitation avec le président Mahamane Ousmane.
15 avril 1995 Signature d'un accord définitif de paix entre le gouvernement et les Targui.

Sénégal
1988 Réélection d'Abdou Diouf à la présidence.
1991 Entrée d'opposants au gouvernement, comme Abdoulaye Wade.
21 février 1993 Réélection à la présidence de la République d'Abdou Diouf.
Janvier 1995 Accrochages réitérés entre les indépendantistes et l'armée en Casamance.
15 mars 1995 Gouvernement d'ouverture.

Sierra Leone
11-12 juin 1994 Attaques du FRU (Front révolutionnaire unifié) contre le centre du pays.
16 janvier 1996 Coup d'État « pacifique ».
Février-mars 1997 L'élection présidentielle multipartite est remportée par Ahmad Tejan Kabbah.
25 mai 1997 Pour la troisième fois en cinq ans, les militaires prennent le pouvoir et chassent le président.

Somalie
1986 Le général S. Barre, président depuis 1976, remporte les élections.
Janvier 1991 Il est chassé après de violents combats à Mogadiscio. La guerre civile se déchaîne entre clans rivaux du

Congrès de la Somalie unifiée (Ali MAHDI et la faction Aideed) : 20 000 morts.

Mai 1993 Intervention des marines américains. Opération « Restore Hope ».

Octobre 1993 Le général AYDIID sort apparemment vainqueur de la crise.

Fin mars 1994 Échec politique de « Restore Hope ». Départ sans honneur des troupes américaines pour mettre fin à la lutte pour le pouvoir qui ravage le pays.

2-3 mars 1995 Retrait des derniers casques bleus.

Soudan

Juillet 1989 Le gouvernement de Sadiq AL-MAHDI est renversé par un coup d'État du général BESHIR. Il est soutenu par Hassan AL-TURABI, leader du Font national islamique, hostile aux régimes des pays musulmans modérés.

Persistance de la dissidence des chrétiens dans le sud du pays.

15 août 1994 Remise à la France du terroriste CARLOS.

Juillet 1994 et février 1995 Remaniements qui renforcent le pouvoir des islamistes.

31 janvier 1996 L'O.N.U. condamne le Soudan pour son soutien au terrorisme.

Tanzanie

19 février 1992 Le parti du président Hassan MWINYI, le C.C.M. (Chama Cha Mapinduzi) renonce au monopole du pouvoir.

La guerre dans la région des grands lacs

Volonté d'autonomie de Zanzibar qui voudrait une révision de l'Acte d'union de 1964.

1994 Le 30ᵉ anniversaire de l'Union n'empêche pas les conflits entre les îles et le continent, les chrétiens et les musulmans, les Arabes et les Africains.

Décembre 1994 Cleopa MSUYA remplace John MALECELA au poste de Premier ministre.

12 décembre 1996 L'annonce du gouvernement de fermer les camps implantés sur son territoire provoque le départ de 300 000 réfugiés hutus rwandais.

Tunisie

1987 Le président BOURGUIBA, nommé à vie, est déposé.

Juillet 1988 M. BEN ALI, chef de l'État, publie l'amendement à la Constitution voté par les députés : la présidence à vie est supprimée.

12 avril 1995 Signature avec l'Union européenne d'un accord d'association supposant la création à moyen terme d'une zone de libre-échange.

La guerre dans la région des grands lacs (Zaïre-Rwanda-Burundi-Ouganda)

1987 Au Burundi, le président J.-B. BAGAZA est renversé au profit du président BUYOYA.

Août 1988-novembre 1991 Massacres entre ethnies Tutsi et Hutu au Burundi.

1ᵉʳ octobre 1990 Première offensive des Tutsis du Front patriotique rwandais (F.P.R.) dans le nord du Rwanda. Intervention militaire française : le régime du président HABYARIMANA (hutu) est sauf.

Septembre-octobre 1991 Révoltes de soldats au Zaïre, pillages ébranlent le pouvoir du président MOBUTU. Des opposants comme TSHISEKEDI et Nguz Karl I BOND.

Janvier-février 1992 Grave conflit au Zaïre avec les catholiques, notamment à Kinshasa.

4 août 1993 Les accords d'Arusha (Tanzanie) entre le gouvernement rwandais et le F.P.R. prévoient un gouvernement partagé entre Tutsis et Hutus.

Octobre 1993 Coup d'État au Burundi.

6 avril 1994 L'avion du président Habyarimana est abattu. Le 7, début du génocide des Tutsis rwandais et des Hutus du Sud (opposés à ceux du Nord, alliés au Tutsi).

14 juillet 1994 Les Tutsis du F.P.R. prennent le pouvoir à Kigali, provoquant la fuite de 1,5 million de Hutus vers le Zaïre.

Avril 1995 Massacre du camp de réfugiés

hutus de Kibeho.

Début d'une épidémie de fièvre Ebola dans la région de Kikwit au Zaïre.

Mars 1996 Dans le Nord-Kivu, l'armée zaïroise et les miliciens hutus rwandais massacrent les Tutsis banyamulenges.

Été 1996 L'armée zaïroise et des miliciens hutus basés dans les camps de réfugiés se livrent à une « chasse aux Tutsis » dans le Sud-Kivu. Les Banyamulenges (Tutsis du Zaïre) organisent leur « autodéfense » avec l'aide du Rwanda.

14 septembre 1996 Début du *Blitzkrieg* tutsi. Les miliciens hutus et l'armée zaïroise sont mis en déroute par les Banyamulenges.

Fin septembre 1996 La ville de Fizi tombe aux mains des insurgés banyamulenges. Fondation de l'A.F.D.L.C., coalition des opposants régionaux au président MOBUTU SESE SEKO, par Laurent-Désiré KABILA, lui-même natif du sud du Zaïre.

13 octobre 1996 Fuite de dizaines de milliers de réfugiés hutus rwandais, installés dans les camps de la région d'Uvira (Sud-Kivu) devant la rébellion des Banyamulenges.

20 octobre 1996 Environ 250 000 réfugiés hutus rwandais et burundais sont jetés sur les routes.

28 octobre 1996 Situation humanitaire « désespérée » selon le H.C.R. Plus de 500 000 personnes errent sur les routes.

31 octobre 1996 Environ 300 000 réfugiés supplémentaires fuient leurs camps près de Goma.

1ᵉʳ novembre 1996 Le Conseil de sécurité demande un cessez-le-feu et l'arrêt des « incursions transfrontalières ».

2 novembre 1996 Violents combats à Goma.

4 novembre 1996 Le chef rebelle Laurent-Désiré KABILA annonce un cessez-le-feu unilatéral de trois semaines.

6 novembre 1996 Kinshasa se déclare favorable à l'envoi d'une force multinationale.

9 novembre 1996 Violents combats, notamment autour du camp de Mugunga (qui tombera le 15 novembre), au nord de Goma.

11 novembre 1996 Les premiers convois humanitaires arrivent à Goma, mais les rebelles refusent qu'une aide soit acheminée dans Bukavu.

13 novembre 1996 Washington donne son accord pour participer à une opération humanitaire internationale (4 000 à 5 000 hommes). Le Canada doit prendre le commandement de cette force, constituée essentiellement de Britanniques, de Français et de dix-sept autres participants européens et africains.

14-15 novembre 1996 Les rebelles tutsis zaïrois attaquent le camp de Mugunga, le plus grand camp de réfugiés du monde. Des centaines de milliers de réfugiés hutus installés au Zaïre retournent au Rwanda.

15 novembre 1996 Le Conseil de sécurité de l'O.N.U. autorise le déploiement d'une force multinationale « temporaire » d'aide aux réfugiés, dans l'est du Zaïre. Après la fuite des militaires zaïrois et des miliciens hutus, des centaines de milliers de réfugiés hutus rwandais venus de Mugunga et Sake déferlent sur Goma et rentrent au Rwanda.

22 novembre 1996 Réunion à Stuttgart, sous l'égide du Canada, des dix-neuf pays de la force multinationale. Différentes options sont examinées pour l'envoi de la force multinationale au Zaïre.

27 décembre 1996 Premiers procès des auteurs présumés du génocide de 1994.

4 mai 1997 Entrevue entre le président MOBUTU SESE SEKO et Laurent-Désiré KABILA, le chef de l'Alliance des forces démocratiques pour la libération du Congo-Zaïre (A.F.D.L.).

16 mai 1997 Démission du président MOBUTU SESE SEKO.

20 mai 1997 Laurent-Désiré KABILA arrive à Kinshasa et proclame la République démocratique du Congo. Aucune ouverture vers l'opposition.

Zimbabwe

1987 Fusion de la Zanu et de la Zapu, système présidentiel dominé par Robert MUGABÉ, du parti Zanu. Projet de réforme agraire.

1990 Le ministre des Finances B. CHIDZERO a dû consentir une dévaluation de 50 % du dollar du Zimbabwe.

9 avril 1995 Les élections législatives confirment une certaine stabilité politique du pays.

Amérique du Nord

Canada

Avril 1987 Le Premier ministre Brian MULRONEY réussit à faire accepter aux dix provinces les accords de Meech Lake, reconnaissant la « société distincte » du Québec.

1990 Crise constitutionnelle. Gary FILMON, représentant le Manitoba, retire son soutien aux accords. Il est suivi par le Nouveau-Brunswick et Terre-Neuve.

23 juin 1990 Crise constitutionnelle. Le Premier ministre Brian MULRONEY ne réussit pas à faire adopter par les dix provinces canadiennes l'accord du lac Meech qui reconnaît le Québec comme société distincte.

1991 Opposition croissante des Indiens inuits aux travaux hydroélectriques de la baie James.

26 octobre 1992 Nouvel échec constitutionnel pour le Premier ministre Brian MULRONEY. L'accord de Charlottetown est rejeté par voie référendaire. La population canadienne vote contre cet accord constitutionnel dans une proportion de 56,7 %

30 octobre 1995 Le gouvernement de la Province de Québec soumet la population à une consultation populaire pour décider de l'avenir politique et économique de la Province. Les Québécois se prononcent, par voie référendaire, contre la proposition d'un nouveau partenariat économique et politique avec le Canada, dans une proportion de 50,58 %. Jacques PARIZEAU quitte son poste de Premier ministre du Québec et est remplacé par Lucien BOUCHARD, le 29 janvier 1996.

États-Unis

19 octobre 1987 Krach à Wall Street. Baisse de l'indice Dow Jones de 22,6 % en une séance.

8 décembre 1987 Sommet REAGAN-GORBATCHEV :
Traité de Washington sur le démantèlement des armes atomiques intermédiaires avec l'U.R.S.S.
Élimination d'Europe des Pershings et des cruises américains, des SS 20 et des SS 4 soviétiques.

24 mars 1988 Les protagonistes de l'« Irangate » dont le colonel NORTH comparaissent devant une cour fédérale.

8 novembre 1988 Élections présidentielles :
George BUSH, ancien vice-président de Ronald REAGAN, est élu avec 54 % des voix.
Le candidat démocrate Michel DUKAKIS ne recueille que 46 % des voix.
James BAKER est nommé secrétaire d'État.

Décembre 1989 Intervention militaire contre le général Manuel NORIEGA au Panama.
Il est transféré à Miami pour être jugé pour trafic de drogue.

Août 1990 Après l'invasion du Koweït par l'Irak (2 août), George BUSH agit dans le respect des recommandations du Conseil de sécurité (résolutions 660 et 678) et lance l'opération « Bouclier du désert » le 7 août.

9 janvier 1991 Rencontre de la dernière chance entre James BAKER et Tarek AZIZ, représentant de l'Irak, à Genève.

Janvier-février 1991 Après avoir confié la direction des opérations militaires au général SCHWARZKOPF, George BUSH

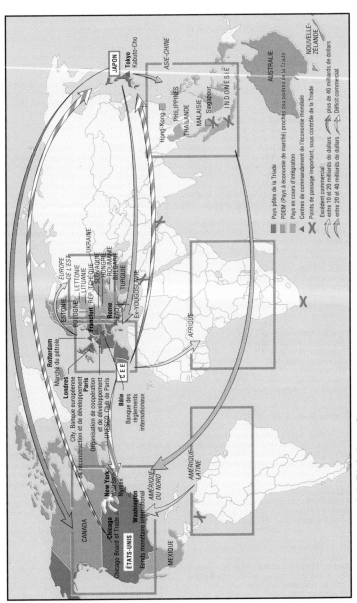

Le commerce des pays de la Triade économique

arrête les hostilités le 28 février, le Koweït étant libéré.

25 juillet 1991 Abandon du programme de navette spatiale.

1992 Duel George BUSH (parti républicain)/Bill CLINTON (parti démocrate) pour les élections présidentielles de novembre.

Janvier 1993 Bill CLINTON élu président des États-Unis.

Février 1994 Levée de l'embargo américain sur le Vietnam.

1er octobre 1994 Accord commercial sur l'ouverture des marchés publics japonais aux entreprises américaines.

8 novembre 1994 Victoire écrasante des républicains aux élections législatives. Pour la première fois en quarante ans, le parti est majoritaire aux deux chambres du Congrès.

19 avril 1995 L'explosion d'une bombe posée par l'extrême droite dans un édifice fédéral à Oklahoma City fait plus de 150 victimes.

Mai 1995 Washington menace d'imposer des droits de douane de 100 % sur 13 modèles de luxe si Tokyo n'ouvre pas davantage son marché intérieur. Le Japon cède.

1995 Les États-Unis et le Vietnam normalisent leurs relations diplomatiques.

Mars 1995 Accord nucléaire entre les États-Unis et la Corée du Nord.

12 mars 1996 Le président Bill Clinton vote une loi renforçant l'embargo contre Cuba.

27 juillet 1996 Attentat à la bombe dans le parc du Centenaire des J.O. d'Atlanta, 2 morts, 112 blessés.

5 novembre 1996 Bill CLINTON est réélu à la présidence. C'est la première fois depuis Roosevelt qu'un président démocrate voit son mandat renouvelé.

Amérique du Sud

1er janvier 1995 Entrée en vigueur du Marché commun de l'Amérique du Sud (Argentine, Brésil, Paraguay et Uruguay), le Mercosur.

Argentine

14 mai 1989 Carlos MENEM, candidat péroniste à l'élection présidentielle, l'emporte sur les partisans du parti justicialiste (P.J.) et de l'Union civile radicale (U.C.R.)

Il s'oriente vers le libéralisme économique.

Octobre 1989 Amnistie pour les prisonniers de l'extrême droite et de l'extrême gauche (ex-Montoneros).

3 décembre 1990 Soulèvement de la droite nationaliste des forces armées (Carapintadas) qui échoue à la veille de la visite de George BUSH qui assure Carlos MENEM de son soutien.

Février 1991 Domingo CAVALLO devient ministre de l'Économie.

Il signe un traité de libre-échange avec le Brésil, le Paraguay et l'Uruguay (Mercosur).

14 mai 1995 Réélection de Carlos MENEM à la présidence. Le renouvellement de la Chambre donne la majorité absolue au parti justicialiste.

Brésil

1990 Le président F. COLLOR DE MELLO est élu au suffrage direct, en promettant d'abattre l'inflation. Le ministre de l'Économie, Mme Zelia CARDOSO DE MELLO, lutte contre l'indexation des salaires sur les prix.

1er juillet 1994 Nouvelle monnaie : le real.

3 octobre 1994 Henrique CARDOSO, candidat du parti social-démocrate, élu président avec 54,6 % des suffrages contre 27 % au candidat de la gauche.

Chili

5 octobre 1988 Plébiscite sur le prolongement de mandat du général PINOCHET jusqu'en 1997. Les « non » l'emportent (54,71 %).

1989 Ministre des Finances libéral de 1985 à 1989, Herman BUCHI est battu par Patricio AYLWIN à l'élection présidentielle.

1994 Eduardo FREI (fils du président du même nom), chef de la Démocratie chrétienne, remplace AYLWIN à la Présidence.

Colombie

Janvier 1988 Assassinat de Carlos Mauro HOYOS, procureur général, par un groupe de trafiquants de drogue menacés d'extradition vers les États-Unis.

Juin 1991 Pablo ESCOBAR, chef du cartel de Medellin, se rend aux autorités.

1992 Le président César GAVIRIA a réussi à réintégrer dans la vie publique les anciens guérilleros du mouvement M 19, comme Antonio Navarro WOZFF (Alliance démocratique).

Mars 1994 Élections législatives, victoire du Parti libéral.

19 juin 1994 Victoire du libéral Ernesto SAMPER à l'élection présidentielle.

Cuba

Juillet 1989 Exécution de quatre officiers supérieurs dont le général Arnaldo OCHOA pour trafic de drogue.

1990-1991 Diminution très rapide des

échanges dans le cadre du Comecon (sucre contre pétrole).

Instauration du rationnement.

20 janvier 1992 Exécution des membres d'un commando d'opposants anticastristes.

Juillet-septembre 1994 Départ massif de réfugiés cubains vers la Floride.

9 septembre 1995 Accord entre La Havane et Washington sur l'émigration cubaine.

19 septembre 1995 Tolérance d'une économie de marché.

Guatemala

1986 Mario Vinicio CEREZO (chr.-dém.) est élu président. Tentatives de coup d'État militaires écrasées en 1988-1989 par H.-A. Gramajo MORALES, ministre de la Défense.

29 décembre 1996 Accord de paix mettant fin à la guerre civile entre la guérilla et le gouvernement, qui, en trente-six ans, a fait plus de 100 000 morts et 40 000 disparus.

Haïti

Décembre 1990 Élection du père Jean-Bertrand ARISTIDE. Lutte contre la corruption et les milices privées.

30 septembre 1991 Coup d'État du général Raoul CEDRAS. Le père J.-B. ARISTIDE contraint à l'exil.

31 juillet 1994 L'O.N.U. autorise les États-Unis à intervenir militairement en Haïti. Ils chassent les putschistes. Le 31 mars, les casques bleus prennent le relais. L'O.N.U. lève les sanctions contre Haïti.

15 octobre 1994 Retour d'exil du président Jean-Bertrand ARISTIDE.

Mexique

Décembre 1988 Élection du président Salinas de Gortari, favorable au libéralisme économique. Privatisation des grandes entreprises.

Distribution de la terre des « ejidos ».

Mai 1991 Signature d'un traité de libre-échange avec les États-Unis.

1er janvier 1994 Insurrection des zapatistes.

21 août 1994 Ernesto ZEDILLO du parti révolutionnaire institutionnel élu président de la République.

Nicaragua

1987 Proposition en dix points du président du Costa Rica, ARIAS, pour la restauration de la démocratie dans le pays.

1988 Armistice de Sapoa.

1990 Les Sandinistes sont battus aux élections par une coalition centre-droit menée par Violeta BARRIOS DE CHAMORRO.

Francesco J. MAYORGA, à la tête de la Banque centrale, oriente l'économie vers le libéralisme.

20 octobre 1996 Élection présidentielle : le candidat de l'Alliance libérale Arnoldo ALEMAN obtient 49,34 % des voix au premier tour et l'emporte sur le sandiniste Daniel ORTEGA.

Pérou

1990 Alberto FUJIMORI, d'origine japonaise, est élu président. Lutte contre l'inflation et contre le terrorisme du groupe maoïste « Sentier lumineux ».

Février 1995 Le Pérou et l'Équateur signent une déclaration de paix mettant fin au conflit frontalier pour le contrôle de la cordillière du Condor.

9 avril 1995 Le président Alberto FUJIMORI est réélu.

1996 Bilan de la guerre depuis 1980 : 30 000 morts et 5 000 disparus.

17 décembre 1996-23 avril 1997 Prise d'otages par le Tupacamarou à l'ambassade du Japon à Lima.

Salvador

1989 Président élu : A. CRISTIANI du parti Arena.

Décembre 1991 Accord entre le gouvernement et la guérilla pour arrêter les combats.

1er février 1992 Cessez-le-feu officiel. Les stations de radio « Vinceremos » et « Farabundo Marti » sont reconnues officiellement.

24 avril 1994 Victoire d'Armando CALDERON SOL du parti d'extrême droite Alliance républicaine nationaliste (Arena).

Juin 1994 Multiplication des actes de vandalisme.

Uruguay

27 novembre 1994 L'ancien président Julio Maria SANGUINETTI (1985-1990) retrouve la présidence.

Venezuela

1989 Carlos ANDRES PEREZ est réélu président.

3-4 février 1992 Il échappe à une tentative de putsch qui avait gagné Caracas, Maracay, Valencia et Maracaibo.

5 décembre 1993 Rafaël CALDERA est élu président.

27 juin 1994-4 juillet 1995 Suspension des garanties constitutionnelles.

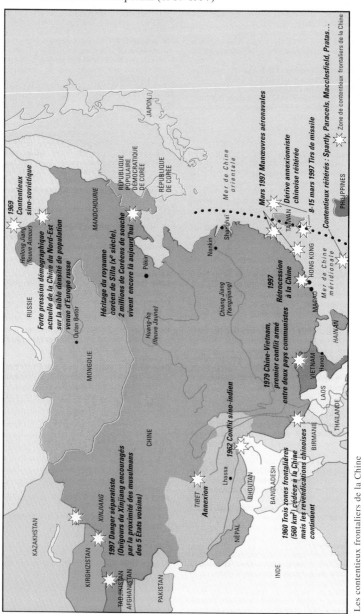

Les contentieux frontaliers de la Chine

Asie

Birmanie (Myanmar)
Juillet 1988 Le général NE WIN, au pouvoir depuis 1962, donne sa démission. Le général SEIN LWIN le remplace.

Août 1988 L'émeute le chasse. M. MAUNG MAUNG devient chef de l'État. Le pouvoir civil s'installe.

Septembre 1988 Revanche de l'armée (général SAW MAUNG).

Juillet 1989 Mme AUNG SAN SUU KYI, chef de l'opposition, est internée.

Octobre 1991 Elle reçoit le prix Nobel.

Août 1996 La junte birmane condamne à 7 ans de prison une dizaine des membres du parti d'Aung San Suu Kyi, le Parti national pour la démocratie (NDL).

Cambodge
Septembre 1989 Retrait des troupes vietnamiennes. Guérilla menée par le gouvernement en exil du « Kampuchea démocratique ».

Juillet 1991 Conférence de Pattaya en Thaïlande présidée par le prince Norodom SIHANOUK, réunissant le Premier ministre HUN SEN, soutenu par le Vietnam, et le représentant des Khmers rouges, Khieu SAMPAN. Espoir de paix après douze ans de guerre civile avec le retour de Norodom Sihanouk.

Janvier-février-mars 1992 Arrivée des premiers détachements de troupes envoyées par les Nations unies.

Mai 1993 Les élections aboutissent à un gouvernement de coalition formé par les sihanoukistes et les ex-communistes.

7 juillet 1994 Le Parlement vote la mise hors la loi des Khmers rouges.

République populaire de Chine
5-7 mars 1989 Violentes émeutes antichinoises à Lhassa.

4 juin 1989 Massacre de la place Tienanmen.
Le Premier ministre LI PENG donne l'ordre à l'armée de briser le mouvement étudiant favorable à des réformes libérales.
ZHAO ZIYANG, favorable à l'ouverture, quitte le gouvernement.

Février 1991 Devant les événements de Russie, DENG XIAO PING, vétéran du P.C. chinois, maintient la rigueur de la ligne politique, mais fait accélérer le rythme des réformes économiques : développement dans la province de GUAYNGDONG des trois zones de Shenzhen, Zhuhai, Shantou, inspirées par l'exemple de Hong Kong.

14 mai 1991 Jiang Ging, veuve de MAO-TSÉ-TOUNG, en prison depuis 1976, se suicide à Pékin.

17 juillet 1991 Rapprochement de la Chine et du Vietnam.
Le Conseil national suprême (C.N.S.) khmer se réunit à Pékin pour envisager le retour de Norodom Sihanouk à Phnom-Penh.

12 octobre 1995 WANG XIZHE, un des dissidents chinois les plus célèbres réussit à gagner les États-Unis.

15 janvier 1997 Mort de DENG-XIAOPING, JIANG ZEMIN lui succède.

Chine-Taïwan
1er mai 1991 Le président LEE TENG-HUI annonce la fin de l'état de guerre avec la Chine continentale.
Nouvelles élections qui marquent la rupture avec l'ancien Kuomintang.

12 mars 1996 Manœuvres à tirs réels et missiles à blanc au large de Taïwan. Les États-Unis dépêchent des porte-avions. Fin des manœuvres le 28.

23 mars 1996 Première consultation au suffrage universel dans l'Histoire de la Chine : élection du président sortant LEE TENG-HUI.

Corée du Nord
Janvier 1992 Accord entre les deux Corées pour dénucléariser la péninsule coréenne.

9 juillet 1994 Mort du dictateur nord-coréen KIM IL-SUNG après un demi-siècle de règne ; il lègue le pouvoir à son fils KIM JONG-IL.

Début 1997 Situation humanitaire très préoccupante.

Corée du Sud
Décembre 1996 La Corée du Sud entre dans le club des pays riches, l'OCDE.

Décembre 1996-janvier 1997 Grève contre la réforme du travail et contre le renforcement du KCIA (service de renseignement) en Corée du Sud.

Début 1997 Élection de KIM YOUNG-SAN, qui a fait campagne contre la corruption. Les anciens présidents sont condamnés.

Hong-Kong
11 décembre 1996 La colonie britannique, qui sera restituée à la Chine le 1er juillet 1997, élit son premier chef de l'exécutif, Tung CHEE-HWA.

Inde
1986 Les extrémistes sikhs opposés au gouvernement de New-Delhi réoccupent le temple d'or d'Amritsar, symbole de leur religion.

1988 Développement du terrorisme sikh au Pendjab.

21 mai 1991 Assassinat de Rajiv GANDHI près de Madras. Le Parti du Congrès décapité. Rao devient président du Parti du Congrès et Premier ministre. Montée du parti nationaliste hindou, Bharatiya JANATA, très hostile aux musulmans et aux Sikhs.

7 mai 1996 Aux élections législatives, échec du Parti du Congrès pour la première fois depuis l'indépendance. Il est largement dépassé par la droite nationaliste hindouiste, le B.J.P.

Indonésie

10 mars 1988 Réélection du président SUHARTO pour un cinquième mandat.

1989 Visite du président à Moscou.

1991 La population atteint 181 500 000 habitants.
6 millions d'habitants de Java et de Bali ont été installés à Bornéo, à Sumatra et en Nouvelle-Guinée en vingt ans.

21 juin 1994 Renforcement de la censure.

Mars 1995 Vague d'arrestations de contestataires.

22 mai 1997 Megawati SOEKARNOPUTRI, leader de l'opposition annonce qu'elle ne votera pas aux élections législatives du 29 mai. Le régime autoritaire de SUHARTO l'a évincée en juin de la tête du parti démocratique (P.D.I.). Fin d'une campagne électorale très violente.

29 mai 1997 SUHARTO remporte les élections avec 70 % des voix, mais la fiabilité du scrutin est contestée et provoque des manifestations.

Bangladesh

Mars 1988 Le général ERSHAD, appuyé par le parti Satiya, gagne les élections boycottées par l'opposition.

Décembre 1990 Le général ERSHAD se retire. Il est arrêté.

Mars 1991 La begum Khaieda ZIA, veuve de Zidur RAHMAN, est élue présidente. Elle l'emporte sur Hasina WAJID, soutenue par la ligue Awami.

24 septembre 1993 Fatwa lancée contre l'écrivain Talisma NASREEN.

Février-mars 1995 Succès du parti hindouiste fondamentaliste aux élections régionales.

Japon

1989 Mort de l'empereur HIRO-HITO.

Août 1989 TOSHIKI KAIFU, Premier ministre, après la chute de NOBORU TAKESHITA, atteint par le scandale Recruit.

27 octobre 1991 KIICHI MIYAZAWA, du parti libéral-démocrate, est nommé Premier ministre. Son parti est atteint par le scandale Sagawa.

1992 Tension avec la Russie. Le Japon réclame toujours le retour des trois îles Kouriles envahies par l'U.R.S.S. en 1945.

21 juin 1994 Attentat au gaz sarin.

29 août 1994 Inauguration de l'aéroport de Kansai, bâti sur une île artificielle.

17 janvier 1995 Séisme à Kobé, plus de 5 500 morts.

20 mars 1995 Nouvel attentat au gaz sarin. La secte Aum Shinrikyo est mise en cause.

11 janvier 1996 Nomination au poste de premier ministre de Ryutaro HASHIMOTO (P.L.D.).

Malaisie

24-25 avril 1995 Victoire aux élections législatives de la coalition du front national, le parti islamiste obtient 7 sièges en dépit de la lutte gouvernementale contre les islamistes.

Népal

29 novembre 1994 Après la victoire aux législatives du parti marxiste-léniniste, formation du premier gouvernement communiste de l'histoire du Népal.

Pakistan

17 août 1988 Le général ZIA est tué dans l'explosion de son avion.
Le parti du peuple (P.P.P.) dirigé par Mme Benazir BHUTTO s'assure la majorité à l'Assemblée.

Août 1990 Le président Ghulam ISHAQ KHAN renvoie B. BHUTTO, premier ministre, et tout son cabinet accusé de corruption. Le Premier ministre Nawaz SHARIF poursuit les militants du P.P.P.

4 novembre 1996 Nouveau limogeage du premier ministre Benazir BHUTTO accusée d'incompétence et de corruption par l'opposition islamiste.

Philippines

1992 Réapparition politique d'Imelda MARCOS, veuve du président Ferdinand Marcos. Elle attaque Mme la présidente Corazo AQUINO, par l'intermédiaire d'Eduardo COJUANGCO, candidat aux élections présidentielles du mois de mai. Évacuation de la base américaine de Subic, très endommagée par l'éruption du volcan Pinatubo. Le président Fidel RAMOS succède à Mme AQUINO.

2 septembre 1996 Accord de paix signé entre les autorités de Manille et le Front

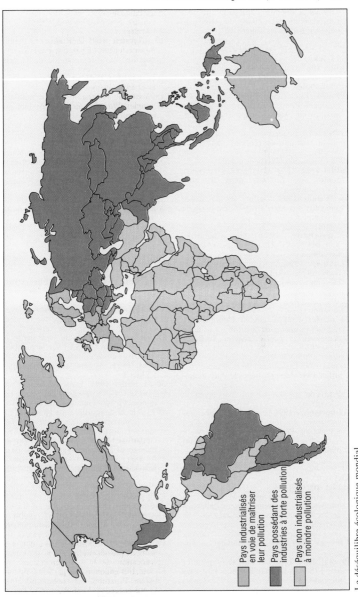

Pays industrialisés
en voie de maîtriser
leur pollution

Pays possédant des
industries à forte pollution

Pays non industrialisés
à moindre pollution

Le déséquilibre écologique mondial

national de libération afin de mettre fin à l'insurrection musulmane du Mindanao qui sévit depuis les années 1970.

Sri Lanka
Juillet 1987 Débarquement d'une force de pacification indienne pour lutter contre les Tamouls.
1988 M. Ranasinghe PREMADASA est élu président. Partisan de la fermeté contre le séparatisme Tamoul. Appui des bouddhistes.
1988-1989 L'insurrection du Front de libération du peuple est réprimée dans le sud de l'île.
1990 Départ du contingent indien.
Juillet-août 1991 Offensive victorieuse contre les Tamouls dans le nord (Elephant Pass).
16-19 août 1994 Victoire de l'Alliance populaire aux législatives. C'est la fin de la domination du Parti national unifié au pouvoir depuis 1977.
9 novembre 1994 Me Chandrika KUMARATUNGA élue président de la République
31 janvier 1996 Attentat au camion piégé perpétré par les Tigres de libération de l'Eelam tamoul, 70 morts

Thaïlande
24 février 1991 Chatichai CHOONHAVAN, Premier ministre, est destitué par un coup d'État dirigé par le général Suchinda KRAPRAYOON.
Janvier 1995 Nouvelle Constitution.
19 mai 1995 Dissolution du parlement
2 juillet 1995 Avec 86 sièges le Parti démocrate ne peut se maintenir au pouvoir. Le Front de développement thaï prend le relais.
17 novembre 1996 Les élections générales anticipées donnent 125 sièges au New Aspiration Party (NAP) de Chaowalit YONGCHAIYUTH, nommé premier ministre.

Vietnam
Juillet 1991 NGUYEN CO THACH, ministre des Affaires étrangères, et MAI CHI THO, ministre de l'Intérieur, anciens collègues de LE DUC THO, sont éliminés au VIIe Congrès du P.C. Évacuation par la marine russe de la base de Cam-Ranh, en Annam.
4 février 1994 Levée de l'embargo américain.
10 mai 1997 Douglas PETERSON premier ambassadeur américain depuis la guerre du Viêtnâm.

Australasie

Australie
19 décembre 1991 Bob HAWKE, Premier ministre, cède la place à Paul KEATING qui, au cours de la visite de la reine d'Angleterre (février 1992), évoque l'éventualité de la rupture des liens avec la Couronne.
1992-1996 Paul KEATING premier ministre.
11 mars 1996 John HOWARD devient premier ministre.

Nouvelle-Calédonie
Avril 1988 Attaque d'un commando canaque sur un groupe de gendarmes à l'île d'Ouvea à l'occasion des élections présidentielles françaises. Prise d'otages.
Mai 1988 Libération des otages.
Juin 1988 Accord J. LAFLEUR – J.-M. TJIBAOU.
Août 1988 Accord sur un scrutin d'autodétermination pour 1998 préparé par M. ROCARD.
Ratification par référendum.

Sujets généraux

Armement atomique – équilibre stratégique
19 novembre 1990 Signature à Paris du traité sur la réduction des forces conventionnelles en Europe entre les membres de l'OTAN et du pacte de Varsovie.
Décembre 1990 Traité de Paris entre les 48 États de la C.E.S.E. sur la réduction des armes conventionnelles.
Juillet 1991 Accord de désarmement START I.
30-31 juillet 1991 Traité START. États-Unis et U.R.S.S. décident de réduire leur armement stratégique du quart.
1992 Danger de prolifération atomique. Les États héritiers de l'ancienne U.R.S.S. doivent respecter le traité START. Apparition de trois nouvelles grandes puissances atomiques en dehors de la Russie : l'Ukraine, la Biélorussie, le Kazakhstan. Risque de multiplication des petites puissances atomiques comme l'Irak, l'Iran, la Corée du Nord.
1993 2 000 essais nucléaires ont été effectués depuis 1945.
Janvier 1993 Accord START II. Traité de Paris sur la limitation et l'interdiction des armements chimiques.
10 septembre 1996 L'O.N.U. adopte le traité d'interdiction globale des essais nucléaires.
27 mai 1997 Signature de l'Acte fondateur régissant les relations à venir entre l'OTAN élargie à certains pays d'Europe centrale et la Russie qui marque la fin de la guerre froide. Boris ELTSINE annonce

que les pays signataires du traité ne seront plus sous la menace des ogives russes.

Catastrophes écologiques

24 mars 1989 Marée noire de l'*Exxon Valdez*, en Alaska. Quarante millions de tonnes de pétrole s'échappent des soutes du bateau dans le détroit du Prince-William.

Février 1991 Graves conséquences écologiques des sabotages ordonnés par Sadam HÜSSEIN dans la guerre du Koweït : marée noire dans le golfe Persique plus pollution atmosphérique provoquée par l'incendie des puits.

Février 1992 Devant le développement du trou dans la couche d'ozone, l'Europe des Douze décide de fixer à fin 1995 la date limite d'utilisation des produits chlorofluorocarbonés.

Juin 1992 Bilan pessimiste à La Conférence de Rio sur l'environnement et le développement organisée par les Nations unies.

28 mars-7 avril 1995 Accord de l'O.N.U. sur la limitation des émissions de gaz à effet de serre.

Médecine

29 janvier 1996 Premiers résultats prometteurs de la trithérapie comme traitement du sida.

20 mars 1996 Lien établi entre la maladie de Creutzfeldt-Jacob et l'encéphalopathie spongiforme bovine : la « crise de la vache folle » entraîne un embargo sur la viande bovine britannique et l'abattage de bovins.

1er janvier 1997 L'amiante est interdit en France.

INDEX

624   Index

TABLE

Antiquité — Hellénisme

Antiquité — Rome

Début du Moyen Age

Table 661

Moyen Age

Fin du Moyen Age

Renaissance

Réforme

Contre-Réforme

Époque classique

Table   663

Les nationalités

Les impérialismes

Table 665

Première guerre mondiale

L'entre-deux-guerres

Seconde guerre mondiale

Le monde contemporain (1945-1968)

Table 667

Le monde contemporain (1968-1979)

Le monde contemporain (1980-1986)

Le monde contemporain (1987-1992)

Le monde contemporain (1987-1997)

Dépôt légal août 1997
Número d'Editeur 1280
Imprimé en Espagne
par Gráficas Estella, S.A.